THE BOOK OF DANIEL

THE BOOK OF DANIEL

BIBLIOTHECA EPHEMERIDUM THEOLOGICARUM LOVANIENSIUM

CVI

THE BOOK OF DANIEL
IN THE LIGHT OF NEW FINDINGS

EDITED BY

A.S. VAN DER WOUDE

LEUVEN
UNIVERSITY PRESS

UITGEVERIJ PEETERS
LEUVEN

1993

CIP KONINKLIJKE BIBLIOTHEEK ALBERT I, BRUSSEL

ISBN 90 6186 531 X (Leuven University Press)
D/1993/1869/5
ISBN 90-6831-467-X (Uitgeverij Peeters)
D/1993/0602/12

© Leuven University Press/Presses Universitaires de Louvain
Universitaire Pers Leuven
Krakenstraat 3, B-3000 Leuven-Louvain (Belgium)

Uitgeverij Peeters, Bondgenotenlaan 153, B-3000 Leuven (Belgium)

PREFACE

Renewed interest in apocalyptic literature and the discovery of Daniel manuscripts among the Dead Sea scrolls, one of which should be dated only half a century after the final redaction of the biblical writing, have given a fresh impetus to the study of the book of Daniel. But the problems posed by it are far from being resolved: its bilingualism is an enigma that asks for a convincing answer, the character of its Greek versions (LXX and Theodotion) claims renewed attention, its genesis and tradition history are disputed and its social background is wrapped in riddles, not to mention the ongoing debate concerning the essential characteristics of apocalyptic. In order to treat these and other issues relating to the book of Daniel, sixteen specialists from seven different countries were invited to present and discuss their views with their colleagues and an international audience at the 40th session of the *Colloquium Biblicum Lovaniense* which took place from August 20-22, 1991, in the Pauscollege at Leuven. It was sponsored by the Theological Faculties of Leuven and Louvain-la-Neuve and by the Nationaal Fonds voor Wetenschappelijk Onderzoek (Brussels). The congress was attended by about one hundred participants and turned out to be a most stimulating meeting that induced to reconsider prevailing views and to take notice of new insights.

The present volume contains the text of the main lectures, of the seminar papers and of the large majority of the short papers read at the congress. The attentive reader will quickly become aware of the divergent views put forward in this publication concerning the interpretation of the book of Daniel, a fact which calls for a repeated and constant study of this biblical writing which played such an important role in the history of western civilisation.

I want to express my heartfelt thanks to the lecturers who made this colloquium a success, to the principal of the Paus Adrianus college who proved to be an unrivalled host, to the members of the biblical department of the theological faculty of Leuven university who helped me in several ways, and last but not least to the secretaries of the faculty office who saved me from mistakes, and to the members of the kitchenstaff who prepared excellent meals. All of them contributed in their own way to a rewarding and enjoyable meeting.

Groningen, March 1992   A.S. van der Woude

CONTENTS

INTRODUCTION

Scholarly investigation into the book of Daniel shows so many aspects that it is difficult to do justice to all of them in the course of one single congress. The organisers of the 40th *Colloquium Biblicum Lovaniense* refrained from dictating to the invited lecturers, and to those who volunteered for reading a short paper, the theme of their contribution in the hope that the main issues which are currently disputed with regard to the writing in question would be dealt with automatically. This hope became true to a large extent: the lectures delivered at the congress covered a wide field and gave a good impression of the divergent approaches and views that still exist in regard to the interpretation of the book. It is striking that no marked attention was paid to the theological relevance of the writing, which may indicate that many biblical scholars remain "ratlos vor der Apokalyptik".

I have arranged the papers collected in this volume according to their subject matter, although this was not always an easy task: many lectures resisted a clear attribution to a specific heading.

In his presidential address A.S. VAN DER WOUDE did not offer an overview of Daniel research in the last hundred years or so because K. Koch, P.R. Davies and R.G. Kratz have provided the scholarly world with comprehensive and critical surveys of Daniel studies from the named period. Instead, he presented his audience with a more or less new proposal with regard to the *bilingualism* of the book by claiming that this problem requires at least two answers. In the case of Daniel 7 it must be assumed that the relatively small extent of the verses added by the Maccabean author to the original Aramaic text constituted a motivation for supplementing the chapter in Aramaic. On the other hand, the leading principle which led to the translation of Dan 1,1–2,4a from Aramaic into Hebrew, seems to be the assigning of the authority which the original Aramaic book (ch. 1–7) already enjoyed, to the book as a whole, as soon as the chapters 8–12 were added to the writing.

With regard to the *Greek versions* of the book of Daniel, detailed attention was paid by P.-M. BOGAERT (Daniel 3LXX et son supplément grec) and J. LUST (The Septuagint Version of Daniel 4–5) to the Greek text of Daniel, ch. 3–5. According to the former, the complete publication of the papyrus 967 necessitates a new perusal of the supplements added by LXX and Theodotion to the original text of chapter 3. He concluded that Theodotion tried to adapt the LXX supplement to its context but that LXX shows traits that point to an originally independent text which originated in Egypt, perhaps as part of a narrative. LUST suggested that the different order of the chapters 4 and 5 in LXX and MT may be due to an alternative arrangement of originally independent episodes. The major differences between MT and LXX in these chapters are in his opinion connected with the heavily redacted composition of the Semitic text.

It did not come as a surprise that a number of papers read at the meeting were devoted to *Literary-critical and form-critical problems* as well as to the *tradition-historical* roots of the narratives and Daniel 7. Devorah DIMANT (Light on the Book of Daniel from New Qumranic Texts) dealt with two fragments of the Qumran manuscript 4Q390 which come from a copy of a hitherto unknown pseudepigraphical work, formulated as a divine discourse addressed to Moses and showing striking affinities to Jubilees, 1 Enoch 84–90, the Testament of Levi, the book of Daniel and the Testament of Moses on the one hand and to the Qumran community's literature, especially to the Damascus Document, on the other. Particularly noticeable is the septuple chronological system present in the fragments, which may throw new light on Daniel 9. K. KOCH (Die Harran-Stele des Nabonid, das Gebet des Nabonid und der Traum Nebukadnezzars Daniel 4) pointed out that the Prayer of Nabonidus (4QorNab) and the Harran findings elucidate the framework of Daniel 4, but that the Harran stelae are also important for explaining the motif of the tethering of the cosmic tree with an iron ring. The symbolism derives from the singular shape of the sceptre which is attributed to the king on the Nabonidus stelae. This sceptre looks like a stem robbed of its branches and decorated with ferrules. J.J. COLLINS (Stirring Up the Great Sea: The Religio-Historical Background of Daniel 7) confirmed that Daniel 7 must be interpreted against the background of Canaanite mythology. According to his view, this implicates that any source division that separates the sea from the heavenly figures can hardly be credible. The struggle between Antiochus Epiphanes and the Jews was looked upon as a re-enactment of the primordial struggle between the chaotic forces of the Sea and the rider of the clouds. E. HAAG's introductory lecture to the German seminar (Der Menschensohn und die Heiligen (des) Höchsten. Eine literar-, form- und traditionsgeschichtliche Studie zu Daniel 7) presented his audience with an elaborate and erudite analysis of Daniel 7, whose *Grundschicht* he finds in vv. 2.3-6.7*.9.10a.c.13b.c.14a.c.16-18.28a.c. The president of the Dutch seminar L. DEQUEKER (King Darius and the Prophecy of the Seventy Weeks, Daniel 9) put forward a new proposal as to the original subject of the prophecy in Dan 9 by claiming that this was not the rededication of the temple by the Maccabees, nor the "eschatological temple", but the rebuilding of the temple under Darius II Nothus (sic, not Darius I Hystaspes). P.W.

COXON (Another Look at Nebuchadnezzar's Madness) suggested that the model that excited the imagination of the author of Dan 4 with regard to the king's madness was Enkidu who is depicted in the Gilgamesh epic as a wild, animal-like creature. B. OTZEN, whose lecture (Michael and Gabriel: Angelological Problems in the Book of Daniel) could not be included in this volume, tried to substantiate that the figures of Michael and Gabriel represent developments of Old Testament motifs: Michael must be understood in the context of the "Divine Warrior" and Gabriel can be seen as "the Divine Council's messenger". In the field of literary-critical, form-critical and tradition-historical studies six scholars offered a short paper. J.W. VAN HENTEN (Antiochus IV as a Typhonic Figure in Daniel 7) pointed out that the characteristics imputed to the Seleucid king as the eleventh horn warrant comparison with Typhon who figures in Greek mythology as an appalling giant raving at gods and men. H.-F. RICHTER (Daniel 4,7-14: Beobachtungen und Erwägungen) suggested that we may find in Dan 4,7-14 a poem which originally depicted the spread and fall of Babylon. F.H. POLAK (The Daniel Tales in their Aramaic Literary Milieu) claimed that the structure of the Danielic narratives is three-dimensional: ancient propagandistic pieces written in Southern Babylonia and aimed against Nabuna'id were in the Persian period reapplied by the Judean exiles to their own situation. At the beginning of the Greek period the latter corpus was expanded with the core of Dan 7. Ida FRÖHLICH, who unfortunately could not attend the colloquium, claims in her paper (Daniel 2 and Deutero-Isaiah) that the announcement of the fall of the Babylonian empire in Deutero-Isaiah and the prediction of the fall of the four kingdoms in Daniel 2 may be examples of "a common poetical language of the Babylonian Jewish diaspora of the early Persian period". G.G. LABONTÉ (Genèse 41 et Daniel 2: question d'origine) denied that Genesis 41 served as a model for Daniel 2: the two texts seem to have originated in the same period. J.B. DOUKHAN (Allusions à la création dans le livre de Daniel) stressed the indebtedness of the author of the book of Daniel to the theology of Creation, which might in a sense indicate the unity of the book.

In conformity with modern *literary approaches* J. GOLDINGAY, who presided the English speaking seminar, outlined in his lecture (Story, Vision, Interpretation: Literary Approaches to Daniel) how the impasse which historical method has reached, makes literary approaches to the text worthy of investigation and draws us initially to the "formalist" approaches of what was once the "New Criticism". He offered a critical survey of recent literary approaches to the book of Daniel.

Concerning the *circles in which the book of Daniel originated*, A. LACOCQUE (The Socio-Spiritual Formative Milieu of the Daniel Apocalypse) described the author of Daniel B as belonging to the anti-

Maccabean branch of the Hasidim. The latter were in his opinion a
voluntary association which would start by being hesitant and insecure
as to their stance of opposition and the appropriate action to be taken
against their enemies. No belligerent irredentist would have used the
irenic narratives of Daniel A for his own purposes. In his opinion, Ph.
Davies' invitation to abandon the view that the Hasidim were a distinct
sect, is to be turned down. From a more systematic point of view,
Ph.R. DAVIES who read another main paper (Reading Daniel Sociologically), advocated a sociological reading of literature and hence of the
book of Daniel. The sociological reading takes all literature to be a
cultural product of a social system and seeks to explain its origin, form
and structure in these terms. This is not the only legitimate reading of a
text, but it is one which tries to integrate the historical-critical and the
literary-critical methods which in biblical studies have become in danger of divorce. He suggested an outline of how such a sociological
analysis might proceed and what it might yield in the case of the book
of Daniel.

Historical problems were treated by M. Delcor en C.C. Caragounis.
M. DELCOR, who chaired the French seminar, gave a comprehensive
historical and form critical analysis of Dan 11 (L'histoire selon le livre
de Daniel, notamment au chapitre XI) and underlined the historical
interest of its author. In a short paper C.C. CARAGOUNIS (History and
Supra-History: Daniel and the Four Empires) reconsidered the indications which lead to the identification of the four empires with Babylon,
Media, Persia and Greece and stressed that the author of Daniel was
interested in history only in so far as it had significance for his own
people.

The much debated question whether *apocalyptic* derives from *prophecy* or *wisdom literature* was dealt with judiciously by Knibb and
Michel. The starting point of M.A. KNIBB's paper ("You are indeed
wiser than Daniel". Reflections on the Character of the Book of
Daniel) was K. Koch's thesis that the evidence that we have points to
the view that the book of Daniel was originally included in the
prophetic corpus, and that "at some point the rabbis transferred the
book from the prophetic corpus to the last third of their collection of
Holy Scripture". Against this view, K. maintained that the indications
we have of the circles from which the book derives, the way in which
Daniel is presented, and the methods of inner-biblical exegesis that are
used, all confirm the view that the book should primarily be regarded
as a wisdom writing. This view is confirmed by such parallels as may be
drawn with the earliest layers in 1 Enoch, and calls into question any
simple linear development from prophecy to "apocalyptic". According
to D. MICHEL (Weisheit und Apokalyptik) a study of Ecclesiastes leads
to the conclusion that Qohelet argued with people who had incor-

porated apocalyptic thought into their wisdom. A relationship between wisdom and apocalyptic can be traced not only in Eccles 2, but also in some Psalms (in particular Ps 73 and Ps 37).

Special attention to *religio-historical problems* was paid by Kratz as well as in the short papers offered by Stahl and van der Kooij. R.G. KRATZ (Reich Gottes und Gesetz im Danielbuch) treated the problem of whether we have to define the book of Daniel as a specimen of "theocracy" in the sense of *Gesetzesreligion* (in the wake of Wellhausen) or of "eschatology" characterised by the idea of the Kingdom of God (with Plöger). In his opinion, the genesis of the book of Daniel reflects the religio-historical situation and development of emerging Judaism in the Persian and Hellenistic periods during which the themes "Kingdom of God" and "Law" were essential items. Dan 1–6 shows in principle a positive relationship between the Kingdom of God and the world empire as well as between the Law of God and the law of the king. Dan 7 and 2,40-44 show a break in these relationships and expect an eschatological kingdom which brings the world powers to an end. Dan 8–12 are in sharp contrast with the world empire, but do not expect the kingdom of God. In these chapters the world empire functions as a means to punish Israel for its transgressions of the Law (cf. Dan 9). These differences cannot be explained otherwise than by literary critical considerations. Dan 1–6 testifies to a "theocracy" *hic et nunc*, Dan 7 eschatologises this "theocracy". The "eschatology" of Dan 8–12 deviates from the "eschatology" of Dan 7 and that of the prophets, since it is rooted in the deuteronomistic conception of history, the anti-pole of "theocracy". R. STAHL ("Eine Zeit, Zeiten und die Hälfte einer Zeit": Die Versuche der Eingrenzung der bösen Macht im Danielbuch) dealt with the various computations of the final end of evil as found in Daniel B. A. VAN DER KOOIJ (The Concept of Covenant (B^{e}rît) in the Book of Daniel) convincingly argued that, with the exception of Dan 9,4, the book of Daniel attests to a specific use and meaning of b^{e}rît: the term refers to the temple cult.

Five other short papers read at the congress cannot be subsumed easily under the headings mentioned above. P. DAVID (Daniel 11,1: a Late Gloss?) denied that we have to bracket Dan 11,1 as an addition to the text, B. BECKING ("A Divine Spirit is in You") dealt with the translation of *rû^{a}h ^{e}lahîn* in Daniel 5,14, a term which in his opinion has an ambivalent meaning. F. RAURELL (The *Doxa* of the Seer in Dan-LXX 12,13) pointed to the strange fact that LXX rendered Hebrew *goral* in Dan 12,13 by *doxa* and denied that this "translation" should be looked upon as a "minor error". J. VAN GOUDOEVER (The Indications in Daniel That Reflect the Usage of the Ancient Theoretical So-Called Zadokite Calendar) contributed to a better understanding of the calendrical problems posed by the book of Daniel. C.T. BEGG (Daniel and Josephus: Tracing Connections) treated an aspect of the *Wirkungs-geschichte* of the book by arguing that it was the perception of a far-reaching kinship between himself and the ancient seer that induced Josephus to offer a specific portrayal of Daniel.

There is yet much to be done in the field of Daniel studies, notwithstanding the enormous energy spent to unriddle the secrets of the book. It is our sincere hope that the present publication will help and stimulate further research.

A.S. VAN DER WOUDE

P.S. In the course of the final editorial work for the present volume, we learned of the decease on August 20, 1992, of Professor Mathias Delcor who chaired the French seminar during the Colloquium. His death is a great loss to all those who shared with him a keen interest in the study of the Old Testament and early Judaism. His considerable contributions to these fields are unforgettable.

A.S.v.d.W.

I
BILINGUALISM AND GREEK VERSIONS

DIE DOPPELSPRACHIGKEIT DES BUCHES DANIEL

Üblicherweise bietet der Präsident der Leuvener biblischen Studientage im Zusammenhang mit seiner Begrüßungsrede eine Übersicht über die neuere und neueste Literatur zu dem biblischen Buch, das als Thema des Kongresses gewählt worden ist. Diese Tradition wäre von mir fortgesetzt worden, wenn ich nicht festgestellt hätte, daß es eine Anzahl von Veröffentlichungen gibt, die ausführlich und kritisch über die Erträge der jüngeren und jüngsten Danielforschung berichten. Dabei denke ich selbstverständlich an die vorzüglichen Einleitungen von Klaus Koch[1] und von Philip Davies[2], aber auch an die ebenfalls eindrucksvolle Arbeit von Reinhard Gregor Kratz unter dem Titel »Translatio imperii. Untersuchungen zu den aramäischen Danielerzählungen und ihrem theologiegeschichtlichen Umfeld«[3], die neulich erschienen ist, und in der Verf. wenigstens in bezug auf Daniel 1–7 die relevante Literatur gewissenhaft angezogen und evaluiert hat. Es erübrigt sich deswegen wohl eine neue Übersicht der rezenten Literatur zum Danielbuch, und ich habe daher beschlossen ein Thema anzusprechen, daß noch immer der endgültigen Lösung harrt: das Problem der Doppelsprachigkeit des Buches Daniel.

Es ist nicht meine Absicht die seit den letzten Jahrzehnten des vorigen Jahrhunderts veröffentlichte Literatur zum Thema im einzelnen aufzuführen und zu überprüfen. Diese Arbeit ist nach der Veröffentlichung der Werke von Koch, Davies und Kratz überflüssig geworden. Unter ständiger Berücksichtigung der wichtigsten älteren und neuesten Literatur möchte ich vielmehr eine eigene These zur Zweisprachigkeit des Buches in Vorschlag bringen, die, wenn sie auch der früheren Forschung weitgehend verpflichtet ist, in dieser Form, so weit ich sehe, anderwärts noch nicht vorgetragen worden ist. Dabei wiederhole ich teilweise meine in der *Hospers-Festschrift* angestellten Erwägungen[4], revidiere diese aber in nicht unerheblichem Maße, besonders im Hinblick auf Kap. 1.

---

1. Klaus KOCH, unter Mitarbeit von Till NIEWISCH und Jürgen TUBACH, *Das Buch Daniel* (Erträge der Forschung, 144), Darmstadt, Wissenschaftliche Buchgesellschaft, 1980.

2. P.R. DAVIES, *Daniel* (Old Testament Guides), Sheffield, JSOT Press, 1985.

3. R.G. KRATZ, *Translatio imperii. Untersuchungen zu den aramäischen Danielerzählungen und ihrem theologiegeschichtlichen Umfeld* (WMANT 63), Neukirchen-Vluyn, Neukirchener Verlag, 1991.

4. *Scripta signa vocis. Studies about Scripts, Scriptures, Scribes and Languages in the Near East Presented to J.H. Hospers*, Groningen, Egbert Forsten, 1986, S. 305-316.

Es ist auffällig, daß die vor mehreren Jahrzehnten vorgetragenen Lösungen des Problems der Doppelsprachigkeit des Danielbuches vielfach auch heute noch vertreten werden[5]. Weil die Forschung bislang nicht zu einer *communis opinio* gelangt ist, wird man die Befürchtung von Davies verstehen, daß »the presence, and the distribution, of the two languages in Daniel may be in the end inexplicable«[6]. Die Aussage ist nicht gerade ermutigend, fordert aber andererseits zu einer erneuten Behandlung der Problematik heraus. Trotz aller Meinungsverschiedenheiten steht inzwischen ziemlich fest, daß das Problem sich (wenn überhaupt) nur auf redaktionskritischem Wege lösen läßt. Dem entspricht die Feststellung von Koch, daß die Versuche, den Sprachwechsel zu erklären, in der neueren Zeit mit Beobachtungen zur Einheitlichkeit oder Uneinheitlichkeit des Buches unter literarkritischen Aspekten zusammenhängen[7].

Ich brauche kaum daran zu erinnern, daß die durch den Sprachwechsel bedingte Zweiteilung des Buches (Aramäisch: 2,4b–7,28; Hebräisch: 1,1–2,4a; 8,1–12,13) der Zweiteilung in Erzählungen und Visionen nicht entspricht. Man hat manchmal versucht, diese Diskrepanz zu mildern, indem man darauf hinwies, daß Kap. 7 in vieler Hinsicht von den folgenden Kapiteln abzuheben ist, und umgekehrt, daß die Erzählungen schon teilweise Elemente enthalten, die für die Visionen charakteristisch sind. So hat Beek[8] vor vielen Jahren in seiner Dissertation versucht, die sprachliche Einteilung mehr oder weniger mit der formkritischen in Einklang zu bringen. Er wies darauf hin, daß in den Kap. 8–12 eine ausführliche Engellehre vorliegt, nicht aber in Kap. 7. Die Tiere als Symbole der in der Weltgeschichte auftretenden Weltmächte haben in Kap. 7 einen mythischen Ursprung, während in Kap. 8 Widder und Ziegenbock als Symbole für Persien und Makedonien seiner Meinung nach durch die astrologische Geographie des Altertums, nach der jedes Land und Volk einem Tierkreis unterstand, bedingt sind. Der wichtigste Unterschied zwischen Kap. 7 und den Kap. 8–12 stelle jedoch die verschiedene Beurteilung der Endzeit dar, weil der hebräische Daniel vom Reich Gottes, so wie es in Kap. 2 und 7 geschildert wird, nichts wisse: »mit dem Tode des verhassten Königs (Antiochus IV.) ist anscheinend alles zu Ende«. Umgekehrt hat Dequeker 1960[9] und nochmals 1975[10] darauf hingewiesen, daß nicht nur Kap. 7–12, sondern auch die danielischen Erzählungen apokalyptische

---

5. Dazu K. KOCH, *op. cit.*, S. 49ff.

6. P.R. DAVIES, *op. cit.*, S. 35.

7. *Op. cit.*, S. 51f.

8. M.A. BEEK, *Das Danielbuch. Sein historischer Hintergrund und seine literarische Entwicklung*, Leiden, J. Ginsberg, 1935, S. 8f.

9. L. DEQUEKER, *Daniel 7 et les Saints du Très-Haut*, in *ETL* 36 (1960) 353-392.

10. L. DEQUEKER, *The "Saints of the Most High" in Qumran and Daniel*, in *Oudtestamentische Studiën* 18 (1975) 108ff.

Visionen enthalten und daß Dan 7 eine Traumvision ist wie die der Kap. 2 und 4, während nach den Kap. 8–12 der Visionär die Offenbarung im wachen Zustand erhält. Ähnlich wie Hölscher hebt er hervor, daß in Kap. 7 »the visionary's intention is to understand the secret of the myth«, während in den folgenden Kapiteln »a series of artificial allegories, largely invented and constructed by the author himself« vorliegen[11]. Es ist sicher richtig, daß es wichtige Unterschiede zwischen Dan 7 und den folgenden Kapiteln gibt, aber sie genügen nicht Dan 7 in seiner heutigen Gestalt völlig von Kap. 8–12 abzuheben und ohne weiteres Kap. 1–6 zuzuschlagen. Denn einmal zeigt Kap. 7 (wie noch zu erörtern sein wird) in seiner jetzigen Gestalt unverkennbare Beziehungen zu den folgenden Kapiteln, und andererseits hebt sich das Kapitel deutlich von den vorangehenden Erzählungen ab. Kap. 7 läßt einen ganz anderen Daniel als in dem vorangehenden Teil des Buches auf den Plan treten, noch ganz abgesehen davon, daß in diesem Kapitel ein Ich-Bericht vorliegt, während Kap. 1–6 Er-Berichte bilden. In den Kap. 1–6 zeigt sich Daniel, wenn auch von seinem Gott inspiriert, imstande, Traumvisionen und Rätselschrift zu deuten, in Kap. 7 bedarf er jedoch der Hilfe eines *angelus interpres*, um die ihm gezeigte Vision zu erklären. In dieser Hinsicht entspricht der Daniel von Kap. 7 dem der nachfolgenden Kapitel. Weil das Kapitel sich also einerseits von den vorangehenden, andererseits von den folgenden abhebt, kann man der Schlußfolgerung nicht entgehen, daß wir Dan 7 mit Kratz[12] als eine »Nahtstelle« zu bezeichnen haben und daß das Kapitel in seiner ursprünglichen Gestalt als Fortschreibung von Kap. 2–6 zu betrachten ist, weil es in seiner Urform, wie Kratz[13] ausführlich nachweist, anscheinend nicht ohne Kenntnis der Erzählungen komponiert worden ist.

Die uns interessierende Frage nach der Doppelsprachigkeit des Buches läßt sich inzwischen nicht lösen ohne eine literarische Analyse von Kap. 7. Daß das Kapitel nicht aus einem Guß ist, hat ein Großteil der Forscher richtig erkannt, auch wenn man in Einzelheiten verschiedener Meinung sein kann. Obgleich Dan 7 sich sprachlich den vorangehenden Kapiteln zugesellt und nicht ohne Kenntnis derselben verfaßt sein dürfte[14], zeigt es in seiner jetzigen Gestalt unverkennbar Übereinstimmungen mit den folgenden Kapiteln. Die Zeitangabe von Dan 7,12 »bis zu einer bestimmten Zeit« und von Dan 7,25 »für eine Zeit und zwei Zeiten und eine halbe Zeit« erinnert an Dan 12,7: »Es dauert noch eine Zeit, zwei Zeiten und eine halbe Zeit«. Das sich gegen den Himmel

---

11. *Op. cit.* (Anm. 10), S. 112f.
12. *Op. cit.*, S. 21ff.
13. *Op. cit.*, S. 43ff.
14. Vgl. R.G. Kratz, *op. cit.*, S. 48.

auflehnende Horn (d.h. Antiochus IV.) sucht nach 7,25 die Heiligen des Allerhöchsten, nach 8,24 das Volk der Heiligen zu vernichten und wuchs laut 8,10 bis zum Himmel hinauf, warf einige aus dem Sternenheer auf die Erde herab und zertrat sie. Außerdem läßt sich die ursprüngliche Gestalt von Dan 7 noch ziemlich genau bestimmen, weil das Kapitel in seiner jetzigen Form auffällige Unstimmigkeiten und Widersprüche zeigt. Wie längst gesehen wurde[15], fällt auf sprachlicher Ebene die von Dan 7,8 bezeugte Wendung *mištakkal hᵃwet* statt des sonst gebrauchten *ḥaze hᵃwet* ins Auge sowie die Partikel *ᵃlu* statt *ᵃru*[16] und die Hitpaʿel-Form *ætᶜᵃqara* statt einer qᵉtîl- oder einer Hophʿal-Form. Wichtiger ist aber, daß, wie Kratz[17] noch einmal hervorgehoben hat, in der Deutung der Vision auf zwei verschiedene Dinge abgezielt wird: einerseits auf das vierte Tier, andererseits auf die zehn Hörner und ihre Ausgeburt, das »kleine Horn«. So läßt sich schließen, daß wenigstens die Verse 7.8.11a.20-22.24-25 der Bearbeitungsschicht des ursprünglichen Textes zuzuschreiben sind. Ob diese auch Vs. 12, wo davon die Rede ist, daß nach der Vernichtung des vierten Tieres den anderen ein Leben bis zu einer bestimmten Frist verliehen wird[18], zuzurechnen ist, kann in diesem Zusammenhang auf sich beruhen, obgleich ich einstweilen gegen Kratz[19] für die sekundäre Hinzufügung dieses Verses eintreten möchte. Woher stammt diese Bearbeitungsschicht? Es kann kaum bezweifelt werden, daß sie auf das Konto des zur Zeit der Makkabäer lebenden Verfassers von Kap. 8–12 geht, weil die erwähnten Zusätze sich auf Antiochus IV. und den Untergang seines Reiches beziehen, also auf das Thema, das auch in den nachfolgenden Kapiteln angesprochen wird (Ich rede in diesem Zusammenhang einstweilen bequemlichkeitshalber vom Verfasser von Kap. 8–12, schließe aber mehr als einen Autor keineswegs aus). Der Ergänzer von Kap. 7 hat offensichtlich die ursprünglich vier Weltreiche repräsentierenden Tiere von Kap. 7 im Sinne der Diadochenreiche

---

15. Vgl. L. DEQUEKER, *op. cit.* (Anm. 10), S. 115f.

16. Die Partikel *ᵃlu* begegnet zwar auch einige Male in den Erzählungen. Deswegen hat man des öfteren hervorgehoben, daß man in Kap. 7 auf sie keine Quellenscheidung stützen sollte. Aber abgesehen von den anderen Indizien, die auf eine Überarbeitung des Kapitels hinweisen, bleibt die Verwendung von *ᵃlu* zwischen *ᵃru* in den Versen 2,5,6 und 7 einerseits und Vers 13 andererseits merkwürdig.

17. *Op. cit.*, S. 23.

18. Die Kommentatoren, die die vier Tiere mit den vier Weltreichen (dem babylonischen, medischen, persischen und griechisch-makedonischen Reich) identifizieren, und nicht eine Neuinterpretation des makkabäischen Verfassers annehmen, geraten bei Vs. 12 in große Schwierigkeiten, vgl. z.B. die nicht überzeugenden Deutungen von Otto PLÖGER, *Das Buch Daniel* (KAT XVIII), Gütersloh, Gerd Mohn, 1965, S. 111, G.Ch. AALDERS, *Daniel* (Commentaar op het Oude Testament), Kampen, Kok, 1962, S. 145, und J.-C. LEBRAM, *Das Buch Daniel* (Zürcher Bibelkommentare AT 23), Zürich, Theologischer Verlag Zürich, 1984, S. 90.

19. *Op. cit.*, S. 25f.

umgedeutet[20], indem er das vierte Tier mit dem Reich der Seleukiden identifizierte. Weil er aber bestrebt war, seine Vorlage möglichst genau zu behalten, hatte er die Wahl, diese entweder aus dem Aramäischen ins Hebräische – die nach Ausweis von Kap. 8–12 von ihm bevorzugte Sprache – zu übersetzen oder ihr seine Ergänzungen in aramäischer Sprache hinzuzufügen. Er entschied sich für letztere Alternative, weil seine Ergänzungen bei weitem nicht so umfangreich waren wie der von ihm übernommene aramäische Text. Er konnte sich die Mühe einer Übersetzung der Vorlage auch deswegen ersparen, weil er die vorangehenden Kapitel ebenfalls in der Sprache, in der sie auf ihn gekommen waren, belassen hatte. Seine Ergänzungen dem aramäischen Text von Kap. 7 in hebräischer Sprache hinzufügen, dürfte er wohl nie ernsthaft erwogen haben.

So läßt sich leicht verstehen, weshalb Kap. 7 des Danielbuches uns in seiner Gänze trotz der Ergänzungen des Verfassers der in hebräischer Sprache geschriebenen nachfolgenden Kapitel in aramäischer Sprache überliefert worden ist. Größere Schwierigkeiten bereitet uns indes die Tatsache, daß Kap. 1,1–2,4a in der heutigen Gestalt in hebräischer Sprache vorliegt. Denn daß die auf Aramäisch geschriebenen Erzählungen, die uns in den Kap. 2–6 erhalten geblieben sind, unbedingt einer Einleitung bedürfen, wird von niemandem bezweifelt. Diese liegt grundsätzlich in Kap. 1 vor, nur ist sie nicht in aramäischer, sondern in hebräischer Sprache überliefert worden. Es ist von vornherein wahrscheinlich, daß diese Einleitung ursprünglich auch in aramäischer Sprache verfaßt wurde, weil es keinen ersichtlichen Grund gibt zu der Vermutung, daß der vormakkabäische Redaktor von Kap. 1–7 seinem aramäischen Buch eine auf Hebräisch verfaßte Einleitung vorangeschickt hat. Dann aber kann man nur schließen, daß der ursprüngliche aramäische Text der Einleitung von dem in makkabäischer Zeit lebenden Verfasser der Kap. 8–12 ins Hebräische übersetzt und eventuell um bestimmte Teile ergänzt wurde. Wenn das richtig ist, welchen Grund hatte er dafür?

Bevor wir diese Frage zu beantworten suchen, empfiehlt es sich, auch in diesem Falle eine literarkritische bzw. redaktionskritische Analyse anzustellen. Wenn die Kommentatoren sich überhaupt zu dieser Problematik äußern, gehen die Ergebnisse ihrer Analyse weit auseinander. Ich beschränke mich in diesem Zusammenhang auf die Analysen von Koch[21] und Kratz[22], weil die Ergebnisse, zu denen sie gelangen, ganz

---

20. Schon H. GRESSMANN, *Der Messias*, Göttingen, Vandenhoeck & Ruprecht, 1929, S. 344, identifizierte die vier Tiere mit den Diadochenreichen, machte aber keinen Unterschied zwischen der Deutung des Verfassers der Vorlage und der des makkabäischen Autors.

21. Klaus KOCH, *Daniel* (Biblischer Kommentar AT XXII), Lieferung 1, Neukirchen-Vluyn, Neukirchener Verlag, 1986, S. 18ff.

22. R.G. KRATZ, *op. cit.*, S. 36, Anm. 104.

verschieden sind. Koch bemerkt zunächst, daß, obwohl Nebukadnezzar 1,18–20 den überragenden Rang der judäischen Kandidaten festgestellt hat, er überraschenderweise 2,2ff. nichts mehr von ihnen weiß. Nach 1,5 liegen drei Jahre zwischen dem Beginn der Nebukadnezzarherrschaft sowie der Exilierung einerseits und dem Abschlußexamen vor dem König andererseits (1,18ff.); nach 2,1 findet die entscheidende Begegnung zwischen ihm und Daniel jedoch schon im zweiten Regierungsjahr statt. Abgesehen davon weist nach Koch das erste Kapitel in sich einige Narben auf, die ein stufenweises Wachstum vermuten lassen. Koch findet, daß der Erzählung ein Ausklang fehlt, nämlich eine Anstellung der vier Jünglinge am Hof (diese Auffassung hängt damit zusammen, daß er ʿamad lifney durchgängig mit »treten vor« statt »in den Dienst treten« übersetzt). Hinzu kommt, daß die herausragenden Kenntnisse der Israeliten zweimal festgestellt werden, einmal vs. 17, dann vs. 19. Gegen eine beabsichtigte Steigerung spricht nach Koch, daß die einzelnen Fähigkeiten beim ersten Mal erheblich ausführlicher aufgezählt werden als beim zweiten Mal, obwohl doch der Prüfung vor dem König großes Gewicht zukommt. Er fragt deswegen: Sollte die ganze Nebukadnezzarszene (vs. 18-20), die keinen neuen Aramaismus aufweist, einen Zuwachs innerhalb der hebräischen Fassung darstellen? Auf jeden Fall erweist vs. 21 sich ihm als jüngere Klammer. Abgesehen vom Datum 2,1 würde ein ursprünglicher Anschluß von Kap. 2 an 1,17 keine Schwierigkeiten bereiten.

Eine weitere Unebenheit zeigt sich nach Koch beim Verhältnis Daniels zu seinen drei Gefährten. Daniel handelt als ihr Anführer, und was er sich in den Kopf setzt, müssen die drei sich zu eigen machen. Ihre Erwähnung in Kap. 1 wird, wie in Kap. 2, nachträglich geschehen sein. Während Kap. 3 nur die fremdländischen Namen für die Freunde Daniels verwendet, zeigt sich in Kap. 1 die Tendenz zur Hebraisierung. Ursprünglich waren neben Daniel nur anonyme Israeliten erwähnt. Weiterhin reibe sich 1,4 die Auswahl von Jünglingen, die schon weise waren, mit dem Befehl, sie erst zu unterrichten. Koch fragt sich, ob maśkilîm auf die Leiter von apokalyptischen Gruppen der Makkabäerzeit anspielt. Auch der Eingang des Kapitels mit seinem Vorgriff auf Kap. 5 und seinen vielfältigen Bezügen auf andere alttestamentliche Schriften dürfte nach Koch jünger als der aramäische Grundbestand und also ursprünglich hebräisch niedergeschrieben sein. Schließlich stellt nach ihm vielleicht der Abschnitt über die Speise- und Trankenthaltung insgesamt einen Nachtrag dar. So wären nach Koch erhebliche Teile des ersten Kapitels dem Redaktor zuzuschreiben, der für die hebräische Einleitung des Danielbuches verantwortlich ist, obgleich er diesen (wenn ich ihn recht verstanden habe) wegen der Sprachdifferenzen mit Kap. 8–12 nicht mit dem makkabäischen Verfasser dieser Kapitel identifizieren möchte.

Ganz anderer Auffassung ist Kratz. Er findet die Gründe, die Koch zur literarkritischen Scheidung in 1,1-7.17-21 anführt, nicht ausreichend. Der vermisste Schluß der Erzählung fehle auch nach Ausscheidung von 1,1f.18-21 noch und ergebe sich im übrigen von selbst. Die verkürzte Wiederaufnahme von v. 17 in v. 20 erkläre sich zwanglos aus der unterschiedlichen Erzählperspektive. Gänzlich unbegründet sei die Feststellung, daß die Klammer 1,21 sowie die beziehungsreichen Eingangsverse 1,1f. jünger seien als die übrigen Klammern, die doch dieselbe Buchsammlung (nämlich Dan 1–6) im Blick haben. Schließlich leuchte es keineswegs ein, warum die zweifellos redaktionelle Erwähnung der drei Freunde in 1,6ff. wie in Dan 2 nachträglich eingetragen worden sein sollte: die drei israelitischen Namen mögen aus einer Nebenüberlieferung zu Dan 3 stammen, doch der Vorgang der Umbenennung betreffe nicht nur die drei Freunde aus Dan 3, sondern im gleichen Atemzug eben Daniel selbst und mit ihm die redaktionelle Anbindung von Dan 4 und 5, wofür wenigstens 1,1-7.17-21 geschaffen seien. Und daß zur Erziehung am Hof nur Personen herangezogen werden, die schon weise und also ausbildungsfähig waren, sei allzu verständlich. Inzwischen räumt Kratz ein, daß die Parenthese in 5a (»Als tägliche Speise wies der König ihnen Speisen und Wein von der königlichen Tafel zu«), die den syntaktischen Zusammenhang der mit l^e eingeführten, von *wayyo'mær* in v. 3 abhängigen Infinitive $l^e h a b \hat{\imath}$, $l^e l a m m^e d a m$ und $l^e g a d d^e l a m$ unterbricht, eine ursprüngliche Selbständigkeit und sekundäre Verwendung von 1,8–16, also des Berichtes über die persönliche Bekenntnisbewährung Daniels und seiner Freunde, vermuten läßt, um so mehr weil 1,17–21 nahtlos an 1,7 anschließen. Um einen späteren Nachtrag in eine ältere Erzählung bzw. in die schon vorhandene Einleitung handle es sich aber nicht. Für eine ursprünglich selbständige Erzählung geben nach Kratz v. 1-7.17-21 zu wenig her, sind zu allgemein gehalten und eben zu sehr auf Fortsetzung angelegt, und ohne v. 8-18 wiederum hänge die Thematik der persönlichen Bekenntnisbewährung und Gefährdung der Judäer in der Luft. Sehr viel eher müsse man daher hinter 1,5.8-16 den ursprünglichen Überlieferungskern annehmen, um den die Redaktion selbständig und darum in einem Fluß die Rahmenformulierungen 1,1-7.17-21 geschaffen hat.

Letztere Erwägungen rufen wohl einige Bedenken hervor. Denn einmal läßt sich bezweifeln, ob Kap. 1 je als eine selbständige Erzählung statt als Einleitung gemeint war. Die 1,8-16 erzählte Bewährung Daniels und seiner Freunde ist für das Verständnis der folgenden Kapitel nicht unerläßlich. Sachlich fragt man sich, wie königliche Diener, die im Reich zu hohen Posten berufen waren, sich in der Praxis so verhalten konnten, wie 1,8-16 erzählt wird. Auf jeden Fall kennen wir das hier angesprochene Reinheitsideal anderwärts erst aus jüdischen

Schriften des 2. vorchr. Jh.s (Tobit[23], Judith, Jubiläen, 2. Makkabäer). Weder Jojachin noch Nehemia noch Esther haben Anlaß gesehen, die ihnen vom heidnischen König aufgetischten Speisen und Getränke zu verschmähen. Hinzu kommt, daß die Parenthese von v. 5a, die von den königlichen Speisen und Getränken spricht und die den syntaktischen Zusammenhang der v. 3-5 unterbricht, darauf hinweist, daß sie später dem Text dieser Verse hinzugefügt wurde, so daß sie und dann auch v. 8-16 als sekundäre Ergänzung zu betrachten sind. V. 5a und 8-16 stammen daher wohl am ehesten von der Hand eines der zur Zeit der Makkabäer lebenden Verfasser von Kap. 8–12, weil (wie schon Beek[24] damals betonte) zu jener Zeit das Speisegesetz als ein *articulus stantis aut cadentis ecclesiae* galt. Man hat zwar sprachliche Differenzen zwischen Kap. 1,1–2,41 und Kap. 8–12 festgestellt[25], aber diese lassen sich weitgehend aus dem Übersetzungscharakter von 1,1–2,4a erklären, teilweise aber auch daraus, daß es mehrere makkabäische Verfasser gegeben hat.

Auch wenn die von Koch vorgenommene Analyse von Kap. 1 im großen und ganzen richtig sein sollte, wäre noch die Frage zu beantworten, ob die Gestalt, in der uns Kap. 1 vorliegt, aus makkabäischer oder vormakkabäischer Zeit stammt. Die Arbeit von Kratz, in der ausführlich nachgewiesen wird, daß Kap. 1 nur auf die Kap. 2–6 Bezug nimmt[26], hat mich davon überzeugt, daß grundsätzlich bloß die letzte Alternative in Betracht kommt, nur daß ich, wie gesagt, die Ergänzung von v. 5a und 8-16 in makkabäischer Zeit einstweilen für möglich halte.

Aber auch wenn letzteres richtig wäre (was ich allerdings nicht schlüssig beweisen kann), muß ich auf jeden Fall meine in der *Hospers-Festschrift*[27] vorgetragene These, daß auch weitere Teile des 1. Kapitels aus makkabäischer Zeit stammen, revidieren. Für diese These gibt es keine durchschlagenden Gründe. Das heißt aber auch, daß die damals von mir gezogene Schlußfolgerung, daß von den insgesamt 25 Versen von 1,1–2,4a etwa die Hälfte unmittelbar von einem makkabäischen Verfasser herrühre, der sich wegen dieses Umfangs der Zusätze (anders als in Kap. 7) entschlossen hätte, den Anfang des Danielbuches in der Sprache zu schreiben, die zu seiner Zeit aus nationalistischen Gründen die nächstliegende war und die er auch selber bevorzugte, aufzugeben

---

23. Obgleich die Datierung der Verfassung des Buches Tobit zugestandenermaßen ungesichert ist, denken die meisten an ungefähr 200 v. Chr.

24. *Op. cit.*, S. 96ff.

25. H. PREISWERK, *Der Sprachwechsel im Buche Daniel* I, in *Beilage zum 33. Programm des Freien Gymnasiums in Bern auf Mai 1903* (1903) 1-41; DERS., *Der Sprachwechsel im Buche Daniel II/III*, in *Beilage zum 34. Programm des Freien Gymnasiums in Bern auf Mai 1904* (1904) 1-80.

26. *Op. cit.*, S. 37.

27. *Op. cit.* (Anm. 4), S. 310ff.

ist. Der hebräische Charakter von 1,1–2,4a läßt sich nicht nach Analogie von Kap. 7 erklären.

Dann aber bleibt wohl nur eine Lösung des Problems: die makkabäischen Verfasser wollten ihre Fortschreibung des aramäischen Buches grundsätzlich als eine hebräische und wohl auch als eine heilige Schrift gestalten, vorausgesetzt daß man letzteren Begriff nicht zu eng faßt und nicht gleich an den Kanon denkt. Das konnten sie auch tun, weil die ihnen vorliegende aramäische Schrift von ihnen zweifelsohne in gewissem Sinne als heilige Schrift betrachtet wurde. Den Fortschreibern stellte sich dabei wohl die Frage, ob das von ihnen in hebräischer Sprache um Kap. 8–12 ergänzte Buch, wollte es weiterhin als heilige Schrift geistige Autorität besitzen, nicht auch in hebräischer Sprache anfangen müsste, einerlei ob ihnen dabei das Buch Esra als Vorbild diente oder nicht. Diese These berührt sich mit der von einigen Kommentatoren vorgetragenen Auffassung, daß das ganze Danielbuch ursprünglich aramäisch verfaßt wurde, daß aber, um das Buch zu einer heiligen Schrift werden zu lassen, nachträglich Anfang und Ende in die heilige hebräische Sprache übersetzt worden seien. Ich kann jedoch dieser Erklärung nicht zustimmen. Denn einmal scheint mir die These, nach der nicht nur der Anfang, sondern auch das *Ende* des Buches nachträglich übersetzt sein sollte, bei den makkabäischen Verfassern von Kap. 8–12 weder plausibel noch aus sprachlichen Gründen notwendig zu sein. Angesichts des Ausmaßes dieser Kapitel wäre dann auch mit Recht zu fragen, weshalb man nicht gleich das ganze Buch ins Hebräische übersetzt habe. Rechnet man aber mit einer Fortschreibung einer aramäischen Schrift in hebräischer Sprache, dann sollte man nicht einwenden, daß es kaum zu erklären sei, weshalb der Übersetzer auf halbem Wege steckengeblieben ist und den Mittelteil in der Ursprache belassen hat. Bei der Wertschätzung des von den makkabäischen Verfassern fortgeschriebenen Buches hatten sie keinen durchschlagenden Grund, diesen Mittelteil zu übersetzen, um so mehr nicht, weil sie ihre Vorlage besonders in Kap. 7 im Hinblick auf ihre Gegenwart in aramäischer Sprache ergänzt hatten. Außerdem bot Daniel 2,4 ihnen eine willkommene Gelegenheit ihre im Interesse der bleibenden Autorität des Buches vorgenommene hebräische Übersetzung des Anfangs abzubrechen, weil dort davon die Rede war, daß die Diener Nebukadnezzars dem König in aramäischer Sprache antworteten. Zwar betrachtet man das *ᵃrámît* von 2,4a des öfteren als Zusatz[28], der zum aramäischen Teil des Buches überleiten soll, aber diese Annahme ist alles andere als gesichert. Auf jeden Fall sollte man sich dabei nicht auf das zweite Fragment der ersten Danielrolle aus Höhle 1 von Qumrân[29] berufen,

28. Anders A. LACOCQUE, *The Book of Daniel*, London, SPCK, 1976, S. 39.

29. Zum Text s. D. BARTHÉLEMY – J.T. MILIK, *Qumran Cave 1* (Discoveries in the Judaean Desert I), Oxford, Clarendon Press, 1955, S. 150 und J.C. TREVER, *Completion of*

wo angeblich statt »Aramäisch« ein Teil der Zeile unbeschrieben blieb. Ein Leerraum ist tatsächlich am Anfnag der vierten Zeile des Fragments vorhanden, aber eine Rekonstruktion des Textes ergibt, daß »Aramäisch« in Zeile 3 gestanden haben muß, es sei denn, daß der Schluß dieser Zeile ebenfalls unbeschrieben war, was angesichts des Leerraumes am Anfang von Zeile 4 unwahrscheinlich ist.

Es ist im Hinblick auf die Fortschreibung des aramäischen Danielbuches in den Kapiteln 8–12 wahrscheinlich, daß der Ergänzer von Kap. 7 nicht mit dem Übersetzer von Kap. 1,1–2,4 identisch ist und ihm chronologisch voranging. Die Übersetzung des Anfangs des Buches wird vor sich gegangen sein, nachdem die Kap. 8–12 verfaßt waren.

Wenn diese Erwägungen zutreffend sind, läßt sich schließen, daß die Lösung des Problems der Doppelsprachigkeit des Danielbuches mindestens zwei Antworten erfordert [30]. Angesichts Kap. 7 ist damit zu rechnen, daß der relativ geringe Umfang der vom sonst hebräisch schreibenden Ergänzer angebrachten Zusätze die Verwendung der aramäischen Sprache, in der seine Vorlage verfaßt worden war, mit sich brachte. Was Kap. 1,1–2,4a anbetrifft, war offenbar das leitende Prinzip die Erhaltung und die Bekräftigung der Autorität des von makkabäischen Verfassern um die Kapitel 8–12 fortgeschriebenen und von ihnen als heilige Schrift betrachteten aramäischen Buches.

Domela Nieuwenhuislaan 57   Adam S. VAN DER WOUDE
NL-9722 LJ Groningen

---

the Publication of some Fragments from Qumran Cave 1, in Revue de Qumrân 5 (1964–66) 323–344.

30. Alle bisherigen Lösungsversuche gehen stillschweigend davon aus, daß nur eine einzige Erklärung des Problems der Doppelsprachigkeit des Danielbuches in Betracht kommen kann. Angesichts der komplizierten Entstehungsgeschichte dieser biblischen Schrift läßt sich jedoch nicht einsehen, daß diese »Voraussetzung« richtig ist.

DANIEL 3 LXX ET SON SUPPLÉMENT GREC*

Les suppléments du livre de Daniel conservés seulement en grec posent pour l'histoire du livre des questions délicates auxquelles la publication du codex de papyrus 967 apporte sa lumière[1]. Il faut compter aussi avec l'important travail de Klaus Koch sur le texte araméen de ces suppléments, en particulier sur celui du ch. 3, conservé dans le manuscrit médiéval Hebr. d. 11 de la Bodléienne[2]. L'étude de Dn 3 vaut donc d'être reprise. Mais c'est la physionomie d'ensemble de Daniel LXX qui a été renouvelée par la publication du codex.

Dans la Septante distinguée de Théodotion, les autres suppléments de Daniel se trouvaient originairement après le ch. 12, ainsi qu'il ressort de 967 (Bel et le Dragon, Suzanne) et de la révision origénienne de la Septante (Suzanne, Bel et le Dragon) conservée dans le ms. 88 (le *Chisianus*) et dans la syro-hexaplaire. C'est une particularité du texte dit de Théodotion que d'avoir mis Suzanne en tête. La raison est claire. L'épisode de Suzanne devient, grâce à quelques modifications, le récit de la vocation de Daniel[3]. De même, les données biographiques en tête

---

* Abréviations et conventions: TM (ou hébreu-araméen): texte de la BHS; DnThéod ou 3,24Théod: La forme grecque, dite de Théodotion, et le cas échéant sa numérotation propre selon J. Ziegler (cité à la note 10); DnLXX ou 3,25LXX: la Septante en tant que distincte du TM et de Théod, avec le cas échéant sa numérotation des versets selon Ziegler (sauf pour l'erreur en 3,58-59, signalée dans l'introduction en 4; DnG ou 3,49G: accord au moins substantiel LXX - Théod; Supplément:Dn 3,24-90G; «Théodotion»: le traducteur grec du Supplément, distingué expressément du traducteur du texte hébreu-araméen de Daniel (Théodotion, sans guillemets).

1. Pour le ch. 3, voir *Der Septuaginta-Text des Buches Daniel Kap. 3-4 nach dem Kölner Teil des Papyrus 967*, herausgegeben von W. HAMM (Papyrologische Texte und Abhandlungen, 21), Bonn, 1977; le reste de Daniel a paru dans deux autres volumes de la même collection, les nᵒˢ 5 (A. GEISSEN) et 10 (W. HAMM); voir de plus R. ROCA-PUIG, *Daniele. Due semifogli del codice 967. P. Barc. inv. nn. 42 e 43*, dans *Aegyptus* 56 (1976) 3-18. Les éditions de Hamm et Geissen reprennent les parties publiées antérieurement. – Aux papyrus de Dn 3 signalés par J. VAN HAELST, *Catalogue des papyrus littéraires juifs et chrétiens*, Paris, 1976, on peut ajouter: une réédition de son nᵒ 321 (A. CARLINI, dans *Papiri letterari greci* [Biblioteca degli studi classici e orientali, 13], Pise, 1978, nᵒ 38, p. 283-287 et pl. XIV, avec Dn 3, 51b-52), l'éd. d'un papyrus du vᵉ- viᵉ s. par J. O'CALLAGHAN, *Oda 8,57-59 (P. Matr. bibl. 2)*, dans *Studia papyrologica* 18 (1979) 13-17, pl., et l'éd. d'un papyrus du viiᵉ s., P. Vindob. G. 37ᵛ, par K.A. WORP, *CPR I 30 Frgm i Verso: Septuaginta Ode VIII, 77-88*, dans *Chronique d'Égypte* 57 (1982) 141-143, pl.

2. K. KOCH, *Deuterokanonische Zusätze zum Danielbuch. Entstehung und Textgeschichte. I. Forschungsstand, Programm, Polyglottensynopse. II. Exegetische Erläuterungen* (Alter Orient und Altes Testament, 38/1 et 38/2), Kevelaer et Neukirchen-Vluyn, 1987.

3. Voir H. ENGEL, *Die Susanna-Erzählung. Einleitung, Übersetzung und Kommentar zum Septuaginta-Text und zu Theodotion-Bearbeitung* (OBO, 61), Fribourg (Suisse) et

de Bel ont été aménagées pour éviter la contradiction avec Dn 1-12. Le livre de Daniel muni de ses suppléments retrouve ainsi chez «Théodotion» une certaine unité. Que dans les suppléments externes «Théodotion» dépende de la Septante est vraisemblable et aujourd'hui communément reçu.

Le supplément grec du ch. 3 (désormais: Supplément) se présente différemment à première vue, puisqu'il est encastré dans le récit araméen. Nous ne pouvons plus le saisir, comme pour Suzanne LXX, dans une forme autonome. Mais ne pourrait-on pas montrer que, ici aussi, le texte dit de Théodotion marque par rapport à celui de la Septante un effort d'adaptation du Supplément à son contexte, tandis que le texte de la Septante conserve des vestiges de sa primitive autonomie? Ce sera là notre point de vue. À défaut de pouvoir atteindre la certitude, nous aurons du moins un peu dépoussiéré la problématique[4]. Mais il faut rappeler d'abord quelques prémisses.

1. Je tiens que le texte massorétique hébreu-araméen de Daniel représente substantiellement la forme originale du livre. Son organisation est fondée sur ce raisonnement: le héros, dont il est prouvé par des récits (ch. 1 à 6) que ses paroles se sont réalisées, est aussi le sujet de visions (ch. 7 à 12) dont l'accomplissement est donc prévisible[5]. On s'explique ainsi la double succession des Empires (babylonien, mède, perse, macédonien) du ch. 2 au ch. 6 et du ch. 7 au ch. 12. Les fragments de Daniel trouvés à Qumrân confirment cette manière de voir sur tous les points importants[6]. Mais il y a eu d'autres traditions écrites sur Daniel et sur son entourage – les suppléments grecs ne sont

Göttingen, 1985 (c.r. de A. HILHORST, dans *Bibliotheca Orientalis* 46 [1989] col. 442-445, et de P.-M. BOGAERT, dans *Revue théologique de Louvain* 17 [1986] 222-224); J. SCHÜPPHAUS, *Das Verhältnis von LXX- und Theodotion-Text in den apokryphen Zusätzen zum Danielbuch*, dans *ZAW* 83 (1971) 49-72, p. 69-71. Il reste indispensable de lire A. BLUDAU, *Die alexandrinische Übersetzung des Buches Daniel und ihr Verhältnis zum Massorethischen Text* (Biblische Studien, 2, 2/3), Freiburg i. Br., 1897.

4. Voir surtout C. KUHL, *Die Drei Männer im Feuer (Daniel Kapitel 3 und seine Zusätze). Ein Beitrag zur israelitisch-jüdischen Literaturgeschichte* (BZAW, 55), Giessen, 1930. – La présente contribution vise à préciser des vues déjà formulées dans notre article *Relecture et refonte historicisantes du livre de Daniel attestées par la première version grecque (Papyrus 967)*, dans *Études sur le judaïsme hellénistique* (LecD, 119), Paris, 1984, p. 197-224; p. 205.

5. À propos du bilinguisme de Daniel et de sa portée sur l'interprétation, voir l'excellente mise au point de A.S. VAN DER WOUDE, *Erwägungen zur Doppelsprachigkeit des Buches Daniel*, dans H.L.J. VANSTIPHOUT, K. JONGELING, F. LEEMHUIS, G.J. REININK (édd.), *Scripta signa vocis. Studies about Scripts, Scriptures, Scribes and Languages in the Near East. Presented to J.H. Hospers*, Groningen, 1986, p. 305-316.

6. Voir: D. BARTHÉLEMY et J.T. MILIK, *Qumrân Cave I* (Discoveries in the Judaean Desert, 1), Oxford, 1955, p. 150-152 (pas de pl.); M. BAILLET et J.T. MILIK, *Les 'Petites Grottes' de Qumrân. 1. Textes. 2. Planches* (Discoveries in the Judaean Desert of Jordan, 3), Oxford, 1962, p. 114-115 et pl. 23; E. ULRICH, *Daniel Manuscripts from Qumran. Part 1. A Preliminary Edition of 4QDan^a; Preliminary Editions of 4QDan^b and 4QDan^c*, dans *BASOR*, n° 268 (1987) 17-37; n° 274 (1989) 3-26.

pas seuls à le prouver –, et certaines ont pu servir à l'auteur maccabéen du livre.

2. Ce qui est vrai pour l'ensemble de Daniel l'est pour le ch. 3. À l'encontre d'une opinion parfois encore défendue, je tiens que le récit araméen de Dn 3 est complet et se suffit. La rupture entre 3,23 et 3,24TM tient à un artifice littéraire, mis en évidence par Curt Kuhl, mais aussi au fait que le roi, sans doute rongé par le remords (en Dn 6, il l'est par la tristesse), a une sorte de vision prémonitoire du salut des trois hommes. Veut-on croire malgré tout à un omission dans le texte araméen entre les v. 23 et 24TM, il reste alors à reconnaître que, sous ses formes conservées, le Supplément n'est pas adéquatement la partie perdue[7].

3. Chacun sait que le livre de Daniel est transmis en grec sous deux formes distinctes, celle dite de la Septante et celle dite de Théodotion.

A. La forme la plus ancienne, dite de la Septante (o' dans les éditions de A. Rahlfs et de J. Ziegler; ici: LXX) est apparentée au grec de *A Esdras* (*III Esdras* chez les Latins), et l'on peut envisager pour les deux un même traducteur[8]. Daniel LXX n'a été connu en grec que depuis l'édition romaine de 1772; encore était-ce seulement la révision origénienne. Le codex de papyrus 967, qu'on peut placer sans risque au IIIe siècle[9], est certainement indemne d'une influence hexaplaire, mais il n'est pas exempt de retouches sur l'hébreu-araméen de type massorétique. L'édition critique de J. Ziegler, de 1954, n'en connaissait que les fragments Chester Beatty avec entre autres la fin du ch. 3 depuis le v. 72LXX[10]. Sauf indication contraire, on présumera donc que 967 représente la plus ancienne forme grecque accessible de Daniel et que 88 (ainsi que la syro-hexaplaire) atteste la révision origénienne de cette

---

7. C. KUHL, *Die Drei Männer* (cité à la n. 4), p. 38-43 et 84-165, a bien défendu le caractère délibéré de la *Kunstpausa* entre les v. 23 et 24TM. À sa suite, des commentateurs tiennent que l'araméen de Dn 3 se suffit: N.W. PORTEOUS, *Das Buch Daniel* (ATD, 23), Göttingen, ²1968, p. 47; L.F. HARTMAN ET A.A. DI LELLA, dans *The New Jerome Biblical Commentary*, Londres, 1990, p. 412-413. Une position moyenne est défendue par M. DELCOR, *Le Livre de Daniel* (SB), Paris, 1971, p. 105: «Mais la lacune n'est pas comblée de façon tout à fait satisfaisante par la longue addition de la tradition grecque où l'on relève des inconséquences.» Voir aussi O. PLÖGER, *Zusätze zu Daniel* (Jüdische Schriften aus hellenistisch-römischer Zeit, I,1), Gütersloh, 1973, ²1977, p. 67-69.

8. Surtout B. WALDE, *Die Esdrasbücher der Septuaginta* (Biblische Studien, 18,4), Freiburg i. Br., 1913, p. 42-49; plus récemment, W. HAMM, *Der Septuaginta-Text des Buches Daniel Kap. 1–2* (Papyrologische Texte und Abhandlungen, 10), Bonn, 1969, p. 45 et 79, n. 1. Il convient évidemment de distinguer le Supplément de Dn 3 et le Récit des Pages dans *A Esdras*.

9. Ainsi E.G. TURNER, *The Typology of the Early Codex*, University of Pennsylvania, 1977, p. 59, 181, 183, qui a pourtant tendance à rajeunir les datations communes pour des motifs relevant de la codicologie, non de la paléographie.

10. J. ZIEGLER, *Susanna. Daniel. Bel et Draco* (Septuaginta. Vetus Testamentum Graecum Auctoritate Societatis Litterarum Gottingensis editum, 16,2), Göttingen, 1954, p. 7-8.

première forme. Mais ponctuellement il est permis de préférer une leçon de 88, en particulier si elle ne s'explique pas comme une révision sur le TM et si elle n'est pas propre à la révision dite de Théodotion. La révision d'Origène n'est souvent que superficielle, en particulier là où il y a de grandes divergences[11]. Cette première forme grecque est caractérisée par une large liberté vis-à-vis du modèle sémitique: les ch. 4, 5 et 6 sont véritablement refondus; le ch. 3 est surtout augmenté, mais il est aussi modifié. L'ordre de l'ensemble a été transformé pour se rapprocher de la succession historique et faire de Daniel un nouveau Zorobabel: ch.1 à 4 sous Nabuchodonosor, ch. 7 et 8 sous Balthazar, ch. 5, avant la mort de Balthazar, ch. 6, sous Darius, ch. 9 à 12, sous Darius et Cyrus[12].

B. La tradition chrétienne a surtout retenu, commenté et transmis une traduction grecque attribuée à Théodotion (θ'). Cette traduction est généralement beaucoup plus proche de l'hébreu-araméen et, en cela, elle mérite son nom[13]. Sur certains points toutefois elle n'est pas conséquente. Il lui arrive de rester fidèle à la LXX contre l'hébreu-araméen et même d'être différente de la LXX là où l'hébreu-araméen fait défaut,

11. Le commentaire de W. Hamm raisonne très habituellement de cette manière. Sur les caractéristiques de la révision origienne de DnLXX, voir le travail remarquable de O. MUNNICH, *Origène, éditeur de la* Septante *de Daniel*, dans D. FRAENKEL, U. QUAST et J.W. WEVERS (édd.), *Studien zur Septuaginta – Robert Hanhart zu Ehren* (Abhandlungen ... Göttingen, Phil.-Hist. Kl. III,190 = Mitteilungen des Septuaginta-Unternehmens [MSU], 20), Göttingen, 1990, p. 187-218.

12. L'observation est de A. GEISSEN, *Der Septuaginta-Text des Buches Daniel. Kap. 5-12 zusammen mit Susanna, Bel et Draco sowie Esther 1,1a-2,15 nach dem Kölner Teil des Papyrus 967* (Papyrologische Texte und Abhandlungen, 5), Bonn, 1968, p. 33. Je l'ai développée dans mon article *Relecture et refonte*, cité à la n. 4.

13. Je ne serais pas aussi négatif que A. SCHMITT, *Stammt der sognennante «θ'»-Text bei Daniel wirklich von Theodotion?* (Nachrichten ... Göttingen, Phil.-Hist. Kl., 1966, p. 277-392, = MSU, 9), Göttingen, 1966. – Alors que A. Schmitt refuse l'attribution à Théodotion tant des parties traduites que des suppléments, E. Tov, dans *RB* 77 (1970) p. 86-87, accepterait pour la partie traduite une dénomination plus générale: «révision proto-hexaplaire», tandis que D. BARTHÉLEMY croit pouvoir tenir l'attribution à Théodotion-kaige (voir *Notes critiques sur quelques points d'histoire du texte de l'Ancien Testament*, dans *Übersetzung und Deutung, A.R. Hulst gewidmet*, Nijkerk, 1977, p. 9-23, réimpr. dans D. BARTHÉLEMY, *Études d'histoire du texte de l'Ancien Testament* [OBO, 21], Göttingen et Fribourg, Suisse, 1978, p. 289-303, et les observations nouvelles p. 395). En montrant l'origine séleucide des titres en DnThéod 3,2, K. KOCH (*Die Herkunft der Proto-Theodotion-Übersetzung des Danielbuches*, dans *VT* 23 (1973) 362-365) ne prouve peut-être qu'un milieu non égyptien, palestinien-romain, ce qui est déjà intéressant. Avec A. Schmitt, je tiens qu'il faut distinguer le traducteur Théodotion de Daniel hébreu-araméen et le «Théodotion» réviseur des suppléments grecs. Il n'y a pas lieu d'identifier ce dernier avec Symmaque, comme l'a bien montré J.R. BUSTO SAIZ, *El texto teodociónico de Daniel y la traducción de Símaco*, dans S*efarad* 40 (1980) 41-55. – Il est vrai que, si Théodotion lui-même avait reçu les parties deutérocanoniques de Daniel, cela signifierait que le judaïsme palestinien du début de notre ère les considérait comme canoniques. Ainsi P. GRELOT, *Les versions grecques de Daniel*, dans *Biblica* 47 (1966) 381-402, p. 400; mais il ne pouvait connaître le travail de A. Schmitt.

dans les grands suppléments et dans des variantes plus anodines, ainsi en Dn 3,30TM(97G). Cependant on ne peut en juger seulement d'après les éditions de A. Rahlfs et de J. Ziegler. Il faut tenir compte aussi de l'apparat critique de ce dernier où, assez souvent, les leçons du ms. V, du groupe lucianique *(L)* ou origénien[14] *(O)* sont très proches de l'hébreu-araméen contre LXX et Théodotion. Sur ces difficiles questions, on peut espérer beaucoup des recherches prometteuses d'Olivier Munnich. Pour l'heure, nous devons nous contenter de bien cerner la difficulté et de trouver empiriquement un chemin praticable, quelle que soit la solution ultérieurement retenue parmi les possibles aujourd'hui. Il reste probable, pour les parties existant en hébreu-araméen, que le vrai Théodotion de Daniel est substantiellement celui que les manuscrits grecs transmettent sous cette étiquette, en tenant compte de certaines leçons de l'apparat. Mais la présence des suppléments et de diverses particularités de la LXX sur des points où elle diffère du TM donne à penser que le Théodotion transmis par les Églises est un compromis antique entre la Septante et le Théodotion authentique. La question se posera pour nous surtout à propos de l'addition au v. 22Théod, attestée par de très nombreux témoins, mais reléguée dans l'apparat par les éditeurs, avec quelque raison, et pour les v. 66-73 (ordre des créatures). Elle se pose plus généralement pour l'attribution des particularités des suppléments grecs (quand Théodotion diffère de LXX) au Théodotion de l'histoire.

4. La numérotation des versets soulève des problèmes irritants chaque fois que le grec est très différent de l'hébreu-araméen. A la difficulté bien connue qui tient à la longue intercalation (v. 24-90) et qui entraîne une double numérotation à partir du v. 24TM = 91G, s'ajoutent celles, localisées, qui sont liées à des modifications d'ordre et de contenu. Je tiens pour une erreur de J. Ziegler (contre Rahlfs) la numérotation des v. 58 et 59 du Cantique selon Théodotion. Quel que soit l'ordre (il y a variante), le v. 59G doit s'attacher aux cieux et le v. 58G aux anges. Là où le contenu de la LXX est particulier, la numérotation de ses versets peut induire en erreur. Ainsi 3,23LXX (Ziegler et Rahlfs) correspond pour le contenu à la deuxième partie de 3,22TM. Une difficulté ne vient jamais seule. Dans *A Esdras,* qu'il faudra citer souvent, la numérotation des versets n'est pas la même chez Rahlfs et dans l'édition critique de Göttingen (R. Hanhart). Nous suivons Hanhart. Ici comme pour Daniel, il faut utiliser avec prudence les chiffres de la concordance de Hatch et Redpath.

---

14. Il n'est pas vraisemblable qu'Origène ait révisé sur l'hébreu, non seulement la LXX de Daniel, mais aussi Théodotion. La dénomination «origénienne» pour un type de texte de DnThéod doit donc probablement être abandonnée.

5. Dans le présent travail, il fallait donc utiliser constamment aussi bien l'édition de J. Ziegler[15] que celle de 967 pour Dn 3–4 par W. Hamm[16].

I. L'INSERTION DU SUPPLÉMENT EN DN 3 LXX

A. *Les compagnons d'Azarias* (οἱ περὶ τὸν Ἀζαρίαν)

On se souvient qu'en 1,7 le narrateur a précisé que Shadrak, Meshak et Abednego ont pour noms hébreux Hananyah, Mishaël et Azariah. La série babylonienne est désormais la seule employée dans le TM, et toujours dans cet ordre, au ch. 3. Elle l'est aussi en 2,49; mais en 2,17, les noms hébreux sont utilisés, dans l'ordre TM de 1,7.

Au ch. 3, DnLXX retient les noms babyloniens en 3,12.13.14.16, et DnThéod fait de même. A l'approche du Supplément les deux formes grecques se distinguent.

Au v. 19, l'araméen et DnThéod rappellent encore une fois les trois noms babyloniens, tandis que DnLXX les omet (ἐπ᾽ αὐτούς dans 967; rien dans 88). Au v. 20, l'araméen, DnThéod et 88 ont les noms babyloniens, tandis que 967, représentant DnLXX, a la formule τοὺς περὶ τὸν [Ἀζαρι]αν que l'on retrouvera au v. 23LXX et dans le récit intercalaire du Supplément, au v. 49.

La formule οἱ περὶ + acc. pour désigner l'entourage de quelqu'un (ce dernier pouvant être ou non inclus) est bien grecque. Elle ne se retrouve que de manière clairsemée dans la Septante; elle est fréquente en 2 M et 4 M, écrits en grec[17]. En DnLXX, elle n'apparaît que dans les trois cas cités; DnThéod l'a retenue seulement au v. 49, puisqu'aucun modèle araméen ne lui commandait de l'abandonner.

Presque certainement l'usage de la formule aux v. 20LXX et 23LXX est emprunté au Supplément, puisqu'elle s'y trouve dans un contexte différent du TM, modifié pour accueillir l'insertion du Supplément. Cette tournure n'est pas dans le style propre du premier traducteur de Daniel et elle ne se rencontre pas dans *A Esdras*.

La formule met en avant le nom d'Azarias, alors que normalement Hananyah-Shadrak vient en tête. C'est le cas en particulier, et sans variante, à la fin de la grande prière de louange (v. 88): Anania, Azaria,

15. Citée à la n. 10.

16. Citée à la n. 1. – Les observations lexicographiques et grammaticales de W. Hamm sont souvent très fines; elles ont l'avantage (et la limite) de n'être au service d'aucune explication d'ensemble.

17. Voir HATCH et REDPATH , s.v.; sur l'expression, voir E. SCHWYZER et A. DEBRUN-NER, *Griechische Grammatik*, t. II, Munich, 1950, p. 416-417; M. JOHANNESSOHN, *Der Gebrauch der Präpositionen in der Septuaginta* (Nachrichten ... Göttingen, Beiheft), Berlin, 1925, p. 224-226, 366-368.

Misaël; de même au v. 24, d'après la révision origénienne (88, syro-hexaplaire; rien dans Théod à cette place) et en 1 M 2,59[18]. Toutefois cette énumération des v. 88 et 24LXX (88), si elle commence par Ananias comme en 1,7, intervertit les deux noms suivants. Il y a en réalité trois séquences distinctes.comment en rendre compte?

Si le premier traducteur grec de l'araméen ou un interpolateur, désire introduire une pièce grecque préexistante où Azarias est le protagoniste, il se voit obligé de la préparer en mettant en avant le personnage d'Azarias dans les versets d'introduction. Pour ce faire, il emploie deux fois, aux v. 20LXX et 23LXX, la formule caractéristique de sa source (v. 49), οἱ περὶ τὸν Ἀζαρίαν. Au v. 19, il intervient par omission.

Aux v. 24 (967) et 25 (967 et 88), c'est encore Azarias qui vient en tête, comme le premier des trois noms ou seul «avec ses compagnons», ἅμα τοῖς συνεταίροις, terme cher à DnLXX et à *A Esdras*, inconnu du Supplément[19].

La révision origénienne (88) a cependant mis Ananias en tête au v. 24, en accord avec le v. 88 (fin de la deuxième hymne) et plus près de 1,7. L'explication la plus simple est que la révision origénienne a voulu aligner le v. 24 sur le v. 88. Mais la séquence des noms propres en 3,88 reste à expliquer. Est-ce la trace d'une troisième tradition narrative sur les compagnons, à côté de celle attestée dans le TM et de celle qui met Azarias en tête, certainement originale dans le récit intercalaire (v. 49)? Ce sera à envisager, mais j'y renoncerai.

Rien dans le texte hébreu-araméen – c'est clair – n'invitait à mettre Azarias en avant. Et malgré le contexte, l'interpolateur du Supplément (qui est aussi, ou qui n'est pas, le traducteur LXX de Daniel) a été conduit à le mettre à la tête du groupe parce qu'Azarias était le protagoniste du Supplément, au moins dans le récit intercalaire. Le v. 25LXX tend même à faire d'Azarias, non seulement le protagoniste, mais le soliste de la première prière. Et c'est ainsi que le v. 25Théod a compris: Azarias y est seul à prononcer la prière de pénitence.

B. *Le récit intercalaire (46-51) selon DnLXX*

Pour qui a lu Dn 3,1-23, la première partie, v. 46-49G, du récit intercalaire (v. 46-51G) n'apprend rien de neuf: la chaudière sur-chauffée (46a propre à la LXX), les bourreaux eux-mêmes brûlés (46b –

---

18. En faisant dériver 4 Ma 16,21 et 18,12 de DnLXX sur la base de l'ordre des noms des compagnons, B. SCHALLER, *Das 4. Makkabäerbuch als Textzeuge der Septuaginta*, dans D. FRAENKEL, U. QUAST, J.W. WEVERS (édd.), *Studien zur Septuaginta – R. Hanhart zu Ehren* (Abh. ... Göttingen, Phil.-Hist. Kl. III,190 = MSU, 20), Göttingen, 1990, p. 323-331, 325, 329-330, va peut-être trop vite. Il y a l'intermédiaire vraisemblable de 1 Ma 2,59.

19. En DnLXX: 2,17; 3,25; 5,6 (jamais dans Théod); en *A Esdras*: 6,3.7.27; 7,1 (cf. Esd 5,3.6; 6,6.13, où B Esdras a σύνδουλος).

48G). La description de la fournaise peut paraître adventice, car elle est encadrée par une *Wiederaufnahme* (ἡνίκα ἐνεβάλοσαν ... ὅτε αὐτοὺς ἐνεβάλοσαν), mais son vocabulaire est original et son libellé très ancien. Déjà 3 M 6,6 lie deux détails caractéristiques du récit intercalaire, διάπυρος qui vient précisément dans la description de la fournaise (46G) et δροσίσας qui correspond au δρόσος du v. 50G[20]. Pour ma part, je considère que la première temporelle, καὶ ἡνίκα ἐνεβάλοσαν ..., correspond au ὅτε ... ἐπέταξεν (προσέταξεν 88) ἐμβλῆναι ... de la fin du v. 24LXX. L'état original du Supplément distinguait une prière *avant* le supplice – seule la décision en est prise –, et le cantique *dans* la fournaise. Il reste que la construction est maladroite et qu'elle peut cacher des transformations opérées sur le Supplément au moment de son insertion.

La deuxième partie du récit intercalaire crée la nouveauté, l'événement (49-50G): la descente de l'ange du Seigneur[21], le vent de rosée, la protection des trois compagnons. Ces trois éléments sont rappelés dans le cantique qui suit. Il faudra y revenir.

Ce récit intercalaire est écrit en un grec sans servilité, et le vocabulaire en est original.

1. On notera deux emplois de la particule δέ (49G et 51 selon 88) et même un emploi de μὲν ... δέ au v. 46 (selon 88; 967 a seulement δέ)[22].

2. Le vocabulaire est choisi, presque rare (si nous pouvons en juger): διάπυρος, θερμασία pour décrire la fournaise (46LXX), plus loin: διεξοδεύω, ἐκτινάσσω, διασυρίζω, παρενοχλέω.

L'ensemble du récit intercalaire est d'ailleurs littérairement noué: au début du v. 46LXX, les trois sont jetés ensemble (οἱ τρεῖς εἰς ἅπαξ); au v. 51G, ils chantent ensemble (οἱ τρεῖς ὡς ἐξ ἑνὸς στόματος). Cette inclusion peut tenir à la composition intiale ou à une intervention rédactionnelle.

Cet ensemble narratif est aussi à l'origine de la refonte des v. 22-23LXX et d'éléments rédactionnels au v. 25LXX.

1. La formule οἱ περὶ τὸν Ἀζαρίαν ne peut venir que du v. 49G, où ce grécisme a sa place.

2. Le v. 23LXX emprunte ἐμπυρίζω[23] au v. 48.

---

20. Il est habituel de dater *III Maccabées* d'une ou deux décennies avant le début de l'ère chrétienne.

21. La participation de l'ange à la prière n'a pas à surprendre, indépendamment même du miracle: voir J.A. FITZMYER, *A Feature of Qumrân Angelology and the Angels of I Cor. XI,10*, dans *NTS* 4 (1957-58) 48-58.

22. Sur la fréquence de μὲν ... δέ dans la LXX, voir Hatch et Redpath, s.v. μέν. En Daniel, on ne le trouve pas chez Théod, mais seulement dans LXX: 1,7 (88, non 967); 3,15; 3,23; et ici, en 3,46 (88, non 967). Il ne paraît pas y avoir de cas en *A Esdras*. L'emploi de δέ seul est déjà l'indice d'un effort d'hellénisation.

23. Ce verbe, employé au v. 48LXX, est repris tel quel, avec tout le contexte, par Théodotion, ici mais pas ailleurs. En revanche, DnLXX se sert du verbe au v. 23LXX et du substantif correspondant ἐμπυρισμός au v. 95TM = 28LXX, que Théodotion évite. –

3. Le v. 25LXX emprunte au v. 46 le terme caractéristique ὑπο-καίομαι (et aussi, mais c'est moins significatif, Χαλδαίων au v. 48, car Dn 3,8 donne ἄνδρες Χαλδαῖοι).

Il ressort de cet examen que le récit intercalaire est, au moins pour l'essentiel, d'une main grecque distincte de celle du traducteur de Dn 3. Ce dernier en utilise les deux parties (46-48G et 49-50G), et l'auteur, égyptien, de 3 M les connaissait aussi toutes les deux sous la forme LXX distincte de «Théodotion» qui n'a pas διάπυρος.

La distinction entre le traducteur de DnLXX et celui du récit intercalaire tient au fait qu'ayant à traduire à peu près les mêmes réalités ils emploient systématiquement d'autres termes. Au moment où a été opérée l'interpolation du Supplément, les v. 22-23 et 25G surtout ont été adaptés en fonction du récit intercalaire. Le doublet existant entre les v. 22-23 et 46-48G n'est tolérable que du fait de la distance créée par la première prière. Quant au v. 51G, qui introduit la seconde prière, il fait inclusion avec le début du v. 46LXX. On ne le détachera donc pas facilement (ni le cantique qu'il introduit) des v. 46-50LXX[24].

C. Le retour au récit araméen (v. 91G)

Le v. 91G comporte une première partie rédactionnelle (91a), absente de l'araméen, destinée à faire le lien entre la deuxième prière et le récit araméen, et une seconde partie (91b) correspondant plus ou moins au v. 24 de l'araméen.

1. Dans la LXX, on lit donc: «91a. Et il arriva, lorsque le roi les entendit chanter, debout, il les voyait vivants. 91b. Alors le roi Nabuchodonosor s'étonna et se leva en hâte. Et il dit à ses courtisans (φίλοις): 92. Voici que je vois ...»

À la différence de l'araméen, le roi est averti naturellement du miracle: il entend le chant. Cette suture rédactionnelle est alors suivie de la traduction littérale de l'araméen, où l'on reconnaît la main du traducteur principal à l'emploi de φίλος au sens de «courtisan[25]». La

---

On ne peut argumenter rigoureusement sur φλόξ, employé aux v. 47, 49 et 88G, car il l'est aussi au v. 23LXX, où il rend l'araméen *šᵉbîba'* du v. 22TM. (La concordance de Hatch et Redpath est trompeuse; la numérotation des versets les a induits en erreur.)

24. «Théodotion» omet 46aLXX (description de la fournaise). Pour lui, les deux cantiques sont prononcés *dans* la fournaise. Il n'y a donc pas lieu d'y revenir, car elle a été décrite au v. 22. Mais «Théodotion» garde le récit du retour des flammes sur les bourreaux (46b-48G) qu'il a délibérément omis au même v. 22.

25. Sur φίλος au sens de «courtisan», voir par exemple C. SPICQ, *Notes de lexicographie néo-testamentaire* (OBO, 22), Fribourg (Suisse) et Göttingen, 1978, t. I, p. 79-80, et t. II, p. 940-943; Sylvie LE BOHEC, *Les philoi des rois Antigonides*, dans *Revue des études grecques* 98 (1985) 93-124 (avec bibliographie). Dans la LXX, φίλος comme titre aulique est caractéristique du traducteur principal de DnLXX (3,91.94; 5,23; 6,13) et de *A Esdras* (3,21; 8,11.13.26), mais non de leurs suppléments. On le retrouve aussi dans EstherLXX (1,3.13; 2,18; 3,1; 6,9; E5) dans des passages absents ou différents de l'hébreu, ainsi qu'en

traduction, littérale, omet cependant le dialogue avec les courtisans sur le nombre de personnes, trois ou quatre, dans le feu.

Le fait qu'il commence par rendre mot à mot l'araméen (Τότε ...), permet de tracer une ligne nette entre la suture et la reprise du récit. L'omission du dialogue entre le roi et les grands sur le nombre d'hommes pourrait être due à un passage du même au même[26] (l'aramaïsme «il répondit et il dit», v. 24 au milieu et 25 au début), mais cette explication n'est pas adéquate, car les mots τοῖς φίλοις αὐτοῦ auraient dû tomber en même temps. En revanche, le traducteur principal pouvait omettre sans inconvénient le dialogue sur le nombre.

Dans l'araméen, en effet, le roi est averti mystérieusement (par une vision) que quatre hommes sont dans la fournaise. Sa première surprise est qu'ils sont quatre. Après quoi, le roi s'approche matériellement de la fournaise pour s'en assurer (v. 26 = 93G). Entre les deux, le dialogue est normal. Mais, dans la LXX, le roi entend le son du chant, et il appelle ses amis. Après quoi, il voit réellement (non en vision) les hommes. Sa surprise est qu'ils vivent. La question sur le nombre est hors de propos. On peut donc suivre 967 contre 88, comme l'ont déjà fait A. Rahlfs et J. Ziegler, et tenir l'absence du dialogue pour originale dans la LXX. Un argument non négligeable est le verbe employé à cette place en 88, πεδάω[27], est préféré par Théodotion, tandis que συμποδίζω[27] est le verbe du traducteur principal. La phrase absente de 967 et restituée en 88 selon TM est donc, selon toute vraisemblance empruntée à Théodotion.

2. Chez Théodotion, on observe curieusement que le v. 91, constitué de la suture et de la traduction du récit (v. 24TM), a été retravaillé pour donner une phrase simple: «Nabuchodonosor les entendit chanter et fut surpris. Et il se leva en hâte et il dit à ses grands: N'avons-nous pas jeté trois hommes entravés (πεπεδημένους) ? – Et ils dirent au roi: En vérité, Sire. 92. Et le roi (répondant)[28] dit ... » Sauf pour la présence du dialogue sur le nombre d'hommes dans le feu, ce «Théodotion» est plus libre vis-à-vis de son modèle que la LXX. Et la raison en est apparemment qu'il veut estomper la ligne nette, mais trop rude à son

---

Esther «lucianique» (3,1; 5,14.21; 6,11; 7,8.23 = E5). En DnThéod, φίλος est employé au sens habituel d'ami.

26. A. BLUDAU (cité à la n. 3), p. 58. J.A. MONTGOMERY (*A Critical and Exegetical Commentary of the Book of Daniel* [ICC]), New York, 1927, p. 217) suppose une haplographie de *hl'* (v. 24) à *h'* (v. 25), donc dans l'araméen; l'explication est faible.

27. Συμποδίζω vient en DnLXX 3,2.21.22.23(22); πεδάω vient en DnThéod 3,20.21.23.91G(24TM). La remarque a été faite par W. Hamm (cité à la n. 1), p. 388-389; les autres indices qu'il propose sont moins probants, mais servent de confirmation. – La concordance pourrait donner l'illusion que πεδάω vient aussi en DnLXX, mais, en 4,30aLXX, 967 n'a pas ce verbe, et nous avons vu que seul 88 a cette partie de 3,91.

28. Le texte lucianique ajoute «répondant», qui peut représenter le Théodotion original.

gré, que le traducteur LXX avait mise entre la suture et la reprise du récit. «Théodotion» néglige même l'aramaïsme littéral τότε[29].

Autrement dit, pour ce verset charnière, il y a peu de chances que nous nous trouvions devant le Théodotion original, qui n'avait vraisemblablement pas non plus le Supplément. Ce sera au moment de l'insertion de ce Supplément dans la traduction de Théodotion que le v. 91 aura été refondu de telle sorte que la démarcation y soit estompée, et que, paradoxalement, elle soit moins apparente que dans la LXX.

D. *Les v. 24 et 25 de la LXX*

Les v. 24 et 25 servent évidemment à introduire le Supplément euchologique. La difficulté est qu'ils se ressemblent trop.

Le v. 24 a pu constituer une sorte de titre pour la totalité du Supplément. Il nomme les trois compagnons, ce qui pointe vers la deuxième prière sans exclure la première; il mentionne prière (προσηύξατο) et hymne (ὕμνησαν); il situe l'action d'une manière générale: «lorsque (ὅτε) le roi eut ordonné de les jeter dans la fournaise». Le «ὅτε» fait même penser à certains titres de Psaumes[30]. Le v. 24LXX n'a pas d'équivalent en araméen, et Théodotion lui fait à peine écho, mais il a pu le connaître, ainsi qu'en témoigne son ὑμνοῦντες. Quant au οὕτως οὖν en tête, c'est une cheville rédactionnelle vraisemblable pour transformer le titre en élément narratif; il y a deux exemples tout proches, aux v. 93 et 97LXX. Les cas sont rares[31].

Le v. 25LXX paraît, lui, introduire spécifiquement la première prière. Mais il le fait en reprenant plusieurs mots du v. 24 (si ce n'est l'inverse): Ἀζαρίας, προσηύξατο, οὕτως, καμίνου. Le verbe ἐξομολογέομαι peut convenir pour la confession des péchés (première prière) et pour la confession de la gloire de Dieu (deuxième prière; cf. v. 89). Ici il sert non à distinguer les deux prières, mais comme synonyme de προσεύχομαι à introduire la précision «avec ses compagnons». Le terme συνέταιρος est caractéristique du traducteur principal de Daniel et *A Esdras*[32], tandis que le grec du Supplément préfère οἱ περὶ + acc. Mais dans les deux cas, Azarias est mis en avant, et il n'est pas défendu de lui attribuer la première prière. Le v. 25 précise ensuite que Azarias et ses compagnons sont déjà dans la fournaise, et il emploie pour cela

---

29. Sur τότε comme indice d'aramaïsme, voir P.-M. BOGAERT, *Relecture* (cité à la n. 4), p. 220-221; et, à propos de *I Hénoch*, dans *RTL* 20 (1989), p. 205-206.

30. On trouvera des remarques intéressantes sur les titres grecs des Psaumes dans A. PIETERSMA, *David in the Greek Psalms*, dans *VT* 30 (1980) 213-226.

31. L'emploi de οὖν est limité dans la LXX et caractéristique des livres écrits en grec. En DnLXX et *A Esdras*, il vient quelques fois. Οὕτως οὖν est évidemment beaucoup plus rare; dans la LXX, il se trouve, sauf erreur, quatre fois, en Jb 1,5, et en DnLXX 3,24. 93 (dans 88 seulement, omis par homéotéleute dans 967) et 97.

32. Voir n. 19.

deux mots du Supplément, ὑποκαίομαι (v.46LXX) et Χαλδαίων (v. 48G)[33].

Ces observations permettent de tenir le v. 25 pour composite et, au moins partiellement, rédactionnel. C'est vraisemblablement le traducteur principal de DnLXX qui a fait d'Azarias non seulement le protagoniste, mais aussi le soliste, de la première prière. S'il reste un doute, «Théodotion» le lève; chez lui, seul Azarias est mentionné.

E. *Vers une interprétation*

L'interprétation des observations faites jusqu'ici soulève trois questions.

1. L'insertion du Supplément s'est-elle faite en une fois ou en deux fois? A-t-il été introduit tel que nous le connaissons ou bien ne comportait-il qu'une prière, l'autre (la première, selon la thèse proposée parfois, ou la seconde) ayant été ajoutée ultérieurement?

2. Est-ce le traducteur grec de Dn3LXX qui insère la version grecque préexistante du Supplément ou est-ce un tiers qui l'interpole?

3. Jusqu'à quel point la ressemblance de situation avec *A Esdras* peut-elle guider l'interprétation: un même traducteur pour Daniel et *A Esdras* (sans leurs suppléments), un trio de compagnons dans les suppléments; insertion d'un supplément grec dans la traduction grecque d'une partie araméenne d'un livre hébreu?

1. L'hypothèse parfois proposée selon laquelle l'insertion de la première prière s'est faite en un second temps[34], si elle résout quelques difficultés superficielles, soulève à mes yeux une difficulté majeure. Elle comporte que les v. 22-23 et 46-48G se seraient suivis immédiatement à un stade antérieur, ce qui constitue une répétition insupportable, quelle que soit la forme des v. 22-23 que l'on retienne (TM, LXX, Théodotion). Et l'on ne peut sortir de la difficulté en tenant les v. 46-48 pour une *Wiederaufnahme,* car leur vocabulaire est original. Veut-on supposer que, dans cette forme antérieure, le v. 46 ait été la suite du v. 21? La restitution des v. 22-23 dans la forme où nous les connaissons en grec créait alors plus de problèmes que leur absence.

Mais on pourrait aussi tenir que la deuxième prière (52-90G) est introduite secondairement. Cela n'a jamais été tenté que je sache.

---

33. Voir ci-dessus: le traducteur principal emploie ἄνδρες Χαλδαῖοι (3,8).

34. Pour A. Bludau (cité à la n. 3), le Supplément était présent dans les modèles araméens (légèrement différents) de la LXX et de Théodotion, mais il l'était moins adroitement dans le modèle araméen de la LXX (p. 165). La première prière y avait été ajoutée secondairement, au niveau de l'araméen (p. 163). Pour W. ROTHSTEIN, *Die Zusätze zu Daniel,* dans E. E. KAUTZSCH (éd.), *Die Apokryphen und Pseudepigraphen des Alten Testaments,* Tübingen, 1900, p. 172-193 (sur Dn 3, p. 173-176; sur l'insertion de le première prière, p. 174-175), la première prière est introduite secondairement dans le grec.

Rédactionnellement cela poserait moins de problèmes, car on peut passer du v. 50 au v. 91bLXX sans heurts. Même les liens entre le récit intercalaire et le Cantique qui suit (les antidotes au feu et les versets finaux) ne constituent pas un obstacle insurmontable, car ils peuvent être des additions rédactionnelles dans une hymne préexistante au moment de son insertion. L'ordre insolite des compagnons au v. 88 n'aurait plus à être expliqué. Toutefois le bénéfice de cette hypothèse est mince. Ce n'est pas parce que cette solution est possible qu'il faut renoncer à l'insertion en un temps.

N'ayant pu aboutir à une explication plus simple à partir de cette hypothèse plus compliquée, nous préférons y renoncer. Nous nous tiendrons à l'insertion en un temps d'un supplément qui comprenait les deux prières et des indications narratives rappelant leur origine.

2. Dans l'hypothèse plus simple où le Supplément déjà complet en grec est introduit en Dn 3, une nouvelle question se pose. Est-ce le traducteur de DnLXX lui-même ou une troisième personne qui l'a introduit et a opéré les adaptations ou les modifications nécessaires? La même question a été posée par K.-Fr. Pohlmann à propos du Récit des Pages dans *A Esdras*, et il a marqué sa préférence pour la seconde solution, l'interpolation ultérieure[35].

Dans les deux cas, l'on peut montrer que le vocabulaire grec de l'addition, que ce soit le Supplément de Dn 3 ou le Récit des Pages, diffère de celui de son contexte (DnLXX, *A Esdras*) pour désigner les mêmes réalités. Pour Dn 3, les observations faites ci-dessus l'ont montré d'une manière assez nette en dépit de la brièveté de l'échantillon; pour *A Esdras*, on peut accepter les conclusions de K.-Fr. Pohlmann[36]. Dans les deux cas aussi, l'on observe une modification du contexte. En Dn 3, les v. 20-23 le montrent à suffisance, ainsi que l'ensemble de DnLXX dans 967; en *A Esdras*, il y a eu une réorganisation du contexte autour de l'addition pour aider à la vraisemblance historique[37].

L'opération consistant à introduire un supplément ne manque pas d'audace à nos yeux et suppose, en tout état de cause, une assez grande liberté vis-à-vis du modèle de la part de celui qui s'y livre. On peut donc s'attendre à ce qu'il modifie et le supplément, et l'œuvre supplémentée;

---

35. K.-Fr. Pohlmann, *Studien zum dritten Esra. Ein Beitrag zur Frage nach dem ursprünglichen Schluß des chronistischen Geschichtswerkes* (FRLANT, 104), Göttingen, 1970, voir p. 50-52; du même, *3. Esra-Buch* (Jüdische Schriften aus hellenistisch-römischer Zeit. I,5), Gütersloh, 1980, voir p. 382 et 402. Pohlmann s'oppose sur ce point à W. T. In der Smitten, *Zur Pagenerzählung im 3. Esra*, dans VT 22 (1972) 492-495, en s'appuyant au passage sur l'avis de R. Hanhart, *Text und Textgeschichte des 1. Esrabuches* (MSU, 12), Göttingen, 1974, p. 12.

36. K.-Fr. Pohlmann, *Studien* (cité à la n. 35), p. 150-151.

37. K.-Fr. Pohlmann, *Studien* (cité à la n. 35), p. 36-37.

mais il nous est évidemment plus facile de déceler les modifications dans
l'œuvre supplémentée, puisque nous possédons les deux états de celle-ci.

Dans le cas de Dn 3, l'examen révèle que le vocabulaire du Supplément (et particulièrement celui du récit intercalaire) a pénétré le
contexte, surtout au v. 22-23; c'est évidemment un indice favorable à
l'hypothèse du tiers interpolateur, car le traducteur de Dn araméen
aurait privilégié le texte principal et non le Supplément. Mais le
vocabulaire de DnLXX intervient aussi dans la charnière (συνέταιρος,
οὕτως οὖν), au v. 25 et au v. 24. Rien n'empêche donc de supposer une
opération complexe du traducteur lui-même qui modifie le contexte en
même temps qu'il interpole le Supplément.

Dans le cas de A Esdras, les deux indices apportés par Pohlmann à
l'appui de la thèse du tiers interpolateur ne me paraissent pas décisifs.
En deux cas, dit-il, on reconnaît la main de l'interpolateur, distincte de
celle du traducteur: 1. Le libellé de la date, certainement ajoutée, en A
Esd 6,1 n'est pas celui habituel de A Esdras. 2. Le sens de μεριδαρχία
n'est pas le même en 5,4, qui est de l'interpolateur, et ailleurs (1,5.10[12]
et 8,28). Sur le premier point, matériellement indiscutable, j'observe que
A Esd 2,25(26) fin, qui n'est pas une formule de datation, fournit le
libellé de 6,1. Sur le second, la différence de sens vaut peut-être au
regard de l'hébreu, mais il ne me paraît nullement certain qu'elle existe
dans la pensée du traducteur grec; et l'on pourrait tenir que ce mot rare
est délibérément employé avant et après l'exil, pour établir une conti-
nuité. J'en conclus que la démonstration n'est pas faite, non pas que la
thèse est à rejeter au profit de l'autre. Cela reste à voir.

3. Il y a aussi que, selon Bernhard Walde[38], le traducteur de DnLXX
a de singulières ressemblances avec celui de A Esdras, au point que la
thèse de l'unité de traducteur s'impose. La démonstration proposée
peut être affinée puisque nous disposons maintenant d'une édition
critique et d'une concordance avec l'hébreu et l'araméen de A Esdras,
d'une part, et d'une meilleure connaissance de DnLXX grâce à 967
d'autre part[39]. Le travail devrait être repris systématiquement, mais il
ne fait pas de doute que, si jamais une démonstration de ce type est
possible, elle bénéficie ici d'une situation favorable[40].

---

38 Cité à la n. 8.

39. L'emploi de φωνέω, ἐκφωνέω, dans la formule «répondre et dire», me paraît à
souligner (Dn 2,19.27.47; 4,11; A Esd (4,41?);8,92; 9,10). Mais il y a bien d'autres
exemples (συνέταιρος, νεανίσκος, qui interviennent dans ce travail, et toutes les observations faites par B. Walde). W. Hamm (cité à la n. 8, p. 45) a complété, pour Dn 1-2, la
liste des passages où la ressemblance est manifeste avec des leçons de 967; il a fait la même
chose pour les ch. 3-4 (cité au début de la note 1, p.58-59).

40. En ceci, comme en bien d'autres cas, H. St J. THACKERAY avait vu juste (*A
Grammar of the Old Testament in Greek according to the Septuagint*, Cambridge, 1900,
p. 12).

Si vraiment le traducteur principal des deux œuvres est le même, alors les chances que l'interpolateur soit aussi le traducteur et non un tiers augmentent singulièrement. Serait-ce un hasard que deux livres bibliques, partiellement écrits en araméen, Daniel et Esdras, soient tous deux augmentés, dans leur version grecque, d'un supplément mettant en scène un groupe de trois νεανίσκοι[41] ? Ne perdons pas de vue non plus que le traducteur principal de Daniel fait preuve au ch. 6 de sa connaissance du Récit des Pages[42]. Supposer successivement un même traducteur et un même interpolateur pour les deux livres, n'est-ce pas compliquer à plaisir la solution? Il est plus simple de tenir que, dans DnLXX et dans *A Esdras,* le traducteur est aussi celui qui a interpolé le supplément et qui a modifié l'ordre de son modèle. Examinons d'abord quelques différences internes dans les formes LXX et «Théodotion» du Supplément.

II. QUELQUES DIFFÉRENCES INTERNES DANS LES DEUX FORMES DU SUPPLÉMENT

La prière de pénitence (v. 26-45G) a été étudiée attentivement par Maurice Gilbert d'après le texte «Théodotion» qui diffère peu de la LXX[43]. La seule variante est au v. 40 où la LXX a la notion d'expiation, ἐξιλάσαι, vraisemblablement un impératif aoriste moyen[44], que l'on retrouve en Nb 17,11 (parfois 16,46) dans un ordre donné par Moïse à Aaron. Quoi qu'il en soit, les v. 39-40 manifestent le regret de l'absence de culte. À la différence des parallèles bien connus (Mi 6,6-8; Ps 40[39],7-9; surtout Ps 51[50],18-19), on n'y décèle pas de critique. Nous sommes donc bien dans le contexte de la profanation du temple par Antiochus IV Épiphane (voir aussi v. 32).

Que la θυσία du v. 40 puisse annoncer, au-delà de l'esprit contrit et humilié, le martyre des trois compagnons paraît acceptable et doit être envisagé. Même si la prière de pénitence a une origine plus ancienne, elle a au moins été adaptée à son contexte. Elle est prononcée avant le supplice – on l'a vu et il faudra y revenir – dans la forme indépendante

41. Voir ci-dessous, n. 66.
42. J.A. MONTGOMERY, *The «Two Youths» in the LXX to Dan. 6,* dans *Journal of the American Oriental Society* 41 (1921) 316-317.
43. M. GILBERT, *La prière d'Azarias* (Dn 3,*26-45 Théodotion*), dans *NRT* 106 (1974) 561-582; du même, *Comparaison entre les confessions des péchés de Néhémie 9 et Daniel 3 Théod.,* résumé dans *Bulletin of the International Organization for Septuagint and Cognate Studies* 7 (1974) 23-25. – K.-Fr. POHLMANN, *Studien* (cité à la n. 35), p. 43-44, a rappelé les ressemblances entre Dn 3,27G et A Esd 4,36.39.
44. L'opt. aor. act. ou l'inf. aor. act. ne sont guère vraisemblables, vu l'absence d'emploi biblique du verbe à l'actif.

du Supplément. Le Cantique des Trois est lui aussi marqué par le contexte narratif.

A. *La prière de louange dans 967*

Mieux connues depuis 1977, les variantes de la LXX méritent une étude renouvelée[45].

1. Dans 967, les bénédictions initiales (v. 52-56G) sont au nombre de cinq, et non de six, celle concernant le temple (53G) faisant défaut. On pourrait admettre une omission par passage du même au même, mais dans le contexte maccabéen de la profanation du temple, évoquée à propos des V. 39-40G, le silence peut s'expliquer. Les chérubins du v. 55 n'imposent pas le fonctionnement du culte; ils sont un élément mobile du «char» divin.

De plus, les «quintils» ou strophes de cinq vers sont caractéristiques de la composition du Cantique en 967. L'absence est, dès lors, plus probable que l'omission[46].

2. Dans 967, les v. 62-63G (soleil et lune, astres du ciel) sont mentionnés après le v. 78G, entre les plantes et les eaux d'en-bas (fleuves, sources, mers) et les poissons et les oiseaux (79-80G), c'est-à-dire entre les œuvres du troisième jour (74-78G) et celles du cinquième (79-80G). À l'évidence, l'ordre recherché est celui de la création où les astres sont créés au quatrième jour. Dans «Théodotion», en revanche, (et dans 88), le soleil et la lune précèdent les astres du ciel et se trouvent avec les puissances d'en-haut, selon une division tripartite ciel-terre-hommes. Ces deux places sont explicables. Laquelle est originale? Il n'est pas aisé de trancher. Si le groupement par cinq est premier, les astres doivent venir plus loin au quatrième jour, comme dans 967, – on le verra.

3. L'insistance sur les phénomènes météorologiques est frappante. La rosée est même mentionnée deux fois (au singulier au v. 64, au pluriel au v. 68). Or c'est précisément un vent de rosée (πνεῦμα δρόσου διασυρίζον), au v. 50, qui protège les hommes dans la fournaise. L'insistance sur le chaud, et plus encore sur le froid et ses corollaires (gelée, neige, etc.), paraît disproportionnée dans un inventaire des créatures, mais elle est en situation dans l'épisode.

---

45. Voir entre autres E.G. CHRISTIE, *The Strophic Arrangement of the Benedicite*, dans *JBL* 47 (1928) 188-193; L. E. FRIZZEL, *Une prière du livre de Daniel: son utilisation chrétienne*, dans *SIDIC* 12 (1979) 9-15, qui suit la division de C.A. MOORE, *Daniel, Esther and Jeremiah: the Additions* (The Anchor Bible, 44), Garden City, NY, 1977, p. 75-76. – Ces travaux s'appuient essentiellement sur Théodotion et sur 88.

46. L'addition du v. sur le temple dans «Théodotion» (puis dans la révision origénienne) tiendrait alors à la volonté anachronique de combler ce qui est senti comme une omission.

Examinons la séquence suivante:

b	61	πᾶσαι αἱ δυνάμεις
a	64	πᾶς ὄμβρος καὶ δρόσος
b'	65	πάντα τὰ πνεύματα
c	66	πῦρ καὶ καῦμα
d	67	ῥῖγος καὶ ψῦχος
a'	68	δρόσοι καὶ νιφετοί
d'	69	πάγη καὶ ψύχη.

Dans les v. 64 à 68, nous retrouvons plusieurs termes des v. 49 et 50: δρόσος, πνεῦμα, πῦρ et, pour le sens, καῦμα. On peut même déceler une construction concentrique. Si l'on place «feu et chaleur» (66) au centre, la rosée (64 et 68) les encadre symétriquement; les versets intermédiaires s'accrochent respectivement le v. 65 (tous les esprits) au v. 61 (toutes les puissances), et le v. 67 (gelée et froid) au v. 69 (gels et froidures), tous éléments qui s'opposent à la chaleur et au feu. Cette constuction «b a b' c d a'd'» reste partiellement visible dans «Théodotion» (a b' c d a'), mais son environnement est désorganisé (b et d' sont séparés).

Il est clair, en tout cas, que l'insistance sur les phénomènes météorologiques liés à l'eau (la séquence étudiée à laquelle on peut joindre les v. 60 et 70 qui l'entourent) est voulue pour correspondre à l'épisode du salut des compagnons dans la fournaise.

4. Dans 967, les termes de la longue énumération sont regroupés par cinq. C'est vrai, nous l'avons dit des cinq bénédictions d'introduction (v. 52 à 55, sans le temple). C'est vrai aussi, si l'on veut bien nous suivre (et toujours selon 967), des v. 56 à 87:

Toutes les œuvres du Seigneur,
les anges du Seigneur,
les cieux,
toutes les eaux par dessus les cieux,
toutes les puissances du [Seigneur].

Toute pluie et rosée,
tous les esprits (vents),
feu et chaleur,
gel et froid,
rosées et bruines.

Gelées et froidures,
neiges et givres,
nuits et jours,
ténèbres et lumière,
éclairs et nuées.

Terre,
montagnes et collines,
tout ce qui pousse sur le sol,
fleuves et sources,
mers et (...)[47].

Soleil et lune,
astres du ciel,
poissons et tout ce qui se meut sur les eaux,
oiseaux du ciel,
quadrupèdes, bétail et bêtes des champs.

Fils des hommes,
Israël,
prêtres, serviteurs du Seigneur[48],
pieux et humbles de cœur,
esprits et âmes des justes.

Après le premier quintil, six autres suivent, décrivant la création, mais s'attardant aux phénomènes météorologiques liés aux eaux d'en-haut.

L'adresse aux trois compagnons (v. 88-90) ne rentre pas dans la construction en quintils. Qu'elle soit adressée à ceux-là mêmes qui prononcent la prière n'est pas en soi une difficulté, si l'on admet qu'il peut s'agir d'une pièce chorale où diverses parties se répondent. Il y a des exemples. N'en concluons pas trop vite au caractère adventice de ces derniers versets[49]: ils actualisent le cantique et permettent, certes, de retomber sur le récit araméen, mais, sans eux, la partie météorologique perdrait, elle aussi, sa fonction. Le mot φλόξ du v. 88 évoque le Supplément au v. 49. La miséricorde des v. 89 et 90 répond à l'appel de la même miséricorde dans la première prière (v. 35, 38 et surtout 42).

5. L'énumération proposée en 967 correspond aussi à l'Œuvre des six jours, mais sans qu'elle soit distribuée selon les quintils. L'œuvre du troisième jour occupe le quatrième quintil; celles du quatrième et cinquième jour, le cinquième quintil; l'œuvre du sixième jour comporte les quadrupèdes à la fin du cinquième quintil, et l'homme au sixième

---

47. 88 et 967 ne sont pas d'accord, et 967 est mal conservé, mais la question n'a pas d'importance. Le ms. 88 introduit ici des ὄμβροι, qui seraient mieux parmi les eaux d'en-haut.

48. Ainsi 967, qui groupe deux versets de Théodotion et 88. La leçon de 967 est bien attestée, car elle est présente en marge dans 88 et dans la syro-hexaplaire. Le raisonnement de W. Hamm (cité à la n. 1; voir p. 375-376) sur l'article et sur l'identificaton des δοῦλοι comme lévites ne s'impose nullement. Ensuite 88 et Théodotion placent les esprits et âmes des justes avant les pieux et humbles de cœur.

49. Ainsi L.F. HARTMAN et A.A. DI LELLA (cités à la n. 7).

quintil. L'œuvre du deuxième jour occupe les trois premières strophes, à moins qu'on ne veuille mettre la création des anges au premier jour [50].

B. *L'ordre des versets dans « Théodotion »*

A beaucoup d'égards, la composition des v. 52 à 90G est plus régulière dans 967 que dans Théodotion. Cela ne suffit évidemment pas à montrer que cette organisation est antérieure à celle de Théodotion. Pour en être sûr, il faudrait établir un sens unique. Pour faire bref, je dirai simplement que les plans proposés ne sont certainement pas meilleurs que celui suggéré ici pour 967. Une difficulté spécifique vient des v. 66 à 73 dont l'ordre varie dans les témoins de Théodotion.

Avant de se servir de l'édition de J. Ziegler, il faut rappeler (voir son apparat) que le v. 69 se présente sous sous deux formes:

πάγος (πάγη, πάγοι) καὶ ψῦχος dans la plupart des témoins, comme aussi dans 967 et 88; il s'agit donc bien de deux synonymes;

ψῦχος καὶ καῦμα dans B-26 Q. Cette deuxième forme est, réalité, une variante du v. 67, ψῦχος καὶ καύσων, qui manque dans B-26 Q. Il s'agit d'antonymes.

Nous avons donc affaire à un déplacement dans «Théodotion». Mais la LXX (967 et 88) n'a pas ce groupe d'opposés, froid et chaud.

Si maintenant nous passons à l'ordre lui-même, nous observons que les manuscrits lucianiques et les meilleurs de la recension dite origénienne ont le même ordre que 967-88 de la LXX [51]. L'oncial A (et d'autres minuscules) suivi par Ziegler pour son édition donne la séquence 66-68.71-72.69-70.73. L'oncial B (suivi par 26 et Q) donne 66.71-72.67.70.73 (omission de 68-69) [52]. Le sahidique et deux autres omettent le v. 69. Si le v. 69 est un intrus dans «Théodotion», il y a quatorze créatures entre les cieux et la terre.

Le couple d'opposés froid-chaleur propre à 67Théod (et présent aussi dans l'araméen de la Bodléienne) n'a rien qui recommande son originalité. Toutes les autres paires sont soit des semblables, soit des figures pour désigner la totalité (mérisme ou expression polaire). Cette dernière interprétation ne convient au v. 67 que si l'on oublie l'épisode de la

---

50. Ce que le rabbinisme n'admettait plus, mais qu'on ne peut exclure à l'époque maccabéenne (voir P.-M. BOGAERT, *Une tradition juive sur la création de l'esprit mauvais au deuxième jour*, dans *Anges et démons. Actes du colloque de Liège et de Louvain-la-Neuve 25-26 novembre 1987* [Homo religiosus, 14], Louvain-la-Neuve, 1989, p. 135-146). En plaçant les cieux avant les anges, «Théodotion» écarte cette interprétation; mais, par ailleurs, il s'éloigne aussi complètement de l'ordre des six jours pour ce qui est des astres.

51. Cette observation est importante pour l'étude des versions dérivées des LXX. Les manuscrits et pères latins qui attestent l'ordre des LXX pour les v. 66-73 ne dépendent pas nécessairement des LXX; ils peuvent parfaitement dépendre de témoins de Théodotion, puisque les plus nombreux avaient sur ce point l'ordre des LXX.

52. Corriger Ziegler, qui confond 67 et 69, d'après ce qui vient d'être dit.

fournaise. Dans cette situation, on voit mal que «froid et chaud» désigne la totalité des températures.

Il est cependant difficile d'apporter la preuve que les particularités internes du cantique dans 967 sont antérieures à la refonte par «Théodotion». Seul un raisonnement a pari, à partir des sutures et du récit intercalaire, donne à cette thèse une vraisemblance plus grande.

C. *Le texte araméen de la Bodléienne*

Klaus Koch a défendu avec beaucoup d'érudition la thèse selon laquelle le texte araméen médiéval de la Bodléienne ne dépend ni du grec ni d'une version, mais représente substantiellement la forme araméenne originelle du Supplément de Dn 3. La vraisemblance générale ne joue pas en sa faveur, car ce manuscrit comporte indiscutablement d'autres rétroversions du grec[53], mais on ne peut exclure a priori la thèse. Le présupposé est d'ailleurs que le Supplément de Dn 3 a, pour une raison ou une autre, été enlevé de Dn 3 araméen[54]; qu'il a, de plus, été conservé par une voie inconnue.

Je ferai valoir ici certaines réserves, et j'ai, par ailleurs, des doutes sur l'ensemble de la thèse. Une discussion en règle serait trop longue.

Si l'ordre des versets 66-73 selon la LXX était celui de l'araméen, on tiendrait un argument intéressant, car la LXX de Daniel a été très peu répandue, et il y a effectivement des ressemblances[55]. Mais K. Koch sait que les témoins les plus nombreux de Théodotion ont un ordre voisin des LXX[56]. Par ailleurs, l'araméen, qui a la plupart des particularités de «Théodotion», a aussi le verset typique, «froid et chaud». Aucune preuve ne peut donc ressortir de ceci; le terrain n'est pas ferme.

Voici comment se présente la succession des créatures dans l'araméen de la Bodléienne (non corrigé) pour les v. 57 à 72. L'araméen est donné quand cela paraît utile.

> œuvres
> anges (cieux *manque*)
> eaux

53. Une section importante des *Antiquités Bibliques* du Pseudo-Philon est certainement une rétroversion; voir D.J. HARRINGTON, *The Hebrew Fragments of Pseudo-Philo's* Liber Antiquitatum Biblicarum *preserved in the* Chronicles of Jerahmeel (Texts and Translations, 3; Pseudepigrapha Series, 3), Missoula, Montana, 1974. En dépit de l'avis du P. A.-M. DUBARLE, *Judith* (Analecta Biblica, 24), Rome, 1966, je tiens que le texte hébreu de Judith du même manuscrit est aussi une rétroversion. Sur une évaluation du manuscrit, voir R. LE DÉAUT, dans *Biblica* 48 (1967) p. 317. Dans certains cas, il faut compter avec une dépendance du latin.

54. Voir déjà K. KOCH, T. NIEWISCH, J. TUBACH, *Das Buch Daniel* (Erträge der Forschung, 144), Darmstadt, 1980, p. 24-25.

55. K. KOCH (cité à la n. 2), t.II, p. 132.

56. K. KOCH (cité à la n. 2), t. I, p. 110. – Voir ci-dessus.

armées
étoiles des cieux (soleil et lune *manquent*)
pluie et rosée
vents (esprits)
feu et chaleur *(šrb')*
froid et chaleur *(ḥmym')*
r *'py'* et *gyr'* (pierre à feu ou météore; flèche ou plâtre)
gel et tombeau *(qbr')*
nuages d'encens et nuées
nuits et jours
lumière et obscurité
ténèbres et nuage obscur *(qbl'; 'myṭṭ')*.

On le voit, la tonalité n'est pas la même que dans le grec. L'insistance est davantage sur l'obscurité que sur les particularités météorologiques liées à l'eau, destinées à contrecarrer le feu.

Pourquoi alors ces différences? Toute l'érudition de K. Koch n'arrive pas à expliquer le passage de l'araméen au grec. Ne pourrait-on pas expliquer l'araméen par le grec?

Au v. 69, l'araméen lit *qrḥ wqbr'*, rendu par *Eis und das Grab*; dans le commentaire, *qbr'* est corrigé en *qwr'* «froid» (cf. Gn 8,22 Onqelos)[57]. Le grec a ici ψῦχος (ψύχη au pl. dans 967). Si l'on se souvient alors que ψυχή «âme» désigne aussi la «tombe» dans les épitaphes juives, par l'effet d'un sémitisme dérivant de *nfš'*[58], on pourrait admettre un contresens dans l'araméen. Toutefois, au v. 67, il rend ψῦχος correctement.

Le syriaque pourrait avoir fait la même méprise. Après le v. 66 «feu et chaleur», il introduit «les âmes des justes». Koch fait ici l'hypothèse que le syriaque a mal lu ou mal compris le même mot grec[59]. Et, de fait, on voit mal ce que les âmes des justes font ici, puisque, de toutes façons, on les retrouve au v. 86.

Toutefois le syriaque et l'araméen n'ont pas éprouvé la difficulté au même endroit et ils ne l'ont pas résolue de la même manière. On ne démontrera certes pas, sur cette seule base, que l'araméen dépend du grec. Mais inversement, je ne vois pas comment aucune des particularités de l'araméen viendrait au secours de l'interprétation du grec. Et si, comme ce travail le donne à penser par ailleurs, la forme LXX de Dn 3 est antérieure à la forme Théodotion, l'araméen de la Bodléienne, qui va le plus souvent avec Théodotion (pas seulement dans le Cantique) ne

57. K. Koch (cité à la n. 2), t. I, p. 110; t. II, p. 107.

58. M. Schwabe, קרב/ψυχή, dans *Bulletin of the Jewish Palestinian Exploration Association* 10 (1942) 26; B. Lifshitz, *Der Ausdruck* ψυχή *in den griechischen Grabinschriften*, dans *ZDPV* 76 (1960) 159-160; Jeanne Robert et L. Robert, *Bulletin épigraphique*, dans *Revue des études grecques* 75 (1962), p. 138-139 (n° 72).

59. K. Koch (cité à la n. 2), t.II, p. 105. — Pour le syriaque, voir *The Old Testament in Syriac according to the Peshitta Version. III, 4. Daniel*, Leyde, 1980, p. 13-15; IV,6. *Cantica*, Leyde, 1972, p. [24]-[25].

peut être que secondaire. Mais la démonstrabilité est faible en ces matières.

CONCLUSIONS

1. *L'étude des sutures montre que « Théodotion » dépend de la LXX ; il en est vraisemblablement de même pour les particularités de la teneur du Supplément. Le Supplément provient soit d'un euchologe, soit d'une œuvre narrative plus large née dans le contexte maccabéen.*

L'histoire de l'insertion du Supplément se présenterait donc ainsi.

a. Dans la littérature juive de l'Égypte lagide, on pouvait lire une pièce née dans l'ambiance maccabéenne et circulant en grec. Elle comportait au moins:

un titre, dont la substance est conservée au v. 24LXX, mais qui a été légèrement modifié pour rentrer dans la trame narrative où il subsiste;

vraisemblablement une brève attribution de la première prière à Azarias, mais sans la précision que lui et ses compagnons sont dans la fournaise (le v. 25LXX a développé considérablement cette donnée de départ);

la première prière;

le récit intercalaire, sous la forme LXX;

la deuxième prière.

Cet ensemble constitue un petit euchologe attribué à des martyrs des temps maccabéens. Il a pu faire partie d'un ensemble euchologique ou narratif plus large, mais ce n'est pas requis. Les données du récit sont précisées – comme dans les titres des Psaumes – par le titre et par le récit intercalaire. La seconde prière est certainement chantée dans la fournaise. La distinction entre le v. 24LXX (lorsqu'il donna l'ordre de les jeter) et le v. 46 (lorsqu'ils les jetèrent) donne à penser qu'en dépit du v. 25LXX, largement rédactionnel, la première prière est dite par Azarias et ses compagnons avant le supplice, ce qui augmente la vraisemblance sans diminuer le miracle.

b. Un interpolateur (que nous croyons être le traducteur-adaptateur de DnLXX: voir ci-dessous) incorpore alors cet «euchologe», ce qui suppose des retouches au contexte:

Les compagnons ont été jetés dans la fournaise déjà aux v. 21 et 23TM. Les deux prières seront donc dites dans la fournaise, et le v. 25LXX sera étoffé dans ce sens à l'aide des v. 46 et 48LXX (mais le mot συνέταιρος trahit le traducteur de DnLXX). Le v. 46LXX reste, en dépit de la répétition, car la prière, assez longue, la justifie.

Les v. 22-23LXX sont refondus sur le même schème que les v. 46-48LXX. Ceux-ci opposent littérairement la punition des bourreaux et le salut des compagnons (le TM ne joue pas de cet artifice à cet endroit); il en sera de même au v. 23LXX (μὲν ... δέ)[60].

Le Supplément met en évidence Azarias (49G et 24-25LXX). Dès le v. 20, le rédacteur l'avance comme protagoniste, en reprenant la formule du v. 49G. Déjà au v. 19, il a escamoté l'énumération des trois compagnons.

Faute de terme de comparaison, il est difficile de dire si, à ce stade, les prières ont été retouchées.

Au moment de retomber sur le récit araméen, l'interpolateur compose une transition: le roi *entend* l'hymne (91aG); il omet aussi – on a dit pourquoi il peut le faire – le dialogue sur le nombre des personnes dans le feu (91 fin Théod = 24TM).

c. «Théodotion» constitue le troisième stade, plus difficile à décrire si, comme je le crois, il faut y distinguer deux phases.

La première phase, qui mériterait son nom, serait une traduction assez littérale, avec un œil sur la LXX là où elle n'est pas trop éloignée, de l'hébreu-araméen sans les suppléments. La seconde phase est une adaptation de ce premier texte pour faire de Daniel et de ses suppléments reçus par la tradition ecclésiastique un ensemble suffisamment homogène.

À la première phase il n'y a pas de difficulté d'attribuer les v. 20-23Théod avec le «théodotionisme» πεδάω, y compris la phrase finale du v. 22 attestée par de nombreux témoins, sur le sort des bourreaux. Elle est une traduction littérale de l'araméen, mais elle a été omise lors de l'addition du Supplément[61].

À la seconde phase (insertion des suppléments) on attribuera l'omission de la mort des bourreaux au v. 22 (elle fait doublet et elle est prématurée au regard des v. 46-48G), l'harmonisation et l'allégement des v. 24-25LXX, très maladroits (d'emblée les compagnons marchent dans la fournaise: περιεπατοῦντο du v. 24 vient du v. 92G = 25TM[62]; Azarias entonne seul la prière), l'omission de la première partie du v. 46LXX, inutilement répétitive. Les v. 91aLXX et 91b = 24TM sont fondus en une seule phrase peu respectueuse de l'araméen.

Il n'y a donc rien de surprenant à ce que, au premier aspect, le Supplément semble ajouté indépendamment dans DnLXX et dans DnThéod, puisque, de fait, il a été ajouté dans la LXX et que c'est de la

---

60. On s'explique du même coup la répétition aux v. 21LXX et 22LXX de l'exécution («ils les jetèrent ... »). Les v. 22 et 23LXX développent les circonstances de celle-ci selon le même contraste qu'aux v. 46-48LXX.

61. Rahlfs et Ziegler ont, à cet égard, raison de la placer dans l'apparat: c'est le texte ecclésiastique qu'ils éditent.

62. L'araméen de la Bodléienne a ici 'zlw (24G). Le verbe araméen 'zl me paraît peu indiqué pour décrire la marche des trois hommes dans le feu; il signifie plus souvent «s'en aller» et même «mourir». Au v. 24TM, on lit: mhlkyn.

LXX qu'il a été pris pour compléter la traduction plus littérale que Théodotion avait faite de l'hébreu-araméen.

2. *L'insertion du Supplément en Dn 3 a pour effet de placer ce chapitre plus clairement, encore que non explicitement, dans le contexte maccabéen.*

En Dn 3TM, ni la référence à une statue gigantesque d'un dieu, ni aucun autre détail n'impose de se tourner vers Antiochus IV Épiphane. En laissant entendre que la statue pourrait être celle du roi lui-même[63], le traducteur de DnLXX rejoint le milieu hellénistique, lagide et séleucide, où la divinisation des souverains est attestée. L'insertion du Supplément précise cette relecture, puisque la prière de pénitence se réfère presque en clair à Antiochus IV et à la profanation du temple. Désormais le martyre est le nouvel holocauste. Et l'absence du temple dans les bénédictions initiales du Cantique selon la LXX, sans avoir de force probante (c'est un *argumentum a silentio*) n'y contredit pas.

3. *La ressemblance de DnLXX avec A Esdras rend peu vraisemblable la thèse du tiers interpolateur pour Dn 3 et pour A Esdras.*

Il y a dans l'histoire des deux livres en grec d'étranges ressemblances. On a vu déjà que le traducteur principal de l'un et de l'autre pouvait être le même. Cela peut s'expliquer aussi parce qu'il devait connaître l'hébreu et l'araméen; mais c'est d'abord un fait observable en grec.

Dans ces deux livres, l'on constate d'une part l'introduction d'un supplément préexistant en grec (la question de l'origine sémitique de ces suppléments n'est pas importante ici) et, d'autre part, une modification d'ordre des chapitres[64]. Il y a là une liberté peu commune.

DnLXX connaît le Récit des Pages interpolé dans *A Esdras*, car c'est en fonction de lui qu'il a refondu profondément le ch. 6[65]. Des deux côtés, le héros, Zorobabel ou Daniel, a deux rivaux désignés comme νεανίσκοι, et la reconstruction du temple est en vue. En Dn3, il s'agit aussi d'un trio et, si l'on se réfère à DnLXX 1,(4).13.15 et 17, ce sont aussi des νεανίσκοι[66]. Le trio est différent toutefois; il n'y a pas de

---

63. M. Delcor, *Un cas de traduction «targoumique» de la LXX. À propos de la statue en or de Dan. III*, dans *Textus* 7 (1969) 30-35; du même, *Le livre de Daniel* (Sources bibliques), Paris, 1971, p. 93-95.

64. En DnLXX: 1-4.7-8.5-6.9-12; en *A Esdras*: 2,15-25 et 5,7-70 sont en ordre inverse dans le livre canonique (B Esd 2,1-4,5 et 4,7-24).

65. Voir ci-dessus n. 42.

66. Le mot νεανίσκος n'est pas rare. Il n'a souvent aucune connotation spéciale, en particulier dans les énumérations des âges de la vie. Il peut toutefois désigner de jeunes soldats: M. Launey, *Recherches sur les armées hellénistiques* (Bibliothèque des Écoles françaises de Rome et d'Athènes, 169), Paris, t. 2, 1950, p. 858-862; E. Van 't Dack (éd.), *The Judean-Syrian-Egyptian Conflict of 103-101 B.C.* (Collectanea Hellenistica, 1), Bruxelles, 1989, p. 41-42 (contribution de W. Clarysse et J.K. Winnicki). Il me paraît probable

rivalité, et Daniel n'en fait pas partie. Mais la mobilité des noms dans ce type de récit est évidente dans Daniel; et en *A Esdras* le nom de Zorobabel est évidemment surimposé.

Sans aller jusqu'à postuler une source commune pour le Supplément de Dn 3 et le Récit des Pages, dont le contenu et le style sont au moins très différents[67], on ne manquera pas d'être frappé par la ressemblance du processus rédactionnel. Deux écrits, traduits de l'hébreu et de l'araméen vraisemblablement par un même interprète, sont l'objet d'une interpolation racontant l'histoire de trois *neaniskoi* dans un contexte où le temple est sinon à reconstruire, du moins à rendre au culte.

Si donc l'argumentation littéraire peut faire croire que les suppléments ont été introduits par un tiers ou, du moins laisse la question ouverte (l'argumentation de K.-Fr. Pohlmann pour *A Esdras* ne nous a pas paru décisive), la ressemblance générale de situation donne plutôt à penser (et les indices ne manquent pas pour suggérer) que l'unique traducteur grec de *A Esdras* et de Daniel LXX a introduit dans l'un et dans l'autre des pièces d'origine maccabéenne circulant en grec dans son milieu.

L'addition du Supplément euchologique au ch. 3 rejoint une tendance à l'addition de prières que l'on observe aussi en Esther grec, distinct de l'hébreu, en Judith, en Tobie, dans le supplément «baruchien» de Jérémie, en *III Maccabées*, dans le Chroniste et déjà peut-être dans le Deutéronomiste. Livre écrit en araméen, en hébreu, en grec, Daniel récapitule ainsi en son histoire toute la phase post-exilique de la littérature biblique.

Abbaye de Maredsous   Pierre-Maurice Bogaert
B-5537 Denée

---

que le mot a un sens spécifique local, «jeune courtisan», en DnLXX 1,4.10 (dans 967).13.15.17; 6,4(5) (ainsi qu'en SuzLXX 39) et en A Esd 1,50(53) bis; 3,4.15(16); 4,58; 8,49(50). Il pourrait provenir de la traduction grecque du Récit des Pages (3,4.15[16]; 4,58) et avoir servi au traducteur de DnLXX (Dn 1 qui annonce Dn 3, et Dn 6). Les deux autres usages en *A Esdras* ne sont pas significatifs.

67. Mais voir aussi la ressemblance signalée par Pohlmann entre la première prière et le discours d'un des pages (ci-dessus, n. 43).

THE SEPTUAGINT VERSION OF DANIEL 4-5

It is well known that the Septuagint of Daniel diverges considerably from the Masoretic Text. The deviations are most pronounced in chapters 4–5. Not only the vocabulary and the word order are different, but also the length of the sections, and the sequence of the events, as well as the style and the contents. Some of these remarks can also be made about chapters 3 and 6. These observations led commentators such as J.A. Montgomery[1] and R. Albertz[2] to the conclusion that chapters 3–6 or 4–6 originally circulated as a separate collection of stories about Daniel. They were translated into Greek before they were taken up in the actual book of Daniel. Albertz strongly defends the thesis that this collection contained chapters 4–6 only, and that chapter 3 was later added. His argumentation is very solid on most points. Nevertheless it tends to veil somewhat the special character of the differences in chapters 4 and 5. These two episodes are tightly interconnected in the MT whereas they are not in the LXX. In the MT, sections of chapter 4 are repeated or explicitly referred to in 5. These references and repetitions do not occur in the LXX. In his studies of chapters 4 and 5, P. Grelot[3] is more reserved in as far as the independent-collection character of chapters (3.)4–6 is concerned. However, the limits of his investigation withheld him from an appreciation of the special character of chapters 4 and 5 in the light of their context.

It is not our intention here to give a fresh detailed analysis of all the differences between the LXX and the MT in Dan 3–6. The aim of the paper is to describe the special chapter of the divergencies in Dan 4–5 and to define their relation to the order of these chapters in papyrus 967.

I. THE RELATION BETWEEN CHAPTERS 4 AND 5

a. Starting with chapter 5 one is first puzzled by the so called "preface" in the version of the Septuagint. It is probably best to be

1. J.A. MONTGOMERY, *Daniel* (ICC), Edinburgh, Clark, 1927, p. 37, with reference to A. BLUDAU, *Die Alexandrinische Übersetzung des Buches Daniel* (Biblische Studien, II,2-3), Freiburg, 1897, pp. 104-130, esp. par. 18-20.

2. R. ALBERTZ, *Der Gott des Daniel. Untersuchungen zu Daniel 4–6 in der Septuagintafassung sowie zu Komposition und Theologie des aramäischen Danielbuches* (SBS, 131), Stuttgart, KBW, 1988.

3. P. GRELOT, *La Septante de Daniel 4 et son substrat sémitique*, in *RB* 81 (1974) 5-23 and ID., *Le chapitre 5 de Daniel dans la Septante*, in *Semitica* 24 (1974) 45-66, esp. 65-66.

understood as a summary of an alternative version to the tale which
follows[4].

Leaving this "preface" aside, one notices that the LXX is considerably shorter than the MT[5]. The basic components of the story are the
same in both versions: King Belshazzar holds a great banquet. The
sudden appearance of an enigmatic writing on the wall and the king's
reaction of panick build the tension of the story. Wise men are called in
but fail to interpret the enigma. The queen's advice brings Daniel on
the scene. He is successful and is duly rewarded. It is our thesis that the
"pluses" in the MT are due to an editor who whished to link chapter 5
to chapter 4. The following observations confirm this.

The queen presents Daniel as a counselor of Nebuchadnezzar, Belshazzar's father. In the MT this presentation is more elaborate and the
phraseology reminds one directly of chapter 4. The characterization of
Daniel in verse 11 repeats Nebuchadnezzar's words to him in 4,5. He is
said to have in him "the spirit of the holy god(s)". The same expression
is used in two other verses of Dan 4 and nowhere else[6]. In none of
these instances does it have an equivalent in the LXX. In 5,12 of the
MT a synonymous expression is used: "excellent spirit"[7]. This idiom
occurs also in 6,4 and nowhere else. Both in 5,12 and 6,3(4) the LXX
has an equivalent: "(there is) a holy spirit in him". In 5,11 of the LXX
Daniel is characterized as intelligent (ἐπιστήμων). The same term is
applied to him in 6,3(4) (and in 1,4) but not in chapter 4. All this
suggests that the translator did not simply abbreviate the section in
question trying to avoid repetitions. It rather implies that he did not
find in his *Vorlage* the connections between chapters 4 and 5 and that
he rather emphasized the links between 5 and 6.

Continuing the reading of Dan 5 one notices that in the LXX, the
address of the king to Daniel is matter of fact: "Can you show to me
the meaning of the inscription? I shall clothe you with purple and with
a golden chain, and you will have the government over a third of my
kingdom" (5,16). In contrast with the MT, the LXX at the beginning of
the following story, in 6,3(4), takes up this wording and thus once more
connects chapter 6 with 5[8]. In the MT the king's speech in 5,13-16 is

4. See ALBERTZ 1988, p. 81.
5. We leave aside the so called preface to ch 5 in the LXX. This passage probably gives
an abbreviated alternative version of the episode recounted in ch 5.
6. Dan 4,6(9).15(18). The figures in between brackets refer to the Septuagint and the
numbering of its verses in the critical edition of J. ZIEGLER, *Susanna, Daniel, Bel et Draco*
(Septuaginta, 16,2), Göttingen, 1954.
7. רוח יתירה
8. In the LXX, 6,3(4) is longer than in the MT and in Th. The verse makes an explicit
link with the end of ch 5. It states that the Daniel of ch 6, who might seem to have
another function as the one of ch 5, is one and the same person. He has the ἐξουσία
promised and given to him in 5,29. This link is probably not inherent to the stories
themselves. It is put there by the redactor who collected them.

much longer. It repeats data which had been given already in verses 8 and 11-12, and which remind one of chapter 4.

The answer of Daniel is again more succinct in the LXX. It does not have the lengthy reference to Nebuchadnezzar's experience which the MT offers in verses 18-22 and which reviews the story of chapter 4. In this section of the MT the connection with chapter 4 is most explicit while in the LXX there is no allusion whatsoever to that chapter. In Dan 5 LXX the only reference to Daniel's earlier activities as a wise courtier in the service of king Nebuchadnezzar occurs in the words of the queen which are general and vague. They do not imply a direct connection with chapter 4. If a connection with a preceding episode is intended, it is perhaps with Dan 2. Indeed, the terminology points in that direction: the queen presents Daniel as "one of the deportees from Judah" and as a "wise man" (σοφός), repeating the words of 2,25.

It is most often assumed that in Dan 5 the translator or his *Vorlage* abbreviated the version presented by the MT[9]. This view does not take into account the fact that the omissions in the LXX are to a large extent related to the context and more specifically to chapter 4. It should not be excluded *a priori* that the author of the MT expanded the story and added more allusions to chapter 4. We will see that in his composition chapters 4 and 5 form a unity at the heart of the first part of the book. A reading of Dan 4 will support this possibility.

b. The body of Dan 4 contains two major sections: first, the king's dream of the tree and Daniel's interpretation of it, announcing Nebuchadnezzar's destitution and his restoration to prosperity (4,1-24 (4-27)); and second, the events which bring about a confirmation of Daniel's interpretation. The MT of Dan 4 has a lengthy plus in verses 2-6 (6-9). It relates the king's consultation of his enchanters and soothsayers. Since they are incapable of giving the interpretation of his dream, he calls for Daniel. This turns the story into a contest similar to that in chapters 2 and 5. It should be added that most of the terminology in these verses is similar to that of chapter 5. In the LXX on the other hand, there is no trace of such a contest and both stories are thus much more independent from each other.

The second major "minus" in the LXX is the introductory salutation in 3,31-33 (4,1-3). However, this "minus" in the LXX is compensated at the end of the chapter by two long "pluses" which contain similar salutations. This transposition can again be explained either as due to an intervention of the translator or to a different *Vorlage*, or to the redactor of the Masoretic text or its *Vorlage*. Most commentators opt in favor of the first possibility. it is not at all excluded, however, that

9. See e.g. MONTGOMERY 1927, p. 267.

the editor of the MT or his predecessor moved this encyclical greeting from the end of chapter 4 to the beginning. Thus it could function equally well as the end of chapter 3 and constitute a parallel to the end of chapter 6. In any case the epistolary style begun in that section of the MT is maintained in chapter 4. Whereas the LXX has a new narrative introduction in 4,1(4), the MT continues the autobiographic style down to verse 15(18). In verse 16(19) and again from verse 25(28) onwards the king is suddenly spoken of in the third person. This inconsistency can perhaps best be understood as the result of the transposition of the encyclical salutation. It transformed the original narrative into a letter. The chapter was not reworked consistently in order to fully adapt it to the new literary genre.

c. In the MT the vocabulary of Dan 4 displays many similarities with that of Dan 5, not only in the pluses but also in the other sections. A detailed analysis of the correspondences is given by Albertz. Most of them are lacking in the LXX. According to Albertz the chapters in question were nevertheless linked to each other in the LXX as well. He tries to prove this referring to the rare correspondences in the vocabulary in the LXX[10]. However, similar correspondences can be found between other chapters which are not directly connected with each other. Reference may be made here to the visionary terminology shared by chapters 2 and 4. The fact that the expressions הוית חזה and חלם אמר or their Greek counterparts occur in chapters 2 and 4 but not in 3 and 5 does not imply that 2 and 4 were originally a unified composition. Moreover some Greek expressions rendering one and the same Aramaic equivalent are different in Dan 4 and 5. Thus פשר in Dan 5 appears to be translated by σύγκριμα and only once by σύγκρισις whereas in Dan 4 σύγκρισις renders the Aramaic term twice and σύγκριμα is not used at all[11].

Finally, it should not be overlooked that even in the MT, the terminology of Dan 4 shows some fundamental differences from that in Dan 5. It is remarkable for instance that chapter 5 continuously uses the Aramaic particle באדין, whereas chapter 4 has it only once, and then in the first section which has no corresponding part in the LXX[12]. Similarly אדין occurs only once in Dan 4 (verse 16) and often in Dan 5.

10. ALBERTZ 1988, pp. 91-92.
11. In this context it may be noted that chapters 3.5.and 6 use the expression friend (φίλος) of the king. According to P.-M. BOGAERT, *Relecture et refonte historicisantes du livre de Daniel attestées par la première version grecque (Papyrus 967)*, in R. KUNTZMANN, J. SCHLOSSER (eds.), *Études sur le Judaïsme hellénistique* (Lectio divina, 119), Paris, Cerf, 1984, pp. 188-224, esp. p. 223 this betrays the hand of one redactor, at least in these chapters.
12. The Septuagint uses τότε 6 times in ch 5 but never in ch 4. All the other chapters which in the MT are in Aramaic have a frequent use of τότε. The translations of the Hebrew chapters on the other hand (with the exception of 11,46) do not use the particle.

In Dan 4 many sentences are simply juxtaposed and introduced by a ו which betrays a Hebrew rather than an Aramaic style[13]. The least one may conclude is that both chapters are most likely not from the same hand and thus probably circulated independently before they were taken up in a larger collection of stories about Daniel.

Let us now return to the Greek idioms shared by chapters 4 and 5 of the Septuagint. The first one is ὑψώθη σοῦ ἡ καρδία in 4,19(22) and ἀνυψώθη ἡ καρδία αὐτοῦ in 5,2. At first sight, the resemblance is clear. However it is not at all sure that in both cases the expression has the same meaning. In Dan 4 it clearly refers to the king's excessive and sinful pride. However, in 5,2 it seems rather to denote his high spirits caused by wine.

In the version of papyrus 967, the second set of corresponding expressions is ἡ ὅρασις αὐτοῦ ἀλλοιώθη combined with ὑπόνοιαι αὐτὸν κατέσπευδον in 5,6 and ἀλλοιωθείσης τῆς ὁράσεως αὐτοῦ combined with ὑπονοίᾳ κατασπευθείς in 4,16(19). In Dan 5 these phrases typify the king's reaction when he sees the mysterious writing on the wall, whereas in Dan 4 they describe Daniel's reaction when he hears the king's dream. The king's terrified response which the MT relates in 4,2(5) has no equivalent in the LXX. It is interesting to note that in ms 88, where chapter 5 follows directly upon chapter 4, the expressions in 5,6 and 4,16(19) display a more literal correspondence. This rather confirms our impression that the papyrus may have preserved the original order of the chapters of the LXX whereas in ms 88 the sequence of the chapters as well as some expressions were adapted to the MT. We will return to this point in the second part of this paper.

The third expression shared by Dan 4 and 5 in the LXX is limited to one word: ὑποδείκνυμι. Its relevance for the unity of the chapters in question is minimal. Indeed, this verb does not only occur in Dan 4 and 5, but also in 2.9.10.11.

The conclusion is that the meager terminological links between Dan 4 and 5 in the Septuagint by no means suffice to demonstrate that in this version these episodes formed one literary unity.

Rounding off this section we may draw attention to some phenomena which help characterize Dan 4 and 5–6 in the LXX as two separate literary entities. In contrast with the MT, Dan 4 LXX has a well defined introduction in 4,1(4) and a lengthy conclusion in 4,34(37). The "preface" in Dan 5, missing in the MT, gives the impression of a clean break with the preceding story. On the other hand, we noticed that the links between chapters 5 and 6 are stronger in the Septuagint than in the MT.

---

13. This same style is characteristic of the "pluses" in chapter 5.

II. The Order of the Chapters in the LXX
as Represented by Papyrus 967

The observations made above about the differences in Dan 4 and 5 in the MT and in the LXX are probably related to the sequence of these chapters in the LXX as represented by its earliest witness: papyrus 967[14]. There chapters 4 and 5 are not adjacent. They are divided from each other by 7 and 8. In the order of the papyrus, the chapters follow chronologically. The first four deal with the Babylonian king Nebuchadnezzar; they are followed by chapter 7 which is dated to the first year of his successor Belshazzar, and chapter 8 which is dated to his third year. Chapter 5 relates the end of his reign. His boasting attitude during a banquet leads to his rejection. His kingdom is given to the Medes and the Persians. Chapter 6 introduces the Mede Darius who becomes king in his old age. The following chapter 9 is dated to the first year of the same king. Finally, chapters 10–12 are dated to the first year of the Persian king Cyrus. In the headings of chapters 3 and 4, the version of the Septuagint has dates where the MT does not. Moreover the LXX has two dates which differ from the MT: in 2,1 (in papyrus 967) and in 10,1.

a. *A Loose Composition*

Whereas the MT of Daniel distinguishes between a first part with the biographical stories and a second part with autobiographical visions and revelations, the Greek papyrus 967 gives a less structured impression, ordering the materials chronologically but not according to their literary genre or contents. Nevertheless, the order in the papyrus is not exclusively built on a superficial chronological principle. Some other contacts can be found between the respective sections. For our purpose it may be useful to illustrate this in the cases where the order of the LXX differs from that of the MT.

Dan 7, in the LXX follows upon Dan 4, and displays several points of contact with it. Both chapters are introduced by a date phrased in a genitive construction: ἔτους ... Both chapters relate a vision in a dream. The vision of chapter 7 describes four successive kings or kingdoms using images of animals. The first king or kingdom is pictured as a lion

---

14. The history of the edition of the manuscript is fairly complex. For Daniel one has to refer to A. Geissen, *Der Septuaginta-Text des Buches Daniel. Kap. 5–12 zusammen mit Susanna, Bel et Draco sowie Esther 1,1–2,15 nach dem Kölner Teil des Papyrus 967* (PTA, 5), Bonn, Habelt, 1968; W. Hamm, *Der Septuaginta-Text des Buches Daniel. Kap. 1–2 nach dem Kölner Teil des Papyrus 967* (PTA, 10), Bonn, Habelt, 1969; W. Hamm, *Der Septuaginta-Text des Buches Daniel. Kap. 3–4 nach dem Kölner Teil des Papyrus 967* (PTA, 21), Bonn, Habelt, 1977; R. Roca-Puig, *Daniele. Due semifogli del codice 967. P.Barcel. inv. nr. 42 e 43*, in *Aegyptus* 56 (1976) 3-18.

with the wings of an eagle. This reminds the reader of the dream of Nebuchadnezzar in which the king becomes an animal with the nails of a lion and the wings of an eagle (4,30(33))[15]. In both cases, and only there, is Daniel greatly disturbed by the 'vision'. It should be admitted though that the terminology differs[16]. In both chapters mention is made of the Holy Ones: in 4,34a(37a) and in 7,8.18.2122.25)[17]. In both visions the term ἐξουσία "authority", rendering Aramaic שלטן, plays an important role. In chapter 4 the question implied is whether Nebuchadnezzar (symbolized as a beast) should retain his authority. In chapter 7 this is broadened: should pagan kings (symbolized as beasts) retain their power?

Furthermore we may note the use of the Aramaic visionary terms which are translated more freely in the LXX: חלם (dream) and פשר (interpretation 4,3 and passim, 7,16), and the formulae חזה חזית (7,2 and passim and 4,7.10) and חזוי ראשי על משכבי "the visions of my head on my bed" (7,1 and 4,7.10). In some more instances the Aramaic version seems to have preserved the terminological linkage better than the free translation of the LXX: Thus in the Aramaic text the praise of the Lord in 4,31(34)[18] resembles that of the Son of Man in 7,14: "His dominion is an everlasting dominion and his kingdom endures from generation to generation".

There is a minimal link between Dan 8 and 5. Towards the end of his vision in chapter 8 Daniel says: "I rose and went about the king's business". In a slightly ironic way, the following chapter 5 offers an example of this business: Belshazzar organizes a great banquet. Also, Dan 8 and 5 share the theme of sinful behaviour against the Lord. In chapter 8, the fearful king, symbolized as a little horn, takes away the continual burnt offering and replaces it by pagan sacrifices (8,11-13). In chapter 5 the king's drinking wine in the vessels of the temple and his praise of his gods is contrasted with his failure to worship the God of eternity (5,4.23)[19].

Clearer contacts can be detected between Dan 6 and 9. Dan 6,10(11) draws attention to Daniel's praying habits. His prayer in 9,4-19 can be considered as illustration of this practice. His supplication is inspired by a consciousness of the sins of the people. Similar attention to the gravity of sin can be found in Dan 6,22(23).

15. Note that 4,30 MT mentions neither a lion or wings while in 4,30(33) Theodotion neither an eagle nor wings are explicitly referred to.

16. See 4,16(19) and 7,15. The description of the confusion of the king in the Aramaic version of 4,2 uses the same terminology as 7,15, note, e.g., the use of בהל.

17. Here it should be observed that the parallel is less literal in the MT.

18. Compare LXX 4,34(37).

19. This theme is less prominent in the 5,4 MT where no mention is made of the lack of praise for the God of eternity.

These contacts should not be overemphasized. They certainly are less pronounced than in the MT. In the LXX the general impression is that of a loose connection between the respective episodes without distinction between biographic stories and autobiographic visions and revelations.

b. *The Question of Priority*

In what precedes we assumed that the order in papyrus 967 was the original order of the LXX. This hypothesis needs some underpinning. First we have to demonstrate that the order in the papyrus is not an exception. Second, we will show that Albertz's objections against the priority of the order in the papyrus are not valid. Finally we will try to prevent another possible objection.

1. It must be admitted that papyrus 967 is the only direct witness to the order of the chapters attested there. However, it should not be overlooked that, dating from the 2nd or 3rd century A.D., it is the earliest witness[20]. Only one more Greek manuscript of the LXX is extant. In Rahlfs' list[21] it received number 88. Its writing is careful and trustworthy in most places. However it is a witness to the hexaplaric text and not directly to the Old Greek. Its order is the same as in the MT. That is also true for the Syrohexapla which is a translation of the hexaplaric version of the LXX.

Among the indirect witnesses hardly any are exclusively referring to the LXX. Most of them are based on Theodotion or on some mixed tradition. Nevertheless, one of them preserved the order advocated by the papyrus. In his *Liber Promissionum*, Quodvultdeus, a fifth century bishop of Carthago, surveys the book of Daniel. He clearly follows the same order as papyrus 967. This most likely means that he had before him a Latin manuscript based on the LXX as represented by the papyrus[22].

2. Given the early character of papyrus 967 and the support of Quodvultdeus, the priority of the order of its chapters seems acceptable, at least as far as the LXX is concerned[23]. Albertz does not agree. According to him the order of the papyrus is secondary, even on the

20. See, e.g., M. FERNANDEZ-GALIANO, *Nuevas paginas del codice 967 del A.T. griego (Ez 38,19–43,9)*, in *Studia papyrologica* 10 (1971) 7-76, esp. p. 16.

21. A. RAHLFS, *Verzeichnis der griechischen Handschriften des Alten Testaments* (MSU, 2), Berlin, 1914, pp. 278-280.

22. See P.-M. BOGAERT, *Le témoignage de la Vetus Latina dans l'étude de la Septante. Ezéchiel et Daniel dans le Papyrus 967*, in *Biblica* 59 (1978) 384-395; for a recent critical edition of the works of Quotvultdeus see R. BRAUN, *Opera Quodvultdeo Carthaginiensi episcopo tributa* (CChL, 60), Turnhout, 1976.

23. That seems to be the view of P. GRELOT 1974b, p. 65, and of P.-M. BOGAERT 1984, p. 198.

level of the Greek text. In favour of his view, he overemphasizes the
scanty terminological links between chapters 4 and 5 in the LXX. We
already demonstrated the weakness of that part of the evidence. However, his major argument is based on an anomaly found at the end of
chapter 6.

The reasoning runs as follows. The order in the papyrus has been made
up by a copyist who wished to introduce a better chronological
succession of the events. Chapters 1–4 deal with Nebuchadnezzar;
chapters 7–8 and 5 with Belshazzar; chapters 6 and 9 with Darius; and
finally chapters 10–12 with Cyrus. The slightly pedantic copyist could
not accept the order of the MT in which Belshazzar reenters the scene
in chapter 7 after having died at the end of chapter 5 and after the
accession to the throne of Darius in chapter 6. However, he overlooked
the new anomaly which he created. Indeed, in the LXX Darius is said
to have died at the end of the events recounted in Dan 6. Nevertheless,
he continues to reign in Dan 9. In order to obtain a better consistency,
the copyist should have placed chapter 6 between 9 and 10. However,
he could not do so for the simple reason that chapters 4–6 constituted a
tight unity already before the formation of both the Semitic and the
Greek forms of the book of Daniel known to us[24].

An answer to this objection may be phrased as follows.

– The note on the death of Belshazzar at the end of Dan 6 is proper to
the LXX. It is not attested in the MT. If one accepts that the translator
sought to add to the chronological logicality of the stories in Daniel,
reordering its episodes for that purpose, why would he have inserted a
note entirely in contradiction with his own goal?

– The note can be explained in a different way. It may be the
introductory sentence to the story of Bel and the Dragon[25]. At some
stage of the history of the transmission of the text, somebody may have
judged it opportune to add this story at the end of Dan 6 because of the
connections and resemblances between both episodes. Indeed, the third
section of the narrative collection of Bel and the Dragon is remarkably
similar to the story of the lion's den in Dan 6. It fitted very well into the
theological preoccupations of the foregoing stories as preserved in the
Septuagint. The main themes of that collection is idolatry and the
conversion of pagan kings. Both themes are prominent in the narratives
of Bel and the Dragon which end with a confession of faith in the one
true God by the pagan king. Later on the Bel and Dragon episode was
removed. However, the introductory phrase remained at the end of
chapter 6. This suggestion is corroborated by the fact that the Theodo-

24. ALBERTZ 1988, p. 78.

25. ALBERTZ 1988, pp. 114-115 sees the connection between 6,29(28) in the LXX and
the story of Bel and the Dragon but fails to draw any conclusions from it concerning the
order of the chapters in the papyrus.

tion has almost exactly this sentence at the beginning of the narrative of Bel and the Dragon: καὶ ὁ βασιλεὺς Ἀστυάγης προσετέθη πρὸς τοὺς πατέρας αὐτοῦ, καὶ παρέλαβε Κῦρος ὁ Πέρσης τὴν βασιλείαν αὐτοῦ[26]. The only difference is that in the introduction to the Theodotionic story Darius is called Astyages. Recently, van Henten demonstrated that, in a similar way, the story of Susannah was once incorporated in the book of Daniel[27]. In the Septuagint other insertions were not removed. We refer to the hymns in Dan 3, and the "preface" in Dan 5.

3. Advocating the secondary character of the order in the papyrus, one might argue that, in the LXX as well as in the MT, the vision of Dan 9 directly refers to that in Dan 8. Indeed, in 9,21 Daniel says: "While I was speaking in prayer, the man Gabriel, whom I had seen in the vision at the first, came to me in swift flight". The reference is obviously to 8,16 where Gabriel is sent to Daniel as an interpreter-angel for the first time. There is no denying the fact that a connection exists. However, the reference works equally well in the LXX where chapters 5 and 6 separate 9 from 8. Even in this sequence, the vision in Dan 8 remains the preceding one since the intervening chapters 5 and 6 contain narratives and no visions. A parallel can easily be found in Ezekiel. There, the vision in 10,20 explicitly refers to the previous one recorded in chapter 1–3, thus bridging the oracular material in chapters 4–7.

We have defended the priority of the arrangement of the chapters in the papyrus in as far as the Septuagint is concerned. In the final part of this contribution we will try to find out how this order relates to that of the MT.

III. THE SEQUENCE IN THE MT, IN THE LXX, AND EDITORIAL ACTIVITY

a. *The Final Composition*

Studies of the composition of the book of Daniel are rather rare. Most often commentators limit their remarks in this field to the observation that the first part of the book contains stories about the wise man Daniel and his friends (chapters 1–6) whereas the second consists of visions and revelations given to Daniel and recounted in an autobiographic style (chapters 7–12). They add that the first part was mainly composed in Aramaic, whereas the second was written in

26. For the comparison with 6,29(28) one should take the version of the papyrus. In Ziegler's critical edition which could not yet use the papyrus, the differences are more important. A reference to Daniel's fate which in the papyrus occurs in 25(24), interrupts the utterance about the succession of Darius (Astyages) and Cyrus.

27. J.W. VAN HENTEN, *Het verhaal over Susanna als een pre-rabbijnse midrasj bij Dan.1:1-2*, in *Nederl. Theol. Tijdschr.* 43 (1989) 278-293. According to him the story of Susannah followed upon Dan 1,2 where it filled a gap.

Hebrew. Most often they fail to explain why the first story is preserved in Hebrew and not in Aramaic, and the first vision in Aramaic and not in Hebrew[28].

In his article of 1972, Lenglet developed a further analysis of the structure of the first part of the book which according to him comprises chapters 2–7[29]. He finds there a cyclical composition with chapters 4–5 in the centre, surrounded by two tales of deliverance (chapter 3 and 6) and two dream-visions with a four-kingdom schema (chapters 2 and 7). Without going into further details, he suggests that this well balanced composition was written by the same author who was also responsible for the second part of the book. In his commentary of 1976, Lacocque does not mention Lenglet but adopts the same view on the composition of Dan 2–7[30]. In the second part of Daniel he discovers a similar composition. The book as a whole then betrays a deliberate plan in the form of a seven branched candelabre. In his doctoral dissertation, P. David adopts Lenglet's view for the first part and finds a similar cyclical composition in the second, improving that of Lacocque[31]. According to him Dan 7 is the hinge between the two parts. D.W. Gooding on the other hand, in an article dated 1981[32], rejects Lenglet's analysis of the structure of Dan 2–7 and submits an alternative proposal covering the book as a whole. In his opinion, Daniel is divided into two parallel parts containing respectively chapters 1–5 and 6–12. Each part is divided into four matching blocks: chapter 1 of the first part corresponds with chapter 6 of the second, chapters 2–3 with 7–8, chapter 4 with 9, and chapter 5 with 10–12. In each part, the final unit

28. See the contribution of A.S. van der Woude in the present proceedings and the major commentaries of Daniel and assimilated monographs: G.C. Aalders, *Daniël* (COT), Kampen, 1962; R.H. Charles, *A Critical and Exegetical Commentary on the Book of Daniel*, Oxford, 1929; J.J. Collins, *Daniel, with an Introduction to Apocalyptic Literature* (FOTL, 20), Grand Rapids, MI, 1984; P.R. Davies, *Daniel* (OT Guides), Sheffield, 1985; M. Delcor, *Le livre de Daniel* (Sources bibliques), Paris, 1971; L.F. Hartman - A.A. Di Lella, *The Book of Daniel* (Anchor, 23), Garden City, NY, 1978; K. Koch, *Das Buch Daniel* (Erträge der Forschung), Darmstadt, 1980; K. Koch, *Daniel* (BKAT, 22,1), Neukirchen, 1986; R.G. Kratz, *Translatio Imperii. Untersuchungen zu den aramäischen Danielerzählungen und ihrem theologiegeschichtlichen Umfeld* (WMANT, 63), Neukirchen, 1991; A. Lacocque, *The Book of Daniel*, Atlanta, 1979 (French original 1976); A. Lacocque, *Le livre de Daniel* (CAT, 15b), Neuchâtel, 1976; A. Lacocque, *Daniel et son temps* (Le monde de la Bible), Genève, Labor et fides, 1983; J. Lebram, *Das Buch Daniel* (Zürcher Bibelkommentare AT, 23), Zürich, 1984; J. Montgomery, *Daniel* (ICC), Edinburgh, 1927; J.T. Nelis, *Daniël* (BOT, 11,2), Roermond, 1954; O. Plöger, *Das Buch Daniel*, (KAT, 13), Gütersloh, 1965; N.W. Porteous, *Daniel* (OTL), London, 1965 (German. original, ATD, 1962); W.S. Towner, *Daniel* (Interpretation), Atlanta, 1984.

29. A. Lenglet, *La structure littéraire de Daniel 2-7*, in *Biblica* 53 (1972) 169-190.

30. Lacocque 1983, pp. 48-49.

31. The dissertation was defended at the K.U.Leuven in December 1991.

32. *The Literary Structure of the Book of Daniel and its Implications*, in *Tyndale Bulletin* 31 (1981) 43-79.

forms the climax. This somewhat idiosyncratic thesis does not take into account the formal division between stories and visions nor the linguistic division between Hebrew and Aramaic sections. Nevertheless it clearly confirms the impression that in the MT the materials are ordered according to an editorial plan.

One may not be entirely convinced by these attempts to unravel the structure of the book. It nevertheless appears to be undeniable that in the MT the author or editor has formally arranged his material. In the LXX this arrangement is upset by the position of chapters 7–8 between 4 and 5. Does this imply that the translator or his *Vorlage* interrupted the order of the MT or did the transmission process develop the other way round? Or is there another interpretation of the facts?

It is usually taken for granted that the Septuagint rearranged the materials in order to obtain a better chronological sequence. However, if that was the translator's purpose, it would have been much more easy to change the dates of the chapters in 7,1 and 8,1. Indeed, in these chapters the introductory dates have no repercussion on the contents. The visions could be equally well dated to the reign of Darius. Such interventions would have been in the line of those in the introductory verses of chapters 3 and 4 where the LXX has a date but not the MT, or in chapter 10,1 where the LXX refers to the first year of Cyrus but the MT to the third. Moreover, the hypothesis of the posteriority of the sequence in the LXX implies that the translator or his *Vorlage* entirely reworked chapters 4 and 5. This reworking was not necessary for the hypothetical chronological preoccupation. The chronological consistency would have been obtained equally well without these extensive interventions.

It is more easy to accept the thesis that the elaborate composition of the MT was due to editorial activity. The Semitic editor or his *Vorlage* collected the Daniel stories and arranged them according to a preconceived plan. In the heart of his composition he put chapters 4 and 5. In both episodes he wished to present Daniel in competition with the Babylonian wise men. At the same time he wanted to contrast the behaviour of two pagan kings: on the one hand Nebuchadnezzar and his destitution followed by a conversion and rehabilitation, on the other Belshazzar and his remorseless pride leading to his death. In the core of this dyptich one finds the 7 year period of Nebuchadnezzar's punishment as a prelude to the restoration of his kingdom. Surrounding chapters 4 and 5 he placed two stories of court conflict (chapters 3 and 6). Around these he put chapters 2 and 7 with their dream-visions symbolizing the history of four successive pagan dynasties removed by a divine intervention. For our purpose we do not have to enter into an analysis of the second part. Suffice it to say that there again chapter 7 functions as a frame, this time in combination with chapter 12. The center of the second part is chapter 9 with its 70 Sabbat-years during which Israel is to be punished before its restoration. P. David convincingly draws attention to the parallel with the 7 years of the punishment of Nebuchadnezzar in chapter 4[33].

What are the implications for the connections between Dan 4 and 5 in the MT and in the LXX? If our appreciation of the editorial work in the MT is correct, one has to admit that in this edition chapters 4 and 5 were interconnected and reworked in order to turn them into two panels of a dyptich. If somebody had wanted to take them apart, inserting some material in between them, there was no need to eliminate the backward references of chapter 5. Therefore, it is difficult to imagine how the order in the LXX could be based on that of the MT. One does not see why the translator would have carefully removed the connections between chapters 4 and 5 even when he wished to insert some material for chronological reasons. It is more likely then that in the LXX, the respective stories preserved much more of their original independence. They were only loosely connected with a slightly gratuitous chronological framework which hardly belongs to the original core of the stories and visions.

b. *The LXX: an Originally Independent Composition*

In the previous paragraphs we weighed the likelihood of the priority of the sequence of the MT over that of the LXX and vice versa. Pleading in favour of the priority of the order in the LXX, one has to face the language problem in its *Vorlage*. If the shift from Hebrew to Aramaic and back to Hebrew is inherent to the book of Daniel, as confirmed by the Qumran findings, then the order of the Septuagint as represented by papyrus 967 seems to presume that its Semitic *Vorlage* had an odd mixture of Hebrew and Aramaic sections: chapter 1,1–2,4 in Hebrew; chapters 2–4 and 7 in Aramaic; chapter 8 in Hebrew; chapters 5–6 in Aramaic; chapters 9–12 in Hebrew.

However, there is a more plausible alternative scenario in which the language problem is solved and which takes into account the historical growth of the book. It is now generally accepted that the Aramaic sections of Daniel are based on older pre-Maccabean stories. The earliest versions of Dan 2 and 7 may have been part of them[34]. In these

---

33. See the forthcoming doctoral dissertation.

34. We cannot give here a detailed discussion of the earliest hypothetical layer and the editorial reworkings of chapters 2 and 7. See H.L. GINSBERG, *Studies in Daniel* (Texts and Studies, 14), New York, Jewish. Theol. Sem., 1948; P.R. DAVIES, *Daniel, Chapter 2*, in *JTS* 27 (1976) 392-401; M. DELCOR, *Les sources du chapitre VII de Daniel*, in *VT* 18 (1968) 290-312; J. COPPENS, *Le chapitre VII de Daniel* in *ETL* 54 (1978) 301-321; L. DEQUEKER, *The "Saints of the Most High" in Qumran and Daniel*, in *OTS* 18 (1973) 108-187; P. WEIMAR, *Daniel 7: Eine Textanalyse*, in *Jesus und der Menschensohn*. FS A. Vögtle, Freiburg, Herder, 1975, pp. 11-36.

early versions, the four levels of the statue in chapter 2 and the four beasts in chapter 7 may not have referred to four successive kingdoms but to four successive kings[35].

It is probable that the Aramaic stories and visions originally circulated independently from each other. Chapters 4, 5 and 6 were not interconnected but were brought together and ordered according to different patterns in the *Vorlage* of the LXX and of the MT. The collection preserved in the LXX contained more materials than the MT. The major pluses were the narratives of Susannah, Bel and the Dragon, and the psalmic sections in chapter 3.

Leaving aside the introductory chapter 1, which at some stage of the transmission of the text may have incorporated the story of Susannah[36], the order of the data in the pre-Maccabean *Vorlage* of the LXX looked as follows:

chapter 2: Nebuchadnezzar's dream of the statue with its four levels
   chapter 3: Nebuchadnezzar's golden idol and the fiery furnace
      chapter 4: Nebuchadnezzar's dream
         chapter 7: Belshazzar's vision of the four beasts
      chapter 5: Belshazzar's feast
   chapter 6: Darius' interdict and the lion's den
(the stories of Bel's statue and of the Dragon)

One notes that in this hypothetical early collection, there is no chapter 8. The whole composition was written in Aramaic. The Hebrew sections, including chapter 8, were added later in the Maccabean period.

In the *Vorlage* of the MT the Aramaic materials, without the "pluses" found in the LXX, were collected in a different order. In later stages of the transmission of the text, the LXX was progressively "corrected" towards conformity with the MT. Notwithstanding these "corrections" the differences proved too important, and the early Greek version was finally discarded and superseded by the so-called Theodotionic translation.

We may conclude that the different order of the chapters in the LXX

---

35. See e.g. DAVIES 1976, pp. 392-401; KRATZ 1991, pp. 30-35.48-70, and his contribution in the present proceedings. Note that both in the Hebrew and the Greek texts of ch 2 the head of the statue is explicitly identified with Nebuchadnezzar and not with the kingdom of Babylon. A detailed discussion of the tensions between the original layer of chapter 2 and its Maccabean additions and interpretations is given by Kratz who does not seem to accept that a similar evolution may underlie chapter 7. In 7,4 the description of the first animal recalls the animal into which Nabuchadnezzar was transformed in his dream in 4,30b(33b)LXX. Also, the interpretaion in 7,17 identifies the symbolic animals of the vision with kings (מלכין) and not with kingdoms. Of course, in the final text of the vision, the fourth animal with its 10 horns must be understood as referring to a kingdom. However, the description of this fourth beast has been heavily redacted.

36. See J.W. VAN HENTEN 1989, and our note 27.

and in the MT may be due to an alternative arrangement of originally independent episodes. The major differences between the MT and LXX in chapters 4 and 5 are connected with the heavily redacted composition of the Semitic text.

Van 't Sestichstraat 34   J. LUST
B-3000 Leuven

II
LITERARY-CRITICAL, FORM-CRITICAL
AND TRADITION-CRITICAL PROBLEMS

THE SEVENTY WEEKS CHRONOLOGY (DAN 9,24-27)
IN THE LIGHT OF NEW QUMRANIC TEXTS

From the moment of their discovery, the close relationship between the Qumran documents and the Book of Daniel was apparent. Similarity of terminology, religious ideas and apocalyptic atmosphere, together with a similar historical context, pointed to such a relationship[1]. No less significant was the presence at Qumran of Aramaic works centered around the figure of Daniel, such as the *Prayer of Nabunaid* and *Pseudo-Daniel*[2]. Meagre as they are, these Aramaic fragments seem to have originated from a rich literary tradition, out of which the Book of Daniel itself, at least partly, may have emerged. Such remnants demonstrate that the Book of Daniel was not the earliest work of its kind. It was preceded by various Aramaic and Hebrew apocryphal works[3]. Such texts, and the Qumran library as a whole, characterize early Judaism as a religious and literary world of great diversity. The Book of Daniel was part and parcel of this world and therefore cannot be studied in isolation from early Jewish documents. Several contributions to the comparison of the Book of Daniel with Qumranic documents were published in the years following the discovery[4], but the

1. See the reviews of L.E. HARTMAN and A.A. DI LELLA, *The Book of Daniel* (Anchor Bible 23), Garden City, NY: Doubleday, 1978, 29-42; A. LACOQUE, *Daniel and His Time*, Columbia: University of South California Press, 1988, 16–58; P.R. DAVIES, *Daniel*, Sheffield: JSOT Press, 1985, 9-34.

2. See J.T. MILIK, *Prière de Nabonide, et autres écrits d'un cycle de Daniel*, in *RB* 63 (1956) 407-415, to be studied with the reconstruction of F.M. CROSS, *Fragments of the Prayer of Nabonidus*, in *IEJ* 34 (1984) 260-261. There exist three copies of another Aramaic work, two of which mention Daniel. This work is now known as pseudo-Daniel and is preserved in 4Q243(4QpsDan ar^b), 4Q244(4QpsDan ar^b) and 4Q245(4QpsDan ar^c). See S.A. REED, *Dead Sea Scroll Inventory Project: Lists of Documents, Photographs and Museum Plates – fasc. 10: Qumran Cave 4 (4Q196–4Q363)*, Claremont: Ancient Biblical Manuscript Center, 1992, 18. J.T. MILIK has described them and published a few fragments, in *RB* 63 (1956) 411-415. Milik identified another Aramaic fragment, 4Q551, as related to the story of Daniel and Susanna, but as he himself admits, the surviving text is too general for a precise identification. See his discussion in MILIK, *Daniel et Susanne à Qumrân?*, in J. DORÉ, P. GRELOT, M. CARREZ (eds.), *De la Tôrah au Messie; Mélanges Henri Cazelles*, Paris: Desclée, 1981, 355-357.

3. Among a number of early pseudepigraphic Aramaic works unearthed at Qumran there is one copy of the Enochic Astronomical Book (1 Enoch 72–82) which is dated by Milik to the end of the third century or the beginning of the second century BCE (4Q208 = 4QEnast ar^a). See MILIK, *The Books of Enoch*, Oxford: Clarendon Press, 1976, 273; M.E. STONE, *The Book of Enoch and Judaism in the Third Century B.C.E.*, in *CBQ* 40 (1978) 479-492.

4. On Qumran and the Book of Daniel see F.F. BRUCE, *Biblical Exegesis in the Qumran Texts*, London: Tyndale Press, 1959, 67-74; ID., *The Book of Daniel and*

subject is by no means exhausted. The precise relationship between the Book of Daniel and the Qumran scrolls remains to be fully worked out and both published and unpublished texts from Qumran still await thorough investigation from this perspective. I hope that the following study of the Seventy Weeks prophecy in Dan 9 will contribute to the ongoing discussion on these issues.

The relationship of this prophecy to various apocryphal and sectarian works from cave 4 was explored by J.T. Milik some fifteen years ago[5]. However, at the time most of the texts discussed by him were still largely unpublished. Some of them have since been published or re-edited[6]. Given this fact, and the change of perspective which is taking place in Qumran studies, a reexamination of the issue seems both timely and desirable. As editor of one of the important texts referred to by Milik (4Q390)[7], I will thus have the opportunity to complete and update some of the data presented by Milik.

a. *Daniel 9,24-27*

Since the discovery of the pesharim literature at Qumran, it became apparent that Dan 9 employs pesher procedures in order to interpret the Jeremianic prophecy of seventy years (Jer 25,1-14; 29,10-14)[8]. As

---

the Qumran Community, in *Neotestamentica et Semitica*, Edinburgh, 1961, 221-235; A. MERTENS, *Das Buch Daniel im Lichte der Texte vom Toten Meer* (Stuttgarter Biblische Monographien 12), Würzburg: Echter Verlag, 1971.

5. MILIK has addressed this issue in a number of publications. See *Problèmes de la littérature Hénochique à la lumière des fragments araméens de Qumrân*, in *HTR* 64 (1971) 356-358; *Milkî-ṣedeq et Milkî-rěa' dans les anciens écrits juifs et chrétiens*, in *JJS* 23 (1972) 110-118, 124; *The Books of Enoch* (n. 3), 251-259. Among the texts discussed by Milik in this connection are 4Q180-181 (the *Pesher on the Periods*), 11Q13 (*11QMelch*), 4Q390 (*Pseudo-Ezekiel*) and 4Q247. Cf. n. 52.

6. For 4Q180-181 see my re-edition and discussion in *The Pesher on the Periods (4Q180) and 4Q181*, in *IOS* 9 (1979) 77-102. For 11QMelch see the recent edition of E. PUECH, *Notes sur le manuscrit de 11QMelkîsédeq*, in *RQ* 12 (1987) 483-513, and the discussions cited in n. 44. For 4Q390 see below. Of importance to the problem of chronology are also the *4QMishmarot* texts, recuperated by B.Z. Wacholder and M.G. Abegg from the concordance compiled by the original team of editors of the cave 4 manuscripts. See WACHOLDER and ABEGG, *A Preliminary Edition of Unpublished Dead Sea Scrolls*, Washington: Biblical Archaeology Society, 1991, 60-101. These texts are now being edited by S. Talmon and I. Knohl.

7. The manuscript was originally assigned for publication by John Strugnell and some six years ago he invited me to share in the editing, for which I am deeply grateful to him. I have now assumed the full responsibility for the final edition.

8. Cf. K. ELLIGER, *Studien zum Habakuk-Kommentar vom Toten Meer* (BHT, 15), Tübingen: Mohr-Siebeck, 1953, 256-257; F.F. BRUCE, *Biblical Exegesis* (n. 2), 59-60; A. MERTENS, *Das Buch Daniel* (n. 2), 114-117; A. LACOCQUE, *Le Livre de Daniel* (Le Commentaire de l'Ancien Testament, XVb), Neuchâtel-Paris: Delachaux et Niestlé, 1976, 142; HARTMAN and DI LELLA (n. 1), *The Book of Daniel*, 250; M. FISHBANE, *Biblical Interpretation in Ancient Israel*, Oxford: Clarendon Press, 1985, 482-489. It was also pointed out that according to Daniel's own statement he studied also other "books" (Dan

indicated by the seer (Dan 9,1-3), the aim of the pesher is to bridge the gap between the original prophecy and the contemporary reality of the later author. Significantly, this bridge is not of human making, but is provided by the archangel Gabriel. Its first step is to define the essential sense of seventy years period (Dan 9,24), a sense not explicated by Jeremiah himself:

> "Seventy weeks have been decreed for your people and your holy city to imprison transgression and to terminate sin and to expiate iniquity; and to bring about eternal justice, and to seal vision and prophecy, and to anoint the Holy of Holies".

This definition gives to the interpretation two complementary aspects: chronologically the Jeremianic Seventy Years are understood to consist of seventy year-weeks. As for the character of the period, the peace and prosperity envisioned by Jeremiah for Israel at the end of the Seventy Years' period are interpreted in terms typical of the Second Temple Period's eschatological thinking.

Commentators have observed that the essential nature of the events to take place at the end of the Seventy Weeks of Years is worded in three pairs of parallel terms, each consisting of an infinitive with a nominal object[9]. A triad of terms depicts the contemporary evil situation: transgression (פשע)[10], sin (חטאות)[11] and iniquity (עון)[12]. Three

9,2) in order to uncover the meaning of the Jeremianic prophecy, namely he apparently used a characteristic pesher-method which mutually applies various biblical statements. Cf. D.S. RUSSEL, *Daniel* (The Daily Study Bible-OT), Philadelphia: Westminster Press, 1981, 183; B.Z. WACHOLDER, *Chronomessianism: The Timing of Messianic Movements and the Calendar of Sabbatical Cycles*, in *HUCA* 46 (1975) 202. For other interpretations of older prophecies in Dan cf. FISHBANE, *Interpretation*, 489-499.

9. Cf. N. PORTEOUS, *Daniel* (OTL), London: SCM Press, 1979[2], 140; LACOCQUE, *Le Livre de Daniel* (n. 8), 142.

10. The word פשע (= 'transgression') is primarily a legal term, designating an offence against the law, applied to individuals as well as nations. Cf. e.g. Gen 50,17; Num 22,8; Job 33,9 for individuals, and Amos 1-2; Micha 3,8; Ps 65,4 for peoples. See W. BAUM-GARTNER and J.J. STAMM (eds.), *Hebräisches und Aramäisches Lexicon zum Alten Testament* (= HAL), Leiden: Brill, 1983[3], III, 922-923; R. KNIERIM, *Die Hauptbegriffe für Sunde im Alten Testament*, Gütersloh: Mohn, 1965, 141-142. In the biblical usage the term is interchangeable with חטאה/עון. The three occur also in Dan 9,24, but they are distinguished by the three different terms paired with each. פשע is matched with eternal justice, which may allude to activity of dispensing justice by the Davidic messiah, as pictured in Is 11,5. Cf. n. 12. The expression לכלא פשע is unique in the Hebrew Bible. For לכלא as 'imprison, hold', cf. HAL, II, 452-453. The text of Daniel from Qumran reads in 4QDan כלה (= 'terminate').

11. The term has a *ketib* in plural (חטאות) and a *qere* in the singular (חטאת). The attached verb has also two forms: the *ketib* has ולחתם, in the sense of 'to confirm' (HAL, I, 350), playing both upon ולחתם חזון ונביא in the next strophe and on the similar נחתך in the previous line; the *qere* has ולהתם, 'to terminate, finish' (cf. HAL IV, 1615), as is translated above (cf. Ez 22,15; note 1QH VIII,31 with the same verb, in a possible allusion to Dan). It goes well with both the general sense of the verse and the preceding לכלא. Cf. n. 14.

12. עון comes here with the verb לכפר, 'to expiate', which is a technical term to

other terms describe the age to come: introducing eternal justice (להביא
צדק עלמים)[13], sealing prophecy (לחתם חזון ונביא)[14], and anointing the
Holy of Holiness (למשח קדש קדשים)[15]. However, it has not been
sufficiently stressed that the two triads also form three complementary
pairs: transgression//righteousness, sin//vision-prophecy, and iniquity//
Holy of Holiness. A closer look reveals that the three form pairs of
related entities: the first pair concerns justice and offence, thus alluding
to the function of dispensing justice. Since the two other pairs clearly
involve human agents – the prophet and the priest –, presumably the
first one does the same by alluding to the ruler (= king)-judge[16]. The
second pair deals with prophecy and its object, thus pointing to the
function of the prophet. The third pair bears upon the Temple or the
priesthood and its function of expiating iniquity. The three pairs relate
to the future, they may refer to three eschatological figures: the royal
Davidic Messiah, the eschatological Prophet and the messianic High
Priest, all known from other contemporary sources[17]. Thus, Dan 9 is
another witness to these well-known conceptions.

The function of the Seventy Weeks of Years' period as leading to the
final redemptive era also sheds light on its numerical character. Ap-

---

designate the atonement of a transgression achieved through cultic sacrifices and repentance.

13. A unique expression in the Hebrew Bible. But compare Is 1,26; 11,5; 32,1; 41,2. It
is cited in the *Apostrophe to Zion* (11QPs[a]) XXII,13 in the same context. Compare also
1QS[b] V,20-29. Cf. n. 16.

14. In the sense of bringing about the final prophetic vision, as well as the 'last
prophet'. For חזון ונביא ('vision and prophecy') as the agent and his object compare 1 Sam
3,1; Ez 7,26; Lam 2,9. Note Obadiah 1; Nahum 1,1. Perhaps Dan 9 understood 'vision'
(חזון) as vision on the eschatological future, as in 8,17; 10,14, as did the *Habbakuk pesher*
(1QpHab) VI,15–VII,2,5 when commenting on the term in Hab 2,2. Cf. n. 11.

15. The expression קדש קדשים usually means in the Hebrew Bible the holiest part of
either the Tabernacle/Temple, or their apertures and sacrifices. Cf. HAL, III, 1008.
Consequently, most of the commentators understood the Danielic phrase as referring to
the restoration of the Second Temple (cf. Rashi *ad loc.*). However, some commentators
have noted that 1 Chr 23,13 uses this expression of the High Priest Aaron, and concluded
that this is intended also in Dan 9,24. See J.A. MONTGOMERY, *The Book of Daniel* (ICC),
Edinburgh: T. & T. Clark, 1979 (1927), 375; M. DELCOR, *Le Livre de Daniel* (Sources
bibliques), Paris: Gabalda, 1971, 195; LACOCQUE, *Le Livre de Daniel* (n. 8), 143-144.
Traditional Christian exegesis understood this expression to refer to the messiah, namely
Jesus. Cf. e.g. P.J. DE MENASCE, *Daniel* (La Sainte Bible), Paris: Cerf, 1958, 78. The
expression is cited in eschatological context by 11QPs[a] XXII,13-14. The verb משח
('anoint') is used both of humans and of objects, but note the anointing of Aaron and his
sons for the priesthood (e.g., Ex 28,41; 29.7.36; cf. Num 35,25).

16. As depicted in Is 11,1-9. For the eschatological re-use of this passage in Qumran
literature see the passages cited in n. 13.

17. For the pair Davidic Messiah and the Priestly Messiah see Zech 3; CD XII,23;
XIX,10; 1QS IX,11, where they are mentioned together with the prophet. Note TestJudah
21,2-3. For the Eschatological Prophet cf. Mal 3,23-24; 1 Macc 4,41; 1QS IX,11. The
triad priest, king and prophet is mentioned in TestLevi 8,11-15.

parently the Maccabean author of Dan 9 could not make any literal sense out from the Jeremianic Seventy Years' period. By a typical pesher procedure, he interpreted each Jeremianic 'year' as a 'great year', namely a 'sabbath' or sabbatical year (שמיטה) of seven years. As noted by commentators, this pesher was based on an exegetical link already made by the Chronicler (2 Chr 36,21), who understood Jeremiah's prophecy (Jer 25,11/29,10) in the light of Lev 26,31-35.43. He thus interpreted the number seventy as seven cycles of sabbatical years[18]. Aware of the fact that the eschatological promises were not fulfilled after seven years, the author of Dan 9 takes the interpretation a step further by interpreting the 'sabbaths' of Lev-Chr as sabbatical cycles (note Lev 25,3-4.8). In this way the seventy 'years' become seventy sabbatical cycles (cf. Ex 23,10-11; Lev 25,1-7; 26; Dt 15).

b. *The Chronology of the Seventy Year-weeks*

As recognized by many commentators, the obvious exegetical connection between Dan 9 and the Chronicler shows that the 'Year-weeks' must be considered as seven sabbatical cycles. As such, the entire period of Seventy Weeks of years forms a decade of jubilees (= 49 × 10), or seventy sabbatical cycles (= 70 × 7)[19].

Since the Seventy Weeks of Years' period will initiate the eschatological era, this period is not a neutral, isolated segment of time, but an era of specific character and place in the course of history. Even though other sections of this history are not mentioned in Dan 9, the Seventy Weeks of Years clearly stand out as the end of the historical sequence[20].

That the period of Seventy Weeks probably forms part of the larger sequence of history is suggested also by the nature of the sabbatical cycles. An attentive reader of the Torah, as was the author of Dan 9, would assume that the counting of sabbatical years and jubilees was as old as the Giving of the Torah on Mount Sinai. The author of the *Book of Jubilees* believed that it was initiated with the creation of the

---

18. Cf. PORTEOUS, *Daniel* (n. 9), 140-141; K. KOCH, *Die mysteriösen Zahlen der judäischen Könige und die apokalyptischen Jahrwochen*, in *VT* 28 (1978) 439ff.; ID., *Sabbatstruktur der Geschichte*, in *ZAW* 95 (1983) 414ff.; WACHOLDER, *Chronomessianism* (n. 8), 201-209; J.C. LEBRAM, *Das Buch Daniel* (Zürcher Bibelkommentar – AT, 23), Zürich: Theologischer Verlag, 1984, 108.

19. J.E. GOLDINGAY argues that "the seven sevens of Dan 9,25 are insufficient to indicate that Dan 9 reflects jubilee thinking, given that it does not describe the 490 years in these terms". Cf. ID., *Daniel* (Word Biblical Commentary, 30), Dallas: Word Books, 1989, 232. He is, however, inconsistent in accepting at the same time that the 490 years are conceived in terms of sabbatical cycles. For sabbatical years and jubilees are components of the same system, as was generally held by the contemporaries of Daniel's author/s.

20. LEBRAM (n. 18), *Daniel*, 108.

world[21]. Moreover, the presence of lists of sabbatical cycles at Qumran[22] suggests that such detailed records were kept at least by some circles during the Second Temple Era[23]. In addition, the fact that various contemporary apocalypses produce time-tables of the entire history construed in weeks and jubilees[24], indicates that the sabbatical cycles were taken as chronological framework for historical chronologies. This conclusion is also corroborated by the use of the priestly courses' service and the sabbatical cycles as means of dating historical events in the chronological lists from Qumran (the so-called *4QMishmarot* texts)[25].

In distinction to the eschatological circumstances introduced by 9,24, most of the events which fall within the Seventy Year-weeks' period clearly allude to real, recognizable historical circumstances. However, applying real historical chronology to the Seventy Year-weeks involves several unsolved problems.

The Seventy Year-weeks are divided into three sections in the following manner: a. Seven year-weeks – 49 years (9,25a). b. Sixty-two year-weeks – 434 years (9,25b). c. One year-week – seven years (9,26–27). It is generally agreed that the first period of seven year-weeks covers the exile and the restoration of Jerusalem[26]. It is also commonly held that the third period of one year-week must refer to the events connected with Antiochus IV[27]. But these historical synchronisms cannot be reconciled with the second, middle section, if the three subsections are taken to be sequential. For the span of time which elapsed from the fall of Jerusalem (586 BCE), or even the first year of Nebuchadnezzar II (605/4 BCE), to the reign of Antiochus IV is shorter than the 434 years of the sixty-two year-weeks[28]. The difficulty to reach

21. See Jub, introd.; 1,26; 2,9; 4,18.
22. Published provisionally in the edition of Wacholder and Abegg (n. 6), which should be used with caution.
23. See the notice of 1 Macc 6,49,53 to the effect that a sabbatical year was observed when the battle of Beth-Zur took place, i.e. 164/3 BCE; rather than 163/2; see J. GOLDSTEIN, *I Maccabees* (Anchor Bible, 41), Garden City, NY: Doubleday, 1984, 24-25, 54, 315-318, 323, 541 contra B.Z. WACHOLDER, *The Calendar of Sabbatical Cycles During the Second Temple and the Early Rabbinic Period*, in *HUCA* 44 (1973) 160-163. The computation of sabbatical years throughout this article is based on this assumption. The tables of these cycles provided by WACHOLDER, *ibid.*, should than be advanced by one year.
24. Cf. The *Apocalypse of Weeks* (1 Enoch 93,1-10; 91,11-17), the *Animal Apocalypse* (1 Enoch 89–90), TestLevi 16–17, 4Q181 2 3. Cf. the discussion below.
25. See the texts cited in n. 22.
26. Cf. e.g. DELCOR (n. 15), *Daniel*, 197; LACOCQUE (n. 8), *Daniel*, 144; W. SIBLEY TOWNER, *Daniel*, Atlanta: John Knox, 1984, 142-143. Similarly O. PLÖGER, *Das Buch Daniel* (KAT, 18), Gütersloh: Gerd Mohn, 1965, 140-141. For other suggestions see MONTGOMERY, *Daniel* (n. 15), 378-379.
27. Cf. e.g. PLÖGER, *Daniel* (n. 26), 141-142; PORTEOUS, *Daniel* (n. 9), 142-143; LEBRAM, *Daniel* (n. 18), 109-110.
28. Cf. e.g. HARTMAN and DI LELLA, *Daniel* (n. 1), 250-251.

a satisfactory historical interpretation of the Seventy Years-weeks has led therefore to the assertion that the author of Dan 9 had only an imprecise knowledge of history[29]. But in the light of the precise and detailed historical information contained in Dan 8–12, this is an unwarranted conclusion[30].

In their efforts to correlate the Seventy Year-weeks' chronology with history, some scholars have therefore concluded that the three periods are not necessarily sequential, but partly overlapping. It has been suggested that the sixty-two weeks' period spans from the first year of Nebuchadnezzar II (605/4 BCE) – the year in which Jeremiah pronounced his seventy years' prophecy (Jer 25,1) – to 170 BCE, the year which coincides with that of the murder of the High Priest Onias III. This calculation allows one to regard the remaining week – 170-163 BCE – as pertaining to the persecutions of Antiochus IV[31]. According to this interpretation the first section of seven year-weeks corresponds to the period spanning from the destruction of the First Temple (586 BCE) to the edict of Cyrus (538 BCE), and thus in part runs concurrently with the second, middle period. Such overlapping requires the addition of another seven year-weeks needed to complete the period of seventy year-weeks. Some scholars in favour of this solution see these 49 years as forming the final, eschatological period, alluded to by Dan 9,27b[32].

This interpretation has the merit of conforming many of the historical indications of the chronology to undisputable historical events. It may, however, prove to be problematic because it detaches the first period from the remaining two, and thus destroys the basic continuity and sequence of the Seventy year-weeks' period.

The chronology of the Seventy year-weeks may, however, appear less problematic if viewed in terms of sabbatical cycles rather than simple arithmetic values[33]. These cycles were observed during the time of the Second Temple and can be calculated on the basis of the available data[34]. According to the sabbatical computation, the destruction of the First Temple took place in the year 586/85 BCE, which falls in the fifth year of the sabbatical cycle. Accordingly, the first seven year-weeks from this event onwards, computed in sabbatical cycles, begin in the first year of the following cycle, namely in 583/82 BCE, and terminate in 535/34 BCE, another sabbatical year. Another significant event for the author of Dan 9, the foundation of the Second Temple (537 BCE),

29. Compare, for instance, HARTMAN and DI LELLA, *ibid.*

30. As rightly pointed out by A. LAATO, *The Seventy Yearweeks in the Book of Daniel,* in *ZAW* 102 (1990) 215.

31. Cf. DELCOR, *Daniel* (n. 15), 198-199; LACOCQUE, *Daniel* (n. 8), 145-146 and the commentaries cited in n. 27.

32. Cf. WACHOLDER, *Chronomessianism* (n. 8), 206-208.

33. As suggested by WACHOLDER, *Chronomessianism.*

34. Cf. n. 23.

falls in the middle of the last sabbatical cycle of this section (from 541/
40 to 535/34 BCE). Such a date accords with the understanding of the
first period as spanning from the destruction of the First Temple to the
building of the Second one.

According to the same principle, the following sixty-two complete
sabbatical cycles span from 604/3 to 170/71 BCE, and thus fit with the
interpretation of this period as lasting from the first year of Nebuchadnezzar to the murder of Onias III.

The interpretation in terms of sabbatical cycles has also the advantage of providing the chronology with coherence and continuity independent of the Seventy Year-weeks period itself. Thus, the subsections
of the Seventy Year-weeks are not necessarily sequential in relation to
each other. It suffices to relate them to the general sequence of the
sabbatical cycles.

The principle of sabbatical cycles can be successfully applied to a
time-table similar to that of Dan 9, namely, to the Seventy Times'
Period mentioned in the *Animal Apocalypse* (*1 Enoch* 89,57-90). As a
writing contemporary to the Book of Daniel, the *Animal Apocalypse*
introduces seventy shepherds, appointed by God to rule over Israel
during seventy periods, covering the final age of history. The seventy
times are subdivided into four sections: 12 periods (= 84 years), 23
periods (= 161 years), 23 periods (= 161 years) and finally another 12
periods (= 84 years). The events occurring at the end of the fourth
section, clearly pertain to the eschatological era. However, the first
three periods, and even early parts of the fourth, clearly refer to
historical events. The Seventy Times' sequence begins before the destruction of the First Temple (*1 Enoch* 89,57), and therefore has to be
calculated from the first year of Nebuchadnezzar, namely in 604/3[35]. If
computed in sabbatical cycles, the first section ends in 521/20 BCE,
which was a sabbatical year. Significantly, it falls after the stormy years
of the conspiracy and rebellion against Cambyses and the accession of
Darius I (522 BCE). This date gave rise to messianic expectations in
Judaea, as witnessed by Zechariah 1,12[36]. As for the second section, if
calculated in sabbatical cycles, it ends in 360/59, another sabbatical
year. Also this date coincides with important events on the international scene: the accession in Macedonia of Philip II, Alexander's
father, and the satraps' rebellion in the Persian empire around the
accession of Artaxerxes III Ochus[37]. It thus fits the description in the

35. As I have argued in *Qumran Sectarian Literature*, in M.E. STONE (ed.), *Jewish
Writings of the Second Temple Period*, Assen: Van Gorcum, 1984, 544-545.

36. Cf. P. GRELOT, *Soixante-dix semaines d'années*, in *Bib* 50 (1969) 180-181.

37. On the conspiracy against Cambyses and the accession to the throne of Darius I cf.
Herodotus, *History*, III, 61-67, 71-87. See J.M. COOK, *The Rise of the Achaemenids and
Establishment of their Empire*, in *The Cambridge History of Iran*, vol. II, Cambridge:

Animal Apocalypse according to which the Greeks appear on the stage at this point for the first time (*1 Enoch* 90,2)[38]. The next section of 23 periods terminates with the sabbatical year of 199/98 BCE, coinciding with the final conquest of Koile-Syria by the Seleucid Antiochus III[39]. The last section of 12 periods ends in the sabbatical year of 115/14 BCE, which for the author is still in the future. But if 164/63 BCE is taken to be the year of composition of this Apocalypse[40], the author probably was a witness of the historical events during the first half of the second century BCE.

c. *The Seventy Year-weeks and the Chronology of History*

At least three other texts are known to specify seventy weeks as a period of sin and wrath: *TestLevi* 16, the *Book of the Watchers* (*1 Enoch* 10,11-12) and 4Q181 2 5[41]. All three deal with one section of history, whose function may be similar to that of Dan 9 and the *Animal Apocalypse*[42]. But other texts present time-tables of the entire history calculated in decades of jubilees. They too seem to be related to the sabbatical chronologies implied by the seventy weeks periods.

In fact, the understanding of the sabbatical chronology in Dan 9 can

---

Cambridge University Press, 1985, 213-217. On the satraps' rebellion during the last years of Artaxerxes II Memnon and the succession of Artaxerxes III Ochus (in 359 BCE) cf. A.T. OLMSTEAD, *History of the Persian Empire*, Chicago: University of Chicago Press, 1948, 419-422; A.R. BRUN, *Persia and the Greeks*, in *The Cambridge History of Iran*, vol. II, 380-383.

38. The Greeks are symbolized by birds of prey, whereas the various foes of Israel during the First Temple period are represented as wild animals. The birds are clearly an element belonging to the latter Hellenistic times.

39. Already CHARLES, *ibid.*, suggested the date 200 BCE as the beginning of the fourth section. According to the *Animal Apocalypse* this date marks the appearance of a new, elect and righteous group. In *Qumran Sectarian Literature* (n. 35), 544, I have suggested that this was, perhaps, the birth of the Qumran community, and that the *Apocalypse* originated in this community or a parent group. For a similar evaluation of the *Animal Apocalypse* see M. KISTER, *Concerning the History of the Essence. A Study of the* Animal Apocalypse, *the* Book of Jubilees *and the* Damascus Covenant, in *Tarbiz* 56 (1986-1987) 1-18, esp. 5 (Hebrew). For a detailed analysis cf. my discussion in *History According to the* Animal Apocalypse, in *Jerusalem Studies in Jewish Thought* 2 (1982) 18-37 (Hebrew).

40. Cf. R.H. CHARLES, *The Book of Enoch*, Oxford: Clarendon Press, 1912, 180-181; J.T. MILIK, *The Books of Enoch*, Oxford: Clarendon Press, 1976, 44.

41. See my edition and discussion in *The 'Pesher on the Periods'* (n. 6), 90-91, where I reject Milik's suggestion to consider them as copies of one and the same work. Cf. MILIK, *Littérature Hénochique* (n. 5), 356-357; *Milkî-ṣedeq* (n. 5), 109-124; *The Books of Enoch* (n. 3), 248-253.

42. And not the entire history in seventy weeks, as argued by Milik in *The Books of Enoch* (n. 3), 248. R.T. Beckwith has pointed out that in 1 Enoch 10,11-12 the count starts with the sin of the Fallen Angels and not with the Creation of the World. The same is perhaps true of 4Q181 2 5. In this last case the seventy weeks' period may even refer to a final, wrath period of history. Cf. R.T. BECKWITH, *The Significance of the Calendar for Interpreting Essene Chronology and Eschatology*, in *RQ* 10 (1980) 169-170.

be significantly advanced if considered as part of a comprehensive chronology of history. That the Seventy Year-weeks' period must be related to such an overall chronology was already argued from various points of view by scholars such as Koch, Milik and Wacholder[43]. Evidence for the existence of such a chronology is actually forthcoming not only from various well-known apocalypses, but now also from a growing number of Qumranic texts. Such chronologies are present in the *Apocalypse of Weeks* (= *ApocWe*; *1 Enoch* 93,3-10; 91,11-17), the *pesher of Melchisedek* (11QMelch)[44], the fragment 4Q247[45], probably in 4Q390 (cf. below) and partly in the *Book of Jubilees*. I will attempt to show that an overall historical chronology can indeed be worked out in detail by applying the chronological data of *Jubilees* to the data offered by the *ApocWe*. Once such a chronology is established, the Danielic Seventy Year-weeks' period emerges as invested with special significance within such a sequence.

Jubilees and the *ApocWe* are the most suitable sources for reconstructing a comprehensive chronology for the simple reason that *Jubilees* is the only source to provide us with an uninterrupted and systematic computation of sabbatical cycles and jubilees from the Creation to the Entry of Israel into Canaan. This entire period lasts 2450 years or fifty jubilees (*Jub* 50,4). As for the *ApocWe*, it presents a sequence of history in ten units labelled as 'Weeks'. Each such Week is defined both by its place in the sequence and by the specific events which took place in it. The numeric value which accords best with all the data provided by the *ApocWe* is that which allows each Week a span of ten jubilees of 49 years, namely of 490 years or seventy sabbatical cycles (or 'weeks'). In this sense each unit forms a 'great week' and the sequence consists of ten decades of jubilees. Accordingly, history consists of ten 'great' jubilees. Thus, for instance, the second Week spans from the twenty-first to the thirtieth jubilee, the third Week from the thirty-first to the fortieth jubilee, and so on. The only

43. See KOCH, *Die mysteriösen Zahlen*; ID., *Sabbatstruktur* (n. 18); MILIK, in the articles cited in n. 5, and WACHOLDER, *Chronomessianism* (n. 8). Note also BECKWITH, *Significance* (n. 42). Koch was already able to show that the Weeks of the *ApocWe* should be calculated as units of 490 years. Cf. KOCH, *Sabbatstruktur*, 414-417.

44. 11QMelch was recently re-edited by PUECH (n. 6). For discussions of the pesher see A.S. VAN DER WOUDE, *Melchisedek als himmlische Erlösergestalt in den neugefundenen eschatologischen Midraschim aus Qumran Höhle XI*, in *OTS* 14 (1965) 354-373; M. DE JONGE and A.S. VAN DER WOUDE, *11QMelchizedek and the New Testament*, in *NTS* 12 (1965-66) 301-326; MILIK, *Milkî-ṣedeq* (n. 5); P.J. KOBELSKI, *Melchizedek and Melchireša^c* (CBQMS, 10), Washington: The Catholic Biblical Association of America, 1981, 3-83. I intend to devote a separate study to the chronology in this pesher.

45. Published by MILIK in *The Books of Enoch* (n. 3), 256. The two significant lines mention the fifth week and four hundred years (?). This number may refer, as suggested by Milik, to the 480 years which elapsed from Exodus to the inauguration of the Solomonic Temple, according to 1 Kgs 6,1: L. 2: יב]רא השבוע החמן]יש. L. 3: יב]רא השבוע החמן]יש. שמונים ו]ארבע מאות שלו[ן]מה. However, L. 3 may also be read ארבע מאות שלו[שים.

exceptions to this rule are the first and the tenth Weeks. Calculated as consisting of twenty jubilees, that is of 940 years, the first week perhaps reflects the extreme longevity of prediluvian humanity. Arithmetically it allows the historical process to be consummated at the end of the ninth Week, or the ninety-ninth jubilee. Being part of the final eschatological era, the tenth week thus appears to fall beyond history, fulfilling the final dictum of the *ApocWe* (91,17): "And thereafter there shall be many Weeks; to all their number there shall be no end forever"[46].

Reconstructed on this basis, the resulting sequence accords surprisingly well with the various chronological indications of the *ApocWe*. Six out of the seven historical Weeks can be worked out with precision and prove as correct the basic week-unit of 490 years. The resulting chronology is presented in Appendices I–II. According to this table, the inauguration of the Solomonic Temple, for instance, falls at the end of the fifth Week. This date fits the data supplied by the Hebrew Bible and *Jubilees*. As noted by 1 Kgs 6,1 (Massoretic text), 480 years elapsed from Exodus till the inauguration of the Temple[47]. *Jubilees* dates the Exodus to 2410. Thus the inauguration took place in 2890, fifty years before the end of the Week.

The more the Weeks approach to contemporary history, the less chronological data are extant and the more difficult it is to figure out the details of the periods. The sixth Week covers the period of the two kingdoms until the destruction of the First Temple. The seventh Week spans from the exile to the dawn of the Messianic era. But the biblical data for calculating these Weeks are either defective or non-existent. As for the sixth Week, the chronologies in the book of Kings yield the number 430 as the total years of reign of the Judaean kings from the inauguration of the Solomonic Temple till its destruction. This number lacks, however, seventy years required to complete the full 490 years of the sixth Week. I assume, therefore, that there must have existed a calculation according to which the time elapsed from the Solomonic Temple to its destruction was longer, and included the additional seventy years.

Using the Destruction of the First Temple (586 BCE) as a point of departure, the Ten Weeks history can be synchronized with sabbatical cycles. Following the indications of the *ApocWe* (*1 Enoch* 93,8) the destruction must fall at the end of the sixth Week – 3430. The end of this Week thus falls in the sabbatical year of 584/83 BCE, two years after the Destruction of the Temple in 3428 Anno Mundi. This would place the Persian and hellenistic periods in the seventh Week.

The full implications of the historical chronology thus worked out

---

46. The translation is that of M. BLACK, *The Book of Enoch or I Enoch* (Studia in Veteris Testamenti Pseudepigrapha, 7), Leiden: Brill, 1985.

47. Perhaps this event is referred to in 4Q247 2-3. Cf. n. 45.

should be a subject for another paper. Here I will content myself with only a few remarks. First of all, one is struck by the inner rigorous logic of this chronology. Thus, for instance, the erection of the eschatological temple falls at the end of the eighth Week, in 4410 A.M. This represents 1520 years from the inauguration of the First Temple and precisely 2000 years from the Exodus and the giving of the Torah on Mount Sinai. Another interesting date is that of Israel's entry into Canaan. According to *Jubilees* it occurred at the end of the fiftieth jubilee, namely 2450 Anno Mundi. This represents precisely the half of 100 jubilees, or 4900 years[48]. It should also be noted that the Second Temple is not mentioned in the *ApocWe*, a fact which reinforces the impression that this Apocalypse may have originated in circles close or similar to the community of Qumran.

Finally, one may observe that the last hundred years which complete the historical sequence to full five thousand years (the sum of the world history according to the *Testament of Moses* 1,1), are not included in the chronology. Perhaps they represent the cosmic jubilee period, the remission of all sins, referred to in the pesher on Melchisedek (11QMelch II 4-5).

The advantage of this historical chronology resides not only in reconstructing the periodization of the *ApocWe*, but also in providing an overall framework to the Seventy Year-weeks' period and other calculations of seventy weeks. Viewed in such a framework the Danielic Seventy Year-weeks or the Enochic Seventy Times' period overlap the seventh Week, namely the Week which inaugurates the eschatological events. If the Danielic Seventy Year-weeks, as well as the Seventy Periods of the *Animal Apocalypse*, are calculated in this chronology from 604/3 BCE, they begin from the middle of the seventieth jubilee from the Creation of the world, or the tenth jubilee in the sixth Week Anno Mundi. In both ways this period falls within the seventh Week, which marks the transition from history proper to the dawn of the final Eschaton.

A date often correlated with the Seventy Weeks' calculations is that given by the *Damascus Covenant* I,5-6. Based on Ez 4,5.9 this text states that 390 years elapsed from the destruction of the land until the first appearance of the community. Reckoned from the destruction of the Temple in 586 BCE, the date arrived at is 196 BCE. In sabbatical cycles' terms the date falls in the middle of the sabbatical cycle ending in 192/91 BCE. Apparently, it was not calculated to fit a whole sabbatical cycle. Nevertheless, assuming that the destruction of the

---

48. The date of entering Canaan is calculated in terms of jubilees also by the Qumranic work the *Psalms of Joshua* (4Q379 12 4-6), and the same jubilees' chronology may underlie this notice. For the text see C. NEWSOM, *The 'Psalms of Joshua' from Qumran Cave 4*, in *JJS* 39 (1988) 66.

First Temple should be placed at the end of the sixth Week of the *ApocWe*, 196 BCE falls at the end of the eighth jubilee of the seventh Week. Already the position of the eighth jubilee is privileged; in addition, the date itself is strikingly close to the one fixed by the *Animal Apocalypse* for the appearance of the group of the Elect.

An overall chronology of a decade of jubilees may be present in another Qumranic text – 4Q390 – published below (see Appendix III). It was originally allotted to John Strugnell for publication, and he considered it as a copy of a *Pseudo-Ezekiel* work[49]. As such it was cited and discussed by Milik in his discussion of a world chronology[50]. It has now become clear to me that 4Q390 is not a copy of *Pseudo-Ezekiel*, but of another work, *Pseudo-Moses*, extant in at least four copies[51]. Milik thought that 4Q390 implies a historical chronology of ten jubilees[52]. However, the surviving text is too fragmentary and does not allow us to reconstruct a full history of ten jubilees. What we actually have in 4Q390 and in other copies are sporadic references to jubilees and weeks of years. The most significant chronological notice is the one which mentions the seventh jubilee (4Q390 1 7-8). It occurs in a historical review addressed to Moses (cf. Appendix III) which alludes to events in the Persian and early Hellenistic periods. This notice runs as follows (4Q390 1 7-8): "And in the seventh jubilee from the destruction of the land they will forget law and festival and sabbath and covenant". The notice obviously depicts a period of apostasy, clearly placed in post-biblical times, somewhere in the Persian or early Hellenistic periods. However, references to biblical events sprinkled in other copies make it likely that the chronological framework underlying the composition embraced history as a whole.

Calculated in terms of the Ten Weeks' history of the *ApocWe*, the seventh jubilee of 4Q390 1 7-8 falls in the seventh jubilee of the seventh Week, or in the seventy-seventh jubilee of the Creation of the World. These specifications place the seventh jubilee between 3725-3773 Anno Mundi, which in terms of sabbatical cycles spans between 289/88 and

49. Cf. the position of STRUGNELL as cited by MILIK, *The Books of Enoch* (n. 5), 245-246.

50. Cf. MILIK, *Littérature Hénochique* (n. 5), 537; *Milkî-ṣedeq* (n. 5), 110; *The Books of Enoch* (n. 3), 254-255, 257.

51. The view that 4Q385–390 are six copies of the same work of *Pseudo-Ezekiel* was presented by us in our two joint publications, *4Q Second Ezekiel (4Q380)*, in *RQ* 13 (1988) 45-58, and *The Merkabah Vision in Second Ezekiel (4Q385 4)*, in *RQ* 14 (1990) 331-348. I have now become convinced that 4Q385–390 preserve three different works: *Pseudo-Ezekiel*, contained in 4Q385-386 and some other fragments; *Pseudo-Moses*, preserved mostly in 4Q387-389-390; and an *Apocryphon of Jeremiah*, found in 4Q385 16 and a few other fragments. The full discussion of the new arrangement, together with the publication of and a commentary on 4Q390 1-2 will appear in the *Proceedings of the Madrid Congress on the Dead Sea Scrolls*, which took place in March, 1991. See Appendix III.

241/40 BCE. Similar results are reached at by computing seven jubilees from 586 BCE, if the synchronization proposed above is applied. Accordingly, within the overall historical chronology this seventh jubilee holds the same place which is assigned by Dan 9 to the Seventy Year-weeks or by the *Animal Apocalypse* to the Seventy Times. Once again, this affinity may point to a common background, even to a common chronology, entertained by apocalyptic circles as well as the Qumran community[53].

Allowing some margin of error, the significant and precise dates yielded by the reconstructed chronology and sabbatical chronology, are nevertheless impressive. They shed new light on the nature and function of the apocalyptic time-tables, and prove this line of investigation to be promising and productive.

APPENDIX I

THE WORLD HISTORY ACCORDING TO JUBILEES
AND THE APOCALYPSE OF WEEKS

WEEK	EVENTS	NO. OF JUBIL.	ANN. MUNDI	COMMENTS
First week	Enoch 7th; Justice	1–20	1–980	Death of Adam 930 (*Jub* 4,29) 522–887 – Enoch
Second week	Apostasy; the first End and a man is saved; he gives law to the sinners	21–30	981–1470	1188–1308 – Sin of the Watchers 1308–9 – The Flood; Covenant with Noah 1324–1372 Noah teaches his sons
Third week at its end	A man will be chosen as a plant of righteousness	31–40	1471–1960	1583–1589 – Demons tempt the sons of Noah *1953* – Abraham goes to Canaan
Fourth week at its end	Visions of the holy. A law will be given and an enclosure will be made	41–50	1961–2450	2410 – Exodus; Torah given on Sinai

52. Cf. *Littérature Hénochique*, 537; *Milkî-ṣedeq* (n. 5), 110; *The Books of Enoch* (n. 3), 254-255.

53. A similar conclusion was drawn by MILIK (see the publications cited in n. 5).

				2450 – Israel enters Canaan End of 50th jub.
Fifth week at its end	House of Glory will be built	51–60	2451–2940	2890 – Inauguration of Solomon's temple (1 Kgs 6,1,36 + Jub)
Sixth week at its end	All will be blinded; a man shall ascend The House will be destroyed, and the chosen people dispersed	61–70	2941–3430 3428–	Elijah 586 BCE – Destruction of the temple
			3476	538 BCE – Edict of Cyrus
Seventh week at its end	Apostasy The chosen righteous will appear and will be given seven-fold wisdom	71–80	3431–3920	200 BCE – 3814 – Antiochus III Judaea under the Seleucid rule 170 BCE – 3844 – Murder of Onias III
Eighth week at its end	Righteousness and avenge of the Righteous on the Wicked The House will be built and the Righteous will have houses	81–90	3921–4410	
Ninth week	Judgement, wickedness disappears; all will be righteous	91–100	4411–4900	
Tenth week	Eternal Judgement, light and wisdom, endless weeks	4900 –	(+ 100 = 5000)	

LIST OF JUBILEES IN THE SIXTH AND SEVENTH WEEKS

WEEK	JUBILEES	ANN. MUNDI	LIST		
sixth	61–70	2941–3430	jub.	61	2941–2989
				62	2990–3038
				63	3039–3087
				64	3088–3136
				65	3137–3185
				66	3186–3234
				67	3235–3283
				68	3284–3332
				69	3333–3381
				70	3382–3430
seventh	71–80	3431–3920	jub.	71	3431–3479
				72	3480–3528
				73	3529–3577
				74	3578–3626
				75	3627–3675
				76	3676–3724
				77	3725–3773
				78	3774–3822
				79	3823–3871
				80	3872–3920

APPENDIX III

4Q390 – PSEUDO-MOSES

The text discussed here is preserved in the two largest fragments of the scroll designated as 4Q390. Originally thought to be a copy of an apocryphon of Ezekiel – *Pseudo-Ezekiel* – it is now assigned by me to a different work, a pseudo-Moses composition. This work is represented by the four copies, manuscripts 4Q387–388–389–390. The copy of 4Q390 presented here provides the largest, best preserved passage of this hitherto unknown work. The four manuscripts are written by Late Hasmonean to Herodian hands. The manuscript 4Q390 is written in a Herodian hand[54]. Given these data and the various historical notices contained in the work, I provisionally date the composition of *Pseudo-Moses* to the first half of the first century BCE at the latest. The existence of several copies suggests an even earlier date of composition. A more precise dating may emerge from further work in the future.

Like most of the other copies of this work also 4Q390 contains a divine discourse. The discourse in 4Q390 consists of a historical review. Written in a

---

54. This dating is that of Strugnell.

style typical of the deuteronomistic divine addresses to Moses, the present discourse also seems to be such an address. For the task required of the addressee consists of receiving divine commandments from Yahweh and transmitting them to the People of Israel[55]. This amounts, in fact, to a definition of Moses' classical role as mediator between Yahweh and the People of Israel. Although prophets are also referred to as transmitters of God's commandments (cf. Dan 9,10), there is a clear distinction between the Prophets and the addressee[56]. Hence, the identification of the addressee as one of the prophets is ruled out. Moreover, the assumption that the entire work is conceived as a pseudepigraphon in which God reveals to Moses a forecast of the future provides a coherent setting for the various fragments of the historical review which survive in 4Q390 and in other copies of *Pseudo-Moses*[57]. In conclusion, the work preserved in 4Q390 appears to be a Moses pseudepigraphon, to the extent that it is centered around the figure of Moses.

The passage contains many novel and intriguing details. However, what is particularly striking is its close links with both Qumranic and non-Qumranic writings. On the one hand, 4Q390 exhibits noticeable verbal and thematic affinities with the *Damascus Document*, a work belonging to the literature of the Qumran community or to one of its parent groups. On the other hand, in literary form, religious ideas and even some formulations, 4Q390 shows a striking affinity to the *Book of Jubilees*. To a lesser extent 4Q390 shows affinity also to the Enochic *Animal Apocalypse* (*1 Enoch* 84–90), the *Testament of Levi* (14–16), the *Testament of Moses* (4–5) and the Book of Daniel. Thus, this new Moses apocryphon offers for the first time a specimen which combines in one text terminology and ideas from both the Qumran community literature and the Jewish Pseudepigrapha related to it[58].

In a way similar to the apocalyptic literature, the present work perceives history as consisting of a sequence of pre-ordained, specific periods. The sections preserved describe a series of distinct historical periods which constitute the historical process enfolded to Moses in a divine revelation. Although we do not know the precise location of the two fragments in the original manuscript, fragment 1 refers to the Return from Babylon (4Q390 1 5–7) and therefore deals with events earlier than those mentioned in fragment 2. The periods discernable in the two fragments are the following:

I. (1 2-4) – The rule of the Sons of Aaron under which the Israelites will sin. Apparently it lasts seventy years. The single exception is the generation of the Returnees from Babylon, who show true repentance, and whose members are given special commandments.

---

55. This is indicated, for instance, by a single mention of the addressee, preserved in 4Q390 1 3–4: '...They (the Israelites) will not walk in my ways which I have commanded you so that you may testify them'. The phrase is combined of two typical Deuteronomistic locutions linked with Moses.

56. Note 4Q390 i 3–4: '...they will violate all my laws and all my commandments which I will have commanded t[hem and have sent in the hand(s)] of my servants the Prophets...' (4Q390 2 ii 5). Here the Prophets are referred to in the plural third person, whereas in 4Q390 1 3-4 the addressee is referred to in the single second person.

57. An actual discourse of Moses in the first person is preserved in 4Q388 8.

58. The implications of this feature are discussed in the initial publication (cf. n. 51).

II. (1 7-10) – The next period of sinfulness comes "on the seventh Jubilee to the destruction of the land". The Israelites will forget law, festivals, sabbath and covenant. As punishment God will deliver them into the hands of their enemies.

III. (1 10-12) – The remnant will again be apostate. This time God will punish the survivors by delivering them into the hands of the Angels of Mastemoth.

IV. (2 ii 2-4) – The next period preserved by fragment 2 involves a new period of apostasy, with some malfunctioning of the temple (note 2 ii 2). During this period Belial will rule Israel for seven years.

V. (2 ii 4-10) – The next period takes place "in that jubilee". It is marked by inner strife for seventy years and by intensified apostasy and in-comprehension. In addition, Israel and the priests commit moral sins and defile the temple. Israel is again to be ruled by the Angels of Mastemoth.

TEXT

4Q390 1

]° ° °[	1
ו[מבן ואן[שוב] ונתתים]בّיّד בני אהר[ן]שבעים שנה	2
ומשלו בני אהרון בהמّה ולא יתהלכון בדר[כי אשר אֹנֹכי מצّוّ[ה]ך אשר	3
תעיד בהם ויעשו גם הם את הרע בעיני ככל אשר עשו ישראל	4
בימי ממלכתו הרישונים מלבד העולים רישונה מארץ שבים לבנות	5
את המקדש ואדברה בהמה ואשלחה אליהם מצוה וריבינו בכול אשר	6
עזבו הם ואבותיהם ומתום הדור ההّוא ביובל השביעי	7
לחרבן הארץ ישכחו חוק ומועד ושבּת וברית יפרו הכול ויעשו	8
הרע בעיני והסתרתי פני מהמה ונתתים ביד איביהם והסגרתّין[ים מהם	9
לחרב והשארתי פّלטים למّעّ[ן] אשר לא ّין[כ]ّל[ו]בחמתّין]בّהّסתר פّ[ני מהם	10
מהם ומשלו בהמה מלّאّכי המשّ[ט]מّות ּו°[ ]וّיّשובّו[	11
ّويّעשו [את] הרّ°ّ בעיّני]ויתהלכו בשרّ[ירות לבם	12
]בّ[ ]°°[	13

TRANSLATION

4Q390 1

2   and again I] will deliver them] into the hand(s) of the sons of Aar[on   ] seventy years[   ]

3   And the sons of Aaron will rule over them, and[a] they will not walk [in] my w[ays], which I command you so

4   you may warn them. And they will do what I consider evil, just as the Israelites did

---

[a] Syntactically the Hebrew ו can be interpreted in several ways, e.g. contrastive ('but'), or explicative ('therefore'), each interpretation yielding a different contextual meaning.

5 in the former times of their kingdom. Except for those who will be the first to come up from the land of their captivity in order to build

6 the temple. And I will speak to them and I will send them commandment(s): and they will understand all (the things)

7 both they and their fathers have forsaken. And when that generation will have passed away, in the seventh jubilee

8 of the desolation of the land, they will forget ordinance and appointed time, and sabbath and covenant. And they will violate everything and they will do

9 what I consider evil. Consequently[b], I will hide my face from them. I will hand them over into the hand(s) of their enemies and will deliver [them

10 to the sword. But[c] I will cause to remain from among them a remnant, in orde[r] that they will not be an[ni]hil[a]ted by my wrath [and] by [my] fa[ce] (being) hidden

11 from them. And the Angels of Mas[t]emoth will rule over them and [and] again they will [ ]

12 and do [what I] consider evil and they will walk in the will[fullness of their heart   ]

4Q390 2 i*

```
                        ]°[ ]°[                                              1
          ו[א̇]ת [בית̇]י ומזבחי וא[ת מקדש הקד̇]ש                             2
[ן ו[ת̇]הי          נעשה כן̇[        ][כ̇]ן ]אלה יבואו עליהם[                3
וב]יֹובל ההוא יהיו   ממשלת בליע̇ל בהם להסגירם לחרב שבוע שנ̇ים             4
מפרים את כול חקותי ואת כל מצותי אשר אצוה א̇ו̇תם ואשלח ביד ]עבדי הנביאים   5
רי[ח]ל̇[ו̇ן להריב אלה באלה שנים שבעים מיום הפר ה[אלה וה]ברית אשר יפרו ונתתים  6
ביד מל[א̇]כי המשטמות ומשלו בהם ולא ידעו ולא יבינו כי קצפתי עליהם במועלם  7
אשר עז[]בוני ויעשו הרע בעיני ובאשר לא חפצתי בתרו להתגבר להון ולבצע      8
ולחמס ואי[ש̇ אשר ל̇ו̇[ע̇]הֹו יגוזלו ויעשוקו איש את רעהו את מקדשי יטמאו    9
את שבחותי יחללו ו[אֹת] מו[עדי יֹש̇(כיח̇ו̇ ובבנ̇י נכר ]יֹחל̇ל̇ו̇ן א[ת זר[ע̇]ם כוהניהם יחמסו  10
הֹם ואת[                ]°יה[°[                                              11
           בֹנ̇יהם[                                                          12
```

4Q390 2 i

2 [and my] house [and my altar and t]he holy of holine[ss   ]

3 it was thus done(?)[   ] fo[r] these things will come upon them
   [   ] and th[er]e will be

4 the rule of Belial over them so as to deliver them to the sword for a week of yea[rs   and in] that jubilee they will

5 violate all my laws and all my commandments which I will have

---

[b] Translated as *waw* explicative.

[c] Translated as a contrastive *waw*.

* The second column contains only a few words and will be published in the fuller publication (see n. 50).

commanded t[hem and have sent in the hand(s)] of my servants the Prophets

6   And th[ey] will beg[in] to quarrel with one another for seventy years from the day when they will have violated the [oath and the] covenant. So[d] I will hand them over

7   [into the hand of the An]gels of Mastemoth and they will rule over them. And they will not know and they will not understand that I am angry at them because of their trespasses;

8   [for they will have for]saken me and will have done what I consider evil and what I did not want they will have chosen: to pursue wealth and gain

9   [and lawlessness and eac]h robbing that which (belongs) to his neighbour and they will oppress each other. They will defile my Temple,

10 [they will profane my sabbaths and] for[get] my [app]ointed times and with forei[gners they] will profane their offs[pr]ing. Their priests will commit violence

11 [   ] and

12 [   ] their sons

Haifa   Devorah DIMANT
Israel

---

[d] Translated as *waw* explicative.

GOTTES HERRSCHAFT ÜBER DAS REICH DES MENSCHEN

DANIEL 4 IM LICHT NEUER FUNDE

Eine theologische Vorbemerkung. Jahrhundertelang hat das Buch Daniel christlichen und jüdischen Frommen den geschichtlichen Ort enthüllt, an dem sich ihr eigenes Leben und das ihrer Völker in einer von Gottes Vorsehung gelenkten Gesamtgeschichte vollzog, die sich in einem gewaltigen zeitlichen Spannungsbogen von der Schöpfung bis hin zu Weltgericht und kommenden Aion zu erstrecken schien. Die Vier-Monarchien-Sukzession in diesem Buch, aber auch seine chronologischen Angaben, haben es Kirche und Synagoge ermöglicht, ihren Mitgliedern die je eigene Identität nicht nur innerhalb der jeweiligen Gesellschaft, sondern in einer weitgestreckten Geschichte des Menschengeschlechts wahrnehmen zu lassen. Mehr als andere biblische Schriften gab das Danielbuch ein Mittel an die Hand, der eigenen *Geschichtlichkeit* inne zu werden. Unter diesem Begriff soll nicht existenzialistisch eine nur formal zu beschreibende Eigentlichkeit verstanden sein, sondern ein in metahistorischer Erkenntnis gründendes Selbstverständnis, das die jeweilige geschichtliche Stunde als eine vom göttlichen Weltregenten gebotene besondere Chance zu glauben und lieben, sowohl für die religiöse Gemeinschaft wie für das gläubige Individuum, begreift und ergreift.

Eine solche Rolle hatte das Danielbuch seit dem Beginn einer grundsätzlich historisch ausgerichteten Exegese ausgespielt. Die gerade bei diesem biblischen Buch einsetzende vehemente Kritik hat die *Historizität* sämtlicher Erzählungen in Dan 1–6 in Zweifel gezogen und gründlich widerlegt. Was beispielsweise den Bericht von Nebukadnezzars Entmachtung und Rückkehr zur Herrschaft Dan 4 betrifft, so gilt heutzutage als erwiesen, daß der historische Nebukadnezzar II. nie von seiner Regierung abgesetzt oder gar wahnsinnig geworden war, deshalb auch nie eine feierliche Wiedereinsetzung stattgefunden hat. Mit den Eckdaten des biblischen Kapitels fallen auch seine Details als unhistorisch dahin. Weder hat es am Hof des babylonischen Königs einen weisen Judäer namens Daniel gegeben, noch hatte Nebukadnezzar vom Sturz eines Riesenbaums geträumt, noch hat er sich je explizit zu einem höchsten Gott und seinem Reich bekannt. Unter historisch-kritischem Blickwinkel blieb von der biblischen Wahrheit höchstens ein aus der Makkabäerzeit stammendes erbauliches Märchen übrig oder ein phantasievoller Midrasch, was immer man mit diesem schwammigen Titel meinen mag.

Mit der Historizität der Danielstoffe ist mehr dahingesunken als die

Tatsächlichkeit einzelner Begebenheiten israelitischer oder babylonischer Geschichte. Die Destruktion der historischen Zuverlässigkeit dieses Buches hat im Abendland viel tiefere Erschütterungen hervorgerufen als etwa das ähnliche Ergebnis beim Büchlein Ruth. Indem eine Anbindung der je eigenen nachbiblischen Epoche an Danielworte – ob nun mittels der Vier-Monarchien-Lehre oder einer Typologie – nicht mehr möglich erschien, fiel eine biblisch fundierte konkrete Geschichtstheologie als denkbare Möglichkeit aus. Die Geschichtlichkeit gläubigen Selbstverständnisses, wenn sie überhaupt noch bedacht werden sollte, konnte sich seither nicht mehr an der Bibel orientieren. Sieht man von sektiererischen Ambitionen ab, war es mit christlicher oder jüdischer Geschichtstheologie weithin zuende.

An dem Ende des Jahrhunderts, in dem wir leben, hat sich nun allerdings die Lage gegenüber jener Zeit, in der 1726 A. Collins sein *The Scheme of Literal Prophecy Considered* veröffentlicht und dadurch ein Erdbeben nicht nur in der Theologie, sondern im allgemeinen Bewußtsein ausgelöst hat, tiefgreifend gewandelt. Die zunehmende Erschließung altorientalischen Materials und spätisraelitischen Schrifttums durch neue Funde und deren Bearbeitung hat dazu geführt, daß sich weithin unter den Fachleuten ein Konsens ausbildet, wonach der aramäische Grundbestand von Dan 1–6 älter sein müsse als die Makkabäerzeit und die mitgeteilten Stoffe in einer Reihe von Fällen mit älteren außerbiblischen Überlieferungen zusammenhängen, so daß es sich keineswegs um eine propagandistische Fiktion der Makkabäerzeit handle. Insofern bewegt sich die Forschung einen Schritt weit zurück. Schon schöpfen fundamentalistische Kreise Hoffnung, daß demnächst die kritische Geschichtswissenschaft wieder die Tatsächlichkeit aller Nachrichten über Daniel als Judäer der Exilszeit anerkennen müsse. Dahin wird es nach aller Wahrscheinlichkeit nicht kommen. Wohin führen aber dann die Wege der Danielexegese? Was tragen die neuen außerbiblischen Funde zur Neubestimmung von Herkunft und Anliegen des Danielbuches, wohlmöglich gar zu seiner Bedeutung für unsere Gegenwart, bei? Für eine entsprechende Untersuchung bietet sich das vierte Kapitel des Buches in besonderer Weise an, weil dazu mehr spätisraelitisches und altorientalisches-hellenistisches Vergleichsmaterial vorliegt als zu anderen Danieltexten.

I. Aufriss und Gefüge des biblischen Textes

a) *Zum synchronen Einstieg.* Um nicht Einzelmotive aus dem Danielbuch wie aus den in Frage kommenden Parallelen herauszugreifen, ohne deren Stellenwert im jeweiligen Gesamtzusammenhang zu berücksichtigen, ist eine Klärung von Struktur und Aussagegefälle des Kontexts vonnöten. Da im Altertum literarische Werke durch Gattungsmuster (und deren Sitz im Leben) geprägt waren, die uns heute fremd geworden sind, die außerdem die von den Verfassern intendierten Leser an Eingangsrubriken und Gliederungsweise erkannt haben, über welche wir gemeinhin hinweglesen, reicht eine Satz-für-Satz vorgehende Lektüre zu verläßlicher Interpretation nicht aus. Vielmehr ist ein vorgängiger Blick auf das mögliche Textganze nötig, um den sich damals selbstverständlich einstellenden Erwartungshorizont des Lesers zu rekonstruieren. Die dafür ausschlaggebenden Merkmale sind an der Oberflächenstruktur auszuweisen, nicht an einer vermeintlichen Tiefenstruktur, unter deren Namen allzu schnell moderne Tendenzen den alttestamentlichen Autoren unterlegt werden.

b) *Abgrenzung eines Gliedtextes durch charakteristischen Eingang.* Das Danielbuch gibt seine Sinnabschnitte durch Einleitungssätze zu erkennen, die einen Herrschernamen mit Königstitel voranstellen. Das ist von der mittelalterlichen Kapiteleinteilung bei der Erzählung über Nebukadnezzars Wahnsinn übersehen worden. So besteht heute weithin Einigkeit, daß die auf die Vulgata zurückgehende Zählung in den Druckausgaben der hebräischen Bibel irreführt; die Erzähleinheit hebt mit »Nebukadnezzar, der König« 3,31 𝔐 an, was 2,1; 3,1; 5,1 als Gliedtexteinleitung parallel läuft. Die Kapiteleinteilung in 𝛩 𝕾 (und RSV, Zürcher Bibel) ist allein sachgemäß[1]. Wenn nachfolgend von »Dan 4« gesprochen wird, sind also 3,31-34 nach Zählung von BHS einbegriffen. Der Einfachheit halber wird beim Verweis auf den Urtext die gebräuchlich gewordene, wenngleich unzutreffende Verszählung beibehalten.

Der Eingangssatz stellt das folgende als eine *Königsproklamation* durch ein offizielles Rundschreiben vor: »Nebukadnezzar, der König, an alle Völker, Nationen und Sprachen«. Der Einsatz eines Gliedstückes mit einem Nominalsatz ist sonst dem Danielbuch unbekannt. Deshalb liegt es nahe, an dieser Stelle den versehentlichen Ausfall eines Verbes zu erwarten, wie es sich sonst bei den Eingangsrubriken der Kapitel und 6,26 am Anfang einer ähnlichen Königsproklamation findet. Entweder hat wie 6,26 einst hier כְּתַב gestanden, wie 2Mss und 𝕾 voraussetzen, oder es ist mit 8Mss שְׁלָם einzufügen. Ein späterer Abschreiber hat an den üblichen Briefeingang mit Nominalsätzen angeglichen[2], dadurch aber im Buchzusammenhang einen abrupten Neueinsatz bewirkt. Der Ausfall hat vielleicht dazu geführt, daß die Verse 31-34 später an Kap. 3 angegliedert wurden (als Fortsetzung von 3,29, unter Überspringen von 3,30).

c) *Die Doxologien am Anfang und Schluß.* Nach dem שְׁלָם-Wunsch,

---

1. »By the fatality of the Mediaeval Christian division of chapters ... the first three vv. of this story were attached to c.3«; MONTGOMERY, S. 223, dort alte Zeugnisse für die bessere Einteilung.

wie er aramäischem Briefformular entspricht, und einer zusammenfas-
senden Angabe des Themas – »die Zeichen und Wunder, die getan hat
an mir der höchste Gott, beliebt es mir bekanntzumachen« –, stellt der
König seinem Bericht über eine für die Untertanen wichtige religiöse
Erfahrung einen poetischen Spruch im externen Parallelismus voran
3,33:

> Seine Zeichen, wie zahlreich sind sie! / Und seine Wunder, wie gewaltig!
> Sein Reich ist ein Reich des 'alam, / und seine Herrschaft (währt) von
> Geschlecht zu Geschlecht.

Diesen hymnischen Ausruf begründet dann die ab 4,1ff. einsetzende
Erzählung mit einer jahrelangen Erfahrung des Königs. Wie zentral die
Doxologie für die Königsproklamation ist, zeigt das Kapitelende, wo
jene wieder in abgewandelter Form und sogar gedoppelt aufgenommen
wird. Noch ausgestoßen in der Wildnis lebend, war eine (erste) Erkenntnis dem verstoßenen Nebukadnezar zuteil geworden (V. 31-32). Er
hatte seine Sprachfähigkeit wiedergewonnen und sich sofort an den
höchsten Gott gewendet, was dann die Kehre in seinem Geschick
herbeigeführt hatte:

> Den Höchsten segnete ich, / und den in Ewigkeit Lebenden lobte und
> rühmte ich:
> Denn seine Herrschaft ist eine Herrschaft des 'alam, / und sein Reich
> (währt) von Geschlecht zu Geschlecht.
> Alle Erdbewohner aber (werden) wie nichts geachtet, / und nach seinem
> Belieben handelt er am Heer des Himmels[3].
> Und keiner kann ihm in den Arm fallen / und zu ihm sagen: Was tust du
> da?

Die Stichworte »Reich« und »Herrschaft« aus der Eingangsdoxologie
kehren also betont wieder. Um die Rühmung solcher göttlichen Mäch-
tigkeit zu unterstreichen, wird nach einem kurzen erzählenden Zwi-
schenstück über die Wiedereinsetzung Nebukadnezzars das eigentliche
Anliegen des königlichen Sendschreibens mit der in der Briefliteratur
üblichen Wendung der Redekehre כְּעַן[4] nochmals V. 34 poetisch festgehalten:

> Ich, Nebukadnezzar, lobe und erhebe / und rühme den König des Him-
> mels;
> denn alle seine Werke sind Wahrheit / und seine Pfade Durchsetzung von
> Recht;
> denn die in Hochmut wandeln, / vermag er zu erniedrigen.

2. Vgl. Esr 7,12 und FITZMYER 1981, S. 32.
3. Die Wiederholung וְדָאֲרֵי אַרְעָא dürfte Dittografie sein, vgl. BHS.
4. FITZMYER 1981, S. 35. Analog hebr. עַתָּה, s. mein »Was ist Formgeschichte?«,
S. 172.

Darf man den Gebrauch poetischer Einsprengsel in hebräischen Erzählungen zum Vergleich heranziehen, wird durch jene auch hier die
»Moral der Geschichte« zum Ausdruck gebracht. Die Doxologien
liefern also einen Rahmen, eine *inclusio*, und stecken damit den Ver-
ständnishorizont ab[5]. Demnach scheint Dan 4 das Funktionieren der
Königsherrschaft Gottes durch das erzählte Beispiel zu veranschaulichen. Wird eine solche Vermutung durch das Corpus des Schreibens
bestätigt, daß zwischen Anfangs- und Enddoxologie dargeboten wird
findet?

d) *Gliederung des Hauptteils.* Wie andere Danielkapitel weist das
vorliegende eine durchsichtige Oberflächenstruktur auf. Wie sonst
werden nach einer Exposition mit einem auslösenden Ereignis die
einzelnen Szenen durch eine Zeitbestimmung eingeleitet und durch
eine jeweils eingeschobene direkte Rede besonders charakterisiert. Der
erste Abschnitt setzt mit einem wuchtigen Verweis auf eine andauernde
königliche Befindlichkeit ein: »Ich, Nebukadnezzar, befand mich wohl-
auf in meinem Haus, gesund in meinem Palast (4,1)«. Der Zustand
schlägt schnell in sein Gegenteil um. Das geschieht durch einen Traum,
dessen Deutung zunächst nicht gelingt und der später als Visionsbericht
dem Beltsazzar-Daniel vorgetragen wird 4,6 bis 15. Als zweite Szene
folgt nach אֱדַיִן[6] die deutende Antwort des judäischen Weisen 4,16-25.
Danach wird durch »nach 12 Monaten« eine zeitliche Distanz vor der
dritten Szene angemerkt; ein neuer Geschehenszusammenhang hebt an,
der durch eine Himmelsstimme an den König kommentiert wird 4,26-
30. Nochmals wird V. 31 ein zeitlicher Abstand markiert וְלִקְצָת יוֹמַיָּה,
um den Schlußabschnitt als letzte Szene mit einer Doxologie einzufüh-
ren. Sie wird variierend aufgenommen durch den Abschluß mit כְּעַן. So
ergibt sich folgender Aufbau:

---

5. Die chiastische Struktur der Doxologien wird von SHEA 1985 und ALBERTZ 1988,
S. 49 richtig erkannt.

6. אדין ist V. 16 mit einer ausführlichen Namensbeschreibung verbunden, die eigentlich
nach V. 5f. überflüssig zu sein scheint. Der Ausdruck vermerkt deshalb nicht nur einen
Wechsel der Aktanten innerhalb einer Geschehensfolge wie 2,15.17.19 u.ö., sondern unter
Hervorhebung der unmittelbaren Zeitfolge einen Szeneneinschnitt wie 3,24.

Textgefüge Dan 3,31–4,34 (längere direkte Reden gerahmt)

3,31	ABSENDER, ADRESSAT, SEGENSGRUSS
32	Thema: Zeichen des höchsten Gottes
	+ DOXOLOGIE: dessen מַלְכוּ ewig

4, 1-15	1.	Szene im Bericht: Der erschreckende Königstraum
1- 4	a)	Umstände des Traums und Sorge um »Erkennen«
5-15	b)	Wendung an Beltsazzar mit Rede:

> Ehrende Anrede und Aufforderung zum פְּשַׁר
> Zweiteiliger Visionsbericht mit Zweckangabe:
> *»Bis daß erkennen die Lebenden, daß שַׁלִּיט ist der Höchste im Reich des Menschen; und wem er will, gibt er es, den niedrigsten Menschen erhöht er über es«.*
> Wiederholung der Aufforderung zum פְּשַׁר

16-25	2.	Szene: Erklärung durch den Angesprochenen
16	a)	Unmittelbare Reaktion und Einwurf des Königs. Reaktion Beltsazzars
17-25	b)	Deutung

17-19	Zusammenfassung und Deutung des ersten Visionsteils
20-22	Zusammenfassung und Deutung des zweiten Visionsteils als פְּשַׁר mit Zweck: *»Bis du erkennst, daß שַׁלִּיט der Höchste im Reich des Menschen, und wem er will, gibt er es«.*
23	Deutung eines Einzelzuges: … *»sobald du erkennst, daß שַׁלִּיט der Himmel«*
24-5	Persönlicher Ratschlag und Zusammenfassung

26-30	3.	Szene: Prahlender Ausruf und Sturz des Monarchen
26-27	a)	Auslösende Handlung
28-29	b)	Himmelsstimme

> Zusammenfassung und Wiederholung der Deutung
> *»Bis du erkennst, daß שַׁלִּיט der Höchste im Reich des Menschen, und wem er will, gibt er es«*

30	c)	Realisierung der Deutung im tatsächlichen Geschick

31-33	4.	Szene: Umkehr
	a)	1.Einsicht und DOXOLOGIE: seine מלכו ewig
	b)	Wiedereinsetzung

34	Abschließende Zusammenfassung (כְּעַן) mit weiterer Doxologie

Nur ein geringer Teil des Kapitels besteht aus erzählenden Sätzen. Im Vordergrund stehen die direkten Reden, die dreimal das Motiv vom beschädigten Königsbaum variierend wiederholen. Erzählt wird nur so viel, wie zur exemplarischen Begründung einer Lehre nötig ist, die als Zweckangabe in jeder Redepartie ausdrücklich wird. In allen Szenen klingt das Thema der Gottesherrschaft und also das der rahmenden

Doxologien nicht nur an, sondern wird ausdrücklich als Zweck des Geschehens artikuliert. Der Traumbericht des Königs in der ersten Szene endet mit der auditiv vernommenen Angabe:

> Damit die Lebendigen erkennen, daß Herrscher (שַׁלִּיט) ist der Höchste über das Reich des Menschen.
> Und wem er will, überträgt er es, / wobei er den niedrigsten der 'Menschheit' über sie erheben kann (4,14b).

Bei der deutenden Antwort des judäischen Weisen in der zweiten Szene findet sich ein entsprechender Satz genau in der Mitte 4,24b. In der dritten Szene wird dieser Kern der Deutung durch eine Himmelsstimme wiederholt; sie endet mit einem diesbezüglichen Hinweis, so daß sich dieser Wortlaut dem Leser ebenso einprägt wie damals dem babylonischen Großkönig, 4,29b:

> Bis du erkennst, daß Herrscher ist der Höchste im Reich des Menschen, und wem er will, überträgt er es.

Die dreifache Wiederholung des Satzes und seine Stellung im Textgefüge läßt vermuten, daß genau dies das Thema des Kapitels ist[7].

In dem an die Untertanen ausgesandten Sendschreiben gibt also der Großkönig Nebukadnezzar bekannt, daß nicht er der eigentliche König ist, sondern dieser im Himmel herrscht 4,34. Zu dessen ewiger *malkuta* gehört sein hintergründiger Rang als *šalliṭ* über den menschlichen Staat. Die Königsherrschaft Gottes ist also eine eminent politische Angelegenheit, hat zumindest eine belangreiche politische Erstreckung. Der irdische Großkönig, dem in Entsprechung zum alleinigen Gott eine Alleinherrschaft über die Erde zugewiesen wird – es gibt nur eine *malkuta* der Menschheit –, ist persönlich vom Höchsten berufen und mit Königscharismen ausgestattet. Das Weltregiment Gottes vollzieht sich primär in Designation und Absetzung solcher Großkönige, aber auch in mantischen Weisungen an sie und über sie. Stellt man den Aufbau des Textes in Rechnung, setzt sich die Wirklichkeit des Gottesreiches bei allen berichteten Ereignissen durch, beim Traum des Königs, dessen Deutung durch Daniel, bei der Verstoßung Nebukadnezzars ebenso wie bei seiner Wiedereinsetzung. Der aramäische Text will also keine Bekehrungsgeschichte schildern, wie gelegentlich vermutet worden ist. Vielmehr will der (fiktive) Königserlaß das Geschichtswalten des Höchsten im turbulenten Lauf einer Hofaffäre veranschaulichen. Dem Leser wird auf diese Weise verdeutlicht, daß auch die Großmächtigen dieser Erde bloß ausführende Organe des Schöpfers bleiben, selbst wenn sie ein Stück weit eine besondere Narrenfreiheit besitzen.

---

7. Porteous, S. 51.

II. Die Hybris-Szene und die Abydenos-Parallele

Bei der Analyse des Textgefüges ist bislang eine wichtige Störung im Verlauf der Erzählung übergangen worden: der Wechsel von dem *Ich-Stil* der Königsproklamation, mit der das Kapitel einsetzt, zu einem *Er-Bericht* über Nebukadnezzar in der dritten Person und die abschließende Rückkehr zum *Ich-Stil*. Der Verweis auf den König in dritter Person taucht plötzlich unvorbereitet V. 16b auf, wo er sich auf einen einzigen Satz beschränkt. Anders verhält es sich bei der dritten Szene V. 26-30, wo der Bericht auf den König als eine vom Berichterstatter unterschiedene Person 5mal beim Verbum und 4mal bei nominalen Formulierungen verweist[8]. Mit der vierten Szene V. 31 schreibt plötzlich Nebukadnezzar wieder von sich in der ersten Person[9]. Der Personenwechsel erscheint an beiden diesen Stellen unmotiviert, er sprengt das Gefälle einer Königsproklamation.

Wo sonst in *erzählenden* Texten des Alten Testamentes bei einer Hauptperson ein Personenwechsel in der Schilderung auftaucht, scheint er durchweg ein Merkmal für Überarbeitungen zu sein. Es gibt nur wenige Beispiele. Berühmt ist der Fall der Esraerzählung, die zunächst Esra im Er-Stil einführt Esr 7,1, dann Esr 7,27–9,4 in der ersten Person berichten läßt, danach aber vom Helden in der dritten Person handelt[10]. Da der Bruch innerhalb derselben Erzähleinheit von Kapitel 9 zu 10 nach einem dazwischenstehenden Gebet erfolgt, kann er kaum ursprünglich sein und geht auf Überarbeitung zurück. Die einzige weitere Analogie im hebräisch-bibelaramäischen Umkreis ist eine auffällige Wandlung im Tobitbuch. Der Held wird in der dritten Person eingeführt, doch wechselt schon 1,3 in einen Ich-Bericht über, der 3,7ff. wieder durch Er-Bericht abgelöst wird. Hier liegt der Grund zum Personwechsel wohl darin, daß die Eingangserzählung Tobits als Teil

---

8. V. 25 wird von den modernen Übersetzern gegen die masoretische Paraschenabteilung und die oben genannten Gliederungsweiser als Eingang der folgenden Szene aufgefaßt und eng mit V. 26 verbunden, deshalb bereits zu einer Er-Notiz über Nebukadnezzar erklärt (Luther, Einheitsübersetzung, RSV V. 28; Montgomery, S. 244). V. 25 stellt aber wahrscheinlich im Rückgriff auf V. 21 den Abschluß der Danielrede und der vorhergehenden Szene dar, wo die Nennung von Titel und Königsnamen durchaus angebracht sind: »Dies alles hat (jetzt) den König Nebukadnezzar erreicht«. Die den Einschnitt markierende Zeitbestimmung taucht erst in V. 26 auf.

9. Die in vielen Hinsichten abweichende LXX-Fassung beginnt 4,1a in der dritten Person, wechselt aber sofort begründet in die Ich-Rede V. 1b über. Diese wird V. 25 abgebrochen und von einer Erzählung in der dritten Person über den König fortgesetzt, wechselt aber schon in V. 30 abrupt wieder zur ersten Person. Dem folgt V. 34b eine eingeschobene Notiz von einem Königserlaß in dritter Person, was dann sinngemäß in direkter Rede und also in erster Person fortgesetzt wird. Auch die griechische Übersetzung hat also den seltsamen Personenwechsel schon vorgefunden, versucht aber, ihn stärker in den fortlaufenden Zusammenhang einzubinden.

10. Dazu jetzt D.R. Daniels, *The Composition of the Ezra-Nehemia-Narrative*, in *Ernten, was man sät*. FS K. Koch, 1991, S. 311-328.

seines Gebets 3,2ff. begriffen wurde, insofern ist hier das vorgezogene Ich durchaus angemessen. In altorientalischen Königsschriften kommt ebenfalls nur selten ein Personenwechsel vor, ist aber dann meist ebenso Zeichen kompositioneller Tätigkeit[11].

Zu einem von einem israelitischen Erzähler eingeführten unmotivierten Personenwechsel innerhalb einer fortlaufenden Darstellung gibt es also keine schlüssige Parallele. Demnach taucht in Dan 4 mit dem unüblichen, sogar gedoppelten Personenwechsel eine Narbe im Textgefüge auf, die nach Erklärung ruft. Handelt es sich um einen redigierenden Eingriff? Der Ausleger ist an dieser Stelle zu Überlegungen diachronischer Art gezwungen, falls er nicht eine ganz singuläre und uns Heutigen nicht mehr durchschaubare Aussageabsicht des Verfassers behaupten will. Betrachtet man den Sachverhalt genauer, so fällt auf, daß der Gebrauch der dritten Person für Nebukadnezzar in V. 16 ziemlich isoliert dasteht, während er in V. 26-30 durchgängig gebraucht wird und zum Fortgang der Schilderung hinzugehört.

Zuerst zu V. 16b. Der Satz: »Es hob der König an und sagte: Beltsazzar, der Traum und die Deutung mögen dich nicht erschüttern!« fehlt in wichtigen (Pseudo-)Theodotion-Handschriften, nämlich in B und 3 Minuskeln. Er ist für den Handlungsfortgang entbehrlich, verleiht aber dem Zusammentreffen zwischen König und judäischem Weisen einen Hauch von »civility and courtesy«[12] und will wohl als nachträgliche Glosse den Respekt des Großkönigs vor Daniel herausstreichen[13].

Demnach kommt die Szene V. 26-30 allein für einen unterbrechenden Gebrauch der dritten Person im Textverlauf in Frage. Hier aber gibt es noch andere als die stilistischen Gründe, für diesen Abschnitt mit einer Weiterung zum Grundbestand des Kapitels zu rechnen. Zwei Beobachtungen fallen ins Gewicht[14]:

a) Schon in der vorangehenden Rede hat Daniel V. 24 den König aufgefordert, seine Sünden und Schuldenlast durch צִדְקָה und Mildtätigkeit zu kompensieren. V. 24 setzt also voraus, daß der schuldhafte Anlaß zu dem im Traumbild angezeigten Sturz des Königs längst gegeben ist; es bedarf keines noch ausstehenden Vergehens, um das Unheil auszulösen[15]. Interpretiert man die Danielaussagen aus ihrem größeren Kontext heraus, lag das entscheidende Vergehen des Königs

---

11. Vgl. z.B. den Kyros-Zylinder (TUAT I 407-100 mit Lit.), weiters bei E. BICKER-MAN(N), *From Ezra to the Last of the Maccabees*, 1968, S. 28-29.

12. MONTGOMERY, S. 238 nach Jephet.

13. Denkbar, aber weniger wahrscheinlich, wäre, daß ein Abschreiber wegen des nachfolgenden Partizips וְאָמַר ein vorangegangenes עֲנִית fälschlich abgeändert hat.

14. KRATZ 1991, S. 101-104.

15. V. 24 verheißt dem König eine Verlängerung von שְׁלֵוְתָךְ, also des V. 1 gemeldeten Wohlbefindens. Dies bedeutet eine Vertagung (bis zu einem Nachfolger?), keine Zurücknahme des Wächterbeschlusses V. 14. Anders LACOCQUE, S. 81.

in dem rigorosen Bilder- und Götzendienst von Kap 3. (Einen ähnlichen Vorwurf als Grund für den Verlust des Königsamtes setzt das qumranische Gebet des Nabonaj voraus, dazu unten.) Das sich brüstende Eigenlob über die großartigen babylonischen Bauten, das V. 26-30 als Ursache des Falles nachgetragen wird, nachdem die Unheilsweissagung längst ergangen ist, erzählt ein gegenüber dem Vorfall von Kap 3 vergleichsweise harmloses Vergehen.

b) Nur zu V. 26-30 gibt es eine griechisch überlieferte Parallele, die mit dem Ruhm der außerordentlichen Macht Nebukadnezzars anhebt, der auf seinem Palastdach wandelt und dort, von einem Gott begeistert, eine Weissagung über eine Vertreibung eines Königs in die Einöde äußert, die freilich nicht ihm selbst, sondern einem Nachfolger gilt. Diese Nachricht ist beim Kirchenvater Euseb erhalten, der sie über Abydenos (2.Jh. n.Chr.) und vielleicht Megasthenes (um 300 v.Chr.)[16] auf kaldäische Überlieferungen zurückführt. Es liegt nahe, daß ein Überarbeiter der Danielstoffe diese außerisraelitische Überlieferung kennengelernt hat und sie für eine wichtige Ergänzung der im aramäischen Text vorliegenden Nebukadnezzarschilderung hielt.

Von daher läßt sich vermuten, daß einst der Wortlaut von V. 26aα »nach Verlauf von 12 Monaten« unmittelbar durch einen in der ersten Person formulierten V. 30b* fortgeführt war: »weg von Menschen wurde 'ich' getrieben und Kraut wie Stiere mußte 'ich' essen; vom Tau des Himmels wurde 'mein' Leib benetzt, bis daß 'meine' Haare wie (bei) Adlern lang wurden und 'meine' Nägel wie (bei) Vögeln«. Da die zusätzlich aufgenommene kaldäische Nachricht im Er-Stil formuliert war, hat der Redaktor sie gegen den Kontext bei seiner Einfügung beibehalten und an der Nahtstelle den älteren Text in die 3.Person umgesetzt.

Es lohnt sich, auf diese griechisch übermittelte Parallele näher einzugehen. Bei Euseb[17] wird vermerkt, daß Nebukadnezzar, »stärker als Herakles geworden«, bis nach Libyen, Iberien und zum Pontus Feldzüge geführt habe.

> Danach aber – so wird bei den Kaldäern erzählt –, hinaufsteigend auf den Palast, offenbar von einem Gott begeistert, laut rufend sprach er:
> Ich, Nebukadnezzar, o Babylonier, kündige euch das künftige Unheil an, das abzuwenden weder Bel, mein Ahn, noch die Königin Beltis die Moiren zu überreden vermögen.
> Kommen wird das persische Maultier [Kyros], der, indem er eure Daimonen zu Verbündeten hat, über euch Knechtschaft bringen wird.

16. Nach SCHRADER 1881, S. 623 betraf die Megasthenes-Notiz einzig die Feldzüge des Königs.
17. Praep. ev. IX 41,1-4 ed. K. MRAS (GCS) S. 551f.; eine kürzere Fassung findet sich in der armenisch erhaltenen Chronik des Euseb I 42 (lateinische Wiedergabe bei SCHRADER 1881, S. 621-622).

Daran mitschuldig ist der Meder, der Stolz der Assyrer. O möchte doch, ehe die Bürger zugrunde gehen, eine Charybdis oder das Meer ihn aufnehmen und ihn gänzlich vernichten, oder er, anderwohin sich wendend, durch die Einöde gejagt werden, wo weder Städte noch menschliche Fußspuren, aber Tiere ihren Brauch haben und Vögel umherschweifen, während er allein in Felsklüften und Schluchten umherirrt ...
Dies geweissagt habend, verschwand er plötzlich.

Die Verwünschung wird von Beek[18], Bentzen[19] u.a. nicht auf den »Mitschuldigen«, sondern gegen die unmittelbare Satzfolge auf den vorher genannten Kyros bezogen. Das ist aber angesichts der positiven Wertung des Perserkönigs in der sonstigen »kaldäischen« Überlieferung unwahrscheinlich[20]. Wer aber ist dann der verfluchte mitschuldige Μήδης? Da »Meder« normalerweise griechisch Μῆδος lautet, wird der Text meist in »der Sohn einer Mederin« geändert[21] und dies auf Nabonid bezogen, der zugleich wegen seiner Vorliebe für das im Norden gelegene Harran als »assyrischer Stolz« geschmäht werde. Nun konnte man der aktiven Mutter Nabonids, Adadguppi, zwar assyrische Neigungen, aber gewiß nicht medische Herkunft nachsagen; die Meder waren es, die das von ihr so hoch gehaltene Harranheiligtum zerstörten[22]! So bleibt die alte Vermutung von Büdinger[23] erwägenswert, daß ursprünglich Gobryas-Gaubaruwa, der Statthalter von Gutium, gemeint war, der zu Kyros übergewechselt ist und in dessen Auftrag Babel eingenommen hat; er dürfte auch der »Meder« Dareios von Dan 9 sein, die Gleichsetzung erklärt sich daraus, daß Gutium das nördliche astrologische Weltviertel bedeutet, zu dem auch Medien und Assyrien gehört[24]. Da dieser Gaubaruwa nur wenige Monate als Vertreter des Kyros in Babel residierte, wird er vielleicht für eine jüngere babylonische Erinnerung mit dem ebenfalls aus dem Norden stammenden Nabonid zu einer Person verschmolzen sein.

Die »kaldäische« Nachricht bei Euseb berührt sich in mehrfacher Hinsicht mit dem Danielkapitel:
a) Nebukadnezzar gibt auf dem Dach seines Hauses für die Geschichte seines Staates wichtige göttliche Entscheidung kund bzw. vernimmt sie dort.
b) Seine überragende Stärke wird – in der einen Version positiv, in der anderen negativ – herausgestrichen.

18. 1935, S. 22.
19. 1952, S. 45.
20. DOMMERSHAUSEN 1964, S. 65f.
21. [υἱὸς] ἔσται Μήδης, SCHRADER 1881, S. 620[3] nach Gutschmidt.
22. Nabonid hält ausdrücklich fest, daß es Meder waren, die Harran zerstörten; BEAULIEU 1989, S. 58.
23. 1881, S. 721.
24. KOCH 1983, S. 290.

c) Das Bekanntgegebene ist ein unabwendbarer Beschluß von Schicksalsmächten.

d) Das Unheil läuft auf eine – mögliche oder fest verhängte – Vertreibung eines Königs zum Aufenthalt zwischen Tieren und Vögeln in der Einöde hinaus.

Dennoch sind die Berührungen nicht so eng, daß der eine Text von dem anderen direkt abhängig sein könnte. Neben auffälligen Übereinstimmungen stehen markante Unterschiede:

a) In der Eusebnotiz nimmt Nebukadnezzar selbst die weissagende Rolle ein, die nach Daniel einer Himmelsstimme zukommt.

b) Als schuldig gilt dort nicht Nebukadnezzar, sondern ein Nachfolger, der als Meder und Assyrer, also als illegitimer Herrscher über Babel angesehen wird; dessen Überheblichkeit (αὔχημα) wird getadelt.

c) Diesem wird im außerbiblischen Bericht das fluchwürdige Elend außerhalb der menschlichen Gesellschaft zugedacht.

d) Dem griechisch überlieferten Text liegt letztlich an einer Lehre über die *translatio imperii* von den Babyloniern über Meder-Assyrer hin zu den Persern. Das persönliche Unglück eines der betroffenen Herrscher wird diesem Leitgedanken untergeordnet.

Trotz beachtlicher Abweichungen laufen die beiden Texte jedoch soweit parallel, daß eine beiden *gemeinsame Grundüberlieferung* zu vermuten ist[25]. Dabei erweist sich die Danielfassung als spät. Sie setzt die auch sonst belegte jüngere Gleichsetzung von Nebukadnezzar und Nabonid voraus – beide heißen für Herodot (I 74.77.188)[26] Labynetos –, das hat zur Folge, daß nicht Nebukadnezzar selbst den Fluch aussprechen kann, sondern dies von einer überirdischen Stimme geäußert wird. Was der babylonische Großkönig einem seiner Nachfolger wegen dessen Überheblichkeit als elendes Dasein zugedacht hatte, traf ihn nun selbst und seinen Hochmut. In einer solchen, über die kaldäische Nachricht bei Abydenos hinausführenden Stufe, ist die Überlieferung dem judäischen Redaktor bekannt geworden und von ihm in den Text eingesetzt worden. Damit wird dem babylonischen König zusätzlich frevlerische Überheblichkeit beigelegt. Sein Charakterbild ändert sich. Aus einem um einen bedeutungsschweren Traum bekümmerten Monarchen wird eine oberflächliche Person, an der Traum, Deutung und Mahnung »wie spurlos« (Plöger) vorübergegangen sind[27]. Wie wenig jedoch das eingesetzte Hybris-Motiv dem ursprünglichen Gefälle der Erzählung entsprochen hat, zeigt deren Ausgang V. 33, wonach dem König – unter göttlicher Lenkung zweifellos –

---

25. BEEK 1935, S. 23 vgl. KRATZ [Anm. 14].

26. Vgl. DOMMERSHAUSEN, S. 60-63.

27. LEBRAM, S. 71 sieht deshalb in der Vergeßlichkeit des Königs das eigentliche Vergehen; der Ausruf V. 26 bedeute »weder Sünde noch Gotteslästerung«.

noch mehr רְבוּ als vordem beigelegt wird; vgl. dagegen die gleiche Wortwurzel V. 27[28]! Um den Skopus des Grundbestandes beizubehalten, wird der Verweis auf die Herrschaft des Höchsten über das Reich des Menschen auch an dieser Stelle vom Redaktor V. 29 eingefügt. Zur Aufnahme dieser kaldäischen Nachricht mag das hier wie in der Nabonidüberlieferung auftauchende Motiv des »Lebens wie ein Tier« beigetragen haben, daß sich auch sonst in altorientalischen Elendsschilderungen (etwa bei Ahiqar oder dem Babylonischen Hiob) findet[29].

Die Szene V. 26-30 läßt sich also ausblenden, wenn der Grundbestand des Kapitels mit sonstigen außerbiblischen Dokumenten in Beziehung gesetzt wird.

III. AUSSERBIBLISCHE NABONID-PARALLELEN

1. *Das Gebet des Nabonay*

Aus dem erzählendem Stil der aramäischen Legenden Dan 2–6 fällt Kap. 4 durch die andere Gliedgattung der Königsproklamation heraus, die zudem 3,31 reichlich abrupt einsetzt. Erklärt sich der Unterschied in der Form aus der Vorgeschichte des Stoffes? Sind die nunmehr vorliegenden Verbindungen zu Dan 3 und 5 erst durch einen Redaktor hergestellt? Die seit einigen Jahrzehnten bekannten außerbiblischen Parallelen legen in der Tat eine eigenständige Vorgeschichte für Kap. 4 nahe.

Als J. Milik 1956 das Qumran-Fragment eines Gebetes des Nabonay erstmals veröffentlicht hat, ist ihm bereits die Verwandtschaft des Textes mit Dan 4 aufgefallen. Hier wie dort wird von einem babylonischen König berichtet, dessen Name mit dem theophoren Element Nabu- gebildet wird, der aus seiner Hauptstadt sieben Jahre lang weichen und außerhalb der Gesellschaft leben muß, während dieser Zeit auf göttliche Vorherbestimmung hin mit Krankheit geschlagen war, bis ihm ein judäischer Wahrsager den Weg zur Erkenntnis des einzig wahren Gottes und damit zur Heilung weist. Dem gehorcht der König, wird wieder gesund und kehrt zu Amt und Hauptstadt zurück; im Nabonay-Fragment ist die Wiederherstellung zwar nicht erhalten, aber aus dem Zusammenhang zu erschließen. Das Bekenntnis zum höchsten Gott gibt der Großkönig nach beiden Texten durch eine schriftliche Verlautbarung öffentlich bekannt. Ein Traum des Königs spielt beim Ablauf eine wichtige Rolle[30].

---

28. Es ist deshalb wenig überzeugend, wenn HAAG 1979, S. 201 in V. 26-30 die Keimzelle für 3,31-4,34 insgesamt sieht.

29. Vgl. den Beitrag von P.W. COXON in diesem Band.

30. Im Qumranfragment II 1 wird אחלם nach den Parallextexten von der Wurzel »träumen« abzuleiten sein, af'el meint wohl: »um Traumdeutung ersuchen« (GRELOT).

Wieweit die Berührungen im Einzelnen gehen, haben vor allem R. Meyer und Dommershausen eingehend untersucht, das Ergebnis läßt sich aus der angefügten Synopse entnehmen: Hier wie dort gibt es eine zeitweise Entfernung vom Thron in Babel, ein siebenjähriges Leiden, eine Offenbarung der Ursache durch Vermittlung eines judäischen Sehers, ein Sündenbekenntnis und eine Anerkennung des Höchsten, eine abschießende Wiederherstellung. Die Rekonstruktion des Textes ist durch Cross 1984 wesentlich verbessert worden[31], dessen Lesarten der beigefügten Synopse weitgehend zugrunde liegen.

SYNOPSE

H2		OrNab		Dan 4	
I1	Die große Tat des Sin...	I1	Worte der Ver[ehr]ung des	3,31	Nebukadnezzar, der Kö-
5	Sin, Herr der Götter und		Nabonay des Königs von		nig, 'schrieb' allen Völ-
	Göttinnen...		Ba[bel]		kern...:
7	der du vor Nabonid, den		[als er geschlagen war]2	32	Die Zeichen und Wunder,
	König von Babel, vom		mit bösem Geschwür nach		die Gott an mir getan hat,
	Himmel her kamst!		dem Spruch (פתגם) Gottes		beliebt es mir zu künden...
			in *Teman*:		
	Ich (bin) Nabonid, einzi-		[ich Nabonay[a]...]	4,1	Ich Nebukadnezzar, war
	ger Sohn, der niemanden				wohlgemut in meinem
	hat... Sin 10 berief mich				Haus...
	zur Königsherrschaft.				Einen *Traum erschaute* ich
					und erschrak...
11	zur Nachtzeit ließ er mich			7	Siehe ein Baum inmitten
	einen *Traum sehen*...:				der Erde...
	»Eḫulḫul, den Tempel des			10	Ein Wächter, ein Heiliger
	Sin in Harran, 13 errichte				*kam vom Himmel her*...
	eiligst. Alle Länder will ich			14	Auf Beschluß der Wächter
	dir in die Hand geben«.				ist der Spruch (פתגמא)...
				(5	Zuletzt kam zu mir
					Daniel, dessen Name Belt-
					sazzar ist...) 16 ... hob an
					und sagte:
14	Die Leute, Bürger von	3	Geschlagen war ich sieben	22	»Du wirst vertrieben wer-
	Babylon, Borsippa Nip-		*Jahre lang*, und von da an		den von den Menschen,
	pur, Ur...		war i[ch dem Getier]		und beim Getier des Fel-

[a] Nach Grelot (RdQ) 485, Cross 263.

31. CROSS hat erwiesen, daß die vier Fragmente der ersten Kolumne enger zusammengehören, als MILIK angenommen hatte und deshalb die Textlücken *innerhalb* der Zeilen kürzer sind, als zuvor vorausgesetzt. BEYER 1984 sieht auch die Lücken am jeweiligen Zeilenende als kürzer an, kommt dadurch aber zu recht schmalen Kolumnenbreiten.

16 sündigten (*iḫṭu'i-ma*) gegen
    seine große Gottheit...
21 (Kopf)krankheit und Hun-
    ger ließen (die Götter)
    unter ihnen entstehen...
23 Aus meiner Stadt mußte
    ich fliehen, und den Weg
    nach *Tema*, Dadannu...
    schlug ich ein...
26 Zehn *Jahre lang* bin ich
    zwischen ihnen herumge-
    zogen, meine Stadt Baby-
    lon betrat ich nicht.

II 11 (Nach) 10 Jahren trat der
    Zeitpunkt (*adannu*) ein,
    wurden die Tage voll, die
    der König der Götter
    Nannar gesagt hatte...
14-42 (*Hymnus über Sin:*»Enlil
    der Götter, König der Kö-
    nige, Herr der Herren«)

III 2 Ich lag da und inmitten
    der Nacht war der *Traum*
    beängstigend bis das
    Wort...
4 Voll wurde das Jahr, der
    Zeitpunkt (*adannu*) trat
    ein
5 Von Tema [ließ er mich
    herausgehen?]

---

    gleich[b] [Da betete ich vor
    dem Höchsten[c]];
4 und meine *Sünde* (*ḥṭ'j*), er
    verzieh sie[d]; ein Wahr-
    sager, und zwar ein Judäer
    ...[kam zu mir und sagte[e]]
5 »Künde und schreibe, daß
    man gebe Ehre und
    Grö[ße] dem Namen Go[t-
    tes, des Höchsten]«

    [und so schrieb ich:][f]
7 Verehrend war ich die
    Götter aus Silber, Gold,
    [Erz, Eisen,]
8 Holz, Stein, Ton, weil i[ch
    meinte], daß sie Götter
    seien...

II 1 [Au]ßer diesen (Dingen)
    hatte ich *Traum*deutung
    erfragt...[g]

---

    des wird dein Aufenthalt
    sein... *sieben Zeiten*
    (*'iddan*) werden über dich
    dahingehen...
24 Deine *Sünde* (*ḥᵃṭajak*) löse
    durch Gerechtigkeit...«

31 Nach Ende der (festgeleg-
    ten) Tage ...

    Den Höchsten pries ich,
    und den Ewiglebenden
    verherrlichte ich...
    (5,23 *Daniel zum König:*
    »Die Götter aus Silber,
    Gold, Erz, Eisen, Holz,
    Stein, die nicht zu sehen
    vermögen...hast du
    gerühmt«)

---

[b] Mit Cross 262 nach Dan 5,21, vgl. ATQ 127.
[c] Nach Cross 262, ATQ.
[d] Vgl. 11Qtg Job XXXVII 2 und ATQ 128[4], wo freilich לה nicht als pronominales Objekt, sondern als Anfang des folgenden Satzes begriffen wird (»Ihm war ein Wahrsager«).
[e] Nach Cross 263.
[f] ATQ 129.
[g] חלם af. wie Jer 29,8 𝔗, Grelot 493. Andere – wie Beyer 580 – denken an syr. und hebr. חלם II »sich ermannen«, im Kausativ »heilen«.

6   Babylon, meine Residenz
    [suchte ich auf?]
9   ...Die Könige aus der   *(Zu ergänzender Schluß:*
    Nähe kommen herauf und   Heilung, Rückkehr auf
    küssen meine Füße...   den Thron zu Babel, öf-
10 In Wohlbefinden schlug   fentliches Bekenntnis zum
    ich den Weg nach meinem   Höchsten, Belohnung des
    Lande ein, Eḫulḫul, den   Sehers[h])
    Tempel des Sin, machte
    ich neu, vollendete die
    Arbeit daran.
29 Ich führte den Befehl des
    Sin aus, des Königs der
    Götter, Herr der Herren...
    dessen Namen den der
    Götter des Himmels über-
    trifft...

33 Zur Ehre meines König-
    tums kehrte meine Würde
    und mein Ansehen zu mir
    zurück. Zu mir kamen
    meine Beamten und Wür-
    denträger... und überwäl-
    tigende Größe wurde mir
    hinzugefügt.
34 Ich, Nebukadnezzar, preise,
    erhebe und verherrliche
    den König des Himmels...

Allerdings halten sich die Übereinstimmungen in Aufbau und Wortlaut in Grenzen. Zudem zeigen sich einige bemerkenswerte Unterschiede:

a) Im Qumranfund steht Nabonay, gewiß eine Abkürzung für Nabonid, den letzten neubabylonischen König, im Mittelpunkt, im Danielbuch Nebukadnezzar.

b) Der judäische Seher scheint in OrNab anonym zu bleiben, stammt aber vielleicht wie in Dan 4 aus der Exulantenschaft[32].

c) Die Krankheit besteht hier in Geschwüren, dort in Wahnsinn.

d) Der Held der Erzählung wird einmal nach Tema, das andere Mal auf das freie Gefilde verstoßen.

Nach der Qumranfassung besteht das auslösende Vergehen in Götzen- und Bilderdienst, nach der biblischen Darstellung jetzt in Hybris; diese Nuance ist aber vielleicht in Dan 4 nachträglich hineingekommen, wie oben behauptet worden ist; bei einem engen Anschluß des Grundbestands an das vorangegangene Dan 3 scheint der Vorwurf in gleicher Richtung wie in OrNab gelaufen zu sein. Immerhin bleiben so viel Differenzen, daß manche Kommentatoren daraus schließen, das Gebet des Nabonay sei keine Vorstufe zur Danielerzählung, sondern höchstens eine Abwandlung der beiden Texten zugrundeliegenden Volkssage[33]. Der Befund läge demnach ähnlich wie beim Vergleich mit der Abydenos-Euseb-Nachricht, auf die oben zu Dan 4,26-30 verwiesen war. Allerdings ist es in unserem Falle nicht unmöglich, den biblischen

---

[h] Zur Ergänzung Milik 410, Meyer 37.

32. Hinter der Angabe »Judäer« Z.4 folgt ein מ, das oft zu מ[ן] בני גלותא ergänzt wird; ATQ, S. 128; GRELOT 1978, S. 498; CROSS 1984, S. 263. Anders BEYER 1984, S. 224.

33. VAN DER WOUDE 1978, S. 128; HARTMAN - DI LELLA 1978, S. 179 vgl. GOLDINGAY 1989, S. 84. Dagegen lehnt HASEL 1981, S. 41 jede Beziehung zwischen den beiden Texten ab. HAAG 1979, S. 220 sieht gar in Dan 4 die Vorlage für OrNab.

Text als eine überlieferungsgeschichtliche Weiterentwicklung und bewußte Uminterpretation der aus Qumran erhaltenen Erzählung zu
begreifen[34]:

a) Wenn Nebukadnezzar an die Stelle Nabonids rückt, entspricht das
einem in der erzählenden Literatur häufig belegten Austausch einer
unbekannteren Figur durch eine bekannte[35]. Hinzu tritt in unserem
Falle, daß schon lange vor den Qumranfunden vermutet worden war,
der Held von Dan 4 sei ursprünglich Nabonid gewesen, weil bei ihm
eine mehrjährige Abwesenheit von der Hauptstadt und der Regie-
rungstätigkeit in Babel tatsächlich belegt ist[36]. Der Wechsel des
Namens muß allerdings nicht auf Absicht zurückgehen, sondern läßt
sich als irrtümliche Auflösung des Hypokoristikums Nabonay begreifen[37]. Das erlaubt, die bekannteste Gestalt der babylonischen Geschichte zum Musterbeispiel der Beziehung des Höchsten zum irdischen
Großkönig zu erheben.

b) Statt einer körperlichen Krankheit eine seelische Zerrüttung
vorauszusetzen, stellt eine Steigerung dar, die vielleicht daraus entstanden ist, daß die Wendung »von da an war ich gleich [Tieren]«[38] nicht
mehr bildlich, sondern wörtlich genommen wurde. Dadurch wird der
Vorwurf, während der sieben Jahre Ausgestoßen-Seins Bildergötzen
verehrt zu haben, hinfällig; daß solches Verhalten einem außerisraelitischen König als schwerwiegende Sünde angerechnet wird, der es doch
gar nicht anders wissen kann, leuchtete wahrscheinlich einem reflektier-
ten Leser wenig ein. Wenn im Zusammenhang des Danielbuches nun
die Verfehlung mit dem grausamen Befehl von Kap. 3, die Verweigerer
des Bilderdienstes in den Feuerofen zu werfen, zusammenhängt, wird
das Urteil Gottes einsichtiger.

c) Eine Verbannung nach Tema bedeutet nur eine bedingte Absetzung, keinen völligen Verlust der Regierungsgewalt. Der Aufenthalt
zwischen Tieren und Vögeln mit der Ernährung durch Kraut und Gras
bringen eine sehr viel tiefere Erniedrigung und Entmachtung mit sich.

d) Aus den (anonymen) גָּזַר, dem Angehörigen einer niederen Manti-
kerklasse nach Dan 4,4, wird der Oberste der חַרְטֻמַיָּא V. 6 als Partner
des Königs.

Ein überlieferungsgeschichtlicher Wandel von OrNab zu Dan 4 läßt
sich also durchaus begreifen. Stimmt eine solche Annahme zur Ent-
stehungszeit der beiden Texte? Die aufgefundenen Fragmente der

---

34. KRATZ 1991, S. 99-104.

35. K. KOCH, *Was ist Formgeschichte?*, S. 154.

36. So besonders nachdrücklich W. VON SODEN 1935 im Anschluß an Vermutungen
von H. Winckler, Hommel, Lagrange, Dhorme u.a.

37. P.K. BERGER, *ZA* 64, S. 221.

38. Die Ergänzung לְחֵיוָ(תָ)א liegt wegen des Verbs שְׁוִי nahe; ATQ, S. 127; CROSS 1984,
S. 262.

OrNab stammen aus der ersten Hälfte des 1. Jh. v.Chr. Einige in Qumran entdeckte Fragmente des kanonischen Danielbuches dürften etwas älter sein. Die Sprache beider Dokumente ist jedoch die gleiche. Von daher gesehen, könnte die Entstehung von OrNab durchaus der Niederschrift des aramäischen Danielteils vorangegangen sein. Dafür spricht auch, daß der Erzähltext im Nabonaygebet knapper dargeboten wird. Der Gattung nach handelt es sich in beiden Fällen um Königsproklamationen, wobei OrNab eine kurze, überschriftartige Einleitung in dritter Person voranstellt[39]. OrNabstammt aus einer Zeit und einem Ort, wo Erinnerungen an Nabonid als letzten babylonischen König noch lebendig waren. Die danielische Bearbeitung weiß davon nicht mehr, benutzt aber, wie sich zeigen wird, noch andere ursprüngliche Nabonidüberlieferungen[40]. Außerdem vermehrt sie die erzählenden Momente durch Motive aus Kap. 2 in 4,1-6[41].

Das Anliegen der Verfasser wandelt sich allerdings. Während das Gebet des Nabonay eine schlichte Bekehrungsgeschichte über einen Fremdherrscher, der auch über Israel gebietet, vorträgt, legt Dan 4 Wert darauf, daß das Reich Gottes als notwendiger Hintergrund zu jeder legitimen Herrschaft unter Menschen und über Menschen, auch wenn sie von einem heidnischen König ausgeht, begriffen wird. Es genügt deshalb nicht, den Gott Israels als den höchsten anzuerkennen; nötig ist darüber hinaus, seine politische Kompetenz zu begreifen[42] (dazu unten).

2. Nabonids Inschriften aus Harran

1956 hatte D.S. Rice bei Ausgrabungen in Harran drei Stelen Nabonids entdeckt, die 1958 C.J. Gadd publiziert und ausführlich kommentiert hat. Insbesondere die beiden Exemplare H_2A und H_2B sind für die

---

39. צְלוֹתָא wird durchweg als »Bittgebet« verstanden, weil das Verb צְלִי mit לְ oder עַל »bitten zu/um« bedeutet (LLA 143). Der Text enthält jedoch im folgenden Dank und Preis und keine Bitte, soweit erkennbar. Die gleiche Konnotation von Preis und Verehrung bestimmt wahrscheinlich das absolut gebrauchte Verb Dan 6,11 (par. מוֹדֵא) vgl. OrNab Z.7. Da von Gott in dritter Person die Rede ist, richten sich die Worte an eine menschliche Adresse, was Dan 3,31ff. entspricht. Die Vermutung von MEYER (S. 34f.), daß das Gebet wiedergebe, was der König »auf seinem Krankenlager in Tema« gesprochen habe, paßt nicht zu dem Rückblick auf überwundenes Unheil, das den Wortlaut jetzt prägt.

40. Lag OrNab in einer Fassung vor, in der der deutende Judäer Beltsazzar genannt war? Die Gleichung dieses Namens mit »Daniel« wird 4,5 so betont, daß sie wie eine nachträgliche Identifikation klingt.

41. Anders PLÖGER, S. 73, der in diesen Versen den erzählenden Kern sieht, der sekundär zur Königsproklamation umgestaltet worden sei.

42. Dies gilt für die 𝔐-Version von Dan 4; 𝔊 steht insofern OrNab näher, als es bei einer Bekehrungsgeschichte bleibt. Vermutlich sind 𝔐 wie 𝔊 selbständige Weiterbildungen einer Vorstufe vgl. J. Lust in diesem Band. ALBERTZ 1988, S. 71-76 plädiert dafür, daß 𝔐 von 𝔊 abhängig sei; darauf werde ich in anderem Zusammenhang eingehen.

Danielexegese geradezu aufregend, enthalten sie doch eine Bauinschrift über den Tempel des Mondgottes Sin in Harran, der nicht nur auf ein Lob dieses Gottes als der alle anderen überragenden höchsten Macht hinausläuft, sondern auch biografische Mitteilungen enthält, die solches Lob begründen und deren Abfolge an das Gebet des Nabonay und an Dan 4 erinnert[43]. Die Texte hat R. Meyer 1962 verglichen; nach eingehender Untersuchung scheint ihm »kein Zweifel daran möglich zu sein, ... daß 4 QOrNab eine volkstümliche Variante der Inschrift Nabonids darstellt«[44]. Die Synopse der sich entsprechenden Abschnitte (siehe oben) zeigt in der Tat verblüffende Berührungen im Ablauf des Geschehens.

1. Der Großkönig muß seine Hauptstadt Babel für eine durch himmliche Mächte festgesetzte Zeit von Jahren verlassen.

2. Anlaß sind Versündigungen gegen den Anspruch des mächtigsten höchsten Wesens, die mit Krankheit bestraft werden. Allerdings sind es in der akkadischen Version die babylonischen Städte, die freveln und deshalb vom Zorn der Gottheit getroffen werden, während es in OrNab und Dan 4 der König selbst ist, der sich vergeht und mit Krankheit geschlagen wird.

3. Verblüffend ist die Übereinstimmung der Ortsangabe mit OrNab, die Oase Tema als Stätte des »Umherirrens«[45].

4. Die Wende des Geschicks zum Heil erfolgt auf Grund einer göttlichen Traumoffenbarung.

5. Sie führt den König zu einem hymnischen Bekenntnis der Einzigartigkeit dieses Gottes (H_2 Kol II 14ff.), die zwar in OrNab nicht erhalten ist, aber parallel zu Dan 4,31ff. gewiß vorauszusetzen ist.

6. Bei der Rückkehr in die Hauptstadt Babel wird der König von seinen Würdenträgern feierlich begrüßt (H_2 Kol III 8-10), auch das hat entsprechend Dan 4,33 wohl einmal im Qumrantext gestanden.

7. Nicht nur der Bericht über das Königsgeschick mit der doppelten Wende gegen Ende, einmal dem Bekenntnis zum rettenden Gott, zum andern der Rückkehr zur Macht, laufen parallel. Auch die benutzten Gattungen sind sich ähnlich. In Harran wie in OrNab und Dan 4 handelt es sich um eine *Königsproklamation mit Selbstvorstellung und Selbstdarstellung*, bei der vom Walten Gottes in dritter Person berichtet wird[46]. Der akkadische Text benutzt zwar die Gattung der Bauinschrift, wozu auch sonst ein Verweis auf eine große Gottestat gehört[47]. Doch sprengt er durch die eingeschobene biografische Erzähl-

---

43. Neueste Bearbeitung BEAULIEU 1989, S. 150-153 (inscription 13).
44. MEYER 1962, S. 67 = 1989, S. 98.
45. *attallak(u)* I 26, *urḫu pariktu* II 10, dazu RÖLLIG 1964, S. 229f.
46. H_2 setzt hymnische Ansprachen an den Gott I 5f. und II 14ff. als spontane Ausrufe des Königs bei entscheidenden Wenden des Geschickes ein.
47. RÖLLIG, *ZA*, S. 234 vgl. *RlA* 6,70 §9; BEAULIEU 1989, S. 46.

ung den übliche Stil. Der Anfang mit dem Verweis auf die große Tat (*epištu*) des Sin als Ursache des Geschehens[48] macht es überflüssig, für die Parallele Dan 4 die Gattung hellenistischer Aretalogien als Muster vorauszusetzen[49].

Gewiß gibt es zwischen der Nabonid-Inschrift und dem judäischen Nabonay-Bericht deutliche Unterschiede. Sie bestehen zunächst darin, daß der höchste Gott in jenem Text ein in Harran beheimateter Mondgott, in diesem hingegen der Gott von Jerusalem ist. Natürlich ist auch der Rückgriff auf einen judäischen Wahrsager eine Besonderheit des aramäischen Textes, die in der Inschrift undenkbar und historisch unmöglich wäre. Darüber hinaus gibt es eine Fülle kleinerer Abweichungen, etwa die Frist für den Aufenthalt in Tema, die zwischen sieben und zehn Jahren schwankt[50]. Andererseits ist 7 eine Sin-Zahl – handelt es sich schon um eine babylonische Abwandlung?

Vor allem aber, und das ist der gravierende Unterschied, wird der König selbst in OrNab zum Sünder und Kranken. Das entspringt nicht einfach dem engen Blickwinkel einer israelitischen Exilsgemeinde. Die Umdeutung des letzten neubabylonischen Königs zum Frevler und Gottesfeind hat vielmehr ihre historischen Wurzeln in seinen Auseinandersetzungen mit der Mardukpriesterschaft in Babel, die auch in ihren eigenen Texten den König schmäht, einer falschen Gottesverehrung beschuldigt und für das Unglück des Landes verantwortlich macht[51]. Die Umwertung der Herrschaft Nabonids wird judäisch adaptiert, doch so, daß dessen endgültige Wiedereinsetzung am Ende steht (und nicht der Verlust der Macht durch die persische Eroberung), der Charakter des Königs also letztlich in einem günstigeren Licht erscheint als bei den kaldäischen Priestern[52]. Die Abweichungen im Gebet des Nabonay entsprechen also den vorauszusetzenden überlieferungsgeschichtlichen Veränderungen, sobald ein königlicher Propagandatext über oppositionelle Kanäle in die religiöse Überlieferung einer völkischen Minderheit eingeht, die sich mit dem Staat auseinanderzusetzen hat. Die Abhängigkeit des aramäischen Textes von der offiziellen Inschrift bleibt durchaus wahrscheinlich, wenn anders die auffälligen Berührungen ihre Erklärung finden sollen.

48. Parallelen BEAULIEU 1989, S. 17.58
49. So z.B. LEBRAM, S. 65. »The inscription is, therefore, for the primacy of Sin a theodicy and, by implication, for Nabonidus an *apologia pro vita sua*«, MORAN 1959, S. 135.
50. PLÖGER, S. 76 vermutet hinter der 7-Zahl eine sühnende Bedeutung vgl. 9,24.
51. ANET, S. 305f.312-5, vgl. oben das Abydenos-Fragment.
52. Wie sehr die seltsame Herrschaft Nabonids die Nachwelt beschäftigt hat, zeigt auch die iranische Adaption, die Nabonid mit dem unglücklichen Perserkönig Kambyses gleichsetzt und daraus eine Überlieferung vom himmelstürmenden und danach abstürzenden Kay Kâûs macht, wie H. LEWY 1949 nachgewiesen hat.

Darüber hinaus bleibt zu erwägen, ob nicht die Harraninschrift Beziehungen zum Stoff von Dan 4 aufweist, die über dessen Ähnlichkeiten mit dem Gebet des Nabonay hinausgehen. Im Eingangsraum wird in der Königsinschrift Nabonid von Sin, der dazu persönlich vom Himmel herab kommt, ein Auftrag zum Bau des Eḫulḫul-Tempels erteilt, als Zeichen der Beauftragung zu Königtum und Weltherrschaft (I 10-12). Erinnert dieser Eingang nicht an den erdweiten Baum (Dan 4), der eine Universalmonarchie symbolisiert? Am erhaltenen Ende der Harranstele wird die Wiedereinsetzung in die volle Königswürde mit der Ausführung des Tempelbauauftrages verbunden (III 17ff.). Das ist vielleicht anachronistisch und daraus zu erklären, daß die Königsbiografie mit dem Tempel am Anfang wie am Ende verbunden werden sollte. Der Tempelbau könnte früher zu Ende gewesen sein, denn nach der H₁-Inschrift der Königsmutter hatte diese, die bereits 547 verstorben ist, die Vollendung des Eḫulḫul erlebt (H₁B II 12ff; ANET 561[53]). Die doppelte Erwähnung in der Inschrift erklärt sich am leichtesten aus der Annahme, daß Eḫulḫul das »Haus des Königtums« (entsprechend dem Tempel in Bethel Am 7,13) schlechthin war[54] – also für Nabonid die Symbolkraft hatte, die der Baum für den Verfasser des aramäischen Danielteils darstellte.

Insofern zeigt sich im Blick auf das Thema Weltkönigtum eine überraschende Ähnlichkeit zwischen dem Tempel in Harran für Nabonid und dem Baum inmitten der Erde Dan 4. Diese Rolle von Harran ist nicht exzeptionell. Schon für die letzten assyrischen Könige war Eḫulḫul eine für ihre religiöse Legitimation als Großkönige ausschlaggebende Instanz[55]. Assarhaddon vernimmt dort ein Orakel über die ihm zustehende Weltherrschaft, ehe er nach Ägypten aufbricht[56]. Assurbanipal baut »am Anfang meines Königtums« diesen Sintempel großartig aus[57]. Die babylonischen Gegner werfen später Nabonid vor, daß für ihn der Tempel in Harran das Ekur von Nippur ersetzen soll, wo nach babylonischer Tradition bislang Enlil die Königswürde vergeben hat; für die Babylonier ist deshalb Eḫulḫul ein »Greuel«[58]. So scheint dieser seltsame König, der als einziger neubabylonischer Herrscher den Titel »König der Gesamtheit« führt, auf den bis dahin als Nummer eins unter den Göttern zählenden Marduk von Babel nur die Herrschaft über das Zweistromland, auf den Gott von Harran hingegen diejenige über den gesamten Erdkreis zurückgeführt zu haben[59]. Auf OrNab und Dan 4 werden noch andere babylonische Nachrich-

---

53. RÖLLIG, *ZA*, S. 257f. Anders jetzt BEAULIEU 1989, S. 241.
54. Der Tempelbau gilt als *das* Lebenswerk Nabonids, GALLING 1964, S. 10.
55. H. LEWY 1949, S. 43 + Anm. 198.
56. OLMSTEAD 1951, S. 380.415.
57. STRECK 1916, S. 172f.
58. Strofengedicht II 6,15.17; ANET 313.
59. H. LEWY 1949, S. 42.

ten über Nabonid eingewirkt zu haben. Dieser König war zeitweise so krank, daß die Chronik es vermeldet[60], und es ist anzunehmen, daß seine innenpolitischen Gegner ihn wegen des langen Aufenthalts in der Wüste für verrückt gehalten haben[61].

Wo konnten Judäer die babylonische Königsgeschichte kennenlernen? Meyer hatte vorausgesetzt, daß derartige Stelen an zahlreichen Stellen des Reiches aufgestellt waren; insbesondere dachte er jedoch an Tema, wo später eine jüdische Ansiedlung bezeugt ist. Röllig hat demgegenüber bezweifelt, daß der Text dieser Inschrift auch anderswo zu lesen war[62]. Tema scheidet wohl deshalb aus, weil ein Residieren des Königs an diesem Ort von den Einwohnern kaum als Verbannung gewertet worden wäre. Doch läßt der unten zu erörternde Tatbestand, daß das Bildmotiv der Harranstelen auch in Tema benutzt worden ist, die Skepsis von Röllig übertrieben erscheinen[63]. Wenn solche Stelen an repräsentativen Plätzen des Reiches verbreitet worden sind, dann auch ihre Inschrift. Als Stätte möglicher Übernahme ist Harran nicht auszuschließen. Als eine Gegend, in der die Auseinandersetzungen um das wahre Königtum am heftigsten tobten und zugleich die meisten judäischen Exilierten wohnten, wird Babylonien von Grelot[64] in Erwägung gezogen, und das ist wohl die einfachste Lösung, zumal auch in anderen Daniellegenden sich Hinweise auf einen Ursprung in der östlichen Diaspora finden.

IV. Der Traum vom Königsbaum
und sein ikonografischer Zusammenhang

1. *Der kahle Stamm*

Was der Großkönig träumt, spielt im Aufriß von Dan 4 eine wichtige Rolle. Das künftige Geschick Nebukadnezzars bildet der Traum als Beschluß überirdischer Mächte im voraus ab; durch poetische Stilisierung wird der besondere Rang dieser Aussage im prosaischen Kontext hervorgehoben.

Eine die Geschichte von König und Reich vorwegnehmende Rolle spielen die Träume des Großkönigs, diesmal Nabonids, ebenso in den bislang erörterten außerbiblischen Parallelen, in dem Gebet des Nabonay wie in den Harran-Inschriften desselben Königs[65]. Leider wird in diesen Texten der Inhalt des Traums nicht entfaltet oder ist nicht mehr

60. ANET 305 b.
61. Vgl. ANET 314 a.
62. RÖLLIG 1964, S. 28[3].
63. Vgl. BEAULIEU 1989, S. 19.
64. 1978, S. 494.
65. Zur Bedeutung der Träume in anderen Nachrichten über Nabonid ANET 314 b vgl. 309-10 und 309[5].

enthalten. Zwar setzt Beyer[66] in OrNab 2,2 einen entsprechenden Hinweis voraus [ם]אנתה ארז ו]ל[עלם שלם »du bist [wieder stark wie] eine Zeder und [für] immer gesund«; doch die Lesung bleibt unsicher und wird von anderen Bearbeitern nicht übernommen.

Für den Trauminhalt von Dan 4 ist hingegen als Parallele schon lange das Orakel über den Pharao Ez 31 herangezogen worden; denn dort wird der ägyptische König mit einer Zeder auf dem Libanon verglichen, wobei einige Einzelheiten mit Dan 4 übereinstimmen. So heißt es anfangs bei Ezechiel: »Wem gleichst du an Größe? ... Siehe, hoch ist dein Wuchs«, und die Stichworte קוֹמָה ,גדל ,גבה werden mehrfach aufgegriffen (V. 5.7.14.18), während Daniel anhebt: »Siehe ein Baum ... und seine Höhe war sehr groß ... seine Erhebung erreichte den Himmel« (V. 7f.), obgleich die Höhe dann in diesem Texte keine Rolle mehr spielt. Eine weitere Berührung zeigt sich in der Anziehungskraft auf die Tierwelt: »In seinen Zweigen nisteten alle Vögel des Himmels und unter seinen Ästen bekam das Wildgetier seine Jungen«, so schildert Ez 31,6 die erdenweite Zuflucht; ganz entsprechend geschieht es Dan 4,7: »Unter ihm suchte Schatten das Getier des Feldes, und in seinen Zweigen wohnten die Vögel des Himmels«. Die beiden Merkmale finden sich freilich auch beim Zeder-Gleichnis für den judäischen König Ez 17,23 (vgl. weiter den Weinstock Ez 19,11); das läßt auf ein gängiges Motiv der Königsbeschreibung schließen, eine direkte Abhängigkeit Daniels von den beiden Ezechielstellen bleibt also ungewiß[67]. Das vor allem deshalb, weil Ez 31 sich in belangreichen Einzelheiten vom Danielbild unterscheidet; dort geht es um eine Zeder im Gottesgarten auf dem Libanon, die im unterirdischen Urgewässer wurzelt und von der Ströme ausgehen, die alle Bäume des Gefildes bewässern, aber niemand ernähren. Hier dagegen ist von einem Fruchtbaum in der Erdenmitte die Rede, bei dem vor allem die Fruchterzeugung im Vordergrund steht, »von ihm nährt sich alles Fleisch« (V. 9 vgl. 18).

Sobald der Eingangsteil der Visionsschilderung mit dem (in der hebräischen Gattung üblicherweise vorangestellten) statischen Bild beendet ist und zum zweiten Teil der Schau, dem bewegten Bild übergegangen wird[68], schlagen Ez 31 und Dan 4 jeweils andere Wege

---

66. 1984, S. 224.

67. Ein genauer Vergleich jetzt bei M. METZGER, Zeder, Weinstock und Weltenbaum, in Ernten, was man sät. FS K. Koch, 1991, S. 197-230, bes. S. 224-225 (Statistik), mit dem Ergebnis »daß keine literarische Abhängigkeit... besteht« (S. 229). Ezechiel greift vermutlich eine syrische Überlieferung von einer wohl überragenden Zeder auf dem Libanon auf – weder Pflanzengattung noch Gebirge passen von Haus aus auf Ägypten. Schweizer (1986) denkt an ein älteres Assur-Orakel, das von Ezechiel erweitert und auf Ägypten übertragen wurde.

68. Zum gleichförmigen Aufbau alttestamentlicher Visionsschilderungen mit der Abfolge statisches – bewegtes Bild s. K. KOCH 1983.

ein. Während in der Ezechielstelle der Baum aufgrund der eben erge-
henden profetischen Weissagung gefällt wird (כרת) und in die Unterwelt
sinkt, freilich soviel auf Erden von ihm übrig bleibt, daß Vögel und
Getier künftig auf seinen Stümpfen sich einnisten (V. 13), verweist
Daniel auf eine vielseitige, umständliche und mehrdeutige Prozedur.

Was gemeint ist, wird freilich auf den ersten Blick nicht durchschau-
bar, und nötigt zu genauerer Untersuchung der benutzten Wörter und
Sätze. Die beiliegende Synopse weist auf die erheblichen Differenzen der
alten Versionen (s. S. 102).

Ich versuche eine Übersetzung:

10 Sieh[69], ein Wächter und (zwar)[70] ein Heiliger / war vom Himmel herab-
   gestiegen.

11 Er rief mit Kraft und sprach so:
   »Behaut den Baum / und schlagt ab seine Zweige!
   Streift sein Laub ab / und zerstreut seine Früchte!
   Daß wegstieben die Tiere unter ihm / und die Vögel von seinen Zweigen.

12 Jedoch einen *'iqqar* seiner Wurzel / laßt in der Erde übrig,
   und zwar in Fesselung von Eisen und Erz / im Gras des Feldes!
   Vom Tau des Himmels möge er benetzt werden / und mit den Tieren sein
   Anteil sein / zwischen dem Krautbewuchs der Erde.

13 Sein menschliches Herz sollen sie umwandeln / und ein tierisches Herz ihm
   geben, / und sieben Zeiten sollen darüber hinweggehen!«[71].

Der entscheidende Schlag gegen den Baumriesen wird V. 11 durch גֹדּוּ
zum Ausdruck gebracht[72]. Die Verbalwurzel taucht im Alt- und Mittel-
aramäischen sonst nicht auf und bedeutet im Spätaramäischen und
Mischnischhebräischen »abschneiden«, im Akkadischen heißt *gadādu*
»abtrennen«[73]. Im biblischen Hebräisch ist nur das Hitpoel belegt »sich
Schnittwunden beibringen« (1 Kön 18,28 u.ö.)[74]. Diese in verwandten
Sprachen nachweisbaren Parallelen rechtfertigen die fast durchweg
übliche Übersetzung von 4,11 mit »fällen, umhauen«[75] nicht; sie legen
vielmehr nahe, daß an dem Baum *etwas* abgeschnitten, er also nur
»*be*hauen« wird. Zwar läßt die Fortsetzung וְקַצִּצוּ עַנְפֹוהִי erkennen, daß
die Zweige tatsächlich *ab*gehauen werden. Doch das ist etwas anderes
als ein völliges Umlegen des Stammes. Die Septuaginta, die auf die
Absicht einer tatsächlichen Vernichtung hinaus will, verändert denn

---

69. Mit dem Präsentativ וַאֲלוּ setzt ein eigener, betonter Abschnitt ein, der gewiß wie
die Fortsetzung schon poetisch gefaßt war; Di LELLA 1981, S. 249, anders BHS.

70. Gen. epex. MONTGOMERY, S. 234; GOLDINGAY, S. 80.

71. Am Ende des Absatzes werden wohl zweimal Trikola gebraucht; anders Di LELLA,
S. 249-250.

72. Die Punktation ein Hebraismus, BLa § 48i.

73. AHw 273.

74. HAL 169-70; zum unsicheren *qal* GB[18] 198.

75. Luther, RSV, KBL 1061, LLA 33.

auch die Aussage zu καταφθεὶρατε αὐτό und setzt überschießend hinzu,
daß der Höchste das ἐκριζῶσαι καὶ ἀχρειῶσαι befohlen habe. Dafür
wird konsequenterweise die Behandlung von Zweigen, Laub und
Früchten nicht mehr erwähnt. Die Peschitto weicht an dieser Stelle von
einer naheliegenden äquivalenten Wiedergabe mit syr. גד[76] ab, sie setzt
das entschiedenere פסוקו ein[77]; daß dahinter eine Absicht steckt und
das Verschwinden des Königbaumes durch Gottes Gericht angezeigt
werden soll, zeigt die nachfolgende Veränderung im Blick auf die
Folgen: »Befreit werden (נפרקן) die Tiere«, sie fliehen also nicht be-
stürzt davon, weil ihre Zuflucht genommen ist (𝔐Θ); vielmehr hatte der
Baum sie regelrecht verknechtet.

So besagt also V. 11 bei genauerem Hinsehen, daß der Königsbaum
gewaltig beschädigt, aber als kahler Stamm stehengelassen wird[78]. Paßt
das zu V. 12? Das entscheidende Stichwort ist hier der עקר[79], der im
Boden zurückbleibt. Die modernen Übersetzungen setzen »Stumpf,
Wurzelstock« voraus[80], obwohl es dafür weder im Aramäischen noch
in einer anderen altsemitischen Sprache einen Anhalt gibt. Deshalb
setzt DISO (S. 220) zwar in Anlehnung an die vorherrschende Meinung
»souche, racine« als hypothetische Grundbedeutung voraus, setzt aber
hinzu: »dans nos textes avec le sens spécial: descendance«; ähnlich
doppeldeutig äußert sich KAI III 40. Zur endlich fälligen Korrektur hat
sich Vogt entschlossen[81] und umschreibt die Bedeutung so: »*surculus*
[Stämmchen] qui e radice progerminat (Thdt. φυή, Vg. germen, cf. hb.
עֲקָר, sec. alios: 'stirps principalis radicis')«. Dem ist nichts hinzuzufügen. Die Übersetzung »Stumpf, Stubben« ist aufgrund der Septuaginta
erraten; diese aber setzt statt עקר ein griechisches μίαν ein, gewiß als
bewußte Änderung. Sie läßt dann auch die Fesselung des Baumes durch
eiserne oder eherne Ringe in der Fortsetzung weg[82].

Hinsichtlich V. 12b bleibt unsicher, ob das Gesicht bereits vom Bild zur
Sache übergeht. Vom Tau des Himmels benetzt und unter den Tieren
wie ihresgleichen weilend, wird in der Fortsetzung (V. 22.29) der

---

76. C. BROCKELMANN, *Lexicon Syriacum*, ²1928 = 1982, S. 108.

77. *Ebd.*, S. 583.

78. Bei der Wiederholung der Audition wird V. 20 גדו durch חַבָּלוּהִי erläutert, was
üblicherweise »zerstören, vernichten« übersetzt wird (Luther, Einheitsübersetzung, RSV
V. 23); doch das Pa'el dieses Verbes taucht im Buch nur noch Dan 6,23 auf als »schwer
verletzen«, nicht als »beseitigen«. Entsprechend ist auch 4,20 wiederzugeben. – Das
Lexem שבק V. 12 wird Gen.ap/A 19,14-16 auf eine Zeder angewandt, die nach einem
Traum Abrahams in Ägypten vor dem Abhauen bewahrt wird (Coxon 1986, S. 107).

79. Zur Punktation BLa 192f.

80. Luther, Einheitsübersetzung, RSV, KBL 1111.

81. LLA 135.

82. Bedeutet אֱסוּר hier einen einzelnen Ring oder – wie hebr. בֵּית הָאֵסוּר Jer 37,15 –
»Fesselung« allgemein, was auf eine Mehrzahl von Ringen verweisen würde? LEBRAM,
S. 71 will das Bild von der Sache her verstehen und schließt auf eine Analogie zu
metallenen Halsbändern von Haustieren.

Synopse der Versionen Dan 4,10-13

𝔊

10/13
ἐθεώρουν
ἐν τῷ ὕπνῳ μου,
καὶ ἰδοὺ ἄγγελος
ἀπεστάλη ἐν ἰσχύι ἐκ τοῦ οὐρανοῦ

11/14
καὶ ἐφώνησε
καὶ εἶπεν αὐτῷ
Ἐκκόψατε αὐτὸ
καὶ καταφθείρατε αὐτό·
προστέτακται γὰρ ἀπὸ τοῦ ὑψίστου
ἐκριζῶσαι
καὶ ἀχρειῶσαι αὐτό.

12/15
καὶ οὕτως εἶπε
Ῥίζαν μίαν ἄφετε αὐτοῦ
ἐν τῇ γῇ,

13/16
καὶ ἀπὸ τῆς δρόσου τοῦ οὐρανοῦ
τὸ σῶμα αὐτοῦ ἀλλοιωθῇ,

καὶ ἑπτὰ ἔτη βοσκηθῇ

σὺν αὐτός,

Θ

13
ἐθεώρουν
ἐν δράματι τῆς νυκτὸς ἐπὶ τῆς κοίτης μου,
καὶ ἰδοὺ ιρ καὶ ἅγιος
ἀπ' οὐρανοῦ κατέβη
καὶ ἐφώνησεν ἐν ἰσχύι
καὶ οὕτως εἶπεν
Ἐκκόψατε τὸ δένδρον
καὶ ἐκτίλατε τοὺς κλάδους αὐτοῦ

14
καὶ ἐκτινάξατε τὰ φύλλα αὐτοῦ
καὶ διασκορπίσατε τὸν καρπὸν αὐτοῦ·
σαλευθήτωσαν τὰ θηρία
ὑποκάτωθεν αὐτοῦ·
καὶ τὰ ὄρνεα ἀπὸ τῶν κλάδων αὐτοῦ·
πλὴν τὴν φυὴν τῶν ῥιζῶν αὐτοῦ

15
καὶ ἐν δεσμῷ σιδηρῷ καὶ χαλκῷ
καὶ ἐν τῇ χλόῃ τῇ ἔξω
καὶ ἐν τῇ δρόσῳ τοῦ οὐρανοῦ
κοιτασθήσεται
καὶ μετὰ τῶν θηρίων ἡ μερὶς αὐτοῦ
ἐν τῷ χόρτῳ τῆς γῆς·

16
ἡ καρδία αὐτοῦ ἀπὸ τῶν ἀνθρώπων
ἀλλοιωθήσεται,
καὶ καρδία θηρίου δοθήσεται αὐτῷ,
καὶ ἑπτὰ καιροὶ ἀλλαγήσονται

ἐπ' αὐτόν.

babylonische König geschildert. Bleibt man hier in dem Visionsbericht beim Bild, wäre die kahl emporragende Baumruine dem Unbill der Witterung in einer Weise ausgesetzt, wie es der gesunde Baum seiner Blätter wegen nicht gewesen, wohl aber das Getier auf dem Felde allezeit ist. Während der gesunde Baum die Tiere *unter* sich sammelte, wird der Baum jetzt eine verlorene Erscheinung *mitten zwischen* den Tieren der Umgebung. So kann V. 12b sich durchaus auf den Baum beziehen. Die Frage erhebt sich ebenso und noch dringlicher bei V. 13a. War dem Riesenbaum in der Erdmitte das »Herz« zu eigen, während dem entblößten Stamm nur ein Tierherz bleibt? Oder ist mindestens an dieser Stelle die Bildebene schon verlassen und nur noch an Nebukadnezzar gedacht? Die Antwort sollte nicht vorschnell von der Bildmetaforik westlicher Sprachen her gesucht werden. Was ist überhaupt für einen aramäischen Verfasser die Besonderheit eines Tierherzes? Bedingt es die besondere Form der Nahrungsaufnahme? Oder wird von vornherein vorausgesetzt, daß die Tiere eine Art Wahnsinn bei sich haben[83]? Zu bedenken bleibt, daß hebräisch ein לֵב auch Himmel und Meer zukommen (Dt 4,11; Ex 15,8) und akkadisch *libbu* nicht nur auf das Meer angewandt wird, sondern z.B. auch auf den »Vegetationskegel« von Bäumen[84]. Vielleicht ist also hier ein absichtliches Schillern zwischen Bild und Sache, zwischen Weltbaum und König, intendiert.

Am Ende der Bewegung, die im Traum abläuft, bleibt also ein kahler, seiner Äste beraubter Stamm übrig, dem eine *metallene Fesselung* umgelegt wird. Der letzte Umstand verblüfft. Vielleicht hängt er mit dem nachfolgenden Hinweis auf die sieben Zeiten (V. 13b) zusammen, während derer der Baum in seiner Form verharren soll[85]. Ohne Bild gesprochen, wäre damit der Zusammenhalt des Königtums trotz äußeren Niedergangs veranschaulicht. Dennoch wirkt die Rede von einem gefesseltem Baum seltsam. Das umso mehr, wenn Bentzen mit seiner Feststellung recht hat, daß der in unseren Breiten heimische Brauch, alternde Bäume durch Metallbänder zusammenzuhalten, dem Altertum noch unbekannt war[86]. An eine Maßnahme, die das Austreiben von neuen Schößlingen verhindern soll, denkt Meyer[87]; doch das verhindern Metallbänder in der Regel nicht. Es ist begreiflich, daß manche Ausleger annehmen, V. 12a wechsele schon von der Bildebene in die Sachebene über, und eine Fesselung Nebukadnezzars voraussetzen, von der allerdings in der Folge nichts verlautet[88]. Wie kommt es zu diesem Bild?

---

83. PLÖGER, z. St.
84. *AHw*, S. 550.
85. PLÖGER, S. 75.
86. BENTZEN 1952, S. 42-43. In einem ägyptischen Papyrus ist von נחשׁא »über« oder »an« Palmen die Rede. COWLEY AP Nr. 81,111 übersetzt »bronce-bands« (S. 179); doch die Wiedergabe ist unsicher, GRELOT 1972, S. 13[5].
87. 1962, S. 45.
88. So nach V. 20b schon Hieronymus (CChr. SL 75A) p. 815.

2. Der Stab in der Hand Nabonids

An dieser Stelle legt sich eine Suche nach möglichem archäologischem Vergleichsmaterial nahe. Sie führt zu dem Ergebnis, daß die assyrische und neubabylonische Kunst überraschenderweise auf das Königtum bezogene sakrale Bäume kennen, die mit metallenen Bändern geziert sind und damit eine Parallele zu dem Motiv bieten, was im Traum Nebukadnezzars besonders befremdet. So stand am Eingang des Tempels für Schamasch und Sin in Khorsabad ein künstlicher Baum mit goldenen Blättern und metallenen Bändern[89]. Vor allem aber kommen die zahlreichen Orthostatenreliefs Assurnasirpals II im Nordwestpalast von Nimrud-Kalach in Betracht. Das Bild des Königs im Wechsel mit dem des sakralen Baumes zwischen jeweils zwei helfenden Genien wird auf den Wänden »in fast erdrückender Weise wie eine Litanei wiederholt«[90]. König und Baum erscheinen völlig auswechselbar, »eine einheitliche Manifestierung der assyrischen Königsidee in ihrem halb mythisch-überirdischen, halb weltlich-historischen Charakter«[91]. Das Relief auf der Schmalseite des Thronsaals also für den Betrachter unmittelbar hinter dem amtierenden Herrscher, zeigt insofern einen besonderen Zug, als hier ein besonders prächtiger Stamm mit drei – wohl metallenen – Bändern vorgeführt wird, über dem eine geflügelte Sonnenscheibe schwebt, der also bis zum Himmel reicht. Statt Mischwesen sind es hier zwei menschengestaltige *apkallū*, die den König »bestäuben«, der seinerseits den in der Mitte stehenden Baum mit erhobenem Zeigefinger grüßt[92] (Abb. 1).

In neubabylonischer Zeit befand sich hinter dem königlichen Thron im Palast Nebukadnezzars in Babel eine Wand mit farbigen Ziegeln, vier grün und gelb beringte Bäume abgebildet hat, die gewiß königlichen Mächtigkeiten versinnbildlichen sollten, wenngleich eine Gleichsetzung von König und Baum sich nicht so nahe legt ist wie in assyrischer Zeit[93]. Auf dem Wadi Brisa-Relief im Libanon steht Nebu-

---

89. WIDENGREN 1951, S. 17; KVANVIG 1988, S. 479 nach G. LOUD, *Khorsabad* I (1936) 94.104.

90. MOORTGAT 1967, S. 136. Vgl. C.J. GADD 1948, S. 91-92, der im Baum die Quelle magischer Kräfte sieht, die von den Genien auf den König, anderwärts auch auf seine Waffen, übertragen werden.

91. *Ebd.*, S. 135.

92. MOORTGAT 1967, Abb. 257-258; STROMMENGER-HIRMER, Abb. 191-193, vgl. Abb. 190, wo die entsprechende Szene auf einem neuassyrischen Siegelzylinder des Muschezib-Ninurta abgebildet wird. (= ORTHMANN 1975, Abb. 272i + S. 355, vgl. Abb. 373g: Siegel des Pan-aššur-lamur und Taf. XIX: Wandbild im Fort Salmanassars III.) U. MAGEN (1986, S. 78-81) hat den interessanten Versuch unternommen, die »Bestäubungsszene« als Reinigung des Königs zu interpretieren, vermag aber die Stellung des Baumes, »in dem möglicherweise mehrere Vorstellungen zusammengeflossen sind«, nicht überzeugend zu erklären. WINTER, *Lebensbaum*, 1986, S. 80 denkt an »einen unheilabwehrenden Gestus«.

93. MOORTGAT 1967, Abb. 292 und S. 163; STROMMENGER-HIRMER, Abb. 278, ORTHMANN (PKG), Taf. XXV.

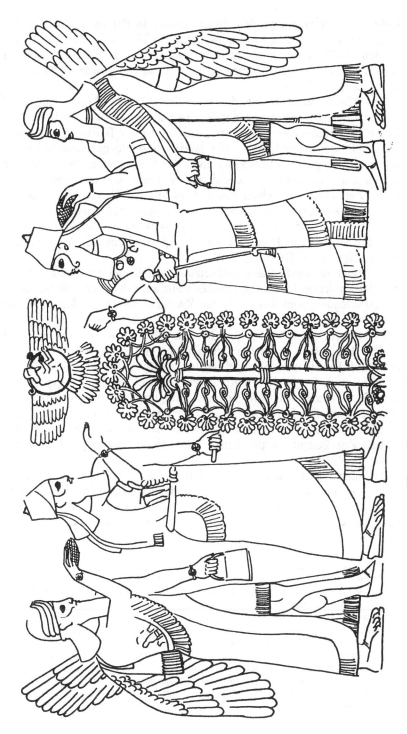

Abb. 1. Relief aus dem Thronsaal Assurnasirpals I (London).

kadnezzar vor einem großen Baum, rühmt in der dazugehörigen Inschrift aber nicht seine Person, sondern die Hauptstadt als den Platz, für den er alle Völker versammelt hat *ana ṣīllišu,* was vielleicht nicht »zu seinem [Babels] ewigen Schutz« heißt, so Langdon, sondern »zu seinem Schatten hin«[94].

Das künstlerische Motiv des königlich-sakralen Baumes mit kosmischen Bezügen hat eine lange Vorgeschichte. Moortgat führt es auf hurritisch-mitannische Ursprünge zurück. »In der Bildkunst der nachhethitischen Fürstentümer in Nordsyrien und Nordmesopotamien ... begegnet häufig der Lebensbaum unter der Flügelsonne, ebenso oft wie in der neuassyrischen Steinscheiderei«, während er für die mittelassyrische Zeit noch ein Fehlen des Motivs feststellt[95]. Hrouda hingegen möchte das Motiv über syrische Vermittlung auf Ägypten zurückführen[96]. Doch die Herkunft des Symbols kann hier dahingestellt bleiben. Meist handelt es sich um Kompositbäume aus Weinranken, Palmzweigen (und Granatäpfeln?[97]).

In Texten begegnet eine Gleichsetzung von König und weitausragendem Baum schon in neusumerischer Zeit: »Ein höchster *me*-Baum ... mit strahlenden, weit ausgebreiteten Zweigen bin ich«[98]. Deutlich tritt später wieder der König als ein die Erde überragender Baum in der Bildmetaforik der Perserkönige heraus, wenn man Herodot glauben darf[99]. Da solche Bäume in Verbindung mit königlichen Gestalten zwar auf Reliefs und Stempelsiegeln bezeugt, aber kaum in Texten erwähnt sind, bleibt die Deutung bei Assyriologen und Ägyptologen umstritten, zumal mit wechselnden Auffassungen in den verschiedenen Epochen gerechnet werden sollte. Von einem »Lebensbaum« zu reden, besteht, wie Genge (1971) aufgewiesen hat, in Mesopotamien kein Anlaß. Zur Bedeutung der Ringe habe ich bislang nirgends eine Erklärung gefunden.

Bei allen diesen Parallelen aus Syrien, Mesopotamien oder Persien handelt es sich um Verweise auf gesunde, weit rausragende, ast- und laubreiche Bäume, die den König oder eine Erstreckung seines Machtbereiches versinnbildlichen. In Dan 4 hingegen handelt es sich um einen

---

94. Langdon 1912, S. 33.172-173.
95. Moortgat 1967, S. 136. Vgl. Winter, *ebd.,* Abb. 18-24 und S. 77-80.
96. 1964, S. 41-51. Coxon 1986, 105 denkt an ein »old Babylonian cult symbol«.
97. Zur Diskussion Stearns 1961, S. 68.
98. Išmedagan nach *ThWAT* 6, 286; W.H.P. Römer, *Sumerische Königshymnen der Isin-Zeit,* 1965, S. 52: B II 244f. vgl. die Gleichsetzung mit Zeder, Zypresse und Buchsbaum, II 250-1, S. 53; Metzger 1991, S. 212.
99. Herodot I 108 vgl. VII 19; vgl. auch den im Traum aus einem Pfahl emporwachsenden Herrscherbaum bei Sophokles, Elektra 419-27. Eine eindeutige Gleichsetzung von König und kosmischem Baum, wie sie sich bei den neusumerischen Herrschern findet, ist allerdings weder assyrisch noch babylonisch belegt. Sie ist erst wieder für die Perser bei Herodot bezeugt.

Abb. 2

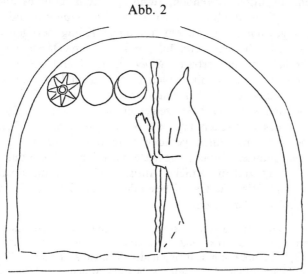

Abb. 2. Nabonidstele H₂B. Oberteil (Museum Urfa).

Abb. 3   Abb. 4

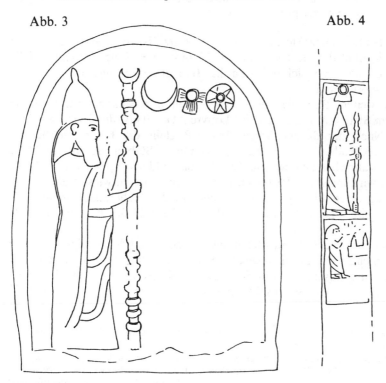

Abb. 3. Spätbabylonische Königsstele (London 90837).
Abb. 4. Temastele: Gottheit mit Zepter (oben), Adorant vor Altar (unten) (Paris).
Die Zeichnungen verdanke ich meiner Frau Eva-Maria Koch.

entlaubten, machtlos wirkenden, ruinösen Baum. Gibt es auch dazu Vergleichsmöglichkeiten? Für einen *seiner Äste beraubten* und dennoch *mit Ringen geschmückten*, zudem auf einen König bezogenen Baum kommt, soweit ich sehe, archäologisch nur ein Darstellungstyp in Frage, nämlich die sonderbaren *Stäbe* in der Hand des Königs auf *Stelen Nabonids*! Sowohl die beiden Harranstelen H₂A und H₂B wie auch die wohl aus der gleichen Stadt, jedenfalls aus der Zeit Nabonids stammende Stele B.M. 90837[100] zeigen ein ungewöhnlich langes Zepter in der Hand des Herrschers (vgl. die beigefügten Abb. 2 + 3). Es stellt aber nicht wie sonst einen geraden Stab dar, sondern weist einen teilweise gekrümmtem Wuchs wie viele natürliche Bäume auf. Zumindest 90837 zeigt zudem seitliche Ansätze für Äste, die anscheinend abgehauen sind. Was für Dan 4 besonders aufschlußreich ist, wird bei Gadd folgendermaßen beschrieben:

> The pecularity of the staves borne by the king upon these monuments is the presence of convex rings at intervals up the shaft ... In all three [statues] is a more prominent ring under the finial at the top ... These rings were no doubt of metal, and so was the ferule which tipped the shaft at the bottom ... For these ringed staves no parallel seems to exist among the royal scepters depicted elsewhere[101].

Die beiden Harranstelen zeigen als Aufsatz über dem Stab den »Keil«, das Symbol des Gottes Nabu, 90837 präsentiert hingegen einen Halbmond - darf man sich dabei an die Himmelsberührung des Stammes in Dan 4 erinnern?

Eine weitere Parallele findet sich, soweit mir bekannt, nur noch bei einem Stein aus Tema, jetzt im Louvre AO 1505 (s. die beigefügte Abb. 4). Nach der dazugehörigen Inschrift stellt die Figur, welche den entsprechenden, in sich leicht gekrümmten Stab in der linken Hand hält, wahrscheinlich den Gott Ṣalm, »das Bild«, von HGM dar[102]. Die Stele wird meist der Perserzeit zugeschrieben, sie entwickelt aber offenkundig einen Bildtyp weiter, welcher in der Nabonidzeit in die arabische Oase gelangt war, nur daß jetzt das Bild des Königs zum Bild eines Gottes geworden ist.

Der entastete Stab mit Metallringen in der Hand des Königs auf diesen Stelen entspricht ziemlich genau der Beschreibung von Dan 4,11-13, die sonst nirgends in der altorientalischen Kunst oder einem altorientalischen Text ein Seitenstück findet. Wenn die Rahmenerzählung in

---

100. GADD 1958, pl. II.III; vgl. ANEP 837; BÖRKER-KLÄHN, Tafeln 263.264.266.
101. GADD 1958, S. 40.
102. M. LIDZBARSKI, *Handbuch der nordsemitischen Epigraphik nebst ausgewählten Inschriften* II (1898), Taf. XVII; GADD 1958, pl. IIIb; BÖRKER-KLÄHN, Tafel 265, sie hält die Figur mit dem Zepter für einen König, vgl. Text-Band S. 230. Die Inschrift: KAI Nr. 228. Zu den unterschiedlichen Deutungen s. BEAULIEU 1989, S. 176-177.

diesem Kapitel auf eine Nabonid-Tradition zurückgeht, wie oben dargelegt, wird die Berührung mit der Kunst der Zeit dieses Königs nicht zufällig sein. Die Vermittlung läßt sich so denken, daß eines dieser Nabonid gewidmeten Denkmäler bei späteren Betrachtern, die den Stoff von OrNab auf einer (mündlichen) Vorstufe bereits kannten, die Assoziation hervorgerufen hat, der kahle Stamm, mit Ringen geziert, versinnbildliche das wechselvolle Königtum dieses umstrittenen Herrschers. Da jeweils astrale Symbole über König und entlaubtem Baum schweben, war es folgerichtig, das traurige Geschick des Mannes, das auf diese Weise veranschaulicht war, auf Beschluß himmlischer Wächter zurückzuführen. Das Bildprogramm wird dann auf einen Traum des Königs zurückgeführt. Daraus ergibt sich die Visionsschilderung in Dan 4 wie von selbst.

Ob solches in Harran selbst geschehen ist, es also dort eine judäische Diaspora gab, bleibt zweifelhaft. Es ist aber angesichts der Verbreitung des Bildtyps bis nach Tema hin durchaus wahrscheinlich, daß Nabonid auch in anderen Städten seines Reiches solche Steine aufgestellt hatte[103].

V. Nähe zu persischen Weltreichsideen

Aus dem Vergleich mit drei voneinander unabhängigen außerbiblischen Dokumenten zur religiösen Wertung der neubabylonischen Könige ergibt sich mit hinreichender Sicherheit, daß der Text von Dan 4 nicht irgendwann von einem judäischen Apokalyptiker frei entworfen worden ist, sondern auf eingehende Recherchen des danielischen Überlieferungskreises zurückgeht, der sich nicht nur mit der religiösen Literatur des eigenen Volkes, sondern auch mit historischen Nachrichten und der Ikonographie der Nachbarkulturen beschäftigt hatte.

Andererseits bietet der nunmehr in der Bibel vorliegende Text nicht nur eine einfache Harmonisierung heterogener Überlieferungen, sondern zeigt eine theologische Ausrichtung eigener Art, die in keiner der Vorlagen festzustellen ist. Oben war im ersten Teil dieses Vortrages auf die aus dem Textgefüge erkennbaren Aussageabsichten hingewiesen worden. Was dort als gleichsam semantischer Ertrag einer Analyse der Makrosyntax zu Tage getreten ist, läßt sich nach einem diachronen Durchgang durch die verfügbaren Paralleltexte noch sicherer behaupten. Was die Danielfassung über die aramäischen und babylonischen Nabonidnachrichten hinaus auszeichnet, läßt sich auf fünf Punkte konzentrieren:

1) Als angesprochene Adressaten gelten nun »Völker, Nationen und

---

103. Der Verweis auf Menschenherz bzw. Tierherz und die sieben Jahre mögen dann als zusätzliche Motive aus einer parallelen Nabonidlegende übernommen worden sein.

Sprachen«. Damit wird die Königsproklamation, die sich in H2 und OrNab an ein anonymes Publikum oder die Gottheit wendet, zu einer religiösen Botschaft des Monarchen an ein ökumenisches, aber national differenziertes Publikum.

2) Gerühmt wird nicht nur das Dasein einer obersten Gottheit, vielmehr bekennt sich der Souverän zur göttlichen מַלְכוּ und entsprechendem שָׁלְטָן als Hintergrund seines eigenen Regierens. Dem kosmischen Herrn kommt eine eminent *politische Bedeutung* zu.

3) Das irdische Großkönigtum ist durch diesen Gott als Monarchie im strikten Sinn, d.h. als *Universalherrschaft* über die Menschheit insgesamt eingesetzt.

4) Der göttliche König steuert durch seinen *Willen* die Geschichte der Großmacht, insbesondere in bezug auf den jeweiligen Amtsinhaber, von dem Bewährung durch Bekenntnis, aber auch durch Gerechtigkeit (V. 24) erwartet wird, andernfalls wird er gemäß göttlichem Willen gemaßregelt oder abgesetzt.

5) Was der Gotteswille ist, wird dem König durch besondere Träume eröffnet, zu deren Entschlüsselung er geisterfüllter Deuter bedarf; in dieser Hinsicht ist seine Souveränität schon in H₂ und OrNab eingeschränkt. Nach Dan 4 geschieht dies im stärkeren Maße – hier wird über die genannten Parallelen hinausgegangen –, durch die Beschlüsse überirdischer Wächter. Insofern wird durch eine *angelologische Übergeschichte* der Lauf der Geschehnisse im Weltreich vorherbestimmt.

Diese Themenkreise lassen sich auch in anderen spätisraelitischen Apokalypsen, etwa dem 1.Henoch, nachweisen. Stoßen wir bei ihnen auf das eigentümliche Anliegen einer bestimmten Gruppe in Israel, das sonst keine Paralellen hat? Ehe ein solcher Schluß zu ziehen ist, ist eine Besinnung auf den zeitgeschichtlichen Zusammenhang angebracht. Da in Dan 2–6 das Bild der Großkönige keineswegs negativ gezeichnet wird und sie keine grundsätzlichen Verfolger der judäischen Religion sind, spricht manches dafür, daß diese Danielüberlieferungen bis in die Perserzeit zurückreichen. Dann aber empfiehlt sich ein Seitenblick auf die damalige Ideologie der Supermacht.

Von der Literatur der Perserzeit haben zwar die späteren hellenistischen Eroberer wenig übrig gelassen. Was aber erhalten ist, weist, wie sich zeigen wird, eine erstaunliche Nähe zu den eben angeführten Besonderheiten von Dan 4 auf. Dabei handelt es sich nicht um Parallelen zum Erzählstoff oder zur Epistelform, aber um Analogien in Themen der Königsinschriften und der Palastikonographie. Denn seit Dareios I. heben die offiziellen Inschriften in der Regel nicht mit einer Selbstvorstellung des Königs an, sondern mit einem hymnischen Preis des einen »Weisen Herren« Ahuramazda, seiner Schöpfung und seines Weltregiments. Danach folgt erst »ich bin N.N., der König« und die eigentliche Mitteilung[104]. Die in H_2, aber auch Dan 3,31-2 vorliegende Folge von Absenderangabe und doxologischem Ausruf erscheint in den altpersischen Inschriften also in umgekehrter Reihung. Das Gotteslob lautet stereotyp:

> Ein großer Gott (ist) A(h)uramazda, der diese Erde schuf, der jenen Himmel schuf,
> der den Menschen schuf, der die Segensfülle (?) schuf für den Menschen,
> der den N.N. zum König machte, den Einen zum König der Vielen, den Einen zum Befehlshaber von Vielen.
> Ich bin N.N., der große König, König der Könige, König der Länder-Völker, König in dieser großen Erde fernhin[105].

Was hier ausgesprochen wird, erinnert in mehrfacher Hinsicht an Dan 4. So wenn am Anfang der »große Gott« (*baga vazraka*) bekannt wird, was gelegentlich durch *mathista* »größter« erweitert oder ersetzt wird[106]. Die göttliche Einzigartigkeit wird hier in gleicher Weise wie beim aramäischen אֱלָהָא עִלָּיָא zum Ausdruck gebracht, und dies wird denn auch die reichsaramäische Wiedergabe der persischen Aussage gewesen sein. Denn neben Ahuramazda wird in den Inschriften (vor Artaxerxes II.) kein anderer Gottesname angeführt, insofern wird die Exklusivität des größten Gottes weit mehr als in H_2 gewahrt.

Auch in diesem Text vollzieht sich das Walten der gelobten Gottheit primär auf politischem Feld. Parallel zur Schöpfung hat sie eine Universalmonarchie hervorgebracht, die der Erschaffung des Menschen (*martiya* sing.) beigeordnet wird; insofern ließe sich auch hier von einem »Königtum des Menschen« sprechen. Andererseits gilt die Menschheit als »die Vielen«, die in »Länder-Völker« gegliedert sind[107]. Das persische Großreich versteht sich als Nationalitätenstaat, der die durch die Schöpfung prädeterminierte Zahl der Völker einbegreift, wie die Völkerrepräsentanten auf den zahlreichen Palast- und Grabreliefs in und um Persepolis deutlich machen[108]. Von Bedeutung ist weiter, daß die Königsinschriften wieder und wieder – mehr als siebzigmal –, betonen, daß nicht nur die Einsetzung des Königs, sondern auch die Abwehr seiner Feinde und seine sonstigen Erfolge nur durch *vašna Auramazdāhā* möglich gewesen sei, was sich übersetzen läßt: »Nach Ahuramazdas Willen/Gunst« oder auch »Stärke«; die akkadische Ver-

---

104. HERRENSCHMIDT 1976 und 1977; KOCH 1984, S. 58; Texte bei KENT 1953.

105. Z.B. DNa 1-12, Parallelen bei HERRENSCHMIDT 1977, S. 20-21; KOCH 1984, S. 110[8].

106. DPd 1; DSp 1; DPd 9.

107. Zur wichtigen Rolle des Begriffs *dahyāva* HERRRENSCHMIDT, 1976, S. 40-42.62; KOCH, 1984.

108. KOCH 1984, S. 72-105.

sionen geben es mit *ina ṣilli* wieder[109], die aramäischen schreiben
בטלה[110], beides meint »im Schatten« des Gottes und erinnert an das
Auftreten des Großkönigs unter einem vergoldeten Schirm, über dem
ein Gottessymbol schwebt, auf den Reliefs von Persepolis[111]. Inhaltlich
entspricht diese Aussage über den maßgeblichen göttlichen Willen, der
die Herrschaft auf Erden bestimmt, der Erkenntnisformel in Dan 4 mit
dem hier als letzter Hintergrund geschichtlicher Wandlungen heraus-
gestellten Willen des Höchsten.

Von engelähnlichen Wesen, die zwischen der obersten Gottheit und
der irdischen Geschichte vermitteln, ist in den Königsinschriften nicht
die Rede. Sie entsprechen aber den in der zarathustrischen Theorie
unter Ahuramazda waltenden *amesha spentas*, zu denen das personi-
fizierte »Königreich« (*ḫšathra*) ebenso gehört wie die gerechte Weltordnung (*arta*, awestisch *aša*). Beide Wirkgrößen tauchen in den Texten
häufig auf, mit anderen »Erzengel« zusammen gelegentlich auch in
achaimenidischer Ikonografie[112].

Das persische Material liefert also überraschende Parallelen zu den
Ideen von Dan 4. Hinzufügen läßt sich, daß ausweislich Herodot (I
108; VII 19) der persische König im Traum durch einen erdübergreifen-
den Baum dargestellt wird. Schließlich begreifen sich diese Könige als
legitime Nachfolger der neubabylonischen Herrscher, wie es schon aus
dem Brauch hervorgeht, neben den altpersischen (und elamischen)
jeweils babylonische Versionen bei den Königsinschriften zu bieten, wie
es aber auch aus dem berühmten Kyros-Zylinder spricht[113].
Bleibt angesichts so enger gedanklicher, ja theologischer Entsprechung
zu persischen Anschauungen für eine Eigenaussage des Danieltextes
überhaupt noch etwas übrig, was über das hinausgeht, das damals in
maßgeblichen Kreisen der Umwelt für richtig gehalten wurde? Die
persischen Parallelen nötigen uns, den biblischen Text genauer noch als
bisher zu untersuchen.

VI. Gottesreich und Menschenreich: Die politische Theologie

Der Seitenblick auf die persischen Quellen läßt erkennen, daß Dan 4
mit seinen zentralen Aussagen dem Geist eines universal gewordenen
Zeitalters Rechnung trägt. Der judäische Verfasser bringt nicht ausge-
fallene Ideen einer abseitigen Sekte zu Papier bzw. zu Papyros, sondern

---

109. Weißbach 1911, S. 11 u.ö.
110. Cowley 1967, S. 57.
111. Koch 1984, S. 78.81. Zur Übersetzung von *vašna* Kent 1953, S. 207; O.
Szemerényi, *AcIran* 5 (1975) 325.
112. Koch 1984, S. 94.
113. ANET 315-6; TUAT I 407-10.

setzt sich mit den herrschenden Ideen seiner Zeit unerschrocken auseinander und nimmt begründet Stellung.

1. Dan 4 will am Beispiel Nebukadnezzars aufweisen, daß für den Herrscher eines Weltreiches das Bekenntnis zum einzigen Gott unumgänglich ist. Nur wo eine solche Erkenntnis durch den Inhaber der Macht ausgesprochen wird, ist auf Dauer gedeihliches Regieren möglich. Dabei kann aber eine genaue Festlegung, wer dieser Höchste eigentlich ist und wie mit ihm kultisch zu verkehren ist, durchaus unterbleiben. Der Verfasser der aramäischen Danielsammlung ist nicht so weltfremd, daß er vom Großkönig eine Bekehrung zum Jerusalemer Kult oder gar Beschneidung und Sabbatfeier verlangt. Angesichts der Formulierungen in Dan 4 mag man fragen, ob nicht schon das Bekenntnis des historischen Nabonid zur Überlegenheit Sins dem nahe kommt, was dem Danielkapitel vorschwebt. Wie beurteilt darüber hinaus dieser israelitische Schriftsteller, falls wir ihn zu Recht in der Perserzeit ansetzen, die monotheistischen Äußerungen der zeitgenössischen Großkönige? Hätte er sich mit den doxologischen Partien in den Inschriften von Persepolis zufrieden gegeben?

Ein bezeichnender Unterschied zu den Äußerungen der Perserkönige liegt freilich zutage. Dareios und seine Nachfolger halten das Bekenntnis zu dem einen »Weisen Herrn« für so selbstverständlich, daß es keiner Begründung oder Verteidigung bedarf. Für Dan 4 ist ein großköniglicher Bekenntnis zum »Höchsten« Durchbruch einer Erkenntnis, die keineswegs jedem Herrscher sich nahe legt und die ihre Rechtfertigung nicht durch Verweis auf eine zurückliegende Schöpfung, sondern durch Verknüpfung mit auffälligen Begebenheiten der gegenwärtigen Geschichte bedarf, gerade mit solchen, in denen nicht die Erfolge des Herrschers, sondern sein Scheitern zu Tage getreten sind.

2. Das erforderliche Bekenntnis wird dahin präzisiert, daß nicht bloß das Dasein des einen Gottes einzugestehen ist, sondern die königliche Macht dieser Gottheit im Zentrum steht. Nebukadnezzar bekennt sich am Anfang wie am Ende seines Edikts zur ewigen מַלְכוּתָא des Höchsten und gesteht damit ein, daß seine eigene Herrschaft zeitlich und endlich bleiben wird. Mehr noch: Wenn der Höchste der eigentliche שַׁלִּיט ist im »Königreich der Menschen«, wie viermal betont wird, dann ist der irdische Großkönig so autark nicht, wie er sich gebärdet, sondern trotz einer Bandbreite eigener Entscheidungs-und Entfaltungsmöglichkeiten letzlich an die hintergründige Steuerung der politischen Geschichte von oben gebunden. Der eine Gott ist also ein eminent politischer Gott.

Dieser Umstand wird vom israelitischen Verfasser stärker noch herausgestrichen als auf persischer Seite. In den Inschriften wird nie von Ahuramazda als einem König geredet. Zwar lassen sie das Königtum (ẖšathra) von dieser überirdischen Autorität an den jeweiligen Amtsinhaber übereignet sein, aber dadurch wird Gott nicht selbst zum

Herrscher. Hingegen sind die Glieder eines unterworfenen, politisch wie
militärisch entmündigten Volkes Israel überzeugt, daß ihr Gott in den
politischen Geschehnissen der Zeit wieder und wieder so sehr steuernd
eingreift, daß er von Anfang an auf dieser Erde der eigentliche Herrscher ist!

3. Der enge Zusammenhang zwischen Gott und Politik bezieht sich
auf das eine »Königreich des Menschen« auf Erden. Beide Nomina
stehen im Singular. Es gibt also *eine* menschliche Supermacht, die zu
Recht die Oberherrschaft über die Ökumene beanspruchen kann, und
das im Namen Gottes. Dem Danielverfasser geht es keineswegs darum,
daß jeder kleine Potentat zu so entscheidender Einsicht wie Nebukadnezzar sich durchringen müsse. Was dem Text vorschwebt, bezieht sich
einzig auf die Inhaber der Universalmonarchie. Der *einen* Schöpfung
entspricht die Einheit der menschlichen Herrschaft, vermutlich deshalb,
weil allein ein einheitliches Machtgebilde die Gerechtigkeit und den
Frieden nicht nur zwischen einzelnen Individuen, sondern auch zwischen Völkern zu gewährleisten vermag. Der göttlichen Monarchie
entspricht deshalb die menschliche. Soweit liegen Dan 4 und die
persische Königsideologie auf gleicher Linie.

Dennoch zeigen sich Abweichungen in bezeichnenden Nuancen. Per-
sisch ist der König »groß«, *vazraka*, wie es der Gott ist, spiegelt also
dessen zentrale Eigenschaft wieder. Soweit geht die Entsprechung im
Danieltext keinesfalls. Der Abstand zum höchsten Gott ist ein erheblich
weiterer. Der wichtigste Unterschied besteht aber darin, daß die Perser
als Herrenvolk es leicht haben, solchen Auffassungen anzuhängen. Die
Formulierung der Idee der Universalmonarchie durch Israeliten jedoch
schließt eine Selbstbescheidung und wenigstens einen zeitweisen Ver-
zicht nicht nur auf Herrenstellung des eigenen Volkes, sondern schon
auf Gleichberechtigung ein, was eigentlich der menschlichen Natur und
jedem Nationalbewußtsein entgegenläuft. Im israelitischen Bereich läßt
sich dies nur aus der Nachwirkung profetischer Aussagen wie Jer 27
begreifen.

4. Das Bekenntnis des Monarchen zur Kompetenz des höchsten
Gottes schließt ein, daß der Lauf der Geschichte von religiösen und
sittlichen Faktoren geprägt wird und alle historisch greifbaren Realitäten
nur als *causa secunda* in Betracht kommen. Deshalb sind metahistorische
Kategorien nötig, zu denen auch die Symbolik der Träume und angelologische Instanzen gehören, um den Lauf der Dinge und sich selbst in
diesem Lauf zu verstehen. Jeder Monarch steht mehr als der gewöhn-
liche Sterbliche in der Verantwortung für eine *Gerechtigkeit*, die über
zweckrationale Güterabwägungen hinausführt und eine Gottesrelation
beeinhaltet. Gerade die Perserkönige betonen in ihren Äußerungen den
Kampf gegen die unheilbringende Lügenmacht, *draoga*, und ihren
Einsatz für Wahrheit-Gerechtigkeit, Weltordnung, *arta*, und das mit

einer Inbrunst wie kein anderer altorientalischer Herrscher vor ihnen. Doch sie haben wie diese weithin, wie man im nachhinein urteilen muß, die »Gerechtigkeit« mit eigenen Machtinteressen gleichgesetzt.

Die Maßstäbe, die das Danielbuch an die Gerechtigkeit und Selbstbescheidung der Könige anlegt, sind erheblich strenger, sind durch die vernichtenden Urteile der israelitischen Profeten über das eigene vergangene Königtum geprägt.

5. Was aber von persischen Überzeugungen weit abweicht, ist die unabdingbare Rolle, welche der israelitische Weise bei der Erkundung der Zukunft der Geschichte spielt. Ohne Daniel wäre Nebukadnezzar nie zur rechten Einsicht gelangt, hätte er nie ein Comeback erlebt. Die kaldäischen Mantiker erweisen sich allesamt als unfähig. An eine solche exklusive Kompetenz einer einzigen, zudem nicht-iranischen Gruppe im Reich haben die Perserkönige natürlich nicht gedacht. Im Kontext der Danielkapitel insgesamt gesehen, handelt es sich nicht nur darum, daß der Großkönig den einzigartigen »Geist« respektiert, der sich nur bei Israeliten findet, vielmehr hat er – und das steht damit in engem Zusammenhang – die judäische Art der Gottesverehrung zu tolerieren, vgl. Kap. 3.6. Im Danielbuch zeichnet sich schon von ferne eine theoretische Scheidung zwischen Staat und Kirche ab.

6. Zwischen dem wirklichen Königtum Gottes und seiner Lenkung politischer Ereignisse auf Erden scheint das Danielbuch einen Trennungsstrich zu ziehen, der außerisraelitischen Parallelen unbekannt ist. Denn 4,34 rühmt Gott nur als König im Himmel, מֶלֶךְ שְׁמַיָּא, auf Erden jedoch handelt er als שַׁלִּיט, was als Titel viel unbestimmter ist und auch nicht-königlichen Amtsinhabern zukommt vgl. Dan 2,15. Zwar hat Nebukadnezzar an bestimmten Zeichen und Wunder in seinem Leben die מַלְכוּתָא Gottes erkannt. Aber das kommt einem Irdischen anscheinend nur schlaglichtartig zu Bewußtsein 3,32-3. Im allgemeinen genügt es für den König, die Gottheit als שַׁלִּיט anzuerkennen. Läßt sich aus dieser Differenz in der Begrifflichkeit schließen, daß für Dan 4 die Königsherrschaft Gottes auf Erden bislang nur unvollständig sich durchsetzt, also – wie in 2,44 – ein eschatologisches Gut sein wird, das dann mit der Erde auch den Status Israels notwendig verändern wird? Kann um dieses Vorbehaltswillen die Fremdherrschaft über Israel so klaglos hingenommen werden, wie es in Dan 4 und in verwandten Kapiteln geschieht? Auf solche Frage gibt Dan 4 keine ausreichende Antwort, aber die Differenz in der Begrifflichkeit göttlicher Kompetenz im Blick auf den Himmel einerseits und die Erde andererseits bleibt auffällig[114.115].

114. LEBRAM (S. 65.69) deutet Dan 4 von Kap. 2 her, danach ist das Erlebnis Nebukadnezzars »ein Zeichen für Gottes zukünftiges Handeln«, es »bestätigt ... die Zuverlässigkeit der Ankündigung des kommenden Gottesreichs«.

115. Paul D. HANSON (*The Dawn of Apocalyptic*, 1975, ch. V; ähnlich in: *The Diversitiy of Scripture, Overtures to biblical Theology* 11, 1982) hat einen wesentlichen Unterschied

Untersucht man einen Text wie Dan 4 genauer in seiner Struktur und Semantik und setzt man ihn mit entsprechenden zeitgenössischen Literaturdokumenten in Beziehung, so ergibt sich ein erheblich anderes Bild von der Intention seiner Verfasser, als es gemeinhin unter dem Stichwort Apokalyptik vorausgesetzt wird. Hier wird die brutale Willkür staatlicher Machtträger durchaus in Rechnung gestellt und dennoch nicht an Gottes Walten in der politischen Geschichte verzweifelt, weil das Geheimnis des göttlichen Planes sich dem darauf aufmerksamen Menschen stellenweise zeichenhaft enthüllt.

Angesichts einer so verwirrenden geschichtlichen Weltlage, wie wir sie am Ausgang des 20. nachchristlichen Jahrhunderts erleben, möchte man sich wünschen, wir hätten eine solche klar umrissende politische Geschichtstheologie unter eschatologischen Vorzeichen, zugleich mit so klaren handlungsleitenden Maximen, wie sie einst den Lesern des Danielbuchs zur Verfügung gestanden haben.

BIBLIOGRAFIE

Kommentare

A. BENTZEN, *Daniel* (HAT, I 19), ²1952.
J.J. COLLINS, *Daniel* (FOTL, 20), 1984.
M. DELCOR, *Le Livre de Daniel* (SBi, 4), 1971.
J.E. GOLDINGAY, *Daniel* (WBC, 30), 1989.
L. HARTMANN - A.A. DI LELLA, *The Book of Daniel* (AB, 23), 1978.
K. KOCH, *Daniel* (BKAT, 22/1), 1986.
A. LACOCQUE, *The Book of Daniel*, 1979.
J.C. LEBRAM, *Das Buch Daniel* (ZBK.AT, 23), 1984.
J.A. MONTGOMERY, *A Critical and Exegetical Commentary on the Book of Daniel* (ICC), 1927 = 1964.
O. PLÖGER, *Das Buch Daniel* (KAT, 18) 1965.
N.W. PORTEOUS, *Das Buch Daniel* (ATD, 23), 1962.

Monografien und Aufsätze

R. ALBERTZ, *Der Gott des Daniel* (SBS, 131), 1988.
P.A. BEAULIEU, *The Reign of Nabonidus King of Babylon 556-539 B.C.* (YNER, 10), 1989.

zwischen alttestamentlicher Profetie und spätisraelitischer Apokalyptik in der jeweiligen Einschätzung des politischen Geschehens gesucht. Während die Profeten mit den tatsächlichen Verhältnissen rechnen und danach urteilen, entfernen sich die apokalyptischen Spekulationen in eine illusionäre Transzendenz und verlieren den politischen Boden unter ihren Füßen. Das mag für bestimmte jüngere Apokalypsen zutreffen. Für Dan 4, falls man diesen Text schon zur Apokalyptik rechnet, stimmt es nicht. Hier werden vielmehr die politischen Realitäten in globalem Ausmaß in einer Weise in Rechnung gestellt, wie es bei Jesaja oder Jeremia bei weitem noch nicht der Fall gewesen war.

M.A. BEEK, *Das Danielbuch*, 1935.

K. BEYER, *Die aramäischen Texte vom Toten Meer*, 1984.

J. BÖRKER-KLÄHN, *Altvorderasiatische Bildstelen und vergleichbare Felsreliefs* (BagF, 4), 1982.

M. BÜDINGER, *Die neuentdeckten Inschriften über Cyrus* (SAWW 97), 1881, 711-725.

A. COWLEY, *Aramaic Papyri of the 5ᵗʰ Century B.C.*, 1923 = 1967.

P.W. COXON, *The Great Tree of Daniel 4*, in J.D. MARTIN – P.R. DAVIES, *A Word in Season*. FS W. McKane (JSOT SS, 42), 1986, S. 91-111.

F.M. CROSS, *Fragments of the Prayer of Nabonidus*, in *IEJ* 34 (1984) 260-264.

L. DANTHINE, *Le palmier dattier et les arbres sacres dans l'iconographie de l'Asie occidentale ancienne*, 1937.

W. DOMMERSHAUSEN, *Nabonid im Buche Daniel*, 1964.

R.P. DOUGHERTY, *Nabonidus and Belshazzar* (YOS, 15), 1929 = 1979.

J.A. FITZMYER, S.J., *Aramaic Epistolography*, in *Semeia* 22 (1981) 25-58.

J.A. FITZMYER – D.J. HARRINGTON, *A Manual of Palestinian Aramaic Texts*, 1978.

D.N. FREEDMAN, *The Prayer of Nabonidus*, in *BASOR* 145 (1957) 31-32.

C.J. GADD, *The Harran Inscriptions of Nabonidus*, in *AnSt* 8 (1958) 35-92.

DERS., *Ideas of Divine Rule in the Ancient East*, 1948.

K. GALLING, *Studien zur Geschichte Israels im persischen Zeitalter*, 1964, besonders S. 5-20 (Nabonid).

H. GENGE, *Zum "Lebensbaum" in den Keilschriftkulturen*, in *AcOr* 33 (1971) 321-334.

P. GRELOT, *Documents araméens d'Égypte* (LAPO), 1972.

DERS., *Le Septante de Daniel IV et son substrat sémitique*, in *RB* 81 (1974) 5-23.

DERS., *La prière de Nabonide*, in *RdQ* 9 (1977-78) 483-495.

E. HAAG, *Der Traum des Nebukadnezzar in Dan 4*, in *TThZ* 88 (1979) 194-220.

P.D. HANSON, *The Dawn of Apocalyptic*, 1975.

G.F. HASEL, *The Book of Daniel: Evidences Relating to Persons and Chronology*, in *AUSS* 19 (1981) 37-49.

C. HERRENSCHMIDT, *Désignation de l'empire et concepts politique de Dareius I d'apres ses inscriptions en vieux-perse*, in *Studia Iranica* 5 (1976) 33-65.

DIES., *Les créations d'Ahuramazda*, in *ebd* 6 (1977) 17-58.

DIES., *La première royauté de Darius avant l'invention de la notion d'empire*, in *Pad nām i yazdān, Travaux de l'institut d'études iraniennes* 9 (1979) 23-33.

B. HROUDA, *Zur Herkunft des assyrischen Lebensbaumes*, in *BagM* 4 (1964) 41-51.

B. JONGELING - C.J. LABUSCHAGNE - A.S. VAN DER WOUDE, *Aramaic Texts from Qumran with Translations and Annotations* I, 1976 (ATQ).

R.G. KENT, *Old Persian* (AOS, 33), ²1953.

K. KOCH, *Das Buch Daniel* (EdF, 144), 1980.

DERS., *Dareios, der Meder*, in FS D.N. Freedman, 1983, S. 287-299

DERS., *Vom profetischen zum apokalyptischen Visionsbericht*, in D. HELLHOLM (ed.), *Apocalypticism in the Mediterranean World and the Near East*, 1983, S. 413-446.

DERS., *Weltordnung und Reichsidee im alten Iran*, in P. FREI - K. KOCH, *Reichsidee und Reichsorganisation im Perserreich* (OBO, 55), 1984.

DERS., *Was ist Formgeschichte?*, ⁵1989.

R.G. KRATZ, *Translatio imperii* (WMANT, 63), 1991.

H.S. KVANVIG, *Roots of Apocalyptic* (WMANT, 61), 1988.

S. LANGDON, *Die neubabylonischen Königsinschriften* (VAB, 4), 1912.

A. DI LELLA, *Daniel 4: 7-14: Poetic Analysis and Biblical Background*, in *Mélanges bibliques et orientaux en l'honneur de M. Henri Cazelles* (AOAT, 212), 1981, S. 247-58

H. LEWY, *The Babylonian Background of the Kay Kâûs Legend*, in *ArOr* 17 (1949) 28-109.

U. MAGEN, *Assyrische Königsdarstellungen - Aspekte der Herrschaft*, in *BagF* 9, 1986

M. MCNAMARA, *Nabonidus and the Book of Daniel*, in *IThQ* 37 (1970) 131-149.

A. MERTENS, *Das Buch Daniel im Lichte der Texte vom Toten Meer* (SBM, 12), 1971.

R. MEYER, *Das Gebet das Nabonid* (SAWL, 107,3), 1962; = DERS., *Zur Geschichte und Theologie des Judentums in hellenistisch-römischer Zeit*, 1989, S. 71-129.

J.T. MILIK, *"Prière de Nabonide" et autres écrits d'un cycle de Daniel*, in *RB* 63 (1956) 407-415.

A. MOORTGAT, *Die Kunst des Alten Mesopotamien*, 1967.

W.L. MORAN, *Notes on the New Nabonidus Inscriptions*, in *OrNS* 29 (1959) 130-140.

A.T. OLMSTEAD, *History of Assyria*, 1923 = 1951 = 1975.

W. ORTHMANN, *Der alte Orient* (PKG, 14), 1975.

N. PERROT, *Les rèpresentations de l'arbre sacré sur les monuments de Mesopotamie et d'Elam*, 1937.

S.A. RASHID, *Einige Denkmäler aus Têmã und der babylonische Einfluß*. in *BagM* 7 (1974) 155-165.

H. RINGGREN - K. NIELSEN, Art. עץ, in *ThWAT* 6 (1989) 284-297.

W. RÖLLIG, *Nabonid in Tema*, in *CRRAI* 11 (1964) 21-32.

DERS., *Erwägungen zu neuen Stelen König Nabonids*, in *ZA* 56 (1964) 218-260.

R.H. SACK, *The Nabonidus Legend*, in *RA* 77 (1983) 59-67.

E. SCHRADER, *Die Sage vom Wahnsinn Nebukadnezar's*, in *JPTh* 7 (1881) 618-629.

H. SCHWEIZER, *Der Sturz des Weltenbaumes (Ez 31) – literarkritisch betrachtet*, in *ThQ* 165 (1985) 197-213.

DERS., *Der vorhergesehene Katastrophe. Der Sturz des Weltenbaumes (Ez 31)*, in DERS. (ed.), *"...Bäume braucht man doch!"*, 1986, S. 89-108.

W.H. SHEA, *Further Literary Structures in Dan 2-7: An Analysis of Dan 4*, in *AUSS* 23 (1985) 193-202.

W. VON SODEN, *Eine babylonische Volksüberlieferung von Nabonid in den Danielerzählungen*, in *ZAW* 53 (1935) 81-89; = DERS., *Bibel und Alter Orient*, in *BZAW* 162 (1985) 1-9.

J.B. STEARNS, *Reliefs from the Palace of Assurnasirpal II* (AfO Beih., 15), 1961.

F. STOLZ, *Die Bäume des Gottesgartens auf dem Libanon*, in *ZAW* 84 (1972) 141-156.

M. STRECK, *Assurbanipal und die letzten assyrischen Könige bis zum Untergange Niniveh's* (VAB 7,1-3), 1916 = 1975.

E. STROMMENGER - M. HIRMER, *Fünf Jahrtausende Mesopotamien*, 1962.

E. Vogt, *Lexicon Linguae Aramaicae Veteris Testaments*, 1971 (LLA).

F.H. Weissbach, *Die Keilinschriften der Achämeniden* (VAB, 3), 1911 = 1968.

G. Widengren, *The King and the Tree of Life in Ancient Near Eastern Religion*, UUÅ 1951:4

U. Winter, *Der stilisierte Baum*, in *BiKi* 41 (1986) 171-177.

Ders., *Der 'Lebensbaum' in der altorientalischen Bildymbolik*, in H. Schweizer (ed.), *"... Bäume braucht man doch!"*, 1986, S. 57-88.

A.S. van der Woude, *Bemerkungen zum Gebet des Nabonid*, in M. Delcor (ed.), *Qumran: sa piété, sa théologie et son milieu* (BETL, 46), 1978, S. 121-129.

Diekbarg 13A
D-W-2 Hamburg 66

Klaus Koch

STIRRING UP THE GREAT SEA
THE RELIGIO-HISTORICAL BACKGROUND OF DANIEL 7

It is now almost a century since Hermann Gunkel published his ground-breaking study *Schöpfung und Chaos*, in which he traced the influence of ancient Near Eastern mythology in various biblical texts, including Daniel chapter 7[1]. Gunkel began with the observation that certain features of the vision were not explained in the interpretation, e.g., why the beasts rise out of the sea, or the one like a son of man comes with the clouds of heaven. He further noted that this imagery had traditional associations, and pointed to a string of passages in the Hebrew Bible and post-biblical Jewish texts where monsters from the sea represent powers which are hostile to God: Isa 27,1; 30,7; Ezek 29; 32; Pss 68,31; 74,13; 87,4; Pss Sol 2,2. These passages imply a mythic narrative which is not to be found in the Hebrew Bible, but Gunkel claimed to have found its prototype in the Babylonian creation story, the *Enuma Elish*.

Gunkel's general insight, that the imagery of the beasts from the sea alludes to a fuller narrative, whose prototype must be sought outside the Hebrew Bible, has been widely accepted[2], while it has also met with considerable resistance[3]. The view that this prototype is found in the Enuma Elish is no longer defended, as it was to a great degree rendered obsolete by the discovery of the Ugaritic texts in 1929[4]. Within a few years of that discovery, the relevance of the Ugaritic material for Daniel 7 was noted by Otto Eissfeldt[5], who saw the fourth beast of Daniel 7 as a reflection of the chaos monster Lotan. A more influential

---

1. Hermann GUNKEL, *Schöpfung und Chaos in Urzeit und Endzeit. Eine religions-geschichtliche Untersuchung über Gen 1 und Ap Joh 12*, Göttingen, 1895. Daniel 7 is discussed in pp. 323-335.

2. For succinct reviews of scholarship see Carsten COLPE, ὁ υἱὸς τοῦ ἀνθρώπου, *TDNT* 8 (1968) 406-420, Klaus KOCH, *Das Buch Daniel* (Erträge der Forschung, 144), Darmstadt, 1980, pp. 230–234.

3. E.g. J.A. MONTGOMERY, *A Critical and Exegetical Commentary on the Book of Daniel* (The International Critical Commentary), New York, 1927, p. 323; L.F. HARTMAN and A.A. DI LELLA, *The Book of Daniel* (Anchor Bible, 23), Garden City, NY, 1978), p. 212; M.P. CASEY, *Son of Man. The Interpretation and Influence of Daniel 7*, London, 1979, pp. 35-38; Arthur J. FERCH, *The Son of Man in Daniel Seven* (Andrews University Seminary Doctoral Dissertation Series), Berrien Springs, MI, Andrews University Press, 1979, pp. 40-107; Chrys C. CARAGOUNIS, *The Son of Man* (WUNT, 38), Tübingen, Mohr, 1986, pp. 36-41.

4. In the early part of the twentieth century, Iranian backgrounds for apocalypticism were in vogue. See KOCH, *Das Buch Daniel*, pp. 231-233. Since these no longer figure in the discussion of Daniel 7 we will not discuss them here.

5. Otto EISSFELDT, *Baal Zaphon, Zeus Kasios und der Durchzug der Israeliten durchs Meer*, Halle, 1932, pp. 25-30.

proposal was made by John Emerton in 1958[6] (and independently by Leonhard Rost in the same year)[7]. Emerton argued that the juxtaposition of the man-like figure who comes with the clouds and the divine "Ancient of Days" derives from Canaanite mythology, where Baal, the rider of the clouds, is subordinate to El, the father of years. The proposed Ugaritic background of Daniel 7 derived support from the influential article of Carsten Colpe on ὁ υἱὸς τοῦ ἀνθρώπου, in *TDNT* and it has subsequently been endorsed by several scholars, although it also remains a matter of lively debate[8].

Recently a new element has been injected into the debate by Helge Kvanvig, who revives the claims of a Mesopotamian background, but with reference to the seventh century BCE "Vision of the Underworld" rather than to the Enuma Elish[9]. Kvanvig's proposal has some *prima facie* attractiveness, since the first six chapters of Daniel are set in Babylon, and Babylonian parallels have figured prominently in the discussion of other early apocalyptic texts[10]. It also provides a new focus for questions about the criteria for determining religio-historical parallels, and about the significance of these parallels for understanding a text.

A few preliminary matters may be addressed at the outset. On the most elementary level, it should be clear that the parallels are of significance for the sense of the text, rather than for its reference. Gunkel was not suggesting that the pious Jews of the Maccabean era were looking to Marduk for deliverance, but that familiarity with the Enuma Elish can help us better understand how they envisaged their

---

6. J.A. EMERTON, *The Origin of the Son of Man Imagery*, in *Journal of Theological Studies* 9 (1958) 225-242.

7. Leonhard ROST, *Zur Deutung des Menschensohnes in Daniel 7*, in G. DELLING (ed.), *Gott und die Götter. Festgabe für Erich Fascher zum 60. Geburtstag*, Berlin, 1958, pp. 41-43. A. BENTZEN, *Daniel* (Handbuch zum Alten Testament, 19), Tübingen, ²1952, pp. 58-65; *King and Messiah*, Oxford, ²1970, pp. 73-75, argued that Daniel 7 was an adaptation of the supposed pre-exilic *Thronbesteigungsfest*, or festival of the enthronement of Yahweh, and included motifs of Canaanite origin, although he also endorsed the view that the "Son of Man" was the primal man.

8. J.J. COLLINS, *The Apocalyptic Vision of the Book of Daniel* (Harvard Semitic Monographs 16), Missoula, MT, 1977, pp. 95-106; J. DAY, *God's Conflict with the Dragon and the Sea* (University of Cambridge Oriental Publications 35), Cambridge, 1985, pp. 151-178; J. GOLDINGAY, *Daniel* (Word Biblical Commentary), Dallas, 1989, p. 151.

9. H. KVANVIG, *Roots of Apocalyptic* (WMANT, 61), Neukirchen-Vluyn, 1988, pp. 389-441. The vision was originally published by E. EBELING, *Tod und Leben nach den Vorstellungen der Babylonier*, Berlin & Leipzig, 1931, pp. 1-9 and re-edited by W. VON SODEN, *Die Unterweltsvision eines assyrischen Kronprinzen*, in *Zeitschrift für Assyriologie* 9 (1936) 1-31 (= *Aus Sprache, Geschichte und Religion Babyloniens. Gesammelte Aufsätze*, Naples, 1989, pp. 29-67). English translations can be found in KVANVIG, *Roots of Apocalyptic*, pp. 390-391 and in *ANET* 109-110 (E.A. SPEISER).

10. See e.g. J. VANDERKAM, *Enoch and the Growth of an Apocalyptic Tradition* (Catholic Biblical Quarterly Monograph Series, 16), Washington, D.C., 1984.

situation. To say that the one like a son of man "is" Marduk, or the Canaanite Baal, pertains to a different level of meaning than the claim that he should be identified as the archangel Michael or as a symbol for the Jewish people. It is to say that he functions in a manner similar to the way Marduk, or Baal, functions in the pagan myths. This distinction is elementary, but is sometimes missed by those who polemicize against religio-historical parallels[11].

Second, some critics demand "congeniality in ideological standpoint between the presumed background and the author of our text"[12], with the implication that pagan mythology is in principle not congenial to the work of a pious Jew. This formulation of the issue assumes that the ideological standpoint of the text is clear-cut, and risks confusing what is congenial to the text with what is congenial to the critic[13]. Appropriation of foreign motifs and thought patterns requires that some aspect of the presumed background be congenial to the author, but does not require identity of outlook. In Daniel 1–6, Daniel is cast in the model of the Babylonian wisemen, although his religious ideology is fundamentally different from theirs. By positing an area of similarity between Daniel and the Chaldeans, the authors of the tales are able to assert the superiority of Daniel and his God. Similarly, the use of imagery associated with Marduk or with Baal may serve to make the claim that Yahweh, not the pagan deities, is the true deliverer. Whether pagan myths constitute the background to Daniel 7 must be judged by the light they throw on the text, not pre-judged by modern assumptions about what is permissible for an ancient Jew.

Perhaps the main methodological problem in determining religio-historical influences concerns the degree of correspondence that must be found between the ancient myth and biblical text. Parallels, of course, are of various kinds. Some may concern isolated points. For example, the representation of the kingdoms of Persia and Greece by a ram and a he-goat has been explained from the signs of the Zodiac and their correlation with specific nations in Hellenistic times[14]. The astral background, however, does not illuminate the action described in

---

11. E.g. FERCH, *The Son of Man*, p. 64, contends that "the sea and the beasts of Dan 7 are interpreted as the earth and four kings or kingdoms and not as chaos symbols". To say that the beasts are chaos symbols is in no way incompatible with the interpretation as kings or kingdoms, since it pertains to a different level of meaning.

12. CARAGOUNIS, *The Son of Man*, p. 38.

13. CASEY, *Son of Man*, p. 18, allows that the imagery may have Canaanite roots, but insists that "from the author's own perspective... he was drawing on native Israelite imagery as a conservative defender of the faith might be expected to". Pre-conceived expectations about what imagery a conservative defender of the faith may use takes precedence here over the actual usage of the contemporary Jewish texts (e.g. 1 Enoch) which draw freely on material of diverse origins.

14. A. CAQUOT, *Sur les quatre bêtes de Daniel VII*, in *Semitica* 5 (1955) 5-13.

Daniel 8, the defeat of the ram and the subsequent blasphemous career of the little horn. Other parallels are structural in nature, and explain the way a complex of motifs is organized. So Kvanvig claims that the "Vision of the Netherworld" provided a model for Daniel 7 as a whole, and a similar claim can be made for the Baal myth from Ugarit[15].

It has been argued that motifs should not be "torn out of their living contexts" but "should be considered against the totality of the phenomenological conception of the works in which such correspondences occur"[16]. Such demands are justified when the objective is to compare the overall message of the myth and the biblical text, but this has never been the issue in the discussion of Daniel 7. Literary influence necessarily involves tearing motifs, or patterns, from one context and transferring them to another. In fact, the richness of the allusion depends precisely on the tension between the two different contexts. To take a familiar example, there is no doubt that Mark 13,26 ("then they will see the Son of Man coming in clouds with great power and glory") is influenced by Daniel 7. The Markan passage reproduces very little of Daniel's vision: it is not presented as a dream or a vision, there is no mention of the sea, or beasts, or the Ancient of Days. Yet the particularity of the description of the Son of Man is only intelligible if we catch the allusion to Daniel. The allusion is assured by the fact that a few motifs are clustered together (Son of Man, clouds, power and glory), but the correspondence is by no means complete. Mark 13 represents a reinterpretation, and therefore an alteration, of Daniel 7 rather than a reproduction.

On the other hand, for a significant structural parallel it is not enough that there be some resemblance between individual motifs. First, the manner in which the motifs are related to each other, and function within their context, is crucial. Not all the "Son of Man" sayings in the Gospels are necessarily related to Daniel 7. Second, while the two contexts are necessarily different, there must be some point of analogy between them, so that the use of the older text becomes appropriate and helpful. Mark 13 and Daniel 7 are linked by the fact that both are scenes of public eschatology and envisage a great historical crisis and its resolution.

We must allow, however, that whoever composed Daniel 7 was a creative author, not a mere copyist of ancient sources. It should be no surprise that his composition is a new entity, discontinuous in some

---

15. See also P. PORTER, *Metaphors and Monsters. A Literary-Critical Study of Daniel 7 and 8* (Coniectanea Biblica OT series 20), Lund, 1983, who attempts to explain the animal imagery in Daniel from the root metaphor of "shepherd".

16. A.J. FERCH, *Daniel 7 and Ugarit: A Reconsideration*, in *JBL* 99 (1980) 75; citing Claus WESTERMANN, *Sinn und Grenze religionsgeschichtlicher Parallelen*, in *TLZ* 90 (1955) 490-491 and Nahum SARNA, *Understanding Genesis*, New York, 1966, p. xxvii.

respects with all its sources. What is significant is whether the analogy with ancient myths throws light on the particular choice of motifs in Daniel's vision, and on the way in which those motifs are combined.

THE CANAANITE BACKGROUND

The Ugaritic material that is of primary interest for Daniel 7 is found in the Baal cycle (*CTA* 1–6) and more specifically in the conflict between Baal and Yamm (*CTA* 2). It must be emphasized that no one suggests that the author of Daniel knew this myth in the precise formulation found at Ugarit. The argument is similar to Gunkel's appeal to the *Enuma Elish*: the myth of Baal and Yamm is one formulation of a traditional narrative presupposed in Daniel 7, and can throw light on the choice of imagery and structure of relationships in the biblical text.

According to the Ugaritic myth, Yamm/Sea sends an embassy to the high god El to demand that Baal be given over to him. The gods are intimidated, and El is willing to comply, but Baal resists. A struggle between Baal and Yamm ensues. Baal is aided by the craftsman Kothar-wa-Khasis who tells him: "Truly I say to you, O Prince Baal, I repeat (to you) O Rider of the Clouds: Now your enemy, Baal, now your enemy you will smite, now you will smite your foe. You will take your everlasting kingdom, your dominion for ever and ever". Kothar-wa-Khasis then gives Baal magical clubs, with which he attacks and kills Yamm. Astarte instructs Baal to scatter Yamm, and when that is done there is a cry: "Yamm is indeed dead! Baal shall be king".

This last declaration and the words of Kothar-wa-Khasis to Baal make clear that what is at stake in the conflict is kingship among the gods. This kingship, however, is subject to that of El, as high god. Baal appears in harmonious subordination to El in a text published in *Ugaritica V*: "El sits next to Astarte, El the judge next to Hadad the shepherd"[17]. The view that Baal's kingship was subject to El is also reflected in the Phoenician history of Philo Byblios who says that "Zeus Demarous, who is Hadad, king of the gods" reigned by the consent of Kronos (El)[18]. When Baal succumbs to Mot (Death) in another episode of the cycle, El appoints Athtar as king in his place (*CTA* 6.1.43-65).

17. J. NOUGAYROL, et al., *Ugaritica V*, Paris, 1968, 2.2b-3a.
18. Eusebius, *Praeparatio Evangelica* 1,10,31. A.I. BAUMGARTEN, *The Phoenician History of Philo of Byblos. A Commentary* (Études Préliminaires aux Religions Orientales dans l'Empire Romain), Leiden, 1981, pp. 217-219, emphasizes the differences between the portrayals of El in the Ugaritic texts and in Philo, but concludes: "while comparisons between Ugaritic and Byblian El... are hazardous it would seem that the traditions about El in these two cities were similar. In the mythology of both towns El delegated authority to the younger gods while retaining ultimate and unchallenged supremacy for himself".

The conflict for universal kingship constitutes the first point of analogy between this myth and Daniel 7. In Daniel, the four beasts are kings or kingdoms, who are stripped of their dominion, while the "one like a son of man" receives everlasting dominion and a kingship that shall never be destroyed. Beyond this general analogy in context, there are parallels in a number of motifs and in the relationships between them.

Daniel's vision begins with the statement that "the four winds of heaven were stirring up the great sea". Out of this sea, four great beasts arise, but the sea is the source, and the beasts are its offshoots. There is no further reference to the sea in Daniel 7, and its presence in the vision must be explained from its traditional associations. Gunkel already noted the depiction of the sea in Hebrew poetry, as a force that has to be subdued by God and is associated with the monsters Rahab and Leviathan (who appears at Ugarit as Lotan, the twisting serpent). In view of the frequency of allusions to this tradition within the bible[19], there can be little doubt that the sea in Daniel 7 should also be understood in this context. The tradition is ultimately of Canaanite origin, but the symbolism of the sea is familiar from the Hebrew Bible, and does not in itself require direct acquaintance with Canaanite sources. Gunkel's most important insight has been vindicated, however. To say that beasts arise from the sea is not simply to say that kings will arise on the earth, despite the interpretation in Dan 7,17. The imagery implies that the kings have a metaphysical status. They are the embodiments of the primeval power of chaos symbolized by the sea in Hebrew and Canaanite tradition[20]. The depiction of the beasts in Daniel is drawn from other sources, but the source from which they rise, and so the dominant image in the opening part of Daniel's vision, has its ultimate origin in Canaanite myth.

The other complex of motifs in Daniel 7 that recalls Canaanite imagery concerns the "one like a son of man" and the Ancient of Days. Emerton observed the significance of the entourage of clouds, which normally denotes divine status in ancient Israel: "the act of coming with clouds suggests a theophany of Yahweh himself. If Dan. vii. 13 does not refer to a divine being, then it is the only exception out of

---

19. E.g. Job 26,12-13; Ps 89,8-11; Isa 17,12-14; 51,9-10.

20. Compare A. LACOCQUE, *The Book of Daniel*, Atlanta, GA, 1979, p. 138: "The nations proceed from chaos and are the works of chaos". KVANVIG, *Roots*, pp. 503-505, fully appreciates this point, although he favors a different derivation of the symbolism. In contrast, the point is missed by FERCH, *Daniel 7 and Ugarit*, p. 81 ("The sea and the beasts are interpreted as the earth and four kings or kingdoms and not as chaos symbols"). This is to ignore the associations of the imagery even within the biblical context. It should be noted that KVANVIG, *Roots*, p. 505, understands the "earth" of Dan 7,17 in a mytho-logical sense, as the underworld.

about seventy passages in the O.T."[21]. Yet in Daniel 7 the one who comes with clouds is clearly subordinate to the Ancient of Days. This configuration has no precedent in the biblical tradition. It is quite intelligible, however, against the background of Canaanite mythology, where Baal appears in subordination to El[22]. Moreover the descriptions of the two figures have affinities with the Canaanite gods. Baal's stock epithet in the Ugaritic texts is "rider of the clouds"[23]. El is called *ab šnm*, which is most frequently, and plausibly, taken as *abu šanima*, father of years[24], and is similar in sense to "Ancient of Days". Admittedly, the meaning of this phrase is disputed[25], and in any case it is a different epithet from what we find in Daniel. There is no dispute, however, that El is portrayed as an aged god in the Ugaritic texts[26], and that Daniel 7 is exceptional in the Hebrew Bible in depicting God in this way. The epithets of El also include that of "judge"[27], and he is attended by a divine council of the *bn qdš*, "sons of the holy one"[28].

There are, of course, also important differences between Daniel 7 and the Ugaritic myth. Daniel speaks of *four* beasts which come up out of the sea. The Canaanite myth is thus adapted to accommodate the schema of four kingdoms, which is already found in Daniel chap. 2. Second, the beast is not slain in combat, as was the case with Lotan and Yamm in the myth. Instead it is executed in a judicial assembly. We have here a distinctively Jewish adaptation of the myth, which emphasizes the sovereignty of the supreme God. In other texts of the biblical tradition, Yahweh is said to slay the dragon (Isa 51,9; 27,1). Here the executioner is not specified, but the sentence is presumably passed by the Ancient of Days. Since the "one like a son of man" receives dominion after the death of the beast, it is reasonable to

21. EMERTON, *The Origin*, pp. 231-232. Cf. Deut 33,26; Ps 68,5; 104,3.

22. *CTA* 2.1.21, *Ugaritica V* 2.2b-3a, cited above.

23. The objection of KVANVIG, *Roots*, pp. 507-508, that clouds were commonly associated with vegetation gods and not specific to Baal, is disingenuous, as he does not suggest any other vegetation god that is more relevant to Daniel. The "Vision of the Netherworld", which he proposes as background, has no place for such a figure.

24. *CTA* 1.3.24; 4.4.24; 6.1.36; 17.6.49. The phrase is taken as "father of years" by ROST, *Zur Deutung des Menschensohnes*, p. 42; F.M. CROSS, *Canaanite Myth and Hebrew Epic*, Cambridge, MA, 1973, p. 16; DAY, *God's Conflict*, p. 161, among others.

25. M. POPE, *El in the Ugaritic Texts*, Leiden, 1955, p. 33, suggests "father of exalted ones". O. EISSFELDT, *El im ugaritischen Pantheon*, Berlin, 1951, p. 30, proposed "father of mortals", while Cyrus H. GORDON, *El, Father of Sunem*, in *JNES* 35 (1976) 261-262 took *šnm* as the name of a god. None of these suggestions has proven persuasive. See DAY, *God's Conflict*, p. 161. The plural of "years" in Ugaritic is usually *šnt* rather than *šnm*, but this objection is not decisive as other words have variant plural forms (e.g. *r'iš*, head).

26. *CTA* 4.5.65-66: "You are great, El, you are indeed wise, the grey hairs of your beard indeed instruct you" (cf. *CTA* 3.5.10). See CROSS, *Canaanite Myth*, pp. 16-17.

27. *Ugaritica V* 2.2b-3a, cited above.

28. *CTA* 2.1.21.

assume that he has in some way triumphed over it. The importance of the judgment scene here may be related to the growing importance of the idea of a final judgment in the apocalyptic literature of the Hellenistic period.

Despite these differences between the Ugaritic texts and Daniel 7, the main ingredients of the biblical vision are already found in the ancient myths. What is important is the pattern of relationships: the opposition between the sea and the rider of the clouds, the presence of two god-like figures and the fact that one who comes with the clouds receives everlasting dominion. These are the relationships which determine the structure of the vision in Daniel 7. The old story has been given a new literary form, and adapted to fit a new historical situation, but the basic structure persists.

KVANVIG'S PROPOSAL

Kvanvig's proposal differs from those of Gunkel and Emerton in so far as it posits the dependence of Daniel 7 on a specific Akkadian text, the "Vision of the Netherworld". This text is introduced as "a night vision" or "dream". The dreamer finds himself in the Netherworld, where he sees 15 gods who have hybrid forms (e.g. one has the head of a lion, hands of men and feet of a bird). He also sees "one man" whose face was "similar to that of an Anzu bird" and who was armed with a sword and a bow. Then he sees "the warrior Nergal" on a royal throne, surrounded by the Annunaki, the great gods, with lightning flashing from his arms. The god is about to put him to death, but the divine counsellor intervenes. Nergal then rebukes him for dishonoring the queen of the Netherworld. He tells him that "this [spirit] which you saw in the nether world, is that of the exalted shepherd: to whom my father... the king of the gods, gives full responsibility...". He goes on to speak of "your begetter, ... wise in speech, broad in understanding" who nonetheless "closed his ear for his sp[ee]ch, ate the taboo and stamped on the abomination" and threatens to "throw you down to the winds"[29]. After the dreamer awakes, the account concludes with a third person account of how he praised Nergal and Ereshkigal, and how the scribe resolved to do always what Nergal commanded.

Kvanvig claims that this vision shares with Daniel 7 basic features of

---

29. This passage of the dream is problematic, largely because of a lacuna before the reference to "your begetter". Kvanvig interprets the "exalted shepherd" as an "ideal king" with whom the father of the visionary is contrasted. The threat at the end applies to both the visionary and his father. Speiser's translation, in contrast, implies that the "exalted shepherd" is identical with the visionary's father. Kvanvig identifies the visionary as a son of King Esarhaddon (680-669 BCE).

both form and content. As regards form, it is true that both are dream visions, and both have similar "frames" (introductory and concluding statements) in the manner typical of Near Eastern dream accounts[30]. The dreams, however, are of different types. Daniel 7 is a symbolic dream, which is followed by an interpretation. The "Vision of the Netherworld" is a "message dream" which culminates in a speech by the god to the visionary, which requires no interpretation[31]. Unlike Daniel, the dreamer in the vision is involved in the action of the dream[32]. Formally the Akkadian vision is of great interest for the background of early Jewish apocalypses, but is more relevant to the other worldly journeys of Enoch than to the symbolic vision of Daniel. Much closer formal models for Daniel 7 can be found in the dreams in chaps. 2 and 4, or even in the less developed "night visions" of Zechariah. Moreover, while the motif of kingship appears in the Akkadian vision, it is primarily concerned with the fate of the individual visionary himself. There is no such concern in Daniel 7, and it is difficult to see any analogy in theme between the two visions.

Kvanvig compares the pattern of content of the two visions under five headings:

1. Action of nature (the winds and the sea in Daniel). It is admitted that there is no parallel at this point[33].

2. The "monsters". Daniel describes four beasts. Whether the 15 gods of the vision are really analogous is questionable. The point of comparison is that both are hybrid in form, and some of the same constituent parts occur in both, but not in the same combination[34]. What this

30. A.L. OPPENHEIM, *The Interpretation of Dreams in the Ancient Near East*, Philadelphia, 1956, p. 187.

31. OPPENHEIM, *ibid.*, p. 185. KVANVIG, *Roots of Apocalyptic*, p. 445, tries to blur the distinction by claiming that the Akkadian dream also has a symbolic feature in so far as the "one man" is interpreted as the "ideal king". In fact the man is *identified* as the king, but his human form is realistic, not symbolic.

32. Again, KVANVIG attempts to blur the difference by claiming that "Daniel moves in front of the throne to ask for the interpretation of the vision" (*Roots of Apocalyptic*, p. 446). In fact Daniel is not said to move in front of the throne. He acts within the dream, to ask for the interpretation, but this action is outside the frame of the symbolic vision.

33. KVANVIG, *Roots*, pp. 503-505, does, however, propose a Mesopotamian background for the sea: "In Mesopotamian mythology Apsu, the subterranean water-deep, was regarded as the abode of strange composite creatures of different kinds. These could be of benevolent or malevolent character". Kvanvig's understanding of the imagery is influenced by the fact that he regards the vision of the man from the sea in 4 Ezra 13 as independent of Daniel 7, and as an instance where a benevolent character rises from the sea. Most scholars, however, see 4 Ezra 13 as derived from Daniel 7, and not as an independent witness to the symbolism of the sea, which is entirely malevolent in Daniel.

34. E.g. the first beast in Daniel 7 is a lion with eagles wings. It is made to stand on 2 feet and is given a human heart. In the "Vision", one god is a lion standing on its hindlegs, and several have lion heads, while a god with no lion features has wings. There is no mention of a human heart. KVANVIG, *Roots*, pp. 536-537, exaggerates the correspondence by combining features from different gods as parallels to individual beasts.

suggests is that the conception of the beasts in Daniel is influenced in a general way by the hybrid forms which are typical not only of this text but of Mesopotamian mythology and art in general.

3. God on the throne. In both visions a god is seated for judgment and surrounded by attendants and by fire. The significance of this parallel is diminished, however, by the fact that fire is very frequently associated with theophanies and Near Eastern gods are commonly surrounded by their council[35]. The location of the scene in the Netherworld constitutes a significant point of difference over against Daniel.

4. The judgment. In both visions the god acts as judge, but that is the extent of the parallel. In Daniel the one being judged is a beast from the sea, in the "Vision" it is the visionary himself[36]. The accusation in Daniel is not stated explicitly, but is presumably related to the "great words" the horn was speaking. The accused in the Vision does not display any similar defiance. In Daniel the beast is slain, in the Vision there is a reprieve.

5. The ideal ruler, designated as a man. This is the most dubious of all the analogies proposed by Kvanvig. Daniel 7 announces the coming of "one like a son of man" who stands in contrast to the beasts from the sea. He is an ideal ruler in the sense that he receives the eschatological kingdom. There is no analogous figure in the Akkadian vision. There the dreamer is told that the man he saw in the dream is "the exalted shepherd... to whom the king of the gods gives full responsibility..."[37], but he is evidently an historical king whose reign is either present or already past[38]. In no case is the Assyrian king given everlasting dominion. The expression "one man" (ištēn etlu) appears in several Akkadian dream reports[39]. The role of this figure can vary. In some cases he comes to the aid of the dreamer (e.g. Gilgamesh) but he does not act in the "Vision of the Netherworld", and it is not apparent that he is an intermediary between gods and men[40]. All that can be inferred from the phrase is that it was frequently used for significant figures in dreams. In biblical visions, too, human figures often appear (Dan 8,15;

---

35. KVANVIG, Roots, p. 445: "Such visions of the supreme god, sitting on his throne, surrounded by attendants, are well attested in Old Testament and Jewish texts, as well as in Mesopotamia".

36. Kvanvig describes the accused in both visions as a "rebel king" but this is to obscure fundamental differences.

37. Von Soden and Speiser read the verb in the past tense.

38. KVANVIG, Roots, p. 433, identifies him as Sennacherib. Speiser's translation implies that he is identical with the visionary's father.

39. KVANVIG, Roots, p. 415. Examples are found in the dreams of Gilgamesh, the death dream of Enkidu, the dreams of the righteous sufferer in Ludlul Bel Nemeqi and a dream of Nabonidus (ANET 309-310).

40. Contra KVANVIG, Roots, p. 421. The expression refers to dead humans in a number of cases.

9,21;10,5, etc.). Here again the parallel between the two visions is quite limited and of a general nature.

Kvanvig has argued that the parallels between Daniel and the Akkadian vision "indicate a dependence" since "they occur in two night-visions with the same sequence of basic content"[41]. This claim involves considerable exaggeration. Both visions involve hybrid beings, a human figure, a god on his throne and a judgment scene. The pattern of relationships between these elements, however, is entirely different in the two visions. In Daniel the hybrid beings are beasts from the sea and are in opposition to the human figure and the enthroned god. In the Akkadian vision, they are gods and not in opposition to any of the other parties. The human figure contrasts with the hybrid gods, as a different kind of being, but he is not in conflict with them and does not in any sense triumph over them. In the Akkadian vision the one accused in the judgment scene is the visionary himself. The visions have a very different setting: the Akkadian one is in the Netherworld. The theme of the two passages is also quite different: Daniel is concerned with universal kingship, the "Vision" with the fate of the visionary.

The comparison between the Vision of the Netherworld and Daniel 7 breaks down precisely at those crucial structural points where the analogy with Canaanite myth was most helpful. The Akkadian text has neither sea nor clouds; there is no opposition between the hybrid gods and the human figure, no destruction of a monster and no conferral of everlasting dominion. The Canaanite myth provides a much better explanation for the configuration of the key motifs in Daniel 7. It is also more directly relevant to the central theme of universal kingship.

THE TRANSMISSION OF THE CANAANITE MATERIAL

The most persistent objection to the view that Daniel 7 is influenced by Canaanite mythology concerns the long interval between the date of the Ugaritic texts (14th century BCE) and the composition of Daniel. Given the paucity of our sources for Canaanite religion after Ugarit, and the highly selective nature of the biblical tradition, it is hardly surprising that the lines of transmission cannot be traced conclusively. We must be content to demonstrate the possibility that the author of Daniel had access to these traditions, whether through Jewish or gentile channels.

An extensive attempt to reconstruct the background of Daniel 7 in later pagan traditions has been made by Rollin Kearns[42]. It is possible

---

41. KVANVIG, *Roots*, p. 457.
42. R. KEARNS, *Vorfragen zur Christologie* III, 1982, pp. 3-82.

to demonstrate the continued vitality of the cult of Baal Haddad, the Baal of the Ugaritic texts, into the Christian era[43], but we lack texts to fill out the traditions associated with the cult in the later period. Our most important literary source, the *Phoenician History* of Philo Byblius, certainly contains Canaanite traditions, but has reconceived them in Hellenistic categories, so that their recovery requires careful analysis[44]. In any case the material in Philo sheds little light on Daniel 7. Kearns has argued that the cult of Baal Haddad in Palestine had produced an eschatological, apocalyptic reformulation of the tradition, which was then taken up by Jewish writers[45]. The existence of this pagan tradition, however, is inferred from the Jewish texts, Daniel 7 and 4 Ezra 13. It is not attested in any pagan source, and so is extremely hypothetical.

The pagan cult introduced into Jerusalem by Antiochus Epiphanes is generally recognized to have involved the worship of Baal Shamem, whence several allusions involving the word *šmm*, make desolate, in Daniel[46]. Here again we know relatively little about the symbolism of the cult[47]. Many scholars object that precisely because of the Canaanite background of the cult introduced by Epiphanes, the author of Daniel would not have used symbolism that was known to have any Canaanite associations[48]. This argument is not as compelling as it may initially seem. Use of the imagery from another cult does not necessarily reflect any compromise with its practice. An author may borrow symbolism in order to polemicize against its source – Hosea's use of Canaanite imagery is a well-known case in point. Daniel's portrayal of Antiochus Epiphanes as (the little horn on) the beast from the sea is all the more scathing if its mythological overtones are fully recognized, in view of the king's devotion to Baal/Zeus Olympius.

43. *Ibid.*, pp. 45-57.
44. See BAUMGARTEN, *The Phoenician History*, pp. 265-266: "Philo has taken what were, in his time, recent versions of ancient Phoenician traditions. In the process of presenting them, Philo has revised them to make them fit his own personal theories".
45. KEARNS, *Vorfragen* III, pp. 98-100.
46. Dan 8,13; 9,27; 11,31; 12,11. The role of Baal Shamem (identified with Zeus Olympius) corresponds to that of El rather than Baal/Haddad. See R.A. ODEN, *Baal Shamem and El*, in *CBQ* 39 (1977) 457-473.
47. Zeus Olympius appears as a throned figure on the reverse of coins of Antiochus Epiphanes, but the imagery is not distinctive enough to warrant any conclusions. The thesis of J. MORGENSTERN, *The "Son of Man" of Daniel 7:13f. A New Interpretation*, in *JBL* 80 (1961) 65-77, that Daniel 7 reflects a reform of Tyrian solar religion by Antiochus Epiphanes, is universally rejected as too conjectural. See also his *The King-god among the Western Semites and the Meaning of Epiphanes*, in *VT* 10 (1960) 138-197.
48. E.g. P. MOSCA, *Ugarit and Daniel 7: A Missing Link*, in *Biblica* 67 (1986) 499: "I seriously doubt that the impeccably orthodox Jewish author of Daniel 7 would turn to such a source for inspiration...". One wonders by what canon "orthodoxy" was judged impeccable in the second century BCE. Daniel shows considerable freedom in drawing motifs and ideas from various sources, and the idea of resurrection, with which the book culminates, was scarcely established orthodoxy at that time.

Nonetheless, it is easier to suppose that the author of Daniel was using imagery which had long been at home in the religion of Israel. In fact, as we have seen, several aspects of this imagery are well attested in the Hebrew Bible – the chaotic sea, with its monsters, the rider of the clouds, the heavenly council[49]. The one point that is difficult to reconcile with the biblical tradition is the juxtaposition of two apparently divine figures, the one like a son of man and the Ancient of Days. Otto Eissfeldt argued that a few biblical passages show Yahweh as distinct from and subordinate to El Elyon[50]. In Deut 32,8 Elyon is said to divide the nations according to the number of the sons of El[51], and Israel falls to Yahweh's portion. In Ps 82 God (*elohim*) stands in the council of El and reminds the gods that they are all "sons of Elyon". These passages certainly testify to a fuller mythology in ancient Israel than is normally acknowledged in the Hebrew Bible. Whether either passage necessarily understands Yahweh as subordinate to Elyon is questionable[52]. It is unlikely, in any case, that such an understanding would have persisted down to the time when Daniel was written. It is interesting to note, however, that the Melchizedek scroll from Qumran understands the *elohim* of Ps 82 to refer, not to Yahweh, but to Melchizedek, a heavenly being subordinate to Yahweh[53]. The old mythology has been adapted so that there is no doubt of the supremacy of Yahweh, while some functions assigned to Yahweh in the older texts are now assigned to an angel. We do not know when this kind of adaptation was introduced into the Jewish tradition. It may well be presupposed in the juxtaposition of the "one like a son of man" and the Ancient of Days in Daniel 7.

Many scholars have seen the *Sitz-im-Leben* of Canaanite mythology in Israelite religion in the royal cult[54]. The most specific proposal in this regard has been offered by Paul Mosca, who claims to find in Ps 89 a crucial link between the Canaanite mythology attested at Ugarit, on the one hand, and Daniel 7 on the other. The Psalm celebrates the incompatibility of Yahweh in "the assembly of holy ones" and grounds his primacy in his control over "the swelling of the sea" (vs 10) and slaying of Rahab (vs 11). It proceeds to describe his throne (vs 15) and

---

49. Mosca, *Ugarit and Daniel 7*, pp. 500-501, lists 16 points at which Daniel 7 has "a demonstrably biblical pedigree".

50. Otto Eissfeldt, *El and Yahweh*, in *JSS* 1 (1956) 25-37.

51. Hence LXX, "angels of God". See 4QDeut^q (P.W. Skehan, *A Fragment of the Song of Moses from Qumran*, in *BASOR* 136 [1954] 12-15). MT reads "sons of Israel".

52. See Emerton, *The Origin of the Son of Man Imagery*, p. 241.

53. 11QMelch 2,9-10. Paul J. Kobelski, *Melchizedek and Melchireša'* (Catholic Biblical Quarterly Monograph Series 10), Washington, 1981, p. 8.

54. E.g. Bentzen, p. 64; Emerton, *The Origin of the Son of Man Imagery*, pp. 240-242. Goldingay, *Daniel*, p. 151, thinks rather of learned circles in Judaism.

proclaim his kingship (vs 19). Thus far we can see a parallel between Yahweh in the Psalm and Baal's victory over Yamm in the Ugaritic texts. Mosca, however, argues that Yahweh is assimilated to El and that the role of Baal is transferred to the Davidic king, of whom it is said, in vs 26, "I will set his hand upon the sea, his right hand upon the rivers". The king is God's son[55], as Baal is son of El, and he too is granted everlasting dominion (vss 30, 37)[56]. We see here many of the ingredients of Daniel's vision, presented as the indirect report of a vision (vs 20). There is also other evidence that the Davidic king was regarded as an *elohim* under Yahweh: he is addressed as such in Ps 45,7[57]. While none of this provides a clear prototype for the scene in Daniel 7, it shows that many of the motifs associated with the Baal myth were adapted to Israelite religion in the period of the monarchy[58].

There can be no doubt that many more mythological traditions were transmitted in Second Temple Judaism than are now extant in the Hebrew Bible[59]. Glimpses of such traditions can be seen in the so-called "Apocalypse of Isaiah", which alludes to Leviathan (27,1), the destruction of Mot, or Death (25,8), and an enigmatic punishment of the host of heaven (24,21-23). Other mythological traditions come to light in the extra-biblical apocalypses such as *1 Enoch* and in the Dead Sea Scrolls, and it is generally agreed that all this material was not created *de novo* in the Hellenistic period[60]. The *possibility* that Daniel 7 drew on more extensive traditions than are now attested in the Hebrew Bible, and which were ultimately of Canaanite origin, can hardly be disputed. Unfortunately, for the present we must be content with the possibility and hope that some future textual discoveries will clarify the

55. Ps 89,27-28. Compare Pss 2,7; 110,3.

56. Mosca also construes Ps 89,37–38 ("His line shall continue forever, and his throne endure before me like the sun. It shall be established forever like the moon, an enduring witness in the skies.") to mean that the Davidic throne is "in the skies" but it is easier to take it that the moon is in the skies, and that the point of comparison is the permanence of the throne. See MOSCA, *Once Again the Heavenly Witness of Psalm 89:38*, in *JBL* 105 (1986) 27-37.

57. Ps 89 is much more modest in this regard. See MOSCA, *Ugarit and Daniel 7*, p. 513.

58. The gap can not be bridged by appeal to Ps 8, where *ben adam* (the son of man, as a generic term for humanity in parallelism to *enoš*) is given supremacy over all creatures of land and sea, as the context there is reminiscent of Genesis 2 rather than of the *Chaoskampf* (*pace* MOSCA, *Ugarit and Daniel 7*, pp. 516-517).

59. This point is made validly, though with exaggeration, by Margaret BARKER, *The Older Testament*, London, 1987.

60. Interest in ancient myths was a widespread phenomenon in the Hellenistic age, as witnessed by Philo of Byblos, Berossus of Babylon and the use of old Egyptian traditions in the Potter's Oracle (see COLLINS, *The Apocalyptic Vision of the Book of Daniel*, pp. 102-103). MOSCA, *Ugarit and Daniel 7*, p. 499, makes the apt observation that in each case the author turns to old traditions of his own culture, not that of his neighbor. This point lends weight to the view that the Canaanite traditions had been assimilated to Judaism long before the time of Daniel.

exact channels by which this material was transmitted. The fact remains, however, that the ancient Canaanite myths provide the most adequate background for understanding the configuration of motifs which we find in Daniel 7.

CONCLUSIONS

In conclusion, I would like to draw attention to some of the implications of reading Daniel 7 against a background of Canaanite mythology.

The first concerns the literary unity of Daniel 7. There is a long tradition, especially in German scholarship, that posits source divisions within the chapter, and would attribute the so-called "Son of Man psalm" to a different source than the vision of the beasts from the sea. Both the sea and the rider of the clouds have integral parts in the Canaanite myth. Any source division that separates the sea from the heavenly figures can hardly be credible.

The second concerns the unity of the Book of Daniel. The religio-historical background which we have posited for Daniel 7 is quite different from what we find in Daniel 1-6. To be sure there is continuity, which indicates that the author of cap. 7 deliberately connected his vision with the older tales. The most obvious point of continuity is with the four-kingdom schema of chap. 2 and in a more general way with the theme of succession to world dominion, which is pervasive in chaps. 1-6[61]. The specific imagery with which the kingdom theme is filled out in Daniel 7, however, is no longer drawn from stories about Babylonian and Persian kings, but from old traditions that had probably been at home in the Jerusalem cult. This observation supports the view that Daniel 7 comes from a different time and historical context than chaps. 1-6[62].

Perhaps the greatest significance of the mythic background, however, lies in its implications for the kind of literature we have in Daniel 7. These are not steno-symbols which can be decoded and discarded, as Norman Perrin would have it[63]. Rather, the power of the vision lies in its evocation of a pattern which transcends any particular historical situation. From Daniel's perspective, the struggle between Antiochus Epiphanes and the Jews was a re-enactment of a primordial struggle

---

61. The first beast of chap. 7, which was given a human heart, must also be related to the transformation of Nebuchadnezzar in chap. 4 (KVANVIG, *Roots*, p. 487).

62. It should be noted, however, that Daniel 7-12 draws traditions from many sources, and can not all be explained from a Canaanite background.

63. *Eschatology and Hermeneutics: Reflections on Method in the Interpretation of the New Testament*, in *JBL* 93 (1974) 11.

between the chaotic forces of the Sea and the rider of the clouds, which had been recurring from time immemorial. It was therefore even more terrible than it might seem, but there were grounds for reassurance, since the outcome was known. Such a view of history could not be adequately articulated in plain prose, but required the symbolism most richly provided by the ancient myths.

Divinity School   John J. COLLINS
University of Chicago
Chicago, IL, 60637, U.S.A.

DER MENSCHENSOHN
UND DIE HEILIGEN (DES) HÖCHSTEN

EINE LITERAR-, FORM- UND TRADITIONSGESCHICHTLICHE UNTERSUCHUNG ZU DANIEL 7

Die Beschäftigung mit dem Menschensohn und den Heiligen (des) Höchsten in Dan 7 hat bisher in der alt- und neutestamentlichen Exegese eine fast unübersehbare Fülle von wissenschaftlichen Untersuchungen hervorgebracht, ohne daß man bei allen diesen Bemühungen auch nur annähernd schon einen Konsens erreicht hätte[1]. So ist die Beurteilung zentraler Problembereiche wie etwa der Literar-, Form- und Traditionsgeschichte von Dan 7 nach wie vor kontrovers. Stellt das Kapitel literarisch eine Komposition aus heterogenen Textelementen – beispielsweise aus einer Vier-Tiere-Vision und einer Gottesthron-Menschensohn-Vision – dar? Oder ist das Kapitel in seiner jetzigen Gestalt erst das Ergebnis eines durch Aktualisierung geförderten Wachstums? Handelt es sich in Dan 7 formgeschichtlich um einen symbolischen Traum oder um einen apokalyptischen Visionsbericht? Und was ergibt sich aus diesem Befund an hermeneutischer Konsequenz? Läßt sich für das in Dan 7 dargestellte Visionsgeschehen und seine Interpretation eine Verwurzelung in der alttestamentlichen Tradition wahrscheinlich machen? Oder bedarf es hierzu des Rückgriffs auf die Religionsgeschichte, speziell auf die altorientalische Mythologie?

Die vorliegende Untersuchung greift die hier nur sehr kurz angesprochene literar-, form- und traditionsgeschichtliche Problematik auf, um –

---

1. Vgl. hierzu den Forschungsbericht von K. KOCH (unter Mitarbeit von T. NIEWISCH und J. TUBACH), *Das Buch Daniel*, Darmstadt, 1980 sowie die dort noch nicht berücksichtigten Monographien von V. HAMPEL, *Menschensohn und historischer Jesus*, Neukirchen, 1990; H. KVANVIG, *Roots of Apocalyptic. The Mesopotamian Background of the Enoch Figure and of the Son of Man* (WMANT, 61), Neukirchen, 1988; C.C. CARAGOUNIS, *The Son of Man. Vision and Interpretation* (WUNT, 38), Tübingen, 1986; R. KEARNS, *Das Traditionsgefüge um den Menschensohn. Ursprünglicher Gehalt und älteste Veränderung im Urchristentum*, Tübingen, 1986; J. COPPENS, *Le Fils d'homme vétéro- et intertestamentaire* (BETL, 61), Löwen, 1983; G. GERLEMAN, *Der Menschensohn*, Leiden, 1983; S. KIM, *The Son of Man as the Son of God* (WUNT, 30), Tübingen, 1983. Vgl. dazu die Kommentare von J.J. COLLINS, *Daniel with an Introduction to Apocalyptic Literature*, Grand Rapids, MI, 1984; J.C. LEBRAM, *Das Buch Daniel*, Zürich, 1984, L.F. HARTMAN – A.A. DI LELLA, *The Book of Daniel* (AB, 23), New York, 1978; A. LACOCQUE, *Le Livre de Daniel* (CAT, 15), Neuchâtel-Paris, 1976; M. DELCOR, *Le Livre de Daniel* (SB), Paris, 1971; O. PLÖGER, *Das Buch Daniel* (KAT, 18), Gütersloh, 1965; N. PORTEOUS, *Das Danielbuch* (ATD, 23), Göttingen, 1962; A. BENTZEN, *Daniel* (HAT, 19), Tübingen, ²1952; J.A. MONTGOMERY, *The Book of Daniel* (ICC), Edinburgh, 1927; K. MARTI, *Das Buch Daniel* (KHCAT, 18), Tübingen-Leipzig, 1901.

soweit das angesichts der Komplexität der Aufgabenstellung überhaupt möglich ist – einen neuen Lösungsweg aufzuzeigen. Die redaktions- geschichtliche Problematik von Dan 7 kann in diesem Zusammenhang nur am Rande berücksichtigt werden, weil die dafür notwendige Aus- weitung der Textbasis im Rahmen der vorliegenden Untersuchung nicht möglich ist.

I. LITERARGESCHICHTLICHE UNTERSUCHUNG ZU DAN 7

A. ANALYSEN

In V. 1 steht die Zeitangabe »im ersten Jahr Belschazzars, des Königs von Babel« im Widerspruch zu dem in der Abfolge der Danielerzähl- ungen vorausgesetzten historischen Hintergrund, nach dem Belschazzar und die Herrschaft Babels schon der Vergangenheit angehören (Dan 5,30) und Daniel inzwischen am Hof des Meders Darius eine hohe Beamtenstelle bekleidet (Dn 6,1). Orthographisch fällt auf, daß die Schreibweise von »Belschazzar« sich hier von der in den älteren Texten des Danielbuches üblichen Schreibweise unterscheidet (Dan 5,1f.9.22f.), dafür aber mit derjenigen übereinstimmt, die in dem nach dem Vier- Reiche-Schema konstruierten »historischen« Rahmen einer jüngeren Redaktionsschicht gebraucht wird (vgl. Dan. 5,30; 8,1). Nimmt man den Umstand hinzu, daß die Zeitangabe in V. 1 zu dem Inhalt von Dan 7 keine erkennbare Beziehung aufweist, dann legt sich die Annahme nahe, daß hier derselbe Redaktor am Werk gewesen ist, der auch schon vorher einige auf den »historischen« Rahmen abzielende Zusätze in die Darstellung eingefügt hat (vgl. Dan 5,30; 6,1.29b).

Auch die weitere Aussage in V. 1, daß Daniel ein Traumgesicht schaute und anschließend niederschrieb, kann nicht als die ursprüng- liche Einleitung der Grundschicht von Dan 7 gelten, weil in dem ganzen Kapitel nirgendwo mehr von einem »Traumgesicht«, sondern nur noch von »Schauungen« die Rede ist (vgl. V. 2.7.13.15). Wohl aber findet sich mit gleicher Bedeutung die Schilderung eines »Traumgesichts« in der mit Dan 7 vergleichbaren Darstellung von Dan 2, wo die Rede von einem »Traumgesicht« ohne Zweifel ursprünglich ist. Die Parallelität der Aussagen von Dan 7 mit denen in Dan 2 führt daher zu dem Schluß, daß hier in V. 1 die Bemerkung über das von Daniel geschaute und anschließend niedergeschriebene Traumgesicht höchstwahrschein- lich von jenem Bearbeiter stammt, der die Grundschicht von Dan 7 mit der Danielüberlieferung in Dan 1-6 verbunden hat. Die das Wort von dem Traumgesicht ergänzende Wendung »und die Schauungen seines Hauptes auf seinem Lager«, die bei der weiteren Erwähnung des Traumgesichtes in V. 1b nicht mehr wiederholt wird, dürfte wohl auf einen Ergänzer zurückgehen, der sie hier, angestoßen durch die Schilderung der Reaktion Daniels auf die Schauungen seines Hauptes in V. 15 und in offenkundiger Anlehnung auf eine ältere Darstellung im Danielbuch (vgl. Dan 4,2), der Vollständigkeit halber eingefügt hat.

Die Bemerkung »Anfang der Worte. Er hat gesagt« in V. 1, die allem Anschein nach mit der von Daniel im Anschluß an die Schauung gewünschten »Deutung der Worte« in V. 16 zusammenhängt, kommt ebenfalls nicht als Einleitung der Grundschicht von Dan 7 in Frage. Die Bemerkung geht offenbar auf einen Ergänzer zurück, der die Schauung in Dan 7 als eine Wortoffenbarung verstanden hat, die, wie es hier schon der Plural »Schauungen« angedeutet hat (vgl. V. 7.13.15), nach seiner Auffassung in verschiedene Teile aufgegliedert ist – im Unterschied zu V. 28, wo der ganze Offenbarungsvorgang im Singular als »Wort« bezeichnet wird.

Die Redeeröffnung am Anfang von V. 2 »und Daniel hob an und sprach« fügt sich nur schwer in den Kontext ein, weil sie im Anschluß an die Aussage von der Schauung eines Traumgesichtes und dessen Niederschrift durch Daniel logischerweise nicht erwartet wird und weil sie nur mit anderen Worten wiederholt, was unmittelbar vorher schon mit dem Hinweis »Anfang der Worte. Er hat gesagt« ausgedrückt worden ist. Vergegenwärtigt man sich jedoch, daß dieser Hinweis erst nachträglich von einem Ergänzer der Kernaussage in V. 1 hinzugefügt worden ist, dann stellt die fragliche Redeeröffnung – mit ausdrücklicher Nennung des Subjekts »Daniel« – am Anfang von V. 2 höchstwahrscheinlich die in V. 1 vorher vergeblich gesuchte Einleitung zu der Grundschicht von Dan 7 dar; ihr hat der Bearbeiter dieser Grundschicht, wie man vermuten darf, die Aussage von der Schauung eines Traumgesichtes und dessen Niederschrift durch Daniel gleichsam als eine neue Situationsangabe vorangestellt. An diese Redeeröffnung am Anfang von V. 2 schließt sich dann die Visionsschilderung der Grundschicht von Dan 7 an, die in V. 2f. zunächst ohne irgendeinen Zusatz verläuft.

Die Darstellung in V. 4 weist einige Unausgeglichenheiten und Spannungen auf. So wird hier – im Unterschied zu der Darstellung des zweiten und dritten Tieres in V. 5f. – die Beschreibung des ersten Tieres durch die Wiederholung der Visionseröffnung von V. 2 »ich schaute« unterbrochen und mit der auf eine Wende im Ablauf des Visionsgeschehens hindeutenden Weiterführung »bis daß« fortgesetzt. Nun kommt die Wendung »ich schaute, bis daß« in dem Visionsbericht von Dan 7 nicht weniger als dreimal vor (V. 4.9.11), jedoch in semantisch unterschiedlicher Funktion. Während die Wendung »ich schaute, bis daß« sowohl in V. 4 wie auch in V. 11 auf die Darstellung der jeweiligen Tiere bezogen ist, in deren Ablauf sie auf eine wichtige Veränderung hinweist, leitet sie in V. 9 einen für das ganze Visionsgeschehen grundlegende Wende ein: eine Veränderung nämlich, die durch die Erscheinung des himmlischen Gerichtshofes und durch die Ablösung aller vier Tiere als Herrschaftsträger gekennzeichnet ist.

Innerhalb der Darstellung von V. 4 hat sodann, wie es scheint, im Zusammenhang mit der Einfügung der Wendung »ich schaute, bis daß« eine Erweiterung der Beschreibung des ersten Tieres unter gleichzeitiger Umdeutung der Vorlage stattgefunden. So hat hier der Ergänzer, der die Wendung »ich schaute, bis daß« in den Text eingefügt hat, die Aussage der Vorlage, daß dem Tier die Flügel ausgerissen wurden, offenbar als die Vorbereitung auf den anschließend berichteten Vorgang der Aufrichtung dieses Tieres angesehen, in dessen Verlauf man ihm ein Menschenherz eingepflanzt hat. Wahrscheinlich hat dem Ergänzer für diese Darstellung die Beschreibung des zweiten Tieres als Muster gedient, von wo er auch die Perfektform *hokimat*, jedoch mit Plene-Schreibung, übernommen hat. Auf diese Weise aber hat der Ergänzer die ursprünglich auf die Entmachtung des Tieres abzielende Aussage zu einem integrierenden Bestandteil der jetzt ganz auf die Rehabilitierung des Tieres ausgerichteten Beschreibung gemacht, die, wie die Forschung längst erkannt hat, auf die Darstellung in Dan 4 bezogen ist. Das Ziel all dieser Maßnahmen war, wie man ohne Schwierigkeit erkennt, bei der Darstellung der vier Tiere einen Ausgangspunkt zu gewinnen, von dem aus gesehen die Reihe eine deutlich absteigende Tendenz offenbart.

In V. 5 hat allem Anschein nach ein Ergänzer im Anschluß an die Aussage, daß das zweite Tier drei Rippen in seinem Maul hatte, noch zur Verdeutlichung hinzugefügt: »zwischen seinen Zähnen«. Die sachlich überflüssige und wohl erst in Anlehnung an die Darstellung des vierten Tieres entworfene Bemerkung soll vermutlich die Angriffshaltung des nach einer Seite hin aufgerichteten Tieres und ihre Bedrohlichkeit hervorheben. Diesem Ziel dient auch die abschließende Aussage, daß man dem Tier den Auftrag gab, viel Fleisch zu verzehren. Denn dieser Auftrag, der nicht nur als direkte Rede in dem Visionsbericht singulär ist, sondern auch keinerlei Subjekt als Auftraggeber nennt, verdeutlicht ebenfalls die in der Grundschicht beschriebene Angriffshaltung des Tieres, insofern hier mit Bezug auf die drei Rippen im Maul des Tieres, die als solche ein Bild für die restlose Vernichtung seiner Beute sind (vgl. Am 3,12), noch einmal die Furchtbarkeit dieses Herrschaftsträgers unterstrichen wird. Da aller Wahrscheinlichkeit nach diese Zusätze im Hinblick auf die historischen Meder und deren Werkzeugfunktion im Geschichtsplan Gottes (vgl. Jes 13,17f.; Jer 51,11.28) formuliert worden sind, dürfte hier derselbe Ergänzer am Werk gewesen sein, der auch schon in V. 4 die Darstellung mit Hilfe biblischer Assoziationen im Sinn des Vier-Reiche-Schemas historisch transparent gemacht hat.

Auch V. 6 weist einige Unausgeglichenheiten und Spannungen auf. So erweckt gleich am Anfang der Satz »danach schaute ich« den

Eindruck, eine verkürzte Nachbildung der Einleitung von V. 7 zu sein, die bis auf den Zusatz »in den Schauungen der Nacht« mit ihr völlig gleichlautend ist. Nun hat aber in V. 7 der Satz »ich schaute in den Schauungen der Nacht«, der die Visionseröffnung von V. 2 wiederaufgreift, innerhalb des Visionsberichtes eine offenbar strukturierende Funktion, insofern er den Bericht von dem Heraufsteigen der vier Tiere aus dem Urmeer in zwei Abschnitte gliedert, die sich in ihren Sachaussagen steigern und gleichzeitig ergänzen. Analog dazu hat in V. 6 ein Ergänzer das Heraufsteigen des dritten Tieres mit dem des zweiten ausdrücklich verbunden, weil er hier allem Anschein nach einen inneren Zusammenhang gesehen hat. Welcher Art dieser Zusammenhang nach der Auffassung des Ergänzers gewesen ist, läßt sich noch aus der Beschreibung des dritten Tieres ablesen, das, wie es mit auffälliger Betonung heißt, vier Vogelflügel auf seinem Rücken (oder: auf seinen Seiten) besaß. Möglicherweise hat der Ergänzer in dieser Beschreibung der Grundschicht einen Hinweis auf das bei Deuterojesaja geschilderte »Heranfliegen« des Kyros erblickt (Jes 41,3), der nach dem Vier-Reiche-Schema des Danielbuches als der Hauptvertreter des Perserreiches gilt (Dan 1,21; 6,29; 10,1). Nimmt man jetzt den Befund von V. 5 hinzu, wonach man dort die Beschreibung des zweiten Tieres mit Bezug auf die Meder verdeutlicht hat, dann geht man wohl nicht fehl in der Annahme, daß in V. 6 derselbe Ergänzer wie in V. 5 am Werk gewesen ist und daß er hier – ebenfalls im Sinne des Vier-Reiche-Schemas – auf die enge historische Verbindung von Medern und Persern hingewiesen hat.

In V. 7 nimmt die Einleitung »danach schaute ich in den Schauungen der Nacht« zwar die Visionseröffnung von V. 2 wieder auf, gehört aber selbst, wie es scheint, nicht mehr wie diese zur Grundschicht der Vision. Denn im Ablauf des Visionsberichtes in der Grundschicht ist ein Bezug der Zeitbestimmung »danach« auf die unmittelbar vorher berichtete Herrschaftsübertragung an das dritte Tier nicht gut möglich, weil in V. 6 über die Entfaltung dieser Herrschaft nicht die geringste Andeutung erfolgt und weil außerdem bei den einzelnen Tieren nicht die Herrschaftsübertragung als solche, sondern die Aufeinanderfolge der vier Herrschaftsträger (vgl. V. 3: »eins von dem anderen verschieden«) das Anliegen der Darstellung in dem Visionsbericht ist. Unter diesen Umständen aber bezieht sich die Zeitbestimmung »danach« auf das Auftreten der ersten drei Tiere in ihrer Gesamtheit, um so das Heraufsteigen des vierten Tieres als den Höhepunkt in der Erscheinung all dieser Herrschaftsträger zu bezeichnen. Die anschließende Wiederaufnahme der Visionseröffnung unterstreicht diese Absicht, läßt aber durch die pluralische Formulierung »in den Schauungen der Nacht« und durch die Auslassung der Präposition »während« erkennen, daß hier nicht mehr die Darstellung der Grundschicht, sondern das Werk eines

Bearbeiters vorliegt, der das Visionsgeschehen gegliedert und dabei in »Schauungen« aufgeteilt hat.

Innerhalb der mit der deiktischen Partikel »und siehe« beginnenden Grundschicht in V. 7 fällt auf, daß die Kennzeichnung des vierten Tieres als »furchtbar und schreckenerregend« noch durch eine Zusatzbemerkung »und überaus stark« weitergeführt wird. Während sich die beiden an erster Stelle genannten Prädikate semantisch ganz in den Rahmen der für die Grundschicht üblichen Tierbeschreibungen einfügen, ist die Zusatzbemerkung auf die Hervorhebung des vierten Tieres gegenüber den ersten drei Tieren ausgerichtet: ein Zeichen dafür, daß hier der Bearbeiter am Werk gewesen ist, der schon in der Einleitung von V. 7 seine Spur hinterlassen hat. Zur Grundschicht gehört hinwiederum in V. 7 die Aussage, daß das vierte Tier gewaltige Zähne aus Eisen besaß und dazu zehn Hörner auf seinem Kopf. Alle anderen Aussagen in V. 7, daß nämlich das vierte Tier fraß und zermalmte und noch den Rest mit seinen Füßen zertrat und daß es sich von seinen Vorgängern unterschied, verraten sich durch die Absicht, die außergewöhnliche Furchtbarkeit dieses vierten Tieres hervorzuheben, ebenfalls als Hinzufügungen durch den Bearbeiter.

Die Ausführungen in V. 8 unterscheiden sich sowohl im Vokabular wie auch in der Diktion von der bisher erkannten Darstellung beträchtlich. So erscheint anstelle der in Dan 7 regelmäßig verwendeten deiktischen Partikel *wa'ᵃrû* (V. 2.5f.7.13) die sonst nur in Dan 2,31; 4,7.10 vorkommende Form *wa'ᵃlû*, und dann gleich zweimal. Das in der Grundschicht für das Heraufsteigen der vier Tiere aus dem Großen Meer eingesetzte Verbum *sᵉlaq* (vgl. V. 3) beschreibt hier das Heranwachsen eines kleinen Hornes auf dem Kopf des vierten Tieres, wo drei der zehn Hörner vor ihm ausgerissen werden. Schließlich erscheint der in der Grundschicht nur attributiv gebrauchte Plural *rabrᵉbān* (vgl. V. 3.7) hier in der Form eines nominalen Objekts. Bei der szenischen Ausgestaltung des berichteten Geschehens fällt auf, daß hier in Anknüpfung an die Wiederaufnahme der Visionseröffnung in V. 7 und in offensichtlicher Weiterführung des damit verbundenen Anliegens der Berichterstatter seine Aufmerksamkeit ausdrücklich erwähnt und darüber hinaus noch durch den doppelten Einsatz der deiktischen Partikel *wa'ᵃlû* unterstreicht. Bedenkt man, daß die ganze Darstellung ohne logische und syntaktische Brüche verläuft und daß hier die in der Bearbeitung von V. 7 beobachtete Hervorhebung des vierten Tieres und seiner außerordentlichen Furchtbarkeit ihren Höhepunkt erreicht, dann ist, wie es scheint, der ganze V. 8 als das Werk des Bearbeiters der Grundschicht anzusehen.

In V. 9 hat die Wiederaufnahme der Visionseröffnung »ich schaute« mit der auf die Weiterführung des Visionsgeschehens hinweisenden Fortsetzung »bis daß« eine andere Bedeutung als in V. 4 (und auch in

V. 11). Geht es dort um eine Veränderung in bezug auf den jeweils beschriebenen Einzelgegenstand, so bezeichnet die Wendung »ich schaute, bis daß« hier in V. 9 eine Veränderung oder besser gesagt: eine Wende, die das Geschehen des ganzen Visionsberichtes betrifft, nämlich das dem Heraufsteigen der vier Tiere aus dem Großen Meer entgegengesetzte Kommen des Hochbetagten mit dem himmlischen Gerichtshof. Der Vers gehört daher ohne Einschränkung zur Grundschicht[2].

In V. 10 befindet sich innerhalb der in V. 9 begonnenen und hier fortgesetzten Schilderung des himmlischen Gerichtshofes eine Aussage über die himmlischen Heerscharen vor Gottes Thron, die sich durch einige Besonderheiten von ihrem Kontext unterscheidet. So verwendet die Aussage im Unterschied zu der übrigen Darstellung in V. 9f., die nur Partizipien und Perfektformen gebraucht, ausschließlich Imperfektformen. Sodann hat das Zahlwort 'al^{e}pîm eine hebräische Pluralendung, und schließlich weist das Metrum in diesem Stichos eine größere Anzahl von Hebungen auf, als dies sonst in V. 10 der Fall ist. Bedenkt man, daß die Aussage von der Tendenz bestimmt ist, gegenüber den Machtauswüchsen des vierten Tieres die unangreifbare Hoheit des Hochbetagten in seiner himmlischen Umgebung hervorzuheben, dann legt sich die Vermutung nahe, daß derselbe Bearbeiter, der V. 8 geschrieben hat, auch hier tätig gewesen ist.

Die Ausführungen in V. 11f. weisen eine Reihe von Unausgeglichenheiten und Spannungen in ihrem Verhältnis zum Kontext auf. Im Mittelpunkt der Ausführungen steht die mit »ich schaute, bis daß« eingeleitete Aussage in V. 11b, die von der Tötung des vierten Tieres

---

2. Gegen P. WEIMAR, *Daniel 7. Eine Textanalyse*, in *Jesus und der Menschensohn*. FS A. Vögtle, Freiburg, 1975, S. 11-36, der zwar mit Recht betont, daß der Gegensatz zwischen dem Kommen des Menschensohnes und dem Heraufsteigen der vier Tiere aus dem Großen Meer allein noch kein Argument für die ursprüngliche Zusammengehörigkeit der beiden Texteinheiten darstellt, aber dabei nicht beachtet, daß in V. 9 die Visionseröffnung »ich schaute« mit ihrer Weiterführung »bis daß« eine andere Funktion als in V. 4 und in V. 11 hat und daß hier bezeichnenderweise der auf den Bearbeiter zurückgehende Plural »in den Schauungen der Nacht« fehlt. Ähnliches gilt auch für K. MÜLLER, *Der Menschensohn im Danielzyklus*, in *Jesus und der Menschensohn*. FS A. Vögtle, Freiburg, 1975, S. 37-80, der in dem nach ihm nur redaktionell hergestellten Gegensatz der vier Tiere zu dem Menschensohn keine traditionsgeschichtliche Verbindung zu erkennen vermag und daher literarisch für das Auftreten des Menschensohnes eine ältere »Danielvorlage« (V. 9f.13) annimmt, deren Inhalt er so versteht, »daß hier ein bestimmter Engel in Erscheinung tritt, den der Hochbetagte dazu bevollmächtigt, authentischer Verkündiger und Vermittler seiner eschatologischen Strafgerichtsbarkeit zu sein« (50). Gegen eine solche literarische Aufteilung spricht jedoch die Beobachtung, daß in Dan 7 auf dem Höhepunkt des hier dargestellten Theophaniegeschehens die jetzt zu ihrer Vollendung gelangte Herrschaft des Hochbetagten über die ganze Schöpfung sich offensichtlich vorher als siegreich erwiesen hat, nämlich über das von den vier Winden des Himmels aufgewühlte Große Meer, und daß bei der Beauftragung des Menschensohnes nicht die Verkündigung und die Vermittlung des eschatologischen Strafgerichts, sondern die in der Vollmacht des Hochbetagten ausgeübte Weltherrschaft das zentrale Thema ist.

und seiner Vernichtung im Feuer spricht. Die Parallelität in der Konstruktion dieser Aussage zu V. 4, ihre Konzentration auf die Veränderung eines Einzelgegenstandes, der vom Kontext abweichende Wechsel im Ausdruck zur Bezeichnung des »Feuers« (*'ăššā* statt *nûr*) und nicht zuletzt der inhaltliche Bezug auf die in der Prophetie angekündigte Vernichtung der gottlosen Weltmacht im Feuer (vgl. Jes 30,33) führen allesamt zu der Annahme, daß hier wiederum wie schon in V. 4-6 der schriftgelehrte Ergänzer am Werk gewesen ist. Dieser Aussage hat in V. 11a ein weiterer Ergänzer den mit *bē'dayin* beginnenden Satz vorangestellt und zum Zeichen der Zugehörigkeit auch noch die Visionseröffnung hinzugefügt – trotz der syntaktisch ungewöhnlichen Abfolge der einzelnen Angaben –, so daß jetzt ein neuer Bezugspunkt für die Nachricht von der Tötung des vierten Tieres erscheint, nämlich die Gotteslästerung als Zeichen für seine Gerichtsreife. V. 12 hat deutlich den Charakter eines Nachtrags zu V. 11b, insofern er die im Anschluß daran aufkommende Frage nach dem Schicksal der übrigen drei Tiere mit der Feststellung beantwortet, daß deren Herrschaftsausübung begrenzt ist. Möglicherweise hat hier derselbe Ergänzer wie in V. 11a gewirkt.

In V. 13 liegt die Wiederaufnahme der Visionseröffnung »ich schaue« mit der Zusatzbemerkung »in den Schauungen der Nacht« auf der gleichen Ebene wie die mit ihr wörtlich übereinstimmende Einleitung von V. 7, wo lediglich kontextbedingt noch die Zeitbestimmung »danach« hinzugefügt worden ist; denn auch in V. 13 soll offenbar, ähnlich wie in V. 7, der in dem zweiten Teil des Geschehenszusammenhangs dargestellte Vorgang – dort das Heraufsteigen des vierten Tieres, hier die Herrschaftsübertragung an den Menschensohn – als der Höhepunkt der Darstellung gewertet und mit der entsprechenden Aufmerksamkeit verfolgt werden. Die Wendung »ich schaute in den Schauungen der Nacht« zu Beginn von V. 13 geht daher, wie man aufgrund der strukturellen Parallelität zu V. 7 behaupten darf, auf den Bearbeiter der Grundschicht zurück, die als solche auch hier wieder mit der deiktischen Partikel *wa'ᵃrû* einsetzt und dann bis zum Ende des Verses störungsfrei verläuft.

Im Anschluß an die Aussage in V. 14, daß dem Menschensohn »Herrschaft, Ehre und Königtum« gegeben wurde, heißt es, daß ihm »alle Völker, Stämme und Zungen« dienten. Die auf die räumliche Ausdehnung der Herrschaft des Menschensohnes bezogene Aussage unterbricht den Gedankengang in V. 14, der – in offenbar beabsichtigtem Gegensatz zu der vorher geschilderten Herrschaft der Tiere, die sowohl befristet wie auch vergänglich gewesen ist –, die Besonderheit der Machtfülle des Menschensohnes in deren Ewigkeit und Unzerstörbarkeit sieht. Demgegenüber entwirft die Aussage von der weltweiten Anerkennung des Menschensohnes und der ihm verliehenen Herrschaft ein Gegenbild zu der weltweiten Zerstörung und Vernichtung, die nach der Darstellung des Bearbeiters in V. 7f. das vierte Tier verursacht. Die sperrige Aussage in V. 14 geht daher wohl auf diesen Bearbeiter zurück.

Die Reaktion Daniels auf die ihm zuteil gewordene Vision erfolgt nach V. 15 in einer recht unterschiedlichen Weise. Während Daniel in seinem Geist verwirrt und durch »die Schauungen seines Hauptes« tief erschüttert ist, nähert er sich nach V. 16 unbefangen und voller Zuversicht einem der Dastehenden und erbittet von ihm genaue Auskunft über all das von ihm Geschaute. Der auffällige Unterschied erklärt sich, wenn man bedenkt, daß in V. 15 der Bearbeiter der Grundschicht eine mit V. 28 korrespondierende Rahmendarstellung geschaffen hat, die er mit einer ihm in V. 16a schon vorliegenden älteren Einleitung zu der Deutung des Geschauten verbunden hat. Zu dieser älteren Einleitung hat aller Wahrscheinlichkeit nach in V. 16b auch noch der als Überleitung zum Folgenden notwendige Passus »und er sagte zu mir« gehört, wohingegen die weitere Aussage in V. 16b, daß man Daniel die »Deutung der Worte« kundtun soll, wegen ihrer an die Diktion des Ergänzers (vgl. V. 1: »Anfang der Worte«) erinnernden Terminologie wohl auch hier als dessen Werk anzusehen ist. Weder zur Grundschicht der Menschensohnvision noch zu deren Bearbeitung gehört die wohl ebenfalls auf einen Ergänzer zurückgehende Glosse in V. 15 »inmitten der (Körper)hülle«.

In V. 17f. erfolgt die von Daniel erbetene Deutung des Geschauten. Der Umstand, daß hierbei weder die Furchtbarkeit des vierten Tieres (vgl. V. 7f.) noch das Gericht über dieses Tier (vgl. V. 11b) in irgendeiner Weise Erwähnung finden, daß dafür aber die Ewigkeit und die Unzerstörbarkeit des von Gott geoffenbarten endzeitlichen Königtums (vgl. V. 14) ausdrücklich berücksichtigt werden, läßt darauf schließen, daß hier in V. 17f. die Deutung des Visionsgeschehens aus der Grundschicht vorliegt, und zwar in ihrem unveränderten Wortlaut.

Über die in V. 17f. gegebene Deutung hinaus verlangt Daniel in V. 19f. noch weiteren Aufschluß, diesmal jedoch »über das vierte Tier« (V. 19) und »über die zehn Hörner auf seinem Kopf« (V. 20). Die Exklusivität dieser Thematik einerseits und deren Parallelität zu der von dem Bearbeiter gegebenen Schilderung des vierten Tieres (vgl. V. 7f.) andererseits, verbunden mit einer von der Grundschicht abweichenden Terminologie, legen die Vermutung nahe, daß hier nicht mehr die Grundschicht, sondern deren Bearbeitung zu Wort kommt. Allerdings dürfte die in V. 19f. über die Angabe der Thematik hinausgehende, umständliche Wiederholung der Einzelheiten von V. 7f. nicht mehr zu dieser Bearbeitung gehören, weil die Ausführungen nicht nur terminologisch und orthographisch auffällige Abweichungen aufweisen, sondern darüber hinaus auch noch Ergänzungen haben, für die sich in der Bearbeitung von V. 7f. keinerlei Anhaltspunkt findet.

Die Ausführungen über die Bitte Daniels, daß man ihm noch weiteren Aufschluß über das Geschaute gewähre, werden in V. 21f. durch einen kurzen Abschnitt weitergeführt, der in seiner Struktur eine gewisse Ähnlichkeit mit der jetzigen Gestalt von V. 11 besitzt. Wie dort folgt auch hier im Anschluß an die Wiederaufnahme der Visionseröffnung »ich schaute« zunächst die Darstellung eines sich bedrohlich steigernden Vorgangs, dessen Wende sodann, mit »bis daß« eingeleitet, im Folgenden beschrieben wird. So stellt Daniel nach V. 21f. in seiner Schauung fest, daß das kleine Horn mit den »Heiligen« im Krieg lag und sie dabei bezwang, bis dann mit der Erscheinung des Hochbetagten und der Übertragung des Gerichts an die »Heiligen (des) Höchsten« eine Wende eintrat und die Zeit kam, daß die »Heiligen« das Königtum in Besitz nahmen. Was an dieser Darstellung auffällt, ist die Tatsache, daß hier die »Heiligen (des) Höchsten« in einen engen Zusammenhang mit der Erscheinung des Hochbetagten gebracht und dadurch einem himmlischen Geschehen zugeteilt werden, während die »Heiligen«, wie es scheint, auf Erden zunächst in einem Krieg unterliegen, aber dann bereits jenes Königtum in Besitz nehmen dürfen, das nach der Deutung in V. 17f. erst in Zukunft von den »Heiligen (des) Höchsten« in Empfang genommen wird. Offensichtlich wird hier zwischen den »Heiligen (des) Höchsten« und den »Heiligen« ein Unterschied gemacht, der eine gewisse Analogie zu der Unterscheidung zwischen den »Heiligen (des) Höchsten« und dem »Volk« dieser »Heiligen des Höchsten« in V. 27 aufweist. Allem Anschein nach hat hier ein Ergänzer, der möglicherweise mit dem von V. 11a identisch ist, die Ausführungen des Bearbeiters der Grundschicht mit Bezug auf die erfolgreich verlaufene makkabäische Erhebung erweitert.

Die von Daniel zusätzlich gewünschte Deutung (vgl. V. 19f.) folgt in dem Abschnitt V. 23-27. Spannungen und Unausgeglichenheiten liegen hier zunächst in V. 25 vor, wo sich die Aussage, daß der gottlose König beabsichtigt, Zeiten und Gesetz zu verändern, und daß sie in seine Hand gegeben werden, im Kontext des Verses als sperrig erweist; denn zu der offenbar apokalpytischen Ankündigung, daß der gottlose König die Heiligen (des) Höchsten in arge Bedrängnis bringt, gehört ohne Zweifel auch die ihr entsprechende Zeitangabe, daß dies alles auf Zeit, Zeiten und eine geteilte Zeit geschieht. Die Aussage über die Veränderung von Zeiten und Gesetz und deren Auslieferung in die Hand eines gottlosen Königs weist dagegen einen anderen Vorstellungshorizont mit einer anderen Terminologie auf (*zimnîn* statt *'iddanîn* V. 25 und *yetîb* hitp. statt pe. pass. wie in V. 4.6.11f.14) und hat wohl – wie schon vorher die Aussage in V. 21f. – die Zeit der makkabäischen Erhebung im Blick. Auf denselben Ergänzer, der hier in V. 25b die Ausführungen des Verses konkretisiert hat, geht wohl auch die Aussage in V. 27b zurück, wo – in Anknüpfung an die Verheißung der Grundschicht in V.

14b – von einem ewigen Königtum des »Volkes« der Heiligen (des) Höchsten die Rede ist und von der Unterwerfung »aller Herrschaften« (Plural von *šolṭān*, nur hier im Danielbuch) unter dessen Regiment.

Die Reaktion Daniels auf die ihm zuteil gewordene Auskunft in V. 28 verläuft ebenso unterschiedlich wie schon vorher seine Reaktion auf die Schauung (vgl. V. 15f.). Auf der einen Seite erschrecken den Seher seine Gedanken, so daß sich sein Aussehen verändert, während auf der anderen Seite er das an ihn ergangene Wort in seinem Herzen bewahrt. Der Unterschied erklärt sich auch hier dadurch, daß in V. 28 zwei verschiedene Überlieferungsschichten miteinander verbunden worden sind, nämlich die Rahmendarstellung des Bearbeiters mit dem Hinweis auf die Erschütterung Daniels nach dem Empfang der Deutung und sodann die Abschlußbemerkung der Grundschicht, in der Daniel nicht nur das Ende der Mitteilung Gottes ausdrücklich feststellt, sondern auch mit Anknüpfung an das hierbei verwendete Stichwort *millāh* – die Bedeutung des von ihm Geschauten als eine Offenbarung von seiten Gottes anerkennt.

B. RESULTATE

Als das wohl wichtigste Resultat der literarkritischen Analyse von Dan 7 ist die Erkenntnis zu bezeichnen, daß sich die Darstellung des Kapitels als prinzipiell einheitlich erwiesen hat; eine Komposition des Kapitels aus heterogenen Textelementen ist nicht zu beweisen[3]. Vielmehr umfaßt die Grundschicht von Dan 7 zunächst eine Schauung, die sowohl das Heraufsteigen der vier Tiere aus dem von den vier Winden des Himmels aufgewühlten Großen Meer wie auch – in Entsprechung dazu – das Kommen des Menschensohnes in Verbindung mit der Erscheinung des Hochbetagten zum Gegenstand hat, und sodann eine Deutung, die das Geschaute damit erklärt, daß nach den vergeblichen Bemühungen von vier Königen um die Königsherrschaft in der Welt diese allein den Heiligen (des) Höchsten zum ewigen Besitz gegeben wird. Diese Grundschicht hat dann – allem Anschein nach bei ihrer Aufnahme in das aramäische Danielbuch – eine durchgehende Bearbeitung erfahren, die sich auf der einen Seite die Profilierung des visionären Geschehens und auf der anderen Seite die Charakterisierung des vierten Tieres sowohl in der Schauung wie auch in der Deutung zum Ziel gesetzt hat.

Darüber hinaus konnten auch noch Ergänzungen von verschiedener Hand festgestellt werden: an erster Stelle eine Reihe von Ergänzungen, die offenbar die Tendenz haben, die Darstellung der vier Tiere durch

---

3. Die Vielfalt und die Uneinheitlichkeit der Metaphern und Symbole sowie die Spannungen in der Aufeinanderfolge der einzelnen Szenen sind nicht mehr Gegenstand der Literarkritik, sondern der Form- und Traditionsgeschichte von Dan 7.

eine an dem Vier-Reiche-Schema ausgerichtete historische Transparenz zu stützen, und an zweiter Stelle eine wieder anders geartete Reihe von Ergänzungen, deren Ziel es ist, die Ausführungen des Bearbeiters der Grundschicht mit Bezug auf die Zeitgeschichte zu präzisieren. Die Frage, ob es sich bei diesen beiden Reihen von Ergänzungen möglicherweise um Bearbeitungsschichten handelt, kann hier im Rahmen einer nur auf Dan 7 beschränkten Untersuchung nicht beantwortet werden.

II. FORMGESCHICHTLICHE UNTERSUCHUNG ZU DAN 7

A. DIE GRUNDSCHICHT

1. *Struktur und Intention*

Es folgt zunächst eine Übersetzung der Grundschicht von Dan 7:

2   Daniel hob an und sprach:

Ich schaute in meiner Schauung während der Nacht:

Und siehe: die vier Winde des Himmels
wühlten das Große Meer auf.
3   Vier gewaltige Tiere stiegen herauf aus dem Meer,
eins von dem anderen verschieden.
4   Das erste sah aus wie ein Löwe,
es hatte Adlerflügel.
Ausgerissen wurden seine Flügel,
und es wurde von der Erde abgerückt.
5   Und siehe: ein anderes Tier,
ein zweites, es glich einem Bären;
es wurde nach einer Seite hin aufgerichtet,
und es hatte drei Rippen in seinem Maul.
6   Und siehe: ein anderes wie ein Panther;
es hatte vier Flügel auf seinem Rücken.
Auch vier Köpfe hatte das Tier,
und es wurde ihm Herrschaft gegeben.
7   Und siehe: ein viertes Tier,
furchtbar und schreckenerregend.
Es hatte gewaltige Zähne aus Eisen,
und zehn Hörner hatte das Tier.

9   Ich schaute, bis daß

Throne aufgestellt wurden
und ein Hochbetagter sich niederließ.
Sein Gewand war weiß wie Schnee
und sein Haupthaar rein wie Wolle.
Sein Thron war Feuerflammen,
und dessen Räder waren loderndes Feuer.
10   Ein Strom von Feuer ergoß sich

und flutete vor ihm her.
Das Gericht ließ sich nieder,
und Bücher wurden aufgeschlagen.

13 Und siehe: mit den Wolken des Himmels
kam einer wie ein Menschensohn;
er gelangte zu dem Hochbetagten
und wurde ihm vorgestellt.

14 Ihm wurde Herrschaft gegeben
und Ehre und Königtum.
Seine Herrschaft ist eine ewige Herrschaft,
die niemals vergeht,
und sein Königtum
ist nie zu zerstören.

16 Ich näherte mich einem, der da stand, und erbat Zuverlässiges von ihm
über all diese Dinge. Er sagte zu mir:

17 Diese gewaltigen Tiere,
deren es vier (an der Zahl) sind,
(bedeuten): Vier Könige
werden sich von der Erde erheben.

18 Aber empfangen werden das Königtum
die Heiligen (des) Höchsten;
sie werden das Königtum besitzen
bis in alle Ewigkeit.

28 Hier endet das Wort. Ich aber bewahrte das Wort in meinem Herzen.

Von ihrer Gesamtstruktur her präsentiert sich die Grundschicht von
Dan 7 als ein Text von beeindruckender Klarheit und Geschlossenheit.
Nach einer kurzen Redeeröffnung, deren ursprünglicher Bezug nicht
mehr erkennbar ist, folgt die Darstellung eines Visionsgeschehens, das,
formal betrachtet, in zwei deutlich voneinander abgehobene Hauptabschnitte von ungleicher Länge und mit unterschiedlichem Aufbau
zerfällt: nämlich in eine Schauung und eine ihr zugeordnete Deutung.
Der erste Hauptabschnitt, die Schauung, ist, wenn man die Visionseröffnung »ich schaute in meiner Schauung während der Nacht« und
deren Wiederaufnahme und Weiterführung »bis daß« als Struktursignal
ansieht, in zwei gleich lange Unterabschnitte zu je zwanzig Stichen
gegliedert. Im Unterschied dazu ist der zweite Hauptabschnitt, die
Deutung, trotz der in zweimal vier Stichen erfolgenden Bezugnahme auf
den Inhalt der Schauung formal nicht weiter aufgegliedert, sondern,
wenn man die Rahmung durch den Visionsempfänger als Struktursignal wertet, ausdrücklich als eine ganzheitliche Darstellung ausge-
wiesen. Beachtet man, daß innerhalb der Gesamtdarstellung die
Schauung und die Deutung eng aufeinander bezogen sind, dann verläuft der die Gesamtstruktur tragende Spannungsbogen so, daß die in
der Abfolge der beiden Unterabschnitte sich deutlich steigernde Dynamik der Aussagen in der wegen ihrer Geschlossenheit statisch wirken-

den Deutung ein Gegengewicht findet und daß dadurch die Gesamtdarstellung, auch formal betrachtet, hier ihren Abschluß erreicht.

Auf den inneren Spannungsreichtum des in der Grundschicht von
Dan 7 dargestellten Visionsgeschehens weist im Bereich der Gesamtstruktur ein vierfacher Kontrast hin. Dieser Kontrast, der sich stilistisch
auf unterschiedliche Weise Ausdruck verschafft hat, betrifft sowohl den
Aufbau der Schauung wie auch den der Deutung.

So läßt sich innerhalb der Schauung aufgrund der offenbar gezielten
Setzung der deiktischen Partikel *wa'ᵃrû* als Präsentativ ein dreifacher
Kontrast erkennen. Der erste Kontrast betrifft das Verhältnis zwischen
dem ersten und dem zweiten Unterabschnitt der Schauung. Hier fällt
auf, daß die erstmalige Setzung des Präsentativs *wa'ᵃrû* nicht erst bei
der Vorstellung des ersten Tieres, sondern schon vorher, nämlich bei
der Eröffnungsaussage über das Heraufsteigen der vier Tiere aus dem
Großen Meer erfolgt, so daß dieser den ganzen Unterabschnitt füllende
Vorgang als eine die Einzelauftritte der Tiere umgreifende Ganzheit
erscheint. Diesem Vorgang steht nun im zweiten Unterabschnitt der
Schauung das mit *wa'ᵃrû* eingeleitete Kommen des Menschensohnes mit
den Wolken des Himmels gegenüber: ein Vorgang, der das in dem
ersten Vorgang beschriebene Geschehen für immer beendet. Der zweite
Kontrast bezieht sich auf die Darstellung in dem ersten Unterabschnitt
der Schauung. Während hier auf der einen Seite die fortgesetzte Wiederaufnahme des Präsentativs *wa'ᵃrû* bei der Vorstellung des zweiten,
dritten und vierten Tieres auf eine Reihe von gleichgearteten Herrschaftsträgern schließen läßt, ergibt sich auf der anderen Seite bei deren
Kennzeichnung ein auffälliger Unterschied, insofern bei dem vierten
Tier das Fehlen einer zoologisch identifizierbaren Beschreibung und die
Unterlassung des Passivum divinum bei der Darstellung von dessen
Machtausstattung auf ein Aus-der-Reihe-Fallen dieses Herrschaftsträgers verweisen. Der dritte Kontrast findet sich in dem zweiten Unterabschnitt der Schauung und besteht darin, daß hier auf der einen Seite
mit dem ausdrücklich vermerkten Sichniederlassen des Hochbetagten
und des ihn umgebenden himmlischen Gerichtshofes eine die ganze
Weltgeschichte umfassende Offenbarung Gottes zu ihrem Abschluß
gelangt, daß jedoch auf der anderen Seite dieser Abschluß erst in der
mit der Partikel *wa'ᵃrû* eingeleiteten Übertragung des ewigen Königtums an den Menschensohn seine Vollendung erreicht.

Innerhalb der Deutung wird ein weiterer und letzter Kontrast durch
die gegensätzliche Verwendung der Begriffe »Könige« und »Königtum«
angezeigt. Während die Gleichartigkeit der beiden Begriffe zunächst auf
eine Zugehörigkeit der in der Deutung genannten vier Könige zu dem
erwähnten Königtum hinzuweisen scheint, läßt sie jedoch der nachher
ausdrücklich vermerkte Ausschluß von diesem Königtum als dessen
Opposition erscheinen; und während bei diesen vier Königen der

Zugriff auf das genannte Königtum »von der Erde her« erfolgt, bekommen die Heiligen (des) Höchsten dieses Königtum gleichsam »von oben«, nämlich aufgrund ihrer Zugehörigkeit zu der Welt des Hochbetagten.

Die Intention der Grundschicht von Dan 7 ergibt sich demnach aus der engen und wesentlichen Zuordnung von Schauung und Deutung, die beide, sich gegenseitig ergänzend, Inhalt einer einzigen (vgl. V. 28) Wortoffenbarung Gottes sind. Geht es in der Schauung um den Aufweis des die ganze Weltgeschichte bewegenden Gegensatzes, der zwischen der heilsgeschichtlichen Offenbarung Gottes einerseits und den sich ihr fügenden, aber auch sich widersetzenden Mächten des Abgrundes andererseits besteht, so in der Deutung um die Botschaft, daß, von Gott her gesehen, dieser Gegensatz schon zugunsten der ewigen Königsherrschaft Jahwes überwunden ist. Die Aussageabsicht der Grundschicht von Dan 7 besteht folglich darin, daß hier Aufschluß über den Verlauf und die Vollendung der Schöpfungs- und Geschichtsplanung Gottes gegeben wird, soweit dies für den Glauben des Gottesvolkes in einer ihm undurchsichtig erscheinenden Weltgeschichte notwendig geworden ist.

2. Form und Funktion

Sucht man in der Grundschicht von Dan 7 nach Indizien, die hier zur Aufhellung der Form beitragen können, dann stößt man zunächst auf die Kennzeichnung des dargestellten Geschehens als »Schauung« (V. 2). Nun hat die aramäische Nominalbildung $ḥ^a zû$ hier offensichtlich (vgl. Dan 8,1) die gleiche Bedeutung wie ihr hebräisches Äquivalent $ḥāzôn$, das im Danielbuch eindeutig die Offenbarungsvision mit besonderer Betonung des visionären Elementes bezeichnet[4]. Daraus folgt, daß nach Ausweis der Grundschicht von Dan 7 der Visionsempfänger Daniel die *millah*, das heißt: das »Wort« oder den »Vorgang« einer Offenbarung Gottes geschaut hat und daß daher auch die Darstellung dieses Geschehens als ein Visionsbericht mit Offenbarungscharakter zu verstehen ist.

Nun ist jedoch die hier in der Grundschicht von Dan 7 vorliegende Form eines Visionsberichtes durch eine ungewöhnliche Vielfalt von Bildern und Vorstellungen gekennzeichnet, deren innere Zusammengehörigkeit nicht ohne weiteres erkennbar ist. Man vergegenwärtige sich nur die Uneinheitlichkeit der Metaphern und Symbole (Tiere, Könige, Großes Meer, Erde), den Wechsel im Paradigma einer thematisch einheitlichen Darstellung (Heraufsteigen der vier Tiere aus dem Großen Meer, Kommen des Menschensohnes mit den Wolken des

---

4. Zur Problematik vgl. die Untersuchung von H.F. Fuhs, *Sehen und Schauen. Die Wurzel ḥzh im Alten Orient und im Alten Testament. Ein Beitrag zum prophetischen Offenbarungsempfang* (FzB, 32), Würzburg, 1978.

Himmels), die Widersprüchlichkeit in der Semantik mancher Einzelaus-
sagen (Löwe mit Adlerflügeln, Panther mit vier Köpfen, ein Tier mit
zehn Hörnern und gewaltigen Zähnen aus Eisen) und schließlich die
Paradoxie in der Zuordnung von Bildern und Vorstellungen (Heraufsteigen von Löwe, Bär und Panther aus dem von den vier Winden des
Himmels aufgewühlten Großen Meer, Kommen eines Menschensohnes
mit den Wolken des Himmels). Zu der Eigenart des hier vorliegenden
Visionsberichtes gehört sodann auch eine wie selbstverständlich vollzogene Transzendierung aller Zeitstufen, weil offensichtlich nicht mehr
ein bestimmtes Einzelgeschehen der Vergangenheit, Gegenwart oder
Zukunft, sondern ein Geschehenszusammenhang von überzeitlicher
Dimension das Objekt der Darstellung bildet. Diese auffällige Indiffe-
renz gegenüber der historischen Wirklichkeit weist jedoch, wie ein Blick
auf den Inhalt des Visionsgeschehens in der Grundschicht von Dan 7
zeigt, auf eine Metahistorie hin, die den Weg der Großreiche und
Weltvölker, besonders jedoch die Bestimmung des Gottesvolkes in der
Geschichte verständlich und sinnvoll erscheinen läßt. Es ist die Schöp-
fungs- und Geschichtsplanung Gottes, die in der hier vorliegenden
Form eines Visionsberichtes zum Objekt einer literarischen Darstellung
geworden ist. Kompositorisch hat diese Konzentration auf die Schöp-
fungs- und Geschichtsplanung Gottes zur Folge, daß der Aufbau des
Visionsgeschehens, bedingt durch die Eigenart des dargestellten
Objekts, literarisch konstruiert ist und daß die für den Visionsbericht
ausgewählten Bilder und Zeichen den Eindruck einer mit Absicht
chiffrierten Mitteilung erwecken.

Aufschlußreich für die Erkenntnis der Funktion eines solchen
Visionsberichtes, wie ihn die Grundschicht von Dan 7 enthält, ist die
Aussage des Textes, daß Daniel im Anschluß an die Sendung »Zuverlässiges über all diese Dinge« von einem der Himmlischen erbittet. Die
Aussage setzt voraus, daß bei Daniel (und bei all denen, für die er
stellvertretend redet,) in bezug auf den in der Schauung dargestellten
Geschehenszusammenhang eine Unsicherheit eingetreten ist und daß er
sich durch die Aufhellung der für ihn dunklen Vorgänge eine Stärkung
seines Glaubens verspricht. Oder anders gesagt: Daniel vermag nach
dieser Darstellung die Gültigkeit und die Wirksamkeit der Schöpfungs-
und Geschichtsplanung Gottes in dem für ihn bedeutsamen Weltgeschehen nicht mehr zu erkennen. Die in der Deutung mitgeteilte Auskunft des Himmlischen ist daher prinzipiell auf den hinter dem Geschehenszusammenhang der Schauung stehenden Schöpfungs- und Geschichtsplan Gottes bezogen und nicht auf die historische Wirklichkeit
des Visionsempfängers, die nur den Ausgangspunkt für die Abfassung
des vorliegenden Visionsberichtes bildet. Was daher die Deutung an
Offenbarungswahrheit bereithält, ist die Enthüllung eines in der Schöp-
fungs- und Geschichtsplanung Gottes beschlossenen »Geheimnisses«
(vgl. Dan 2,29), dessen Erfassung der Stärkung des Glaubens an Gottes

Geschichtslenkung dient. Formgeschichtlich bedeutet das aber, daß der in der Grundschicht von Dan 7 überlieferte Visionsbericht ganz im Stil der Apokalyptik konzipiert worden ist und daher auch der Gattung des apokalyptischen Visionsberichtes zuzuweisen ist.

Über die formgeschichtliche Eigenart und Entwicklung eines solchen apokalyptischen Visionsberichtes hat K. Koch bereits wegweisende Überlegungen angestellt; seine Ausführungen sollen hier aufgegriffen und mit Bezug auf die Form der Grundschicht von Dan 7 weitergeführt werden[5]. Am Anfang der Entwicklung steht danach, wie man mit gutem Grund annehmen darf, der »originale Visionsbericht« aus der vorexilischen Prophetie, der einen zu der Gegenwart des Visionsempfängers in offenkundiger Beziehung stehenden Abschnitt der nahen Zukunft in den Blick nimmt und hierzu eine von Gott vermittelte Tiefenschau der Dinge verkündet; eine eigene Deutung des hierbei Geschauten erübrigt sich, weil auf der einen Seite die visionäre Transparenz des Geschauten eindeutig ist und auf der anderen Seite die von dem Propheten mit Vollmacht vorgetragene Stellungnahme alles Notwendige für die von Gott geforderte Glaubensentscheidung enthält (vgl. Am 7,1-8; Jes 6,1-11). Vom Exil an begegnet in der Prophetie und in der von ihr beeinflußten Historiographie der »konstruierte Visionsbericht«, der auf dem Hintergrund einer tiefreichenden Glaubenskrise die Vollendung der Führung Israels durch Gott nach dessen Schöpfungs- und Geschichtsplan ausdrücklich in den Blick nimmt; die hier durch die Eigenart des Gegenstandes notwendig gewordene Konstruktion des dargestellten Visionsgeschehens bedarf jetzt einer Deutung, die entweder von Gott selbst oder von einem Himmlischen gegeben wird (vgl. Ez 37,1-14; Sach 1,7-6,15; Gen 15,1-21)[6]. Bei der Entstehung und Entfaltung dieses konstruierten Visionsberichtes hat höchstwahrscheinlich – nicht zuletzt wegen der an diesem Prozeß beteiligten schriftgelehrten Weisen Israels – auch das Modell des »symbolischen Traumes« mitgewirkt. Auf dem Sprachmuster eines konstruierten Visionsberichtes aufbauend hat dann die Apokalyptik noch eine weitere Form des Visionsberichtes hervorgebracht, der, bedingt durch die Situation Israels inmitten einer von weltgeschichtlichen Umwälzungen bewegten

---

5. K. KOCH, *Vom profetischen zum apokalyptischen Visionsbericht*, in D. HELLHOLM (ed.), *Apocalypticism in the Mediterranean World and the Near East*, Tübingen, 1983, S. 413-446. Vgl. außerdem J.J. COLLINS, *Daniel*, Grand Rapids, MI, 1984, S. 74-83; DERS., *The Apocalyptic Vision of the Book of Daniel*, Ann Arbor, MI, 1977, S. 95-118; S. NIDITCH, *The Symbolic Vision in Biblical Tradition*, Chico, CA, 1983; P.A. PORTER, *Metaphors and Monsters. A Literary-Critical Study of Daniel 7 und 8*, Gleerup, 1983.

6. Zur Form des »konstruierten Visionsberichtes« vgl. H.G. SCHÖTTLER, *Gott inmitten seines Volkes. Die Neuordnung des Gottesvolkes nach Sacharja 1-6*, in *TrThSt* 43 (1987) 204-206; E. HAAG, *Die Abrahamtradition in Gen 15*, in *Die Väter Israels. FS J. Scharbert*, Stuttgart, 1989, S. 83-106.100.

Völkerwelt, in seiner Aussage jetzt ausschließlich auf die Schöpfungs-
und Geschichtsplanung Gottes konzentriert ist, ohne hierbei jedoch die
Verbindung zu der historischen Wirklichkeit aufzugeben (vgl. hierzu die
in Dan 1-12 konsequent beibehaltene Verbindung von »historischen«
und »prophetischen« Überlieferungsanteilen), nämlich den »apokalpytischen Visionsbericht«.

Der Sitz im Leben dieses apokalyptischen Visionsberichtes ist wohl in
der Glaubensverkündigung der spätnachexilischen schriftgelehrten
Weisheit zu suchen. Denn in diesen geistlichen Führungskreisen Israels
hatte man sich angesichts der Konfrontation des Jahweglaubens mit
dem Hellenismus schon seit langem bemüht, neue Mittel der Glaubensverkündigung zu entwickeln und auch in geeigneter Form wirksam
einzusetzen[7]. Hierbei aber bot, wie man nicht zuletzt im Hinblick auf
die Entstehungsgeschichte des apokalyptischen Visionsberichtes behaupten darf, gerade diese neue Form den schriftgelehrten Weisen
Israels eine willkommene Möglichkeit, um auf die Herausforderung des
Glaubens in einer für das Gottesvolk undurchsichtig gewordenen Weltgeschichte prophetisch zu reagieren.

B. DIE BEARBEITUNGSSCHICHT

1. *Struktur und Intention*

Es folgt zunächst die Übersetzung der bearbeiteten Grundschicht von
Dan 7[8]:

1 *Daniel schaute ein Traumgesicht. Anschließend schrieb er das Traumgesicht
   nieder.* 2 Daniel hob an und sprach:

   Ich schaute in meiner Schauung während der Nacht:

   Und siehe: die vier Winde des Himmels
   wühlten das Große Meer auf.
3 Vier gewaltige Tiere stiegen herauf aus dem Meer,
   eins von dem anderen verschieden.
4 Das erste sah aus wie ein Löwe,
   es hatte Adlerflügel.
   Ausgerissen wurden seine Flügel,
   und es wurde von der Erde abgerückt.
5 Und siehe: ein anderes Tier,
   ein zweites, es glich einem Bären;
   es wurde nach einer Seite hin aufgerichtet
   und es hatte drei Rippen in seinem Maul.

---

7. Zur Bedeutung dieser Entwicklung für die Darstellung der Danieltradition vgl.
E. HAAG, *Die Errettung Daniels aus der Löwengrube. Untersuchungen zum Ursprung der
biblischen Danieltradition* (SBS, 110), Stuttgart, 1983 und neuerdings L.M. WILLS, *The Jew
in the Court of the Foreign King*, Minneapolis, MN, 1990.
8. Zur Verdeutlichung ist der Anteil der Bearbeitungsschicht hier kursiv gedruckt.

6 Und siehe: ein anderes wie ein Panther;
  es hatte vier Flügel auf seinem Rücken.
  Auch vier Köpfe hatte das Tier,
  und es wurde ihm Herrschaft gegeben.

7 *Danach schaute ich in den Schauungen der Nacht:*

  Und siehe: ein viertes Tier,
  furchtbar und schreckenerregend
  und überaus stark.
  Es hatte gewaltige Zähne aus Eisen;
  es fraß und zermalmte
  und zertrat noch den Rest mit seinen Füßen.
  Es unterschied sich von allen Tieren vor ihm.
  Und zehn Hörner hatte das Tier.
8 *Ich achtete auf die Hörner.*
  Und siehe: ein anderes Horn,
  ein kleines, stieg unter ihnen auf;
  und drei von den vorigen Hörnern
  wurden ausgerissen vor ihm.
  Und siehe: Augen wie Menschenaugen
  waren an diesem Horn
  und ein Mund, der Gewaltiges sprach.

9 Ich schaute, bis daß

  Throne aufgestellt wurden
  und ein Hochbetagter sich niederließ.
  Sein Gewand war weiß wie Schnee
  und sein Haupthaar rein wie Wolle.
  Sein Thron war Feuerflammen,
  und dessen Räder waren loderndes Feuer.
10 Ein Strom von Feuer ergoß sich
  und flutete vor ihm her.
  Tausendmal Tausende dienten ihm,
  und zehntausendmal Zehntausende standen vor ihm.
  Das Gericht ließ sich nieder,
  und Bücher wurden aufgeschlagen.

13 *Ich schaute in den Schauungen der Nacht:*

  Und siehe: mit den Wolken des Himmels
  kam einer wie ein Menschensohn;
  er gelangte zu dem Hochbetagten
  und wurde ihm vorgestellt.
14 Ihm wurde Herrschaft gegeben
  und Ehre und Königtum.
  Und alle Völker und Stämme
  und Zungen dienten ihm.
  Seine Herrschaft ist eine ewige Herrschaft,
  die niemals vergeht,
  und sein Königtum
  ist nie zu zerstören.

15 *Mir, Daniel, wurde mein Geist verwirrt, und die Schauungen meines Hauptes*
    beunruhigten mich. 16 Ich näherte mich einem, der da stand, und erbat
    Zuverlässiges von ihm über all diese Dinge. Er sagte zu mir:

17 Diese gewaltigen Tiere,
    deren es vier (an der Zahl) sind,
    (bedeuten): Vier Könige
    werden sich von der Erde erheben.
18 Doch empfangen werden das Königtum
    die Heiligen (des) Höchsten;
    sie werden das Königtum besitzen
    bis in alle Ewigkeit.

19 *Darauf erbat ich Zuverlässiges über das vierte Tier* 20 *und über die zehn*
    Hörner auf seinem Kopf. 23 *So sagte er:*

    Das vierte Tier (bedeutet):

    Ein viertes Königreich wird auf Erden sein,
    das sich von allen Königreichen unterscheidet.
    Es wird die ganze Erde auffressen,
    es wird sie zerdreschen und zermalmen.

24 *Und die zehn Hörner (bedeuten):*

    Aus ihm, diesem Königreich,
    werden zehn Könige erstehen,
    und noch ein anderer wird nach ihnen erstehen;
    er wird sich von den vorangegangenen unterscheiden,
    und drei Könige wird er zu Boden strecken.
25 *Er wird Worte gegen den Allerhöchsten richten*
    und die Heiligen (des) Höchsten wird er bedrängen
    auf Zeit, Zeiten und eine geteilte Zeit.
26 *Aber wenn das Gericht sich niedergelassen hat,*
    wird man die Herrschaft ihm nehmen,
    auf daß endgültig Schluß sei.
27 *Das Königtum jedoch und die Herrschaft*
    und die Größe aller Königtümer
    unter dem ganzen Himmel
    werden gegeben dem Volk der Heiligen (des) Höchsten.

28 Hier endet das Wort. *Mich, Daniel, erschreckten meine Gedanken gar sehr,*
    und mein Aussehen veränderte sich. Ich aber bewahrte das Wort in meinem
    Herzen.

Mit der auf die Schauung eines Traumgesichtes und dessen Niederschrift durch Daniel verweisenden, neuen Einleitung zu der Grundschicht von Dan 7 hat der Bearbeiter die Eingliederung seiner Vorlage
in das bereits die Kapitel 1-6* umfassende Danielbuch vorgenommen
und hierbei eine Entsprechung zu Dan 2* hergestellt, wo ebenfalls ein
apokalyptischer Visionsbericht in dem Gewand eines Traumgesichtes
vorliegt. Die Struktur der Vorlage selbst hat der Bearbeiter jedoch

beibehalten, so daß die Darstellung des ganzen Visionsgeschehens wie bisher in zwei Hauptabschnitte, die Schauung und die Deutung, zerfällt. In ihrem Aufbau allerdings haben diese beiden Hauptabschnitte einige nicht unerhebliche Veränderungen erfahren.

So hat im ersten Hauptabschnitt der Bearbeiter durch die gezielte, zweimalige Wiederaufnahme der Visionseröffnung die Schauung in vier Unterabschnitte aufgeteilt, von denen die ersten beiden mit je sechzehn Stichen das Heraufsteigen der vier Tiere aus dem Großen Meer beschreiben, aber in diesem Zusammenhang das Auftreten des vierten Tieres und das Gebaren seines letzten Repräsentanten von der Erscheinung der ersten drei Tiere ausdrücklich abheben. Die beiden nächsten Unterabschnitte haben mit jeweils zwölf Stichen die Erscheinung des himmlischen Gerichtshofes unter dem Vorsitz eines Hochbetagten sowie das Kommen des Menschensohnes zum Gegenstand, wobei auch hier wiederum die beiden Vorgänge mit Bedacht voneinander getrennt werden. Der Sinn dieser Anordnung wird erkennbar, wenn man die durch die Neugliederung entstandene konzentrische Struktur in der Abfolge der vier Unterabschnitte beachtet. Danach hat die mit dem Heraufsteigen der ersten drei Tiere beschriebene und zeitlich begrenzte Phase der Herrschaftsausübung »von unten« ihr Gegenstück in der mit der Herrschaftsübertragung an den Menschensohn offenbar gewordenen Königsherrschaft Gottes, die »von oben« kommt und ewig währt; sie verschafft daher dem Menschensohn, wie der Bearbeiter in einem Zusatz betont, den Dienst aller Völker, Stämme und Zungen. Im Zentrum dieser konzentrischen Struktur der Schauung stehen sich dann aber aufgrund der Neugliederung durch den Bearbeiter auf der einen Seite das vierte Tier mitsamt seinem gottwidrigen Repräsentanten und auf der anderen Seite der Hochbetagte inmitten seines himmlischen Gerichtshofes als die entscheidenden Antagonisten in einem eschatologischen Drama gegenüber, das seinerseits den Höhepunkt einer sich voller Dynamik auf ihre Vollendung hin verwirklichenden Schöpfungs- und Geschichtsplanung Gottes markiert.

Im zweiten Hauptabschnitt, der Deutung, hat der Bearbeiter zunächst die Rahmenaussagen erweitert und auf die Erschütterung Daniels angesichts der ihm zuteil gewordenen Offenbarung verwiesen. Sodann hat der Bearbeiter über die Deutung seiner Vorlage hinaus, die er ohne Zusätze übernommen hat, noch eine eigene Deutung hinzugefügt, die er in zwei Abschnitte von unterschiedlicher Länge gegliedert hat. In Entsprechung zu den Erweiterungen bei der Beschreibung des vierten Tieres hat der Bearbeiter in einem ersten, kürzeren Abschnitt seiner Deutung auf das gewalttätige Auftreten des durch das vierte Tier symbolisierten Königreiches hingewiesen, um anschließend in dem zweiten, längeren Abschnitt die Gottwidrigkeit des letzten Repräsentanten dieses Königreiches zu schildern, auf dessen Vernichtung die Vollendung der ewigen Königsherrschaft Gottes in dem Volk der Heiligen (des) Höchsten erfolgt.

Die Intention der Bearbeitungsschicht ergibt sich aus dem außergewöhnlichen Interesse, mit dem der Bearbeiter das Auftreten des vierten Königreiches und die Vernichtung seines letzten Repräsentanten vor dem Offenbarwerden der ewigen Königsherrschaft Jahwes beschreibt. Im Unterschied zu der Grundschicht, deren Intention auf den Verlauf und die Vollendung der Schöpfungs- und Geschichtsplanung Gottes als solcher ausgerichtet war, hat die Bearbeitungsschicht das eschatologische Drama im Blick, das der Vollendung der Schöpfungs- und Geschichtsplanung Gottes vorausgeht und das in besonderer Weise einer Aufhellung durch Gott bedarf.

2. Form und Funktion

Bei der Bearbeitung der Grundschicht von Dan 7 hat die für die Vorlage bezeichnende Form des apokalyptischen Visionsberichtes ein noch deutlicheres Profil erhalten. So hat der Bearbeiter im Rückgriff auf die Bemerkung Daniels von seiner Schauung während der Nacht (V. 2) das Visionsgeschehen zweimal mit dem Plural als »Schauungen der Nacht« (V. 7.13) und einmal mit Bezug auf den Visionsempfänger als die »Schauungen seines Hauptes« (V. 15) bezeichnet. Sodann hat der Bearbeiter durch die Hervorhebung der Betroffenheit Daniels bei dem Visionsempfang das Erlebnis der ihm eröffneten Transzendenz eigens hervorgehoben. Ebenso hat der Bearbeiter die auf die Welt der Geheimnisse Gottes bezogene Metaphorik der Darstellung sowohl in der Schauung wie auch in der Deutung beibehalten und entsprechend bereichert.

Auch an der Funktion der so bearbeiteten Grundschicht hat sich im wesentlichen nichts geändert. Lediglich die Enthüllung der Geheimnisse Gottes hat durch die Weiterführung der Gedanken an Genauigkeit für die Glaubenserkenntnis gewonnen. Die Funktion des apokalyptischen Visionsberichtes ist damit voll bestätigt worden.

III. TRADITIONSGESCHICHTLICHE UNTERSUCHUNG ZU DAN 7

A. SEMANTISCHE ANALYSE

1. Die Grundschicht

Nach einer kurzen Redeeröffnung beginnt die Schauung mit der Darstellung des von den vier Winden des Himmels aufgewühlten Großen Meeres, aus dem nacheinander vier gewaltige Tiere heraufsteigen. Die in V. 2 erwähnten vier Winde gelten im babylonischen Schöpfungsepos *Enuma eliš* als ein Mittel der universalen Einflußnahme auf den Kosmos und den ihn erfüllenden Mechanismus der Naturkräfte von seiten einer Gottheit, die hier schöpferische Eingriffe plant und entsprechende Veränderungen vornimmt (IV,40-44). Im Alten Testament ist diese mythische Vorstellung von den vier Winden zu einem Bild für die vier Himmelsrichtungen und die damit abgesteckte Weite des Schöpfungsraumes geworden (1 Chr 9,24; Ez 42,20; Dan 8,8; 11,4), in dem sich das Offenbarungshandeln Gottes in Gericht und Heil vollzieht (Jer 49,36; Ez 37,9; Sach 2,10; 6,5). In Dan 7 werden jedoch die »vier Winde des Himmels« selbst wieder aktiv, allerdings in einer unbedingt zu beachtenden Verbindung mit den »Wolken des Himmels« (vgl. V. 13), mit denen sie zusammen als die hier mit Bedacht eingesetzten Begleiterscheinungen einer Theophanie begegnen[9]. Das aktive Moment in der Funktion der vier Winde des Himmels und der mit ihrem Einsatz regelmäßig verbundene Aspekt der Universalität haben demnach hier in Dan 7 ihren Grund in einer Manifestation der Königsherrschaft Jahwes, die, wie die weitere Darstellung zeigt, die gesamte Schöpfung und ihre Geschichte betrifft.

Das von den vier Winden des Himmels aufgewühlte »Große Meer« ist nach dem mythischen Weltbild des Alten Orients kein geographisch genau fixierbares Gewässer, sondern das Urmeer oder der kosmische Ozean, der nach der Bändigung seines Ungestüms durch den Schöpfergott die Welt des Geschaffenen von allen Seiten umschließt. Im Alten Testament hat diese in der Mythentradition des Alten Orients in verschiedener Gestalt überlieferte Auffassung ein doppeltes Echo gefunden. Während auf der einen Seite das Urmeer kraft der Schöpfertätigkeit Gottes als vollständig in die Schöpfung integriert erscheint, tritt es auf der anderen Seite auch als ein für die Schöpfung gefährliches und sie immer noch bedrohendes Element hervor. So schildert die priesterschriftliche Urgeschichte, daß Gott die Wasser des Urmeeres in eine obere und in eine untere Hälfte geteilt hat (Gen 1,2.6f.9), daß aber diese Wasser in der Sintflut den Raum des Geschaffenen wieder überschwemmen und dort eine gewaltige Zerstörung anrichten (Gen 6,13; 7,11). Ähnlich verhält es sich auch bei der Manifestation der Königsherrschaft Jahwes auf dem Zion; während auf der einen Seite diese Königsherrschaft Jahwes sich jedem Ansturm des Urmeeres als absolut überlegen erweist (Jes 17,12-14; Ps 46,4; 93,3f.), kann Gott auf der anderen Seite das von ihm als Schöpfer unterworfene Chaoselement auch als ein nach wie vor wirksames Werkzeug bei der Durchführung seiner Strafgerichte in Dienst nehmen (Jes 5,30; 28,18f.; Jer 6,23). Allem Anschein nach ist es gerade diese Ambivalenz des Urmeeres und seiner Bedeutung für Schöpfung und Geschichte gewesen, die in Dan 7 zu der Wahl des Bildes von dem »Großen Meer« geführt hat.

---

9. Als Anknüpfungspunkt hat hier offenbar der als Begleitumstand der Theophanie vorkommende »Sturmwind« gedient. Vgl. dazu J. JEREMIAS, *Theophanie. Die Geschichte einer alttestamentlichen Gattung* (WMANT, 10), Neukirchen, ²1977.

Aus dem von den vier Winden des Himmels aufgewühlten Großen
Meer steigen nach V. 3 hintereinander vier gewaltige Tiere herauf, eins
von dem anderen verschieden. Da nach der allgemeinen Auffassung des
Alten Orients, die auch im Alten Testament ihren Niederschlag gefunden
hat, das Chaosmeer eine Heimstätte mythischer Ungeheuer wie Rahab,
Tannin und Leviathan ist (Jes 27,1; 51,9f.; Ps 74,13f.), hat man zur
Aufhellung des traditionsgeschichtlichen Hintergrundes für das Heraufsteigen der vier Tiere aus dem Großen Meer auf Parallelen in dem
altorientalischen Chaoskampfmythos, speziell in seiner kanaanäischen
Version, hingewiesen[10]. Nun tragen jedoch die in der Grundschicht von
Dan 7 in V. 4-7* einzeln vorgestellten vier Tiere trotz ihrer Herkunft
aus dem Großen Meer keinerlei mythische Bezeichnungen. Im Gegenteil: die drei ersten Tiere werden ausdrücklich als Landtiere vorgestellt,
nämlich Löwe, Bär und Panther; und selbst das vierte Tier, das ohne
eine zoologisch identifizierbare Bezeichnung bleibt, ist hier schwerlich
als ein mythisches Ungeheuer zu begreifen. Ebenso unbefriedigend wie
die Herleitung der vier Tiere aus der altorientalischen Mythentradition
ist aber auch der Versuch, in diesen vier Tieren nur Symbole für
altorientalische Großreiche zu sehen, nämlich für das neubabylonische,
medische, persische und griechisch-makedonische Reich[11]. Denn bei
aller Anerkennung der Indizien, die in der Darstellung der vier Tiere auf
eine solche Symbolik hinweisen, ist doch die Tatsache zu beachten, daß
Medien, historisch-politisch betrachtet, niemals ein Großreich zwischen
Babel und Persien gebildet hat; die symbolische Erklärung wird darum
der Gesamtdarstellung nicht gerecht. Traditionsgeschichtlich müssen vielmehr in der Darstellung der vier Tiere noch andere Aspekte berücksichtigt werden, wie die folgenden Beobachtungen zeigen.

An erster Stelle steht die Beobachtung, daß es in der Grundschicht
von Dan 7 die vier Winde des Himmels sind, die als die Begleitum-
stände einer die ganze Weltgeschichte erfüllenden Theophanie das
Heraufsteigen der vier Tiere aus dem Großen Meer bewirken. Im
Hintergrund dieser Darstellung steht, wie man unschwer erkennt, die
im Alten Testament vielfach bezeugte Glaubensauffassung, daß Gott im

---

10. So J.J. COLLINS: »the beasts of the sea in Daniel are chaos monsters, analogous to
the sea dragons and serpents of the myth. Since Baal and Yamm belong to the same
traditional mythic complex, the juxtaposition here of the rider of the clouds and the
turbulent sea can hardly be an accidental result of redactional activity« (*Daniel*, S. 77f.);
vgl. auch DERS., *The Apocalyptic Vision*, S. 95-106. COLLINS sieht allerdings die Bedeutung
der kanaanäischen Mythen für das Buch Daniel nicht darin, »that they provide the
immediate source, but that they give an example of traditional usage which illustrates the
allusive context of the imagery« (*Apocalyptic Genre and Mythical Allusions in Daniel*, in
JSOT 21, 1981, 83-100.91).

11. So die Kommentare von LEBRAM, S. 89f.; HARTMAN - DI LELLA, S. 212-214;
LACOCQUE, S. 106f.; DELCOR, S. 144-147; PLÖGER, S. 108f.116f.; PORTEOUS, S. 84;
MONTGOMERY, S. 286-291.

Vollzug seiner heilsgeschichtlichen Offenbarung fremde Völker und Reiche als Werkzeuge seines Gerichtshandelns vorübergehend in Dienst nimmt. Zu der bildhaften Ausgestaltung dieser Glaubensauffassung gehört es jedoch, daß, wenn es darum geht, die Furchtbarkeit und die Vernichtungskraft sowie die Unwiderstehlichkeit des Gerichtshandelns Gottes zu beschreiben, diese fremden Völker und Reiche als wilde Tiere gekennzeichnet werden. So findet sich eine für die Darstellung der ersten drei Tiere in Dan 7 aufschlußreiche Parallele im Buch Hosea, wo der Vergleich mit Löwe, Bär und Panther das unerbittliche Gerichtshandeln Jahwes an Israel illustriert (Hos 13,7f.). Daß auch die Darstellung in der Grundschicht von Dan 7 von dieser Glaubensauffassung geprägt ist, geht aus der Tatsache hervor, daß auf der einen Seite die vier Tiere aus dem von den vier Winden des Himmels aufgewühlten Großen Meer heraufsteigen, also ein Aufgebot Gottes sind, und auf der anderen Seite keinerlei gottwidrige Züge aufweisen; ihr Auftreten, dessen Furchtbarkeit und Vernichtungskraft nicht verschwiegen werden, steht hier ausschließlich im Dienst der Schöpfungs- und Geschichtsplanung Gottes.

An zweiter Stelle ist die Beobachtung zu vermerken, daß in der Grundschicht von Dan 7 die Darstellung der vier Tiere eine gewisse historische Transparenz erkennen läßt, die jedoch nicht, wie man zunächst erwartet, von der politischen Realität der hier gemeinten altorientalischen Großreiche ausgeht, sondern von deren Echo in der alttestamentlichen Prophetie. So greift die Darstellung des ersten Tieres nur scheinbar auf die aus der Ikonographie Mesopotamiens bekannten geflügelten Mischwesen zurück[12]; in Wirklichkeit handelt es sich hierbei um eine wohl erst für die Grundschicht von Dan 7 eigens entworfene Komposition aus verschiedenen Vorstellungen, die alle in der Prophetie Israels zur Kennzeichnung Babels Verwendung gefunden haben. Das gilt zunächst für den die Unwiderstehlichkeit Babels hervorhebenden Vergleich mit Löwen (Jer 4,6f.; 50,17; 51,38) und Adlern (Jer 38,40; 49,20; Ez 17,3-15; Hab 1,8), aber dann auch für das Ausgerissenwerden der Flügel (Ez 29,18) und das Abgerücktwerden von der Erde (Jer 51,25f.41) als Zeichen einer von Gott verfügten (vgl. das Passivum divinum) Entmachtung. Ähnlich verhält es sich auch bei dem zweiten Tier. Versteht man nämlich hier das Hochgestelltwerden des Bären nach einer Seite hin als die Vorbereitung eines Angriffs[13] und die

---

12. Nach U. STAUB, *Das Tier mit den Hörnern. Ein Beitrag zu Dan 7,7*, in *FZPhTh* 25 (1978) 351-397 tritt der für den Alten Orient bedeutsame Löwe zwar äußerst zahlreich in der bildenden Kunst Mesopotamiens auf, jedoch beinahe ausschließlich ohne Flügel; bei den geflügelten Mischwesen hingegen werden oft nur Teile des Löwen bei der Zusammenstellung ihres Äußeren verwendet (S. 354, Anm. 10).

13. Nach H. JUNKER, *Untersuchungen über literarische und exegetische Probleme des Buches Daniel*, Bonn, 1932, S. 41, hat man bei dem Aufgerichtetwerden des Bären »nach einer Seite hin« nicht an die Seite des Tieres, sondern an die Himmelsrichtung zu denken,

Rippen in seinem Maul als einen Hinweis auf die restlose Vernichtung
des von ihm angegriffenen Feindes (vgl. Am. 3,12), dann erkennt man
im Hintergrund, nicht zuletzt auch wegen der engen Verbindung mit
dem ersten Tier, das Volk der Meder, das Gott selbst (vgl. das
Passivum divinum) nach Ausweis der Prophetie (Jes 13,17; 21,2; Jer
51.11.28) gegen Babel als Verwüster aufgeboten hat. Und beachtet man,
daß bei dem dritten Tier, dem Panther, mit Nachdruck die Vierzahl
seiner Köpfe und Flügel sowie die Tatsache einer Herrschaftsübertragung erwähnt werden, dann hat diese Darstellung, wie es scheint, die
Weltherrschaft des Perserreiches, vor allem jedoch die seines Repräsentanten Kyros im Blick, der nach der Prophetie Deuterojesajas die Welt
schnell wie ein Vogel durcheilt (Jes 41,2f.; 46,11) und hierbei im
Auftrag Gottes (vgl. das Passivum divinum) alle Völker unterwirft (Jes
45,1-7). Selbst bei dem vierten Tier läßt sich, entgegen dem Anschein,
eine solche prophetisch vermittelte historische Transparenz erkennen.
Man braucht sich nur zum Verständnis die Tatsache in Erinnerung zu
rufen, daß man in dem Diadochenreich der Seleukiden um die Wende
vom 3. zum 2. Jahrhundert v. Chr. Syrien mit Assyrien gleichgesetzt
hat[14] und daß dies in Israel bekanntlich zu einer Aktualisierung der
älteren Prophetie über Assur geführt hat. Auf diesem Hintergrund aber
erkennt man, daß die Darstellung des vierten Tieres mit den zehn
Hörnern auf seinem Kopf und mit seinen gewaltigen Zähnen aus Eisen
sich zwar in der Illustration möglicherweise an Emblemen der Seleukidenherrschaft orientiert[15], daß sie sich jedoch in ihrer Sachaussage über
die Furchtbarkeit[16] dieses Tieres auf die aktualisierte Sicht Assurs in

nach der hin das Tier zum Angriff aufgestellt wird. Sachlich ist Dan 8,4 zu vergleichen, wo
der Widder nach Norden, Westen und Süden stößt, das heißt: angreift.

14. Vgl. K. KOCH, *Die Bedeutung der Apokalyptik für die Interpretation der Schrift*, in
Mitte der Schrift? (Judaica et Christiana, 11), Bern, 1987, S. 185-216.206. Danach
bezeichneten sich die Seleukiden als Könige von Syrien (Polybios II, 71; V 67), ohne dabei
an den engumgrenzten Landstrich zu denken, der heute so genannt wird; vielmehr scheint
der Begriff Syrien auf eine griechische Abwandlung des älteren »Assyrien« zurückzugehen.

15. U. STAUB (vgl. Anm. 12) hat in einer kulturgeschichtlich aufschlußreichen und mit
Bildern gut dokumentierten Studie darauf hingewiesen, daß bei den Seleukiden das Horn
als Machtsymbol nicht nur die Münzporträts des vergöttlichten Alexander und
des Seleukos I. Nikator geziert, sondern auch eine Art »seleukidisches Hauszeichen« (378)
dargestellt hat und daß diese Praxis einen möglichen historischen Grund für die Chiffrierung der Seleukidenherrschaft in Dan 7 unter dem Zeichen des Hornes abgegeben hat
(381). Eine ähnliche Funktion der Chiffrierung kommt nach STAUB dort auch den beiden
– *šinnayîn* muß nach ihm als Dualform gelesen werden (390) – gewaltigen Zähnen aus
Eisen zu, die als ein zweites Machtsymbol an dem vierten Tier auf die Stoßzähne der in
den Seleukidenkriegen eingesetzten Kriegselephanten verweisen; die zoologisch exakte
Bezeichnung des vierten Tieres habe man jedoch deshalb vermieden, weil es sich bei der
Schilderung des Seleukidenreiches in dem vierten Tier nach der Fiktion von Dan 7 um
etwas bereits seit langem Prophezeites gehandelt habe (394).

16. C.C. CARAGOUNIS, *Greek Culture and Jewish Piety. The Clash and the Fourth Beast
of Daniel 7*, in *ETL* 65 (1989) 280-308 betont mit Recht, daß man den Erfahrungshintergrund für die Darstellung der außerordentlichen Furchtbarkeit des vierten Tieres in Dan 7

der älteren Prophetie bezieht, wo in Anspielung auf den widergöttlichen Charakter dieser Großmacht bereits von einer alles erdrückenden Eroberungspolitik (Jes 10,7-11) die Rede gewesen ist.

An dritter und letzter Stelle steht die Beobachtung, daß in der Grundschicht von Dan 7 bei der Darstellung der vier Tiere trotz deren gemeinsamer Herkunft aus dem Großen Meer eine auffallende Uneinheitlichkeit, ja, eine gewisse Spannung festzustellen ist, insofern nämlich die ersten drei Tiere eine Art Handlungseinheit bilden, der gegenüber das vierte Tier, wie es scheint, eine Sonderstellung einnimmt. So kommt die Zusammengehörigkeit der ersten drei Tiere als einer Art Handlungseinheit nicht nur in dem Umstand zum Ausdruck, daß Löwe, Bär und Panther im Unterschied zu dem vierten Tier zoologisch eindeutige Bezeichnungen tragen, sondern auch darin, daß die Bedeutung dieser drei Tiere regelmäßig mit dem auf eine göttliche Beauftragung verweisenden Passivum divinum umschrieben wird: eine Kennzeichnung, die man bei dem vierten Tier trotz seines Aufgebotes durch Gott im Rahmen der Theophanie vergebens sucht. Was stattdessen die Grundschicht von Dan 7 zur Eigenart und Bedeutung des vierten Tieres sagt, ist, daß dieses Tier innerhalb der Theophanie die Funktion der Ablösung seiner drei Vorgänger als einer Handlungseinheit hat und daß es in diesem Zusammenhang eine Tendenz zur Verabsolutierung seiner Machtfülle offenbart.

Aus alledem ergibt sich der Schluß, daß in der Grundschicht von Dan 7 die Darstellung von dem Heraufsteigen der vier Tiere aus dem Großen Meer offenbar auf dem Hintergrund einer Glaubensüberlieferung erfolgt ist, deren Inhalt besagt, daß Gott selbst im Vollzug seiner heilsgeschichtlichen Offenbarung in der Welt eine Dreiergruppe von Herrschaftsträgern mit einem festen Auftrag bestellt und sie anschließend von einem nicht mehr mit diesem Auftrag versehenen, vierten Herrschaftsträger ablösen läßt. Diese Erkenntnis kann man im Hinblick auf die bei der Darstellung aller vier Tiere beobachtete historische Transparenz noch in einem nicht unwichtigen Punkt präzisieren. Schaut man nämlich auf die im Anschluß an die Prophetie vollzogene Kennzeichnung der ersten drei Tiere, dann handelt es sich bei deren Auftrag im Rahmen der Theophanie nicht mehr um die Durchführung eines Strafgerichtes Gottes an Israel, sondern um die Fortsetzung der mit dem Sieg Babels über Jerusalem und Juda begonnenen Vorherrschaft heidnischer Großmächte in der Welt: einer Vorherrschaft, die der endzeitlichen Manifestation der universalen Königsherrschaft Jahwes vorausgeht. In dieser Zeit aber signalisiert das Auf-

---

nicht auf die politisch-militärische Machtentfaltung der Diadochenreiche allein beschränken darf; ungleich größer ist nach ihm die erst im Gefolge der neuen Herrschaft auftretende Bedrohung des theokratisch verfaßten Gottesvolkes durch die Geisteswelt des Hellenismus gewesen. Vgl. auch DERS., *The Interpretation of the Ten Horns of Daniel 7*, in *ETL* 63 (1987) 106-113.

treten des vierten Herrschaftsträgers den Anbruch der Endzeit und damit eine Phase voll eschatologischer Spannung.

In V. 9f. eröffnet den zweiten Teil der Schauung das Zusammentreten eines himmlischen Gerichtshofes unter dem Vorsitz eines Hochbetagten. Hinweise auf religionsgeschichtliche Parallelen aus der Welt des Alten Orients haben die Eigenart dieser Darstellung in Dan 7 nicht zu erklären vermocht[17]. Will man vielmehr das hier in der Schauung entworfene Bild eines Hochbetagten richtig verstehen, dann ist zunächst festzuhalten, daß die unbestimmte Bezeichnung dieses Hochbetagten als »eines Alten an Tagen«, wie es wörtlich heißt, nicht als eine in Israel gebräuchliche Gottesbezeichnung anzusehen ist. Erst der Zusammenhang der Schauung zeigt, daß mit dem Hochbetagten Jahwe, der Gott Israels, gemeint ist. Die Wortbildung »ein Alter an Tagen« ist daher, wie man mit hoher Wahrscheinlichkeit sagen darf, eine erst für die Grundschicht von Dan 7 eigens geschaffene und hier ganz auf die Aussagen der Schauung bezogene Gottesbezeichnung, die sich inhaltlich als das Ergebnis einer rückwärts gerichteten Betrachtung über das übergeschichtliche Walten Jahwes zu erkennen gibt (vgl. Ijob 36,26; Ps 102,25f.; Jes 41,4)[18]. Als Anknüpfungspunkt hat bei dieser Betrachtung vielleicht die Vorstellung von Jahwe, dem »Allherrn« (ʾ*donāy*) und seiner alle Räume umfassenden Machtfülle (vgl. Jes 6,1-5) gedient. Jedenfalls legte sich hier in der Grundschicht von Dan 7, und das heißt: im Horizont einer ausdrücklich mehrere Geschichtsepochen umgreifenden Theophanie mit einer eschatologischen Zielsetzung eine solche rückwärts gerichtete Betrachtung über Jahwe und seine jetzt nicht mehr nur alle Räume, sondern auch alle Zeiten umspannende Machtfülle nahe (vgl. auch Dan 2,21).

Zu dieser inhaltlichen Erklärung der Gestalt des Hochbetagten paßt auch die Beschreibung seines Äußeren, daß nämlich sein Gewand weiß wie Schnee und sein Haupthaar rein wie Wolle war. Denn mit dieser offenbar sprichwörtlichen Redeweise »weiß wie Schnee und rein wie Wolle« (vgl. Jes 1,18)[19] soll hier das Aussehen des Hochbetagten im Horizont der Theophanie und nicht eine Greisengestalt aus der Mythologie beschrieben werden. Gedacht ist nämlich bei dieser Beschreibung an den von den alttestamentlichen Theophanieschilderungen her bekannten Lichtglanz Jahwes (Dtn 33,2; Ps 50,2; 80,2; 94,1; Ijob 37,15.22), der hier im Kontext der Schauung wohl als ein beabsichtigter Kontrast zu der mit der Vorstellung vom Urmeer verbundenen Finsternis (vgl. Gen 1,2) konzipiert worden ist. Auf das die verschiedenen Geschichtsepochen umgreifende Theophaniegeschehen weist dagegen wieder bei dem Auftreten des Hochbetagten der mit Rädern versehene,

---

17. Zur Diskussion vgl. M. Delcor, *Le Livre de Daniel*, S. 149f.

18. Vgl. H. Junker, a.a.O., S. 50-53.

19. Zu ihrer Bedeutung im Buch Jesaja vgl. E. Haag, *Sündenvergebung und neuer Anfang. Zur Übersetzung und Auslegung von Jes. 1,18*, in *Die Freude an Gott – Unsere Kraft*. FS O. Knoch, Stuttgart, 1991, S. 68-80.

fahrbare Gottesthron hin (vgl. Ez 11,15-21), der hier zur Hervorhebung der unnahbaren Heiligkeit Gottes als ganz in Feuer gehüllt erscheint (vgl. Ps 50,3; Nah 1,7; Ez 1,13).

Im weiteren Verlauf der Darstellung von V. 9f. wird geschildert, wie im Zusammenhang mit dem Auftreten des Hochbetagten und offenbar auf seine Anordnung hin, wie das Passivum divinum verrät, Throne aufgestellt werden, auf denen sich anschließend ein himmlischer Gerichtshof unter dem Vorsitz des Hochbetagten niederläßt. Nach Auffassung des Alten Orients gehört, wie zahlreiche Zeugnisse belegen, zu der Umgebung des höchsten Gottes, analog zu der Herrschaftsgestaltung in einer irdischen Monarchie, als beratendes und dienstbares Gremium eine Götterversammlung als himmlischer Thronrat[20]. Auch im Alten Testament hat diese Auffassung ihren Niederschlag gefunden, allerdings in einer stark modifizierten Weise. Denn im Alten Testament erscheint der himmlische Thronrat einmal als die Versammlung der Göttersöhne (Ps 29,1; 82,1; Ijob 1,6; 2,1), dann aber auch als das Heer des Himmels, dessen Mitglieder Geister (1 Kön 22,19-22), Heilige (Ps 89,6.8) und Wächter (Dan 4,10.14) heißen. Manchmal bildet der himmlische Thronrat nur noch den Hintergrund einer pluralischen Ausdrucksweise im Munde Jahwes (Gen 1,26; 3,22; Jes 6,8). Insgesamt hat der himmlische Thronrat im Alten Testament die Funktion, die einzigartige Hoheit und Macht Jahwes bei der Verwirklichung seiner Schöpfungs- und Geschichtsplanung hervorzuheben, sei es, daß dieser Thronrat als Ort der Beratung für die Lenkung der Weltgeschichte durch Gott erscheint (Jes 6,8; 1 Kön 22,19-22; Jer 23,18.22; Am 3,7), oder sei es, daß ein Mitglied aus der Umgebung des absolut transzendenten Gottes die Verbindung zur Immanenz seiner heilsgeschichtlichen Offenbarung übernimmt (Ps 34,7f.; 91,10-13; Dan 9,21; 10,13; 12,1). Zu diesem Vorstellungsbereich gehört offenbar auch der himmlische Gerichtshof in Dan 7. Hier dient das Auftreten des himmlischen Gerichtshofes in Verbindung mit der Erscheinung des Hochbetagten dazu, den in der Schöpfungs- und Geschichtsplanung Gottes vorgesehenen Abschluß jener heilsgeschichtlichen Offenbarung anzukündigen, von der in dem bisher dargestellten Theophaniegeschehen die Rede gewesen ist.

Diese Aussageabsicht ergibt sich auch aus der Bemerkung in V. 10, daß, nachdem der himmlische Gerichtshof sich unter dem Vorsitz des Hochbetagten niedergelassen hat, Bücher aufgeschlagen werden. Von himmlischen Büchern, in denen die Schicksale der Menschen und Völker verzeichnet sind, weiß die alttestamentliche Überlieferung mit Bezug auf Mose (Ex 33,32f.), die Frommen in Israel (Ps 69,29; 139,16; Mal 3,16) und das erlöste Gottesvolk in der Endzeit (Jes 4,3; Dan 12,1)

---

20. Vgl. H. NIEHR, *Der höchste Gott. Alttestamentlicher JHWH-Glaube im Kontext syrisch-kanaanäischer Religion des 1. Jahrtausends v. Chr.* (BZAW, 190), Berlin, 1990, S. 71-94.

zu berichten, zu dem nach Gottes allgemeinem Heilswillen auch die Völker der Erde berufen sind (Ps 87,6). Da in diesen himmlischen Büchern jedoch nicht nur die guten, sondern auch die bösen Taten der Menschen aufgeschrieben sind, ist die Abrechnung Gottes mit den Frevlern ein geschriebenes Gericht (Ps 149,9), das mit Sicherheit die Feinde Jahwes hinwegrafft (Jes 65,6)[21]. Nun ist hier in der Grundschicht von Dan 7 allerdings weder von einer Belohnung der Frommen noch von einer Aburteilung der Frevler die Rede. Das Aufgeschlagenwerden der himmlichen Bücher weist daher ganz allgemein auf den Abschluß und die Vollendung jener heilsgeschichtlichen Offenbarung hin, deren Ziel die Durchsetzung der ewigen Königsherrschaft Jahwes in seiner ganzen Schöpfung ist.

Will man die Ausführungen in V. 13f. über das Auftreten des Menschensohnes und die Eigenart seiner Gestalt richtig verstehen, dann empfiehlt es sich, fürs erste einen Blick auf die Struktur der Schauung zu werfen. Beachtet man nämlich, daß im ersten Teil der Schauung »die vier Winde des Himmels« das Heraufsteigen der vier gewaltigen Tiere aus dem Großen Meer bewirken, dann erweist sich im zweiten Teil der Schauung die Art und Weise, wie »mit den Wolken des Himmels« die Erscheinung des Menschensohnes erfolgt, als ein von der Struktur der Gesamtdarstellung her beabsichtigter Kontrast. Man erkennt dann ohne Schwierigkeit, daß die Erscheinung des Menschensohnes ein integrierender Bestandteil des die ganze Schauung erfüllenden Theophaniegeschehens ist: eines Geschehens, in dessen Verlauf Gott zunächst – gleichsam »von unten« her – vier verschiedene Herrschaftsträger hintereinander in seinen Dienst treten läßt, um danach die mit dieser Herrschaftsübertragung begonnene heilsgeschichtliche Offenbarung ihrer Vollendung entgegenzuführen und in diesem Zusammenhang – jetzt gleichsam »von oben« her – einen Herrschaftsträger mit einmaliger Machtfülle zu bestellen: nämlich den Menschensohn. Auf diesem Hintergrund erhalten die Ausführungen in V. 13f. über das Auftreten des Menschensohnes und über die Eigenart seiner Gestalt erst ihr volles Profil.

So ist hier für das Auftreten des Menschensohnes der Umstand von Bedeutung, daß innerhalb des Theophaniegeschehens seine Erscheinung in zwei getrennten Akten erfolgt. Während es auf der einen Seite heißt, daß einer wie ein Menschensohn mit den Wolken des Himmels kommt und dabei bis zu dem Hochbetagten gelangt, erwähnt auf der anderen Seite die Darstellung abschließend mit besonderer Feierlichkeit, daß dieser Menschensohn erst, nachdem er dem Hochbetagten vorgestellt oder, wie es wörtlich heißt »nahegebracht« worden ist, mit der für ihn

---

21. Vgl. C. Dohmen - F.L. Hossfeld - E. Reuter, Art. *sēpär*, in *THWAT* V (1986) 929-944; H. Haag, Art. *katab*, in *THWAT* IV (1984) 385-397 (besonders 394f.).

vorgesehenen Herrschaft beauftragt wird. Das bedeutet aber, daß der Menschensohn im Horizont des hier vorausgesetzten Theophaniegeschehens eine Art von Vorbereitung auf seinen Dienst als Herrschaftsträger erlebt und erst im Anschluß daran aufgrund eines neuen, seine bis dahin erfahrene Führungsgeschichte schlechthin überbietenden Handelns Gottes die volle Befähigung für die ihm zugedachte Würde erreicht. Ihm wird nämlich eine Machtfülle zuteil, die als »Herrschaft, Ehre und Königtum« mit dem Offenbarwerden der ewigen Königsherrschaft Jahwes in eins fällt und die deshalb niemals vergeht und für immer bleibt.

Beachtenswerte Hinweise auf die Eigenart der Gestalt des Menschensohnes enthalten das Singulativ *bar* vor dem Nomen *'ᵃnaš* und die komparativische Partikel *kᵉ* vor dem Kompositum *bar-'ᵃnāš*. Auch wenn im Aramäischen, wie die Forschung herausgefunden hat[22], zwischen dem Kompositum *bar-'ᵃnāš* und dem einfachen Nomen *'ᵃnāš* kein wesentlicher Unterschied bestehen sollte, verdient dennoch das Singulativ *bar* vor dem Nomen *'ᵃnāš* besondere Aufmerksamkeit. Denn offenbar legt die Darstellung im Bereich der Schauung Wert darauf, daß hier nicht die »Menschheit« als solche, sondern nur ein einzelner »Mensch« als Repräsentant der ewigen Königsherrschaft Jahwes fungiert. Die Setzung der komparativischen Partikel *kᵉ* vor dem Kompositum *bar-'ᵃnāš* wehrt dagegen, wie es scheint, das mögliche Mißverständnis ab, diesen einzelnen »Menschen« oder »Menschensohn« schon als eine historisch identifizierbare Gestalt zu begreifen. Die Darstellung verwendet hier vielmehr die mit dem Zusatz »wie« versehene Bezeichnung »Menschensohn« in einer ähnlichen Weise wie schon vorher die Bezeichnungen für die aus dem Großen Meer heraufsteigenden Tiere, wo ebenfalls die komparativische Partikel *kᵉ* (bei dem Löwen und bei dem Panther) oder eine ihr gleichgeartete, einschränkende Bemerkung (bei dem Bären) eingesetzt werden. Die Bezeichnung »Menschensohn« ist darum hier ein Symbol für die visionäre Realität des in der Schauung gemeinten Herrschaftsträgers und nicht ein Synonym für dessen historische Identität.

In V. 17f. erfolgt die Deutung des Geschauten in der Weise, daß die Darstellung hier nicht nur von ihrer Struktur her auf die beiden Unterabschnitte der Schauung Bezug nimmt, sondern auch inhaltlich – ganz in Übereinstimmung mit der Eigenart des hier vorliegenden apokalyptischen Visionsberichtes – dieselbe Schöpfungs- und Geschichtsplanung Gottes wie in der Schauung berücksichtigt und daher ebenfalls

---

22. Vgl. hierzu den Forschungsbericht von K. KOCH, *Das Buch Daniel*, S. 224-227. G. GERLEMAN, *Der Menschensohn*, Leiden, 1983, versucht, in radikaler Absetzung von der konventionellen Wiedergabe des aramäischen *bar-'ᵃnāš* den Ausdruck als den »vom Menschlichen Ver- oder Geschiedenen« zu verstehen, ohne jedoch für diese These auch nur einen einzigen wirklich überzeugenden Beweis zu erbringen.

wie diese nur solche Metaphern und Symbole gebraucht, die zu dem metahistorischen Gegenstand ihrer Aussagen passen. In der Thematik sind hierbei zwei Schwerpunkte zu unterscheiden.

Der erste Schwerpunkt betrifft das Heraufsteigen der vier gewaltigen Tiere aus dem von den vier Winden des Himmels aufgewühlten Großen Meer. Was hier bei dem Rückbezug auf den ersten Unterabschnitt der Schauung auffällt ist, daß in diesem Zusammenhang nicht nur die Vierzahl der gewaltigen Tiere mit Nachdruck betont wird, sondern auch daß bei der Entsprechung zu dem Heraufsteigen der vier Tiere aus dem Großen Meer ganz allgemein von vier »Königen« die Rede ist, die sich als Herrschaftsanwärter »von der Erde« her erheben. Nun begegnet im Alten Testament der Plural »Könige« des öfteren als eine allgemeine Bezeichnung für Machthaber: teils mit einem noch unverkennbaren Bezug auf die historischen Machthaber im Umkreis von Israel (Jos 12,1.7; 1 Kön 5,14; 10,23; Jer 25,20; Esr 9,7), teils aber auch als Bezeichnung für eine Jerusalem und den Zion, Jahwes Königssitz, bedrohende metahistorische Opposition von anonymen Herrschaftsträgern (Ps 2,2.10; 48,5; 76,13; Jes 24,21). Hier in der Grundschicht von Dan 7 hat die Darstellung bei der allgemeinen Bezeichnung »Könige« offenbar die metahistorische Opposition zu der Königsherrschaft Jahwes im Blick, wie aus der Tatsache hervorgeht, daß in der Schauung die dem Menschensohn übertragene Königsherrschaft mit dem Herrschaftsgebaren der vier Tiere unübersehbar kontrastiert. In diesem Fall aber gewinnt die auffällige Betonung der Vierzahl bei den aus dem Großen Meer heraufsteigenden gewaltigen Tieren erst ihre volle Aussagekraft. Beachtet man nämlich, daß bei den vier Tieren die ersten drei eine Art von Handlungseinheit bilden, der gegenüber das vierte Tier eine Sonderstellung einnimmt und daß gerade in dieser Aufgliederung der Reihe die Frage nach der Bedeutung des vierten Tieres in der Schöpfungs- und Geschichtsplanung Gottes beschlossen liegt, dann enthält die betonte Gleichsetzung der vier Tiere insgesamt mit den vier Königen schon einen ersten Hinweis auf das Verständnis der Deutung. Die vier Tiere sind nämlich dann – ungeachtet ihrer Einzelbestimmung in der Schöpfungs- und Geschichtsplanung Gottes – hier als Totalität ohne Unterschied ein Symbol für die metahistorische Opposition zu der Königsherrschaft Jahwes und ihrer Manifestation im Verlauf der Weltgeschichte.

Der zweite Schwerpunkt in der Thematik der Deutung betrifft die Bestellung des Menschensohnes zum endgültigen Repräsentanten der ewigen Königsherrschaft Jahwes. Auffälligerweise erscheint jedoch in der Deutung als Empfänger dieser Königsherrschaft Jahwes ein Kollektiv anstelle des Individuums, nämlich die »Heiligen (des) Höchsten«, denen mit Nachdruck der ewige Besitz dieser Königsherrschaft Jahwes zugesichert wird. Angesichts der in der exegetischen Forschung nach wie vor kontrovers diskutierten Frage nach der Identität dieser Heiligen (des) Höchsten und ihrer Relation zu dem Menschensohn[23] empfiehlt es sich hier, bevor eine inhaltliche Erklärung dieses Sachverhaltes gegeben wird, zuerst ein philologisches Problem zu behandeln, nämlich die Tatsache, daß die in Dan 7 verwendete Ausdrucksweise *qaddîšē 'älyônîn* (V. 18.22.25.27) innerhalb des Alten Testamentes singulär ist und daß die Wortprägung »Heilige des Höchsten« nur die Wiedergabe der alten Übersetzungen, nicht aber die des Urtextes ist. Denn dort ist weder im Singular von »dem Höchsten« noch terminologisch überhaupt von Gott als dem »Allerhöchsten« die Rede. Mit Recht hat daher K. Koch auf diese nicht immer beachtete Differenz in der Ausdrucksweise hingewiesen und dazu erklärend bemerkt, daß im Danielbuch zwar häufig »Allerhöchster« als Gottesbezeichnung gebraucht wird, aber dann immer im Singular und mit dem Nomen simplex der gleichen Wortwurzel: *'illāyā*; in Verbindung mit »Heiligen« erscheint dagegen nur das (hebraisierende?) Derivat *'älyôn*, und das im Plural[24]. Offenbar ist diese Differenz in der Ausdrucksweise durch ein spezielles Verständnis der hier gemeinten »Heiligen (des) Höchsten« bedingt. Wer sind diese »Heiligen (des) Höchsten«?

Im Unterschied zu der traditionellen Auffassung, die in den »Heiligen (des) Höchsten« von Dan 7 das Volk Israel erblickt, haben seit M. Noth, der in seiner Untersuchung einer Anregung von O. Procksch und E. Sellin gefolgt ist[25], immer wieder Erklärer in den »Heiligen (des) Höchsten« himmlische Wesen aus der Umgebung Gottes erblickt, die, wie K. Koch es formuliert hat, in Analogie zu dem verborgenen Weltregiment der Völkerengel (vgl. Dan 10,21f.) auf der gegenwärtigen Weltbühne, im eschatologischen Gottesreich statt fehlsamer Menschen die Weltherrschaft übernehmen[26]. Diese Annahme geht von der Beobachtung aus, daß der substantivierte Ausdruck »die Heiligen«, sieht man einmal von Dan 7 ab, nicht nur im ganzen Danielbuch (Dan 4,10.14.20; 8,13), sondern auch im übrigen Alten Testament überwiegend himmlische Wesen bezeichnet (Ps 89,6.8; Ijob 5,1; 15,15; Spr 9,10; 30,3; Dtn 33,3; Sach 14,5; Sir 42,17; Tob 8,15). Der naheliegenden Anwendung dieser Beobachtung auf die »Heiligen (des) Höchsten« in Dan 7 scheinen jedoch Aussagen im Wege zu stehen, nach

23. Vgl. hierzu den Forschungsbericht von K. Koch, *Das Buch Daniel*, S. 234-239 und dazu die in Anm. 1 genannten Monographien.

24. Man tut daher nach K. Koch gut daran, den Ausdruck *'älyônîn* – entgegen der allgemeinen Praxis – pluralisch zu übersetzen (*Das Buch Daniel*, S. 239). Zur philologischen Problematik vgl. auch die guten Beobachtungen von J. Goldingay, »*Holy Ones on High*« *in Daniel 7:18*, in *JBL* 107 (1988) 495-497.

25. Vgl. M. Noth, *Die Heiligen des Höchsten*, in *NTT* 56 (1955) 146-161; O. Procksch, *Der Menschensohn als Gottessohn*, in *CuW* 3 (1927) 425-442.473-481; E. Sellin, *Israelitisch-jüdische Religionsgeschichte*, 1933, S. 129f.

26. K. Koch, *Das Buch Daniel*, S. 236.

denen ein irdischer König die »Heiligen« befehdet und ihnen Schaden
zufügt (V. 21f.25). Gegenüber diesem Hauptargument aller Gegner
einer angelologischen Deutung der »Heiligen (des) Höchsten« hat allerdings K. Koch zu bedenken gegeben, daß der in Dan 7 gemeinte
Frevelkönig in Dan 8 nach dem Heer des Himmels greift und dabei die
Sterne zu Boden wirft und zertrampelt (V. 10), und anschließend die
Frage gestellt, ob nicht auf diesem Hintergrund sich doch noch die
scheinbar sperrigen Aussagen von Dan 7 auf Engelmächte beziehen
lassen[27]. In diese Richtung scheint jedenfalls auch der Begriff des
»Höchsten« zu weisen, der gerade im Zusammenhang mit den »Heiligen« als himmlischen Wesen eine besondere Beachtung verdient.

Der Gebrauch des Begriffes *'älyôn* im Alten Testament zeigt, daß
damit nicht nur Jahwe, der Gott Israels (Num 24,16; 32,8; 2 Sam
22,14; Ps 46,5; 50,14; u.a.), sondern auch Israel, das Gottesvolk selbst
(Dtn 26,19; 28,1), David, der von Jahwe erwählte theokratische König
(Ps 89,28), und schließlich himmlische Wesen aus der Umgebung Gottes (Ps 82,6) bezeichnet werden. Handelt es sich bei Jahwe, wenn er als
'älyôn dargestellt wird, um die Hervorhebung seiner unvergleichlichen
Hoheit als Schöpfer und Erlöser bei der Durchsetzung und Behauptung
seiner alles umfassenden Königsherrschaft, so bei Israel, David und
offenbar auch bei den hier in Frage kommenden himmlischen Wesen
um eine Ehrenstellung, die ihnen erst im Vollzug der heilsgeschichtlichen Offenbarung Gottes zuerkannt wird, und zwar für den Fall, daß
sie sich bei der Durchsetzung und Behauptung der Königsherrschaft
Jahwes als würdig erweisen. Bei den himmlischen Wesen hat jedoch die
hier geforderte Bewährung, wie man aus einigen verstreuten Andeut-
ungen des Alten Testamentes schließen darf, zu einer Scheidung der
Geister geführt, insofern sich offensichtlich ein Teil von ihnen der
Hoheit Jahwes als unwürdig erwiesen und deshalb in der himmlischen
Umgebung Gottes seine Ehrenstellung verloren hat (Ps 82,6; vgl. auch
Jes 14,12-15; Ez 28,17 und Ijob 15,15). Umgekehrt aber, so darf man
jetzt in Ergänzung dazu und unter Berufung auf Dan 7 behaupten,
haben jedoch alle diejenigen himmlischen Wesen, die Jahwe, dem
höchsten Gott, beim Vollzug seiner heilsgeschichtlichen Offenbarung in
Treue gedient haben, ihre Ehrenstellung als die »Heiligen (des) Höchsten« bestätigt erhalten.

Wenn nun die Grundschicht von Dan 7 in ihrer Deutung verheißt,
daß trotz der von den vier »Königen« ausgehenden Opposition die
»Heiligen (des) Höchsten« das Königtum empfangen und in alle Ewig-
keit besitzen werden, dann erkennt man sofort, daß hier der Aspekt der
Durchsetzung und der Behauptung von Jahwes Königsherrschaft die
Darstellung bestimmt, und zwar vom Standpunkt der Schöpfungs- und

---

27. K. Koch, *Das Buch Daniel*, S. 236f.

Geschichtsplanung Gottes her, wie sie in dem himmlischen Thronrat Jahwes konzipiert und dekretiert worden ist. Im Unterschied dazu erfolgt die in der Schauung dargestellte Szene von dem Kommen des Menschensohnes und seiner Beauftragung durch den Hochbetagten offensichtlich unter dem Aspekt der Vollendung von Jahwes heils-geschichtlicher Offenbarung, deren Höhepunkt hier eben die Bestellung eines Repräsentanten Jahwes in der von seiner Königsherrschaft ganz erfüllten Schöpfung ist. Dieser Vollendung droht jedoch nach Ausweis der Schauung eine Behinderung durch das vierte Tier, das, nachdem es die drei ersten Tiere als Herrschaftsträger abgelöst hat, allem Anschein nach nicht mehr weichen will. Auf diese Schwierigkeit zielt nun die Deutung, wenn sie mit Nachdruck verheißt, das nach der in himm-lischer Umgebung festgelegten Schöpfungs- und Geschichtsplanung Gottes grundsätzlich jede Opposition, die sich gegen die Königsherr-schaft Jahwes auf Erden erhebt, trotz Aufbietung aller ihrer Macht ihr Ziel nicht erreichen wird.

2. Die Bearbeitungsschicht

Innerhalb der Schauung hat der Bearbeiter der Grundschicht von Dan 7 zum erstenmal in V. 7f. bei der Darstellung des vierten Tieres eine größere Veränderung an seiner Vorlage vorgenommen. Bei dieser Gelegenheit hat der Bearbeiter nicht nur durch die gezielte Wiederauf-nahme der Visionseröffnung vom Anfang die Aufmerksamkeit in besonderer Weise auf den letzten der aus dem Großen Meer heraufstei-genden Herrschaftsträger gelenkt, sondern auch dessen Erscheinungs-bild im Vergleich mit der Vorlage nicht unerheblich verändert. So stellt der Bearbeiter gleich zu Beginn bei diesem vierten Herrschaftsträger eine bemerkenswerte Verschiedenartigkeit gegenüber dessen drei Vor-gängern fest, indem er – unter Anknüpfung an die schon in der Vorlage beschriebene Furchtbarkeit des vierten Tieres – jetzt an dessen Auftreten eine unerhörte Grausamkeit und Rücksichtslosigkeit sowie einen unbe-zähmbaren Vernichtungswillen erkennt. Anschließend beschreibt der Bearbeiter in einem eigens von ihm gestalteten Abschnitt – diesmal unter Anknüpfung an die in der Vorlage erwähnten zehn Hörner des vierten Tieres -, wie sich unter diesen Hörnern ein weiteres, kleines Horn erhebt und wie »vor ihm« drei der zehn Hörner ausgerissen werden. Auffällig ist an dieser Darstellung nicht nur der Umstand, daß hier die zehn Hörner auf dem Kopf des vierten Tieres, die in der Vorlage ein Ausdruck der übergroßen Machtfülle dieses Herrschafts-trägers sind, bei dem Bearbeiter zu zehn Repräsentanten des vierten »Königreiches« (vgl. V. 23) werden, sondern auch, daß bei diesem offensichtlich nicht historisch, sondern symbolisch[28] zu verstehenden

---

28. Die Darstellung des Bearbeiters wirkt in zweifacher Weise konstruiert: erstens hat der Bearbeiter die zehn Hörner in seiner Vorlage wohl deswegen als zehn »Könige«

Vorgang das sonst bei der Darstellung des vierten Tieres nicht übliche Passivum divinum erscheint; allem Anschein nach handelt es sich hier um eine von dem Bearbeiter wohlüberlegte Nachahmung der sonst nur auf Gott bezogenen Ausdruckweise. Nimmt man jetzt noch die weitere, auf der gleichen Ebene liegende Aussage hinzu, daß bei dem kleinen Horn »Augen wie Menschenaugen« und parallel dazu ein »Mund«, der »Gewaltiges« redet, zu beobachten sind, was deutlich auf Hochmut und Anmaßung rückschließen läßt, dann usurpiert dieser letzte Repräsentant des vierten Königreiches nach der Darstellung des Bearbeiters eine ihm grundsätzlich nicht zustehende Autorität; sein Auftreten offenbart vielmehr unübersehbar die Tendenz zu widergöttlicher Selbstverabsolutierung.

Als kleinere Eingriffe in die Vorlage sind die beiden Einschübe innerhalb der Darstellung des Hochbetagten und des Menschensohnes zu verstehen. Hebt in V. 10 die Aussage über das unendlich große Heer der Dienerschaft des Hochbetagten dessen absolute Macht und Hoheit hervor, so betont in Entsprechung dazu die Bemerkung in V. 14, daß »alle Völker, Stämme und Zungen« dem Menschensohn dienen, die universale Reichweite der Herrschaft, die der Hochbetagte diesem Repräsentanten seiner ewigen Königsherrschaft in einer vollendeten Schöpfung überträgt.

In offenkundiger Entsprechung zu den Erweiterungen bei der Darstellung des vierten Tieres in der Schauung (vgl. V. 7f.) hat der Bearbeiter im Bereich der Deutung eine zweite größere Veränderung an seiner Vorlage vorgenommen, die den ganzen von ihm neugeschaffenen Abschnitt V. 23-27 umfaßt. Im ersten Teil dieses Abschnittes, der sich auf V. 23 beschränkt, wiederholt der Beabeiter inhaltlich das bereits in der Schauung Gesagte, indem er noch einmal auf die Verschiedenartigkeit des vierten Tieres im Vergleich mit den ersten drei Tieren verweist und dann zur Bekräftigung dieser Aussage die Tatsache hervorhebt, daß sich das Auftreten dieses Herrschaftsträgers »auf Erden« mit einer besonderen Grausamkeit und Rücksichtslosigkeit sowie mit einem unbezähmbaren Vernichtungswillen vollzieht.

Im zweiten Abschnitt der von ihm neugeschaffenen Deutung, der die V. 24-27 umfaßt, beschreibt der Bearbeiter sodann, wie die Macht des vierten »Königreiches« sich unter der Regierung von »zehn Königen« entfaltet und wie sie unter der Regierung eines elften und letzten »Königs« ihren Höhepunkt erreicht, aber auch wie diese in der Schöp-

---

dargestellt, weil er die Aufmerksamkeit auf den letzten Repräsentanten der durch das vierte Tier symbolisierten Macht lenken wollte und hierfür einen passenden Anknüpfungspunkt brauchte; zweitens hat der Bearbeiter die drei Hörner, die vor dem elften Horn ausgerissen werden, allem Anschein nach in Analogie zu den drei Tieren dargestellt, die als eine Art Handlungseinheit von dem vierten Tier abgelöst werden. In beiden Fällen liegt keinerlei historische Anspielung vor.

fungs- und Geschichtsplanung Gottes vorgesehene Endzeit durch die Offenbarung der ewigen Königsherrschaft Jahwes ihren Abschluß findet und wie hierbei das »Volk der Heiligen (des) Höchsten« die ihm zugedachte Königsherrschaft erhält. Im Ablauf dieses eschatologischen Dramas sind deutlich drei Schwerpunkte zu unterscheiden.

Der erste Schwerpunkt betrifft den letzten Repräsentanten des vierten Königreiches und sein Auftreten in der Geschichte. Wenn der Bearbeiter von diesem »König« sagt, daß er sich von seinen »zehn« Vorgängern unterscheidet, dann will er mit dieser Spezifizierung des Prädikats der Verschiedenartigkeit, das er in der Schauung auf das vierte Tier als Ganzes bezogen hat, zum Ausdruck bringen, daß der elfte und letzte »König« gleichsam das Wesen des vierten Königreiches verkörpert und daß er daher auch dessen außerordentliche Gewalttätigkeit schlechthin repräsentiert. Auf diesem Hintergrund gewinnt dann die Aussage, daß dieser elfte und letzte »König« drei seiner Vorgänger »zu Boden streckt«, erst ihr volles Profil. Was nämlich für Gott bei der Niederwerfung seiner Feinde eine Selbstverständlichkeit darstellt (Dan 4,34) und bei Nebukadnezzar auf die ihm von Gott mitgeteilte Herrschaft zurückzuführen ist (Dan 5,19), daß sie ihre Gegner »zu Boden strecken«, das vollbringt der letzte Repräsentant des vierten Königreiches in seiner Gewalttätigkeit gleichsam in eigenem Auftrag und aus eigener Machtvollkommenheit. Wie sehr ihn bei diesem unaufhaltsamen Aufstieg zur Alleinherrschaft sein Erfolg zu Hochmut und Anmaßung verleitet, deutet der Bearbeiter mit der Aussage an, daß dieser König Worte der Lästerung gegen den Allerhöchsten spricht. Der elfte und letzte Machthaber des vierten Königreiches erscheint dadurch als Anti-Jahwe.

Der zweite Schwerpunkt betrifft die »Bedrängnis« der Heiligen (des) Höchsten durch diesen letzten Machthaber des vierten Königreiches, in dessen Hand sie »auf Zeit, Zeiten und eine geteilte Zeit« ausgeliefert werden. Die Ausdrucksweise dieser Ankündigung, die wörtlich von einem »Zerschleißen« oder »Aufreiben« der Heiligen (des) Höchsten spricht und die darüber hinaus, wie es scheint, auch noch den Ablauf der Zeit ihrer Bedrängnis genau bestimmt, hat in der Forschung immer wieder dazu geführt, daß man hier ein Echo auf die rund dreieinhalb Jahre dauernde Unterdrückung Judas durch Antiochus IV. (175-164 v. Chr.) herausgehört hat. Gegen eine solche zeitgeschichtliche Erklärung spricht jedoch allein schon das formgeschichtliche Argument, daß in einem apokalyptischen Visionsbericht nicht nur die Schauung, sondern auch die Deutung im Horizont derselben Schöpfungs- und Geschichtsplanung Gottes zu interpretieren sind. In dem vorliegenden Fall darf man daher erwarten, daß der Bearbeiter in V. 25 die schon in der Grundschicht von Dan 7 überlieferte Deutung aufgreift und weiterführt, wonach eine Opposition gottloser »Könige« sich »auf Erden«

gegen die als himmlische Wesen zu verstehenden »Heiligen (des) Höchsten« erhebt (vgl. V. 17f.). Gegen die zeitgeschichtliche Auslegung
spricht aber auch der semantische Befund, daß der im Danielbuch
mehrfach belegte Begriff 'iddān (Dan 2,8f.21; 3,5.15; 4,13.20.22.29;
7,12.25) nirgendwo die Bedeutung »Jahr« hat, sondern überall eine
»Zeit« meint. Außerdem bleibt bei einer Anwendung der fraglichen
Ausdrucksweise auf genau dreieinhalb Jahre der Unterdrückung die
Frage offen, warum man ausgerechnet für einen auf Jahr und Tag
genau bekannten und offenbar als Ganzheit zu verstehenden Zeitraum
eine so merkwürdig aufgegliederte Umschreibung gewählt hat. Will
man vielmehr zu einer sachlich begründeten Erklärung der Aussage in
V. 25 gelangen, dann empfiehlt es sich, auf den Kontext der Bearbeitung von Dan 7 zu achten und hierbei die Eigenart und die Bedeutung jener Opposition zu bedenken, die erst durch das Kommen des
Menschensohnes für immer aufgehoben wird. Denn mit dieser Opposition ist ebenfalls eine zeitlich befristete und inhaltlich zermürbende
»Bedrängnis« der »Heiligen (des) Höchsten« verbunden, weil ihnen in
dieser Zeit die verheißene Königsherrschaft (vgl. V. 17f.) noch nicht
zuteil geworden ist und sie daher den Angriff ihrer Gegner noch
abwehren müssen.

   Unter diesen Umständen aber stellt sich die Frage, ob nicht in Dan 7
die von dem Bearbeiter der Grundschicht erweiterte Darstellung der
vier Tiere das Paradigma für die von demselben Bearbeiter erstmals
gebrauchte Ausdrucksweise »auf Zeit, Zeiten und eine geteilte Zeit«
abgegeben hat. Achtet man nämlich auf die in den Einzelbeschreibun-
gen der vier Tiere zutage tretende historische Transparenz, die, wie
bereits festgestellt worden ist, sich auf bekannte Großreiche des Alten
Orients bezieht, dann entdeckt man in der Aufzählung der vier Tiere,
historisch betrachtet, eine eigentümliche Struktur. An erster Stelle steht
dort deutlich erkennbar das Großreich Babel, an zweiter und dritter
Stelle das medisch-persische Großreich und an vierter Stelle das in die
Diadochenreiche aufgeteilte Großreich Alexanders. Die hier auf drei
historische Großreichbildungen konzentrierte Struktur entspricht nun
exakt jener Bewertung und Sicht der durch die vier Tiere symbolisierten
Herrschaftsträger, wie sie auch sonst in dem wohl von demselben
Bearbeiter redigierten Danielbuch anzutreffen sind. Denn dort erscheint
nicht nur das medisch-persische Großreich als eine historisch einheitliche Größe (vgl. Dan 6,1.9.13.16; 8,20), sondern es wird auch das
darauf folgende Großreich Alexanders ausdrücklich als eine auf vier
weitere Herrschaftsträger aufgeteilte historische Macht dargestellt (vgl.
Dan 8,21f.). Es bedarf wohl keiner besonderen Phantasie, um hier das
Paradigma zu erkennen, an dem sich die Ausdrucksweise »auf Zeit,
Zeiten und eine geteilte Zeit« orientiert hat. Ist doch die Struktur der
hier angesprochenen drei Großreichbildungen von der gleichen Eigen-

tümlichkeit der Aufgliederung und Zusammenfassung wie diese Ausdrucksweise geprägt[29]. Allerdings ist die Ausdrucksweise »auf Zeit, Zeiten und eine geteilte Zeit« nicht einfach als der Versuch einer Abstraktion der in der Schauung dargestellten Historie zu interpretieren; als apokalyptische Zeitangabe symbolisiert sie vielmehr die Summe all dessen, was die vier Tiere innerhalb der Schöpfungs- und Geschichtsplanung Gottes als Opposition gegenüber der Königsherrschaft Jahwes bedeuten.

Wenn es daher in V. 25 heißt, daß der letzte Machthaber des vierten Königreiches die Heiligen (des) Höchsten in Bedrängnis versetzt und daß sie auf Zeit, Zeiten und eine geteilte Zeit ihm ausgeliefert werden, dann ist zum Verständnis dieser Deutung ein Zweifaches zu beachten: einmal der Gegensatz der Kontrahenten und sodann die Eigenart der Bedrängnis, deren Dimension hier mit der wohl von dem Bearbeiter ad hoc geschaffenen apokalyptischen Zeitangabe umschrieben wird. Hat man nämlich in V. 25 den metahistorischen Charakter der Aussage erkannt, dann repräsentiert der gottlose Machthaber, in dessen Hand die Heiligen (des) Höchsten gegeben werden, nicht nur das ihm als Horizont dienende vierte Königreich, sondern auch die sowohl in der Grundschicht von Dan 7 wie auch in deren Bearbeitung genannten »Könige«, als deren Exponent er hier auftritt. Von diesen Königen aber heißt es, daß sie in ihrer Gesamtheit die Opposition zu den Heiligen (des) Höchsten als den himmlischen Repräsentanten der ewigen Königsherrschaft Gottes bilden und sich mit diesen in einer die Zeit der Weltgeschichte füllenden Auseinandersetzung befinden (vgl. V. 17f.). Daraus folgt aber, daß innerhalb der Schöpfungs- und Geschichtsplanung Gottes, deren Verwirklichung die Deutung zum Gegenstand hat, die Opposition der »Könige« in dem gottlosen Machthaber des vierten Königreiches ihren eschatologisch unüberbietbaren Höhepunkt erreicht. Die Eigenart der durch diesen gottlosen Machthaber hervorgerufenen Bedrängnis, die auf Zeit, Zeiten und eine geteilte Zeit erfolgt, ist dann entsprechend der apokalyptischen Zeitangabe so zu verstehen, daß sich in ihr all das an Opposition gegenüber der Königsherrschaft Jahwes konzentriert, was die in der Schauung von Dan 7 beschriebene Herrschaft der vier Tiere insgesamt dargestellt hat. Die Ausdrucksweise »auf Zeit, Zeiten und eine geteilte Zeit« ist daher weniger extensiv im Sinne einer Abgrenzung von verschiedenen Zeiträumen als vielmehr intensiv zu verstehen, nämlich als die apokalyptische Umschreibung der Enddrangsal, die »auf Erden« noch vor dem Anbruch der ewigen Königsherrschaft Jahwes über das Gottesvolk kommt.

---

29. Wiederum erkennt man hier wie schon bei der Szene von dem Ausgerissenwerden der drei Hörner vor dem elften Horn (V. 7f.) die konstruierende Vorgehensweise des Bearbeiters (vgl. Anm. 28). Vgl. auch E. HAAG, *Zeit und Zeiten und ein Teil einer Zeit (Dan 7,25)*, in *TThZ* 101 (1992) 65-68.

Der dritte Schwerpunkt in dem eschatologischen Drama, das der Bearbeiter in seiner Deutung beschreibt, betrifft die dem Volk der Heiligen (des) Höchsten übertragene Königsherrschaft in der Schöpfung. Vorbereitet wird dieser Akt nach V. 26 durch ein Gericht, dessen Ziel die endgültige Überwindung jener Opposition ist, die »auf Erden« immer wieder gegen die Königsherrschaft Jahwes aufgetreten ist und die in dem gottlosen Machthaber des vierten Königsreiches ihren innergeschichtlichen Höhepunkt erreicht hat. Erst durch die endgültige Überwindung dieser Opposition wird der Weg frei für die Durchsetzung und die Verwirklichung der ewigen Königsherrschaft Jahwes im Bereich der ganzen Schöpfung. Als Empfänger dieser ewigen Königsherrschaft Jahwes erscheint in V. 27 das »Volk der Heiligen (des) Höchsten«. Auch diese Ankündigung ist ganz dem metahistorischen Charakter der übrigen Darstellung angepaßt, insofern hier unter dem »Volk der Heiligen (des) Höchsten« nicht mehr das Israel der empirischen Geschichte, sondern dieses Gottesvolk in seiner eschatologischen Vollendung gemeint ist. Die Herrschaftsübertragung an das Volk der Heiligen (des) Höchsten transzendiert daher die Geschichte auf das ihr von Gott in seiner Schöpfungs- und Geschichtsplanung gesteckte Ziel hin. Wenn es dazu abschließend heißt, daß hierbei »alle Herrschaften« dem Volk der Heiligen (des) Höchsten dienstbar und untertan sind, dann wird damit nicht wieder ein neues, auf Unterdrückung gegründetes Herrschaftsgefälle beschrieben, sondern ein eschatologischer Zustand, in dem das vollendete Gottesvolk als die Erfüllung aller Verheißungen (vgl. Jes 45,14ff.; 60,10ff.; Ps 18,44f.) die Bestätigung seiner heilsgeschichtlichen Priorität erfährt.

B. Theologische Synthese

1. *Die Rezeption der in Dan 7 verarbeiteten Tradition*

a. Die Grundlegung durch die Zion-David-Tradition

Die Grundschicht von Dan 7 und ihre Bearbeitung lassen nach Ausweis der semantischen Analyse, wie es scheint, auf die Verarbeitung einer Vielfalt alttestamentlicher Traditionen schließen. Eine sorgfältige Sichtung des traditionsgeschichtlichen Befundes ergibt jedoch, daß die Zahl der in Dan 7 herangezogenen Traditionen relativ gering ist und daß ihr Zusammenwachsen einem wohldurchdachten theologischen System folgt.

So hat sich für die Grundschicht von Dan 7 als traditionsgeschichtlich konstitutiv die Kombination zweier Offenbarungsvorgänge erwiesen, die trotz ihrer verschiedenartigen Ausprägung inhaltlich eng aufeinander bezogen sind. Der erste Offenbarungsvorgang stellt sich als ein die ganze Weltgeschichte erfassendes Theophaniegeschehen dar, in dessen Verlauf Gott sich als der den Mächten des Chaos absolut überlegene Herr seiner Schöpfung erweist und an dessen Ende er als Weltrichter, umgeben von einer himmlischen Ratsversammlung, in unangefochtener Hoheit und Heiligkeit seine universale Königsherrschaft für alle Ewigkeit manifestiert. Der zweite Offenbarungsvorgang ist inhaltlich damit gefüllt, daß Gott im Zusammenhang mit dem Abschluß seines Kommens in der Geschichte an seiner Statt einen von ihm auserwählten Menschen zum Herrn der von den Mächten des Chaos befreiten Schöpfung bestellt und ihn zum Repräsentanten seiner für alle Ewigkeit manifestierten Königsherrschaft erhebt. Schon diese geraffte Beschreibung der für die Traditionsgeschichte der Grundschicht von Dan 7 konstitutiven Kombination zweier Offenbarungsvorgänge zeigt, daß hier die aus dem Alten Testament hinreichend bekannte Zion-David-Tradition verarbeitet worden ist, und zwar in ihrer eschatologischen Ausprägung.

Die Kombination der Zion-David-Tradition, deren historischen Haftpunkt das deuteronomistische Geschichtswerk in den offenbar erst redaktionell zusammengeschlossenen Kapiteln 2 Sam 6-7 festgehalten hat, ist wohl schon in deuteronomischer Zeit vollzogen worden. Als Faktoren haben hier offenbar mitgewirkt auf der einen Seite die im Anschluß an den Untergang des Nordreiches Israel und die Bewahrung Jerusalems vor dem Zugriff der Assyrer einsetzende Reflexion über Jahwe, den Gott des Zion, und die von ihm erwählte Daviddynastie sowie auf der anderen Seite die Restauration des davidischen Reiches – wenn auch nur für kurze Zeit und in einem bescheidenen Ausmaß – unter König Joschija. Als besonders aufschlußreich für das Verständnis dieser deuteronomisch-deuteronomistischen Kombination der Zion-David-Tradition, nicht zuletzt auch wegen ihrer unübersehbaren Verbindung zu der Grundschicht von Dan 7, darf Ps 89 gelten. Auf die Zion-Tradition verweist hier, daß Jahwe als der Schöpfer des Himmels und der Erde (V. 12) sich über die Mächte des Chaos (V. 10f.) als Sieger erwiesen hat und darum unangefochten in seiner einzigartigen Hoheit als Gott im Rat der Heiligen thront (V. 6.8); zur David-Tradition hingegen gehört, daß Jahwe einen Mann aus dem Volk (V. 20) zum Repräsentanten seiner universalen Königsherrschaft bestellt (V. 26) und den Erwählten zum Höchsten unter den Herrschern der Erde gemacht hat (V. 28) und daß er dessen Thron für alle Ewigkeit gefestigt hat (V. 37f.).

In der exilisch-nachexilischen Heilsprophetie hat die in deuteronomisch-deuteronomistischer Zeit geschaffene Kombination der Zion-David-Tradition eine Weiterentwicklung erfahren, die sich sowohl auf die Neufassung ihres traditionsgeschichtlichen Kontextes (mit Hilfe der Exodus-Tradition) wie auch auf die Ausweitung ihrer theologischen Perspektive (in der Schöpfungstradition) ausgewirkt hat. Zeitgeschichtliche Vorgänge haben hierbei einen nicht unmaßgeblichen Einfluß ausgeübt. So haben auf dem Hintergrund der Heimkehr Israels aus dem

Exil und der Wiederherstellung der Zionsgemeinde von Jerusalem
damals Prophetenkreise den hierauf deutend angewandten Inhalt der
Zion-David-Tradition als das Ergebnis eines neuen Exodus interpretiert, bei dem Gott sich in eschatologischer Perspektive zum Heil seines
Volkes als Schöpfer und Erlöser offenbart. Diese Neuorientierung der
alten Doppeltradition hatte zur Folge, daß man jetzt die mit ihr
verbundenen mythischen Vorstellungen stärker betonte, um dadurch in
deutlicher Absetzung von dem historischen Erfahrungshintergrund die
metahistorische Tragweite des hier beschriebenen Heilsgeschehens in
Schöpfung und Geschichte hervortreten zu lassen. So hat diese exilisch-
nachexilische Heilsprophetie im Horizont ihrer Darstellung des neuen
Exodus die Freilegung des von Unheilsmächten versperrten Weges zum
Zion mit dem in der Zion-Tradition beheimateten Chaoskampfmotiv
umschrieben (Jes 43,16-18; 51,9-11) und zur Verdeutlichung des Kon-
trastes, der zwischen der Manifestation der Königsherrschaft Jahwes
auf Zion und der noch andauernden Unheilssituation in der Welt
besteht, das auf die Heilsmacht Gottes verweisende Motiv des Lichtes
eingesetzt (Jes 60,1-3): Zion als Ort der Offenbarung von Jahwes
Königsherrschaft, wo die Auserwählten in der Gemeinschaft mit Gott,
ihrem Schöpfer und Erlöser, dessen überreiche Segensfülle erwarten,
erhält nach dieser Darstellung eine mit Eden vergleichbare Vollendung
(Jes 41,18-20; 43,20f.; 44,3-5). Und der Bau jenes »Hauses«, das
Nathan einst David als das Bestätigungszeichen für dessen ewiges
Herrschertum verheißen hat (2 Sam 7,11), erscheint jetzt, dargestellt mit
dem Motiv der Zionsgeburt (Jes 54,1-3; 66,7-9), als die Erschaffung
eines neuen Gottesvolkes, das zum Zeugen und Vermittler für die
Königsherrschaft Jahwes wird (Jes 55,3-5). Alle diese Beispiele zeigen
mit hinreichender Deutlichkeit, wie die exilisch-nachexilische Heilsprophetie den Offenbarungsgehalt der Zion-David-Tradition nicht nur als
ein eng miteinander verbundenes Heilsgeschehen dargestellt, sondern
ihm auch unter Zuhilfenahme der Schöpfungstradition eine eschatologische Ausrichtung verliehen hat[30].

Eine für die Grundschicht von Dan 7 höchst aufschlußreiche Anwen-
dung hat die so eschatologisierte Zion-David-Tradition bei der Kom-
position der erweiterten Denkschrift des Jesaja in Jes 6–12 gefunden.
Drei Schwerpunkte sind hierbei zu unterscheiden. Den Auftakt bildet
Jes 6, wo der in der himmlischen Ratsversammlung thronende Allherr
Jahwe seine Entschlossenheit bekundet, bei der Durchsetzung seiner
Königsherrschaft in der Welt mit dem von ihm abgefallenen Gottesvolk
ins Gericht zu gehen. Nachdem die erweiterte Denkschrift dann in Jes 8

---

30. Zur Bedeutung dieser Entwicklungsstufe der Zion-David-Tradition für das Zustan-
dekommen des priesterschriftlichen Schöpfungsberichtes in Gen 1,1–2,4a und für die
Begründung des Sabbatgebotes in Ex 20,8-11 vgl. E. HAAG, *Vom Sabbat zum Sonntag.
Eine bibeltheologische Studie*, in *TrThSt* 52 (1991) 56-64.

dargelegt hat, daß Gott bei seinem Kommen auch die mit dem Urmeer verglichene Großmacht Assur als sein Gerichtswerkzeug benützt, schildert Jes 10, wie trotz der weltweiten Vernichtung durch Assur die Rettung eines Gottesvolkes auf Zion gelingt, das der Offenbarung der ewigen Königsherrschaft Jahwes entspricht. Von dem Lobpreis, den dieses Restvolk auf Jahwe, den Gott des Zion, anstimmt, handelt dann zum Abschluß Jes 12. Ähnlich weist auch die in die erweiterte Denkschrift des Jesaja aufgenommene David-Tradition deutlich erkennbar drei Schwerpunkte auf. Am Anfang steht hier Jes 7, wo auf dem Hintergrund der Verwerfung des durch Ahas vertretenen Hauses David die Verheißung eines neuen David ergeht, der zum Zeichen seiner engen Verbundenheit mit Jahwe, dem Rettergott, Immanuel heißt. Nachdem Jes 9 von der Geburt dieses Heilbringers und der damit bereits angebrochenen Königsherrschaft Jahwes gehandelt hat, legt Jes 11 ausführlich dar, wie der neue David, ausgerüstet mit der Fülle des Geistes Gottes, als der endzeitliche Repräsentant der ewigen Königsherrschaft Jahwes in einer von Gottes Heil erfüllten Schöpfung regiert[31]. Von dieser, hier in der erweiterten Denkschrift des Jesaja erreichten Entwicklungsstufe der Zion-David-Tradition führt, wie man ohne große Schwierigkeit erkennt, direkt der Weg zu der Grundschicht von Dan 7.

b. Die Ergänzung durch die Vier-Reiche-Tradition

Im Zusammenhang mit dem für die Zion-David-Tradition charakteristischen Vorgang eines die ganze Weltgeschichte umfassenden Theophaniegeschehens, jedoch inhaltlich davon getrennt, ist in der Grundschicht von Dan 7 noch ein weiterer traditionsgeschichtlich belangvoller Offenbarungsvorgang zu erkennen, der allem Anschein nach hier die Funktion einer Ergänzung hat. Gemeint ist die Tatsache, daß Gott im Vollzug seines Kommens aus dem Großen Meer nacheinander vier gewaltige Tiere heraufsteigen läßt, denen er bei der Verwirklichung seiner Schöpfungs- und Geschichtsplanung eine zeitlich befristete Herrschaft auf Erden überträgt. Was bei der Darstellung dieses weiteren Offenbarungsvorganges auffällt, ist jedoch, wie schon bei der semantischen Analyse festgestellt worden ist, der Umstand, daß die vier Tiere trotz ihrer gemeinsamen Herkunft aus dem Großen Meere eine bemerkenswerte Uneinheitlichkeit aufweisen, insofern die ersten drei Tiere eine Art Handlungseinheit bilden, der gegenüber das vierte Tier deutlich eine Sonderstellung einnimmt.

Im Hintergrund dieser Darstellung steht ohne Zweifel die schon in

---

31. Zu der traditionsgeschichtlichen Problematik einer erweiterten Denkschrift des Jesaja und der damit verbundenen Auslegung von Jes 7 und 11 vgl. E. HAAG, *Das Immanuelzeichen in Jesaja 7*, in *TThZ* 100 (1991) 3-22; DERS., *Der neue David und die Offenbarung der Lebensfülle Gottes nach Jesaja 11,1-9*, in *Im Gespräch mit dem dreieinen Gott*. FS W. Breuning, Düsseldorf, 1985, S. 97-114.

der vorexilischen Prophetie mehrfach belegte Tradition, daß Gott bei
der Durchführung seiner Strafgerichte an Israel und Juda fremde
Völker und Reiche in seinen Dienst nimmt: so etwa, wenn Jahwe ein
unbekanntes Volk aus der Ferne (Jes 5,26-29) oder den Feind aus dem
Norden (Jer 1,15; 4,6; 6,1.22) herbeibestellt oder die Großmächte Assur
(Jes 10,5f.) und Babel (Jer 25,9) als seine Zuchtrute benützt. Nicht
unwichtig für die Frage nach der Herkunft dieser Tradition ist der
Umstand, daß diese im Dienst Jahwes heranstürmenden feindlichen
Heere zuweilen mit dem mythischen Bild des chaotisch aufbegehrenden
Urmeeres beschrieben werden (Jes 8,7f.; 28,15): eine Vorstellung, die
offenbar in der Zion-Tradition beheimatet ist (vgl. Ps 46,3f., 74,13f.;
89,10; 93,3f.).

In nachexilischer Zeit hat diese Tradition von der Indienstnahme
fremder Völker und Reiche durch Gott eine Ausprägung erhalten, die
auf die Grundschicht von Dan 7 nicht ohne Einfluß geblieben ist. Auch
hier haben zeitgeschichtliche Vorgänge und Ereignisse den Erfahrungshintergrund gebildet: daß sich nämlich im Ablauf der Weltgeschichte die
Feinde Israels ablösten und ein Großreich auf das andere folgte, daß sich
aber für Israel keinerlei Möglichkeit bot, die seit dem Exil verlorenge-
gangene politische Autonomie wiederzuerlangen. In dieser Situation
verkündet nach der Darstellung von Jer 27 der Prophet, daß Jahwe
kraft seiner Hoheit als Schöpfer der Welt die Länder und Völker des
Vorderen Orients in die Hand Nebukadnezzars, des Königs von Babel,
gegeben hat; ihm sollen sie dienen, auch seinem Sohn und seinem
Enkel, bis auch für ihr Land die Zeit kommt, daß große Völker und
mächtige Könige es unterwerfen und knechten (V. 7)[32]. An diese
Tradition knüpft in der Grundschicht von Dan 7 die Darstellung von
dem Heraufsteigen der vier gewaltigen Tiere aus dem Großen Meer an.

c. Die Erweiterung durch die Gottesfeind-Tradition

Ein letzter Offenbarungsvorgang von traditionsgeschichtlicher Bedeutung läßt sich in der Bearbeitung der Grundschicht von Dan 7 erkennen, wo er allem Anschein nach die Funktion einer Erweiterung der
Vier-Reiche-Tradition hat. Inhaltlich geht es hierbei um die Näher-
bestimmung der vier Tiere als Chaosmächte und um die Verdeutlichung
ihres Charakters am Beispiel eines für sie typischen Repräsentanten.
Nicht ohne Grund hat daher der Bearbeiter bei der Erweiterung seiner
Vorlage als Anknüpfungspunkt die grundsätzlich bei allen vier Tieren
hervortretende Furchtbarkeit ausgewählt, die bekanntlich bei dem letzten Tier eine Steigerung erfährt. Dieses Tier stellt der Bearbeiter jetzt

---

32. Zur Bedeutung von Jer 27 für das Danielbuch vgl. R.G. KRATZ, *Translatio imperii.*
Untersuchungen zu den aramäischen Danielerzählungen und ihrem theologiegeschichtlichen
Umfeld (WMANT, 63), Neukirchen, 1991, S. 190-195.

als das Symbol einer Herrschaft dar, deren Auftreten auf Erden durch Grausamkeit und Rücksichtslosigkeit sowie durch einen unbezähmbaren Vernichtungswillen gekennzeichnet ist. Hinter dieser Degeneration geschöpflicher Macht verbirgt sich jedoch eine personal gelenkte widergöttliche Hybris; sie verleitet den letzten Repräsentanten dieser chaotischen Herrschaft zum offenen Kampf mit den Heiligen (des) Höchsten und damit zur Auflehnung gegen die in der Schöpfungs- und Geschichtsplanung Gottes in Aussicht genommene Königsherrschaft Jahwes. Mit der endgültigen Entmachtung und Vernichtung dieses gottlosen Herrschers im Endgericht wird jedoch der Weg frei für die Vollendung der ewigen Königsherrschaft Jahwes.

Im Hintergrund dieser Schilderung von dem Aufstieg und Fall des letzten Repräsentanten der aus dem Großen Meer heraufgestiegenen vier Tiere steht deutlich erkennbar die Gottesfeind-Tradition, die in vorexilischer Zeit erstmals in Jes 10 entfaltet wird. Mit einem Weheruf (V. 5) eröffnet hier der Prophet seine Kritik an der von ihm als Person dargestellten Großmacht Assur, die sich der ihr von Gott zugedachten Aufgabe, ein Werkzeug seines Strafgerichtes an Israel zu sein (V. 6), hochmütig entzogen und statt dessen nur noch die Ausrottung und Vernichtung nicht weniger Völker betrieben hat (V. 7). Hinter dieser unwiderstehlichen und alles zerstörenden Machtentfaltung Assurs und ihrer Loslösung von der alles verfügenden Schöpfungs- und Geschichtsplanung Gottes steht jedoch, wie der Hinweis auf das »Herz« (V. 7) und die »Weisheit« (V. 13) dieser Großmacht verrät, ein durchaus einheitliches Erkennen und Wollen, das offensichtlich der Ausdruck einer widergöttlichen Auflehnung ist. Denn die Angriffswut Assurs richtet sich letztlich, wie der Prophet betont, gegen Jahwe und den Zion als das Zentrum der von diesem Gott manifestierten Königsherrschaft auf Erden (V. 11). Nicht von ungefähr kommt Assur darum gerade bei diesem Unternehmen zu Fall (V. 28-34), und zwar durch Jahwes Eingreifen zur Rettung des Zion.

Die Gottesfeind-Tradition hat im Alten Testament noch weitere Ausprägungen gefunden, angefangen bei Gog von Magog in Ez 38-39 über den Völkersturm gegen Jerusalem und den Zion in Sach 12-14 bis hin zu der Gestalt des Nebukadnezzar in Jdt 1-3. Besondere Aufmerksamkeit verdient jedoch hier – nicht zuletzt im Hinblick auf die Bearbeitung der Grundschicht von Dan 7 – die mythische Version der Gottesfeind-Tradition in Jes 14, wo ein gottloser Herrscher den Himmel ersteigen und seinen Thron über den Sternen Gottes aufstellen will, um den göttlichen Ehrenrang des »Höchsten« für sich selbst einzunehmen (V. 12-15). Angesichts dieser mythischen Ausprägung der Gottesfeind-Tradition und deren metahistorisch orientierten Gestalt in Jes 10 versteht man, warum der Bearbeiter der Grundschicht von Dan 7 das auf die Geschichte bezogene Auftreten des vierten Tieres und seines gottlosen Repräsentanten direkt in Beziehung zu den als himmlische Wesen konzipierten Heiligen (des) Höchsten setzen konnte, ohne daß er dafür eigens einen Wechsel in der Tradition hätte vornehmen müssen.

2. *Die Interpretation der in Dan 7 verarbeiteten Tradition*

a. Die Grundschicht

Bei der Interpretation der in der Grundschicht von Dan 7 verarbeiteten Tradition sah sich der Verfasser zunächst vor die Aufgabe gestellt, für die Ausarbeitung seiner Thematik eine Form zu entwerfen, die sowohl der Zion-David-Tradition wie auch der sie ergänzenden Vier-Reiche-Tradition einen angemessenen Rahmen bot. Diese Form hat der Verfasser der Grundschicht von Dan 7, wie es scheint, in der in Ez 1 überlieferten Theophanieschilderung gefunden, die ihm als Modell für seine Darstellung offenbar besonders geeignet erschien[33].

An erster Stelle hat nämlich den Verfasser der Grundschicht von Dan 7 das in Ez 1 beschriebene Theophaniegeschehen wohl deshalb als Modell interessiert, weil es – in Verbindung mit der ihm nach Ez 43 zugeordneten Schilderung von dem Einzug der Herrlichkeit Jahwes in den Tempel der Heilszeit – einen geradezu idealen Rahmen bot, um unter einem eschatologischen Aspekt sowohl das Kommen Gottes in der Geschichte wie auch dessen Abschluß bei der Offenbarung der ewigen Königsherrschaft Jahwes in einer alles umfassenden Einheit darzustellen. An zweiter Stelle hat in Ez 1 den Verfasser der Grundschicht von Dan 7 die Schilderung der Herrlichkeit Jahwes für seine Darstellung von Gott inspiriert; der Umstand nämlich, daß in Ez 1 Gott in Menschengestalt auf einem von Lichtglanz und Feuerflammen eingehüllten und dazu mit Rädern versehenen, fahrbaren Thronwagen erscheint, gab dem Verfasser der Grundschicht von Dan 7 die Möglichkeit, nicht nur die für ihn wichtigen Theophanieelemente allesamt zu übernehmen, sondern auch in der himmlischen Thronszene die Begegnung des Hochbetagten mit dem Menschensohn einzufügen. An dritter Stelle hat den Verfasser der Grundschicht von Dan 7 wohl auch die Schilderung der vier Lebewesen in Ez 1 motiviert, weil deren Ausstattung mit Menschen- und Tiergesichtern sowie deren Bewegung, die sich wie das Rauschen gewaltiger Wasser anhörte, hervorragende Anknüpfungspunkte boten, um das Heraufsteigen der vier gewaltigen Tiere aus dem Großen Meer zu schildern.

Inhaltlich hat der Verfasser der Grundschicht von Dan 7 bei der

---

33. Auf die Beziehung von Dan 7 zu Ez 1 hat man im Verlauf der Forschungsgeschichte immer wieder hingewiesen, meistens jedoch unter Vermischung von form- und traditionsgeschichtlichen Beobachtungen. Zur Diskussion vgl. S. KIM, *The Son of Man*, Tübingen, 1983, S. 16-19.

Interpretation seiner traditionsgeschichtlichen Vorlagen zwei bedeutsame theologische Schwerpunkte gesetzt. Er hat erstens, wie die Aufnahme der Vier-Reiche-Tradition in seiner Darstellung beweist, die Weltgeschichte als eine Ganzheit ins Auge gefaßt und in ihr – vor dem Anbruch der ewigen Königsherrschaft Jahwes – eine Aufeinanderfolge verschiedener Völker und Reiche erblickt, die zwar alle nach der Schöpfungs- und Geschichtsplanung Gottes in der Welt einen Herrschaftsauftrag erfüllen, die jedoch nicht alle diesen Herrschaftsauftrag als einen Dienst erkennen und auch als von Gott herkommend annehmen. Vielmehr zeigt sich – gerade auf dem Hintergrund der Schöpfungs- und Geschichtsplanung Gottes – bei der Herrschaftsausübung der Völker und Reiche ein Drang nach Emanzipation von dem Herrschaftsauftrag Gottes und nach Verabsolutierung der geschöpflichen Macht. Demgegenüber stellt der Verfasser der Grundschicht von Dan 7 die Tatsache heraus, daß Gott der Herrschaftsausübung aller Völker und Reiche in dieser Welt eine unüberschreitbare Grenze gesetzt hat und daß er das Ziel seiner ganzen heilsgeschichtlichen Offenbarung, nämlich die Manifestation seiner universalen Königsherrschaft in der Welt mit dem Menschensohn als deren Repräsentanten mit Sicherheit herbeiführen und vollenden wird.

Die Entstehung der Grundschicht von Dan 7 dürfte in die zweite Hälfte des 3. Jahrhunderts v. Chr. fallen, als sich nach einer jahrzehntelangen kriegerischen Auseinandersetzung zwischen Ptolemäern und Seleukiden unter Antiochus III. (223-187 v. Chr.) immer mehr der Sieg des Diadochenreiches im Norden abzuzeichnen begann und Israel sich der säkularen Macht des Hellenismus in seiner aggressiven Gestalt voll ausgesetzt sah. In dieser Phase wachsender Glaubensunsicherheit richtete sich der Blick der Frommen in Israel auf das von Gott bereits definitiv beschlossene Ende aller Gottwidrigkeit und auf die Offenbarung der ewigen Königsherrschaft Jahwes, weil man sich von ihr die Vollendung der Erlösung Israels erhoffte.

b. Die Bearbeitung

Bei der Interpretation der in der Grundschicht von Dan 7 verarbeiteten Tradition ist der Bearbeiter so vorgegangen, daß er die in der Vorlage schon als Ergänzung vorgefundenen Vier-Reiche-Tradition um die mit ihr verwandte Gottesfeind-Tradition erweitert hat. Die Folge dieser Maßnahme war, daß bei der in der Grundschicht noch ausschließlich als Ganzheit dargestellten Weltgeschichte jetzt eine Verlagerung des Schwerpunktes auf die Endzeit dieser Weltgeschichte, und zwar unmittelbar vor der Ankunft des Menschensohnes, erfolgte. Die Endzeit erhielt dadurch in der Deutung des Bearbeiters den Charakter eines eschatologischen Dramas, in dessen Verlauf drei Akte eine besondere Aufmerksamkeit erfordern.

In dem ersten Akt zeigt der Bearbeiter, wie sich in dem von dem vierten Tier symbolisierten letzten Königreich auf Erden die schon in der Vorlage angedeutete Tendenz zur Emanzipation von dem Herrschaftsauftrag Gottes bedrohlich zuspitzt und das in diesem Königreich realisierte Herrschaftssystem durch die Verabsolutierung seiner Macht degeneriert, indem es – von einem unbezähmbaren Vernichtungsdrang getrieben – grausam und rücksichtslos alles Vorhandene zerstört. Ihren endzeitlichen Höhepunkt erreicht diese chaotische Praxis des letzten Königreiches auf Erden, wie der Bearbeiter in dem zweiten Akt des von ihm entworfenen eschatologischen Dramas ausführt, in der Hybris eines gottlosen Herrschers, der durch den konzentrierten Einsatz seiner Macht der Königsherrschaft Jahwes für eine gewisse Zeit Schaden zuzufügen vermag. Im dritten Akt schließlich tritt, wie der Bearbeiter in Anknüpfung an seine Vorlage schildert, der himmlische Gerichtshof unter dem Vorsitz des Hochbetagten auf, um allen gottwidrigen Aktivitäten auf Erden für immer ein Ende zu bereiten und gleichzeitig die Voraussetzung für das Offenbarwerden der ewigen Königsherrschaft Jahwes zu schaffen, deren Heilsfülle dem vollendeten Gottesvolk in einer neuen Schöpfung zuteil wird.

Den Anstoß zu dieser Bearbeitung der Grundschicht von Dan 7 hat wohl der um die Wende vom 3. und 2. Jahrhundert v. Chr. vollzogene Machtwechsel im Vorderen Orient gegeben, als nach rund einem Jahrhundert blutiger Auseinandersetzungen unter den Ptolemäern und Seleukiden schließlich das Diadochenreich im Norden die Oberherrschaft über Phoinikien und Koilesyrien und damit auch über den Tempelstaat von Jerusalem erhielt. Der Sieger hieß damals Antiochus III. (223-187 v. Chr.), den man allgemein auch den »Großen« nennt. Sein politisch-militärischer Ruhm im Vorderen Orient und seine sogar auf Europa zielenden Welteroberungspläne erfüllten zu dieser Zeit alle Völker bis hin nach Rom mit wachsender Besorgnis. Auch in dem Tempelstaat von Jerusalem fürchtete man, daß sich jetzt unter der Seleukidenherrschaft die bisher schon leidvoll genug verlaufene Konfrontation des Jahweglaubens mit dem Hellenismus verschärfen würde. In dieser angespannten Situation, so darf man vermuten, sah sich der Bearbeiter der Grundschicht von Dan 7 zu einer Stellungnahme veranlaßt, die dem veränderten Weltgeschehen Rechnung trug.

Ohne Zweifel hat die von dem Bearbeiter geleistete Neuinterpretation der in der Grundschicht von Dan 7 verarbeiteten Tradition nicht wenig zu einer aus dem Glauben begründeten Kritik an dem Machtgebaren der Seleukidenherrschaft geführt. Die Wirksamkeit dieser Kritik lag jedoch nicht in einer erst auf dem Erfahrungshintergrund der Gegenwart neu entwickelten Theorie oder Ideologie. Der Rückgriff auf die Tradition und damit auf die ungebrochene Dynamik der heilsgeschichtlichen Offenbarung Jahwes zeigt vielmehr, daß es dem Bear-

beiter der Grundschicht von Dan 7 darum ging, dem in seinem Glauben
an Jahwe verunsicherten Gottesvolk durch die Aktualisierung seiner
Tradition die Augen für die Geheimnisse der Schöpfungs- und Geschichtsplanung Gottes zu öffnen und ihm von daher in der Bedrängnis
der Gegenwart die Kraft und den Mut zu einem bekenntnishaften
Widerstand zu vermitteln.

Sickingenstraße 35   Ernst HAAG
D-W-5500 Trier

KING DARIUS AND THE PROPHECY OF SEVENTY WEEKS
DANIEL 9

In the prophecy of seventy weeks Dan 9, the angel Gabriel answers the prayer of Daniel for insight into the prophecy of Jeremiah about the seventy years that Jerusalem would be in ruins (Dan 9,2; Jer 25,11-12; 29,10); after the seventy weeks the exiles would return and the city be rebuilt (9,25). Daniel's plea to the angel was not a theoretical question. Daniel became confused about the non-fulfilment of Jeremiah's prophecy. The angel explained that the fulfilment of the prophecy, 'the anointing of the *Holy of Holies*' (9,24) would only come now, after so many years of expectations. Jeremiah's seventy years would be a multiple of seventy, in fact 'seventy weeks of years'.

Jeremiah's prophecy was that after a period of seventy years Babylon would be punished (Jer 25,12) and Israel brought back to its land (Jer 29,10)[1]. In recalling the word of Jer 29,10 (דברי הטוב להשיב אתכם אל-המקום הזה), Dan 9,25 (דבר להשיב) evokes the return of the exiles and combines it with the rebuilding of Jerusalem, but without mentioning the temple[2]. 'Rebuilding Jerusalem' in Dan 9,25 is in direct contrast to 'the city being in ruins' in the text of the prophecy (Jer 25,11; Dan 9,2). Neither did Jeremiah mention the reconstruction of the sanctuary, which nevertheless is in the mind of Daniel. The ultimate fulfilment of the prophecy would be the anointing of the *Holy of Holies* (9,24), i.e. the (re)dedication of the temple[3].

What was the historical context of this reinterpretation of Jeremiah? The text itself situates the vision in 'the first year of Darius the son of Ahasuerus'. Obviously, Darius the Mede is meant, because it is added: 'he was of the seed of the Medes, and became king over the realm of the Chaldeans' (9,1). Darius the Mede is, as it is known, a figure created by the author of Daniel. It is based upon the historical Persian king Darius I Hystaspes, but is situated during the empire of the

---

1. According to a current interpretation the period covers the time of the Babylonian empire from Nebuchadnezzar to the fall of Babylon under Cyrus, 539.

2. T.E. McComiskey, *The Seventy "Weeks" of Daniel against the Background of Ancient Near Eastern Literature*, in *Westminster Theological Journal* 47 (1985) 18-45, p. 27.

3. That the temple is meant by the MT, and not a divine Messiah, appears from the inclusio in v. 24: 'your holy city - the Holy of Holies' (i.e. the most holy place in the holy city). It does not mean, however, that the Maccabean author of Dan 9 wrote after 164 (contrast M. Delcor, *Le Livre de Daniel* (Sources Bibliques), Paris, 1971, p. 200). On the meaning of *Holy of Holies* in the LXX and the earliest layers of Dan 9,24-27, see below.

Medes, the second of the four world empires in Daniel[4]. Darius the Mede follows in Daniel upon Belshazzar the Chaldean king in Babylon (Dan 5,30–6,1). He is himself succeeded by Cyrus, king of Persia (6,29). Then comes the dominion of the Greeks.

The Persian period is almost absent from Daniel, apart from the short references to the years of service Daniel spent at the court of king Cyrus. Daniel, it is said, was at the court in Babylon from Nebuchadnezzar until the first year of Cyrus (1,21). It is also said that Daniel found favour both with Darius the Mede and with Cyrus (6,29). Finally, the important vision with the angel at the great river (Dan 10 to 12), is dated in the third year of Cyrus (10,1). The whole history of the Persian period is summarized in one sentence. Between Cyrus and Alexander the Great 'three more kings will stand up for Persia', the text says, without even mentioning their names (11,2). The story cycle of Daniel ends with the rise of Cyrus, with no reference to the return from exile, nor to the reconstruction of the temple under Darius (Ezra 4,5.24). The vision series starts again with Belshazzar, king of Babylon (Dan 7–8). It continues with the vision of the seventy weeks under Darius the Mede (Dan 9) and ends during the reign of Cyrus, again without reference to the return (Dan 10–12). All the visions deal, across the Persian period, with the Hellenistic period: the struggle between Seleucids and Ptolemies, the ruin of the temple and the abolition of the daily sacrifice by Antiochus IV. The reconstruction of the temple is not mentioned. How is that lacuna to be explained? Does it mean some reservations about the return, or even negative feelings against the second temple[5]?

However, the Persian period is present in Daniel. From a study of the connection between the two parts of the book, the story cycle and the vision series, it appears that the restoration during the Persian period is seen as a firm base, as a guarantee for the eschatological expectations in the book. The restoration by Cyrus is vindicated as the prototype of the liberation that would come after the destruction of the fourth empire, the Greeks. The short exile of seventy years that was predicted by Jeremiah, and which is the subject of the narratives Dan 1–6, is the prefiguration of the long exile of seventy weeks of years, which is under discussion in the visions[6]. The seventy years of Jeremiah in Dan 9,2 correspond to the seventy years from Nebuchadnezzar to

4. H.H. ROWLEY, *Darius the Mede and the Four World Empires in the Book of Daniel. A Historical Study of Contemporary Theories*, Cardiff, 1935; Klaus KOCH, e.a., *Das Buch Daniel* (Erträge der Forschung, 144), Darmstadt, 1980; P.R. DAVIES, *Daniel* (OT Guides, 4), Sheffield, 1985.

5. J.J. COLLINS, *The Apocalyptic Vision of the Book of Daniel* (Harvard Semitic Monographs, 16), Missoula, MT, 1977, pp. 163-166 (The Temple and the End-Time); J.C. LEBRAM, *Das Buch Daniel* (Zürcher Bibelkommentare), Zürich, 1984, p. 108.

6. P.R. DAVIES, *op. cit.* (n. 4), pp. 21-22.

Cyrus, implicitly indicated in Dan 1,1.21. The parallelism between the two parts of the book is confirmed by the reassumption of the chronological framework of Dan 1–6 in 7–12[7].

The purpose of this paper is to reinvestigate the relation between the prophecy of seventy weeks and the restoration in the Persian period. My suggestion is that the original object of the prophecy was not the rededication of the temple by the Maccabees, neither the 'eschatological temple'[8], but the rebuilding of the temple under Darius, king of Persia. The recalculation of the seventy years from Jeremiah's prophecy had to do with the problem created by the long delay of the reconstruction of the temple in Jerusalem. How could one trust in divine promises, when it became clear that the temple was not yet rebuilt after much more than seventy years. At the background of Dan 9 and the story of Darius the Mede, there are traditions dating back to the Persian period. Or at least: traditions which do not deal with the Maccabean uprising, but with recollections of the Persian, i.e. the earlier post-exilic period.

This paper continues an article on Ezra 1–6 and the reconstruction of the temple[9]. The article shows that there are grounds for believing that Darius the Persian who, according to Ezra 4–6, renewed the decision of King Cyrus to reconstruct a Jewish temple in Jerusalem, was Darius II Nothus (423-404), not Darius I Hystaspes (521-485). The King Darius from the narrative of the reconstruction of the temple is the Darius of the Elephantine-papyri[10]. In the 5th year of Darius II, i.e. in 419, a letter was sent from Jerusalem urging the Jews in Elephantine to celebrate Passover in accordance with the Jewish authorities in Jerusalem. The letter was sent under the authority of the Persian king[11]. The

7. R.G. KRATZ, *Translatio Imperii. Untersuchungen zu den aramäischen Danielerzählungen und ihrem theologiegeschichtlichen Umfeld* (WMANT, 63), Neukirchen, 1991, pp. 17-19. In the LXX (Septuagint) (P 967) the chronological order of the chapters has been harmonized. Cf. J. LUST in this volume.

8. Scholars agree that the collection of Aramaic stories which was at the origin of Dan 1–6 was mainly uneschatological (cf. R.G. KRATZ, *op. cit.*, p. 71). In my understanding Dan 9 has the same background, in contrast to its eschatological reinterpretation by a Maccabean author.

9. L. DEQUEKER, *Darius the Persian, and the Reconstruction of the Jewish Temple in Jerusalem (Ezra 4,24)*, forthcoming in Proceedings of the congress Ritual and Sacrifice in the Ancient Near East, Leuven april 1991 (Orientalia Lovaniensia Analecta).

10. A. COWLEY (ed.), *Aramaic Papyri of the Fifth Century* B.C., Oxford, 1923 (= Aram P); E.G. KRAELING (ed.), *The Brooklyn Museum Aramaic Papyri. New Documents of the Fifth Century B.C. from the Jewish Colony at Elephantine*, The Brooklyn Museum. New Haven, CT, 1953; B. PORTEN, *Aramaic Papyri and Parchments*, in *BA*, Spring 1979, pp. 74-104; J.C. GREENFIELD - B. PORTEN, *The Behistun Inscription of Darius the Great. Aramaic Version* (Corpus Inscriptionum Iranicarum, I,v,1), London, 1982.

11. Aram P 21. Cf. A. DUPONT-SOMMER, *Sur la fête de la Pâque dans les documents araméens d'Eléphantine*, in *Revue des Études Juives* NS 7 (1946-1947) 39-51; P. GRELOT, *Sur le 'papyrus pascal' d'Eléphantine*, in A. CAQUOT - M. DELCOR (eds.), *Mélanges bibliques et orientaux en l'honneur de M. Henri Cazelles* (AOAT, 212), Paris, 1981, pp. 163-172.

date of the letter falls in my opinion between the permission in the second year of Darius to go on rebuilding the temple (Ezra 4,24; 5,12) and the completion of the work, crowned with the solemn celebration of Passover, in the sixth year of Darius, 418 (Ezra 6,15-22). Precisely that long delay from the exile to the final reconstruction under Darius II is covered, according to the tradition which I presume at the background of Dan 9, by the period of seventy שבעים. This very long period, even unacceptably long according to the Jewish tradition[12], has been shortened in the books of Ezra and Nehemiah by the chronological reversal of the two heroes. Putting Ezra before Nehemiah, Ezra in the seventh, Nehemiah in the twentieth year of Artaxerxes I Longimanus (465-424), whereas the historical Ezra belongs to the period of Artaxerxes II Mnemon (404-359), the reconstruction of the temple was ipso facto moved to Darius I.

The present Daniel has no trace of the delay in the reconstruction of the temple. The seventy weeks of years in the Hasmonean redaction of the book refer to the expected purification and rededication of the temple after the victory of the Maccabees upon Antiochus IV (Dan 9,24)[13].

Let me go into the details of the argumentation. There are two theses. First: the reconstruction of the temple in Jerusalem during the Persian period, in the reign of Darius II. I will summarize my arguments, with reference to my paper on Ezra 1-6. Second: Darius II and the interpretation of the seventy שבעים, Dan 9.

DARIUS II AND THE RECONSTRUCTION OF THE TEMPLE

1. Historical studies of the post-exilic period[14] and commentaries on Ezra and Nehemiah[15], are based on the assumption that the temple was rebuilt under Darius I. That dating, however, is dependent on the present combination of the books of Ezra and Nehemiah[16]. It loses any

12. The *Seder Olam* (2nd c.), explaining the seventy weeks of Daniel, reduces the whole Persian period, from the return to Alexander, to 34 years (cf. J.A. MONTGOMERY, *The Book of Daniel* (The International Critical Commentary), Edinburgh, 1927, pp. 393.397).

13. Cf. above note 3.

14. E.g. P.R. ACKROYD, *Exile and Restoration. A Study of Hebrew Thought of the Sixth Century BC* (The Old Testament Library), London, 1968.

15. E.g. H.G.M. WILLIAMSON, *Ezra, Nehemiah* (World Biblical Commentary, 16), Waco, TX, 1985.

16. Cf. C.C. TORREY, *Ezra Studies*, Chicago, IL, 1910 (repr. with a Prolegomenon by W.F. Stinespring, The Library of Biblical Studies, New York, 1970), p. 140, note 1: "According to the narrative [Ezra 1–6] the king by whose order the temple was completed was Darius II... The author of the story of the building of the temple ... leaves us in no doubt as to the fact that, in his belief, the temple was finished in the time of the Darius whose reign followed that of Artaxerxes I".

textual base as soon as one admits that the combination is not original and that the mission of Nehemiah should be dated before that of Ezra[17]. The dates of Haggai (1,1) and Zechariah (1,1-7), the prophets mentioned in the context of the rebuilding of the temple (Ezra 5,1 and 6,14), depend on Ezra. None of the prophets presupposes the combined story of Ezra and Nehemiah, which is the only ground, apart from considerations of probability, for dating the second temple under Darius I[18].

2. Darius I is understood to be the king who permitted the reconstruction, because he is referred to in Ezra 4,5 immediately after Cyrus, and is followed by Ahasuerus (= Xerxes I) and Artachsasta (= Artaxerxes I) (vv. 6-7). At the end of Ezra 4, however, it is said that due to a prohibition by Artachsasta building in Jerusalem was stopped until the second year of Darius, king of Persia (4,24). In that order, Darius following upon Artachsasta has to be Darius II. Many scholars solve the contradiction considering the problem with Artachsasta (vv. 7-23) as a digression which deals with the opposition of Judah's enemies against the rebuilding of the Jerusalem walls. That problem, it is said, arose after the rebuilding of the temple, i.e. after Darius. The author mentioned the problem in this place, before the reconstruction of the temple, as a clear proof of the deep hostility of the people in the land (עם-הארץ) to the Jews. Verse 24, the stopping of the work till Darius, would not be the logical conclusion of the prohibition by Artachsasta in v. 23, but simply a literary device to take up the course of the narrative, after the digression of vv. 5 to 23[19].

Important for this argument is the understanding of the letter sent by the enemies to Artachsasta. The letter concerns exclusively, it is said, the walls of the city. I am convinced that the letter deals with the rebuilding of the temple. This can be seen clearly in the Greek 1 Esdras (Esdras A'), which is agreed by many scholars to be, although in translation, closer to the original version of the Ezra narrative than the Masoretic text[20].

17. A. VAN HOONACKER, *Néhémie et Esdras. Une nouvelle hypothèse sur la chronologie de l'époque de la restauration*, in *Le Muséon. Revue d'études orientales* 9 (1890) 151-184; 317-351; 389-401; H.H. ROWLEY, *The Chronological Order of Ezra and Nehemia*, in *The Servant of the Lord and Other Essays on the Old Testament*, Oxford, ²1965, pp. 137-168; H. CAZELLES, *La mission d'Esdras*, in *VT* 4 (1954) 113-140; J.A. EMERTON, *Did Ezra go to Jerusalem in 428 B.C.?*, in *JTS* NS 17 (1966) 1-19.

18. P.R. ACKROYD, *Two Old Testament Historical Problems of the Early Persian Period*, in *JNES* 17 (1958) 13-27, in particular A. *The First Years of Darius I and the Chronology of Haggai, Zechariah 1-8*, concludes that no precise correlation can be established between the dates in Haggai and in Zechariah and the events of Babylon (p. 21). Cf. H.G.M. WILLIAMSON, *op. cit.* (n. 15), p. 57.

19. Cf. H.G.M. WILLIAMSON, *op. cit.* (n. 15), p. 57.

20. K.F. POHLMANN, *3. Esra-Buch* (Jüdische Schriften aus hellenistisch-römischer Zeit.

In the Greek text the Jews are accused of repairing the walls and streets of a rebellious city, and of laying the foundations of the temple: καὶ ναὸν ὑποβάλλονται (1 Esdras 2,17-21 = Ezra 4,12). Since work on the temple is in hand (καὶ ἐπεὶ ἐνεργεῖται τὰ κατὰ τὸν ναόν), the text goes on, the king should be informed. For the income of the state is threatened (Ezra 4,13-14).

The Masoretic text shows, in my opinion, clear traces of the temple issue, even when explicit reference to the temple is missing. The traces of the original version are these. The Greek sentence, καὶ ἐπεὶ ἐνεργεῖται τὰ κατὰ τὸν ναόν, corresponds to the Aramaic מלחנא די-מלח היכלא in the MT, which is currently understood as: 'we eat the salt of the palace', i.e. 'we are under an obligation of loyalty to the king'[21]. היכלא however, is usually in Ezra (5,14) the name for the temple, which is confirmed by the Greek: τὰ κατὰ τὸν ναόν. I am of the opinion that the salt-monopoly of the temple is meant, which was at that time in the hands of the Persians[22]. The Greek translator was aware that the matter of the temple was raised; but he understood the reference to the salt -מלח- as מלה, 'the matter of the temple'.

There is a second indication. Ezra 4,12 deals with the reconstruction of the city walls and the repair of the foundations (אשיא). That term is exclusively used Ezra 5,16 and 6,3 for the foundations of the temple. This was obviously the case in 4,12 as well, where 1 Esdras reads: "laying the foundations of the temple". Only the mention of the temple was dropped, because in the combined story of Ezra and Nehemiah the letter was sent to Artaxerxes I, whereas the temple was rebuilt during the reign of one of his predecessors, Darius I.

3. The history of the rebuilt temple is given in Ezra 1–6. In 1983 H.G.M. Williamson studied the editorial character of these chapters, written as an introduction to the memoirs of Ezra (Ezra 7–8; Neh 8 and Ezra 9–10)[23]. In Williamson's understanding the introductory chapters presuppose the combination of the Ezra memoir and the Nehemiah report (Neh 1–7; 13,1-31; 10) in their present order, Ezra first, then Nehemiah, both situated during the reign of Artaxerxes I. This would appear, as Williamson says, from the fact that the list of immigrants in Ezra 2 not only depends on the list which is proper to the report of Nehemiah 7, but continues, exactly as in Nehemiah, with the celebration of Sukkot, which is proper to the memoir of Ezra (Neh 8 and Ezra

Band I. Historische und Legendarische Erzählungen), Gütersloh, 1980, p. 383; R. HANHART, *Septuaginta. Esdrae Liber I* (Vetus Testamentum Graecum, 8/1), Göttingen, 1974.

21. L. KOEHLER - W. BAUMGARTNER, *Lexicon in Veteris Testamenti Libros*, Leiden, 1953, p. 1093: "eat the salt of the palace i.e. be under an obligation of loyalty to the king".

22. Cf. Ezra 6,9; 7,22; 1 Macc 10,29; 11,35; Antiq. 12,142.

23. H.G.M. WILLIAMSON, *The Composition of Ezra I–VI*, in *JTS* NS 34 (1983) 1-30.

3)[24]. However, not only Nehemiah 8, but also the transition from the list of immigrants to the celebration of Sukkot (Neh 7,69-72) is part of the memoir of Ezra. The heads of families (ראשי האבות) mentioned in these transitional verses, as bringing their offerings to Jerusalem, do not appear in the list of immigrants; but they do appear among the returnees with Ezra, Ezra 8,1. That means that Ezra 2 does not depend on Nehemiah 7 in its present form, but on the still independent report of Nehemiah.

Ezra 2 and Nehemiah 7 are, I think, related as follows. The list of those returning with Zerubbabel (Ezra 2) was taken by the author of the introduction (Ezra 1-6) from the report of Nehemiah, which he knew, but not in its present position after the memoir of Ezra. He completed the list with data borrowed from the Ezra material. As in the days of Ezra, he lets the heads of families bring their offerings to the temple. He emphazises the sacred character of Jerusalem (2,68-70), and continues the story with the celebration of Sukkot (3,1-6).

4. The original Ezra narrative, which I think is clearly to be distinguished from the combined history of Ezra and Nehemiah, allows the following reconstruction of the history of the second temple after the exile.

Notwithstanding the initiative of king Cyrus in 538, permitting the Jews to return to their land and to rebuild Jerusalem, the actual rebuilding of the temple was delayed until the middle of the fifth century, when Nehemiah, somewhere between the twentieth and the thirty second year of Artaxerxes I, i.e. between 445 and 433, started with the restoration of the city and the temple. The fact that Jerusalem in that period became the capital of the province, Nehemiah being the first governor of Judea, explains the change[25]. After the repair of the walls of the city, many Jewish immigrants returned from Mesopotamia, under the direction of Zerubbabel and the priest Jeshua[26]. The reconstruction of the temple, however, planned as an exclusive Jewish sanctuary, gave rise to the opposition of those who are called in Ezra 4,1ff. and Neh 4,5 the enemies of Judah and Benjamin[27]. Due to their intrigues, Artaxerxes decided to stop the building of the temple (Ezra 4,24). The return of Nehemiah to the king (Neh 13,6) may have been

---

24. H.G.M. WILLIAMSON, art. cit. (n. 23), p. 7; op. cit. (n. 15), p. xxxiv.

25. E. STERN, Material Culture of the Land of the Bible in the Persian Period 538-332 B.C., Jerusalem, Israel Exploration Society, 1982. ID., The Persian Empire and the political and social history of Palestine in the Persian Period, in W.D. DAVIES - L. FINKELSTEIN (eds.), The Cambridge History of Judaism, Cambridge, 1984, Volume I: Introduction; The Persian Period, Chapter 4.

26. On the genealogies of Zerubbabel and Jeshua, see below.

27. In my article on Ezra 1-6, I stress the fact that the enemies are not simply 'the Samaritans'.

related to this issue. Later on, under instigation of Haggai and Zechariah in the second year of Darius II, i.e. in 421, the decree of Cyrus
could be confirmed, after due investigations in the archives of Ecbatana, the capital of the province of Media (Ezra 6,2). Four years later
the temple was solemnly inaugurated. Finally, in 398, i.e. in the seventh
year of Artaxerxes II (Ezra 7,7), Ezra was sent to Jerusalem, authorized
by the king, to consolidate in Judea the Jewish theocratic regime (Ezra
7,11-28).

5. Before continuing with the seventy weeks of Daniel, it is necessary to
investigate how the prophecy of Jeremiah has been interpreted in Ezra
1,1, together with the conclusion of 2 Chr 36[28].

In the combined history of Ezra and Nehemiah the building of the
second temple is dated in 519, i.e. about seventy years after the
destruction of the temple of Solomon in 586[29]. Seventy years later, in
445, Nehemiah comes to Jerusalem[30]. Although this chronology is not
explicitly indicated, I accept that it was meant by the tradition that
combined the two stories. But in the introduction of the original Ezra
narrative the fulfilment of Jeremiah's prophecy is not related to the
reconstruction of the temple, but to the fall of Babylon in 539 and the
decree of Cyrus in 538: "In the first year of Cyrus king of Persia the
word of the Lord spoken through Jeremiah was fulfilled" (Ezra 1,1).
The seventy years are understood by the Ezra editor as the period of
national disaster between the death of Josiah in 608 and the decree of
Cyrus permitting the Jews to return. Quite probably, the Ezra narrative
began with the institution of Passover by Josia (now 2 Chr 35,1-19), as
still does the Greek version I Esdras.

2 Chr 36,22-23 reassumes the data of Ezra on the level of the
combined history of Ezra and Nehemiah. Jeremiah's seventy years now
coincide with the period between the destruction of the temple and the
reconstruction which is situated shortly after the Cyrus decree. Moreover, the seventy years are interpreted as (ten) sabbatical years (v. 21),
implicitly referring to Lev. 26, 34 and 43[31]. This fact is not without
significance for the interpretation of Dan 9.

28. Cf. P.R. ACKROYD, art. cit. (n. 18), in particular B. The "Seventy Year" Period.
Zech 1,12, which refers to the seventy weeks as well, without however mentioning
Jeremiah, will be dealt with at the end of this paper, after the analysis of Dan 6 and 9.

29. C.F. WHITLEY, The Term Seventy Years Captivity, in VT 4 (1954) 60-72. See the
remarks by A. ORR, The Seventy Years of Babylon, in VT 6 (1956) 304-306, and again
C.F. WHITLEY, The Seventy Years Desolation. A Rejoinder, in VT 7 (1957) 416-418.
According to P.R. ACKROYD, art. cit. (n. 18), p. 27 the date in Ezra 6,15 for the
completion of the temple would have been created in order to situate the rededication
seventy years after the destruction.

30. J. BLENKINSOPP, Ezra-Nehemiah. A Commentary (Old Testament Library), Philadelphia, PA, 1988, p. 75.

31. P.R. ACKROYD, art. cit. (n. 18), p. 26; O. PLOEGER, Siebzig Jahre, in L. ROST (ed.),

DARIUS II AND THE SEVENTY WEEKS OF DANIEL (DAN 9).

1. In Dan 9 two parts are usually distinguished. On the one hand, the vision of the seventy weeks, which has only ten verses (vv. 1-3; 21-27), and on the other, the extensive penitential prayer, included in the story of the vision (vv. 4-20)[32]. In the prayer the prophet asks forgiveness for the sins of his people. They are the cause of the temple's lying in ruins. "For thy own sake, O Lord, make thy face shine upon thy desolate sanctuary" (v. 17). I call attention to this context: the desolation of the temple, which refers to the exilic period[33].

It is generally agreed that the prayer was not composed by the author of Daniel 9, in particular because the deuteronomistic theology (exile as a punishment for sin) is too different from the apocalyptic doctrine of Daniel[34]. The redactional character of vv. 4 and 21, which connect the prayer with the vision, is obvious. The question remains whether the prayer was chosen by the author of Dan 9 himself, or is an interpolation. In any case, the theme of the desolated sanctuary (מקדש השמם, v. 17) links the prayer intimately with the visions of Daniel, where the theme reaches a climax at the erection of the "abomination of desolation" in the temple (Dan 8,13; 9,27; 11,13; 12,11). This does not suggest any secondary interpolation[35]. Moreover, the contrast between deuteronomistic theology and the vision of the apocalyptic writer about history, is not absolute[36]. Daniel is convinced that the fulfilment of Jeremiah still lies ahead, not only because of the opposition of the heathen people, but even more because of the sins and shortcomings of his own people[37].

Festschrift Friedrich Baumgärtel, Erlangen, 1959, pp. 124-130, esp. 126-127; P. GRELOT, *Soixante-dix semaines d'années*, in *Bib* 50 (1969) 169-186, p. 180-181.

32. B.W. JONES, *The Prayer in Daniel ix*, in *VT* 18 (1968) 488-493; E. LIPIŃSKI, *La liturgie pénitentielle* (Lectio Divina, 52), Paris, 1969, pp. 35-41; M. GILBERT, *La prière de Daniel*, in *RTL* 3 (1972) 284-310; A. LACOCQUE, *The Liturgical Prayer in Daniel 9*, in *HUCA* 47 (1976) 119-142.

33. Cf. L.F. HARTMAN - A.A. DI LELLA, *The Book of Daniel* (The Anchor Bible), Garden City, NY, 1978, p. 254. A. LACOCQUE, *The Book of Daniel*, p. 179 proposes a date between the beginning of Jeremiah's preaching and the restoration under Cyrus.

34. Cf. J.J. COLLINS, *Daniel - With an Introduction to Apocalyptic Literature* (Forms of OT Literature, 20), Grand Rapids MI, 1984, pp. 89-91.

35. A. LACOCQUE, *op. cit.* (n. 33), p. 186 considers the 'devastation' as an alien element, added by the author of Dan 9 in the second century. The vision of Zech 1 has the same combination of prayer and vision as Dan 9. P.V.S. DAVID, *The Old Greek Version of Daniel 9:24-27. A Textual and Literary Critical Study* (A Paper under the direction of M.-É. Boismard, École Biblique et Archéologique Française), Jerusalem, 1989-1990, pp. 40-41, makes the interesting observation that the LXX text of Zech 1-2 underlies that of Dan 9, including the prayer. I am grateful to Mr David for permitting me to use his unpublished dissertation. The position of the prayer in Dan 9 is also analogous to that of the penitential prayer in Dan 3 (LXX) (Cf. P.-M. BOGAERT in this volume).

36. Contrast J.J. COLLINS, *op. cit.* (n. 34), p. 94.

37. O.H. STECK, *Weltgeschehen und Gottesvolk im Buch Daniel*, in *Kirche*. FS G. Bornkamm, Tübingen, 1980; R.G. KRATZ, *op. cit.* (n. 7), p. 73.

Important for the topic under discussion is the affinity, underlined by many scholars, of the penitential prayer in Dan 9 with Ezra 9,6-15 and Neh 9,6-37, texts related to the restoration after exile. This prayer is also related with 1 Kgs 8,15-53, the prayer of King Solomon at the inauguration of the temple[38]. It is in this particular context, the consecration and restoration of the temple, that I would interpret Daniel's prophecy of the seventy weeks in its original form.

2. The beginning of Dan 9 gives the reason why Daniel is puzzled by Jeremiah: the rise of Darius the Mede in the kingdom of the Chaldeans, i.e. the fall of Babylon (Dan 5,30–6,1). The vision is dated "in the first year of the reign of Darius son of Ahasuerus, a Mede by birth". Undoubtedly Darius the Mede is meant, as in the story of Daniel in the lion's den (Dan 6). The traditional (Christian) interpretation[39] reckons Jeremiah's seventy years in addition to the 490 years of Dan 9[40]. That means that the year of Darius' rise is taken as the 'terminus a quo' of the reckoning of the seventy weeks. The actual 'terminus a quo', however, is the word of the prophet about the return from exile and the rebuilding of Jerusalem (v. 25). Still, the rise of Darius the Mede is the starting-point of the narrative. It represents the setting of Daniel's questions about the fulfilment of Jeremiah. After the fall of Babylon and the rise of the Medes the suspicion arose that the prophecy was near its fulfilment. Both Jeremiah (51,11.28-29) and Isaiah (13,17; 21,2) foretold the part of the Medes in the end of the Babylonian empire. Daniel's theory of the four empires confirmed the idea.

However, I doubt the authenticity of Darius the Mede in the prophecy of the seventy weeks. The title given to Darius in Dan 9,1 is different from that given in Dan 6,1 and 11,1. He is not named מדיא, but מזרע מדי. His proper title is: דריוש בן-אחשורוש, son of Ahasuerus, i.e. son of Xerxes. This must be Darius II, the only one whose predecessor was a Xerxes[41]. It is striking that scholars pay little attention to this, perhaps because Darius II does not play any particular role in biblical history, apart from the history of the Jews in Elephantine[42]. Darius II Nothus (Ochus) was an illegitimate son of

---

38. M. DELCOR, op. cit. (n. 3), pp. 188-193; P.R. DAVIES, op. cit. (n. 4), p. 62.

39. Cf. J.A. MONTOGOMERY, op. cit., p. 391.

40. K. KOCH, op. cit. (n. 4), p. 150 distinguishes the traditional Exkludierende Deutung (70 and 490 years after another) from the Inkludierende Auffassung (70 reinterpreted as 490).

41. P.R. DAVIES, op. cit. (n. 4), p. 27.

42. K. KOCH, Dareios der Meder, in C.L. MEYERS - M. O'CONNOR (eds.), The Word of the Lord Shall Go Forth. FS D.N. Freedman, Winona Lake, IN, 1983, pp. 287-299, does not go into the difference between Dan 5,30–6,1 and Dan 9,1. See however M. NOTH, Das Geschichtsverständnis der alttestamentlichen Apokalyptik (1953), in Gesammelte Studien (TB, 6), München, ³1966, pp. 248-273, esp. 255, n. 1; R.G. KRATZ, op. cit. (n. 7), p. 18, n. 23. In Kratz' understanding, the double identity of Darius (Dan 9,1) refers to the

Artaxerxes I. In the struggle for the succession he took the place of the legitimate son Xerxes II, who held power for a few months and was murdered by Sogdianus[43]. דריוש בן-אחשורוש is not the דריש מדיא from the narrative of Daniel in the lion's den. The author of the book identified the two figures in the context of the theory of four world empires and the chronological framework of the book. Dan 7 and 8 take place during the reign of Belshazzar, king of Babylon; Dan 9 is situated in the reign of the Medes; Dan 10–12 are dated during the reign of Cyrus, king of Persia. The original vision of Dan 9 dealt with Darius son of Ahasuerus, who in Ezra 4,5 and 24 is called דריוש מלך פרס and in Neh 12, 22: דריש הפרסי[44]. The repetition of בשנת אחת in v.2, skilfully left out by Theodotion, proves that v. 1 underwent a revision.

This means that we have to distinguish two different interpretations of the seventy weeks. On the one hand an interpretation in relation to the theory of the four world empires; i.e. the interpretation of Jeremiah after the rise of Darius the Mede and the fall of Babylon; on the other hand, a more original interpretation of Jeremiah in relation to Darius II and the reconstruction of the temple after the exile.

3. We begin with the interpretation according to the theory of the four world empires. It is the well known Maccabean interpretation of the seventy weeks of years.

The presentation of Darius the Mede is markedly positive in Daniel[45]. The rise of the Medes means the end of Babylon, as foretold by the prophets. In the story of the lions' den, Darius the Mede takes the side of Daniel from the very start. Darius is thinking of appointing Daniel over the whole kingdom (6,3). When Daniel is locked up, the king spends the night in abstinence and fasting (v. 19). Finally, he converts to the God of Daniel: "He is the living God, the everlasting" (vv. 27-28). The advent of Darius the Mede was such a turn in history that the redactor of the book thought it necessary to include in the apocalyptic struggle of the angel against the kings of Persia and Greece (Dan 10–12) a remark about the support the angel gave to Michael, the prince of Israel, during the first year of Darius the Mede (Dan 11,1)[46].

conjunction of Medes and Persians as in Dan 9,20, in contrast to the succession of Medes and Persians in the theory of the four world empires.

43. M.A. DANDAMAEV, *A Political History of the Achaemenid Empire*, Leiden, 1989, pp. 258-259.

44. S. MOWINCKEL, *Studien zu dem Buche Ezra-Nehemia II: Die Nehemia-Denkschrift*, Oslo, 1964, p. 161; J. DE FRAINE, *Esdras en Nehemias* (De Boeken van het Oude Testament, 5), Roermond - Maaseik, 1961, p. 128. Contrast H.G.M. WILLIAMSON, *op. cit.* (n. 15), pp. 364-365.

45. P.R. DAVIES, *op. cit.* (n. 4), pp. 93-97: The Gentile monarch.

46. Cf. Pablo DAVID in this volume.

Dan 9 deals with the problem caused by this turn in the history of the empires. The end of Babylon and the rise of the Medes did not in fact bring about the return from exile. Even more: the actual return from exile did not result, as promised, in full restoration and Jewish independence. The Greek domination, especially the measures of Antiochus IV against Jerusalem, made all promises vain. What happened to the prophecy of Jeremiah: "seventy years were to pass while Jerusalem lay in ruins" (Dan 9,2)?

Gabriel, the *angelus interpres*, makes clear that the seventy weeks would correspond to a rather long period of time: seventy שבעים, i.e. seven times (or: sevenfold) seventy years (9,24). It is generally agreed that in analogy with the seven sabbatical years, i.e. seven times seven years of Lev 25,8, שבעים has to be interpreted as weeks of years, i.e. successive units of seven years each. For Dan 9 it means a period of 490 years: seven times seventy years, or seventy weeks of years[47].

Scholars such as Steinman, Grelot, Lacocque and Koch not only refer to the analogy with the sabbath years of Leviticus, they even take over the terminology and at the same time the ideology of Leviticus[48]. Jeremiah's seventy years would mean a period of ten sabbatical years. The seventy שבעים of Dan 9 would correspond to a period of ten jubilees, or better with Lacocque: seventy sabbath years, instead of the usual seventy weeks (of years) or seventy hebdomads[49]. The idea seems to me correct, and corresponds to the interpretation of Jeremiah's seventy years in 2 Chr 36. After 70 sabbath years, the Maccabean author forsees the final fulfilment as a great jubilee, the Day of Atonement par excellence (Lev 25,9). Dan 9,24 deals explicitly with the expiation of iniquity and the end of sins, after the completion of seventy sabbatical periods.

---

47. According to Kl. Koch the period of 490 years is part of a broad apocalyptic world chronology, based upon the history of the Judean kings (430 years for the first temple + 70 years of exile). Cf. K. KOCH, *Die mysteriösen Zahlen der judäischen Könige und die apokalyptischen Jahrwochen*, in *VT* 28 (1978) 433-441; ID., *op. cit.* (n. 4), pp. 149-154: Die 490 Jahre der Grossreiche und die Chronologie der Weltzeit. R.G. KRATZ, *op. cit.* (n. 7), pp. 260ff. underlines the connexion of the chronological framework in Dan 1-6 (+ 9) with the chronology of Chronicles ('Das chronistische Geschichtsbild').

48. J. STEINMANN, *Daniel* (Témoins de Dieu, 12), Paris, 1950, p. 133: "Les 70 ans de Jérémie équivalent à 10 périodes sabbatiques, tandis que les 490 de Daniel recouvrent 10 périodes jubilaires"; P. GRELOT, *art. cit.* (n. 31), p. 171; A. LACOCQUE, *op. cit.* (n. 33), p. 178: "ten times seven sabbaths of years followed by the Jubilee"; K. KOCH, *art. cit.* (n. 47), p. 439: "490 gilt als die Summe eines 'potenzierten' Jobeljahres, wie 70 als diejenige eines 'potenzierten' Sabbatjahres".

49. שָׁבְעִים masc. plural is proper to Daniel; the normal plural is שָׁבֻעוֹת. 'Hebdomads': J.A. MONTGOMERY, *op. cit.* (n. 12), p. 60; P.-M. BOGAERT, *Relecture et refonte historicisantes du livre de Daniel attestées par la première version grecque (Papyrus 967)*, in R. KUNTZMANN - J. SCHLOSSER (eds.), *Études sur le judaïsme hellénistique* (Lectio Divina, 119), Paris, 1984, pp. 197-224, p. 212, n. 36.

The angel explains that within that period of seventy sabbath years, there will be different steps. A first step in the fulfilment of the promise will come after seven sabbatical periods, i.e. after 49 years. At that time an anointed prince will appear (v. 25). Most probably Cyrus, king of Persia, is meant[50]. Jes 45,1 refers to him as מָשִׁיחַ. Specifically the decree is meant concerning the return from exile, 538. Some scholars think of Jeshua the priest, who returned with Zerubbabel during the reign of Cyrus, according to the traditional chronology (Ezra 2,2; 3,2)[51]. If the Cyrus-decree is meant, the 'terminus a quo' for the reckoning of the seventy weeks of years or sabbatical years, i.e. "the time that the word went forth that the exiles should return and Jerusalem should be rebuilt" (v. 25), would be the destruction of the temple in 587, although the prophecy of Jeremiah 25,11 was pronounced in the first year of Nebuchadnezzar, i.e. in 605 (v. 1).

Some scholars consider the Cyrus-decree to be the 'terminus a quo' of the vision[52]. The 'terminus a quo' would coincide with the fulfilment of Jer 25,11 in 538 according to the interpretation of 2 Chr 36,22-23. The prophecy was realised when the kingdom of Babylon came to its end, the moment in history aimed at by dating the vision in the first year of Darius the Mede (Dan 9,1). Because of the fulfilment of Jeremiah the expectation grew that the desolation of Jerusalem would come to an end. The vision would make clear that, notwithstanding the return from exile and the building of the second temple, the final fulfilment would only come after a long period of decay during 490 years[53].

It is clear, however, that v. 25 does not apply to a royal decree, but to the words of Jeremiah[54].

After the seven sabbatical years there will be a period of seven times 62, i.e. 434 years. During this period Jerusalem will be rebuilt with streets and a moat. It will remain in that condition for a long time. The temple is not explicitly mentioned. Moreover, it is said: "The city will be rebuilt, *but (will stay) in a critical time*". Montgomery rightly refers to the time of Ezra and Nehemiah[55]. The period of 62 שָׁבֻעִים brings the author to the 'Hellenistic period', for which he reserves a period of seven years, one sabbatical period. The critical period starts with the murder or dismissal of 'one who is anointed' (v. 26), an incident which

50. Thus the early Jewish commentators Saadia Gaon and Rashi. See the commentaries for other solutions.

51. Thus e.g. J.A. MONTGOMERY, *op. cit.* (n. 12), p. 379.

52. Thus, e.g. J.C. LEBRAM, *op. cit.* (n. 5), p. 106; V.S. POYTHRESS, *Hermeneutical Factors in Determining the Beginning of the Seventy Weeks (Daniel 9:25)*, in *Trinity Journal* NS 6 (1985) 131-149, pp. 134-135.

53. J.C. LEBRAM, *op. cit.* (n. 5), p. 108.

54. Cf. above note 2.

55. J.A. MONTGOMERY, *op. cit.* (n. 12), p. 52; J.C. LEBRAM, *op. cit.* (n. 5), p. 109.

has clearly to do with the temple (9,26b) and which forms a contrast to the partial fulfilment after the first seven sabbatical periods. The redactor aims at the murder of Onias (III) the high priest at the court of the Seleucids in Antioch, ca 171 (2 Macc 4,7-38). The dismissed משׁיח has no successor (v. 26)[56]. The נגיד who comes in his place causes the ruin of Jerusalem and the temple[57]. Probably Menelaos, the illegitimate high priest in Jerusalem after Jason (2 Macc 4,21 ff.) is meant[58]. He will himself be overthrown by the divine wrath, but before that a time is fixed for a destructive war.

V. 27 details the misdeeds of the new leader, who in contrast to the נגיד of v. 25 is not called משׁיח. He will be in power for a whole week of years. "He shall make a firm league with the mighty", i.e. with the many, רבים לרבים. רבים might be understood as an equivalent of ἄρχοντες, the princes of the גוים, those supernational beings governing the heathen[59]. In any case, idolatry is meant, as appears from the rest of the text. The נגיד will stop sacrifices and offerings in the temple. Finally he will place 'the abomination of desolation' upon the wing of the temple. It is generally agreed that the satirical word-play refers to *Baal Shamem*, the Phoenician Lord of Heaven[60].

The text ends with the assurance that the end of all this is determined by God. The final redemption coincides with the fulfilment of the prophetic words and of the seventy שׁבעים as indicated v. 24: למשׁח קדשׁ קדשׁים. This means in the Maccabean interpretation of the vision the purification and rededication of the temple[61].

5. I come now to the interpretation of the seventy weeks in the supposition that Dan 9 goes back to an original tradition, henceforth indicated as Dan *9, where the vision was dated in the reign of Darius II, the Persian king who permitted the rebuilding of the Jerusalem temple, more than 150 years after the exile.

There are three questions. First: What was the 'terminus ad quem' of the original prophecy? Second: How do we interpret in this case the

56. Cf. the crux *we'en lo*.

57. Read נגיד עם instead of עם: *together with, at the same time as*.

58. Cf. L. DEQUEKER, *Chronicles XXIV and the Royal Priesthood of the Hasmoneans*, in *OTS* 24 (1987) 94-106.

59. The suggestion is based upon ἄρχων = רב in Dan (Th.) 4,6 and 5,11. *The princes of the nations*: Dan (Th.) 10,13.20-21 (שׁר); Dan (LXX) 10,13 (שׁר).

60. J.A. MONTGOMERY, *op. cit.* (n. 12), p. 388.

61. See above n. 3. The 'personal sense', the 'Holy of Holies' referring to the Messiah (LXX and the old Jewish and early Christian exegesis) or to God (Qumran), may be relevant for the pre-Maccabean interpretation of the vision (cf. infra Dan *9). The Maccabean interpretation is based upon the biblical meaning of קדשׁ קדשׁים, the most holy gifts (e.g. Exod 29, 36-37), the most holy place of the city (the temple), or the most holy part of the temple (קדשׁ הקדשׁים).

term שבעים? Third: What is meant by the division of the seventy שבעים in units of 7,62 and 1?

The original 'terminus ad quem' of the seventy שבעים was, in my opinion, the permission to rebuilt the temple in the second year of Darius II, i.e. 421. The vision of the angel Gabriel interpreting the prohecy of Jeremiah is dated in the first year of that king (9,1). The problem evoked by the dating is: How long do we still have to wait for the reconstruction of the temple? Daniel prays sitting in sackcloth and ashes for the full realisation of Jeremiah's promises: the restoration of both Jerusalem and the temple.

למשח קדש קדשים (v. 24), the 'terminus ad quem' of the vision, is differently rendered by the LXX. Pablo David, who kindly drew my attention to the Greek text of Dan 9[62], demonstrates that there are good reasons to believe that the Hebrew (or: Aramaic) *Vorlage* of Dan (LXX) 9 predates the MT. In the Old Greek text the 'terminus ad quem', 'to rejoice in', is the return of the Most Holy One to Jerusalem (καὶ εὐφρᾶναι ἅγιον ἁγίων ... καὶ πάλιν ἐπιστρέψει) and the rebuilding of the city (καὶ ἀνοικοδομηθήσεται). As in many texts of the Qumran-tradition, in contrast to the biblical tradition, the Holy of Holies refers in this context to God. The promise has a clear parallel in Zech 1,16, both the MT and the LXX: 'I will come back to Jerusalem and my house shall be rebuilt in her'[63]. The return of Yahweh to Jerusalem coïncides with the rebuilding of the temple. The situation hinted at by the introductory verses Dan *9,1-2 is: the exiles came back, but Yahweh did not return.

The angel explains that, according to the divine plan, the seventy years in Jeremiah's prophecy were meant, not as years, but as seventy שבעים. Or better, in line with the 'terminus a quo' we will soon discover: That after the seventy years and the end of Babylon there would be a period of seventy שבעים before the reconstruction of the temple.

What is the time value of שבעים? The period to bridge the time of the exile until 421, and which could be considered as a multiple of seventy years, can be determined *a priori* as 140 years, double the period foreseen by Jeremiah. This brings us to the hypothetical date of 561.

561 is of course a late date for the prophecies of Jeremiah, both Jer 25,11 and Jer 29,10[64]. Still, 561 is not fortuitous, but highly significant. It is the year after the death of Nebuchadnezzar, 562[65]. Jer 25,11-12

62. P.V.S. DAVID, *op. cit.* (n. 35).

63. Cf. A.S. VAN DER WOUDE, *Zacharia* (De Prediking van het OT), Nijkerk, 1984, p. 41. Cf. above n. 35 (P.V.S. DAVID).

64. Jer 25,11 = 605; 29,10 is to be dated, according to 29,2, shortly after the deportation of Jojakin, 597.

65. Cf. R.A. PARKER - W.H. DUBBERSTEIN, *Babylonian Chronology 626 B.C. - A.D. 75* (Brown University Studies, 19), Brown University Press, 1956, repr. 1971, p. 12.

foretells the punishment of the king of Babylon after seventy years. In Jeremiah's understanding the king of Babylon is Nebuchadnezzar (25,1). 'Seventy years' before his death, the neo-babylonian empire started at the rise of Nabopolassar, following the death of Assurbanipal, 627/26[66]. The 'terminus a quo' of the seventy weeks in Dan *9 would then coïncide with the fulfilment of Jeremiah's seventy years[67]. Following the distinction made by Kl. Koch[68], it appears that Dan *9 calls for an 'exclusive reckoning'[69], whereas the Maccabean reinterpretation would be 'inclusive'.

How did the author of Dan *9 reckon a period of 140 years as seventy שָׁבֻעִים? The calculation, which is no less artificial, and certainly as meaningful as the interpretation of the שׁבעים as sabbath years in the Maccabean interpretation, might be reconstructed as follows. In analogy with the term שָׁבֻעֹת, the fiftieth day of a jubilee, 7 x 7 + 1 day (Num 28,16), a week-jubilee was created: 7 x 7 + 1 week = 50 weeks, which is approximately one year (12 months of 29 days). Moreover, the author understood the term not as שָׁבֻעִים, which as a plural is unusual, but as שְׁבֻעַיִם, a dual, meaning a fortnight (Lev 12,5). The result is: 7 x 7 + 1 week x 2 = 100 weeks, or two years. שְׁבֻעַיִם in this sense could be translated 'a fortnight jubilee', or 'a double jubilee of weeks'. The message of the angel reads: the real fulfilment of the prophecy will stand out for seventy fortnight jubilees, which is 140 years, twice seventy years.

This interpretation is analogous to the interpretation of the 70 שׁבעים as sabbath periods or jubilees advanced by the Maccabean redactor of Dan 9. It stays closer, however, to the original meaning of the term שׁבוע, a week, and therefore might predate the Maccabean interpretation which is based upon 2 Chr 36.

Both interpretations view the seventy years of Jeremiah's prophecy in the light of the biblical symbolism and ideology of the Jubilee year. Whatever the original meaning of Jeremiah's seventy years may have been, both interpretations of Dan 9, the one aiming at the second

66. Compare the usual reckoning of Jeremiah's seventy years from Nebuchadnezzar's rise in 605, or the fall of Jerusalem 587/6, to the capture of Babylon by Cyrus in 539 and the decree for the return in 538. On the problem, see P.R. ACKROYD, art. cit. (n. 18), pp. 23-27. Ackroyd interprets the seventy years as a round figure, as Isa 23,15-18 and the oracle of Marduk against Babylon. Cf. R. BORGER, Die Inschriften Asarhaddons, Königs von Assyrien (Archiv für Orientforschung, Beiheft 9), Graz, 1956, pp. 10-31.

67. Compare the remarks above on the 'terminus a quo' being the rise of Darius the Mede, or the decree of Cyrus.

68. Cf. note 40.

69. The 'exclusive reckoning' situates the fulfilment of Jeremiah's seventy years and the beginning of Daniel's seventy שׁבעים at the end of Babylon, being the first year of Darius the Mede (traditional interpretation), at the decree of Cyrus (e.g. J.C. LEBRAM, op. cit. [n.5]), or at the end of Nebuchadnezzar (Dan*9).

temple, the other at the Maccabean restoration of the sanctuary, consider the seventy years as a period leading to the 50th day, the day of reconciliation and restoration[70]. Further investigations have to decide if the two interpretations are dependent or not on the apocalyptic scheme of *70 weeks* and *ten jubilees* apparent in several apocalyptic writings of the second century B.C., such as the Apocalypse of Weeks, the Animal Apocalypse, and 11 Q Melchisedek[71].

In the case of seventy fortnight jubilees, what is the meaning of the division in units of seven, sixty-two and one? One can imagine that the repartition has been modeled on the combination of the jubilee figures, 7 x 7 + 1.

The first period goes for 7 x 2 = 14 years. This brings the reckoning to 547, i.e. three years[72] after the capture of Ecbatana, the old capital of the Median empire, by Cyrus, in 550[73]. The anointed prince is Cyrus, the משיח of Isa 45,1. He is the turning-point, the first step after seven fortnight-jubilees. The angel makes clear that the death of Nebuchadnezzar, king of Babylon (Jer 25,11) did not mean the end of the exile for the Jews. One had to wait for seven שבעים until Cyrus, the Persian king, would permit the return and the rebuilding of Jerusalem[74].

The Maccabean interpretation as well took this to be Cyrus, 49 years after the destruction of the temple. But, as we have seen, the Cyrus-decree was meant, 538. The original vision leaves the decree out of consideration. Would this be an indication that the decree did not yet have the meaning which it received in the Ezra tradition (Ezra 6,3-5; 1,2-4; 2 Chr 36,22-23)? Dan *9 modelled Cyrus on the image of Cyrus in Isaiah, the anointed, through whom, by the word of God, Jerusalem would be rebuilt and the foundations of the temple be laid (Isa 44,28; 45,1.13).

The next step in the vision makes clear that the return from exile and the rebuilding of Jerusalem would not mean the immediate rebuilding of the temple. There would be a second postponement. For sixty two jubilees, i.e. for 124 years, the city would be rebuilt, with a moat and

70. According to the deuteronomistic tradition the exile lasted for 50 years. Cf. K. KOCH, *art. cit.* (n. 47), p. 435. Could it be possible that the author of Dan *9 tried to explain the 70 years of Jeremiah, by making a combination with the number 50 from the deuteronomistic tradition, in this case 50 double weeks?

71. Cf. J.J. COLLINS, *op. cit.* (n. 34), p. 92; K. KOCH, *art. cit.* (n. 47), pp. 439-440; R.T. BECKWITH, *Daniel 9 and the Date of Messiah's Comming in Essene, Hellenistic, Pharisaic, Zealot and Early Christian Computation*, in *RevQ* 10 (1981) 521-542. See especially the Qumran fragments 4 Q 390 / 1 and 2 dealt with by Devorah DIMANT in this volume.

72. Cf. Dan 10,1?

73. M.A. DANDAMAEV, *op. cit.* (n. 43), pp. 18-19.

74. The seven שבעים recall the seven years between Nebuchadnezzar and the enthronement of Nabonid, whose strange behaviour may have inspired Nebuchadnezzar's madness for seven years, Dan 4. See P.W. COXON in this volume.

open areas, but there is no word about the temple. But the city and the
sanctuary are intimately related. V. 26 even says that at the end of the
period city and sanctuary would 'perish' (שחת). The analysis of Ezra 1–
6 made it clear that the mission of Nehemiah was not limited to the
restoration of the city walls. Nehemiah's main concern was the temple.
This explains the mission of Zerubbabel, who indeed started with the
reconstruction. But building activities were stopped by Artaxerxes.
That incident, I think, is meant by Dan *9,26. Not a complete
destruction of the city and the temple, but the ruin of Jerusalem and the
temple, the failure of what had been promised by Jeremiah and
successfully initiated by Cyrus.

The failure is situated in 423, 124 years after the advent of Cyrus. 423
is the year of the difficulties about the succession of Artaxerxes I: the
murder of Xerxes II and Sogdianus, and the assumption of power by
Darius II[75].

The failure is initiated by the 'removal of an anointed'. The LXX
has: ἀποσταθήσεται χρῖσμα, 'the anointing shall be withdrawn'. If this
would correspond to Dan *9, it would refer to the failure (καὶ οὐκ
ἔσται) of the anointing of the Holy of Holies (v. 24). However, since the
ultimate goal of the vision is formulated in the Old Greek as 'the return
of Yahweh to his temple', as indicated above, and since χρῖσμα instead
of χριστός may not be original[76], the 'removal of the anointed' is to be
accepted as the removal of a ruler. Dan *9 is built upon the tension
between the return of the most Holy to Jerusalem and the twofold
postponement of that promise, the first with relation to the 'messianic'
ruler Cyrus, the other due to the removal of the anointed ruler charged
with the execution of the task in Jerusalem. This was Zerubbabel,
governor of Judah, chosen by God to rebuild the temple (Hagg. 2,20-
23). The interpretation is acceptable even if the strict messianic interpretation of his mission (Zech 3,9-10; 6,12) must be questioned[77]. Zerubbabel and Cyrus were both entrusted with a 'messianic' task, but there
would be another Messiah, and there were more messianic expectations
to be fulfilled with the ultimate reconstruction of the temple and the
return of Yahweh[78].

75. M.A. DANDAMAEV, op. cit. (n. 43), p. 258.
76. P.V.S. DAVID, op. cit. (n. 35), p. 60.
77. A.S. VAN DER WOUDE, op. cit. (n. 63), pp. 115-116.
78. The failure of Zerubbabel under Artaxerxes I and the fact that at the time of the
actual rebuilding and consecration of the temple (Ezra 6) his name is no longer
mentioned, gave rise to speculations about his martyrdom (L. WATERMAN, The
Camouflaged Purge of Three Messianic Conspirators, in JNES 13 (1954) 73-78; A.T.
OLMSTEAD, History of the Persian Empire, Chicago, IL, 1948; cf. P.R. ACKROYD, art. cit.
(n. 18). In my interpretation the failure of Zerubbabel was due to the opposition of the
'people in the land' to the exclusiveness of Judah. Moreover, the absence of Zerubbabel in
the Aramaic documents of Ezra 6 is to be explained by the official character of the
documents, using the traditional biblical term 'elders of the Jews', instead of their proper
names.

The failure is further described by the appearance of a נגיד after the interruption of the work at the temple. His coming is clearly meant as the opposite of Zerubbabel's work. The task of Zerubbabel was to rebuild the temple. The נגיד הבא means the total ruin of Jerusalem and of the temple. He abolishes the sacrifices, and gives up Jewish identity, making a covenant with the 'princes of the goim' and accepting the supremacy of the Phoenician god *Baal Shamem*.

Taking account of the context of the temple, I understand the נגיד הבא as נגיד בית האלהים (Neh 11,11; 1 Chr 9,11; 2 Chr 31,13), a man responsible for the administration of the goods, the income and taxes of the temple[79]. In the time of Nehemiah and Zerubbabel the best candidate for the office was Tobiah, the minister from Ammon (Neh 2,10), notorious opponent of the Judean-Jewish restoration, colla-borator of Samaria (Neh 2,10.19-20; 6,10-19). Towards the end of Artaxerxes' reign, Tobiah was appointed by the priest Eljashib as administrator of the temple[80]. Only after a lapse of time, could he be deposed by Nehemiah on his return to Jerusalem (Neh 13,4-9)[81]. He was deposed, not because he was not 'Jewish', – see his theophoric name and the name of his son Jehohanan (Neh 6,18) –, but because he denied the privileges of Judah and Jewish particularism, advanced by Nehemiah. Tobiah made use of the area reserved for the ritual offerings in the temple, among them the grain-offering, the מנחה (Neh 13,5). Dan *9,27 refers to the abolition of the מנחה. The report of Nehemiah states that many in Judah, especially the nobles (חרי יהודה), were in league with Tobiah (Neh 6,17-18). It seems possible to me that the author of Dan *9 transformed this information into an oath with the ἄρχοντες of the גוים (9,27)[82]. The deformation is no less ignominious than the creation of the שׁקוּץ משׁמם.

Did Tobiah actually introduce the Phoenician god *Baal Shamem* in Jerusalem? The Nehemiah report does not say so. But one should not underestimate the fact that Nehemiah had to purify the rooms usur-pated by Tobiah (Neh 13,9). I imagine Tobiah as a man living in close connexion with the people in Samaria, where the Phoenician and Greek

---

79. The delay in rebuilding the temple until Darius II does not mean that during the Babylonian occupation and after the return there were no cult activities at all in Jerusalem (cf. Ezra 4,2). Moreover, one should think of the 'temple' as the official centre for the administration of taxes.

80. The remarks by H.G.M. WILLIAMSON, *op. cit.* (n. 15), p. 386, questioning the identity with Eliashib the high priest (Neh 3,1.20-21; 12,10.22; 13,28) are not convincing.

81. On the historical authenticity of Neh 13,4-19 within the editorial context of Neh 12,44–13,14, and the chronological gap in the Nehemiah memoir between the account of the wall-building and the incidents recounted in Neh 13, cf. H.G.M. WILLIAMSON, *op. cit.* (n. 15), pp. xxvi and 378ff. The gap is in my understanding related to the prohibiting measure of Artaxerxes.

82. Cf. above note 59.

influence was strong at the time[83], defending the assimilation of the
Jerusalem cult at the place of the former Jewish temple with the
Phoenician cult of *Baal Shamem*[84]. The situation would correspond to
the uncleanness of the Jews and of Jeshua the high priest, as described
in Hagg. 2,14 and Zech 3. The task with relation to the temple
entrusted to Jeshua (Zech 3,7), 'to administer my house and be in
control of my courts'[85] is the task of the נגיד בית האלהים and could be
understood as the opposite of the 'regime' introduced by Tobiah.

But how could Zerubbabel and Jeshua be the contemporaries of
Nehemiah? Both are presented as grandsons of the last Davidic ruler
and the last high priest before the exile, respectively. Zerubbabel is the
son of Shealtiel, son of Jeconiah (1 Chr 3,17). Jeshua is the son of
Jehozadak, the high priest who went into exile, son of Seraiah (1 Chr
5,41 [6,15]). Moreover, the high priest in Nehemiah's days, Eliashib
(Neh 3,1) is said to have been the grandson of Jeshua (Neh 12,10).

In my previous article on Ezra 1–6, I came to the conclusion that the
genealogies: 1 Chr 3,1-24; 5,27-41 [6,1-15]; Neh 12,10-11, the late
redactional character of which is recognised by the commentaries[86],
presuppose the combination of the histories of Ezra and Nehemiah.
Their presentation of the succession of the high priests after the exile is
not presupposed by the original Ezra narrative, nor by the independent
Nehemiah report[87]. Moreover, neither Zerubbabel, nor Jeshua, play
any role in the history of Nehemiah as preserved in the MT, apart from
their names in the list of the returnees, Neh 7. But this is to be
explained by the antedating of their history in the combined history of
Ezra and Nehemiah. Finally, in the article on Ezra, I explained that
there are reasons to believe that 'Jeshua' and 'Eliashib', or at least
Joiakim ben Jeshua (Neh 12,26) and *Johanan ben Eliashib* (Neh
12,11.22), were contemporaries in the period of Darius II[88]. Jeshua
represented the Zadokite line, whereas Eliashib represented the group
of 'Levites', who were not recognised by the returnees as worthy of the

83. Dominique AUSCHER, *Les relations entre la Grèce et la Palestine avant la conquête
d'Alexandre*, in *Vetus Testamentum* 17 (1967) 8-30.
84. H.G.M. WILLIAMSON, *op. cit.* (n. 15), p. 386: "For Tobiah, the room no doubt
served as a base from which he could begin to develop again those contacts which he
already had (cf. 6:17-19) and so to foster a more 'liberal' and 'open-minded' policy that
would integrate Judah into the wider network of Levantine provinces".
85. Cf. A.S. VAN DER WOUDE, *op. cit.* (n. 63), p. 69.
86. R. BRAUN, *1 Chronicles* (Word Biblical Commentary, 14), Waco, TX, 1986;
H.G.M. WILLIAMSON, *op. cit.* (n. 15), pp. 355-366.
87. This notwithstanding the fact that Zerubbabel and Jeshua occur in the original
Ezra as *son of Shealtiel* and *son of Jehozadak*, respectively. See 1 Esdras (Esdras A').
88. Johanan ben Eliashib appears as high priest in Jerusalem in a letter from the Jews
in Elephantine to Bagoas, the governor of Judea, concerning the destruction of their
temple. The letter is dated in the 17th year of Darius II, i.e. 408/407. Cf. A. COWLEY (ed.),
op. cit. (n. 10), Nr 30, line 18.

high priesthood. Eliashib favoured integration and collaboration with Samaria (Neh 13,4ff.). The genealogical list, Neh 12,10-11, which combines the two families in presenting Eliashib as a true Zadokite, the grandson of Jeshua, is generally recognised as a late addition to Neh 12[89]. It is the continuation of the priestly list, 1 Chr 5,27-41. To admit that Jeshua and Eliashib both lived in the days of Nehemiah, is not in contradiction with the sources. Eliashib bears the title of high priest only in Neh 3,1. This might reflect the thesis of Neh 12,10. In the incident with Tobiah (Neh 13,4-9) Eliashib is an ordinary priest, in opposition to Nehemiah. Later on, one of his descendants, possibly Johanan ben Eliashib, may have succeeded in overruling the house of Jeshua. That was the situation found by Ezra upon his arrival in Jerusalem (Ezra 10,6). In the priestly genealogy of Ezra 7, Ezra even takes the place of Jeshua's father Jehozadak.

The analysis of Dan *9 started with the assumption that the seventy שבעים of the vision correspond to a duplication of the number 70, i.e. 140 years. Is there any further confirmation of this duplication in the text tradition of Dan 9?

A delay of 140 years before the return of Yahweh appears to be a figure known by the old Greek text of Dan 9. The numbers 7 and 62, dividing in the MT the weeks of years, are added in the LXX, both in vv. 26 and 27, to the number 70 (v. 24), making a total of 139 years. The vision ends at the threshold of the great eschatological event, Jerusalem rejoicing in the return of the Holy of Holies and the rebuilding of the temple. P.-M. Bogaert explains the phenomenon as a deliberate repetition of the number 70 in order to distinguish two fulfilments of the Jeremian prophecy, both after 70 years, the one being the reconstruction of the temple after 70 'periods of time', i.e. under Darius I, and the other the purification of the temple in 164[90]. If the Old Greek version indeed represents a more original text than the MT, as claimed by P. David[91], this would support the proposed interpretation of Dan *9 in relation to the reconstruction of the temple under Darius II.

The interval of 140 years, being a duplication of 70, might explain the delay for the return of Yahweh after 70 years in the vision of Zech 1, to which I will go in in a moment. In my opinion it also explains the intriguing relation between the two narratives in Daniel connected with Darius the Mede, Dan 6, which is preserved in Aramaic, and Dan 9,

---

89. In 1 Chr 24,11-12 Jeshua is situated in the line of Ithamar, and Eliashib in the line of Eleazar! Cf. L. DEQUEKER, *art. cit.* (n. 58), p. 101.

90. P.-M. BOGAERT, *art. cit.* (n. 49), pp. 215-216. See also the duplication of 70 in the combined Ezra-Nehemiah and the repetition of 70 in Dan 1,1-21 and 9,2 (above note 7).

91. P.V.S. DAVID, *op. cit.* (n. 35).

which, apart from the penitential prayer, is obviously based upon an Aramaic background.

To begin with Dan 9 and 6. According to the MT, Darius the Mede took over from Belshazzar when he was sixty-two years old (Dan 5,30-6,1)[92]. I believe that in the original narrative of Daniel in the lion's den the king was Darius I; the narrative was dated in the sixty-second year of the king. The introductory formula was adapted and applied to Darius the Mede when the narrative became part of the cycle of the four world empires. The sixty-second year of Darius I, born ca 550, corresponds to ca 490[93]. In the context of the reckoning of the seventy fortnight-jubilees 491 is a significant date: half-way between the first fulfilment of the word of Jeremiah after the death of Nebuchadnezzar, 561, and the final fulfilment of the prophecy in the second year of Darius II's reign, 421. That means that the decision of Darius I to accept the God of Daniel, as described in Dan 6, is presented as a second decisive turning-point in history, after the death of Nebuchadnezzar. Seventy years passed since the fulfilment of the prophecy of Jeremiah; seventy years later Darius II permitted the rebuilding of the temple[94].

Finally the vision of Zech 1, generally understood as dealing with the fulfilment of Jeremiah's prophecy of the reconstruction of the temple in the second year of Darius I, 70 years after its destruction.

The vision is indeed dated in the second year of Darius (v. 7), but there is no further indication of the king's identity[95]. The seventy years are the time of Yahweh's anger at Jerusalem and the cities of Judah (v. 12), but there is no explicit reference to Jeremiah, nor is it said from when the seventy years should be reckoned. On the other hand, the

---

92. Cf. the dating of the Judean kings 1 Kings 14,21; 22,42; 2 Kings 7,26; 14,2 e.o. The age of Darius the Mede has been compared to that of Cyrus. Cf. H.H. ROWLEY, *op. cit.* (n. 4), p. 55; M.A. DANDAMAEV, *op. cit.* (n. 43), p. 11.

93. Reckoning ca 30 years to the beginning of his reign in 522. Cf. M.A. DANDAMAEV, *op. cit.* (n. 43), p. 108.

94. The link between Dan 6 and 9 is still visible in the MT: Darius the Mede takes power at the age of sixty-two, and in that same year, the first of Darius' reign (Dan 9,1), Daniel asks questions about the significance of Jeremiah's seventy years. Further investigations should make clear if the order of the chapters in the Greek Papyrus 967, where Dan 9 follows directly upon Dan 6 (after the death of Darius), could be explained by my observations about Darius II. Cf. J. LUST in this volume. In the scheme presented by J. LUST, Dan 9 could be added at the end as the final vision of the pre-Maccabean stories, represented by the Aramaic sections of Daniel, including the Aramaic Vorlage of ch. 7 and 9.

95. As already said, no precise correlation can be established between the dates in Haggai and in Zechariah and the events taking place in Babylon. The only indication would be the remark about peace: "The whole world is still and at peace" (v. 11). Cf. P.R. ACKROYD, *art. cit.* (n. 18), p. 21. In the context of Darius II the remark, if not conventional, would refer to the struggle for the Persian throne that Darius Ochus could overcome. Cf. M.A. DANDAMAEV, *op. cit.* (n. 43), pp. 258-259.

vision deals with a delay: the whole world is dwelling in quietness (v.ll), Jerusalem and the cities of Judah (recalling Neh 7,72?) are repeopled (v. 12), but Yahweh did not return to his temple.

Intriguing contacts between Dan 9 and Zech.1 were mentioned above, especially on the level of the LXX, reflecting the Hebrew or Aramaic Vorlage of the MT. The combination of penitential prayer and vision is similar to that in Dan 9, and in both texts the main promise is the return of Yahweh to his temple. Reflecting further along this line and taking into account that the *Sitz im Leben* of the vision would be the situation after exile in the second year of Darius II, when Haggai and Zechariah stood up among the Jews in Judah and Jerusalem, prophesying the reconstruction of the temple (Ezra 5,1), one could understand the seventy years of anger as the ultimate postponement in the fulfilment of Jeremiah's prophecy from the reign of Darius I (Dan 6) to Darius II[96].

CONCLUSION

1. At the background not only of Dan 6 but also of Dan 9, one can assume an old Aramaic tradition dealing with the history of the Jews in the Persian period. This tradition is possibly linked with the Aramaic 'sources' in Ezra 1–6, with I Esdras and with the book of Esther. The leading figures in this tradition were Darius I, Artaxerxes I (see Ezra 4 and the Greek Esther) and Darius II.

2. The problem of the temple stays at the centre of the eschatological expectations of Daniel. Apart from the problem of the profanation of the temple in the Maccabean redaction of the book, and possibly a negative judgement against the second temple, there is in the earlier layers of Daniel, the more fundamental problem of the delay of the reconstruction of the temple after the exile.

3. The interpretation advanced of the seventy שבעים with reference to Darius II and the building of the second temple, gives a firm and balanced system. The 'terminus a quo' and the 'terminus ad quem', together with the intermediate periods, correspond to clear dates. The author knew the 'terminus ad quem' of the vision, the building of the second temple after the exile. The intention of the vision was to explain the unacceptably long interval between the exile and the reconstruction of the temple.

The reckoning of the seventy weeks of years in the reinterpretation of

96. This would rejoin the observation of P.R. ACKROYD, *art. cit.* (n. 18), p. 22, who suggests that the framework of Zechariah is an artificial production.

the vision by the Maccabean author is not consistent. The 'terminus ad quem' is not fixed; the end is an open date. The author does not start from a known fact in history. The capture and rededication of the temple by the Maccabees are expected, but they had not yet happened. The dates of the intermediate periods are approximate. Only the 'terminus a quo' and the first seven weeks of years are fixed dates: from the beginning of the exile in 587 till the decree of Cyrus, 538.

4. The biblical historiography of the post-exilic period is dominated by the restoration of Ezra in the Persian period, and the glorious struggle of the Maccabees against Hellenism. The redactional criticism of the books of Ezra - Nehemiah and Daniel suggests that Jewish historiography has gradually concealed what was considered as a gloomy stain on the post-exilic period, the decay of Jerusalem for so many years. What outsiders might have seen as a chance for openness and integration of Judea and Jerusalem in the new world of the Phoenicians, still before the rise of Alexander the Great and Hellenism, was eliminated as a time of deep decay and shame.

Blijde Inkomststraat 21   Luc DEQUEKER
B-3000 Leuven

ANOTHER LOOK AT NEBUCHADNEZZAR'S MADNESS

I

The Palestinian Targums of Gen 3,18 break free from the emotional restraint of the Masoretic text (MT) to record Adam's horror at the severity of the divine sentence. It is of interest to mark the precise point in the text which provokes the outburst and interrupts the divine monologue. The idea of death meets no dissension but Adam loses his composure at the seemingly innocuous suggestion that in future he must eat "the plants of the field" (עשב השדה). Targum Onkelos (TO) follows the MT albeit substituting "plants of the earth" (עסב דארעא) for "plants of the field", a rendering supported only by the Vulgate (*herbam terrae*) among the ancient versions. Pseudo-Jonathan (PS), followed by the Fragment Targum (FT) and Neofyti (N), however, supplies a midrashic expansion which explains Adam's anxiety[1]:

> Adam responded and said, I beg mercy from before your presence, O Lord, let me not be considered like the animals (or, as cattle) to eat the grass of the open field. Let me rather stand up and work and let me eat food from the work of my hands; and thus let there be a distinction before you between human beings and animals.

The Midrash Rabbah parallels this midrashic speech[2]:

> When Adam heard this, his face broke out into a sweat and he exclaimed, What! Shall I be tied to the feeding-trough like a beast! Said the Holy One, blessed be He, to him, Since thy face has sweated, Thou shalt eat bread

---

1. FT and N are identical to PS. See E.G. CLARKE, *Targum Pseudo-Jonathan of the Pentateuch: Text and Concordance*, New Jersey, 1984, p. 4; M.L. KLEIN, *The Fragment-Targums of the Pentateuch According to their Extant Sources* (*Analecta Biblica* 76), Rome, 1980, vol. I, p. 46; A. DIEZ MACHO, *Neophyti I Targum Palestinense Ms De La Biblioteca Vaticana*, Part I: *Genesis*, Madrid-Barcelona, 1968, p. 17.

2. *Midrash Rabbah. Translated into English with Notes, Glossary and Indices under the Editorship of* Rabbi Dr. H. FREEDMAN and M. SIMON, London, 1939, pp. 168–169. The midrashic insertion in the Palestinian Targums could be occasioned by the apparent contradiction between the curses in Gen 3,18–19, in which, on the one hand, man's food supply is restricted to wild plants, and on the other, he can eat *lḥm*, which is of course the bread taken from harvested grain. Alternatively, difficulties may have arisen in view of Gen 1,29–30 where the man and woman were given "every herb yielding seed" and "all the fruit of the trees" and the animals are given "every green herb" (כל ירק עשב) but neither the fruit of the tree nor the seeds. See Ramban's discussion of these verses in which he takes issue with Rashi who believed that man and beast were made alike with respect to their permitted food: *Ramban (Nachmanides) Commentary on the Torah. Genesis*, Translated and Annotated by Rabbi C.B. CHAVEL, New York, 1971, pp. 56–57.

and interprets 3,19 of the MT as God's response to Adam's inter-jection.

In these early Jewish sources the phrase "the grass of the earth/field" has been interpreted as animal fodder and Adam's fall understood as a serious threat to his human dignity. His worry is roused by the thought that the divinely ordained distinction between man and beast has been blurred[3]. Sa'adya Gaon in his *tafsir* on the book of Daniel identified the same phrase in the Aramaic text of 4,12 (EVV 15), בעשב ארעא, at the very point in the poem of the Great Tree where the metaphor of the tree is arrested, and a shift is effected from the vegetable to the animal kingdom. The stump of the prostrate tree, with its metal fillet, is left, בעשב ארעא, bathed with the dew of heaven and sharing the lot of the beasts of the field[4]:

> This deviates from the simile and inclines strongly to exegesis, because it explains that the one who is compared to a tree is a man who is changed; thus his lot will be in the grass with the wild animals, and this does not pertain to trees.

With the exception of the LXX the versions corroborate the MT as it stands in Dan 4,12 but on metrical grounds the final poetic colon (בעשב ארעא) has been challenged. Montgomery looked favourably on Torrey's proposal to delete it as a marginal variant of בדתאא די ברא and so end the verse with "and with the beasts of the field shall be his lot"[5]. This item saw the change from the tree metaphor to the actuality portrayed. If בעשב אדעא is a marginal gloss which later crept into the main text it is conceivable that its origin lies with the midrashic innovators who identified verbal similarities in the fall from grace of both Adam and Nebuchadnezzar.

A. Di Lella has defended the structural integrity of the poem in Dan 4,7-14 (EVV 4,10-17) without recourse to emendation and identified in some detail the thematic reminiscences that exist between it and Gen 1–3. Among other things he noted the congruence of punishment in the two narratives. Nebuchadnezzar, like Adam, "loses his place in creation and forfeits his human dignity and his right to have dominion over other creatures: he is to become like a beast and live on the food of

---

3. TO and PS in similar vein restrict the motherhood of Eve to humans in 3,20 (היא אימא דכל בני אנשא); the Hebrew text (אם כל חי) could include non-human creatures.

4. *Daniel, Translation and Commentary of Rabbi Sa'adya Gaon*, Translated and Annotated by D. KAFAH, Jerusalem, 1984, p. 83 (in Hebrew).

5. J.A. MONTGOMERY, *A Critical and Exegetical Commentary on the Book of Daniel*, Edinburgh, 1927, p. 23. The fact that the phrase בעשב ארעא is not found in verse 20 which recounts the fate of the tree in Daniel's exegesis does not support its deletion in verse 12. Details are subtly added or subtracted through the narrative of Dan 4–5 and belong to the area of the writer's literary technique. For a detailed treatment of this phenomenon, see P.W. COXON, *The "List" Genre and Narrative Style in the Court Tales of Daniel*, in *JSOT* 35 (1986) 95-121.

animals..."[6]. The text does make sense as it stands, the synonymous parallelism with בדתאא די ברא overtly emphasizing that aspect of Nebuchadnezzar's degradation which will claim the reader's attention in the narrative that follows, not only in ch. 4 but in yet another recapitulation of the king's fate in 5,20-21.

II

It is common knowledge that the LXX goes a way of its own in Daniel although opinions vary on the origin and development of its idiosyncratic text. Rejected by the early church in favour of the more accurate Theodotion, its waywardness and penchant for midrashic expansions to the original Aramaic have elicited the admiration of some[7] and disparagement of others[8]. Recent attention has focused primarily on the complex issues involved in analysing the textual traditions lying behind the so-called Theodotionic version. Ziegler[9] and Schmitt[10] have raised objections to earlier studies which had identified "Theodotion-Daniel" with an older recension, that of "Proto-Theodotion" (kaige)[11] which existed around the turn of the Christian Era, and maintain that "Theodotion-Daniel" represents an independent textual tradition. In his Daniel commentary Di Lella has proposed that in the pre-Christian period we must reckon with the probability that a num-

---

6. A. DI LELLA, *Daniel 4:7-14: Poetic Analysis and Biblical Background*, in *Mélanges bibliques et orientaux*, FS H. Cazelles, ed. A. CAQUOT and M. DELCOR, *AOAT* 212 (1981), p. 257. It seems to me that the Deuteronomistic creation theology of Jer 27,5-8 which pinpoints Nebuchadnezzar's divinely appointed governorship over the created order may constitute part of the backcloth to the portrayal in Dan 4. It depicts the apogee of Nebuchadnezzar's achievements:

"It was I who by my great power and outstretched arm made the earth, along with mankind and the animals all over the earth, and I give it to whom I see fit. Now I have handed over all these lands to my servant Nebuchadnezzar of Babylon, and I have given him even the creatures of the wild to serve him..." (vv. 6-7, R.E.B.).

See W. MCKANE's article *Jeremiah 27.5-8, especially "Nebuchadnezzar, my servant"*, in *Prophet and Prophetenbuch. Festschrift für Otto Kaiser zum 65. Geburtstag*, ed. V. FRITZ, K.-F. POHLMANN and H.-C. SCHMITT, Berlin, 1989, pp. 98-110.

7. A. BLUDAU, for example, thought it "eine staunenswerthe Leistung"; see his article *Die alexandrinische Übersetzung des Buches Daniel und ihr Verhältnis zum massoretischen Text*, in *Biblischen Studien* 2, 2-3 (1897) 87.

8. J.A. MONTGOMERY, *op. cit.*, p. 247, regards the LXX account of the dream in ch. 4 as "sadly confused and absurdly amplified".

9. See J. ZIEGLER's remarks in the Introduction to his critical edition of Daniel in Greek, *Susanna, Daniel, Bel et Draco. Septuaginta, Vetus Testamentum Graecum, Auctoritate Societatis Litterarum Gottingensis editum* 16.2, Göttingen, 1954, p. 61.

10. A. SCHMITT, *Stammt der sogenannte "Θ'-Text bei Daniel wirklich von Theodotion?*, in *Mitteilungen des Septuaginta-Unternehmens* 9, Göttingen, 1966.

11. See D. BARTHÉLEMY, *Les Devanciers d'Aquila* (*VT* Suppl. 10), Leiden, 1963, especially pp. 46f.; P. GRELOT, *Les versions grecques de Daniel*, in *Biblica* 47 (1966) 381-402; M. DELCOR, *Le Livre de Daniel* (Sources bibliques), Paris, 1971, pp. 21-22.

ber of translation enterprises took shape in Palestine and Asia which
include Proto- or Ur-Theodotion, Proto-Lucian, "Theodotion-Daniel"
and the Old Greek (LXX)[12]. It is not unreasonable to assume that
"Theodotion-Daniel" "was produced in a Jewish community of Palestine... by a scholar who was disturbed by the fact that the Alexandrian
Old Greek (LXX) of Daniel was at times less than accurate in relation
to the Hebrew and Aramaic of the book"[13]. The relationship between
"Theodotion-Daniel" and the LXX in this case bears a close resemblance to that which developed later between TO and the variant
Palestinian targums: a literal text came into being to correct the
discrepancies and prune the numerous midrashic additions which made
the original text virtually unrecognizable[14]. Scholarly opinion has long
been in unison that even within the framework of the LXX of the book
of Daniel, ch. 4–6 constitute a special case and ought to be considered
separately. Montgomery argued that there was considerable evidence
that the Greek version itself belied a semitic original which was
responsible for many of the additions, largely midrashic, embedded
within this section[15]. These special additions, including the lengthy
deuterocanonical passages found elsewhere in the LXX, "Theodotion-
Daniel" and the Vulgate, together with the Aramaic prayer of Nabonidus and the pseudo-Daniel fragments from Qumran point to the
existence of several cycles of stories centering on the life of Daniel
which were in circulation among the Jews at least as early as the second
century B.C. Given the thoroughly midrashic nature of the Old Greek
version of Dan 4 it seems to me that a thematic conjunction exists
between the midrash of Gen 3,18 which expresses Adam's fear of
becoming an outcast among the beasts and the depiction of Nebuchadnezzar's fate which stresses, even more than the original Aramaic, the
monarch's transfer to the animal kingdom. A comparison of select
passages from the LXX and the corresponding Aramaic text illustrates
the point:

12. Di LELLA, *op. cit.*, pp. 81-84.
13. Di LELLA, *op. cit.*, p. 82.
14. See G. VERMES, *The History of the Jewish People in the Age of Jesus Christ (175 B.C. – A.D. 135) by E. Schürer*. Vol. I, Revised and edited by G. VERMES and F. MILLAR, Edinburgh, 1973, p. 102. For a detailed study of the relationship between TO and the Palestinian Taragums with special reference to Genesis 4, see VERMES's important essays entitled *Post-Biblical Jewish Studies (Studies in Judaism in Late Antiquity*, vol. 8), Leiden, 1975, pp. 92-126.
15. J.A. MONTGOMERY, *op. cit.*, p. 37. P. GRELOT has argued forcibly that the old Greek recension of Daniel is secondary in character in relation to the Aramaic recension, and is for the most part a servile translation of an originally Hebrew *Vorlage*; see his article *La Septante de Daniel IV et son substrat sémitique*, in *RB* 81 (1974) 5-23. On the other hand, L.M. WILLS, following up E. HAAG's detailed redactional investigation of the MT of ch. 4–6 (in *Die Rettung Daniels aus der Löwengrube*, Stuttgart, 1983), has tried to show that the Old Greek text "is not just to be preferred for individual readings, but is throughout the better witness to the original text" (*The Jew in the Court of the Foreign King* [Harvard Dissertations in Religion], Minneapolis, 1990, p. 88).

·(a) vv. 12–13 (EVV 15-16)

LXX	MT
And he said thus, Leave only a stump to him in the earth, so that on the mountains with the wild beasts of the earth he will graze on grass like a bull, and with the dew of heaven his body shall be changed, and for seven years he will feed along with them.	But leave its stump and roots in the ground, with a band of iron and bronze, in the tender grass of the field. Let him be bathed with the dew of heaven, and let his lot be with the animals of the field in the grass of the earth. Let his mind be changed from that of a human and let the mind of an animal be given to him. And let seven times pass over him.

In the LXX the subtle shift from the tree metaphor to the actuality signified is jettisoned in favour of directness of sentence: a hapless human being must submit to the regimen of animal habitat and animal diet. The recognition of who is involved here holds less of a surprise in the Greek. In the Aramaic of 11b the tip of the tree reached the sky and was "visible" to the ends of the earth whilst in the Greek its crown reached the sky and its "trunk" the clouds. The term κύτος can only mean the "trunk" of a human being and not that of a tree[16]. The prostrate trunk is evidently a man's; further symbolic features are omitted and the vague seven times which will pass over him in the Aramaic becomes seven years during which the man will feed alongside the wild creatures.

(b) v. 22 (EVV 25)

LXX	MT
They will remove you and banish you to a desert place.	And they shall drive you forth from men and your dwelling shall be with the wild beasts. They shall feed you with grass like oxen, you shall be bathed with the dew of heaven, and seven times shall pass over you, until you have learned that the Most High has sovereignty over the kingdom of mortals, and gives it to whom he will.

The repetition of the watcher's words in 20 and 22 of the Aramaic text which is adhered to in "Theodotion Daniel" is not found in the LXX whose spare summary adds the important feature that the king's habitat will be in a desert place.

---

16. I am grateful to Dr Brian Capper for drawing my attention to this point. MONTGOMERY translated κύτος as "circumference" (p. 230) but this is unsatisfactory. Trunk of a human body makes perfect sense – other terms could have been used if tree trunk had been intended (e.g. πρέμνον).

(c) vv. 29-30 (EVV 32–33)

LXX	MT
The angels will banish you for seven years, and you shall neither see nor speak to another man. They will feed you on grass like a bull and your pasture shall be the verdure of the earth... I Nebuchadnezzar King of Babylon, was fed with grass like a bull, and I ate from the verdure of the earth... my hair became like an eagle's feathers and my nails like those of a lion. My flesh was changed and my heart. I walked about naked with the beasts of the earth.	And they shall drive you from men, and your dwelling shall be with the beasts of the field, and they shall feed you with grass like oxen, and seven times shall pass over you... and he was driven forth from men, and he ate grass like oxen, and his body was bathed with the dew of heaven, until his hair was grown as long as eagles' feathers and his nails as birds' claws.

Midrashic embellishments in the LXX revolve on the feeding habits of wild animals. The ultimate indignity is sketched in when the king runs naked with the wild animals, creatures identified with wild asses in 5,21 (MT)[17]. The Greek targumist weaves his exegesis then on the polar opposites of Nebuchadnezzar's career, starting with his "place of glory" and "house of luxury", as the Greek text puts it in 4,29, which symbolize the zenith of Babylonian culture, down to his transmogrification and absorption into the animal kingdom, where in a bizarre reversal of fortune the trappings of empirical splendour are stripped away and he is left "a thing most brutish"[18].

III

The Babylonian colouring of the court tales of Daniel has encouraged scholars to consider the possibility that they were written or at least had their origin in Mesopotamia[19]. Motifs attaching to the portrayal of Nebuchadnezzar in ch. 4 for example, seem to find a point of contact in the anomalous behaviour of Nabonidus who acceded to the throne of the neo-Babylonian empire seven years after Nebuchadnezzar's death (562 B.C.) and who was in fact the father of Belshaz-

17. Although the LXX text has nothing to correspond with "the iron and bronze band" in 4,12 of the original Aramaic, in the midrashic expansion of 4,14a the king was "put under guard and restrained among them [i.e. the wild animals] with bronze fetters and shackles". The Greek version sees restraint of creatures from the wild rather than the tethering of a domestic animal.

18. *The Tempest*, Act I, scene ii.

19. See A. LACOCQUE, *Daniel et son temps*, Geneva, 1983, p. 51; J.W. DOEVE, *Le domaine du Temple de Jérusalem*, in *La littérature juive entre Tenach et Mischna*, ed. W.C. VAN UNNIK, Leiden, 1974, pp. 159-163.

zar[20]. Behind the dominant role of Nebuchadnezzar in the Daniel cycle of stories, but especially in the so-called madness episode, lies the alleged "remote common source"[21] of the remarkable personality of Nabonidus who abandoned the urban culture of his homeland to become a self-imposed exile in the deserts of Arabia. According to the fragmentary text of the Prayer of Nabuni king of Babylon (נבני מלך בבל) found at Qumran, the king was afflicted by divine decree with an evil ulcer (שחנא באישא) in Teiman. At the end of seven years he prayed for forgiveness which was granted and his sins remitted by a Jewish exorcist (גזר). The most significant element in the fragment which finds an echo in the Harran Inscriptions penned by Nabonidus himself is the king's removal to the Arabian desert[22]:

> I hied myself afar from my city of Babylon (on) the road to Tema', Dedannu, Padakku, Ḥibrâ, Iadiḫu, and as far as Iatribu.

At the behest of the tutelary god of Harran, the moon-god Sin, described as "king of gods (šar ilani), lord of lords of the gods and goddesses, dwellers of the heavens"[23], Nabonidus found a home in the land of the Arabs "... in the seclusion of tracts far distant and secluded"[24] and only at the "appointed time" (adannu)[25] ten years later did the god vouchsafe his return to Babylon.

Hypotheses abound as to why Nabonidus elected to spend the greater part of his reign away from his capital, criss-crossing remote deserts and making do with improvised dwellings[26]. Nabonidus alludes to the mutiny of his subjects when he tried to promote Sin into the supreme god of the land. For this he says "fever and famine in the midst of the land they caused to be"[27]. Nebuchadnezzar's fate described in the LXX rendering of Dan 4,22 echoes Nabonidus' destination. ("They will remove you and banish you to a desert place [τόπον ἔρημον])" but there is no evidence that Nabonidus suffered from fever or mental disorder. The aspect of Nebuchadnezzar's desolation does afford a distinct overlap

---

20. A vast amount of material is now available on the historical Nabonidus and the evidence which seems to point to him in the book of Daniel. See *inter alia*, H.W.F. SAGGS, *The Greatness that was Babylon*, London, 1962, pp. 145-151, and the bibliographies found in G. VERMES, *The Dead Sea Scrolls. Qumran in Perspective*, London, 1977, pp. 72-73 and K. BEYER, *Die aramäischen Texte vom Toten Meer*, Göttingen, 1984, pp. 223-224.

21. A. DUPONT-SOMMER, *Les écrits esséniens découverts près de la Mer Morte*, Paris, 1964, p. 339.

22. C.J. GADD, *The Harran Inscriptions of Nabonidus*, in *Anatolian Studies* 8 (1958) 58.

23. *Ibid.*, p. 58.

24. *Ibid.*, p. 61.

25. Cp. Akkad. *adannu* the "time" set for Nabonidus's return to Babylonia with the Aram. equivalent עדן which, in the plural, marked the time span of Nebuchadnezzar's banishment (Dan 4,13).

26. C.J. GADD, *op. cit.*, p. 86.

27. C.J. GADD, *op. cit.*, p. 59.

however, and, as we have seen, is given special emphasis in the LXX.
There are other points of contact which cannot be gone into in this
paper[28]. Suffice it to say that there is a scholarly consensus which sees
Nabonidus' ten year absence from his capital as the basis for the tale of
Nebuchadnezzar's seven years of "madness" in the book of Daniel.

IV

From the viewpoint of sources it may well be that the historical agent
behind Nebuchadnezzar is the mysterious figure of Nabonidus, but I
would like to argue that since I regard the book as a fictional tale
rather than as a historical narrative the primary influence on the
shaping of the story is mythical and the model that excited the
imagination of its author was Enkidu, first encountered in the Gilga-
mish Epic (GE) as the savage brute chosen by the gods to challenge the
overweening authority of the hero Gilgamesh[29]. Traditions about
Enkidu go back to the old Sumerian myths[30] but his role in the GE has
its point of origin in the Old Babylonian period (early second Millennium B.C.). The Akkadian version blended together elements from the
Sumerian stories to give the epic the distinctive shape familiar to most
readers in its most complete edition in the library of Ashurbanipal (668-
626 B.C.)[31]. Suggestive of man's creation in Atrahasis and the Genesis
myths Enkidu was made from clay but unlike these sources he is flung
undeveloped and savage onto the steppe:

> Shaggy with hair in his whole body,
> He is endowed with head hair like a woman.
> The locks of his hair sprout like Nisaba.

---

28. E.g. the humiliation and restoration of the king, the duration of seven years'
absence, the mediation of a Jewish exile, and also the dream communication.

29. The appropriation of ancient traditions by the author of the book of Daniel is best
illustrated by the name Daniel itself which goes back to the antediluvian wise and just
king Dnel of Canaanite-Ugaritic literature (2 Aqhat V, 7–8); see J. DAY, *The Daniel of
Ugarit and Ezekiel and the Hero of the Book of Daniel*, in *VT* 30 (1980) 174-184, and for
the influence of broader mythical structures in the book, see J.A. EMERTON, *The Origin of
the Son of Man Imagery*, in *JTS* 9 (1958) 225-242.

30. See S.N. KRAMER, *History Begins at Sumer*, London, 1961, pp. 253-274 and
J.H. TIGAY, *The Evolution of the Gilgamesh Epic*, Philadelphia, 1982, pp. 192-197.

31. J.H. TIGAY, *op. cit.*, pp. 1-15 has argued that there was one integrated GE written
by an Akkadian author in the Old Babylonian period (2000-1600 B.C.) who took over
Sumerian tales and combined their plots into a unified epic. By the middle Babylonian
period (1600-1000 B.C.) the epic achieved the form that was standard throughout
Mesopotamia – a sort of *textus receptus* that was accepted as long as the epic was known.
TIGAY's is certainly a valuable investigation although it seems to me that not everything
he claims is true. See reviews of TIGAY's book by W.G. LAMBERT in *JBL* 104/1 (1985) 115-
116 and J. WESTENHOLZ in *JAOS* 104/2 (1984) 370-372.

He knows neither people nor land;
Garbed is he like Sumuqan[32].
With the gazelles he feeds on grass,
With the wild beasts he jostles at the watering place,
With the teeming creatures his heart delights in water.

(GE I ii 63-41)[33].

Enkidu's natural instincts are expressed in a poetic refrain:

Ever he ranges over the hills
Ever with the beasts he feeds on grass
Ever he sets his feet at the watering place.

(GE I iii 5-7, 32-34, iv 3-5)[34].

Older versions of the early Enkidu confirm the picture of a wild, animal-like creature who was hairy, unclothed and ate grass[35]. Physical contact with a woman eventually led to Enkidu's education, civilization and the life-long friendship with Gilgamesh. His first actions as a human being were to eat food, drink wine and shave the hair of his body. In a curious inversion of roles, when Enkidu dies Gilgamesh vows to leave his hair uncut and roam the steppe donned with a lion skin (GE VII iii 47-48)[36].

Years ago, Morris Jastrow suggested that Enkidu's early life was shaped by traditional ideas of the primordial *lullû* man[37]. He personified an early stage on the evolutionary scale before primitive mankind secured civilized status[38]. The Old Sumerian myth entitled "Cattle and Grain" recalled the conditions of that dark period[39]:

Sumuqan, the god of the steppe, had not come forth
Like mankind when first created,
They did not know the dressing of garments,
Ate plants with their mouth like sheep,
Drunk water from the ditch.

Primordial man was not accustomed to eating bread, nor wearing clothes; he ran wild, ate grass and was naked. A number of ancient Near Eastern texts exploit the metaphorical potential of this tradition

32. The God of wild animals and cattle.
33. *ANET* (3rd ed.), p. 74.
34. *Ibid.*, pp. 74-75.
35. See TIGAY, pp. 200f., for the view that descriptions like these reflect the seminomadic Amorites who penetrated southern Mesopotamia from their homeland in the Syrian steppe.
36. *ANET*, p. 86.
37. M. JASTROW, *Adam and Eve in Babylonian Literature*, in *AJSL* 15 (1899) 193-214.
38. The Babylonian Berossus has left an account of the primordial antics of the early Babylonians ("they lived in an unrestrained manner like animals who lack reason and like wild cattle"); see F. JACOBY, *Die Fragmente der griechischen Historiker*. Pt. 3C, *Autoren über einzelne Länder*, Leiden, 1958, vol. I, p. 369.
39. S.N. KRAMER, *op. cit.*, p. 165; J.F. TIGAY, *op. cit.*, p. 203.

in order to highlight the desperate plight of individuals who had fallen on hard times. Their destiny was an animal-like existence out on the steppe. Banishment from the presence of god and king to "roam the open country as a wild ass or gazelle" is the fate imposed by the god Sin on the royal personage who breaks Esarhaddon's vassal treaty[40]. In the Sumerian epic entitled "Lugulbanda and Enmerkar", the hero, striving to get back to his native city Erech, falls ill and is left to die on a mountain side. Wandering in the hills he is forced to eat uncultivated plants, drink river water and hunt wild animals[41]. Ahiqar, a high court official, possibly contemporary with Esarhaddon, falls on hard times when his nephew accuses him falsely of treason[42]. The fifth century B.C. papyri which contain the words of Ahiqar are defective at the point where he is sentenced to death, but his great lament is preserved in later recensions of the story. Rendel Harris published these in 1898[43] and the verbal similarities between them and elements in Dan 4 are common knowledge. Listed below are the relevant lines from the four recensions:

Slavonic:
> The hair of my head reached down to my girdle; my body had become changed... and my nails were like the claws of an eagle. (Rendel Harris, p. 17)

Armenian:
> The colour of my face was changed and my head was matted and my nails grown like an eagles'. (Rendel Harris, p. 45)

Syriac:
> The hair on my head had grown on my shoulders, and my beard reached my breast; and my body was foul with dust and my nails were grown like eagles'. (Rendel Harris, p. 73).

Arabic:
> His hair had grown long like a wild beast's and his nails like the claws of an eagle, and the colour of his face had changed and faded and was now like ashes. (Rendel Harris, p. 103)

The best known parallel to the fate which befell Nebuchadnezzar, of course, is found in Eusebius *Praep. ev.* 9,41.456d-457b, and attributed to Abydenus, who in turn cites the Greek historian Megasthenes:

> Megasthenes says that Nebuchadnezzar became braver than Heracles, and warred against Libya and Iberia, and having conquered these countries settled a part of these inhabitants on the right shore of the Pontus. After this, it is said by the Chaldaeans, he went up on the roof of his palace and

---

40. See D.J. WISEMAN, *The Vassal Treaties of Esarhaddon*, in *Iraq* XX (1958), Part 1, p. 60, ll. 310-421.

41. S.N. KRAMER, *op. cit.*, pp. 283-286.

42. *ANET*, pp. 427-430.

43. F.C. CONYBEARE, J. RENDEL HARRIS and A.S. SMITH, *The Story of Ahikar from the Syriac, Arabic, Armenian, Ethiopic, Greek and Slavonic Versions*, London, 1898.

was possessed by some god or other, and spoke aloud: "O Babylonians, I, Nebuchadnezzar, announce to you beforehand the coming catastrophe, which Belus my ancestor and Beltis my queen are alike powerless to persuade the Fates to avert. A Persian mule will come, having your own gods as his allies, and will enslave you. The one who aids him in this design will be the son of a Mede [following the emendation of 'a Mede' to 'the son of a Mede'], the glory of Assyria. I wish that before my citizens were betrayed, some Charybdis or sea might receive him, and swallow him up completely; or else, that removing himself in some other direction, he might be driven through the desert, where there are neither cities nor signs of human habitation, where wild animals have their dwellings, and birds roam, and that he might wander alone among the rocks and ravines. Would that I, before he imagined this, have met with a better end!" Having uttered this prophecy, he immediately disappeared...

Antitheses of fortune thread through such texts as the civilized life is contrasted starkly with the conditions of the wild where men live and act like beasts. In Dan 4 Nebuchadnezzar symbolizes the acme of neo-Babylonian culture and his achievements are imaged in the noble tree that dominated the cosmos. But his brazen defiance of the Most High set in motion a complete reversal of status and his regression found him stripped of the trappings of empirical splendour and human dignity. Now he is forced to assume the role of the early Enkidu, the primordial savage-man whose habitat was the steppe and whose company the wild asses (cp. Dan 5,21). As the four metals of the great image of Nebuchadnezzar's first dream in Dan 2 represented successive stages in the socio-cultural decline of earthly kingdoms in what is clearly an order of decreasing value so Nebuchadnezzar in his capacity as the head of gold slides from civilisation to barbarism as he is banished from the royal court to eat grass with the wild creatures of the steppe. In a state of bodily nakedness his hair would grow profusely and his nails remain untrimmed. This portrayal could be taken as a hyper-correction to the king's misapprehension of the symbolism of the image in ch. 2. As the head of gold he might have thought himself immune from the destruction foretold against those kingdoms represented by inferior metals. He must realise that the stone dèvastated all the elements of the image *at the same time*, golden head included. The golden image which Nebuchadnezzar built in response to the dream of ch. 2 betrays the king's ignorance of the import of the multi-metalled image. Ch. 4 is the third lesson in the king's education: the status of golden head is not a cosy sinecure to protect him from the winds of fortune. The polar contrasts of golden head and clay feet, noble trunk and naked wretch must come into the reckoning. Nebuchadnezzar is reminded – imagery redolent of the earthly Enkidu myth – that "unaccommodated man is no more... but a poor, bare forked animal"[44] ever in danger of reverting to the

---

44. *King Lear*, Act 3, scene iv.

level of the primordial savage. Dramatic reversals are in the gift of the "Most High who is sovereign over the kingdom of men; He gives it to whom He will and sets over it the lowliest of mankind" (Dan 4,14; EVV 17). Nebuchadnezzar thus engraves himself on our imagination as the epitome of that class of men who, according to the psalmist, "exchange their glory for the image of an ox that eats grass" (Ps 106,20) and as "... such cannot abide in their pomp; they are like animals that perish" (Ps 49,12.20).

St. Mary's College   Peter W. Coxon
University of St. Andrews
St. Andrews KY16 9JU
Scotland

ANTIOCHUS IV AS A TYPHONIC FIGURE IN DANIEL 7

The picture of Antiochus IV as it emerges from our sources is that of history's arch-fiend *par excellence*. He owes this reputation mainly to his action against the Jews as it is referred to in Daniel and specified in 1 and 2 Macc. and Josephus – with the plundering of the temple, the punishment of Jerusalem and the ban on Jewish religion as most important elements. Many authors have searched for explanations for Antiochus's conduct as described in these sources, a conduct which by the standards of the ancient world is inconceivable. Before, however, trying to find explanations for the motives behind Antiochus's measures against the Jews, we should ask in how far the description of Antiochus in these passages is based on historical events. It is this question that is the point of departure of this article about the traditio-historical background of the verses on Antiochus IV in Dan 7, one of the older Jewish texts on Antiochus. A subsequent investigation would have to demonstrate whether the results with regard to Dan 7 have consequences for the assessment of the other sources on Antiochus IV[1].

1. *Introduction*

In his essay *König Antiochus im Buch Daniel*, J.C.H. Lebram has examined the description of the Seleucid king Antiochus IV (175-164 B.C.) in the book of Daniel[2]. Antiochus's interventions in Jerusalem are given in the context of an apocalyptic depiction of history in Dan 7–12. Some characterisations of Antiochus as an evil king can have no connection with his actions in Jerusalem. Moreover, the book was written even before Antiochus's death. It is therefore obvious to assume that the historiographic setting in which the author framed Antiochus's actions was not created *ad hoc* but was in existence already before these events and adapted to Antiochus IV. Starting from this point of view, Lebram concludes that the variegated portrait of Antiochus IV in Daniel is substantially determined by older representations of typical figures derived from different sources. In the verses on Antiochus in Dan 7 (7,8.11.20-21.24-26) he discerns the Wisdom motif of the ungodly humiliating the righteous, finally to be called to account and judged (Dan 7,22.26; cf. Wis 2 and 5). In addition, the motif of the cultic and cosmic order being threatened by somebody acting as an

---

1. In the present version, Dan 7 undoubtedly refers to Antiochus IV, but it is quite possible that an earlier version of the chapter bore on Antiochus III.

2. J.C.H. Lebram, *König Antiochus im Buch Daniel*, in *VT* 25 (1975) 737-772.

anti-pharaoh, originating in Egyptian representations, would play an important role (Dan 7,25): *Religionsphänomenologisch tritt hier der Feind des Gottesvolkes als eine Art Gegentypus des ägyptischen Königs auf, dessen Funktion auch durch die Polarität von Erhaltung und Störung der Ordnung bestimmt ist*[3].

It is very well possible that the book of Daniel in the period of its genesis was influenced by Egypt, if only through the close contacts between the Jews of Palestine and the diaspora in Egypt[4]. Moreover, the Egyptian literature and non-literary sources show that the anti-figure stipulated by Lebram is more than a theoretical construction. In 1959, L. Koenen published an article on Harsiesis (Ἁρσιῆσις), who in 132-130 B.C. revolted against Cleopatra II and Ptolemy Euergetes II[5]. In a papyrus text (*UPZ* 199 line 4) he is given the not very flattering epithet ὁ θεοῖσιν ἐχθρός ("the enemy of the gods"), a standard expression both in Egypt and in Greek traditions. The Greeks thus nicknamed the scapegoat, while in the Egyptian world it denoted ἀσεβής as well as the rebel against the king.

The Ptolemies adopted the traditional ideology about the pharaoh as incarnation of the god Horus[6]. Just as Horus through his victory over the ungodly (ἀσεβής) and violent Seth revenged his father Osiris[7], so the triumphant king – as incarnation of Horus – proved his love for Osiris by means of the execution of rebels[8]. We may, on the basis of a passage in Nigidius Figulus, assume that the coronation ritual of the Ptolemaic king also served to celebrate the gods' victory over Seth-Typhon[9]. The coupling between divine and human acting might therefore very well extend beyond the mere person of the king. Not only was the Egyptian king (or his competitor, see below) associated with Horus, but also his opponent was linked with Horus' enemy Seth. Diodorus Siculus characterises Seth as ἀσεβής (*Bibl. hist.* 1,21), and, like Typhon in Greek texts, Seth has grown into the typical enemy of the gods in

3. LEBRAM (see n. 2), p. 746.

4. See e.g. M. HENGEL, *Judentum und Hellenismus*, Tübingen, ²1973, pp. 30f. and Namen- und Sachregister s.v. "Ägypten".

5. L. KOENEN, θεοῖσιν ἐχθρός. *Ein einheimischer Gegenkönig in Ägypten* (132/1), in *CEg* 34 (1959) 103-119.

6. KOENEN (see n. 5), p. 109. C. ONASCH, *Zur Königsideologie der Ptolemäer in den Dekreten von Kanopus und Memphis (Rosettana)*, in *APF* 24/25 (1976) 137-155. L. KOENEN, *Die Adaptation ägyptischer Königsideologie am Ptolemäerhof*, in E. VAN 'T DACK; P. VAN DESSEL and W. VAN GUCHT (eds.), *Egypt and the Hellenistic World, Proceedings of the International Colloquium Leuven, 24-26 May 1982* (Studia Hellenistica, 27), Leuven, 1983, pp. 143-190.

7. Diodorus Siculus, *Bibl. hist.* 1,21.

8. Rosetta-stone, Greek version (*OGIS* 90) ll. 9f. and 26-28. KOENEN (see n. 5), pp. 108-111. See below.

9. Nigidius Figulus, Schol. Germ. (ed. SWOBODA, 1964), 123: *Typhon interficitur in templo Aegypti Memphi, ubi mos fuit solio regio decorari reges, qui regna ineunt.*

Egyptian sources. Thus Harsiesis as 'enemy of the gods' is connected with the mythical opposite of Horus and king.

Antiochus IV constituted the most serious threat to the Ptolemies since their assumption of power in Egypt. He set himself up as guardian of Ptolemy VI Philometor, laid siege to Alexandria and penetrated deeply into Egypt[10]. It therefore stands to reason that the Seth-Typhon-connected[11] representation of the enemy of the gods should be geared to Antiochus IV by Egyptian propaganda. Influenced by like ideas from Egypt, the author of Dan 7 could then have arrived at his characterisation of Antiochus IV as an anti-king. On the basis of the considerations mentioned above, an investigation into the possible connection between the figure of Seth-Typhon and Antiochus IV in Dan 7 would seem to be important for the answer to the question as to the background of the verses on Antiochus IV in Dan 7[12]. Our main interest lies of course in any instances of a typhonic characterisation which attributes to a historical person the mythic features of Seth-Typhon (§ 3). However, before we can concentrate on this, it should be established to what extent Seth-Typhon or certain features of this figure are demonstrably present in Dan 7 (§ 2).

2. *The relationship between the description of Antiochus IV in Dan 7 and the traditions concerning Seth-Typhon*

2.1. In the last redaction of Dan 7, Antiochus IV appears in the context of an allegoric rendering of the history. During the first year of Belshazzar's reign Daniel sees four mythical-looking beasts emerge out of the sea, symbolising four empires[13] which, according to the author, in succession ruled over the world up to his own time: the Babylonian,

10. W. OTTO, *Zur Geschichte der Zeit des 6. Ptolemäers. Ein Beitrag zur Politik und zum Staatsrecht des Hellenismus* (ABAW.PH, NF 11), München, 1934, pp. 4-81. E. WILL, *Histoire politique du monde hellénistique (323-30 av. J.-C.)*, II, Nancy, [2]1982, pp. 311-325; J.D. RAY, *The Archive of Hor*, Texts from Excavations. Second Memoir, London, 1976.

11. Seth-Typhon denotes the figure resulting from the identification of the Egyptian god Seth with the Greek giant Typhon. See below.

12. There are indications that Dan 8 and 11 were (partly) inspired by features of the Seth-Typhon-complex, about which I hope to write elsewhere. A few authors have pointed out some connection between Seth-Typhon and Daniel, especially O. EISSFELDT, *Baal Zaphon, Zeus Kasios und der Durchzug der Israeliten durchs Meer*, Halle, 1932, pp. 23-27. Antiochus IV as מלך הצפון was in Dan 11 connected with the Syrian Mons Casius and by the same token with both Baal Zaphon and Typhon, who according to Apollodorus 1, 6,3 fought there against Zeus. Also in Dan 8,9-11 Eißfeldt discerned the influence of the Typhon myth. This is rejected by J.J. COLLINS, *The Apocalyptic Vision of the Book of Daniel* (Harvard Semitic Monographs, 16), Missoula, MT, 1977, p. 107. LEBRAM (see n. 2), pp. 765f.

13. See, in connection with the background of the four beasts J. DAY, *God's Conflict with the Dragon and the Sea. Echoes of a Canaanite Myth in the Old Testament*, Cambridge, 1985, pp. 151-157. Day himself supposes that the author of Dan 7 has let himself be inspired by Hos 13,7f. in particular.

Median, Persian and Greek empires. Between the ten horns of the last
and most horrifying beast (7,7), representing Alexander the Great and
nine successors, an eleventh small horn is growing, even more vicious
than its predecessors. It is on this eleventh horn of the fourth beast that
the vision is focussed, and it is this very horn which denotes Antiochus
IV[14].

The horn (קֶרֶן) here symbolises the power of the ruler (7,24)[15]. The
description of this eleventh horn is as follows:

> And in that horn were eyes like the eyes of a man, and a mouth that spoke
> proud words (7,8b)[16].

In the interpretation of the vision this verse is virtually verbatim
repeated in 7,20, with the addition:

> and (it) appeared larger than the others.

The evil deeds of the eleventh horn are described in 7,21.25:

> As I still watched, that horn was waging war with the saints and
> overcoming them... (7,21);
> He shall hurl defiance at the Most High and shall wear down the saints
> of the Most High. He shall plan to alter the customary times and law
> (זמנין ודת); and they (the saints)[17] shall be delivered into his power for a
> time and times and a half time (7,25).

The rule of the eleventh horn apparently lasts a limited time, and is
taken away by a court presided over by the Ancient of Days. His rule

---

14. See for instance H.L. GINSBERG, *Studies in Daniel*, New York, 1948, p. 20.
O. PLÖGER, *Das Buch Daniel* (KAT, 18), Gütersloh, 1965, p. 117. Cf. C.C. CARAGOUNIS,
The Interpretations of the Ten Horns of Daniel 7, in *ETL* 63 (1987) 106-113. The passages
on the eleventh horn are considered time and again as added by a first or second redactor,
see on the literary unity of Dan 7 M. NOTH, *Zur Komposition des Buches Daniel*, in
ThStKr 98/99 (1926) 143-163 (= *Gesammelte Studien zum Alten Testament* II, München,
1969, pp. 11-28). GINSBERG, *o.c.*, pp. 5-23. J. THEISOHN, *Der auserwählte Richter.
Untersuchungen zum traditionsgeschichtlichen Ort der Menschensohngestalt der Bilderreden
des Äthiopischen Henoch* (StUNT, 12), Göttingen, 1975, pp. 14-52. P. WEIMAR, *Daniel 7.
Eine Textanalyse*, in R. PESCH, R. SCHNACKENBURG and O. KAISER (eds.), *Jesus und der
Menschensohn*. FS A. Vögtle, Freiburg-Basel-Wien, 1975, pp. 11-36. R.G. KRATZ,
*Translatio imperii. Untersuchungen zu den aramäischen Danielerzählungen und ihrem
theologiegeschichtlichen Umfeld*, Zürich, 1987, pp. 8-13. For summaries of various opinions: M. DELCOR, *Le livre de Daniel* (SBi), Paris, 1971, pp. 141-143. K. KOCH, e.a., *Das
Buch Daniel* (EdF, 144), Darmstadt, 1980, pp. 68-71. For our thesis we can start from the
last redactional stage of the book, cf. J.T. NELIS, *Daniel*, Roermond/Maaseik, 1954, p. 83.
15. S. MORENZ, *Das Tier mit den Hörnern. Ein Beitrag zu Dan 7,7f.*, in *ZAW* 63 (1951)
151-154.
16. Cf. the addition in 7,8LXX (derived from 7,21MT?): καὶ ἐποίει πόλεμον πρὸς
τοὺς ἁγίους.
17. J.A. MONTGOMERY, *A Critical and Exegetical Commentary on the Book of Daniel*
(ICC), Edinburgh, 1927, p. 316.

will then be transferred to "One Like a Man" (7,13f.) or to the people of the saints of the Most High (7,27). The fourth animal and the eleventh horn are to fall prey to the fire:

> Then because of the proud words that the horn was speaking, I went on watching until the beast was killed and its carcass destroyed: it was given to the flames (7,11).

These passages characterise the eleventh horn as bold and arrogant. The remark in 7,8 about its eyes indicates that, like the beasts, it has a mixed appearance, with animal as well as with human features (cf. 7,4). Its outward appearance seemed larger than that of the other horns (7,20). Among its actions its shameless words are emphasized (7,8.11.25), words addressed to the Most High Himself, according to 7,25. Its second activity constitutes its fight against the saints of the Most High (7,8LXX.21.25), whom it also maltreats. Thirdly, it temporarily changes times and the law. It is probably killed because of its deeds (7,11: the brazen words)[18] and committed to the flames. The interpretation of these data presents considerable problems. It is, for instance, not certain whether the term "the saints of the Most High" alludes to celestial beings or to humans – the people of God[19]. The origin of the names "the Most High" and "the Ancient of Days" and the way in which this figure is being described are often explained by proceeding from the Canaanite mythology[20]. But there may also be connections with the Greek (Zeus)[21] or Egyptian mythology (Re or

---

18. Another possible explanation is that the author wants to draw attention to the four beasts by again referring to the boasting of the eleventh horn in 7,11a – suggestion by Dr J.W. Wesselius, Leiden.

19. See for a summary of the discussion and the relevant literature DAY (see n. 13), pp. 167-171. According to L. Dequeker, J. Barr, J.J. Collins and Day the saints are angels. Our hypothesis that the author of Dan 7 incorporated traditions about Seth-Typhon into his vision seems to support this interpretation. Cf. Dan 8,9-11 and Rev 12-13, see J.W. VAN HENTEN, Egyptische goden in Openbaring 12–13, in M.G.D. HARBERS, e.a. (eds.), Tussen Nijl en Herengracht. Feestbundel M.S.H.G. Heerma van Voss, Amsterdam, 1988, pp. 71-83.

20. J.A. EMERTON, The Origin of the Son of Man Imagery, in JThS 9 (1958) 225-242. C. COLPE, ὁ υἱὸς τοῦ ἀνθρώπου, in ThWNT VIII, pp. 418-422. COLLINS (see n. 12), pp. 95-106. DAY (see n. 13), pp. 160-178. Critical: A.J. FERCH, Daniel 7 and Ugarit: A Reconsideration, in JBL 99 (1980) 75-86. H.S. KVANVIG, Roots of Apocalyptic. The Mesopotamian Background of the Enoch Figure and of the Son of Man (WMANT, 61), Neukirchen-Vluyn, 1988, thinks that Mesopotamian underworld traditions and visionary literature form the background of Dan 7.

21. Zeus often bears the epithet ὕψιστος, HENGEL (see n. 4), p. 545. MONTGOMERY (see n. 17), p. 297. Cf. A.B. COOK, Zeus. A Study in Ancient Religion, Cambridge, 1914-1940, II/1, 1925, p. 94, n. 2: "Similarly Zeus, the author of days and years... is associated with the Horai as powers of the 'year'... throughout the whole of their long development...". H. SCHWABL, Zeus, in PRE Suppl. XV, pp. 1021f.

Thoth)[22]. The changing of times and law probably stands in relation with the temple cult and the cosmic order[23]. Yet the picture of the eleventh horn emerging from these passages is sufficiently clear and coherent to warrant comparison with Seth-Typhon. A comparison that is meaningful even when one assumes the Canaanite mythology as the principal source of information for Dan 7, since "the precise *form* of the beasts does not correspond to that of Leviathan and the other dragons attested in Ugaritic..."[24].

2.2. The material on Seth-Typhon[25] can be subdivided into three groups of texts with specific common characteristics[26]: (1) the Greek sources on the giant Typhon which do not show any influence from the Egyptian mythology; (2) the Greek sources which include aspects of the myths on Seth in the mythological traditions on Typhon; and (3) Greek and Egyptian sources in which Typhon and Seth are identified.

2.2.1. In the Greek mythology from early authors such as Hesiod and Pindar up to and including Nonnus of Panopolis, who wrote in the fifth century A.D., Typhon[27] figures as an appalling giant raving at gods and men. Often Typhon is the youngest son of Gaia and Tartarus. According to a possibly later inserted passage of the homeric *Hymnus ad Apollinem*, however, Hera gave birth to Typhon to take revenge on Zeus for having borne Athena without his wife. In these texts, his terrible, wild and arrogant character is emphasized over and again:

22. Re as supreme god and old man: H. BONNET, *Re*, in *RÄRG*, pp. 628f. Cf. COLPE (see n. 20), p. 412. Thot as "lord of time" and "lord of old age", P. BOYLAN, *Thoth. The Hermes of Egypt. A Study of Some Aspects of Theological Thought in Ancient Egypt*, London etc., 1922, p. 84. Cf. C.J. BLEEKER, *Hathor and Thoth. Two Key Figures of the Ancient Egyptian Religion*, Leiden, 1973, pp. 119f. Cf. pp. 233ff.

23. LEBRAM (see n. 2), pp. 745f. KRATZ (see n. 14), pp. 220f.

24. DAY (see n. 13), p. 152; cf. p. 177.

25. See for details: M. MAYER, *Die Giganten und Titanen in der antiken Sage und Kunst*, Berlin, 1887, pp. 135-137; 215-222; 225-229 and 274-282. R. HOLLAND, *Mythographische Beiträge. 1. Der Typhoeuskampf*, in *Phil.* 59 (1900) 344-354. J. SCHMIDT, *Typhoeus, Typhon*, in *ALGM* V, pp. 1426-1454. F. DORNSEIFF, *Die archaische Mythenerzählung. Folgerungen aus dem homerischen Apollonhymnus*, Berlin-Leipzig, 1933. G. SEIPPEL, *Der Typhonmythos*, Greifswald, 1939. W. SPEYER, *Gigant*, in *RAC* 10, pp. 1247-1259. F. WORMS, *Der Typhoeus-Kampf in Hesiods Theogonie*, in *Hermes* 81 (1953) 29-44. J. FONTENROSE, *Python. A Study of Delphic Myth and Its Origins*, Berkeley - Los Angeles - London, ²1980. H. TE VELDE, *Seth, God of Confusion. A Study of his Role in Egyptian Mythology and Religion*, Leiden, 1967. See also n. 41.

26. The Egyptian texts from the Old and Middle Kingdom can to a large measure be left out of consideration, see on this TE VELDE (see n. 25).

27. The difference between the various names Τυφωεύς, Τυφῶν and Τυφάων is irrelevant here, "for already Pindar and the oldest mythographers fail to observe the distinction", G. ZUNTZ, *On the Etymology of the Name Sappho*, in *MH* 8 (1951) 31, n. 135. According to Schmidt (see n. 25), pp. 1442f., Typhon was originally a nature demon, in particular a devastating gale. Gradually he developed into the personification of volcanic eruptions (cf. Aeschylus, *Prom.* 361-370). Whence his terrible appearance.

δεινόν τ᾽ ἀργαλέον τε Τυφάονα πῆμα βροτοῖσιν ("the terrible and troublesome Typhon, a calamity for mortals", *hom. Hym. Ap.* 352), (Τυφάονά...) δεινόν θ᾽ ὑβριστήν τ᾽ ἄνομον [τε] ("the terrible, insolent and lawless Typhon", Hesiod, *Theog.* 307)[28]. Comparable are Latin characterisations: *terribilem Typhona* and *saevum Typhoea* (Ovid, *Fasti* 2, 461; Vergil, *Georg.* 1, 279). Hesiod portrays Typhon as a monstre with hundred fiery snake's heads, enormous legs and arms and terrible voices:

φωναὶ δ᾽ ἐν πάσῃσιν ἔσαν δεινῆς κεφαλῇσι
παντοίην ὄπ᾽ ἰεῖσαι ἀθέσφατον... (*Theog.* 829f.).

Nonnus, too, more than once mentions Typhon's grating and insolent voice (*Dion.* 1, 426; 2, 246; cf. Antoninus Liberalis 28, 1). Jointly with Echidna, Typhon produces a series of giants (Hesiod, *Theog.* 304). Pindar associates him with the βασιλεὺς Γιγάντων (*Pyth.* 8, 17f.).

In many texts of this group the struggle for power between Typhon and Zeus constitutes the central theme. In his ὕβρις Typhon launches an attack on the Olympic gods whose uncontested leader is Zeus (e.g. Aeschylus, *Prom.* 353-362), his eyes emitting a fierce flame[29]. Zeus does not tolerate the assumption of power, and strikes Typhon with his lightning, which reduces him to ashes (Aeschylus, *Prom.* 362). Other passages have it that Typhon is hurled into the Tartarus, whence he shakes the earth, or spits fire from under the Etna[30]. Thus the myth is at the same time an aetiological explanation of volcanic eruptions. Nonnus gives a very detailed description of the battle (*Dion.* 2, 244-631) and has Typhon utter threats against the gods beforehand (*Dion.* 2, 244-356). Pindar's description of Typhon's behaviour is striking: θεῶν πολέμιος (*Pyth.* 1, 15)[31]. It is only in the later reflection of Diodorus Siculus, speaking about the benefactor Zeus who eliminates Typhon because of his contempt of the gods and the laws that one is informed about the reason and the character of this mythic conflict (*Bibl. hist.* 5, 71).

The literary character of Dan 7 is vastly different from the mythological texts of this group. All the more striking, therefore, are the similarities to be found between the characterisation of Typhon and the description of his actions in the texts mentioned above on one hand,

---

28. Hesiod describes Typhon also in *Theog.* 820-880, possibly a later insertion. Cf. on Typhon's contempt for the laws Diodorus Siculus, *Bibl. hist.* 1, 21; 5, 71. Themistius, *Oratio* 7, 90a.

29. Aeschylus, *Prom.* 356: ἐξ ὀμμάτων δ᾽ ἤστραπτε γοργωπὸν σέλας.

30. Pindar, *Pyth.* 1, 16ff. Aeschylus, *Prom.* 363-372. Strabo 5, 248; 13, 626; Ovid, *Fasti* 1, 573f.; 4, 491; *Metam.* 5, 352f. Claudius Claudianus 27, 17f.

31. Cf. Hyginus, *Astr.* 2, 28: *maxime deorum hostem.*

and the typification of the eleventh horn and its actions in Dan 7 on the other:

1) the terrifying appearance, the shameless behaviour and the emphasis on the terrible voice(-s) of Typhon and the insolent words of the eleventh horn (the portrayal of the fourth beast equally shows similarities with Typhon);

2) Typhon fights against the Olympic gods under command of Zeus, and the eleventh horn against the saints of the Most High;

3) Typhon's contempt of the laws and the eleventh horn's changing times and law;

4) the fall of Typhon, who is struck by Zeus' lightning and burns to ashes (Aeschylus); the eleventh horn is killed along with the fourth beast and subsequently burned; cf. the fire in the description of the Ancient of Days in Dan 7,9f.;

According to some texts the relationship is even more far-reaching:

5) according to Apollodorus, *Bibl.* 1, 6,3, Typhon, like the eleventh horn, has human as well as animal features: μεμιγμένην ἔχοντα φύσιν ἀνδρὸς καὶ θηρίου; cf. Nonnus, *Dion.* 1, 425f.; 2, 256;

6) Apollodorus, *Bibl.* 1, 6,3, and Nonnus, *Dion.* 1, 270f.; 2, 239-241, emphasize the abnormal magnitude of Typhon; cf. Dan 7,20.

2.2.2. In the second group of texts Typhon similarly attacks the gods, who for fear of him flee to Egypt, where they assume the shape of animals. This flight of the gods from Typhon probably has its origin in the Egyptian religion[32]. Egyptian texts have it that Isis and Horus turn into a Sekhat-Horus cow and an Apis bull, in order to escape from Seth[33]. Yet Typhon and Seth are not identified in these texts. Many characteristics of Typhon in the texts from the first group recur in this group. In this second group of texts the Greek traditions about Typhon are extended to some features from the myths about Seth.

Antoninus Liberalis describes the gods' flight from Typhon in an excerpt from the Ἑτεροιούμενα of Nicander (third or second century B.C.): φωνὰς δὲ παντοίας ἠφίει καὶ αὐτὸν οὐδὲν ὑπέμενεν εἰς ἀλκήν. οὗτος ἐπεθύμησε τοῦ Διὸς ἔχειν τὴν ἀρχὴν καὶ αὐτὸν ἐπερχόμενον οὐδεὶς ὑπέμεινε τῶν θεῶν, ἀλλὰ δείσαντες ἔφυγον πάντες εἰς τὴν Αἴγυπτον ("he emitted all sorts of sounds and nothing could stand up to him. He wanted to usurp the reign of Zeus and not one of the gods stood firm against his attack, but all fled to Egypt in fear", 28, 1-2). Only Zeus and Athena stay put, and Typhon gives chase to the other gods as far as and into Egypt, where they assume the shape of animals. Hermes, for instance, turns into an ibis (Thot), and Artemis into a cat

---

32. J.G. GRIFFITHS, *The Flight of the Gods before Typhon: an Unrecognized Myth?*, in *Hermes* 88 (1960) 374-376.

33. GRIFFITHS (see n. 32), p. 376.

(Bastet). Then Zeus launches his counterattack and strikes Typhon with his lightning, so that the latter, burning (καιόμενος), tries to reach the sea in order to extinguish the flames. But Zeus pursues his attack, buries him under the Etna and from then on has Hephaestus execute his forging on Typhon's neck (28, 2-4)[34].

Also Apollodorus narrates the flight of the gods and their metamorphosis for fear of Typhon: ... καὶ διωκόμενοι τὰς ἰδέας μετέβαλον εἰς ζῷα[35]. Hyginus Mythographus, too, is familiar with the motif[36], and Ovid connects it with an *interpretatio latina* of the Egyptian gods[37]. Nigidius Figulus gives this flight and the subsequent metamorphosis of the gods in explanation of the animal cult of the Egyptians: *unde adhuc multas bestias pro deis observant coluntque Aegyptii* ("that is why the Egyptians to this day worship many animals as gods and consider them holy")[38]. After the metamorphosis of the gods Typhon reigns for eighteen days over an Egypt that is seemingly adrift, and is torn to pieces afterwards in accordance with the decision of the assembly of the gods[39]. Nigidius adds that this is the reason why the Egyptians have decreed a yearly period of eighteen days. Whatever was born during these eighteen days was also to die within this period. The fact that Seth, associated with the desert, was considered to be the originator of the yearly period of heat and drought[40] forms the background to this

34. Cf. Ovid, *Metam.* 5, 346-358. According to Apollonius Rhodius 2, 1214f., Typhon, struck by Zeus' lightning, is sentenced to a stay in the Serbonian bog. Cf. Herodotus 3, 5.

35. Apollodorus, *Bibl.* 1, 6,3.

36. Hyginus, *Fab.* 196: *Dii in Aegypto cum Typhonis immanitatem metuerent, Pan iussit eos ut in feras bestias se converterent, quo facilius eum deciperent; quem Iovis postea fulmine interfecit.* Cf. Hyginus, *Astr.* 2, 28.

37. Ovid, *Metam.* 5, 321-331:
   emissumque ima de sede Typhoea Terrae
   caelitibus fecisse metam cunctosque dedisse
   terga fugae, donec fessos Aegyptia tellus
   ceperit et septem discretus in ostia Nilus.
   huc quoque terrigenam venisse Typhoea narrat
   et se mentitis superos celasse figuris
   'dux'que 'gregis' dixit, 'fit Iuppiter, unde recurvis
   nunc quoque formatus Libys est cum cornibus Ammon;
   Delius in corvo est, proles Semeleia capro,
   fele soror Phoebi, nivea Saturnia vacca,
   pisce Venus latuit, Cyllenius ibidis alis'.
See F. BÖMER, *P. Ovidius Naso. Metamorphosen. Buch IV-V*, Heidelberg, 1976, p. 309.

38. Nigidius Figulus, Schol. Germ. (ed. SWOBODA, 1964), p. 123. Cf. Lucianus, *De sacr.* 14; Hyginus, *Astr.* 2, 28.

39. *Eod. loc.: eo Typhon cum venit et neminem deorum ibi videt adversari sibimet, <sed> vacuam terram cognovit dominantibus, arbitratus deos se veritos fugisse propter metum dominabatur et imperitus fortunae varietate et periculi instantis magnitudine. nam post XVIII dies, ut dicitur, consilio deum repentino a dis discerptus.*

40. Cf. Plutarchus, *De Isid.* 33 and 73. TE VELDE (see n. 25), pp. 32; 59-63. See also p. 237.

remark. The motif reminds of the changing of the times and the law by
the eleventh horn in Dan 7,25-26 and the limited time ("time, times and
a half time") in which he was allowed to do this.

We may conclude that also according to this group of texts Typhon
is the blasphemous enemy of the gods. Apollodorus has Typhon launch
an attack against the heaven, hurling burning stones and himself
whistling and shouting (*Bibl.* 1, 6,3). That this shouting is directed
against the gods is evidenced by the immediately following flight and
transformation of the gods, characteristic of this group of texts. The
characterisation of Typhon and his ruin in these texts agree with those
in the first group. Thus the similarities between the activities and the
fall of Typhon on one hand and on the other those of the eleventh horn
in Dan 7 are by and large identical with those in the texts of the first
group. On the basis of these texts the following similarity may be
added:

7) Typhon as well as the eleventh horn rule during a limited time.

2.2.3. In the third group of texts Typhon is identified with the
Egyptian god Seth; whenever the name Typhon is mentioned, Seth is
meant[41]. If the reference to Pherecydes in Origen (*Contra Celsum* 6, 42)
is reliable, this identification dates back to as early as the sixth century
B.C.[42] Herodotus, in any case, reports that the Egyptian god Horus put
an end to Typhon's rule over Egypt, and that Typhon stayed in the
Serbonian bog (*Hist.* 2, 144 and 156). Since the battle between Horus
and Seth is a well-known event in Egyptian mythology, we may take it
for granted that Typhon here substitutes Seth. Diodorus Siculus and
Plutarch equally identify Typhon with Seth as a matter of course[43].
Diodorus briefly mentions that the violent and godless Typhon had
killed his brother Osiris, the king of Egypt, and tore him into 26 pieces.
Osiris' wife Isis and her son Horus, however, defeated Typhon, whereupon Isis became queen (*Bibl. hist.* 1, 21-22). Plutarch, in *De Isid.* 12,
uses the name Typhon for Seth in a passage on the birth of the five
Egyptian gods Osiris, Arueris, Seth, Isis and Nephtys. He is familiar
with the Egyptian name *stš*, *sth* or *ztš*, rendering it in Greek with Σήθ
(*De Isid.* 1; 49 and 62).

In the first millennium B.C. the originally respectable Seth becomes
the personification of evil[44]. The end of this development is constituted

41. A. ERMAN, *Die Religion der Ägypter. Ihr Werden und Vergehen in vier Jahr-
tausenden*, Berlin-Leipzig, 1934. S. MORENZ, *Ägyptische Religion*, Stuttgart, 1960. TE
VELDE (see n. 25). C. ONASCH, *Der ägyptische und der biblische Seth*, in *APF* 27 (1980) 99-
119. TE VELDE, *Seth*, in *Lexikon der Ägyptologie* V, p. 911, gives recent literature.

42. W. KRANZ, *Vorsokratisches* I, in *Hermes* 69 (1934) 114f.

43. Diodorus Siculus, *Bibl. hist.* 1, 13 and 21; Plutarch, *De Iside et Osiride*, passim.

44. T. HOPFNER, *Plutarch. Über Isis und Osiris* I und II, Darmstadt, ²1967, II, pp. 184f.
J.G. GRIFFITHS, *Plutarch's De Iside et Osiride*, Cambridge, 1970, pp. 389f. TE VELDE (see
n. 25), pp. 67 and 149.

by the magical papyri, in which Seth-Typhon is the evil demon *par excellence*[45]. This transformation of the image of Seth is bound up with the increasing influence of the Osiris myth, in which Seth acts as the enemy of Osiris and his son Horus. A second cause is the foreign rule over Egypt in this period. In the seventh century, the Assyrians Esarhaddon and Asshurbanapal had invaded Egypt, and in 525 Cambyses added Egypt to the Persian empire. In the eyes of the autochthonous people, of course, Alexander the Great and the Ptolemies were equally foreign oppressors. One important reason why Seth's official cult was terminated in Egypt was that he was the god of the foreigners. From the beginning of the foreign oppression all evil was projected into him as a scapegoat coming from abroad[46].

Also in these texts the motif of the battle against the gods is present. In Plutarch's version of the Osiris myth Typhon annihilates the rule of Osiris, thereupon has to defend himself against Osiris' son Horus, and finally meets his doom (cf. Diodorus Siculus, *Bibl. hist.* 1, 21; Herodotus, *Hist.* 2, 144)[47]. Thus the threat to and the temporary disruption of the divine order constitute a structural element that these texts have in common with Dan 7. For the rest, the correspondence between Dan 7 and this group of texts is in general negligible.

An exception is a ritual text for the Osiris temple in Abydos and other temples that in any case must have been known in the fourth century B.C.[48]. Particularly with regard to the characterisation of Seth

45. In these papyri Seth-Typhon often occurs in magic formulas and occasionally in representations with an ass's head, see e.g.: C. WESSELY, *Griechische Zauberpapyrus von Paris und London*, in *DAWW* Phil. Hist. Kl. 36, 1888, Index s.v. Τύφων, p. 202. K. PREISENDANZ, *Papyri Graecae Magicae* II, Stuttgart, ²1974, Pap. 12, col. 14 and figure 11. T. HOPFNER, *Orientalisch-religionsgeschichtliches aus den griechischen Zauberpapyri Ägyptens*, in *Archiv Orientální* 3 (1931) 131-138. P. MORAUX, *Une défixion judiciaire au musée d'Instanbul*, in *MAB* L. Collection en 8°, 54,2, 1960, pp. 15-19.

46. TE VELDE (see n. 25), pp. 109-151. Cf. the text published by SCHOTT (see n. 48), pp. 29 ll. 10-12 and 31, ll. 7-10. ONASCH (see n. 41), p. 101.

47. See for the Egyptian texts on the conflict between Horus and Seth H. KEES, *Horus und Seth als Götterpaar* I-II, Leipzig, 1923/24. A.H. GARDINER, *The Library of A. Chester Beatty. Description of a Hieratic Papyrus with a Mythological Story, Love-Songs, and other Miscellaneous Texts* (The Chester Beatty Papyri, No. I), Oxford, 1931, pp. 8-26. J. SPIEGEL, *Die Erzählung vom Streite des Horus und Seth in Pap. Beatty I als Literaturwerk*, Glückstadt - Hamburg - New York, 1937. J.G. GRIFFITHS, *The Conflict of Horus and Seth from Egyptian and Classic Sources*, Liverpool, 1960. TE VELDE (see n. 25), pp. 27-98.

48. The text has been transmitted in two papyri: P. Louvre 3129 and P. Brit. Mus. 10252. In the latter papyrus the scribe mentions in a note the seventeenth year of Nectanebo I (= 361 B.C.) and his son, in another note, the eleventh year of Alexander II (= 312 B.C.). S. SCHOTT, *Das Buch vom Sieg über Seth*, in *Urkunden des ägyptischen Altertums* VI, Leipzig-Berlin, 1929, pp. 1-3. See for the edition and translation SCHOTT, pp. 4-59. See further S. SCHOTT, *Die Deutung der Geheimnisse des Rituals für die Abwehr des Bösen. Eine altägyptische Übersetzung*, in *Abhandlungen der Akademie der Wissenschaften und der Literatur in Mainz*, Geist. soz.wis. Kl. 1954, Wiesbaden, 1954, pp. 143-242.

this text shows more concordance with Dan 7: *[Man rezitiere!:]*
Zurück! Rebell von erbärmlichem Charakter, dessen Schritt Ré gehemmt
hat, der im (Mutter)leibe (schon) kämpfte, der Schlechtes tat, der den
(ihm vorgeschriebenen) Weg überschritt, der wegen seines Gemetzels zu
Fall kam, der Kampf liebt, der sich über Streit freut, der gegen den, der
älter als er ist, sein Gesicht verhüllte, der Übel schuf, der Kummer
bereitete in Feindschaft dem Vater seiner Väter, der Gesetze umgeht, der
Gewalt anwendet, der als Schütze (?) dasteht, Räuber, Herr der Lüge,
Herrscher des Betrugs, Anführer von Verbrechern, der sich über (treu-
loses) Verlassen freut, der Freundschaft haßt, dessen Herz hochmütig ist
unter den Göttern, der Feindschaft sät, der Vernichtung entstehen läßt,
der Böse, der Aufruhr schafft... (Schott, 7 ll. 3-18). Over and again, the
evil character of Seth is being emphasized. In this text Seth has an
arrogant and haughty character and behaves in an extremely impudent
manner towards the other gods: *er hat Geschrei ausgestoßen bei der*
Neunheit, er hat Kampf erdacht... er hat Geschrei ausgestoßen in dem
Gotteshaus des großen Amun im Grabe... Er hat ein Gemetzel veran-
staltet an den Menschen in Busiris vor dem Angesicht Wn-nfr [Osiris,
vH], *des Gerechtfertigten. Er hat von dem 3bdw-Fisch gespeist... Er hat*
die Zufuhr abgeschnitten, er hat die [Opfer geraubt] [von dem Palast des
alleinigen Herrn, dessen Gleichen es nicht gibt,] [sodaß Wehklage herrscht
in seinen (beiden) Häusern zu allen Göttern,] [und die Opfer nicht zu den
(festgesetzten) Zeiten vollzogen werden (Schott, 19 ll. 19f.; 21 ll. 9f.; 23
ll. 5-12). At a meeting of the court of the nine gods the rule over Egypt
is conferred on Horus by order of Geb and Seth is expelled to the land
of the Asiatics[49].

The form of this text is greatly different from that of Dan 7, and
many elements have no connection with Dan 7. But the very acts, the
description and the epithets of Seth in this ritual text are strongly
reminiscent of the big mouth and the lawless behaviour of the eleventh
horn in Dan 7[50]. Seth insolently addresses the gods, scorns their orders
and attacks them. Occasionally even the phraseology reminds of Dan 7.
Seth challenges the authority of the "great god" Re, "the Lord of the
gods" (Schott, 25 ll. 6-13; cf. 27 ll. 2-15)[51]. Even outbidding his

49. SCHOTT, pp. 9 l. 4 - 13 l. 9: *Die große Neunheit spricht (im Gerichtsverfahren)*
darüber. Thot hält Gericht... The 'great nine' probably alludes to all the gods, see
E. HORNUNG, *Der Eine und die Vielen. Ägyptische Gottesvorstellungen*, Darmstadt, 1971,
pp. 218f. Thoth acts here as arbitrator between Horus and Seth. Occasionally he supports
Horus in his battle against Seth. BOYLAN (see n. 22), p. 48. BLEEKER (see n. 22), pp. 131-
136. In the hieratic papyrus from ca. 1160 B.C. published by GARDINER (see n. 47), a
meeting of the court under the chairmanship of Re takes place in order to determine
whether Seth or Horus should succeed Osiris (cf. Dan 7,10-14.22.26f.).

50. The greater similarity to Dan 7 may, perhaps, be explained by means of the
historical context of foreign oppression (or a time immediately following on the liberation
from this oppression, e.g. 404-343 B.C.) in which the text may have originated.

51. Cf. ll. 1-2 of a magical stele of the Kestner Museum at Hannover, see
P. DERCHAIN, *À propos d'une stèle magique du Musée Kestner, à Hanovre*, in *Revue*
d'Égyptologie 16 (1964) 19-23.

counterpart, he steals the offering of "the only Lord, who is unequalled" (Re-Harachte), so that the sacrifices can not be performed at the appointed times (Schott, 23 ll. 9-12; cf. 17 l. 10; cf. Dan 7,25). Also the meeting of the court of the gods reminds of Dan 7. During the recitation of the text a doll was being burned, representing Seth (see below). In this way also the ruin of Seth and that of the eleventh horn correspond[52].

2.2.4. The results of our comparative investigation into the texts on Seth-Typhon can now be summarized. The first two groups of texts on Typhon show several remarkable analogies between Typhon and the eleventh horn (see the list above). With regard to the third group the correspondences between the two go in only one text beyond the motif of the fight against the gods. In this ritual text the characterisation of Seth-Typhon and his exclusively negatively evaluated acts are akin to the negative typification of the eleventh horn and its deeds in Dan 7. The correspondences of a cluster of elements from the myths of Seth-Typhon of both first groups and the ritual text from the third group and the verses about the eleventh horn in Dan 7 are so significant that in all probability the author of Dan 7 will have known and incorporated certain traditions concerning Seth-Typhon. The texts on Seth-Typhon, discussed above, are, however, mythical traditions, whereas Dan 7 is an allegory of history, in which mythical images and motifs have been incorporated so as to explain for the reader the course of history and the contemporary historical situation[53]. Especially against this background the mythological parallel of the eleventh horn in the shape of Seth-Typhon is of interest. Why would the author of Daniel have used mythological material on Seth-Typhon, rather than anything else, for describing the activities of Antiochus IV?

3. The eleventh horn in Dan 7 is neither more nor less than an allegorical figure representing the Seleucid king who, in the historical system of the author, is portrayed as the universal villain. The four empires find their apogee in his reign, followed by the rule of "the One Like a Man" through the intervention of heavenly powers. During the years in which the definitive version of the book Daniel was completed, the tension between Ptolemaic Egypt and the Seleucid empire came to a head. The Ptolemies aspired to regain their territory in Palestine and

---

52. Although the remarks in 7,8a.20a.24b belong to the verses linked with the eleventh horn, they do not relate to Seth-Typhon. They have a historical basis and the three horns allude to three contemporary Seleucids, see A. BENTZEN, *Daniel* (HAT, 19), Tübingen, ²1952, pp. 65-67. PLÖGER (see n. 14), pp. 116f. DELCOR (see n. 14), pp. 159f. A. LACOCQUE, *Le livre de Daniel* (CAT, XVb), Paris, 1976, p. 115.

53. J.C.H. LEBRAM, *Apokalyptik 2. Altes Testament*, in *TRE* III, pp. 192 and 195.

Phoenicia, which they had lost at their defeat at Panias, whereas Antiochus IV had set his heart on Egypt itself. In this conflict propaganda, which could assume a mythical dimension, no doubt played an important part. The report that Antiochus had himself crowned pharaoh in Memphis (Porphyrius, in Hieronymus, *In Danielem* 11,21ff. 713, *PL* 25, 566; cf. P. Teb. 698) may as well be historic[54] as propaganda by Antiochus's opponents with a view to convince the Romans of his ambition to rule over Egypt. Likewise, the anti-Seleucid author of Dan may have incorporated propagandistic material in his description of Antiochus.

The similarity between Seth-Typhon and the eleventh horn needs further investigation and explanation. The hypothesis that the author of Daniel here as elsewhere in his book has applied a certain typification to give the figure of Antiochus a literary elaboration (see above) may well serve as a point of departure. This implies that the author would have employed a "typhonic type", i.e. a generalising characteristic germane to Seth-Typhon, of which several persons could be representative while disregarding their individuality. Much has been written about the qualities of men and animals in antiquity[55], starting from the theory of a close connection between interior and exterior. (Pseudo-?)Aristotle, for instance, describes human qualities on the basis of the shape of the nose: "A nose broad at the tip means laziness, as witness cattle; but if thick from the tip, it means dullness of sense, as in swine; if the tip is pointed, irascibility, as in dogs; whilst a round, blunt tip indicates pride, as in lions..."[56]. By limiting the basic characteristics to no more than a few, "types" were created[57] with which it was easy to associate humans. It sufficed the author to sketch several characteristic features with one stroke of the pen to enable the reader to situate the represented figure easily.

3.1. It is clear from divergent sources that traditions concerning Seth-Typhon did indeed give rise to a characterisation of men as "typhonic" figures. Plutarch reports that the Egyptians used to maltreat red-

---

54. Otto (see n. 10), pp. 53-57. T.C. Skeat, *Notes on Ptolemaic Chronology II. 'The Twelfth Year which is also the First': the Invasion of Egypt by Antiochus Epiphanes*, in *The Journal of Egyptian Archaeology* 47 (1961) 107-112. O. Mørkholm, *Antiochus IV of Syria*, Kopenhagen, 1966, pp. 82f. Will (see n. 10), pp. 317, 319 and 322. Ray (see n. 10), p. 127. Sceptical: L. Mooren, *Antiochos IV. Epiphanes und das ptolemäische Königtum*, in *Actes du XVe Congrès International de Papyrologie IV* (Papyrologica Bruxellensia, 19), Brussels, 1979, pp. 78-86.

55. R. Foerster (ed.), *Scriptores Physiognomonici* I-II, 1893.

56. (Pseudo-?)Aristotle, *Physiognomonica* 6 811a (transl. T. Loveday and E.S. Forster). Aristotle's pupil and successor Theophrastus was the first to write a doctrine of characters that has been very influential. Since his ethic was based on his concept of φύσις, the doctrine of characters was important to him. W. Pötscher, *Theophrastos*, in *Kleine Pauly* V, p. 723.

57. The word τύπος has this meaning, Liddell-Scott-Jones 1835 s.v. VII,2.

complexioned people associated with Seth-Typhon at festivals: "...jee-ring at men of ruddy complexion and throwing an ass down a precipice, as the people of Coptos do, because Typhon had a ruddy complexion and was asinine in form" (transl. J.G. Griffiths)[58]. In another passage on a comparable ritual he informs us, mentioning Manetho as his source, that inhabitants of Eileithyiaspolis burned people called "ty-phonic" alive (Τυφωνείους καλοῦντες) and scattered their ashes (De Isid. 73). Diodorus Siculus mentions similar sacrifices: "and people with a skin coloured like that of Typhon are from times immemorial being sacrificed at the grave of Osiris"[59]. Stricker assumes that in this passage it is a matter of foreigners being sacrificed (according to him blond Europeans), personifying Seth[60]. The fact that any foreign country was considered as "the red land" while Egypt was associated with the colour of Osiris, black, speaks in favour of this hypothesis. Those people who according to these passages were maltreated or even killed[61] are linked with Seth-Typhon in three ways: (1) through the matching colour red; (2) through the reference to the ass; and (3) by means of the name "Typhon" (or the adjective, cf. Τυφωνικός).

Red was the colour of Seth-Typhon. In Egypt the demarcation line between the fertile land of the Nile and the desert was very clear indeed. The dry land was the red land, the domain of Seth, who caused heat and aridity to prevail over the black land of Egypt. Osiris and Horus, Seth's opposite numbers, equally had their own colours, black and white respectively[62]. The later Egyptian texts associate specifically the ass with Seth-Typhon (Plutarch, De Isid. 30). The authors had possibly the wild ass (onager, cf. Gen 16,12; Job 24,5), living in the steppe, in mind. The changes are, however, that here it is a matter of a cliché expressing destructivity caused by both the presumed bad character-istics of asses and the association with Seth-Typhon. In Egyptian texts the emphasis is on the negative features of asses. They produced unpleasant noises and were allegedly sterile[63]. A negative "typhonic"

58. De Isid. 30: τῶν μὲν ἀνθρώπων τοὺς πυρροὺς [καὶ] προπηλακίζοντες, ὄνον δὲ κατακρημνίζοντες, ὡς Κοπτῖται, διὰ τὸ πυρρὸν γεγονέναι τὸν Τυφῶνα καὶ ὀνώδη τὴν χρόαν.

59. Diodorus Siculus, Bibl. hist. 1, 88: καὶ τῶν ἀνθρώπων δὲ τοὺς ὁμοχρωμάτους τῷ Τυφῶνι τὸ παλαιὸν ὑπὸ τῶν βασιλέων φασὶ θύεσθαι πρὸς τῷ τάφῳ τῷ Ὀσίριδος.

60. B.H. STRICKER, Asinarii I, in OMRO NS 46 (1965) p. 71. Already in a papyrus from the twelfth dynasty (about 1990-1785 B.C.) Seth-like men were associated with the colour red, see P. Chester Beatty III, p. 11 1. 5, A.H. GARDINER, Hieratic Papyri in the British Museum. Third Series, I, Text, London, 1935, pp. 9f. and 20f. TE VELDE (see n. 25), p. 111.

61. According to Diodorus Siculus, Bibl. hist. 1, 88 red cows were offered to Typhon. Cf. Plutarch, De Isid. 31.

62. Plutarch, De Isid. 22; 30f.; 33.

63. The physiognomonists depicted the ass as an animal with a large elongated and bony face, protruding eyes, long ears and a hoarse, off-key voice. The character thus expressed ranked as slothful and stupid, while the ass was also considered as obstinate,

typification could apparently be achieved by emphasizing the red colour
as well as by referring to an ass. Seth-Typhon was also represented as a
red ass[64]. The "typhonic" typification could also be effected by a direct
reference to Seth-Typhon, as is evident from Plutarch's *De Isid.* 30 and
73.

According as the foreign influence on Egypt became more drastic, the
hatred of foreigners intensified and Seth, being the god of the foreigners, increasingly became the enemy of the other Egyptian gods.
Under the Ptolemies the Egyptians revolted several times against the
Greek rule[65]. One of the strongly anti-Greek documents from this
period is the Oracle of the Potter, which according to Koenen reflects
the situation of ca. 130-116 B.C.[66]. In a formal sense it shows a kinship
with Jewish apocalyptic writings. It is a *futurische Geschichtserzählung*
describing the then Egyptian history as a time of increasing disruption
of the natural and social order. The foreign tyranny, however, was
doomed to perish, whereupon an Egyptian king was to ascend the
throne again. This prediction follows on a frame-story that situates the
oracle in a fictitious historical setting. In this story appears a potter (the
god Chnum), who by order of Hermes-Thot burns pottery on the island
of Helios-Re. The potter must answer for this conduct to pharaoh
Amenhotep[67].

lecherous and insolent (ὑβριστικός). F. OLCK, *Esel,* in *PRE* 1. Reihe VI, pp. 633-636.
STRICKER (see n. 60), pp. 65-68.

64. E. CHASSINAT, *Le temple d'Edfou* VI (Mémoires publiés par les membres de la
mission archéologique française au Caire, 23), Cairo, 1931, p. 222, l. 4. Plutarch, *De Isid.*
30. HOPFNER (see n. 44), I, p. 23. GRIFFITHS (see n. 44), p. 409. On the original animal of
Seth TE VELDE (see n. 25), pp. 13-26. Among other animals especially connected with Seth
were the crocodile, hippopotamus, fish and pig. T. HOPFNER, *Der Tierkult der alten
Ägypter nach den griechisch-römischen Berichten und den wichtigeren Denkmälern,* in
DAWW 57, 1913, Register s.v. "Settiere", p. 198.

65. C. PRÉAUX, *Esquisse d'une histoire des révolutions égyptiennes sous les Lagides,* in
CEg 11 (1936) 522-552. F. ÜBEL, ΤΑΡΑΧΗ ΤΩΝ ΑΙΓΥΠΤΙΩΝ. *Ein Jenaer Papyrus-
zeugnis der nationalen Unruhen Oberägyptens in der ersten Hälfte des 2. vorchristlichen
Jahrhunderts,* in *APF* 17 (1962) 147-162. P.W. PESTMAN, *Harmachis et Anchmachis, deux
Rois indigènes du temps des Ptolemées,* in *CEg* 40 (1965) 157-170. KOENEN (see n. 5).
W. PEREMANS, *Les révolutions égyptiennes sous les Lagides,* in H. MAEHLER & V.M.
STROCKA (eds.), *Das ptolemäische Ägypten,* Mainz, 1978, pp. 39-50. See also n. 76.

66. C.H. Roberts published a new version of the text (P. Oxy. 2332), E. LOBEL & C.H.
ROBERTS, *The Oxyrhynchus Papyri* 22, London, 1954, pp. 89-99. A new edition of the
three papyri with the text published L. KOENEN, *Die Prophezeiungen des Töpfers,* in *ZPE* 2
(1968) 178-209. See also KOENEN, *The Prophecies of a Potter. A Prophecy of World
Renewal becomes an Apocalypse,* in *Proceedings of the Twelfth International Congress of
Papyrology* (American Studies in Papyrology, VII), Toronto, 1970, pp. 249-254.
F. DUNAND, *L'oracle du potier et la formation de l'apocalyptique en Égypte,* in *Études de
l'histoire des religions* 3 (1977) 41-67. KOENEN, *A Supplementary Note on the Date of the
Oracle of the Potter,* in *ZPE* 54 (1984) 9-13. For new readings: KOENEN, *Bemerkungen
zum Text des Töpferorakels und zu dem Akaziensymbol,* in *ZPE* 13 (1974) 313-319. In
general: A.B. LLOYD, *Nationalist Propaganda in Ptolemaic Egypt,* in *Hist.* 31 (1982) 33-55.

67. The pharaoh's name is Amenhotep, but it is not clear which one of the four
pharaohs of the eighteenth dynasty (± 1550-1300) this name refers to.

The potter explains his conduct to the pharaoh in terms of a parable: P₃ 43f. καὶ <ἡ> τῶν ζωνοφόρων πολί<ς> ἐρημωθήσεται ὂν τρόπον <ἡ> ἐμὴ{ν} κάμινο<ς> ("just as my furnace was being emptied, so the town of the belt bearers will be evacuated", cf. P₂ 32f. and P₃ 55f.). This refers to Alexandria and its Greek inhabitants, who were referred to not only as "belt bearers" but also by the name of "Typhonians" (Τυφώνιοι, P₂ 3; 14; 47; P₃ 4; 9; 14f.; 50; cf. P₂ 28 Τυφωνικοί). The beginning of one of the versions which have been preserved clearly points to the Greek rule, established by Alexander the Great, that proved disastrous for Egypt: "He shall rule over Egypt, when he has entered the founded city. This city will remelt (the statues of) the gods and make for itself its own statue (of a god). Established by the Typhonians... (ἰδρ]υθεῖσα{σα} δὲ ὑπὸ τῶν Τυ[φ]ωνίων)" (P₃ 1-4)[68]. The Potters' Oracle does not use the circuitous route of the colour red or the association with the ass to connect the Greeks with Seth-Typhon. It directly characterises them as typhonic people, who caused this chaotic period. When Hephaestus-Ptah sets out to attack the city of the Typhonians who are going to kill one another, the king appears "who shall come from Syria and shall be hated by all people"[69]. Presumably this passage refers to Antiochus IV, since he is the only Seleucid king to have invaded Egypt[70]. He is succeeded by a good king, who is to reign for 55 years. After the fall of the Greeks everything will change for the better (P₂ 39ff. P₃ 63ff.).

Hatred of foreigners who threatened Egypt was presumably also the background of the ritual text with the damnation of Seth. Already at the very beginning the gods expel Seth to the land of the Asians. The last part of this text begins as follows: *Man spreche die (vorangegangenen) Worte über eine Figur des Seth als Kriegsgefangener, die aus rotem Wachs gemacht ist, auf deren Brust sein Name eingeschnitten ist, lautend "Jener elende Seth", und man zeichne ihn mit frischer Farbe auf ein neues Papyrusblatt oder (eine Figur aus) Akazienholz oder Ḥmꜣ-Holz, auf deren Brust ebenso sein Name eingeschnitten ist (lautend:) "Esel"* (Schott, 33 ll. 3-11). This leaf or this wooden image was subsequently being spitted on, pierced, cut into pieces and burned (Schott, 37-59; cf. 5 ll. 2-19).

3.2. The representation of Seth-Typhon as a prisoner of war is presumably also to be found in the Raphia-decree (217 B.C.) in which

---

68. The city must be Alexandria, KOENEN (see n. 66), pp. 180 and 187. By the "own statue" Serapis will be meant, DUNAND (see n. 66), p. 61. By "belt bearers" probably the upper class of the Greek citizens of Alexandria is meant, DUNAND (see n. 66), p. 44; according to ROBERTS (see n. 66), p. 93, also citizens of other Greek cities.

69. P₂ 16f.: ...καὶ κ]αθήξει δὲ ἐκ Συρίας, ὅ<ς> μισητὸς ἔσται πᾶσι<ν> 'ἀν-θ'ρώ[ποις]. Likewise P₃ 30f., where a king is explicitly mentioned.

70. KOENEN (see n. 66), p. 187

the victory over Antiochus III by Ptolemy IV is commemorated[71]. On
the stele bearing the decree Ptolemy is portrayed on horseback, killing
the captive enemy kneeling before him[72]. The portrayed enemy is
probably Antiochus III himself, since according to the decree he is
Ptolemy's greatest antagonist. In conformity with the old ideology
Ptolemy had himself be identified with Horus, and his foreign foe was
linked with Horus' opponent Seth. In the passage describing Antiochus's defeat (Dem. version ll. 10-15) it reads: *Die unter seinen Feinden,
die in dieser Schlacht bis in seine Nähe vordrangen, die tötete er vor sich,
wie Harsiesis* [= Horus, son of Isis, Van Henten] *vordem seine Feinde
geschlachtet hat. Er setzte Antiochos in Schrecken, (er) warf Diadem und
seinen Mantel weg. Man floh mit seiner Frau, indem nur wenige bei ihm
blieben, in elender, verächtlicher Weise nach der Niederlage...*" (ll. 11-13;
transl. Spiegelberg; cf. ll. 32; 35f.; 41)[73]. Of course the representation
on the stele is symbolical, since Antiochus escaped with his life.
Likewise the description of Ptolemy's victory in the Raphia-decree is a
gross misrepresentation of reality (cf. Polybius 5, 82-86). But the decree
does give a picture of how the Ptolemies presented the contest with
their competitors to the Egyptians in the age-old mythical terms of
Horus triumphing over Seth[74]. This is likewise evidenced by a second
decree, also issued in Memphis, and transmitted on the stone of
Rosetta. It commemorates the victory over the rebels of Lycopolis in
196 B.C. (see above, p. 224). In the cult of the Roman rulers we still
come across the effects of this ideology[75].

Both the decrees from Memphis and the Potters' Oracle show that
the autochthonous population as well as the Greeks in Egypt associated

71. See for editions of the text H.-J. THISSEN, *Studien zum Raphiadekret* (Beiträge zur
klassischen Philologie, 23), Meisenheim am Glan, 1966, p. 7. Another instance is the
magical stele from Hannover, see DERCHAIN (see n. 51), with Pl. 2.

72. THISSEN (see n. 71), pp. 70-73 and illustrations 1 and 2. Cf. the description of the
depiction in the Demotic version of the decree (ll. 35f.). Cf. also the execution of Achaios
who had rebelled against Antiochus III. His head was severed and placed on or near his
body, crucified or impaled, Polybius 8, 21. G.M.A. HANFMANN, *The Crucified Donkey
Man: Achaios and Jesus*, in G. KOPCKE & M.B. MOORE (eds.), *Classical Art and
Archaeology. A Tribute to P.H. von Blanckenhagen*, Locust Valley, New York, 1979,
pp. 205-207.

73. See, for commentary THISSEN (see n. 71), pp. 53-57; 67-69; 71-73 and 78.

74. The myth of Horus' victory over Seth was portrayed on the walls of the Horus
temple in Edfu, H.W. FAIRMAN, *The Triumph of Horus. An Ancient Egyptian Sacred
Drama*, London, 1974.

75. Coins from the period of Hadrian bore the effigy of the emperor as a warrior
carrying a spear in his right hand and his left foot on a crocodile. A.C. LEVI, *Hadrian as
King of Egypt*, in *The Numismatic Chronicle* 6. ser. 8 (1948), pp. 30-38. Thus Hadrian is
represented as Horus, who was portrayed with his feet on a crocodile or a hippopotamus,
or killing a crocodile. Both animals were connected with Seth-Typhon, W. BARTA, *Horus
von Edfu*, in *Lexikon der Ägyptologie* III, pp. 34f. B. ALTENMÜLLER, *Horus, Herr der
Harpunierstätte*, in *Lexikon der Ägyptologie* III, pp. 36f.

their opponents, for propagandistic ends, with Seth-Typhon, thereby characterising them as creators of chaos. In the Ptolemaic ideology of the king, the motif of the battle between Horus and Seth, regularly turns up, in line with the adoption of the pharaoh-ideology. The celebration of the death of Seth-Typhon in Memphis during the coronation ritual of the Ptolemies demonstrates how the king was represented as defender against the unrest and confusion caused by Seth-Typhon. That this claim asked for opposition is evidenced by the autochthonous pretenders to the throne availing themselves of the same ideology while, of course, reversing the roles. The Ptolemies considered these rebels from the south as "enemies of the gods", or "rebel, enemy of the gods"[76], thereby equating them with Seth-Typhon. The theophoric names of these rebels are (also) composed of the names of Horus, Isis or Osiris. Harsiesis is Horus, son of Osiris, and the epithet Onnophris in Hurgonaphor (= Haronnophris/Horos-Onnophris) and Chaonnophris indicated Osiris, restored to power by Horus[77]. These names demonstrate that they considered themselves the legitimate pharaoh. Hurgonaphor is known to have had himself proclaimed pharaoh in Thebes. It is obvious that these rebels will have calumniated the Ptolemaic king as being Seth-Typhon, the gods' enemy. In the Potters' Oracle the Egyptian gods Ptah, Agathos Daimon and Isis take action against the "typhonic" Greeks, and it reckons with the coming of a ruler "who will be with us 55 years" (P_3 32f.: ὁ δὲ τὰ πεντήκοντα πέντε ἔτη {κοντα πέντη ἔτη} ἡμέτερος ὑπάρχων), who will take over the power from the Greeks, whereafter the land will become fertile and the Nile contain enough water again.

Probably the Egyptians have also applied the typhonic characterisation to the Persian king Artaxerxes III Okhus (358-338 B.C.), who in 343 recaptured Egypt in a well-planned campaign and, just like Cambyses, is reputed to have killed the Apis bull[78]. Plutarch follows his statements on the kinship between Seth-Typhon and the ass on account of the stupidity and the red colour up with a remark about this king: "Thus in their special hatred of Okhus among Persian kings, as one accursed and polluted, they called him The Ass... (ὄνον ἐπωνόμασαν, De Isid. 31)". The curse and the blood-guilt ensued from sacrificing the Apis bull, for which event Plutarch names Deinon (fourth century B.C.) as source. Aelianus writes about Okhus that he had ordered to sacrifice an ass to Apis and therefore was called "ass", since he, too, was slow-

76. Decree of Philae II, hier. ll. 4, 8 and 11; dem. ll. 4, 7 and 9, see K. SETHE, Hieroglyphische Urkunden der griechisch-römischen Zeit, in Urkunden des ägyptischen Altertums II, Leipzig, 1904-1916, pp. 217, 221 and 223. Cf. UPZ 199 l. 4. W. CLARYSSE, Hurgonaphor et Chaonnophris, les derniers pharaons indigènes, in CEg 53 (1978) 243-253.
77. CLARYSSE (see n. 76), pp. 252f.
78. Plutarch, De Isid. 11 and 31. Aelianus, Var. Hist. 4, 8; 6, 8 (ed. DILTS, 1964).

witted and frail (4, 8). Even if ὄνος is taken as a corruption of 'Ωχος, in Egypt the nickname "ass" conveyed the characteristic features of the typhonic type. The traditions that Artaxerxes had the Apis bull sacrificed confirms his being considered as the enemy of the Egyptian gods.

It is likely that in Alexandrian circles Antiochus IV was in a comparable manner ridiculed and associated with the typhonic type. In his address to the Alexandrians, the rhetor Dio of Prusa tells about an Egyptian flautist who dreamt that once he would "sing into the ears of an ass" (*Or.* 32, 101). After some time the tyrant of the Syrians came to Memphis, sent for the musician and had him play. The tyrant, however, barely listened, and had the flautist stop prematurely. Then the flautist recalled his dream, "and he said: so that was what (my dream) meant by 'singing into an ass's ears'" (Τοῦτ' ἦν ἄρα ἔφη, τὸ εἰς ὄνου ὦτα ᾄδειν). The king, on hearing this, flew into such a rage that he launched a war against Egypt. We are here concerned with a rhetorical anecdote explaining the origin of a Syrian-Egyptian war. Probably Dio borrowed this tradition from Egyptian circles. In his eyes the characterisation of the tyrant as an ass will especially have had the connotation of rudeness, but the Egyptians attached a different meaning to the reference, in line with the sequel of the events. The Egyptian's banter gave rise to war. The tyrant, showing features of Seth-Typhon (cf. *Or.* 1, 67), can hardly have been anybody else but Antiochus IV[79]. He was the only Seleucid king actually to have entered Egypt and occupied the whole country except Alexandria. The inhabitants of Alexandria had turned their back on Ptolemy VI Philometor in favour of Ptolemy VIII and Cleopatra II. Initially Philometor was supported by Antiochus. The latter has made several attempts at seizing Alexandria[80]. Presumably Alexandrian circles in particular saw him as a typhonic king, an enemy of the gods interfering with the laws and the order of the country[81].

Nor was the Jewish apocalyptic literature exempt from propagandistic motives[82]. Fuchs even considers Dan 7 as the most famous example of a political prediction that, in his view, intended to motivate the Jews to rebellion against the Seleucid government[83]. In the verses on the eleventh horn we came across analogies with the most divergent texts on Seth-Typhon: the characteristic features of the villain, the

79. E. WILMES, *Beiträge zur Alexandrinerrede (or. 32) des Dion Chrysostomos*, Bonn, 1970, pp. 118-121. LEBRAM (see n. 2), pp. 765f.

80. OTTO (see n. 10), pp. 58-66.

81. P. Teb. 781 reports that soldiers of Antiochus IV partly demolished a temple of Ammon during his second Egyptian campaign, MØRKHOLM (see n. 54), p. 93. Cf. with respect to Antiochus III the Raphia-decree, Dem. version ll. 17-20.

82. H. FUCHS, *Der geistige Widerstand gegen Rom in der antiken Welt*, Berlin, ²1964. J.J. COLLINS, *The Sibylline Oracles of Egyptian Judaism*, Missoula, MT, 1974.

83. FUCHS (see n. 82), p. 7.

boasts, the brutal and lawless conduct and the hostility toward gods and men. The figure of the eschatological arch-enemy in Dan 7 is probably inspired by a cluster of motifs from the myths about Seth-Typhon. Out of these myths grew the development of the representation of typhonic people and even typhonic rulers. The picture existed already when Dan 7 came into being. Although we do not have a direct reference to the typhonic stereotype in Dan 7, the author of Dan 7 may have known this picture from various traditions. The typhonic typification has probably also been applied to Antiochus IV himself in Egypt. When Antiochus was forced by the Romans to withdraw from Egypt and invaded turbulent Jerusalem, the Jews in Jerusalem and the Egyptians might well have joined forces as enemies of Antiochus. To the circle of Daniel Antiochus was the eschatological enemy of God. Egyptians may have considered him as the instrument of the pernicious Seth-Typhon. The analogies between the eleventh horn and the Seth-Typhon complex can best be explained by the hypothesis that the description of the behaviour of Antiochus in Dan 7 is partly determined by his representation as a typhonic king[84].

Troubadoursborch 19   Jan Willem VAN HENTEN
NL-3992 BE Houten

84. I thank Prof. J.C.H. Lebram for encouraging me to investigate the connection between Dan 7 and Seth-Typhon, Prof. J.F. Borghouts, Dr. W. Clarysse, Drs. O.J. Schrier, Prof. K. van der Toorn, Drs. A. Verhoogt and Dr. S.P. Vleeming for their very helpful comments on the draft of this article or for bibliographical information, and Mrs. Drs. T.C.C.M. Heesterman-Visser for the translation into English.

DANIEL 4,7-14
BEOBACHTUNGEN UND ERWÄGUNGEN

I. Zum Aramäischen Text

Was Dan 4,7-14 als Traum Nebukadnezars erzählt wird, dürfte auf ein (für jene Zeit) hervorragend durchgereimtes Lied zurückgehen[1].

Prosa: (7.1   וחזוי ראשי על משכבי חזה הוית

Lied:

Reime auf a:

7.2   ואלו אילן בגוא ארעא
Vokalismus chiastisch[2]

7.3   (Kreuzreim) ורומה שגיא:
8.1   רבה אילנא
8.2   ותקף ורומה
8.3   ימטא לשמיא
8.4   וחזותה לסוף כל ארעא:

Assonanzen auf i:

9.1   ....   עפיה שפיר
9.2   ......   ואנבה שגיא

Strophenausklang[3]

9.3   ומזון לכלא בה

Die folgenden drei Kola haben Endreime auf a:; die ersten beiden zudem noch Anfangsreime auf o:hi:

9.4   תחתוהי תטלל חיות ברא
9.5   (ו+?) ענפוהי ידרן צפרי שמיא
9.6   ומנה יתזין כל בשרא:

---

1. Frühe Reimkunst begnügt sich oft mit bloßer Assonanz, wie z.B. auch unsere alten Kirchenlieder zeigen. Aufbau und Länge der Strophen sind nicht einheitlich. Man darf wohl in dieser Frühzeit antiker Reimkunst die Kriterien späterer abendländischer Poesie nicht einfach voraussetzen.

2. Vgl. als Parallelen für chiastischen Vokalismus
Gen 3,5   אכלכם ממנו...
ונפקחו עיניכם
oder das von Koh (7,1) zitierte Sprichwort טוב שם משמן טוב.

3. Ein Strophenausklang kann an sich disassonant sein; hier erscheint allerdings der Mittelreim הֶ von 9.1 und 9.2 am Versende wieder: בֶה.

Prosa: (10 + 11.1

חזה הוית בחזוי ראשי על משכבי ואלו עיר וקדיש
מן שמיא נחת: קרא בחיל וכן אמר)

Die nun sich anschließenden vier Kola bilden untereinander Anfangsreime auf u:; ferner erscheinen Kreuzreime auf a:; ein weiterer Kreuzreim auf o:hi: verbindet 11.3 zunächst chiastisch mit den Kolaanfängen
von 9.4 und 9.5 sowie als Endreim mit dem Ausklang von 11.7 und 11.9.

Lied:

		Reime auf a:
11.2		גודו אילנא

Reime auf o:hi:

11.3	וקצצו ענפוהי	

Einfügung eines Reimes auf eḥ

11.4		אתרו עפיה
11.5		ובדרו אנבה
11.6		תנד חיותא
11.7	מן תחתוהי	
11.8		וצפריא
11.9	מן ענפוהי:	

Strophenausklang⁴

12.1	כרם עקר שושוהי
12.2	בארעא שבקו

12.3 ובאסור די פרזל ונחש fügt sich nicht recht in das Liedganze und
wirkt wie ein späterer Zusatz.

Lied:
12.4	בדין די ברא
12.5	ובטל שמיא יצטבע⁵

Reim auf eḥ

12.6	ועם חיותא חלקה
12.7 + 13.1	בעשב ארעא: לבבה⁶

Bis hierher ist der Reimcharakter wohl recht eindeutig. In den
folgenden drei Kola würde ein Kreuzreim (o:n / eḥ (zu 13.1) / u:n) nur
dann vorliegen, wenn עלוהי in 13.4 Zusatz wäre. Dafür spricht allerdings, daß danach dieser poetische Stil weiter fortgesetzt wird.

---

4. 12.2 ist wiederum disassonant, nur 12.1 greift den Reim auf o:hi: noch einmal auf.
5. Assonanz; in einer Pausaform kommt Dehnung des Pataḥ zu Qameṣ in Betracht.
6. Ursprünglich בְּלִבָּהּ (= »in ihrer Mitte«)? – vgl. dazu II.

Reim auf o:n (u:n)

13.2 מן אנושא ישנון ⁷

13.3 ולבב חיוה יתיהב לה ⁸

13.4 ושבעה עדנין יחלפון
(עלוהי +?)

Reime auf a:

14.1 בגזרת עירין פתגמא

14.2 ומאמר קדישין שאלתא

14.3 עד דברת די ינדעון חייא

14.4 די שליט עליא

14.5 במלכות אנושא

Reim auf aḥ

14.6 ולמן די יצבא יתננה

14.7 ושפל אנא.ⁿ יקים עליה (עלה: Q)

Eine Zweitfassung dieses Themas in perfekter Assonanz: 5,21.

II. Zur Exegese

Da ein Lied wahrscheinlich älter ist als die es verarbeitende Erzählung, könnten wir es in 4,7–14 mit einem besonders alten, wenn nicht gar überhaupt dem ältesten Stück des Buchs Daniel zu tun haben. Offenbar schilderte es zunächst Babylons Ausbreitung und Fall, nicht Nebukadnezars persönliches Schicksal. Die Äste des Baumes z.B., auf denen die Vögel Platz finden, lassen diesen ursprünglichen Sinn noch gut erkennen. Nur so finden auch die »sieben Zeiten« (= Jahrsiebte als runde Zahl für die Dauer der Babylonischen Gefangenschaft) eine wirklich befriedigende Deutung. Babylon wird gefällt (und in Eisen gelegt); es muß mit den wilden Tieren (den nomadischen Völkern) sein Schicksal teilen und die Härte solch entbehrungsreichen Daseins an seinem eigenen Leib zu spüren bekommen.

Vielleicht ist sogar in der ursprünglichen Fassung dieses Liedes Israel gemeint gewesen – so ein Diskussionsbeitrag von J. Lust, der diese Frage unter Hinweis auf eben diese Zeitspanne und den in der Erde verbliebenen Wurzelstock (vgl. Jes 6,13 u.ö.) aufgeworfen hat ⁹.

Dafür daß der Text ursprünglich den Gedanken von der Ver-

---

7. Ursprünglich יְשַׁנּוֹ (s. II).

8. Ursprünglich בְּלִבָּהּ.

9. Das Motiv des Vergleichs eines Reichs mit einem Gewächs oder Baum ist beliebt, wie Jes 5 und – worauf Norman W. PORTEOUS (ATD 23, S. 52) besonders hinweist – Ez 17 und vor allem Ez 31 zeigt. (Allerdings halte ich den Vergleich mit den Bäumen im Garten Eden nicht wie er für einen Mythos, sondern für eine Metapher oder Hyperbel; v. 9 würde ich daher übersetzen: »die Bäume im Garten Eden hätten ihn beneidet«.)

tauschung eines Menschenherzen durch ein Tierherz gar nicht enthielt, spricht die Nacherzählung des Traumes, die 4,22 Daniel mit eigenen Worten gibt. Ihr zufolge – die Beziehung auf das persönliche Schicksal des Königs wird hier bereits hergestellt – soll dieser »inmitten der Tiere« leben (ʾim ḥewăt baraʾ lǽhᵃē mᵉdorak). Das pricht dafür, daß in v. 13 beide Male bᵉleb (= »inmitten«, vgl. hebr. leb: Gesenius, Wörterbuch, S. 376) ursprünglich gestanden haben dürfte:

12.6   ... und unter den Tieren wird sein Los sein
12.7 + 13.1   im Kraut der Erde, mitten unter ihnen.
13.2   Von den Menschen wird man es (Babel) verstoßen
    (יְשַׁנּוֹן von שׁנ‌י; MSS: יְשַׁבּוּן von שׁ‌ני),
13.3   und mitten unter den Tieren wird sein Teil sein...

Dadurch daß Nebukadnezar persönlich angesprochen ist (v. 19), erscheint nun das, was kollektiv von seinem Reich gilt, als dessen persönliches Los. So entsteht die Legende von seinem Wahnsinn und seinem Aufenthalt in der Wildnis, die vor allem in dem später angefügten Abschnitt vv. 25–30 gar grausig ausgemalt worden ist (besonders in v. 30!). Hierbei kam es offenbar zu Vermischungen mit anderen Traditionen – vor allem in Verbindung mit Nabonid –, zu deren Aufhellung das Colloquium Biblicum Lovaniense 1991 wichtige und interessante Beiträge gebracht hat.

Aus den geheimnisvollen sieben Zeiten sind somit sieben Jahre einer angeblichen Verbannung Nebukadnezars aus der Gemeinschaft der Menschen geworden, und ihr schließlich konstatiertes Ende bot der Legende einen Anlaß, eine Bekehrung des Königs zu erschließen.

III. Zum Septuaginta-Text

Im wesentlichen dürften sich die erheblichen Abweichungen der LXX von MSS dadurch erklären lassen, daß zwei verschiedene griechische Fassungen miteinander verschmolzen worden sind[10]. Dies läßt sich besonders gut anhand der Wiedergabe von 4,8.4 וחזותה לסוף כל ארעא aufzeigen. Theodotion (dort v. 11) gibt diesen Passus mit καὶ τὸ κύτος αὐτοῦ εἰς τὰ πέρατα τῆς γῆς wieder. Da κύτος – ein in Verbindung mit einem Baum nicht gerade naheliegendes Wort – nicht Übersetzung von חזותה sein kann (dafür käme ὅρασις in Frage, das in der LXX sogar

---

10. Auch an anderen Stellen finden sich – wie ich meine – Belege dafür, daß die LXX in Dan unterschiedliche Übertragungen vereinigt. – Ein Zusatz ist in jedem Fall aber in LXX 4,11 ὁ ἥλιος καὶ ἡ σελήνη ἐν αὐτῷ ᾤκουν καὶ ἐφώτιζον πᾶσαν τὴν γῆν. Es dürfte sich hierbei um einen allegorischen Midrasch handeln: »Sonne und Mond« (vgl. Gen 37,9) – also Israel – hat in Babylon Wohnung gefunden (ᾤκουν), und seine Tora erleuchtet von dort aus die ganze Erde.

zweimal auftaucht, und zwar in v. 11 und v. 12), hat man für dieses
Wort eine Textvariante חזורה angenommen[11].

Der Blick auf die LXX zeigt nun, daß Theodotion die Verlegenheits-
lösung, den Abschreibfehler חזורה mit κύτος wiederzugeben, bereits in
der LXX vorgefunden hatte. In ihr haben beide Textvarianten Aufnahme gefunden.

Die LXX gibt לסוף כל ארעא mit πληροῦν τὰ ὑποκάτω τοῦ οὐρανοῦ
wieder. Daneben weist sie aber noch eine Besonderheit auf: sie sagt (v.
12) von dem Baum οἱ κλάδοι αὐτοῦ τῷ μήκει ὡς σταδίων τριάκοντα.
Dieser Angabe dürfte eine zweite Deutung eben dieses Passus כל ארעא
zugrundeliegen, bei der ὡς dem כ, τριάκοντα dem ל und σταδίων einem
Hör- oder Lesefehler ארכא (statt ארעא, das gelegentlich aram. wohl
dialektbedingt auch ארקא geschrieben werden konnte) entspricht.

Ein weiteres Anzeichen für das Ineinanderfügen zweier Texte findet
sich LXX 4,14 und 15. Neben dem Befehl, den Baum ἐκριζῶσαι καὶ
ἀχρειῶσαι (Ac I), steht dort eine Wiederholung in direkter Rede:
'Εκκόψατε αὐτὸ καὶ καταφθείρατε αὐτό sowie 'Ρίζαν μίαν ἄφετε αὐτοῦ
ἐν τῇ γῇ.

Fregestraße 12   H.-F. RICHTER
D-1000 Berlin 41

---

11. Vgl. Otto PLÖGER, *Das Buch Daniel* (KAT XVIII), 1. Aufl., S. 71: »Zu חֲזוֹתֵהּ als
Kanaanismus vgl. BLeA § 51s', auch 21 63 oo; in 21 63n bleibt der Vorschlag Behrmanns,
S. 26 חֲזוֹתֵהּ in חֲזוֹרֵהּ (sein Umfang) zu ändern, offen...«. – Jacob LEVY, *Wörterbuch über
die Talmudim und Midraschim* II (2. Aufl., 1924, Nachdr. Darmstadt, 1963), S. 34: חֲזוֹר =
סְחוֹר.

THE DANIEL TALES IN THEIR ARAMAIC LITERARY MILIEU

As early as the thirties the Babylonian lampoon against Nabuna'id[1] made scholars realize that among the Judean exiles this kind of political propaganda may have given rise to the narratives that were later revised and included in the first part of the Book of Daniel[2]. This suggestion was corroborated by the discovery of the Qumran text of 4QPrNab, which affords a glimpse at the tradition-historical background of Daniel ch. 4[3]. In this paper I would like to call attention to some new data, which indicate that these propaganda tales may have been formulated in Aramaic; moreover, these data suggest that the diction of Daniel ch. 2–6 betrays an Aramaic oral source.

I

An oral source is clearly behind the Aramaic Sarmuge tale, transcribed in Egyptian demotic and recently deciphered by Steiner and Nims (Pap. Amherst 63, col. XVII - XXII)[4]. This is a propaganda text.

1. S. SMITH, *Babylonian Historical Texts Relating to the Capture and Downfall of Babylon*, London, 1924, pp. 83-91; B. LANDSBERGER – Th. BAUER, *Zu neuveröffentlichten Geschichtsquellen der Zeit von Asarhaddon bis Nabonid*, in *ZA* 3 (1926-27) 61-98.

2. W. VON SODEN, *Eine Babylonische Volksüberlieferung von Nabonid in den Daniel-erzählungen*, in *ZAW* 53 (1935) 81-89. Examples of Assyrian propagandaliterature have been published by A. LIVINGSTONE, *Court Poetry and Literary Miscellanea* (State Archives of Assyria III), Helsinki, 1989. See also P. MACHINIST, *Literature as Politics: The Tukulti-Ninurta Epic and the Bible*, in *CBQ* 38 (1976) 455-482; H. TADMOR, *Autobiographical Apology in the Royal Assyrian Literature*, in H. TADMOR – M. WEINFELD (eds.), *History, Historiography and Interpretation*, Jerusalem, 1983, pp. 36-57.

3. See K. Koch's contribution to this volume; P. GRELOT's recension of R. MEYER, *Das Gebet des Nabonid* (Berlin 1962), in *RevQ* 4 (1963) 120-121; A.S. VAN DER WOUDE, *Bemerkungen zum Gebet des Nabonid*, in M. DELCOR (ed.), *Qumrân. Sa piété, sa théologie et son milieu* (BETL, 46), Paris-Leuven, 1978, pp. 121-129; K. KOCH (unter Mitarbeit von T. NIEWISCH – J. TUBACH), *Das Buch Daniel*, Darmstadt, 1980, pp. 97-98; for the chronology of Nabuna'id's inscriptions see: H. TADMOR, *The Inscriptions of Nabunaid: Historical Arrangement*, in H. GÜTERBOCK – Th. JACOBSEN (eds.), *Studies in Honor of B. Landsberger* (AS, 16), Chicago, 1965, pp. 351-363.

4. R.C. STEINER – C.F. NIMS, *Assurbanipal and Shamash-shum-ukin – A Tale of Two Brothers in Aramaic in Demotic Script*, in *RB* 92 (1985) 60-81; for the many difficulties involved in the decipherment and interpretation of this text see p. 61. Still, as their methods have been tested and refined in the decipherment of two other texts in Pap. Amherst 63, there is no need for excessive scepticism. See: C.F. NIMS – R.C. STEINER, *A Paganized Version of Ps. 20:2-6 from the Aramaic Text in Demotic Script*, in *JAOS* 103 (1983) 261-274; ID., *You Can't Offer your Sacrifice and Eat it too*, in *JNES* 43 (1984) 89-114; S.P. VLEEMING – J.W. WESSELIUS, *An Aramaic Hymn from the Fourth Century B.C.*, in *BiOr* 39 (1982) 501-509 (on the Sarmuge tale cp. p. 501). For criticism of STEINER-NIMS'

It contains an apology on the part of Aššurbanipal concerning his treatment of the Babylonian uprising (652-648), led by his brother Šamaš-šum-ukīn. The Assyrian king argues that his brother rebelled against him in spite of his good treatment and his patience. There is an obvious reason for the Aramaic composition of this narrative. Brinkman has discussed the problematic status of the Aramean nations in South Babylonia[5]. As expected, these nations mostly supported Šamaš-šum-ukīn (the Sealanders and Bīt Puqūda), but a minority favored Aššurbanipal (Gurašimmu, some Puqūdans, and after 649 also Bīt Dakkuri and Bīt Amukanni). Thus, the Assyrians opened a 'diplomatic offensive', trying to turn other Aramean nations over to their side. This situation suggests a plausible background for the Aramaic Sarmuge text. Moreover, one has to bear in mind that many of Aššurbanipal's senior servants were of Aramean origin[6]. Their judgment would also be influenced by the Sarmuge tale. As for the Daniel tales, we allow ourselves to assume that the need for propaganda in Aramaic was even stronger in the period of the first Persian kings: Cyrus would be interested in obtaining the loyalty of the Aramean nations as well as the Aramaic speaking exiles from the West, especially if there is truth in the assumption that these elements of the population tended to favor Nabuna'id[7]. For Darius this need is obvious in view of the circum-

---

Sarmuge, see S.P. VLEEMING – J.W. WESSELIUS, *Studies in Papyrus Amherst 63: Essays on the Aramaic/Demotic Papyrus Amherst 63*, Vol. 1, Amsterdam, 1985, pp. 23-38; Vol. 2, Amsterdam, 1990, pp. 10-11. Their criticism does not affect our discussion. On the reliability of the demotic transcription see also J. Ray's remark *apud* M. WEINFELD, *The Aramaic Text (in Demotic Script) from Egypt on Sacrifice and Morality and its Relationship to Biblical Texts*, in *Shnaton, An Annual for Biblical and Ancient Near Eastern Studies* IX (1985) 179, n. 6 (Hebr., Eng. summary).

5. J.A. BRINKMAN, *Prelude to Empire: Babylonian Society and Politics 747-626 BC*, Philadelphia, 1984, pp. 93-100. See also: M. DIETRICH, *Die Aramäer Südbabyloniens in der Sargonidenzeit*, Neukirchen-Vluyn, 1970, pp. 85-125. Though Brinkman and Dietrich differ on many points, both agree on the importance of the conflicting loyalties of the Aramean nations. Aššurbanipal's account of his war against Samaš-šum-ukīn (Rassam Cylinder III 70 – IV 109) reads like a propaganda treatise.

6. On possible court opposition against Assurbanipal's Babylonian policy see BRINKMAN, *op. cit.*, p. 94. On the role of Aramaic officials, like Aḥiqar, at the neo-Assyrian royal court see P. GARELLI, *Le rôle des Araméens dans l'administration de l'empire Assyrien*, in H.J. NISSEN – J. RENGER (eds.), *Mesopotamien und seine Nachbarn: Politische und Kulturelle Wechselbeziehungen im alten Vorderasien vom 4. bis 1. Jahrtausend v. Chr.*, II, Berlin, 1982, pp. 437-447 (on Aḥiqar see pp. 439f.: ᴹAba-ᴰEnlil-dāri [sa ᴸᵁ]Ahlamu iqabbu Aḥuqar); H. TADMOR, *The Aramaization of Assyria: Aspects of Western Impact*, in *ibid.*, pp. 449-470.

7. LANDSBERGER-BAUER, pp. 96-97; Hildegard LEWY, *The Babylonian Background of the Kay Kaus Legend*, in *Archiv Orientalni* 17 (1949) (Festschrift Hrozny II) 28-109, esp. pp. 68-78. Of course, the assumption that Nabuna'id was of Aramean extraction is supported by the Harran inscription in honor of his mother Adad-guppi, the priestess of Sin at Harran. In Aramaic √gpp/√gwp denotes 'to close', 'to embrace'; hence Adad-guppy means 'Adad is my protection'.

stances of his accession to the throne[8]. Xerxes had to deal with the great Babylonian rebellion[9]. All these kings may plausibly be assumed to have made propaganda among the Aramaic speaking population.

The Sarmuge text contains many features characteristic of oral literature, such as the typical scene of the teichoscopy, wholly formulated in conventional patterns:

slqw śky(') '*l šr bbl*	(the scouts went up to the wall of Babylon)
śky(') '*nwn* '*ymrn*	(the scouts spoke up and said)
ḥyl' d(')tśk(h)	(the army that has been spotted)
mn ṣyrn zġyrn	(is composed of junior messengers)
mn 'bdy <mlk'>	(from the servants of the king)

(Col XIX 10f.; also XXI 1-2, with *mn ḥyl mlk'* for *mn 'bdy mlk'*).

This episode contains a conventional scene, worded in formulaic language. Hence it may be considered a 'compositional theme' in the sense used by Aitken (following Lord)[10]. It is to be noted that the Hebrew Bible features the same theme, but without its strict formulaic character

8. M.A. DANDAMAEV, *Persien unter den ersten Achämeniden (6. Jahrhundert v. Chr.)* (übersetzt von H.D. Pohl), Wiesbaden, 1976, pp. 108-128 (and cp. Aesch. Pers. 774-7); A. TEN EYCK OLMSTEAD, *History of the Persian Empire*, Chicago, 1948, pp. 92-93, 107-109. Important evidence for the existence of royal propaganda is supplied by the Aramaic version of the Darius' Behistun text: according to the Elamitic text of the Behistun inscription, the King sent copies of this text to all parts of his empire (IV 91-92; see DANDAMAEV, pp. 70, 253f.). The similarity to Mordecai's Purim letter is obvious (Esther 9,20-23; 10,29-31).

9. F.M.Th. DE LIAGRE BÖHL, *Die Babylonischen Prätendenten zur Zeit des Xerxes*, in *Bibliotheca Orientalis* 19 (1962) 110-114.

10. K. AITKEN, *Oral Formulaic Composition in the Aqhat Narrative*, in UF 21 (1989) 1-16; ID., *Word Pairs and Tradition in an an Ugaritic Tale*, in ibid., 17-38; A.B. LORD, *The Singer of Tales*, Cambridge, MA, 1960. One of the best indications for the oral origin of this text is its linguistic character: in spite of its Mesopotamian provenience its language is Western Aramaic. Firstly, Akkadian names have been corrupted. The name *srmwgy* stands for *< šamaš-> šumuki<n>*, with omission of final /n/ and expansion by /r/, as e.g. *drmśq* in the 1QIsa; see E.Y. KUTSCHER, *The Language and Linguistic Background of the Isaiah Scroll (1QIsaᵃ)*, Leiden, 1974, pp. 3-4. The name Aššur-bān-apal has been contracted to *< '> srbnbl*, XVII 6). Extremely instructive is the name of Assurbanipal's sister, Šerūa-ēṭerat, variously transcribed as: *[s]rytr(h), srtr(h), sryṭ, srṭ*. In contrast, in the Aḥiqar narrative Akkadian names have been preserved correctly; the papyrus copy of this narrative is dated to the end of the fifth century by: J. NAVEH, *The Development of the Aramaic Script* (Proceedings of the Israel Academy of Sciences and Humanities V,1), Jerusalem, 1970, p. 35. Secondly, the Sarmuge narrative mostly places the direct object, as well as the locative modifier, after the verbal predicate, as in Western Aramaic; in Eastern Aramaic the verbal predicate typically comes at the end of the clause, as shown by Kutscher in the articles quoted in nn. 33-36 below. In the Sarmuge texts I have found 14 cases of the object preceding the verbal predicate (XVII 7; XVIII 5-6; XIX 9,13-14,17; XX 5,8,9,12,19; XXI 4,6-7,9,12; cp also XIX 4,5,6; XXII 3); in 27 cases the predicate comes first (XVII 8,9,15,15,17-18,18; XVIII 4,7,9,10,12,13,15; XIX 1,15; XX 1,5,9,12, 15,16,18; XXI 3-4,9,10,11; XXII 4). It is remarkable that two formulas have the object before the predicate: *'npyh lbbl śmt* (XIX 9; so also XX 12.19, XXI 12); *lgryk mn k<h> bln* (XIX 17; so also XX 5, XXI 4); but the verb precedes in XX 12: *ytn lgryh srṭ mnpq mn bbl*. Here the narrator prefers the Western order.

(2 Sam 18,24-27; 2 Kings 9,17-20[11]; reverberating also in Isa 21,6-10, and cp. Aesch. Agam. 1-30).

We also note some well known bound phrases[12]:

1. *mlk(')* '*n(h) w(')ymr* (XVII 14; cp. XVIII 12,14; XIX 12-13,14; XX 1,2,6,13,15,17; XXI 1,2,5: altogether 14 instances in a text of 85 lines, not including 'reconstructed' lines); in the Aramaic Aḥiqar text this formula occurs many times (cp. the Wisdom text of Pap. Amherst 63: *mr 'nh w'l 'mr)*[13].

2. *'np'yh' lbbl śmt* (XIX 9, just before the teichoscopy, cp. XX 12, 19, XXI 12); this phrase is matched by the Ugaritic and by BHeb: *wyśm 't pnyw hr hgl'd* (Gen 31,21)[14].

3. *lgrk mn k(h) bln 't(h) 'l mlk(')* ('lift your feet from here and come to the king', XIX 17; cp XX 6-7; XX 4; slightly different: XX 12 *ytn lgr<y>h srt mnpq mn bbl)*. This phrase has no outright parallels in Ugaritic, but matches BHeb Gen 29,1: *wyś' y'qb rglyw wylk 'rṣh bny qdm*[15].

In addition one notes the following fixed versets:

1. *ywmn dlhww šnn dlp/qw* ('days which had not (?) been, years which had not (?) passed/turned', XVII 9; cp. l. 13-14; XVIII 1);

2. *mll(y) (')ymr lhy, yd' <y>šm' lmlyky wytb(!) l'mrtky* ('speak and say to him, let him know and hear your words and let him (!) pay attention to your speaking', XIX 7-8; cp. XIX 16; XX 6,6-7)[16].

Set formulas and fixed patterns are characteristic of oral epic poetry. The fact that these phenomena are conspicuous in the Ugaritic epic, shows these texts to be representative of ancient Northwest Semitic oral poetry. Thus, the frequency of fixed phrases and compositional themes suggests that the Sarmuge text continues this tradition[17]. Elsewhere,

11. J. LICHT, *Storytelling in the Bible*, Jerusalem, 1977, pp. 41-48 (esp. p. 45); D.M. GUNN, *Traditional Composition in the "Succession Narrative"*, in *VT* 26 (1976) 214-229 (esp. pp. 227-229).

12. St. SEGERT, *Preliminary Notes on the Structure of the Aramaic Poems in the Papyrus Amherst 63*, in *UF* 18 (1986) 271-300 (esp. pp. 278-283).

13. Pap. Amherst VI 12 (*JNES* 43, pp. 94-95).

14. S. LAYTON, *Biblical Hebrew "To Set the Face" in the Light of Akkadian and Ugaritic*, in *UF* 17 (1986) 169-181.

15. F. POLAK, *Epic Formulas in Biblical Narrative: Frequency and Distribution*, in *Les actes du second colloque international Bible et Informatique: méthodes, outils, résultats (Jerusalem 9-13 Juin 1988)* (Genève, 1989), pp. 435-488, esp. p. 449; Ezek 10,16: *wyś' knpym wyrm* (cp. 11,22; *CTA* 10 II: 10f.: *wtšu knph btlt 'nt...wtr b'p)*.

16. SEGERT, *op. cit.*, pp. 282-283.

17. For the continuity between ancient epic poetry and BHeb narrative see U.M. CASSUTO, *Biblical and Oriental Studies I, Bible* (transl. by I. Abrahams), Jerusalem, 1973, pp. 7-16; ID., *II, Bible and Ancient Near Eastern Texts* (transl. by I. Abrahams), Jerusalem, 1975, pp. 16-109; F.M. CROSS, *Canaanite Myth and Hebrew Epic: Essays in the History of the Religion of Israel*, Cambridge, MA, 1973, pp. 112 n. 3, 124, 193; ID., *The Epic Traditions of Ancient Israel: Epic Narrative and the Reconstruction of Early Israelite Institutions*, in R.E. FRIEDMANN (ed.), *The Poet and the Historian: Essays in Literary and Historical Biblical Criticism* (HSSt., 26), Chico, CA, 1983, pp. 13-39; ID., *Biblical*

the present author has argued that this diction has been preserved to a certain extent in some sections of BHeb narrative, especially in the tales of Abraham and Jacob[18]. In fact, the phrase *'nh w'mr* also occurs in Aramaic Aḥiqar and in the Hebrew Bible, although less frequently than in our text. In the proverbs of Aḥiqar this collocation occurs in the fable of the panther and the goat: *'nh nmr' w'mr l'nz'* (l. 118; cp. l. 119, 121). The occurrence of this phrase in an essentially Babylonian genre as the animal fable, may indicate that it serves as a pendant of the Akkadian epic formula PN_1 *pīašu īpušamma ana* PN_2 *issaqar*. Thus Aramaic literature preserves some formulas and 'compositional themes', deriving from the tradition of oral narrative poetry.

The tradition of Early Aramaic poetry is now better known, thanks to the Tell Fekheriye inscription (ca. 850 *B.C.*). This inscription betrays heavy influence of Akkadian rhetorics (and especially of the style of the royal Assyrian inscriptions), but nevertheless also preserves clearly Aramaic features, for example: *dmwth, wddt krs'h, w'l yrwy*[19]. An additional witness may be found in the Demotic-Aramaic poems of Pap. Amherst 63. It appears that Early Aramaic Poetry is one of the heirs of the ancient epic literary tradition. The Sarmuge tale suggests that the Arameans continued cultivating this tradition for a long time, whereas in Israelite literature its importance was on the decline, probably because of the rise of written literature. The difference between these cultures is easily explained by the fact that Israel had a political and cultural center in the royal chancellaries of Jerusalem and Samaria, as well as in the Temple. These institutions gave written literature the upper hand. The Aramean nations of Mesopotamia, however, did not have such a center, since the dominant culture always was Akkadian. Moreover, the second half of the eighth century witnessed the destruction of the kingdom of Damascus and the other Syrian centers. Thus, the Arameans were able to preserve their oral literature.

Archeology Today: The Biblical Aspect, in A. BIRAN, e.a. (eds.), *Biblical Archeology Today*, Jerusalem, 1985, pp. 9-15, esp. p. 11; For a less specific discussion see D. DAMROSCH, *The Narrative Covenant – Transformations of Genre in the Growth of Biblical Literature*, San Francisco, 1987, pp. 1-16, 36-47.

18. F.H. POLAK, *Epic Formulas*; ID., *Epic Formulas in Biblical Narrative and the Fountainheads of Ancient Hebrew Narrative*, in *Te'udah* VII, Tel Aviv, 1992, pp. 9-53 (Hebr., Eng. Summ.); ID., *...wyšthw... – A Group Formulae in Biblical Prose and Poetry*, in M. FISHBANE – E. TOV (eds.), *Sha'arei Talmon, Studies in the Bible, Qumran and the Ancient Near East Presented to Sh. Talmon*, Winona Lake, IN, 1991, pp. 81*-91* (Hebr., Eng. Summ.).

19. A. ABOU ASSAF – P. BORDREUIL – A.R. MILLARD, *La Statue de Tell Fekheriye et son inscription bilingue assyro-araméenne* (Études Assyriologiques, 7), Paris 1982.

For "Early Aramaic Poetry", see J.C. GREENFIELD, *Early Aramaic Poetry*, in *JANES* 11 (1979) 45-51, and cp. K. LAWSON YOUNGER, *Panamuwwa and Bar Rakib: Two Structural Analyses*, in *JANES* 18 (1986) 91-103.

II

The tales in chapter 2–6 of the Daniel Book are, apparently, rooted in the same tradition. First of all, the name Daniel itself may stem from the ancient epic (Ugaritic Dn'il), and is mentioned by Ezekiel (Ezek 14:14,20; 28,3); therefore, at least some Judean exiles were aware of the epic tradition.

Secondly, in Daniel 2–6 one meets the following formulaic phrases:

a. The phrase 'nh w 'mr occurs 29 times in chapters 2–6 (sixteen times in ch. 2; 4–5; in ch. 3; 6 thirteen times):

Dan 2: 'nh w 'mr: 5.8.15.20.26.27.47 'nw w 'mryn: 7.10 (nine cases); not in the LXX: 2,8 (condensed); not in "Theodotion": 2,15; condensed: 20;

Dan 3: 'nh w 'mr: 14.19.24.25.26.28; 'nw w')mryn: 9.16; 'nyn w 'mryn (two participles): 24 (nine cases, one exceptional); not in the LXX: 14 (?), 19.24 (cond.), 24.25.26 (?); not in "Theod.": 9.23; cond.: 19.24. 24.25.26;

Dan 4: 'nh w 'mr: 16.16.27 (three cases); not in the LXX: 4,16;

Dan 5: 'nh w 'mr: 7.13.17; 'nt w 'mrt (perf.): 10 (four cases); not in the LXX: 5,7 (?) 10; cond. in "Theod.": 7.10.13;

Dan 6: 'nh w 'mr: 13.17.21; (also 7,2) 'nw w 'mryn: 14 (four cases); not in the LXX: 6,14 (cond.) 17 (?). 21 (cond.); 7,2; not in "Theod.": 6,21; 7,2; cond.: 6,13.17.

This formula might originate in the well-known BHeb phrase wy'n wy'mr, but could just as well be of Aramaic origin (it is very prominent in the Sarmuge text). The latter possibility is favored by two considerations: (1) In the Daniel tales this collocation is far more frequent than in any other section of the Hebrew Bible (so even in the LXX, which contains 17 certain instances, and in "Theodotion", which has 15 cases). The two books of Samuel together (23.289 words, poetry excluded) contain 30 cases of this bound phrase, whereas in the five chapters of Daniel ch. 2–6 (3.107 words) one meets 29 cases; in post-exilic Biblical Hebrew narrative this phrase is extremely rare[20]. The frequency of this formula in the Daniel tales reminds one of the Sarmuge narrative, in which this formulaic expression occurs fourteen times in 85 lines. (2) In the Daniel tales this phrase is used with the

---

20. See POLAK, *Epic Formulas*, pp. 447-448; in post-exilic narrative: Esther 5,7; 7,3; Ezra 10,2.12; 1 Chron 12,18; 2 Chron 29,31; 34,15 (probably reflecting an alternative reading of 2 Kings 22,8); Job 1,7.9; 2,2.4; Ruth 2,6.11. However, this formula is very prominent in post-exilic prophetic prose visions: Zech 1,10.11.12; 3,4; 4,5.6.11.12; 6,4.5 (ten instances); Hag 2,12.13.14 (and cp. Jer 44,15). Since prophetic prose tends to be more 'literary' and more 'elevated' than plain narrative, this feature is not relevant for our discussion.

participle as a narrative tense, unlike BHeb but in accordance with BAram usage[21].

b. For kneeling and prostration these tales use the bound phrase *npl - sgd* (2,46; 3,5.6.7.10.11.15; seven occurrences in ch. 2–3, but not attested in ch. 4–6). As this expression occurs seven times in one and the same form, and since √*sgd* is only used once in another collocation (3,28), we can only conclude that this is a formulaic phrase. On the other hand, one might tend to view this phrase as a newly-coined idiom by analogy with similar expressions in BHeb (as e.g. *npl - hšthwh, qdd - hšthwh*). This hypothesis is corroborated by two details: in 3,28 the refusal to worship pagan idols is expressed as *l' yplhwn wl' ysgdwn lkl 'lh* ('they would not worship nor bow to any god'), which matches BHeb *l' tšthwh lhm wl' t'bdm* (Exod 20,4; cp. Gen 27,29; Ps 72,11). Also, the description of Nebuchadnezzar's prostration to Daniel (2,46) is similar to BHeb: *mlk' nbwkdnṣr npl 'l 'npwhy wldny'l sgd*, which is close to BHeb phrases, as e.g. *wypl 'l pnyw wyšthw* (2 Sam 9,6), *wtqd bt-šb' 'pym 'rṣh wtšthw lmlk* (1 Kings 1,16, cp. Gen 24,26.48)[22]. These are obvious indications of BHeb influence on the Aramaic storyteller. On the other hand, Aramaic narrative preserves a similar expression: the simple phrase *npl sgd* is matched by Aḥiqar 13 *ghnt wsgd[t]* ('I bowed and did obeisance'; the king's courtiers are called *sgdwhy*, l. 10). Since the root √*ghn* appears to be rare, the formula in Daniel 2–3 might be considered a simplification (for Aramaic √*npl* cp. Aḥiqar 186,184). The sequence of 'falling down and prostration' occurs also in a fixed formula in Ugaritic poetry, e.g. *lp'n 'il thbr wtql tšthwy wtkbdh* (*CTA* 4 IV:25-26: 'before the feet of Ilu she knelt and fell down, prostrated herself and did him obeisance'). Apparently, this is the ancestor of BHeb formulae and BAram phrase alike[23]. On balance, the phrase *npl - sgd* seems to be an ancient Aramaic formula; BHeb influences are secondary only.

c. The highly frequent use of *'dyn* (*ᵉdayin*) for introducing a new episode is formulaic in itself. In chapters 2–6 *'dyn* occurs forty (!) times (all of which are represented by "Theod."); ch. 2; 4–5: 18 cases; ch. 3; 6: 22 instances):

21. See H. BAUER – P. LEANDER, *Grammatik des Biblisch-Aramäischen*, Halle a. S., 1927, p. 295, and especially H.B. ROSEN, *On the Use of the Tenses in the Aramaic of Daniel*, in *JSS* 6 (1961) 183-203, esp. pp. 184-189.

22. POLAK, *wyšthw*. In BHeb *wyqd wyšthw* may be used for king and God alike, but *wypl wyšthw* is never used for divine worship, except for the late passage 2 Chron 20,18.

23. See also *CTA* 17 IV 50-51 and six other passages; G. DEL OLMO DEL LETE, *Mitos y Leyendas de Canaan segun la Tradicion de Ugarit*, Madrid, 1981, p. 54; M. GRUBER, *Aspects of Non-verbal Communication in the Ancient Near East*, (Studia Pohl, 12), Rome, 1980, pp. 94-124, 141-143, 159. Against Gruber's thesis that *sgd* and *hšthwh* denote 'bowing down', but not 'prostration', see POLAK, *wyšthw*; Herodotus VII 136 (προσ-κυνέειν βασιλέα προσπίπτοντας) can only mean that *proskunèsis* implied prostration, against S.K. EDDY, *The King is Dead: Oriental Religious Opposition to Hellenism* (diss. Michigan 1958, microfilm), p. 56.

Dan 2,15.17.19.25.48; *b'dyn*: 2,14.35.46 (eight cases);
Dan 3,24; *b'dyn*: 3,3.13.19.21.26.30 (seven cases); not in the LXX: 3,3;
Dan 4,16; *b'dyn*: 4,4 (two cases); not in the LXX: 4,4;
Dan 5,6.8.9; *b'dyn*: 5,3.13.17.24.29 (eight cases); not in the LXX: 5,24;
Dan 6,4.5.6.7.12.15.19.22 (also 7,19); *b'dyn*: 6,13.14.16.17.20.24.26
(fifteen instances); not in the LXX: 6,4.14.16.17.
This stereotypic use of *'dyn* creates a highly schematic action sequence,
quite suitable for oral narrative[24]. In the Ugaritic epic a similar function
is fulfilled by *'aphn* (and congeners); one is also reminded of *'idk*, though
this adverb seems to be restricted to one well-defined context: if a
character goes in a certain direction, he is first said to leave, and then
(*'idk*) he is said to head towards a certain location[25]. In this bound
phrase *'idk* connects between two consecutive actions, and in Daniel *'dyn*
may be used this way (2,15). In BHeb narrative *'z* might be considered
similar to Aramaic *'dyn*. It is used for introducing a new episode,
especially in narrative poetry: Exod 15,15; Judg 5,8.11.13.19.22 (six
instances); in late prose narrative one meets seven instances of this use:
Josh 10,33; 22,1; 1 Kings 3,16; 8,1; 16,21; 2 Kings 14,8; 16,5[26].
Moreover, like Ugaritic *'idk*, *'z* is also used for opening the second of
two consecutive actions, as e.g. Exod 4,26; Judg 8,3; 13,21; 2 Sam 5,24;
1 Kings 9,11; 2 Kings 13,19. This particle does not occur in post-exilic
BHeb narrative, but its parallel, *'dyn* is frequent in the Aramaic parts of
Ezra 4–6, though less so than in Daniel. In the extant portions of the
Genesis Apocryphon it occurs eight times (II 3.8.13.19; XX 21; XXII
18.20; II 1: *h' b'dyn*).
   d. Finally, we have to mention a less obvious example. The collocation *'yny lšmy' ntlt* (4,31) is close to formulaic phrases in BHeb
narrative (*wyš' 'ynyw wyr'* – 25 instances), and Ugaritic. In the Aramaic proverbs of Aḥiqar we find: *'yny zy ntlt 'lyk wlbby zy yhbt lk
bḥkmh* (l. 169). These phrases, however, differ from the epic formula. In

---

24. For comparison, in Dan 7 *'dyn* occurs in v. 19; *b'dyn* in v. 1.11; in the Zerubbabel
narrative *'dyn* occurs in Ezra 4,9.23; 5,4.9.16; 6,13; *b'dyn* in Ezra 4,24; 5,2; 6,1. In Official
Aramaic letters and contracts *'dyn* is used for introducing a new action (as e.g. *CAP* 14,4)
or for introducing the main action after the statement of the date (*ibid.*, 20,1; 25,1; 35,1);
in the proverbs of Aḥiqar (l. 129) it serves as the introduction of the apodosis (see also I.
KOTTSIEPER, *Die Sprache der Ahiqarsprüche* [BZAW, 194], Berlin - New York, 1990,
p. 185. For the use of *'z* and *'zy* in ancient Aramaic see *KAI* 214,7; 215,9; 233:6,14).
   25. On the use *'idk*, *'aphn* see G. DEL OLMO DEL LETE, *op. cit.*, pp. 55, 58.
   26. For *'z* (matching Akkadian *inūmīšu*) for opening digressions and expansions in the
books of Kings see H. TADMOR – M. COGAN, *Ahaz and Tiglat-Pileser in the Book of
Kings: Historiographical Considerations*, in *EI* 14 (1978) 56-61 (Hebr.; Eng. Summ.); see
Gen 4,26; Exod 15,1; Num 21,17; Deut 4,41; Josh 8,30; 10,12; 1 Kings 8,12; 11,7; 22,50;
2 Kings 8,22; 12,18; 15,16: twelve instances). See also: I. RABINOWITZ, *Az Followed by
Imperfect Verb Form in Preterite Contexts*, in *VT* 34 (1984) 53-62. Irrelevant for our
discussion: Gen 12,6; 13,7; 24,41; 49,4; Exod 12,44; Lev 26,34; Josh 14,11; 20,6; 22,31; 1
Sam 6,3; 2 Sam 21,17.18; 23,14; 1 Kings 9,24; 2 Kings 5,3.

the Abraham narrative this expression is equivalent to 'seeing' *pur et simple*, as e.g. *wyś' 'ynyw wyr' whnh šlšh 'nšym nṣbym 'lyw* (Gen 18,2)[27]. In our case, however, the phrase is used in a figurative sense, as e.g. *'ś' 'yny 'l hhrym, m'yn ybw' 'zry* (Ps 121,1; cp. Deut 4,29). Apparently we are dealing with a reverberation of the epic formula, rather than with the formulaic expression itself. Still, the formulaic tradition should not be disregarded. In a Neo-Assyrian prophecy addressed to Esarhaddon, the prophetess (*rāgintu*) conveys Ištar's call to the king to have confidence in her salvation: *mutuḫ ēnēka ana yāši, dugulanni* ('lift your eyes unto me, look at me'; IV Rawlinson 61 ii, l. 28). This phrase is the Assyrian equivalent of the Northwest Semitic expression. Here it is used metaphorically, exactly as in the Daniel tale, but it may also occur in the literal sense[28]. Moreover, as prophecy is quite foreign to the high culture dominating the Assyrian and Babylonian scene, and in view of some apparent Aramaisms in the letters concerning these *rāgintu*'s, Tadmor has argued that they were probably of Aramean extraction[29]. On the other hand, if one assumes that these prophetesses were native Assyrians, one must argue that they represent the oral-illiterate subculture. Assyrian ordinary people may have preserved folk traditions that were denied admittance to the dominant culture. Esarhaddon may have been interested in these prophetesses under the influence of his Aramean-born mother, the well known and highly influential *Zakūtu-Naqī'a*[30]. In any case, a similar formula must have existed in Aramaic, as shown by its counterpart in the Sefireh treaty: *pqḥw 'ynykm lḥzyh 'dy brg'yh* etc. ('open your eyes to see the

27. DEL MOTO, *op. cit.*, p. 57; CASSUTO, *op. cit.*, II, pp. 20-23; *wyś' 'ynyw wyr'* in exilic poetry: Isa 40,26; 49,18; 51,6; 60,4; Ezek 8,5; cp. Ps 121,1; and as a terminus technicus in prophetic visions: Zech 2,1.5; 5,1.9; 6,1; Dan 8,3; 10,5.

28. H.W.F. SAGGS, *The Nimrud Letters, 1952 - Part IV*, in *Iraq* 20 (1958) 188 (XLI 32; see also p. 208) and cp. *CAD* Vol. 10, M, part I, Chicago, 1977, p. 404 (*s.v. matāḫu*); J.C. GREENFIELD, *The Etymology of* אמתחת, in *ZAW* 77 (1965) 90-92.

29. H. TADMOR, *op. cit.*, pp. 458-459, and note 148 on p. 470. For a sceptic attitude on the question of the descent of these prophetesses see M. WEIPPERT, *Assyrische Prophetien der Zeit Asarhaddons und Assurbanipals*, in F.M. FALES (ed.), *Assyrian Royal Inscriptions: New Horizons in Literary, Ideological and Historical Analysis* (Orientis Antiqui Collectio, X), Rome, 1981, pp. 71-115, esp. p. 104 (he does not detect specific connections with the prophetic phenomena at Mari). Even more sceptical is S. PARPOLA, *Neo-Assyrian Treaties from the Royal Archives of Nineveh*, in *JCS* 39 (1987) 161-187, esp. pp. 180-183. However, his doubts seem hardly justified: if many Neo-Assyrian military terms are derived from Aramaic, this means that the Assyrian army is dominated by officers of Aramean descent. Regarding new developments in the literature of this period, LIVINGSTONE (*op. cit.*, p. XVI) indicates "clear attempts to escape from (Babylonian, the author) tradition and produce new material, whether by introducing elements from the colloquial or folk tradition, or by improvisation".

30. See GARELLI, *op. cit.*, p. 441 (her sister bears the West Semitic name Abīrami); Hildegard LEWY, *Nitokris-Naqī'a*, in *JNES* 11 (1952) 264-286; PARPOLA, *op. cit.*, pp. 165-169.

oaths of Barga'ya'; *KAI* 222 A:13). This phrase has the same structure
as the ancient formula, but has $\sqrt{pqh}$ for $\sqrt{nś}$. This expression occurs
the Hebrew Bible as well: *pqh yhwh 'ynyk wr'h* (2 Kings 19,16 = Isa
37,17). In some texts this phrase represents a kind of causative transformation of the formula with $\sqrt{nś}$: *wypqh 'lhym 't 'ynyh wtr' b'r mym*
(Gen 21,19; cp. 2 Kings 6,17.20). A further transformation has $\sqrt{yd'}$:
wtpqhn 'yny šnyhm wyd'w ky 'yrmym hm (Gen 3,5.7).

   In the light of these data, one may assert that the Daniel tales have
taken rise in the oral epic literature of the Aramean nations in Babylonia. This conclusion is confirmed by the theme of the slandered
courtier, threatened with death but saved thanks to faithful friends
(Dan 3; 6), a theme reminiscent of the Aramaic Ahiqar tale, and found
also in the Esther-Mordecai story. The simple structure of tales such as
Daniel 2–3 may strengthen the impression that we are dealing with
elementary oral narrative[31]. The extremely repetitious style points in
the same direction[32].

III

   Linguistic analysis may help us refine these results. At the outset,
Kutscher argued that Biblical Aramaic contains many Eastern features[33], but later he became more sceptic about this issue[34]. In Eastern
Aramaic (as, e.g., Official Aramaic) the verbal predicate typically comes
at the end of the clause, as in Akkadian and Sumerian, whereas in
Western Aramaic the verb tends to precede. In this respect the behaviour of Biblical Aramaic is not uniform. In the Aramaic Zerubbabel
narrative (Ezra 4–6) the Eastern order is preserved in the letters (e.g.
Ezra 4,8.12.15; 5,7.9.12.13; 6,7; as against 5,15-17; 6,10.11.12), but the
narrative framework has the Western order (4,17; 5,2.5; 6,1.15-18; note

   31. See Pamela J. MILNE, *Vladimir Propp and the Study of Structure in Hebrew Biblical
Narrative*, Sheffield, 1988, pp. 177-262. Milne distinguishes between ethno-poetic (that is:
oral) narrative sources (Dan 1–2; 5 and Dan 3; 6) and written sources (Dan 4,1-26). For
the argument that thematic stucture in itself cannot be considered a reliable indication of
oral literature see: Susan NIDITCH – R. DORAN, *The Success Story of the Wise Courtier: a
Formal Approach*, in *JBL* 96 (1977) 179-193, esp. p. 182.

   32. LICHT, *op. cit.*, pp. 51-52; P.W. COXON, *The 'List' Genre and Narrative Style in the
Court Tales of Daniel*, in *JSOT* 35 (1986) 95-121, esp. 102-114.

   33. E.Y. KUTSCHER, *Biblical Aramaic - Eastern or Western Aramaic*, in *World Congress
of Jewish Studies, Summer 1947*, I, Jerusalem, 1952, pp. 123-127 (Hebr.). See also:
P. GRELOT's recension of M. DELCOR, *Le Livre de Daniel*, in *RB* 78 (1971) p. 608.

   34. E.Y. KUTSCHER, *Aramaic*, in his *Hebrew and Aramaic Studies* (ed. by Z. BEN-
HAYYIM, A. DOTAN, G. SARFATTI, M. BAR-ASHER), Jerusalem, 1977, pp. 90-155, esp.
pp. 104-114; 142-146; see also *The Hermopolis Papyri*, in *ibid.*, pp. 53-69, esp. pp. 108-
109. Less conclusive is: K.A. KITCHEN, *The Aramaic of Daniel*, in D.J. WISEMAN, e.a.,
Notes on some Problems in the Book of Daniel, London, 1965, pp. 75-76.

the Eastern order in the official interrogation, 5,3). This situation indicates that the narrative has been composed in Palestine, with the narrator preserving the Eastern coloring of Official Aramaic in the documents[35].

In the Daniel corpus one notes significant differences between various tales[36]. For example, in Dan 2,48 we encounter the Eastern structure: *'dyn mlk' ldny'l rby* (S-O-V), whereas Dan 3,30 is closer to the Western order: *b'dyn mlk' ḥṣlḥ lšdrk myšk w'bd ngw bmdynt bbl* (S-V-O).

According to Kutscher's criteria, Dan 3,31–4,34 is of Eastern provenience, as it contains 26 cases of object-verb (left column) as against 9 cases of verb-object (right column):
3,32;
4,2.3.4.5.6.7.12.13.14.15.15, versus 3.11.11.11.11.20.20.23.34
  15.20.22.22.22.24.29.29.30.
  31.31.31.33.34
Dan 5 is of Eastern provenience, containing as it does 32 cases of object-verb, as against 12 cases of verb-object:
5,1.7.7.8.8.11.12.15.15.15.16 versus 1.2.3.4.4.5.7.7.12.22.26.29
  16.16.16.16.17.17.17.18.19.19.
  19.19.20.21.21.21.22.23.23.23.23
On the other hand, Dan 3,1-30 is of Western provenience; it contains five cases of object-verb as against 22 cases of verb-object:
3,12.14.18.24.28 versus 1.2.5.7.8.10.10.12.12.13.15.19.20.22.22.25.27.28.
                                  28.28.29.30
So is Dan 6, which offers 8 cases of object-verb as against 27 cases of verb-object:
6,3.5.13.15.19.25.29 versus 1.2.3.5.6.8.8.8.9.9.10.11.12.14.14.15.17.17.18.
                                       21.23.23.25.25.25.28.28
Dan 2 is of Eastern provenience: it contains 34 cases of the order object-verb as against 32 cases of the order verb-object:
2,4.6.6.6.7.7.8.9.9.9.9.10.10. versus 4.5.12.14.14.18.19.21.21.21.21.22.22.
  13.15.16.16.17.18.23.23.23.   24.25.25.26.34.34.35.35.35.40.40.41.
  24.24.25.27.30.30.36.37.38.   41.43.44.44.45.47.49
  46.48.48
This result may appear to be less decisive, but one should take into account that a pericope such as Daniel's prayer (v. 21-23) naturally preserves many Hebrew, that is Western, features (six V-O, as against three O-V).
Chapter 7 contains 14 cases of object-verb, as against 9 cases of verb-object:

35. For similar phenomena in Egyptian Aramaic texts see: KUTSCHER, *Studies*, pp. 58-59.

36. In contrast, an investigation of the place of the subject (for which see: KUTSCHER, *Studies*, pp. 105-109) and the indirect object, did not yield significant results.

7,1.1.7.12.14.16.16.19.22.24.25.25.26.27.28 versus 2.5.8.18.18.20.21.23.25
We conclude, then, that Daniel 7 is mainly of Eastern provenience. This
result is in keeping with Porter's analysis of the nature of the beasts[37].
Thus, the original text on which this vision was founded, was written in
Babylonia (or by somebody of Eastern descent, or by a clerk trained in
a Mesopotamian chancellary). This does not prevent us from recognizing an anti-Seleucid reworking. We must, however, assume that the
author-reviser preserved the Eastern, Official Aramaic, coloring (cp. v.
8!). On the other hand, the number of Hellenistic kings assumed in v. 7-
8 matches the Uruk and the Seleucid kinglist (*ANET*[3] 566-567).

IV

These results make a new evaluation of the Daniel corpus imperative.
Most of these tales originated in Mesopotamia, and must precede the
Greek period (Dan 2; 4–5). Only the two so-called 'martyr tales' (Dan
3,1-30; Dan 6) can be attributed to narrators living in Judea, but these
too have preserved the epic style.

Obviously, the Belshazzar tale of Daniel 5 relates specifically to the
fall of Babylon. It must be deemed strange that the name of this prince
should still be remembered by a second- or third-century author, if not
by virtue of oral tradition. Of course, the distortions and deviations
from historical truth also must be viewed against this background[38].

We have already referred to the theme of Nabuna'id's dream and
expulsion, transferred to Nebuchadnezzar (Dan 3,31–4,34). It should be
remarked here that the Babylonian lampoon represents the episode of
Nabuna'id's stay in Teima and Belshazzar's regency in Babylon as one
of the weirdest acts of this strange ruler (II,16-27). The extant portions
of the Babylonian Nabuna'id Chronicle, which clearly favours Cyrus,
mention these arrangements four times (II,5.10.19.23, years 7-11)[39].
Hence, this is an obvious propaganda theme. To be sure, in the biblical
narrative Nabuna'id's stay in Teima has been transformed into the
motif of the 'mad king' living with the beasts. But the text of 4QPrNab,
which mentions both the stay at Teima and the king's affliction,
warrants the background of the tradition[40].

37. P.A. PORTER, *On Metaphors and Monsters: A Literary-critical Study of Daniel 7
and 8*, Lund-Uppsala, 1983.

38. For the connection between the temple vessels theme in the Belshazzar tale and in
Jer. 27,19-22, see E. HAAG, *Die Errettung Daniels aus der Löwengrube: Untersuchungen
zum Ursprung der biblischen Danieltradition* (SBS, 10), Stuttgart, 1983, pp. 69-71. The
present author regards this link as an additional indication for the preoccupation with the
Neo-Babylonian empire (cp. also Ezra 1,1,7,8).

39. SMITH, *op. cit.*, pp. 111-112.

40. The mention of Teima proves that 4QPrNab is not dependent on Dan 4 only, since
this name has not been preserved in this highly symbolic account; against E. HAAG, *op.*

As to Daniel 2, Eerdmans, followed by Beek and Davies, has argued that Nebuchadnezzar's dream of the falling statue must represent the rulers of the Neo-Babylonian empire up to its collapse under Nabuna'id[41]. This analysis still seems to be valid. Supporters of the theory of the four Kingdoms have never answered Eerdman's question, why the Persian empire which is to subdue the Babylonian empire, is represented as mere "bronze" (2,32) as against the Babylonian "fine gold" (2,32: *dhb ṭb*), whereas the Medes are considered "another, lowly kingdom" (2,39: *mlkw 'ḥry 'r''*). This representation is at variance with central tendencies in the Biblical conception of this period. Eddy and Flusser have pointed out that the combination of the idea of the four empires with the theme of the four metals in their progressive decrease in value, occurs also in the Zoroastrian idea of the mythical tree, the branches of which symbolize the eras of cosmic history[42], since these periods have been identified with the rule of certain kings. Apparently however, these rulers are not central to this myth. Only the first and the last branch seem to be really important: the first branch, of gold, represents the ideal ruler, Kavi Vištašpa, who was the first king to

cit., p. 68. HAAG (*ibid.*, p. 69) shows that Nebuchadnezzar's punishment, to live with the beasts of the field, is an allusion to Jeremiah's prophecy concerning the reign of the Babylonian King (Jer 27,6). Apparently, this detail fits the thesis that the narrator treats of the Neo-Babylonian empire. The 4QPrNab reading *Tymn* with final *Nun* instead of *Aleph* (*si vera lectio*; in the photo one sees only the lower end of the *Nun*, under the *Mem* of *tym'n'*), is in keeping with the general tendency of post-exilic (and Mishnaic-Talmudic) Hebrew to add /n/ after an open vowel at the end of a (mainly undeclined) word, as e.g. *ywdn* for *yhwdh* (so frequently in inscriptions), *mgdwn* for *mgdw* (Zech 12,11); see: E.Y. KUTSCHER, *Studies in Galilean Aramaic* (transl. by M. Sokoloff), Ramath Gan, 1976, pp. 60-62, 102; ID., *Studies*, pp. 24-26 (*'wmrm* for MT *'mwrh*). This tendency explains the LXX transcription θαιμαν for MT *tym'* in Jer 25,23 (LXX 32,9), for which see also J. ZIEGLER, *Beiträge zur Ieremias-Septuagint* (MSU, VI), Göttingen, 1958, p. 73 (see also pp. 64, 71).

41. B.D. EERDMANS, *Origin and meaning of the Aramaic Part of Daniel*, in *Actes du XVIII⁰ congrès international des orientalistes (1931)*, Leiden, 1932, pp. 198-202; M.A. BEEK, *Das Danielbuch: Sein historischer Hintergrund und seine literarische Entwicklung*, Leiden, 1935, pp. 39-47; P.R. DAVIES, *Daniel Chapter Two*, in *JThSt* 27 (1976) 392-401; see also: J.M. COLLINS, *Court Tales in Daniel and the Development of Apocalyptic*, in *JBL* 94 (1975) 218-234. In the light of the lampoon it is impossible to accept the objection that the fifth stage of the dynasty, represented by a mixture of mud and iron, does not fit the shared rule of Nabuna'id in Teima and his co-regent Belshazzar in Babylon.

42. D. FLUSSER, *The Four Empires in the Fourth Sibyll and in the Book of Daniel*, in *IOS* 2 (1972) 148-175, esp. pp. 153-172; S.K. EDDY, *op. cit.*, pp. 22-25, 434; J.W. SWAIN, *The Theory of the Four Monarchies: Opposition History under the Roman Empire*, in *Classical Philology* 35 (1940) 1-21. Baumgartner and Noth are aware of this difficulty, but do not consider any possibility to solve it; see W. BAUMGARTNER, *Zu den Vier Reichen von Daniel 2*, in *ThZ* 1 (1945) 17-22; M. NOTH, *Das Geschichtsverstehen der Alttestamentlichen Apokalyptik*, in ID., *Gesammelte Studien zum Alten Testament*, I, München, 1960, pp. 248-273, esp. pp. 260-262. For the evaluation of the various metals see also Isa 60,17: *tḥt hnḥšt 'by' zhb wtḥt hbrzl 'by' ksp wtḥt h'ṣym nḥšt wtḥt h'bnym brzl* (see also 1 Kings 14,26-27; Qoh 12,6); the triad 'bronze, silver, gold' always presents the silver between the lesser metal (bronze) and the costlier gold, e.g. Exod 35,5.

embrace the teaching of Zarathustra. The last branch, of iron ("mixed" with something else, according to the translation used by Eddy), symbolizes the godless rule of the bad *daevi*, representing the 'present oppression'. Only after this period will Ahura Mazda's era of salvation come[43]. In short, this myth is purely eschatological; its concern with empire is no more than lateral. Hence, besides some obvious parallels, there are also significant differences between this mythical symbol and the statue of Daniel 2. In particular, it is quite unbelievable that Nebuchadnezzar's rule should parallel the golden era of Vištašpa. The sudden collapse of the entire statue, a central motif in the Daniel tale and not matched by the mythical tree, is quite natural if it is understood to signify the conquest of the Babylonian kingdom; by any other interpretation it remains awkward. Thus, the narrative of the statue pertains originally to the end of the Neo-Babylonian empire. Its similarities to the Persian myth and the idea of the four kingdoms enabled a later author to reapply it to the period of Antiochus IV. The assumption of such rewriting may explain the balance of eastern and western coloring in this tale.

Since the 'martyr stories' have been shown to be of Western (that is, Judean) provenience, one may assume that they, at least, were composed in the period of the persecutions. For the tale of Shadrach, Meshach and Abed-Nego, this assumption seems reasonable (cp. ch. 1). Nevertheless, nowhere does this narrative give the feeling of an unprecedented crisis. Therefore, if this theory is accepted, one has to argue that this narrative was composed in Aramaic, after the manner of the ancient Daniel tales, at the beginning of the conflict between the Hellenizing priests (the Jason faction, symbolized by the slanderous courtiers) and the traditionalists (represented by the three faithful servants of God; cp. 2 Macc. 4,11-20). Even so, however, one has to admit that the author was acquainted with Babylonian geography ("the valley of Dura", 3,1). Hence the present narrative seems to constitute a rewritten version of an older tale of Babylonian provenience, based on Nabuna'id's stubborn attempts to elevate Sin to the preeminent position of the king of the Gods[44]. The tale of Darius the Mede (Dan 6,1)[45], must have Babylonian roots as well. This tale goes beyond the

43. An expert analysis of the Vahma Yast has been given by Mary BOYCE, *A History of Zoroastrianism*, Vol. I (Handbuch der Orientalistik, I:viii Religion), Leiden, 1975, pp. 285-289.

44. VON SODEN, *op. cit.*, pp. 85-86.

45. The title 'Darius the Mede' is strange, since Darius consistently boasts of being *awēlu parsāya, mār awēlim parsīm* (Darius NRa, l. 6: F.H. WEISSBACH, *Die Keilinschriften der Achämeniden*, Leipzig, 1911, p. 87). However, he is also consistent in referring to his descent from Achaemenes; maybe the title 'the Mede' is no more than a distortion of this title (cp. 9,1). Anyhow, this title needs less explaining than the alleged representation of Gubaru, the Gutian paḫātu of Babylon after Cyrus' conquest (Nabuna'id Chron. III, 21; SMITH, *op. cit.*, p. 113) as Darius the Mede. See D.J. WISEMAN, *Some Problems in the Book*

narrative of Shadrach, Meshach and Abed-Nego, in representing the king, Darius, as friendly to Daniel and willingly recognizing Gods grace to His servant. Maybe it reflects the period of friction between Jason and the High Priest, Onias III (2 Macc. 4,7-10). The Judean, and indeed Jerusalemite, background is obvious in the pericope of the orientation on the Holy City (6,11). On the other hand, this tale is not easily detached from the Belshazzar narrative. One should not disregard the possibility that the original continuation of the Belshazzar tale concerned Cyrus (cp. Dan 1,21; 10,1; Cyrus is still mentioned in the conclusion of this tale, 6,29)[46]. The theme of the temple vessels (5,2-4) is an excellent illustration of the contrast between the Persian rule and its Babylonian predecessor. This hypothetical Cyrus narrative might have been supplanted by the Darius tale in the wake of the events leading to the latter's accession to the throne and the completion of the building of the Second Temple. If this were the case, the present narrative would represent an additional stage of retelling.

It appears, then, that in the Persian period Judean exiles applied Aramaic propaganda tales to their own situation, and created an Aramaic Daniel corpus, which magnified the collapse of the Babylonian empire as the work of God (Dan 2; 4-5). This corpus may have included tales in praise of the Persians (cp. Dan 6). In all likelihood, it already focused on national and religious salvation (cp. Hag 2,20-23).

This is not the place to deal with the vision of the four beasts in Daniel 7. However, the linguistic data assembled in the previous section, suggest that this pericope antedates the Hellenistic period as well. Let us assume that the hope for salvation was renewed and intensified by the meteoric rise of Alexander and his phenomenal conquest of the Persian empire. The symbolic account of these dramatic events in our chapter may have been added to the Aramaic Daniel corpus in order to interpret them in the light of salvation history and eschatology. This assumption is in keeping with the strange motif that only the fourth kingdom, the realm of Alexander, is annihilated (7,11-12), whereas the first three 'kingdoms-monsters' are only said to lose 'empire', but continue to exist[47]. The oriental opposition to the Macedonian conquest used the theme of the four kingdoms for nourishing and spreading the idea that the Greek empire would be overthrown and replaced by an Oriental realm[48]. In coupling Jewish hopes to Oriental

of Daniel, in D.J. WISEMAN, e.a., Notes, pp. 12-16; J.A. MONTGOMERY, A Critical and Exegetical Commentary on the Book of Daniel (ICC), Edinburgh, 1927, pp. 64-65.

46. In 11,1 the LXX and "Theod." have Cyrus (cp. 10,1) for MT drywš (cp. 9,1). This interchange has a graphic aspect as well; MT hmdy might be a doublet of 'mdy (attested by "Theod."; LXX reflects a [pseudo-] variant 'mr).

47. See NOTH, op. cit., pp. 270-271.

48. SWAIN, op. cit., pp. 7-9. We should keep in mind the possibility that this concept served the propaganda of the Parthian empire; on EDDY (op. cit.) see A.K. GRAYSON, Babylonian Historical-Literary Texts, Toronto, 1975, pp. 19-20, n. 29.

propaganda themes, the vision of the four beasts resembles other chapters of the Daniel corpus.

However, this corpus has been transformed by application and reapplication[49]. The contrast between the assumed primary background of these narratives and their present content, is obvious in Daniel 2. The huge statue overthrown by God does not indicate the Neo-Babylonian empire under Nabuna'id, but the Seleucid realm. This is clear because of the references to 'another kingdom', a 'third kingdom' and a 'fourth kingdom' in 2,39-40. Thus, the theme of the four empires has been used by a second-century 'author-reviser' in order to apply this tale to the Seleucid dynasty. By the same token, according to MT as well as the LXX, the humiliating dream of chapter 4 is not related to Nabuna'id but to Nebuchadnezzar. This is not just another instance of the rule that *habenti dabetur*. In focusing all humiliations and threats on Nebuchadnezzar, the narrator turns him into the prototype of Antiochus Epiphanes. The humiliation and downfall of the Neo-Babylonian empire, as predicted in the dreams explained by Daniel, announce the coming fall of the Hellenistic ruler.

Hence, the structure of the Daniel tales is three-dimensional: at the bottom lay the ancient propaganda pieces against Nabuna'id, as told in Aramaic in the South of Babylonia. In the Persian era, these tales were applied by Judean exiles to their own situation, focusing on issues of national salvation (eventually: Dan 2; 4–5). At this stage, there must have been a close connection between the tale of Nabuna'id (ch. 4) and the Belshazzar narrative (ch. 5), since these stories concern father and son, king and co-regent.

At the beginning of the Greek period, this corpus was expanded with a vision concerning the end of the Greek conquest (the core of Daniel 7)[50].

The tales of this expanded corpus have been applied again in the anti-Hellenistic propaganda of the second century. At first, Dan 3; 6 were created, on the basis of traditional tales, apparently in order to strengthen the hearts of those opposing the Hellenizing Jason faction.

49. The general principle has been expounded by I.L. SEELIGMANN, *Voraussetzungen der Midraschexegese*, in *VTSuppl* 1, Leiden, 1953, pp. 150-181; G. VON RAD, *Theologie des Alten Testaments, Teil II: Die Theologie der prophetischen Überlieferungen Israels*, München, 1960, pp. 329-336; P.R. ACKROYD, *The Vitality of the Word of God*, in *ASTI* 1 (1962) 7-23. Regarding the Book of Daniel see in particular J.C.H. LEBRAM, *Zwei Danielprobleme*, in *BiOr* 39 (1982) 510-517, esp. pp. 511-513; M. NOTH, *Studien I*, pp. 289-290; L. DEQUEKER, *The 'Saints of the Most High' in Qumran and Daniel*, in *OTS* 18 (1973) 108-187, esp. pp. 113, 124.

50. E. SELLIN, *Einleitung in das Alte Testament*, Leipzig, 1910, p. 130; see also A. BENTZEN, *Daniel* (HAT), Tübingen, ²1962, pp. 6, 58. On the allusion to Alexander see M. NOTH, *Zur Komposition des Buches Daniel*, in ID., *Gesammelte Studien zum Alten Testament*, II, München, 1969, pp. 11-28, esp. p. 24-25.

One might suggest that at this stage Nabuna'id of chapter 4 was supplanted by Nebuchadnezzar, and the revisers added various references to Antiochus (7,8). This stage must also have witnessed the combination of the Aramaic corpus with the Hebrew visions (chapter 8–10) and the composition of the Hebrew framework (Dan 1,1-21; chapter 11; 2,1-2.4 probably forms the Hebrew translation of the original Aramaic opening of ch. 2). Thus the Daniel tales suggest an ongoing process of Jewish, Midrash-like application and reapplication of a series of Babylonian Aramaic tales.

Which status should we accord to the second-century author of the Daniel Book? It would be wrong to put him down as a reviser or a redactor, for he has created a new, original framework in order to deal with the problems of his times and his convictions. Indeed, it would be preferable to regard him as the final author of a multi-layered book[51]. To speak in terms of the French literary scholar Genette[52], his creation is a 'palimpsest'. Its present form is but a 'hypergraph', on the basis of a previous 'hypogram' – the Aramaic Daniel corpus. Again, this corpus forms another hypergraph, composed on the basis of an additional 'hypogram' – the Aramaic propaganda tales. Thus, the creator of the Daniel book in its present form must be considered a 'palimpsestic author', who used the texts transmitted to him in order to apply them to the situation of his own generation. The process of retelling the story and revising it entails large-scale departures from the original form of the underlying oral narratives. Yet, the stylistic form of the original hypogram still made itself felt in the final crystallization of the tales[53].

A.S. Yahuda 16   F. POLAK
93395 Jerusalem, Israel

---

51. F.H. POLAK, *Biblical Narrative as a Palimpsest: on the Role of Diachrony in Structural Analysis*, in *Amsterdamse Cahiers voor Exegese en Bijbelse Theologie* 9, Kampen, 1988, pp. 22-34, 137 (Dutch, Eng. Summ.).

52. G. GENETTE, *Palimpsestes: La littérature au second degré*, Paris, 1982.

53. The partly preservation of the original diction might be regarded as the result of the conservation of some of the ancient sources. In view of the large extent of narrative integration this approach seems less likely. Probably the authentic diction was convincing enough to influence later narrators. Indeed, some of the original phrases are also present in Dan 7 (*'dyn*, v. 19). The occurrence of *'nh-'mr* in v. 2 is probably secondary: the LXX as well as "Theod." reflect: *'nh dny'l hzh hwyt*. The secondary, formulaic, reading is an obvious indication of the influence of the oral diction.

DANIEL 2 AND DEUTERO-ISAIAH

It is generally accepted that the prophecies of Deutero-Isaiah (Isa 40–55) originate from the beginning of the Persian era. Their author might have been an exiled Jew, an eyewitness of the fall of Babylon in 539 B.C. and of the Persian occupation of Mesopotamia. He refers in his writings more than once to the fall of Babylon and to the person of Cyrus (Isa 41,1-3.25; 45,1-6; 48,14).

As to the book of Daniel, its final shape known to us may have been compiled around 163 B.C.[1]. However, we cannot preclude the possibility that the oracles of the first part of the book (Dan 2, 4, 5) originated from much earlier times. They might have been written – at least in their first account – in Mesopotamia, shortly after the fall of the New-Babylonian kingdom, at the very beginning of the Persian rule in Mesopotamia[2].

The vision of Dan 2 – the immense statue symbolising four successive "rules" (*mlkw*) and crushed by a stone hewn from a mountain – foretells historical events subsequent to the reign of Nebuchadnezzar. The fourth "rule" is succeeded by a fifth, everlasting reign (*mlkw*) ordained by God. The oracle of Dan 2 apparently is not interested in the early history of Israel; none of the four "reigns" can be identified with any period of the history of Israel. According to the pishra, i.e. the interpretation of the vision, the head of the statue symbolises Nebuchadnezzar ('*nth mlk*'... '*nth-hw' r'šh dy dhb'*, Dan 2,37–38), therefore the first "reign" can be identified either with the reign of Nebuchadnezzar[3], or, according to the generally accepted interpretation, based on the commentary of Saint Jerome[4], with the New-Babylonian empire. According to the latter interpretation the subsequent "reigns", symbolised by different parts of the statue, have been generally identified with the Median, Persian and Greek, i.e. Hellenistic kingdoms. The text of the interpretation of the fourth "reign" (vv. 40-42) clearly refers to certain events of the Seleucid kingdom, to the marriage link between the Seleucid and Ptolemaic houses and to the conflict between the two

---

1. On the fixing of the date for the compilation of the Danielic collection see O. EISSFELDT, *Einleitung in das Alte Testament unter Einschluß der Apokryphen und Pseudepigraphen*, Tübingen, ³1964, p. 705.

2. M. NOTH, *Zur Komposition des Buches Daniel*, in *ThStKr* 98-99 (1926) 143-160; B.D. EERDMANS, *The Religion of Israel*, Leiden, 1947, pp. 22-277; E. BICKERMAN, *Four Strange Books of the Bible*, New York, 1967, ch. "Daniel".

3. E. BICKERMAN, *op. cit.*, p. 65.

4. HIERONYMUS, *Commentar. libri Danielis*, ed. J.P. MIGNE, *Patrologia Latina*, t. XXV, Paris, 1845, cols. 528-534.

kingdoms in the middle of the 3rd century B.C.[5]. Apart from the above mentioned historical reference there is no other element in the text referring to the Hellenistic era[6].

A detailed analysis of the vocabulary and the analysis of the literary motifs of the story of Dan 2 indicate a Mesopotamian background of the oracle. The names of the different sorts of interpreters of dreams (*ḥrṭmym, 'špym, mkšpym, kśdym,* Dan 2,2 et passim), the term and method of pishra (akk. *pišru*)[7] refer to a good knowledge of the author of Dan 2 of the Mesopotamian tradition of interpretation of dreams. The dateline of the story and the words describing the troubled mind of Nebuchadnezzar following the dream (*wttp'm rwḥw wšntw nddh 'lyw,* Dan 2,1) show a remarkable resemblance with the expressions of the texts describing the dreams of the last New-Babylonian king, Nabunaid[8]. The motif of the non-related dream and its interpretation (the interpreter re-dreams the vision and then interprets the dream) might have originated, too, from the Mesopotamian tradition of interpretation of dreams. The interpretation of re-dreamed dreams is documented in the Mesopotamian literature of interpretation of omina[9].

Nevertheless the oracle of Dan 2 reflects a typically Jewish perspective. It bears an anti-pagan propaganda (fall of the idol) and foretells the fall of pagan kingdoms and the coming of a rule ordained by Yahweh. For a Jew the first "reign", i.e. the reign of Nebuchadnezzar or the New-Babylonian kingdom, was the period of the Exile, a period beginning with the destruction of the Temple of Jerusalem. According to the vision of Dan 2 the period of the "four reigns" symbolised by the same motif (the immense idol) ends in a downfall, symbolised by the collapse of the statue. The collapse of the statue marks a historical turning-point; it is followed by a new era, fully different from the preceding four reigns.

Considering the Mesopotamian elements of the story and its anti-pagan propaganda, there is reasonable ground for supposing that the oracle of Daniel 2 in its present form might be a reworked text of a

5. E. BICKERMAN, *op. cit.,* p. 70; M. HENGEL, *Jews, Greeks and Barbarians,* London, 1980, p. 29; p. 147 n. 46.

6. K.A. KITCHEN, *The Aramaic of Daniel,* in D.J. WISEMAN and al. (eds.), *Notes on Some Problems in the Book of Daniel,* London, 1965, pp. 31-79, is of the opinion that the text may have originated from the Persian period in the 4th century B.C.

7. A. SZÖRÉNYI, *Das Buch Daniel, ein kanonisierter Pescher?,* in *SVT* 15 (1966) 278-294.

8. See S. LANGDON, *Die neubabylonische Königsinschriften,* Leipzig, 1912, pp. 219-229; see also W. VON SODEN, *Eine babylonische Volksüberlieferung von Nabonid in den Danielerzählungen,* in *ZAW* 53 (1935) 81-89.

9. See A.L. OPPENHEIM, *The Interpretation of Dreams in the Ancient Near East. With a Translation of an Assyrian Dream-Book* (Transactions of the American Philological Society), Philadelphia, 1956, pp. 229, 299; see also I. FRÖHLICH, *Sources et composition du ch. 2 du Livre de Daniel,* in *Annales Universitatis R. Eötvös,* Sectio Philologica, t. IX–X (1982-1985), pp. 33-40.

Babylonian Jewish oracle originating from the time of the beginning of the Persian rule, shortly after the fall of the Babylonian kingdom. The verses 42-44 in the text of Dan 2 seem to be a Hellenistic interpolation, the amplification of an earlier interpretation (the introducing words of v. 42 repeat the introducing words of v. 41).

Re-interpretation of oracles is a typical character of vaticinations; when the time or the events predicted by the oracle passed and the oracle was not fulfilled, a new term was calculated and the text was altered[10]. Josephus Flavius (Ant. XI,8, § 337) relates that the oracles of Daniel were shown to Alexander the Great when the latter arrived at Jerusalem. Although the historical reality of the scene described by Josephus seems to be highly dubious, Josephus refers to a real practice, to the reinterpretation of earlier oracles, making them conform to actual situation.

Assuming that the author of the first account of the oracle of Dan 2 was a Jew living in Mesopotamia at the beginning of the Persian era, the historical turning-point symbolised by the collapse of the idol must have been the fall of the New-Babylonian empire, and the fifth "reign" (mlkw) and the beginning of a new era stood for the Persian rule. The stone hewn from a mountain and crushing the idol (Dan 2,34-35) originally may have symbolised Cyrus (the details of the image of the stone hewn from a mountain fit in well with the geographical milieu of the Persian empire, as its historical-geographical nucleus was the Iranian plateau). According to Dan 2 the stone – i.e. Cyrus – is the medium of Yahweh to destroy the four pagan "reigns" symbolised by the idol and to introduce a new rule, supported by Yahweh.

The role of Cyrus in destroying the New-Babylonian kingdom is appreciated by Deutero-Isaiah very similarly to the author of Dan 2. In the prophecies of Deutero-Isaiah Cyrus is a ruler ordained by Yahweh (kh-'mr yhwh lmšyḥw lkwrs) and supported by Yahweh ('šr-hḥzqty bymynw, Isa 45,1). He is conducted in his combat by Yahweh (45,1-2) and he is the medium of the liberation of Israel from the Exile (Isa 45,4) (see also Isa 44,21-28, where Cyrus is called the "shepherd" of Yahweh).

Besides the above mentioned similarity of the view of Deutero-Isaiah and the author of Dan 2 concerning the role of Cyrus in history, there are other common motives in Dan 2 and Deutero-Isaiah and these similarities might refer to a common cultural and historical background of the two works.

In Dan 2 the chief motive of the story is the image of the immense statue (ṣlm) made of different materials (zhb, ksp, nhš, przl, ḥsp, Dan

---

10. O. PLÖGER, Das Buch Daniel (KAT 18), Gütersloh, 1965, p. 143, is of the opinion that Dan 8,9 and 10-12 are oracles about the same event, written in different times, with different calculations. See also J.J. COLLINS, The Apocalyptic Vision of the Book of Daniel (Harvard Semitic Monographs), Missoula, MT, p. 154.

2,31-33) and symbolising four subsequent pagan "reigns", the first of which is the reign of Nebuchadnezzar. The fall of the statue means the end of the pagan kingdoms and the beginning of a kingdom of God. The idol (*psl*) is a very frequent motive in Deutero-Isaiah. Idols are diametrically opposed to Yahweh, the creator of the world and men, the ruler of history. Yahweh as creator is usually mentioned in the terms of Gen 1: *mdd... mym wšmym* (Isa 40,12; 41,4), *br' hšmym wnwṭyhm rq', h'rṣ wṣ'ṣyh, ntn nšmh l'm 'lh* (Isa 42,5), *nwṭh... šmym* (Isa 40,22), *br' qṣwt h'rṣ* (Isa 40,28-31). Idols are made by men (Isa 40,19; 44,9-17; 45,16; 46,6); as creatures of men they are necessarily inferior to Yahweh. They cannot see, nor hear, they have no wisdom (40,19; 44,18; 45,20), they cannot save their followers (Isa 45,20; 46,6). Men have made idols so that they "will remain secure" (*l' ymwt*, Isa 40,20; 41,7) – for all that they fall and their falldown symbolises in Deutero-Isaiah the fall of the New-Babylonian kingdom: "Bel has crouched down, Nebo stooped low... they... go into captivity (*kr' bl, qrs nbw... bšby hlkh*, Isa 46,1-2). The fall of idols, i.e. the fall of Babylon, is for Deutero-Isaiah a positive proof of the powerlessness of the idols and a proof of the omnipotence of Yahweh: Babylon could not avoid its destiny, its idols go into captivity.

Deutero-Isaiah refers several times to the omnipotence of yahweh. He has the power to cause changes in the world order, to "open rivers on the arid heights", "turn the desert into pools" (Isa 41,18-19), to "lay waste mountain and hill" (Isa 42,15) (see also Isa 40,2; 43,19-20; 44,3; 44,27; 50,2; 51,10). He has the universal knowledge to foretell things (Isa 42,9; 43,11; 45,19.21). He is the ruler of history, he has the power to change the situation of persons and nations: "he reduces the great to naught and makes earthly rulers as nothing" (Isa 40,23-24), "... making nations his subjects" (Isa 41,2) (see also 41,11; 45,14-17). He has the power to save his people, the elect (*bḥyr*, Isa 44,2). Deutero-Isaiah calls Yahweh *mwšy'* (45,21; 43,1-7), *g'l* (44,6-8.24), *'zr*, "protector" (41,13-14) (see also 47,17; 46,13). He has the power to release Israel from the Babylonian exile, to cause a turning-point in history. The mediums of this turning-point are either Israel itself ("... I shall make of you a sharp threshing-sledge", Isa 41,14-16; see also 41,25-26) or the Persian Cyrus (Isa 41,1-4; 45,1; 48,14-15).

The poetical images expressing the turning-point in history used by Deutero-Isaiah are:

a) the image of cosmic change with a meaning of political change (Isa 42,15-17; 43,20-21);

b) the image of perishableness and fading. Human beings are more than once mentioned by Deutero-Isaiah as perishable beings, in contrast to Yahweh and his word: "... man who must die, who must perish like grass" (Isa 51,12); "all mortals are grass, they last no longer than a wild flower of the field" (Isa 40,6-8). The image of perishableness as symbol of the fall of earthly rulers and rules appears in other places of the text: "... and a whirlwind carries them off like *chaff* (*ws'rh kqš tś'm*, Isa 40,23-24). The triumph of Cyrus over earthly kings is depicted by the same poetical image: "He scatters them with his sword like dust and with his bow like *chaff* driven before the wind (... *ytn k'pr hrbw kqš qštw*, Isa 41,2). The Babylonian astrologers and star-gazers "are like stubble and fire burns them up" at the time of the fall of Babylon (*hnh hyw kqš 'š śrptm*, Isa 47,14).

As to Dan 2, its author holds similar views concerning Yahweh as Deutero-Isaiah. In Dan 2 Yahweh is ruler of the time, he fixes the periods (*whw' mhšn' 'dny' wzmny'*, Dan 2,21). He gives wisdom to men (*mh'dh mlkyn, yhb ḥkmt lḥkymyn wmnd'', lyd'y bynh*, Dan 2,21.23) and reveals hidden things (*hw' gl' 'myqt' wmstr' yd' mh bḥšk' wnhyr' 'mh šr'* (Dan 2,2), he is "who reveals secrets" (*gl' rzyn*, Dan 2,28; see also 2,45.47). Yahweh is the ruler of history, governing earthly rulers: *mhqyn mlkyn* (Dan 2,21), *mr' mlkyn* (Dan 2,47). He has the power to cause a turning-point in history: "the God of heaven will establish a kingdom which will never be destroyed" (*yqym 'lh šmy' mlkw dy l'lmyn l' tthbl*, Dan 2,44).

The medium of Yahweh in causing a turning-point is the stone hewn from a mountain by no human hand, i.e. Cyrus. The ruin of the fourth "reign", the end of the period of pagan kingdoms, is depicted in Dan 2 by the same image as the fall of the New-Babylonian kingdom is depicted in Deutero-Isaiah: "... then the iron, the clay... were all shattered into fragments, and as if they were *chaff* from a summer threshing-floor the wind swept them away until no trace of them remained" (*b'dyn dqw kḥdh przl' ḥsp'... whww k'wr mn-'dry-qyṭ wnś' hmwn rwḥ'*, Dan 2,35).

The perishing Babylonian kingdom by Deutero-Isaiah and the collapsing four reigns in Dan 2 which have been gone with the wind like chaff, may have been elements of a common poetical language of the Babylonian Jewish diaspora of the early Persian period. This common image, together with other elements – certain similarities in the views of Daniel and Deutero-Isaiah concerning history and the historical turning-point, the Mesopotamian elements of Dan 2 – leads us to believe that the oracle of Dan 2 originated in its first account from a Babylonian Jewish circle which may have been close to that of Deutero-Isaiah.

Eötvös Loránd University   Ida FRÖHLICH
Dep. of Ancient History
H-Budapest, P.O.B. 107 H-1364

GENÈSE 41 ET DANIEL 2: QUESTION D'ORIGINE

Nous avons souvent été impressionné, comme plusieurs avant nous[1], par les nombreux points communs entre Genèse 41 et Daniel 2. Nous avons lu à plusieurs reprises dans les commentaires du livre de Daniel que Genèse 41 était le modèle de Daniel 2[2]. Nous savons bien qu'il est toujours délicat d'affirmer le sens d'une dépendance entre deux textes. Nous comprenons aussi qu'il est tout naturel, dans le cas présent, de conclure que Daniel dépend de Genèse et non l'inverse. Cette «compréhension» – faudrait-il dire préjugé? – nous a parfois agacé. Faut-il nécessairement considérer l'histoire de Joseph par rapport au livre de Daniel dans une relation de grand à petit frère, comme les études du livre de Daniel le proposent? Les deux récits ne seraient-il pas plutôt dans une relation d'égalité, tous deux nés à la même époque?

Nous nous limiterons à deux angles d'approche seulement: a) la ressemblance et le message général de l'histoire de Joseph et du livre de Daniel; b) la ressemblance et le message de Gn 41 et Dn 2. Cela nous permettra à la fin de suggérer une certaine orientation quant à l'étude des origines de ces deux textes de la Bible.

1. *Joseph et Daniel, la ressemblance*

Nous commençons par quelques points communs entre les deux héros, Joseph et Daniel. Deux jeunes hébreux. Joseph est vendu en Égypte, Daniel est exilé à Babylone. D'après la description que le roi Nabuchodonosor donne à son chef de personnel pour choisir les quelques fils d'Israël qu'il faudrait ramener à Babylone «pour qu'ils se tiennent dans le palais du roi et qu'on leur enseigne la littérature et la langue des Chaldéens», Daniel devait être «sans défaut, beau à voir,

---

1. Voici quelques titres: STADE, Bernhard, *Geschichte des Volkes Israel*. Allgemeine Geschichte in Einzeldarstellungen, Berlin, Baumgärtel, 1887; F.W. FARRAR, *The Book of Daniel* (The Expositor's Bible), New York, A.C. Armstrong & Son, 1895, pp. 84s; R.H. CHARLES, *A Critical and Exegetical Commentary on the Book of Daniel*, Oxford, Clarendon Press, 1929, p. 24; E.W. HEATON, *The Book of Daniel*. Introduction and Commentary (Torch Bible Commentaries 23), London, SCM Press, 1956; J.J. COLLINS, *Daniel with an Introduction to Apocalyptic Literature* (The Forms of the Old Testament Literature 20), Grand Rapids, Eerdmans, 1984, p. 50.

2. Par exemple, A. LACOCQUE, *Le livre de Daniel* (Commentaire de l'Ancien Testament 15b), Paris, Delachaux et Niestlé, 1976: «Daniel est la réplique de Joseph au VIe siècle av. J.C.» (p. 33); Daniel serait un midrash de Gn 41 (p. 41); COLLINS, 1984: «the approval of dreams has a precedent in the Joseph story», p. 35. Et dans une étude sur l'histoire de Joseph: C. WESTERMANN, *Genesis*. Kapitel 37-50 (BKAT I/3), Neukirchen-Vluyn, Neukirchener Verlag, 1982: «...im Danielbuch, das in vielem die Josephgeschichte voraussetzt», p. 96.

instruit en toute sagesse, expert en savoir, comprenant la science et ayant en lui la vigueur». (1,4) L'histoire de Joseph ne nous livre pas une telle description de son héro. Elle nous dit tout de même que Joseph était un homme efficace et «beau à voir» (39,1-6.23). Il a dix-sept ans quand il est vendu en Égypte (37,2), il en a trente quand il apparaît devant Pharaon (41,46), et il a passé les années entre ces deux événements au service de Potiphar, soit dans son palais, soit dans ses cachots.

La beauté de Joseph lui attire un conflit majeur avec son maître à cause de l'épouse de ce dernier; néanmoins cette situation sert le plan de Dieu. Chez Daniel la beauté n'est pas indépendante de la présence de Dieu; sa beauté en effet s'explique par sa fidélité aux prescriptions alimentaires de sa religion. Affirmer la beauté du héro, autant dans le livre de Daniel que dans l'histoire de Joseph, est en quelque sorte une autre manière de dire que Dieu est avec lui[3].

Les deux, Joseph et Daniel, affichent le souci de rester fidèles à leur Dieu. Joseph refuse d'aller avec la femme de son maître, alléguant comme raison, non seulement l'honnêteté qu'il doit à son maître mais aussi sa fidélité à Dieu (39,9). Daniel demande une diète qui respecte la Loi (1,8)[4].

Daniel et Joseph sont tous deux vaguement présentés en rapport avec le sacerdoce. Bien que n'étant pas présent à la convocation du roi au chapitre 2, Daniel est associé au groupe de sages que le roi consulte en quête d'une explication de son rêve car sa vie à lui aussi est mise à mort à cause de l'incapacité de ces sages d'éclairer le roi. Des «chaldéens» font partie de ce groupe. N. Porteous[5] affirme que ce sont les prêtres de Babylone qui se réclamaient de descendance chaldéenne. En faisant partie de ce groupe de sages qui comptent des chaldéens, Daniel reçoit une certaine couleur sacerdotale. A. Lacocque fait remarquer aussi que la description de Daniel nous situe dans un contexte sacerdotal pro-

---

3. La Bible souligne aussi la beauté de Saül (1S 9,2; 10,23) et de David (1S 16,18). Cf. A. Lacocque, op.cit., p. 34. Dans le Testament de Joseph (3,4), nous lisons: «Pendant ces sept années, je jeûnai, et l'Egyptien croyait que je vivais dans les plaisirs, car ceux qui jeûnent à cause de Dieu ont un visage grâcieux», La Bible. Écrits intertestamentaires (La Pléiade), Paris, Gallimard, 1987.

4. Pour Daniel, cette fidélité est une manière de marquer sa séparation des païens, comme c'est le cas du peuple Juif (cf. N. Porteous, Daniel. A Commentary (OTL), London, SCM Press, p. 31), et aussi de noter la puissance de Dieu (cf. R.A. Anderson, Daniel. Signs and Wonders (ITC), Grand Rapids, Eerdmans, 1984, pp. 6s). Pour Joseph il faut y voir le respect d'une loi plus générale, l'adultère n'étant pas une faute condamnée par la loi d'Israël uniquement. Cf. Westermann, pp. 65s contre Gunkel (Genesis (GHAT 1), Göttingen, Vandenhoeck & Ruprecht, 6. Auflage, 1964, p. 423) qui accuse la luxure de la femme et souligne la chasteté de Joseph. Cf. G.W. Coats, From Canaan to Egypt. Structural and Theological Context for the Joseph Story (CBQ MS 4), Washington, CBAA, 1976, p. 89.

5. Op. cit., p. 28.

noncé. «La qualité 'sans défaut' rappelle le prêtre israélite (Lv 21,17-23) ou les animaux pour le sacrifice (Lv 22,17-25)»[6]. Pour Joseph le rapport à la classe sacerdotale est indiqué par son mariage à la fille d'un prêtre de Ône (41,45)[7].

Daniel est introduit à la cour du roi dès son arrivé en exil. Joseph y accède par sa capacité d'interpréter les songes. Les deux obtiennent un poste dans le gouvernement suite à leur juste lecture des rêves du roi. Joseph connaît la prison en Égypte. Il descend au plus bas niveau social avant de monter au plus haut rang qui lui soit permis. Daniel est en danger de mort quelques temps à cause de l'incapacité des devins du roi de lui rappeler ses songes. Il passe d'une vie menacée à une douce sécurité comme surintendant des sages de Babylone, ayant autorité sur toute la province de Babylone[8].

Daniel trouve grâce auprès du préposé au personnel ce qui lui permet de ne pas déroger aux lois alimentaires de son peuple (1,9). Joseph est également favorisé par ses maîtres, d'abord Potiphar (39,4), puis le commandant de la prison (39,21) et enfin Pharaon (41,37s)[9].

Enfin, comme autre point commun très général, Daniel et Joseph sont une figure qui peut représenter tout Israël avec ses difficultés à s'intégrer dans un monde qui respecte si peu sa foi[10].

2. *Joseph et Daniel, le message*

Ces deux livres se ressemblent beaucoup également dans le message qu'ils véhiculent. Nous nous intéressons ici au récit complet de chaque personnage et non aux détails particuliers de chaque chapitre de ces deux histoires. Nous commençons par l'histoire de Joseph.

Nous avons la chance de trouver dans l'histoire de Joseph deux courts textes qui résument très bien son message central:

> Mais ne vous affligez pas maintenant et ne soyez pas tourmentés de m'avoir vendu ici, car c'est Dieu qui m'y a envoyé avant vous pour vous conserver la vie. C'est en effet la seconde année que la famine sévit au cœur du pays et, pendant cinq ans encore, il n'y aura ni labours ni

---

6. *Op. cit.*, p. 33.

7. Cf. F. DELITZSCH, *A New Commentary on Genesis*. Vol. II (Clark's Foreign Theological Library 37), Edinburgh, T. & T. Clark, 1894, p. 303.

8. VON RAD, *Das Erste Buch Mose. Genesis* (ATD 2-4), Göttingen, Vandenhoeck & Ruprecht, 11. Auflage, 1981: «Es fällt auf, wie unbefangen diese im Blick auf den Glauben doch nicht unbedenkliche Eingliederung Josephs in den ägyptischen Hof erzählt wird. Es spiegelt sich darin eine weltoffene Zeit, die glaubensmäßig mit dem Heidentum noch keine negativen Erfahrungen gemacht hat», p. 309. Pour Daniel par contre, continue von Rad, le changement de nom veut marquer le sérieux de sa présence à la cour païenne. Dans le cas de Joseph on comprend que von Rad était influencé par la date ancienne traditionnellement attribuée au récit J.

9. Cf. LACOCQUE, p. 36; HEATON, p. 120.

10. Cf. LACOCQUE, p. 38.

moissons. Dieu m'a envoyé devant vous pour vous constituer des réserves de nourriture dans le pays, vous permettre de vivre et à beaucoup d'entre vous d'en réchapper. Ce n'est donc pas vous qui m'avez envoyé ici, mais Dieu. Il m'a promu Père de Pharaon, maître de toute sa maison et régent de tout le pays d'Égypte. 45,5-8

Joseph leur répondit: «Ne craignez point. Suis-je en effet à la place de Dieu? Vous avez voulu me faire du mal, Dieu a voulu en faire du bien: conserver la vie à un peuple nombreux comme cela se réalise aujourd'hui. 50,19-20

Ces deux textes des chapitre 45 et 50 sont associés à la réconciliation entre Joseph et ses frères, de sorte que l'on peut être tenté de croire que cette réconciliation constitue le véritable message des récits sur Joseph. La majorité des commentateurs de fait voient dans cette réconciliation la première raison d'être de l'histoire de Joseph et ses frères. G.W. Coats l'affirme clairement: «The two principal goals in the plot of the Joseph story, to describe reconciliation in a broken family despite the lack of merit among any of its members and to depict the characteristics of an ideal administrator, have theological roots»[11]. Le premier message selon lui est de présenter une réconciliation familiale. Un deuxième message est de présenter dans la figure de Joseph un administrateur idéal.

On sent l'influence de Coats sur Westermann qui affirme lui aussi que le premier but de l'histoire de Joseph est de présenter la réconciliation. Il situe cette réconciliation sur l'arrière-fond du début de la monarchie en Israël. Il voit deux cycles dans les chapitres sur Joseph: a) une série de textes qui portent sur une histoire familiale (les chapitres 37 et 42-45: le conflit entre Joseph et les frères qui résulte en son déménagement en Égypte comme esclave et les retrouvailles de Joseph avec ses frères, c'est-à-dire les deux voyages des frères en Égypte et le jeu de Joseph qui conduit au dévoilement de son identité); b) et une autre série sur une histoire politique (les chapitres 39-41: le sort de Joseph en Égypte comme esclave jeté en prison et finalement installé comme bras droit de Pharaon)[12]. La première histoire selon Westermann représente le temps de vie nomade des patriarches (Joseph et ses frères) et la seconde le début de la monarchie au temps de David et Salomon (Joseph à la cour de Pharaon). Joseph est ainsi présenté comme personnage de transition entre ces deux périodes de l'histoire d'Israël. Pour Westermann ces deux récits sont unifiés par l'affirmation de la présence de Dieu dans les deux situations: c'est Dieu qui rend possible la réconciliation familiale et c'est Dieu aussi qui permet une saine administration royale. Ainsi le but de l'auteur, toujours selon Westermann, est de dire que l'essentiel de la

11. P. 89.
12. Pour Coats cette deuxième histoire politique constitue une digression dans le premier récit de rupture et de réconciliation familiale. Cf. pp. 19-27.

relation à Dieu, telle que vécue au temps des patriarches, devrait continuer dans la nouvelle époque marquée par la royauté et par un culte pratiqué dans un seul endroit[13].

De fait il est possible, et il est bien de le faire, d'élaborer une sérieuse réflexion sur le sens et la dynamique du pardon et de la conversion à partir de l'histoire de Joseph[14]. Mais là ne réside pas, croyons-nous, le premier message de cette histoire. Nous remarquons en effet que dans la première scène de réconciliation entre Joseph et ses frères, il n'est aucunement question du péché des frères (45,5-8). La confession de leur faute a eu lieu au chapitre précédent, de manière indirecte, dans le discours que Juda tient à Joseph au sujet de son obligation de ramener Benjamin à son père (44,18-34).

> Juda répondit: «Que pourrions-nous dire à mon seigneur? Quelles paroles prononcer? Quelles justifications présenter? C'est Dieu qui a mis à nu la faute de tes serviteurs. Nous voici les esclaves de mon seigneur, nous-mêmes et celui chez lequel on a trouvé le bol.» 44,16

Suite à ce discours de Juda Joseph n'en peut plus de jouer le jeu du souverain maître égyptien. Quand il prend la parole pour se faire reconnaître par ses frères, ce n'est pas pour accuser leur faute ou pour leur rappeler leur méchanceté. Non, Joseph situe leur action sur un plan plus large qui dépasse leur délit: «Ne vous affligez pas maintenant et ne soyez pas tourmentés de m'avoir vendu ici, car c'est Dieu qui m'y a envoyé avant vous pour vous conserver la vie.» (45,5)

C'est dans cet élargissement de perspective qu'il faut situer toute l'histoire de Joseph. L'auteur a d'abord l'intention d'inviter ses lecteurs à élargir leur point de vue sur l'histoire qu'il vient de déployer devant eux, et par conséquent, sur leur propre histoire. Le message principal de cette histoire n'en est pas un de réconciliation familiale. L'auteur veut que le lecteur saisisse que le plan de Dieu est plus large que les petits événements quotidiens de la vie de chaque personne. Dans le cas de la famille de Joseph, le délit des frères importe moins que le plan que Dieu accomplit en se servant de ce délit. Cette considération plus vaste empêche Joseph de retenir son pardon et les frères leur conversion. Le

---

13. P. 288: «Der Erzähler hatte aber mit Joseph als Gestalt in der Mitte zwischen den Epochen seiner Zeit auch etwas Positives sagen wollen: Mit dem, was er von Gott und seinem Wirken sagt, und dem, was er den Menschen in der Josepherzählung bedeutet, bringt er zum Ausdruck, daß die grundlegenden Elemente der Gottesbeziehung in die neue Epoche einer wesentlich vom ortsgebundenen Kult bestimmten Religionsform mitgehen können und sollen.» Comme nous l'avons indiqué pour von Rad plus tôt, Westermann est probablement aussi marqué par la datation ancienne du récit J de l'histoire de Joseph.

14. Les plus belles pages sur ce thème sont celles de A. SCHENKER, *Chemins bibliques de la non-violence*, Chambray, C.L.D., 1987, pp. 13-40; voir surtout les dix points de sa conclusion aux pages 38-40.

thème de la réconciliation est donc au service du premier message: Dieu accomplit son plan de salut dans l'histoire. Rien ne peut lui résister.

Pour le livre de Daniel, le message se dégage le mieux sous l'angle de son contexte historique. Le livre a été complété avant la mort d'Antiochus Épiphane IV en 164 av. J.C.[15]. Le peuple juif subit une persécution religieuse violente de la part de ce roi. Le but des histoires sur Daniel est de consoler le peuple dans sa misère et de l'exhorter à rester fidèle[16]. Cela est fait à travers tout le livre, autant dans les récits des chapitres 1-6 que dans les apocalypses des chapitres 7-12, en présentant la maîtrise de Dieu sur l'histoire humaine. Aux nombreuses questions que les fidèles juifs pouvaient poser devant leur situation, le livre de Daniel répond catégoriquement: Dieu est le maître et il achemine inévitablement son peuple vers une grande victoire un jour. Le Juif pouvait se questionner: quel est le sens de cette situation de persécution? Jérusalem a été complètement détruite et le peuple exilé il y a moins de 500 ans. Tout a été reconstruit avec peine et misère. Voilà maintenant que notre religion nous est devenue impossible. Dieu a-t-il abandonné son peuple? Que sont devenues les promesses des prophètes du retour de l'exil, les derniers prophètes? La réponse que procure le livre de Daniel à toutes ces questions est claire. L'événement présent n'est pas le dernier mot de Dieu. Il faut savoir emprunter un regard plus large pour considérer la situation. Le personnage du livre de Daniel est un exemple pour les individus dans le peuple. Il faut rester fidèle coûte que coûte à la religion des pères. Comme dans l'histoire de Joseph, la figure de Daniel est au service d'un message plus global qui dépasse les événements racontés à son sujet, qui importe davantage.

3. *Genèse 41 et Daniel 2, la ressemblance*

Si l'on concentre notre attention sur les chapitres de Genèse 41 et Daniel 2 maintenant, on remarque également une grande proximité entre les deux héros et entre les deux récits.

L. Heaton, dans son commentaire du livre de Daniel[17], affirmait que Gn 41 avait servi de modèle à l'auteur de Dn 2. P.R. Davies[18] est d'accord avec lui. Il note les points communs suivants:
1. Le roi a un rêve (Gn 41,1, Dn 2,1).
2. Le rêve inquiète le roi (41,8; 2,1).

---

15. Cf. C. SAULNIER, *Histoire d'Israël*. De la conquête d'Alexandre à la destruction du temple (Etudes annexes de la Bible de Jérusalem), Paris, Cerf, 1985, pp. 116-120 pour une description plus précise de la situation historique. Aussi A. LACOCQUE, *Daniel et son temps* (Le Monde de la Bible), Labor et Fides, 1983, pp. 18-34.

16. A. LACOCQUE, *Le livre de Daniel*, pp. 184-185.

17. *Op. cit.*, cf. note 1.

18. P.R. DAVIES, *Daniel. Chapter Two*, in *JTS* 27 (1976) 392-401.

3. Les sages du roi ne peuvent interpréter le rêve (41,8; 2,10-11).

4. Un membre de la cour présente un captif hébreu inconnu (41,9ss; 2,25).

5. Le héro a confiance que Dieu lui révélera le sens du rêve (41,16; 2,27ss).

6. Le héro affirme que Dieu a révélé l'avenir au roi (41,25.28; 2,45).

7. Le héro réussit et est élevé (41,39-40; 2,48).

Cette liste ne manque pas d'impressionner. Elle identifie une intrigue commune aux deux récits: même genre de problème, même genre de solution au problème, même genre de récompense du héro, etc. Vraiment, le parallélisme est frappant. On peut y ajouter deux détails: les deux récits s'ouvrent par une note temporelle: «au bout de deux ans» (Gn 41) et «la deuxième année de règne» (Dn 2). Dans les deux récits il y a non seulement l'élévation du héro, mais aussi une reconnaissance de la présence de la divinité avec le héro: Pharaon reconnaît que l'Esprit de Dieu est en Joseph, comme en nul autre (41,38); Nabuchodonosor se prosterne devant Daniel (2,46)[19].

4. Genèse 41 et de Daniel 2, le message

Dans son commentaire de la Genèse du point de vue de la structure des textes[20] Coats continue à considérer les chapitres 39-41, que Westermann qualifie d'histoire politique, comme une digression à l'histoire familiale, qui comprend les chapitres 37 et 42-45. Dans cette digression le chapitre 41 constitue le point sommet. C'est dans ce chapitre en effet que Joseph sort de prison et est élevé par Pharaon au rang de second dans tout le pays d'Égypte. Le sens de cette digression selon Coats est de peindre la figure d'un administrateur idéal. En Gn 41 Joseph est récompensé pour son travail de fidèle serviteur auprès de Potiphar et du commandant de la prison.

Westermann reconnaît que Gn 41 est central dans l'histoire de Joseph. Il affirme sa conviction que la motivation profonde de cette histoire politique se trouve dans les tensions causées par les débuts de la monarchie en Israël. Ces tensions sont exprimées dans la question des frères en 37,8: «Voudrais-tu régner sur nous en roi ou nous dominer en maître?» Ainsi Gn 41, et 39-40 qui précèdent, répond à cette question en établissant Joseph dans un poste où il pourra régner sur ses frères avec compétence[21].

---

19. Comme nous l'avons déjà indiqué plus haut, dans les deux récits le héro est dans une situation désespérée: Joseph est en prison sans espoir d'en sortir; Daniel est menacé de mort à cause de l'ordre du roi.

20. G.W. COATS, *Genesis with an Introduction to Narrative Literature* (The Forms of the Old Testament Literature 1), Grand Rapids, Eerdmans, 1983.

21. «In der Mitte der Josephgeschichte steht dieses Kapitel 41, an deren Anfang die zornige Frage der Brüder Josephs stand: «Willst du etwa König verden über uns?» und

Ni Coats ni Westermann ne négligent de souligner la référence que
fait Joseph à Dieu dans son interprétation des rêves. Mais ils ne
poussent pas cette observation plus loin. Nous croyons qu'il aurait fallu
le faire. Il faut remarquer que dans ce chapitre 41 le mot Elohim revient
à 9 reprises. C'est impressionnant dans un récit où ce mot n'est utilisé
que 30 fois en 10 chapitres[22]. Et si on accepte, avec raison croyons-
nous, la proposition de Westermann que l'histoire de Joseph comprend
seulement les chapitres 37.39-45, que le reste est mélangé à des récits qui
concluent le cycle de Jacob, il ne reste plus que 19 emplois du nom
Elohim dans «die Josephgeschichte im engeren Sinn»[23]. Gn 41 compte
donc 9 des 19 attestations du nom Elohim dans tous les textes de
l'histoire de Joseph. C'est presque la moitié. Considérant que le nom
YHWH n'est attesté que dans le chapitre 39 de l'histoire de Joseph[24].
la remarque ne peut manquer d'impressionner[25]. Pourquoi l'auteur a-t-
il utilisé le nom Elohim tant de fois dans le chaptre 41?

Ces 9 attestations sont distribuées de la manière suivante: v.16:
Joseph affirme à Pharaon sa confiance que Dieu saura lui répondre;
vv.25.28: Joseph informe Pharaon que Dieu lui a révélé, par ses rêves,
ce qu'il va faire; v.32 (2x): Joseph confirme que Dieu est fermement
décidé à accomplir ce qu'annoncent les rêves[26]; vv.38.39: Pharaon
reconnaît que Dieu est avec Joseph; vv.51.52: Joseph nomme ses fils en
faisant appel à l'action de Dieu dans sa vie. Cinq des neuf emplois sont
directement reliés aux rêves de Pharaon (16.25.28.32.32), deux leur sont
rattachés indirectement (38.39) et deux sont d'un autre contexte (51.52).
Au chapitre 40, v.8, l'emploi du mot Elohim sert le même motif, mais

---

an deren Ende der aus dieser Frage erwachsende Bruch in der Familie Jakobs dadurch
geheilt werden kann, daß Josephs in königlichem Auftrag durchgeführte Maßnahme auch
das Leben seiner Familie bewahrt», p. 102.

22. Gn 39,9; 40,8; 41,16.25.28.32.32.38.39.51.52; 42,18.28; 43,29; 44,16; 45,5.7.8.9;
46,2; 48,9.11.15.15.20.21; 50,19.20.24.25.

23. Il situe 46,1-5a avec les textes de Jacob et il ne sait trop ou ranger 48,9-12. Il
attribue 48,20-21 et 50,19-25 à des interpolations secondaires. Il ne reste donc qu'un
emploi du mot Elohim en 39, 40, 43 et 44 chacun, deux en 42 et quatre en 45.

24. 7 fois: 39,2.3.3.5.21.23.23.

25. On connaît l'importance de cette particularité propre à l'histoire de Joseph pour la
critique littéraire. Ne pouvant plus se baser sur le critère du double nom de Dieu, Elohim
et YHWH, pour distinguer les sources J et E, les critiques ont cru reconnaître dans la
double appellation Jacob et Israël un autre critère d'identification des sources. Cf. entre
autres, B.D. EERDMANS, «Die Komposition der Genesis», *Alttestamentliche Studien I*,
Gießen, Töpelmann, 1908, pp. 1-95; D.B. REDFORD, *op. cit.*, pp. 131-135; H.C. SCHMITT,
Die nichtpriesterliche Josephsgeschichte. Ein Beitrag zur neuesten Pentateuchkritik (BZAW
154), Berlin, 1980, p. 72; L. SCHMIDT, *Literarische Studien zur Josephsgeschichte* (BZAW
167), Berlin, 1986, p. 186 qui sont en faveur de l'utilisation des critères. Qui sont contre:
W. EICHRODT, *Die Quellen der Genesis von neuem Untersucht* (BZAW 31), Gießen,
Töpelmann, 1916, 97-106; H. HOLZINGER, *Nachprüfung von B.D. Eerdmans, Die Komposition der Genesis*, dans *ZAW* 31 (1911) 44-68; J. SKINNER, *A Critical Exegetical Commentary on Genesis* (ICC), Edinburgh, 1930; G.W. COATS, *From Canaan to Egypt*, pp. 70s;
C. WESTERMANN, *op. cit.*, pp. 27.127.

jamais avec l'emphase qu'il trouve au chapitre 41. Pourquoi l'auteur tient-il tellement à rapporter le fait des rêves et leur interprétation à Dieu? Genèse 37 a aussi rapporté des rêves mais l'écrivain n'a pas fait appel à Dieu en présentant leur interprétation. Pourquoi le souligner si fortement en Gn 41?

Nous croyons que cette utilisation du nom Elohim en Gn 41 n'est pas sans raison. Elle n'est pas le fruit du hasard. Si l'auteur réserve ses utilisations du nom Elohim au chapitre 41 c'est parce que ce chapitre livre le sens des événements à venir. Le pays d'Égypte connaîtra 7 années d'abondance et ensuite 7 années de famine. Canaan subira le même sort (42,5; 43,1); la terre entière connaîtra la famine (41,57). Ce cataclysme amènera la famille de Jacob en Égypte pour son salut. C'est l'interprétation des rêves par Joseph qui permettra à tout le pays d'Égypte d'être sauvé, à toute la terre également[27]. En Genèse 41 l'auteur ne nous invite pas à regarder Joseph qui est un habile administrateur, ni même à nous rappeler le conflit avec ses frères; il attire plutôt notre attention sur l'action de Dieu dans l'histoire[28]. À travers un fait banal, deux rêves qu'a fait un roi une nuit quelconque, il élargit la perspective jusqu'aux dimensions de la terre entière. Toute la terre trouvera le salut à cause de ces deux rêves et de Joseph qui sait deviner leur signification parce que Dieu est avec lui. L'auteur nous invite donc dans ce chapitre, comme il le fait par toute l'histoire de Joseph, à élargir notre regard pour voir le plan de salut de Dieu pour l'humanité et non seulement le talent d'un interprète de rêves, si génial soit-il.

Comme Gn 41 porte le même message que toute l'histoire de Joseph, Dn 2 présente aussi le message que tout le livre véhicule. Bien que l'opposition entre Daniel et les devins babyloniens est beaucoup plus accentuée que celle entre Joseph et les sages égyptiens, bien que l'épreuve de Daniel est beaucoup plus difficile que celle de Joseph puisqu'il doit en plus révéler au roi quel est son rêve[29], non seulement lui en proposer l'interprétation, le but de l'auteur de Dn 2 n'est pas de présenter un jeune hébreu supérieur, mais d'inviter ses lecteurs à faire confiance en Dieu à qui l'histoire n'échappe pas. Le message de Dn 2 en

---

26. Ce double emploi du nom dans le v.32 est d'autant plus intéressant que le motif du double dans l'histoire de Joseph est très fréquent. Tout en demeurant à l'intérieur de ce verset, il est intéressant de noter que le double emploi du nom Elohim est au service de l'explication du fait que Pharaon a eu deux rêves. L'auteur semble avoir pris plaisir à ce jeu de répétitions.

27. Dans le chapitre 41, à compter du v.29, l'expression «dans le pays d'Égypte» revient 8 fois, «dans *tout* le pays d'Egypte» 7 fois. En plus «le pays» est utilisé 9 fois, 6 pour désigner l'Égypte et 3 toute la terre. Le désir de l'auteur de signifier l'ampleur de la famine est manifeste.

28. Von Rad, p. 326.

29. A. Lacocque, *op. cit.*, p. 46, suggère une idée intéressante sur la motivation du roi: «Le roi, *en réalité*, veut qu'un autre prenne sa place pour *se* délivrer de son propre crime.»

effet ne se reconnaît pas dans le jeu de devinette posée par le roi mais dans le sens du rêve que le roi a eu et que Daniel sait interpréter. Le lecteur juif peut avoir le goût d'applaudir le talent de Daniel, mais sa vraie joie est d'entendre que les royaumes païens verront leur fin: «le Dieu du ciel suscitera un royaume qui ne sera jamais détruit et dont la royauté ne sera pas laissée à un autre peuple» (v. 44). Le Dieu du ciel n'est autre que YHWH, Dieu d'Israël. Cela le lecteur le sait. Le peuple de ce royaume instauré par Dieu ne peut être nul autre que le peuple juif. Daniel 2 affirme que Dieu est le maître de l'histoire; cette affirmation constitue le premier message de ce chapitre qui ne laisse pas deviner un état de persécution comme les visions des derniers chapitres; il constitue quand même une réponse à l'angoisse de «l'âme juive face au paganisme mondial qui sévit à travers la succession des empires»[30].

Gn 41 et Dn 2 ont donc une structure semblable et une utilisation presque identique du motif des rêves. Ils portent aussi le même message. Nous avons déjà indiqué au début de ce travail que ces rapprochements avaient amené les commentateurs du livre de Daniel à affirmer une dépendance directe de ce dernier à l'égard de Gn 41. Cela se comprend considérant que l'histoire de Joseph a été traditionnellement datée avant l'exil et le livre de Daniel après l'exil. Quelle conclusion aurait-on été enclin à adopter si l'on n'avait pas été obligé de composer avec ces dates généralement admises? Bien sûr les réponses à une telle question peuvent être nombreuses. Il n'est pas dans notre intention d'en faire l'inventaire. Nous ne voulons pas non plus la laisser ainsi au lecteur, un peu sèchement. Nous rappelons donc deux brefs articles qui traitent justement de la question de la date de Daniel 2 et de l'histoire de Joseph[31].

5. Genèse 41 et Daniel 2, leur origine

Davies commence par noter une contradiction dans la présentation de Daniel dans ce chapitre 2: Daniel doit normalement faire déjà partie du groupe officiel des sages puisqu'on le cherche pour le tuer (v. 13) et qu'il entre chez le roi sans lui être présenté (v. 16); par contre, au v. 25, il est présenté au roi comme un étranger qu'on vient de découvrir. Il y a déjà difficulté dans le fait que Daniel est perçu comme faisant partie du groupe des sages puisqu'au chapitre 1, v. 5, sa période de formation est supposée durer trois ans et qu'en 2,1 nous ne sommes qu'à la deuxième année du roi Nabuchodonosor. Cela se règle facilement en considérant que les deux chapitres étaient à l'origine indépendants[32]. Par contre la

---

30. M. DELCOR, *Le livre de Daniel* (Sources bibliques), Paris, Gabalda, 1971, p. 87.
31. P.R. DAVIES, *Daniel. Chapter Two* (n. 18) et Thomas RÖMER, *Le cycle de Joseph: sources, corpus, unité*, in *Foi et Vie* 86/3 (1987) 3-15.
32. M. DELCOR, *op. cit.*, pp. 70s; A. LACOCQUE, *Le Livre de Daniel*, pp. 40s: «La date indiquée par le *v.* 1 («l'an 2 du règne de Nébuchadnetsar») s'oppose aux renseignements

tension soulignée à l'intérieur du chapitre 2, c'est-à-dire la contradiction entre les vv. 13.16 d'une part et 25 d'autre part, ne se règle pas si facilement[33].

Pour résoudre la contradiction, Davies fait remarquer que les liens entre le chapitre 1 et 2 se trouvent surtout aux vv. 13-23 de Dn 2 et que le v. 24 s'enchaîne très bien avec le v. 12[34]. C'est au v. 16 en effet que Daniel entre chez le roi sans être annoncé comme s'il y était chez lui depuis longtemps. C'est aussi dans cette section qu'il est question des compagnons de Daniel qui ont été mentionnés au chapitre 1 (vv. 6-7). Ces compagnons sont à nouveau mentionnés en 2,49, par leur nom babylonien. Ce v. 49 prépare le chapitre 3 où les compagnons ne sont mentionnés que par leur nom babylonien et où Daniel est absent. On y voit à nouveau la main d'un rédacteur. Ce rédacteur a reçu un texte déjà composé puisque sa seule intervention consiste dans l'ajout d'un bloc de 11 versets (vv. 13-23) et d'un verset de transition à la fin (v. 49).

Davies s'intéresse ensuite au thème de Dn 2 et à l'origine du premier récit, celui que le rédacteur responsable des vv. 13-23 et 49 a reçu. Il est habituel de considérer la suite des quatre empires signifiés par la statue construite de quatre métaux différents comme étant les Babyloniens, les Mèdes, les Perses et les Grecs. On comprend difficilement, dans cette interprétation, pourquoi les métaux ont une valeur décroissante. On ne comprend pas non plus que les quatre empires soient détruits en même temps. L'interprétation du rêve proposée par Daniel identifie Nabuchodonosor à la tête en or (v. 38). On peut partir de ce renseignement. Les trois autres métaux signifient des règnes inférieurs[35]. Tous les quatre métaux constituent une seule statue. Tous les règnes seront détruits en même temps. Si Nabuchodonosor est la tête, il est tout normal de penser que les autres métaux sont ses successeurs: Amel-Mardouk, Nergal-Shar-Usur et Nabonide. Ainsi la destruction de la statue signifie la fin de l'empire néo-babylonien et de la dynastie chaldéenne. Les pieds composés de fer et d'argile signifient le règne divisé entre Nabonide à Teima et Balthasar à Babylone.

---

fournis par 1.5, 18. Le lecteur se heurte constamment à ces imprécisions chronologiques dans le livre, signe parmi d'autres d'une existence indépendante à l'origine des *agadoth* rapportées et «datées» par Daniel A.»

33. Cf. A. LACOCQUE, p. 46, n. 3.

34. Lacocque fait s'enchaîner les vv. 13 et 24. Si on conserve le v.13 dans le récit original, la contradiction entre le fait que Daniel est connu parmi les sages, puisqu'on le cherche pour le tuer et le fait qu'il se présente à Aryok et au roi comme un inconnu, reste. Il vaut donc mieux suivre Davies qui inclut le v.13 parmi les versets ajoutés au récit primitif.

35. Le mot (א)מלכות peut aussi signifier «règnes» (cf. LACOCQUE, p. 50, n. 5) ce que Davies ne note pas. «An earlier form of the story may have had as its subject successive reigns within the neo-Babylonian empire. In its extant second-century form, however, it has to do not with four kings but with four kingdoms». R.A. ANDERSON, *op. cit.*, p. 21.

Considéré sous cet angle le texte original de Dn 2 peut être daté du temps de Nabonide ou peu après la fin de l'exil, soit à la fin du VIe siècle, peut-être au début du Ve siècle[36].

Le message de ce texte original reste le même que celui du texte réédité plus tard: Dieu achemine l'histoire du monde jusqu'au temps de la pleine victoire pour son peuple.

Pour l'histoire de Joseph, il faut rappeler que la question de sa composition a toujours fait l'objet de la critique[37]. Ces textes résistent plus que tout autre dans le Pentateuque à une critique des sources. Une chose reconnue pour assurée est que l'histoire est perdante en qualité et valeur quand on la divise en plusieurs sources. La considérer comme une unité au contraire permet d'en faire ressortir toutes les beautés[38].

L'article de Römer sur l'histoire de Joseph n'est pas présenté comme une étude approfondie. Sans préjuger des intentions de l'auteur il nous semble qu'il se lit plutôt comme une suggestion de pistes à explorer. Nous ne retenons que ce qui concerne notre sujet sur la datation possible de l'histoire de Joseph. Römer identifie une série de critères externes et internes à considérer dans cette question.

Les critères externes sont:

a) le nom de Joseph n'acquiert un sens positif qu'après l'exil[39];

---

36. Quelques détails à explorer avec plus de précision pour confirmer cette interprétation: a) Nabonide, racontant sa conviction que le Dieu Sin lui ordonnait de reconstruire le temple de Ehulhul à Harran et d'y réinstaller la statue du dieu Sin, écrit en termes très proche de Dn 2: «J'étais effrayé par le grand commandement des dieux. J'étais saisi de peur et j'avais l'esprit troublé.» (cf. A. LACOCQUE, p. 41) b) L'idée de la division de l'histoire en 4 périodes peut avoir été empruntée à Za 2 qui représente les ennemis d'Israël par 4 cornes. Quatre forgerons représentent les sauveurs d'Israël. c) L'idée de la domination de l'être humain sur les animaux (2,38) est à rapprocher de la liturgie du Nouvel An à Babylone. C'est présent en Gn 1 également et en Dt-Is. Nous sommes au temps de la fin de l'exil. d) Le roi se prosterne devant Daniel; cf. Es 45,14 sur les les rois qui se prosterneront devant Israël.

37. Quelques noms qui ont défendu l'hypothèse documentaire: H. GUNKEL, *op. cit.*; M. NOTH, *A History of Pentateuchal Tradition*, Englewood Cliffs, 1972 (1948); G. VON RAD, *op. cit.*; L. RUPPERT, *Die Josephserzählung der Genesis. Ein Beitrag zur Theologie der Pentateuchquellen* (SANT 11), München, 1965; J. SCHARBERT, *Genesis 12-50* (Die Neue Echter Bibel), Würzburg, 1986; L. SCHMIDT, *op. cit.*; H. SEEBASS, *Geschichtliche Zeit und theonome Tradition in der Joseph-Erzählung*, Gütersloh, 1978. Qui ont proposé une autre approche à l'histoire de Joseph: W. RUDOLPH, *Die Josefsgeschichte*, dans P. VOLZ et W. RUDOLPH, *Der Elohist als Erzähler - ein Irrweg der Pentateuchkritik?* (BZAW 63), Gießen, Töpelmann, 1933; R.N. WHYBRAY, *The Joseph Story and Pentateuchal Criticism*, dans *VT* 18 (1968) 522-528; H. DONNER, *Die literarische Gestalt der alttestamentlichen Josephsgeschichte* (Sitzungsberichte der Heidelberger Akademie der Wissenschaften Philosophisch-historische Klasse 1976/2), Heidelberg, 1976; R. ALTER, *The Art of Biblical Narrative*, London, 1981, pp. 159-177; D.A. SEYBOLD, «Paradox and Symmetry in the Joseph Narrative», dans K.R.R. GROS LOUIS, éd., *Literary Interpretations of Biblical Narratives I*, New York, 1974, pp. 59-73.

38. VON RAD, p. 284.

39. Cf. Za 10,6; Ps 89,2; Ez 47,13. Dans un sens négatif: Am 5,6; 6,6; Ab 18; Ps 78,67.

b) l'histoire de Joseph n'a laissé de traces que dans le psaume 105[40];

c) 52 mots dans l'histoire de Joseph n'apparaissent que dans la littérature tardive[41].

Les critères internes sont:

a) le peuple étranger est accueillant dans l'histoire de Joseph;

b) il est possible pour un Juif de vivre en terre étrangère;

c) l'institution du stockage du blé, inventée par un Juif, n'est pas possible avant l'époque perse;

d) la question des impôts en Gn 47 pourrait justifier le fait que les Juifs de la diaspora deviennent leveurs d'impôts;

e) selon le même chapitre, le clergé n'est pas taxé; Hérodote constate que les prêtres égyptiens étaient exemptés des taxes[42];

f) la louange de la chasteté en Gn 39 se rapproche de l'enseignement de Pr 1-8, texte post-exilique[43].

Cette série de critères amènent Römer à suggérer une date post-exilique pour l'histoire de Joseph, VIe-Ve siècles. L'histoire aurait été composée dans la diaspora égyptienne dans le but de donner à cette communauté un père fondateur[44].

La thèse de Römer n'a pas été vérifiée de près, il nous faut bien l'avouer. Mais il est certain qu'elle trouverait un appuie solide de la part de la critique récente du Pentateuque[45].

40. R.J. CLIFFORD, *Style and Purpose in Psalm 105*, dans *Bib* 60 (1979) 420-427: «The above remarks suggest a date and situation in life when Israel did not in fact possess the land. The reinterpretation of the patriarchal traditions and the singling out of the exodus remind one of Second Isaiah. Tentatively therefore one can see Psalm 105 as sixth century». p. 427. Cf. A.R. CERESKO, *A Poetic Analysis of Ps 105 with Attention to Its Use of Irony*, dans *Bib* 64 (1983) 20-46.

41. Cf. D.B. REDFORD, *A Study of the Biblical Story of Joseph* (SVT 20), Leiden, Brill, 1970, pp. 54-65.

42. «Les guerriers étaient, avec les prêtres, les seuls Egyptiens qui jouissaient des privilèges suivants: ils recevaient chacun douze aroures de terre, exemptes d'impôts.» *Histoires*, II, 168.

43. Cf. M. GILBERT, éd., *La Sagesse de l'Ancien Testament* (BETL 51), Gembloux / Leuven, Ed. J. Duculot / University Press, 1979; B. LANG, *Wisdom and the Book of Proverbs*. An Israelite Goddess Refined, New York, 1986.

44. Römer propose un deuxième motif à la composition de l'histoire de Joseph: le désir de la communauté juive en Egypte de s'opposer à la puissance de l'orthodoxie de Jérusalem. Certains détails peuvent être interprétés en effet en ce sens: c'est sur la suggestion de Juda que Joseph est vendu en Egypte (37,26-27); Joseph épouse une égyptienne (41,50-52), ce qui va contre la politique d'Esdras (Esd 10) à Jérusalem; la note que les Egyptiens ne peuvent pas manger avec les Hebreux (43,32) est peut-être une moquerie de l'exclusivisme prôné par le clergé de Jérusalem. Cf. p.15.

45. Cf. Albert DE PURY, éd., *Le Pentateuque en question* (Le Monde de la Bible), Paris, Labor et Fides, 1989, où toutes les nouvelles hypothèses sur la formation du Pentateuque trouvent leur droit de parole. Aucune étude ne porte directement sur l'histoire de Joseph. Nous retenons quand même ce paragraphe de de Pury et de Römer dans la première partie sur l'histoire de la recherche: «Si les ensembles Gn 12-35* et Ex-Nb forment, même sur le plan littéraire, des unités distinctes, le rôle du *roman de Joseph* (Gen 37-50*) comme élément de liaison entre les deux unités risque d'être d'une importance cruciale pour

Conclusion

Il est donc possible que le texte de Dn 2 et l'histoire de Joseph, dont Gn 41, datent de la même période de l'histoire d'Israël. On ne saurait être surpris de cette proposition après voir vu la grande ressemblance entre ces deux textes. Le motif des rêves comme matière pour présenter un message au sujet de Dieu a pu paraître attirant pour certains écrivains en un temps où la prophétie se faisait plus rare. L'apocalyptique n'était pas encore très fermement établie. Les rêves par contre étaient facilement utilisables comme genre littéraire pour exprimer le vouloir divin. Ce motif a l'avantage d'être recevable autant par les païens que par les Juifs. Après l'exil, les Juifs, qu'ils vivent en Égypte, à Babylone ou même en Palestine, sont suffisamment conscients de la présence païenne autour d'eux pour avoir intérêt à produire une littérature qui puisse être lue par Juifs et païens également. Il n'est donc pas nécessaire de voir en Daniel 2 une copie de Gn 41. Les deux textes peuvent provenir de la même période, influencés tous les deux par un même courant littéraire, par une situation historique semblable.

Collège Dominicain   G.G. LABONTÉ
96, Avenue Empress
Ottawa, Canada K1R 7G3

l'élucidation de la formation du Pentateuque. Il est d'ailleurs intéressant de constater que plusieurs publications récentes cherchent à trouver une solution à la «crise» des recherches sur le Pentateuque à partir d'une analyse de Gen 37-50. (Il indique en note Whybray, [cf. supra, note 34; L. RUPPERT, *Die Aporie des gegenwärtigen Pentateuchdiskussion und die Josefserzählung der Genesis*, dans *BZ* 29 (1985) 31-48; H. SEEBASS, *Geschichtliche Zeit...*, cf. supra, note 34; *The Joseph Story, Genesis 48 and the Canonical Process*, dans *JSOT* 35 (1986) 29-43; et H.C. SCHMITT, *Die Hintergründe der «neuesten Pentateuchkritik und der literarische Befund der Josefsgeschichte*, dans *ZAW* 87 (1975) 306-324.]) À première vue, il nous semble que l'histoire de Joseph s'est vue attribuer la fonction de «pont» entre Gen 12-35 et Ex-Nb à un stade assez tardif, puisqu'elle ne semble ni préparée par la vieille geste patriarcale, ni présupposée par le début du récit de l'Exode. En Ex 1, seuls les vv. 5b.6.8, mal enracinés dans le contexte, semblent connaître l'histoire de Joseph, et parmi les nombreux credos et psaumes historiques, le Ps 105 est le seul à en faire mention (pp. 77-78).

ALLUSIONS À LA CRÉATION DANS LE LIVRE DE DANIEL

DÉPISTAGE ET SIGNIFICATIONS

Très peu a été dit sur la théologie du livre de Daniel d'une manière générale[1], et très peu notamment sur sa théologie de la création[2]. La raison de cette lacune réside peut-être dans la diversité littéraire du livre de Daniel; et dans le fait que l'une des particularités de la littérature apocalyptique est que sa théologie s'exprime essentiellement par le moyen d'allusions[3].

Dans cette étude, nous nous efforcerons de découvrir les allusions à la création, de les «dépister» en les justifiant, pour en dégager leur signification. Nous procéderons dans un premier temps inductivement de chapitre en chapitre, de façon à saisir l'allusion sous l'éclairage de son contexte immédiat. Notre méthode de «dépistage» se voudra contrôlée objectivement, de l'intérieur du texte, de ses mots et de ses thèmes; nous déciderons qu'il y a allusion dans la mesure où le texte contiendra un mot, une association de mots ou un thème jugé spécifique aux récits bibliques de la création, ou dans leur sillage à la tradition biblique de la création. Dans un deuxième temps, nous tâcherons de comprendre sur la base du matériel ainsi obtenu, la théologie de la création dans le livre de Daniel, pour en mesurer sa portée par rapport au livre en général.

---

1. À notre connaissance, il n'y a pas à ce jour de théologie du livre de Daniel. Les quelques études systématiques à ce sujet sont menées par rapport à la littérature apocalyptique en général. Voir par exemple John J. COLLINS, *Daniel with an Introduction to Apocalyptic Literature*, Grand Rapids, MI, Wm. B. Eerdmans, 1984, pp. 11-14. La seule tentative notée jusque là est celle de John E. GOLDINGAY en conclusion de son commentaire *Daniel* (Word Biblical Commentary), Dallas, TX, Word Books, 1989, vol. 30, pp. 329–334. Mais il s'agit là davantage d'une discussion sur le problème de l'impact théologique du livre de Daniel dans son ensemble, compte tenu de sa diversité.

2. Les quelques allusions à la création qui sont relevées sont notées incidemment dans les commentaires. Ainsi par exemple L.F. HARTMAN - A. DI LELLA, *The Book of Daniel*, Garden City, NY, Doubleday, 1977, pp. 101, 108, 211; cf. WBC 30: pp. 50, 150, 161, 185, 190.

3. L'importance des allusions dans la littérature apocalyptique a été soulignée par J.J. COLLINS, *Apocalyptic Genre and Mythic Allusions in Daniel*, in *JSOT* 21 (1981) 94; sur la création, voir p. 93; cf. *Daniel with an Introduction to Apocalyptic Literature*, p. 100.

I. Dépistage

Chapitre 1

La première allusion à la création se trouve (c'est le cas de le dire) dans la bouche de Daniel. C'est l'alimentation qu'il y met, plus précisément ce sont les mots qu'il choisit pour définir son menu, au v. 12. Il s'agit là de ses tout premiers mots rapportés dans le livre. Son discours contient une association de trois mots (donner *ntn*; légumes *zrʿ*; manger *ʾkl*) qui ne se retrouve que dans le récit biblique de la création (Gn 1,29).

De plus, cette allusion à la création au niveau de Daniel répond à une autre allusion à la création, au niveau du roi. L'expression qui traduit la décision du menu par le roi, «*wayeman*» (v. 5, «assigna») ne reparaît ailleurs que dans le livre de Jonas. Le sujet du verbe est cette fois-ci le Dieu créateur et maître de l'univers; Dieu «assigna» (*wayeman*) un grand poisson (2,1), un ricin (4,6), un ver (4,7), un vent chaud (4,8). Le contexte de ces passages est également animé de multiples allusions à la création. On y retrouve tout un vocabulaire propre au récit de la création:

l'eau	(*mayîm*)	Jon 2,6	(cf. Gn 1,2.9, etc.)
la mer	(*yammîm*)	Jon 2,4	(cf. Gn 1,10)
l'abîme	(*tehôm*)	Jon 2,6	(cf. Gn 1,2)
le sec	(*yabāšāh*)	Jon 2,11	(cf. Gn 1,9)

Il est intéressant de noter par ailleurs que la décision de Daniel de ne pas se souiller rapportée au v. 8, fait directement écho à la donation de noms par le chef des eunuques rapportée au v. 7. Le même verbe *wayyāśem* est utilisé dans les deux cas. Or la donation des noms est une procédure qui appartient spécifiquement au contexte de la création (voir Gn 1,5.8.10; Gn 2,19-20)[4].

Chapitre 2

La tête de la statue, le premier royaume universel, est décrite dans Dn 2,38 en termes qui évoquent Adam dans le récit de la création (Gn 1,28). Nebucadnetsar, comme Adam, est appelé à dominer sur les bêtes des champs et les oiseaux du ciel[5].

L'argile et notamment «l'argile de potier» qui caractérise les pieds, est un matériau qui dans la Bible est traditionnellement associé à l'idée de création[6].

4. P.J. WISEMAN, *Clues to Creation in Genesis*, London, Marshall, Morgan & Scott, 1977, pp. 137-140.

5. La Septante qui a perçu l'allusion ajoute sous l'influence du récit de la Genèse la mention «et les poissons de la mer». Cf. J.A. MONTGOMERY, *A Critical and Exegetical Commentary on the Book of Daniel* (ICC), New York, Ch. Scribner's Sons, 1927, p. 173.

6. Voir Is 29,16; 41,25; 45,9; 64,8; Jr 18,2; 19,1; Lm 4,2; Rm 9,21.

L'association des ténèbres et de la lumière (*ōr, ḥōšek*) dans la bénédiction de Daniel (v. 22) constitue également une allusion à la création. Cette paire de mots se retrouve dans Gn 1,4–5 et par ailleurs dans la Bible, toujours dans le même contexte de la création[7].

Dans la bénédiction de Daniel, le pouvoir de Dieu sur «le temps et les saisons» (v. 21) rappelle le pouvoir créateur manifesté au quatrième jour de la création (Gn 1,14).

Chapitre 3

Le miracle des Hébreux rescapés du feu évoque le miracle de la création, un rapport attesté dans un passage d'Esaïe, 43,1–2:

> Ainsi parle maintenant l'Éternel, qui t'a créé, ô Jacob!
> Celui qui t'a formé, ô Israël...
> Si tu marches dans le feu, tu ne te brûleras pas,
> Et la flamme ne t'embrasera pas (cf. Ps 66,12)[8].

Chapitre 4

Au sortir de son état animal, Nebucadnetsar bénit Dieu en associant la paire «cieux et terre», le verbe «faire» (*'bd*) et «la main de Dieu», ce qui est déjà suggestif de l'idée de création, dans un langage qui est utilisé dans la Bible pour traduire l'idée de création:

> Il n'y a personne qui résiste et qui lui dise: que fais-tu? (v. 35).

Ainsi dans Is 45,9:

> Malheur à qui conteste avec son créateur, vase parmi les vases de la terre!
> L'argile dit-elle à celui qui la façonne, que fais-tu? (cf. Jb 9,4–12).

Le rythme de «sept temps» (v. 16, 23) qui caractérise l'état d'inconscience du roi peut se lire comme une allusion aux sept temps de la création de Dieu dans Genèse 1.

La vision de l'arbre comporte une double allusion au récit de la création. La première a déjà été notée. C'est une allusion à Adam en tant que protecteur des bêtes des champs et des oiseaux du ciel (v. 12; cf. Gn 1,28; Dn 2,38). La deuxième est une allusion au jardin d'Eden par le moyen d'une association commune aux deux contextes:

1. La situation de l'arbre au milieu de la terre, v. 10 (cf. Gn 2,9)
2. Sa beauté, v. 12, 21 (cf. Gn 2,9)
3. La rosée du ciel, v. 15, 23 (cf. Gn 2,6).

---

7. Am 5,18.20; 8,9; Mi 7,8; Ps 112,4; Jb 12,25; 17,12; 10,6; Lm 3,2; Is 5,20, 30, etc.

8. Le parallèle est si évident qu'on a interprété Dn 3 comme un Midrash d'Is 43:2 (voir WBC 30: p. 68); cf. également P. BEAUCHAMP pour qui «l'hymne des trois enfants dans la fournaise se rattache au premier chapitre de la Genèse à travers le Ps 148» (*Création et Séparation*, Paris, Desclée De Brouwer, 1969, pp. 356-358).

Chapitre 5

L'association de la main de Dieu et du souffle (v. 23) fait allusion à l'opération créatrice telle qu'elle est rapportée dans Genèse 2,7 (cf. Ps 119,73; Is 41,20). Dans la tradition biblique, cette association est propre au langage de la création (voir Jb 12,9-10; cf. 34,14-15; Ps 104,28-30).

Chapitre 6

Dans le langage de Nebucadnetsar, les signes et les prodiges, qui sont l'œuvre (*'bd*) du Dieu vivant et ont pour scène les «cieux et la terre» (v. 27), évoquent l'œuvre cosmique et prodigieuse de la création (voir Gn 1,14). Noter que le verbe *'bd* (faire) est celui-là même qui traduit l'opération créatrice de Dieu au chapitre 4, là aussi associé à la paire «cieux et terre».

Le miracle de Daniel rescapé des lions, en parallèle au miracle des trois Hébreux rescapés de la fournaise, évoque la victoire sur les forces du chaos et de la mort qui représentent les lions, et par là même la création (cf. Ps 22,14.22; 57,5-7; 91,10-13).

Chapitre 7

La vision des quatre animaux démarre sur un arrière-plan qui associe l'eau et les quatre vents du ciel, une association qui introduit également le récit de la création (Gn 1,2).

Chapitre 8

L'expression «soirs et matins» (*'ereb bōqer*) dans son association et dans sa séquence, ne se retrouve que dans le récit de la création (Gn 1,5.8.13.19.23.31)[9].

Chapitre 9

Les 70 années et les 70 semaines portent une allusion à la création aussi bien par le nombre 7 qui rythme leur temps que par l'événement de grâce qu'elles annoncent[10].

Les 70 années qui conduisent à l'année sabbatique (7×10), et les 70 semaines qui annoncent le jubilé ($7 \times 7 \times 10$) sont toutes deux des périodes auxquelles sont associées les idées de restauration et de recréation (Lv 25,5-10; cf. Is 61).

---

9. Cf. S.J. SCHWANTES, 'Ereb boqer *of Dan 8:14 Re-examined*, in *AUSS* 16 (1978) 375-385. Cf. WBC 30: p. 213.

10. Cf. P. GRELOT, *Soixante-dix semaines d'années*, in *Biblica* 50 (1969) 169-186.

Chapitre 10

À trois reprises dans le chapitre, la main d'en haut intervient selon un processus de création[11].

1. Aux vv. 8–10, Daniel perd toutes ses forces et tombe la face contre terre. La main touche ses genoux et ses mains; le voilà debout (v. 11).

2. Au v. 15, Daniel perd l'usage de la parole. La main touche ses lèvres; il ouvre sa bouche et parle (v. 16).

3. Au v. 17, Daniel perd aussi bien ses forces et son souffle (*nešāmāh*, cf. Gn 2,7), soit les deux facultés précédentes (les membres dans le premier cas et la bouche dans le deuxième). La main le touche (c'est toute sa personne qui est ici évoquée); la force lui est rendue (v. 18; 19); il peut parler (v. 19).

Chapitres 11–12

En prélude au chapitre 12, le chapitre 11 ne nous est apparu contenir aucune allusion à la création[12]. Au contraire, l'accent est mis ici sur la guerre, la destruction et la mort, le chaos[13].

Au chapitre 12, on passe du chaos à la vie:

a. De la fin négative qui concluait le chapitre 11 (où «le temps de la fin» est associé à «personne pour l'aider», v. 45), on passe à une fin positive dans le chapitre 12 (où le même temps est associé à «être debout», v. 13).

b. De l'état de «poussière» (v. 2) les justes passent à l'état «d'étoiles» (v. 3).

c. De l'état de «scellé» le livre passe à l'état d'être «lu» (v. 4).

d. De l'état de «secret» les paroles passent à l'état d'être «comprises» (v. 9).

e. De l'état de «couché» Daniel passe à la station «debout» (v. 13).

II. Synthèse et signification

L'importance de l'idée de création dans le livre de Daniel n'est donc plus à démontrer. Les allusions à la création foisonnent tout au long du livre et sont attestées d'une manière ou d'une autre dans chacun de ses chapitres.

Les nuances théologiques qu'elles portent se regroupent autour de cinq axes principaux.

11. Chaque fois, c'est le même type d'expression qui est employé (*lō'*... *kōaḥ*, v. 8; cf. v. 16, 17), indice qu'il s'agit d'une expérience de la même nature.

12. Le chapitre 12 fonctionne non seulement comme la conclusion de tout le livre mais également comme celle de la dernière vision du ch. 10 et 11 (cf. J.J. COLLINS, *Daniel*, p. 31. Cf. A. LACOCQUE, *Le livre de Daniel*, Paris, Delachaux & Niestlé, 1976, p. 172).

13. Cf. WBC 30: p. 306.

1. L'idée de retour à l'état «primordial» par les allusions à Adam (ch. 2; 4; 7), à sa nourriture (ch. 1), au jardin d'Eden (ch. 4)[14].

2. L'idée de transformation du moins au plus, qui se détecte à travers la référence à l'argile, matériau symbolique du néant dépendant du Créateur (ch. 2); le passage du feu et des lions, puissance du chaos, à la vie (ch. 3 et 6); le passage des forces chaotiques représentées par les rois-métaux et animaux, à la montagne éternelle et au fils de l'homme (ch. 2 et 7)[15]; le passage des forces chaotiques représentées par la bataille des rois au ch. 11, à la victoire de Michaël au ch. 12; le passage de l'état animal à l'état humain (ch. 4), de l'état de faiblesse à celui de force (ch. 10), de l'état de poussière à celui d'étoiles (ch. 12), de l'état de mystère à celui d'intelligence (ch. 12), de l'état de mort à celui de vie (ch. 12).

3. L'idée de déterminisme, essentiellement à travers l'usage de nombre qui marquent les temps (7 temps, ch. 4; 2300 soirs et matins, ch. 8; 70 années et 70 semaines, ch. 9); la donation des noms (ch. 1); la main de Dieu qui tient le souffle et les voies de l'homme (ch. 5)[16].

4. L'idée d'universalisme à travers la référence aux quatre vents du ciel (ch. 7), au «ciel et la terre» (ch. 6), au jubilé (ch. 9)[17].

5. Enfin, l'idée qui contient et synthétise toutes les précédentes, celle de la souveraineté et du royaume de Dieu, par l'évocation de son pouvoir sur la nature (ch. 1? 3, 4, 6, 10), le temps (ch. 2, 8, 9), l'homme (ch. 5, 7, 8, 11) et l'univers (ch. 6).

Cet accent sur la création pourrait s'expliquer de plusieurs manières. Nous en esquisserons ici quelques-unes:

1. Il s'explique déjà par rapport à la théologie du livre, essentielle-ment eschatologique[18]. L'idée de commencement est conséquente avec celle de «fin»[19]. L'idée de transformation est contenue dans celle de résurrection[20]. L'idée de déterminisme rejoint celle du contrôle de

---

14. Cf. A. LACOCQUE, op. cit., p. 50; cf. M. DELCOR, Le livre de Daniel, Paris, Librairie Lecoffre, 1971, p. 112.

15. Cf. A. LACOCQUE, op. cit., pp. 74, 105.

16. Cf. W. EICHRODT, Theology of the Old Testament, London, SCM Press, 1961, 1, pp. 469-470; cf. J.J. COLLINS, Daniel, p. 11; The Apocalyptic Vision of the Book of Daniel, in HMS 16 (1977) 71, 87.

17. Cf. Roger Alan HALL, Post-Exilic Theological Streams and the Book of Daniel, Ph.D. Dissertation, Yale University, 1974, p. 152. Cf. A. FERCH, Authorship, Theology, and Purpose of Daniel, in F.B. HOLBROOK (éd.), Symposium on Daniel, Washington, DC, Biblical Research Institute, 1986, p. 62. Sur l'universalité de la création, voir P.J. WISEMAN, Clues to Creation in Genesis, p. 170; cf. Cl. WESTERMANN, Théologie de l'Ancien Testament, Genève, Labor & Fides, 1985, pp. 123-124.

18. Cf. P.R. DAVIES, Eschatology in the Book of Daniel, in JSOT 17 (1980) 33–53. Cf. COLLINS, Apocalyptic Vision, p. 174.

19. Cf. Cl. WESTERMANN, Beginning and End, Philadelphia, Fortress Press, 1972, pp. 1, 29. Cf. J. DOUKHAN, Daniel: The Vision of the End, Berrien Springs, MI, Andrews University Press, 1987, pp. 2-7.

20. Cf. G. HASEL, Resurrection in the Theology of Old Testament Apocalyptic, in ZAW 92 (1980) 280.

l'histoire par Dieu[21]. L'idée d'universalisme est impliquée dans la conception cosmique du salut[22]. Enfin et surtout, l'idée de souveraineté et de royaume de Dieu qui est centrale dans tout le livre de Daniel[23], relève de la même pensée que celle du Dieu créateur (Ps 24,1-2, 7-10; cf. Ps 95,3-6)[24].

2. Il pourrait également s'expliquer comme l'indice d'une influence sapientiale[25]. Le rapport entre la sagesse et la création est attesté dans la Bible à plusieurs endroits[26]. Parce que Dieu est le créateur, il est en mesure de connaître «ce qui est profond et caché» et de le révéler (Jb 38-41; cf. Dn 2,22; cf. Jb 12,22)[27]. La théologie biblique de la création implique l'idéal sapiential de l'ordre de l'univers et du devoir de l'homme de le protéger et de le maîtriser (Jb 31,38-40; cf. Dn 2,38; 4,12)[28].

3. Enfin, l'importance de l'idée de création dans le livre de Daniel pourrait s'expliquer à partir des préoccupations engendrées en temps de crise[29]. Le livre de Daniel serait, pour reprendre l'expression d'A. Lacocque, «le fruit d'une insupportable souffrance»[30]. On soupire alors après l'ère nouvelle, et l'on rêve de la résurrection du pays et du peuple.

Quoiqu'il en soit, ce même accent théologique sur la création dans toutes les parties du livre indique un lien organique qui plaide d'une certaine manière en faveur de son unité, ce qui autorise du même coup la recherche de sa théologie[31]. D'un autre côté, on a quelques raisons

21. Voir J. DOUKHAN, *The Creation Story: Its Literary Structure*, Berrien Springs, MI, Andrews University Press, 1978, pp. 235-236. Cf. L. KOEHLER, *Old Testament Theology*, Philadelphia, Westminster Press, 1967, p. 88.

22. Cf. Cl. WESTERMANN, *Théologie de l'Ancien Testament*, pp. 124-125, 190, 192.

23. Cf. GOLDINGAY: «The theme that is central to Daniel as it is to no other book in the Old Testament is the kingdom of God» (WBC 30: p. 330). Cf. J. ROEHMER, *Reich Gottes und Menschensohn im Buch Daniel*, Leipzig, Hinrichs, 1899, pp. 16-17; W.E. KAISER, Jr., *Toward an Old Testament Theology*, Grand Rapids, MI, Zondervan, 1981, p. 244.

24. Cf. EICHRODT, *op. cit.*, pp. 198-199.

25. Le rapport avec la tradition sapientiale a été noté par bon nombre de savants et expliqué de diverses façons (voir sur ce sujet notamment G. VON RAD, *Théologie de l'Ancien Testament*, Genève, Labor & Fides, 1967, 2, pp. 264 et ss.; G.H. WILSON, *Wisdom in Daniel and the Origin of Apocalyptic*, in *HAR* 9 (1985) 373-381; J.G. GAMMIE, *Spatial and Ethical Dualism in Jewish Wisdom and Apocalyptic Literature*, in *JBL* 93 (1974) 356-385; cf. J.J. COLLINS, *Daniel*, pp. 20 et ss.; J.R. SMITH, *Wisdom and Apocalyptic*, in B. PEARSON (éd.), *Religious Syncretism in Antiquity*, Missoula, MT, Scholars Press, 1975, pp. 131-156.

26. Cf. P.J. WISEMAN, *Clues to Creation in Genesis*, pp. 217 et ss.

27. Cf. A. LACOCQUE, *op. cit.*, p. 45.

28. Cf. Cl. WESTERMANN, *Old Testament Theology*, pp. 119–123; cf. W. ZIMMERLI, THB 19, pp. 300-315.

29. Cf. J.J. COLLINS, *Daniel*, p. 22.

30. P. 185.

31. Ce sont en effet les «points de différences» et les «tensions» à l'intérieur du livre de Daniel qui préviennent généralement contre toute tentative de dégager une théologie

de penser que le terrain commun qu'elle suggère relève du genre apocalyptique, ce qui autorise du même coup une méthodologie en quête d'allusions. Ce double présupposé étant suspect, on comprend que si peu ait été dit sur la théologie du livre de Daniel, et si peu sur sa théologie de la création.

Andrews University   Jacques B. DOUKHAN
Berrien Springs
Michigan 49104-1500, U.S.A.

significative pour le livre dans son ensemble (WBC 30: p. 329; cf. P.R. DAVIES, *Hasidim in the Maccabean Period*, in *JJS* 28 (1977) 81).

III
LITERARY AND
SOCIOLOGICAL APPROACHES

STORY, VISION, INTERPRETATION
LITERARY APPROACHES TO DANIEL

My subtitle indicates the aspect of recent study of Daniel which I want to consider in this paper, the application of literary approaches to the book, and in particular to the stories. During the 1980s literary study of biblical narrative became a growth industry, profitable both to producers and consumers (as any growth industry should ideally be). With regard to the visions in Daniel, the rhetoric of those in chapter 8 and in chapters 10–12 has been the subject of a close examination by B. Hasslberger in his *Hoffnung in der Bedrängnis*[1], while Paul A. Porter's thesis on *Metaphors and Monsters* in chapters 7 and 8 is in its author's own mind a literary-critical exercise[2]; again, Frederick A. Kreuziger describes his study of *Apocalyptic and Science Fiction*, an illuminating comparison for these visions in Daniel, as a study "on the margin of theology and literature"[3].

It is perhaps puzzling that the stories in Daniel have waited so long to be studied from such perspectives. They do not feature in the volumes edited by Gros Louis or in the works of Robert Alter, Adele Berlin, Meir Sternberg, or Gabriel Josipovici[4]. But 1988 saw the publication by Almond Press of two research projects along these lines, Pamela Milne's *Vladimir Propp and the Study of Structure in Biblical Hebrew Narrative* and Danna Nolan Fewell's *Circle of Sovereignty*[5]. The former applied Propp's *Morphology of the Folktale* to the stories in Daniel. The latter looked at these stories in the light of the varied tools which have been introduced into biblical study from literary criticism over the past two decades. Some of the more elementary of these I also attempted to utilize in my commentary on *Daniel*[6]. Milne and Nolan Fewell thus come to the application of literary approaches to Daniel from opposite directions. Milne considers one literary approach syste-

---

1. St Ottilien, Eos, 1977.
2. Lund, Gleerup, 1983.
3. *Apocalyptic and Science Fiction*, Chico, CA, Scholars, 1982, p. 1.
4. K.R.R. GROS and others (ed.), *Literary Interpretations of Biblical Narratives* (2 vols), Nashville, Abingdon, 1974 and 1982; R. ALTER, *The Art of Biblical Narrative*, New York, Basic/London, Allen and Unwin, 1981; A. BERLIN, *Poetics and Interpretation of Biblical Narrative*, Sheffield, Almond, 1983; M. STERNBERG, *The Poetics of Biblical Narrative*, Bloomington, Indiana UP, 1987; G. JOSPIVICI, *The Book of God*, New Haven/London, Yale UP, 1988.
5. Both Sheffield, Sheffield Academic Press, 1988.
6. Dallas, Word, 1989. The argument for various positions assumed in the present paper appears there.

matically and thoroughly, and allows it to set the agenda for her study
of Daniel itself; her work has the advantages and disadvantages of a
narrow focus. For Nolan Fewell it is Daniel which sets the agenda, and
different literary methods are utilized according to whether they seem to
have been illuminating at different points; her work has the advantages
and disadvantages of a more eclectic approach.

Forty years ago M.H. Abrams devised a helpful diagrammatic grid
for understanding developments in literary criticism as they then
stood[7]. He categorized approaches to interpretation according to where
their focus lay: whether it lay in the origins of the text (its date,
authorship, and purpose), in the external realities to which the text
refers (such as historical and theological matters), in the text itself (for
instance, in the structure and language of a story, its plot, characters,
and points of view), or in the readers of the text (the nature of the
audience presupposed by it, the way it communicates with them, and
the way readers go about making sense of it). While literary criticism
has moved on since then, Abrams's grid still provides a convenient
starting point for a consideration of literary approaches to scripture,
and to Daniel in particular.

Traditional critical study of the stories in Daniel has concerned itself
with the first two foci of the four I have listed, and in particular with
the historical background of the stories and the historical realities to
which they refer. In the pre-critical period interpreters would of course
have taken for granted that there was no distinction between the story
told by biblical narrative and the events that actually took place in
biblical times, nor between the figure traditionally associated with the
book and its actual author. During the critical age it has been these
distinctions which have been taken for granted, and the major focus of
the stories' interpretation has been the establishing and defending of
views on their historical background and reference. For long a common
view was that their background was the same as that of the visions in
the second half of the book, Jerusalem in the Antiochene period, so
that it was the pressures and needs of this period which the chapters
reveal, and recent scholars are still prepared to affirm the Greek
background of at least a recension of the stories. But it has become a
common view that the stories reflect and reveal life in the dispersion in
an earlier period. One might have expected this understanding also to
satisfy strictly conservative interpreters who have continued to defend
the book's sixth-century origin: the Persian period is explicitly referred
to at the end of the first and last of the stories (1,21; 6,28), so that the
book itself indicates that it was completed not before this period.
Nevertheless the conservative view should be distinguished from the
revised critical view just noted. It has a different basis, in respect for

7. See his *The Mirror and the Lamp*, New York, OUP, 1953.

tradition regarding questions of authorship in preference to criticism's inclination to suspect tradition and to work on internal evidence. It also has a distinctive concern to continue asserting the factuality of the book's reference to events in the sixth century.

At one level, then, the older critical, the reconstructed critical, and the resolute conservative views are quite different, but they share the same understanding of what is involved in interpreting the chapters. All are concerned with the stories' historical background and historical reference; all overtly agree that the historical method enables one to investigate these. They disagree on the results of the investigation but agree on the nature of the questions to be investigated and – formally – on the methods for approaching them.

We have become familiar with the critique of this historical approach to interpretation; if the critique is applicable anywhere, it applies to Daniel rather well.

First, the fact that its practitioners cannot reach agreed results seems to reflect not merely the fact that some of them are using the wrong methods or starting from mistaken assumptions, but the fact that all of them are asking questions whose answers the text by definition conceals. Admittedly this may make these questions paradoxically attractive to a profession which thrives on asking questions that are not too readily answered.

Second, and conversely, because the historical approach's interest centres on a topic on which the text does not overtly focus, it misses the text's specific burden and thus misfocuses the interpretative task. It cannot directly help exegesis. The many biblical commentaries which concentrate on the historical background, reference, and implications of their texts, and on the process of development whereby the traditions reached their final form, are sidetracked by these from the actual task of exegeting the text.

Third, the historical approach is capable of casting doubts on the truth of the text it studies, by questioning its historical value, but it is not capable of vindicating its truth. Its historical results are always tentative, and by their very nature they cannot establish the religious heart of the stories' truth-claim, cannot establish what is now sometimes called the viability of the world they portray to their audience.

Fourth, again to extend the previous point, the historical approach inevitably fails to realize the text's own aim. Whatever the text's concern to convey historical information, its ultimate purpose was not to do this for its own sake but in order to bring a religious message. A piece of historical exegesis will generally acknowledge that it is handling a text with a religious message and will summarize that message, but it will not feel obliged to go beyond such a summary of this message's surface structure. This fourth difficulty is compounded by the fact that for many readers the stories in Daniel are not merely a religious text but part of their scriptures.

It is in part the sense of impasse which historical method has reached which makes literary approaches to the text worthy of investigation, and draws us initially to the "formalist" approaches of what was once the "new criticism". These focus on the precise nature of the text's structure and language, on the stories' plot and characterization, and on matters such as their development of themes and the points of view from which they are told.

Chapter 1, for instance, is perceived to have a chiastic shape. It begins and ends with the story's broad context in imperial history, Nebuchadnezzar at the beginning, Cyrus at the end (vv. 1-2, 21). Inside this bracket appears the theme of the education of certain Judean youths, who in due course prove more able than anyone else at the Babylonian court (vv. 3-7, 17-20). At the centre of the chapter is the account of Daniel's insistence on avoiding defilement, and his taking on a test in order to do so (vv. 8-16). These three elements in its structure indicate the story's plot tension and resolution. What will happen when Israel is defeated by Babylon, when its young men are enroled for a Babylonian education, when they are subjected to the defilement of life at the Babylonian court? By human courage and divine aid they avoid defilement, triumph in learning, and outlast their conquerors.

Details of the text's language give clues to such points. A significant role in the chapter is played by appearances of certain verbs. נתן (to give/make) appears three times, in vv. 2, 9, and 17, once for each of the three issues raised by the plot, each time with God as subject, the only times God acts in the story. הביא/בוא (to come/take) appears four times in vv. 1-3, playing a key role in the portrayal of Nebuchadnezzar's aggression. שׂים (to determine) appears in consecutive verses (vv. 7, 8) at the point where Daniel takes his stand in relation to the requirements of his Babylonian overlords.

The formalist study of Daniel's stories thus aims to understand their specific nature as texts, and the unique structure of each story as one aspect of that study. Milne is concerned with one type of structuralist interpretation of the stories, applying to them what was historically the first structuralist approach to interpretation[8]. Although it speaks in terms of "narrative surface structure", it involves looking beneath the immediate surface of the text to see what it typifies.

The work of Vladimir Propp was based on the analysis of Russian folktales, specifically fairy stories. Chapters 3 and 6 of Daniel have

---

8. See *Vladimir Propp*, p. 31. The work of the earlier "Finnish School" of folklore studies (see *Vladimir Propp*, pp. 20-23) has a closer relationship with form criticism; it was utilized by S. NIDITSCH and R. DORAN, in their study of *The Success Story of the Wise Courtier*, in *JBL* 96 (1977) 179-193.

often been reckoned to be the stories with clearest links to folktales, and it is not surprising that these chapters best exemplify the patterns identified by Propp. In each case we begin from a situation which manifests a significant number of the introductory elements or functions in Propp's scheme: an interdiction (regarding the statue and regarding petitions), trickery (in relation to the king by Daniel's colleagues), complicity (by the king with Daniel's colleagues), violation of the interdiction (by the young men and by Daniel), reconnaissance (on the part of Daniel's colleagues), and delivery (of hostile information to the king). These compound to produce the problem situation or act of villainy which the story then needs to solve. The solution involves the "provision or receipt of a [quasi-]magical agent", a "helper" in the more familiar actantial structuralist model[9]; this role is fulfilled by the fourth man looking like a divine being who joins the three in the furnace, and by the divine aide who shuts the lions' mouths. These acts constitute the solution of the problem. There follow the recognition (of the heroes' God rather than of the heroes themselves), the reward of the heroes, and (in chapter 6) the punishment of their opponents.

Milne notes that these stories, still less the others in Daniel, cannot be fully described by means of Propp's scheme, but suggests that it is a useful heuristic device which works in a parallel way to form criticism. It enables us to identify features and interrelationships in a narrative where these correspond to elements within the scheme, and also draws our attention to features which do not fit it. Thus the fact that chapter 4 resists any analysis in terms of Propp's scheme draws attention to the chapter's distinctiveness; it hardly counts as a story at all, a fact not so clearly brought out by form-critical approaches, Milne suggests.

Milne's conclusion might rather highlight the similarity of form-critical and structuralist methods at this point, a similarity which perhaps underlies an apparent ambiguity in Nolan Fewell's attitude to form criticism. Nolan Fewell sees form-critical study as the starting point for her own work, but she is critical of many of the form-critical designations of the stories. In truth one would have to say that none of the form-critical or structuralist approaches reveals everything about the stories, but in the manner of heuristic tools most will reveal something.

In the light of Nolan Fewell's own work one might suggest another example of the possible heuristic fruitfulness of the Proppian scheme. Nolan Fewell presses the insight that the real subject of the stories is the King of Babylon rather than the Jewish sage(s)[10]. That perception sits uneasily with the opposite assumption which often underlies both the form-critical and the Proppian analysis of the stories, and perhaps

---

9. MILNE, *Vladimir Propp*, pp. 252-253, 267 (I have added "quasi-").
10. *Circle of Sovereignty*, p. 10.

explains an oddness about the Proppian analysis. While there is no
doubt about the functions fulfilled by some of the characters in the
stories, there is considerable uncertainty or ambiguity about the functions fulfilled by the king, who can be both opponent on one hand, and
recognizer, rewarder, and punisher on the other. That might actually
have put one on the track of a key feature of the stories – not one
which the Proppian analysis is capable of handling, but one it is
capable of drawing attention to, by default.

On the other hand, it does seem that the Proppian scheme beguiles
Milne into a strange understanding of chapters 1–2. Interpreters have
consistently seen these as separate in origin and significance, chapter 1
being designed to introduce the stories that follow; I have suggested
that chapter 1 has a coherent move from tension to resolution and a
coherent chiastic structure of its own. Milne accepts the independence
of the two chapters yet interprets them as one because only then can
they be portrayed in the light of Propp's model. It would seem to me
wiser and more illuminating simply to grant that they do not fit the
model, as is the case with chapter 4, and for similar reasons. We are
closest to folk material in chapters 3 and 6 but far away from it in
chapters 1 and 2, which are more sophisticated self-conscious literary
creations.

Propp's concern was the structure of narrative as such. Claude Lévi-
Strauss was the key figure in a second form of structuralism which has
been applied to biblical studies, a structuralism concerned with interpreting elements within stories as elements belonging to natural or
cultural systems or codes. These codes express themselves in matters
such as geography, place and spatial movement on the local scale, time
and temporal sequence, society in terms of authority and hierarchies of
relationship, food, and clothing, as well as in matters within the realm
of ideas[11]. There is clearly raw material in Daniel for a structuralist
interpreter to make a meal of, though as far as I know no-one has yet
done so. The codes are expressed by means of binary oppositions, and
Daniel is a thoroughly binary document: Hebrew and Aramaic, story
and vision, dispersion and homeland. Beneath such surface polarities
are polarities at the level of attitudes and ideas, to matters of life and
death and to the significance of history. Perhaps all these oppositions
are open to deconstructive criticism, which in Nolan Fewell's description "reaches beyond structuralism in an exploration of how these
elements [of opposition] render the text *unstable*"[12]. There is, for
instance, a tension between the young men's conviction in the stories

11. See e.g. D. JOBLING, *The Sense of Biblical Narrative* (2 vols), Sheffield, JSOT, 1970
[²1986] and 1986, for the application of the structuralist method of Lévi-Strauss (and of
A.J. Greimas) to the Hebrew Bible.
12. *Circle of Sovereignty* pp. 15-16 (emphasis original).

that faithfulness, not life or death, is all that matters and is its own reward, and the assumption in the final vision that faithfulness must be manifestly vindicated and the martyr glorified.

Nolan Fewell pays particular attention to the opposition of divine and human sovereignty as fundamental to the tension of the narrative in Daniel. The stories assert the priority of divine sovereignty over human sovereignty, but it is characteristic of the secondary element in a binary opposition constantly to undermine the primary one. So "Daniel 1–6 makes point after point about God's sovereignty over human beings, but God's sovereignty is undercut by the way in which human sovereignty keeps pushing to the fore: God's power and presence is constantly being screened through human characters' points of view; God's identity is expressed in terms of human identity; God's wisdom is translated by a human mediator and so forth"[13]. Any interpreter could have noted the concern with the relationship between divine and human sovereignty in the stories; it is a distinctive and valuable contribution of deconstructive criticism that it may enables us to analyze more sharply tensions and undercurrents which are present within the text and which contribute to the subtlety of its handling of reality, but which the interpreter may be inclined to simplify down.

We have been considering the move from concentration on the text's possible historical background and its possible historical referents, to concentration on the text itself. But it would be naive to leap from the unsatisfying arms of historical method into the embrace of text-centred approaches as if we have at last found interpretation's long-sought dream bride. The era in literary criticism which sought to understand poems and novels on the basis of their background in history and in their authors' experience was indeed followed by an emphasis on the autonomy of the literary work, but that has in turn been supplemented by further critical approaches, in particular ones which focus on the readers or audience who receive and respond to works, the fourth of the foci identified by Abrams's grid. There is no one method of study appropriate to all texts, and no one method which will give an audience access to all features of any single text.

Specifically, there are religious and person-involving aspects to texts such as the stories in Daniel, and in themselves formalist methods are no more designed to handle these than are historical approaches. A literary method distances itself from didactic approaches with their theological or ethical concern as much as it does from historical approaches, because both didactic and historical approaches tend to overwhelm concern for the text itself. Nevertheless ultimately a holistic study of the text cannot stop short at the literary approach, which encourages interpreters to distance themselves from the text. To avoid

13. *Circle of Sovereignty*, p. 16.

imposing our own questions on it is not yet to let it press its questions on us, only to overhear it talking to itself. Interpreting the stories in Daniel involves more than merely understanding a text as an object over against me of which I seek to gain a rational, objective grasp. The stories were written to do something to people, and our interpretative approach needs to be able to handle – or to be handled by – this aspect of them. It involves the possibility of there happening to us that which the story had the power to make happen to its audience.

Given that we are not Jews of the Babylonian, Persian or Greek periods, in the dispersion or in Jerusalem, we are invited to an act of imagination which takes us inside the concerns of such an audience. It may not matter that we cannot precisely locate these hearers, because it is the concerns that the story itself expresses that we seek to share – questions about the puzzling behaviour of God, the pressure of a pagan culture, and the possibilities of politics. It is the stories which tell us these concerns. We are invited to listen to them as Jews for whom such stories were told, to listen to them from the inside.

We cannot live our real lives inside these stories. We have to live them in our own context, confronted by its questions, needs, and pressures. If the stories are to do to us what they were designed to do to their original hearers, a second act of imagination is needed, one which sets some of our questions, needs, and pressures alongside those which the story directly addressed, in a way which is open to seeing how it addresses these, so that we may respond to it.

Conceptually these two acts of imagination can be clearly distinguished. In their operation they are likely to interpenetrate each other. Grasping the story's initial significance may enable us to apply its meaning in the context of our analogous questions, needs, and pressures; bringing the latter to the story may also fill out our grasp of its significance. Interpretation involves the whole person, feelings, attitudes, and wills, as well as minds. It involves *us*, not merely people 2500 years ago.

A story creates a world before people's eyes and ears[14]. It portrays for us the world in which we live, but "arranged into a meaningful pattern, in contrast to the fragmented pieces that make up our moment-by-moment living". It portrays "both a better and a worse world than the one we usually live with, and demands that we keep looking steadily at them both"[15]. It is a world in which God lets some very strange things happen to God's own people, one in which imperial powers lord

---

14. On this notion of "world", see e.g. A.C. THISELTON, *The New Hermeneutic*, in *New Testament Interpretation* (ed. I.H. MARSHALL), Exeter, Paternoster/Grand Rapids, Eerdmans, 1977, pp. 318-322; and for the paragraphs that follow, my article on *Interpreting Scripture*, in *Anvil* 1 (1984) 261-264.

15. L. RYKEN, *Triumphs of the Imagination*, Downers Grove, IL/Leicester, IVP, 1979, p. 85, quoting from N. FRYE, *The Educated Imagination*, Bloomington, Indiana UP, 1964.

it over them and pressurize them to live by the alien wisdom of a foreign environment, one in which they have to determine the point at which they are going to make a stand and then to do so resolutely. All that is rather solemn. But then the Book of Daniel portrays this as a world in which God honours the stands that people take, a world in which God blesses and prospers people's lives in exile and brings them through the experience of exile to the point where God's name and thus their faith is once again honoured.

The world into which these stories invite us both attracts us and makes us hesitate to be drawn into it, equally by its vision and by its realism. It is relentlessly true to the suffering and the sin that run through life and history: exile, shame, loss, failure, guilt, deprivation, animosity, oppression, pressure, fear, anxiety. That draws us because we want to be able to face those realities, to take account of them, and to overcome them. It also makes us draw back lest these realities cannot be comprehended or overcome and lest to face them will thus bring a further pain that we can hardly bear or a cost that will be too high to pay.

The world into which the stories in Daniel invite its hearers is one in which the realities of sin and suffering can be faced, comprehended, and overcome, because active in it is a God who works behind the scenes to give unexpected favour or remarkable insight and who accompanies people in the fire or shuts the mouths of lions. Again, that portrait draws its audience, because they would like to live in such a world, but also makes then draw back, because they wonder whether that world actually exists. If they are to live in that world, they have to be drawn into it the way a child is drawn into a story. In terms of the world they portray, it is easy to see why these stories spoke in the Antiochene period in Jerusalem.

What is our way into being drawn into this world? If we were to begin from the New Testament, we might take as our starting point the way the experience of dispersion has become a symbol. 1 Peter addresses itself to the exiles of a metaphorical dispersion in the cities of Turkey, displaced persons who are not really at home in the area in which they live, aliens without proper status there (1 Pet 1,1.17; 2,11). They are encouraged to make the most of the fact that joining the Christian community provides "a home for the homeless", as John H. Elliott has called it in his "sociological exegesis of 1 Peter"[16]. That notion of gaining a home in Christ has sometimes been as important to subsequent people under oppression as 1 Peter expected it to be to its alienated audience: "this world is not my home, I'm just a-passing through".

Modern believers in Europe and North America may also identify

16. *A Home for the Homeless*, Philadelphia, Fortress, 1981/London, SCM, 1982.

with 1 Peter's feeling of not really belonging to this world. They may sense that they live in a world which constitutes an alien environment, one with different hopes and fears and different standards and commitments, one always pressing us into its mould and requiring of us that we discern the point at which we have to make a stand and prove that God can be with us and enable us not only to survive but to triumph in exile. Elliott insists that the homelessness of 1 Peter's audience is not merely figurative or "spiritual". Yet that experience I have just described may provide a way into one aspect of the stories' significance. Indeed Elliott also quotes from Alfred Schultz's reflection on the depth and power of the archetypal image of "home", noting how home-leaving, homelessness and homecoming have shaped the drama of the human story since Odysseus[17]. Paul Ricœur, too, has seen captivity as one of our elemental symbols[18]. 1 Peter is utilizing the symbols and the experience of dispersion, homelessness, and alienation as ways into understanding and expressing the gospel. If these are elemental symbols, is Daniel doing the same, at one level? It would not be surprising if the experience of alienation provided a way into the stories.

It is inevitably the case that we read with the advantages and disadvantages of our background, experience, and commitments. Colluding with custom, I began by treating the historical and formalist approaches as if they were objective and positivist rather than hermeneutical in their own nature. But they are indeed hermeneutical. They presuppose and support value systems and systems of power. For the most part that is subconscious, but no less real. Socio-critical hermeneutics requires us to be aware of the ideological factors which shape our academic work. In Daniel some prominence is given to institutional academia. Its question is, can Judean exiles work within the parameters of academia? Nolan Fewell observes that her reading will inevitably reflect her background, interests, and commitments[19], though she does not comment on how this is so. I wonder how her particular teaching position in a school of theology within a Southern Methodist university may do so, as may any teaching position. There are seminaries within a few miles of Dallas (and of Leuven I imagine, and certainly of London) where a scholar could not discuss Daniel on the basis of its having a second-century date, let alone offer a deconstructionist reading of what it says about divine sovereignty or divine revelation, without imperilling his or her post. The pressures of certain seminaries may drive an

17. See *A Home for the Homeless*, p. 236, quoting SCHULTZ, *The Homecomer*, in *Collected Papers* 2, The Hague, Nijhoff, 1964, pp. 106-117.
18. E.g. *The Conflict of Interpretations*, ET [from *Le conflit des interprétations*, Paris, Seuil, 1963], Evanston, Northwestern UP, 1974, pp. 269-286; cf. T.J. KEEGAN's illustration from the music of Bruce Springsteen, *Interpreting the Bible*, Mahwah, NJ, Paulist, 1985, p. 87.
19. *Circle of Sovereignty*, p. 17.

interpreter towards commitment or in a conservative direction, the pressures of certain universities towards objectivism or in the direction of novelty (while "those theologians who continue to seek a way between the horns, and thus to remain within the secular academy without abandoning the community of faith, have often been reduced to seemingly endless methodological foreplay")[20]. Personality factors and how far we believe or do not believe also do one or the other; politics is not everything.

There is a real distinction between the literary critical approaches of formalism which focus on the text itself, and approaches which focus more on the process of reading and the contribution of the reader; but it is readers who undertake formalist readings. Formalism and questions about readers can be distinguished but not ultimately kept apart. This is not to collapse Abrams's categories; it perhaps makes them more important. The fact that we read with the advantages and disadvantages of our background and commitments is reason for doing so reflectively and self-critically rather than unthinkingly if we want to have a chance of seeing what is actually there in the text.

It may thus be no chance that in practice some of the most interesting or suggestive or illuminating exercises in narrative interpretation integrate one of the more text-centred approaches with one of the more self-consciously committed approaches. Materialist readings, for instance, may combine a structuralist approach to understanding the actual text with Marxist insights into the relationship between literature (and our interpretation of it) on the one hand and social contexts on the other. There is no necessary implication that the aesthetic and the socially-functional aspects of the text are reducible to one another[21]. Russian formalism and Marxism might seem a natural pairing (Propp was actually a student at the time of the revolution), though the Russian formalists of the 1920s were too interested in literary study for its own sake for the liking of Marxist critics; this fact lies behind the neglect of Propp's work until after the Second World War[22].

A parallel paradox applies to materialist or liberationist study of Daniel itself. I have pondered the fact that one of the most interesting treatments of Daniel that I have read is W.H. Joubert's Dissertation on *Power and Responsibility in the Book of Daniel*, accepted by the University of South Africa in 1979. I know nothing of the author's back-

---

20. J. STOUT, *The Flight from Authority*, Notre Dame/London, University of Notre Dame, 1981, p. 147.

21. See Kuno FÜSSEL, *Materialist Readings of the Bible*, in *God of the Lowly: Socio-Historical Interpretations of the Bible*, ed. W. SCHOTTROFF and W. STEGEMANN [ET from *Der Gott der kleinen Leute: Sozialgeschichtliche Bibelauslegungen* (2 vols), Munich, Kaiser, 1979], Maryland, NY, Orbis, 1984, p. 23.

22. See MILNE, *Vladimir Propp*, pp. 19-32.

ground and it was not overtly a liberationist study, but the emergence
of a thesis on this subject from that context gives me a certain frisson.
One might have expected a book which focuses on politics to have
attracted materialist or liberationist interpreters, but it has not otherwise done so. It is not so difficult to see why this is the case. In a
seminar on Daniel at Sheffield some years ago I was taken to task by a
Latin American student for colluding with Daniel's own bourgeois
political stance. Daniel is a book which presupposes a quite different
attitude to governmental powers from that in Exodus or Amos. It
portrays a world in which alien Judeans work with the government
rather than against it. Its implicit sociology is consensual rather than
conflictual. Its stance corresponds to the Davidic rather than the
Mosaic trajectory[23]. The student to whom I have referred approached
Daniel with a hermeneutic of suspicion rather than with the hermeneutic
of consent which I have implicitly commended in describing the way in
which we allow these stories to involve us. It is indeed the case that
differences within the Hebrew Bible (let alone between it and the New
Testament) themselves drive us toward a comparative and critical
evaluation of the worlds it sets before us, an evaluation such as is
facilitated in this case by the framework of Mosaic and Davidic
trajectory. For myself I prefer to seek by means of such a framework to
let scripture itself set the criteria for evaluation rather than (con-
sciously) import these from elsewhere[24].

In the case of Daniel, against the response arising from a Latin
American context one could set the possibility of Daniel being a
particularly suggestive book for interpreters in areas such as Western
Europe and North America. Latin America may provide the interpreter
with a better contemporary context for reading Exodus than the North
Atlantic countries do, and reciprocally its message may address that
context with particular appropriateness. But the political context of
Europe and North America with the possibilities and temptations of
political involvement on the part of believers may provide a good
contemporary reading-context for Daniel and one in which the message
of the book can be heard with particular profit, all the more on Nolan
Fewell's suspicious reading of Daniel himself, to be considered later in
this paper[25]. Indeed, the half-week of the colloquium on Daniel (itself a
suggestive time-period in this book), coinciding as it did with events in
the USSR which hastened the downfall of an empire and the passage of

23. See W. BRUEGGEMANN, *Trajectories in Old Testament Literature and the Sociology
of Ancient Israel*, in *JBL* 98 (1979) 161-185; also *A Shape for Old Testament Theology*, in
CBQ 47 (1985) 28-46, 395-415.

24. I have discussed this issue in *Theological Diversity and the Authority of the Old
Testament*, Grand Rapids, Eerdmans, 1987, pp. 97-133.

25. Cf. my *The Stories in Daniel: A Narrative Politics*, in *JSOT* 37 (1987) 99.

power from one regime to another, indicated that even in the home of
Marx revolutionary change might come about through processes more
reminiscent of Daniel than of Exodus.

Alongside liberationist interpretation, feminist interpretation also
illustrates the way in which interesting or suggestive or illuminating
exercises in narrative interpretation may combine a self-consciously
committed approach with one of the more text-centred literary
methods. This is so with Phyllis Trible's literary-feminist work; one
may also compare Elizabeth Schüssler Fiorenza's combining of historical critical with feminist approaches. It is intriguing that Almond
Press's two works on Daniel are both by women, as is the best
conservative commentary on the book, by Joyce Baldwin[26], though in
none of these cases do women's experience or feminist concerns
obviously contribute to the treatment[27].

A number of women appear in Daniel. First, there are Belshazzar's
consorts and mistresses, as they are rather slightingly described. Belshazzar's queen mother contrasts with them in power and insight,
though Nolan Fewell rather downvalues her contribution to the story.
In the stories the final women are the unfortunate wives of Daniel's
accusers, whom Darius executes with their husbands and children. They
are evidently viewed as such by the narrative as by the king as mere
extensions of their husbands, their fate bound up with theirs. In the
historical revelation in chapter 11 there first appear the two wives of
Antiochus II. Antiochus divorces the one, Berenice, in order to undertake a diplomatic marriage to the other, Laodice. Evidently relationships between the sexes are subordinate to politics, a deprivation for the
men and the women but one for which the men must bear the major
responsibility. In this instance Laodice learns to operate by men's
methods in a man's world, killing her husband when he returns to her,
but also killing Berenice (11,6), which says little for women's solidarity.
Ptolemy V's Syrian wife Cleopatra also uses her initiative to frustrate
the plans which took her into a diplomatic marriage (11,17), but for the
narrative such events merely provide illustrations of the general tendency for events to work out in ways that frustrate human initiative
and planning. Finally, in connection with the description of Antiochus
IV's subservience of religion to politics there is brief indirect allusion
(as I take it) to the female devotees of Adonis (11,37).

The men in Daniel are a thoroughly macho collection (no "new men"
here) and the book suggests no critique of patriarchal society; any
exposure of it is ironic. Milne does not comment on the further irony

---

26. *Daniel* (Tyndale Old Testament Commentary), Leicester/Downers Grove, IL, IVP,
1978.

27. NOLAN FEWELL writes on *Feminist Reading of the Hebrew Bible*, in *JSOT* 39 (1987)
77-87.

that the fairytales which provide the best folktale parallels for the
stories in Daniel regularly give a prominent place to a princess[28]. A
decent Proppian fairytale would have Daniel offered the king's daughter
in marriage, as happened to David[29]. Whether or not that is one of the
expectations which hearers would bring to these stories, the absence of
this motif is noteworthy. Perhaps it parallels the absence of the goddess
from Israelite religion as affirmed by the Hebrew Bible, and like that
feature of the Hebrew Bible is a feature a feminist may be glad of rather
than regret; the image of women in Daniel could have been more
patriarchal. If it is also appropriate to understand the story of Nebuchadnezzar's "madness" in part against the background of the account
of Enkidu in the Gilgamesh epic, it is also interesting that the part
played by contact with a woman in Enkidu's civilizing has no correspondent in Daniel[30]. It is further intriguing that there is a tendency for
both the most unequivocally patriarchal material in the Hebrew Bible
(Daniel, Ezra-Nehemiah, Ecclesiastes) and the material open to least
equivocal feminist appropriation (Esther, Song of Songs, Ruth) to
belong to the Second Temple period.

I have been considering one aspect to Abrams's fourth possible focus
for interpretation, the readers of the text: the nature of the audience
presupposed by it, the way it communicates with them, and the way
readers go about making sense of it. The theory was that formalist
approaches may enable us to discovers something of the stories' own
burden. By taking their own structural, rhetorical, and linguistic features
as the key to identifying their central concerns, we may be able to
concentrate attention on questions raised by the chapters themselves
rather than ones extrinsic to them. There is some objectivity about
these matters.

Or is there? I have commented on one sense in which this may be
questioned, but there is another. Nolan Fewell has also noticed the
linguistic points in chapter 1 to which I have referred, and other such
points later in the stories, and seen similar significance in them. On the
other hand, the account of that chapter's structure which I have given
above is my own; I do not know what she would make of it, and
reports of chiasms have a habit of appearing more objective than they
may seem when one checks them by the text. William Shea believes that
the account of Nebuchadnezzar's "madness" is a chiasm, and Nolan
Fewell is persuaded[31]. I am less sure, and my hermeneutic of suspicion

28. See *Vladimir Propp*, p. 79.

29. Cf. D. JOBLING, *The Sense of Biblical Narrative* 1, Sheffield, JSOT, 1978; ²1986,
p. 17.

30. So Peter COXON in his paper *Another Look at Nebuchadnezzar's Madness* in this
volume.

31. See SHEA, *Further Literary Structure in Daniel 2–7*, in *Andrews University Seminary
Studies* 23 (1985) 193–202; NOLAN FEWELL, *Circle of Sovereignty*, p. 102.

applied to *interpreters* makes me concerned that accepting Shea's chiasm enables Nolan Fewell to make a nice literary point about the "implied narrator" of this story. There is another difficulty which needs further consideration, that such a chiasm, like that in chapter 1 already noted, must be reckoned to have emerged rather astonishingly from complex traditio-historical and redactional processes, if we accept theories regarding the origins of these chapters such as the ones described in A.S. van der Woude's paper *Die Doppelsprachigkeit des Buches Daniel* and K. Koch's paper *Die Harran-Inschrift des Nabonid, das Gebet des Nabonid und das Gesicht Nebukadnezars Daniel 4.*

The literary critical theorist Jonathan Culler, summarizing Stanley Fish, has described the process of "positing various structures" in works as part of "the activity of the reader" in interpretation[32]. Chiasms apart, we are familiar with the fact that different scholars often give different accounts of the structure of a book or a psalm or an oracle. Perhaps structure belongs in the eye of the beholder; perhaps it is an asset to interpretation rather than an invariable feature of written works. So how objective is interpretation?

One of the most interesting features of Nolan Fewell's work is her disinclination to take Daniel's own words at their face value. Notably, she suggests that Daniel's interpretation of the dream in chapter 2 reveals only part of the truth. The statue as a whole pictures the fragile state of Nebuchadnezzar's empire in his own day rather than pre-viewing future reigns, but Daniel deems it unwise to reveal this. Her grounds for this view are that Daniel's interpretation discourages Nebuchadnezzar from taking the dream as a threat to him personally, that the statue is one and implies that the reign to which it refers is one, and that elements in the dream remain unexplained[33].

Again, I am not persuaded. Nolan Fewell herself notes that 2 Kings unequivocally portrays Isaiah giving Hezekiah a message which encourages him to rejoice that there will be peace in his day; in general dreams and visions are not allegories and cannot be assumed to have detailed meaning of the kind that she assumes. Nolan Fewell believes that the dream related to realities in Nebuchadnezzar's day and was capable of being explained to Nebuchadnezzar in these terms. I read Daniel's failure to interpret the whole of the vision as a device of suspense; the interpretation will only become clear over coming chapters. In my view it emerges as the stories in chapters 3-6 unfold and reveal that the succeeding three personal regimes are those of Belshazzar, Darius, and Cyrus, though a more conventional view would be that it emerges as stories give way to visions and reveal the succeeding three

---

32. *The Pursuit of Signs*, Ithaca, NY, Cornell UP/London, Routledge, 1981, p. 121.
33. *Circle of Sovereignty*, pp. 58-61.

imperial regimes to be Media, Persia, and Greece (a re-reading, on my understanding). One might even suggest that when the dream gives the impression that it refers to realities in Nebuchadnezzar's day it is laying a false trail before an observant detective such as Nolan Fewell, a trail which subsequent chapters will reveal as false even as they reveal the author's own understanding of the dream, and remind us of the anticipatory reference to Cyrus (the fourth king on my understanding) at the end of chapter 1; but Nolan Fewell might want to ask whether even the author's interpretation of the dream might be the wrong one.

Nolan Fewell reads Daniel as not too frank or not too skilful an interpreter; I doubt that reading. Do we have to decide between these?

Certainly her reading is an interesting one, and a famous aphorism declares that in interpretation it is more important to be interesting than to be right. Further, we need to learn to allow for the presence of ambiguity in texts, rather than working on the assumption that if we only had all the right information everything would be clear. Sometimes authors may not have made themselves clear, either by accident or on purpose. Either way, ambiguity is then a fact to be acknowledged and made the most of. It can be creatively provocative. I believe that one reason for unending scholarly debate on the human-like figure in chapter 7 is such a built-in allusiveness which actually invites us to focus on the humanlike figure's role rather than its identity; it is interesting that the Evangelists sometimes explain terms such as Emmanuel and Messiah, but not Son of Man, and I wonder whether this reflects a related fact within the Gospels.

There is a school of interpretation which goes beyond this and sees all texts as indeterminate in principle. Nolan Fewell hints that she is sympathetic to this view: "textual meaning is undecidable", she says[34]. The issue surfaces interestingly in a heated exchange between Nolan Fewell and the General Editor of Almond Press, David Gunn, on one side, with another Daniel scholar, Peter Coxon, in the pages of the *Journal for the Study of the Old Testament*, though the exchange concerned the Book of Ruth. Nolan Fewell and Gunn published a suggestive paper pointing to the possibility of reading Naomi as having a bitter, prejudiced, resentful side, one which gives the impression that she was a women whose chief concern was herself and for whom Ruth is an albatross round her neck[35]. Coxon questioned their interpretation, asking "Was Naomi a scold?"[36]. Nolan Fewell and Gunn responded by asking "Is Coxon a scold?"[37]. They attributed to Coxon "a propensity to reduce, overstate or caricature", an "unhappi-

34. *Circle of Sovereignty*, p. 16.
35. See *"A son is born to Naomi!"*, in *JSOT* 40 (1988) 99-108.
36. *JSOT* 45 (1989) 25-37.
37. *JSOT* 45 (1989) 39-43.

ness at the notion of character (especially a woman?) having a self-interest", a "desire for simple androcentric models", and a "naive understanding of the business of interpretation", to go no further than the first page of their paper.

To which one's own response is, "Why has the normally rather solemn business of biblical interpretation suddenly become so heated?". Jonathan Culler has commented on the acrimony and contentiousness of literary-critical debate[38], and it is an echo of that same belligerence that we hear in the *Journal for the Study of the Old Testament*. Nolan Fewell and Gunn regret that Coxon's interpretation has merely reaffirmed the familiar understanding of Naomi, but they seem more concerned that he has resisted their view that "there is... no 'true' understanding of the character of Naomi"[39]. Coxon is disputing the very foundation of their approach to interpretation, and the heat of their response is therefore quite understandable. I am reminded of the continued worrying at fundamentalism on the part of critical scholars, whose chief expression in the work of James Barr is also characterized by acrimony and belligerence[40]. One has the sense that there is something there that the critic cannot quite escape, something that represents his or her bad conscience; there is scope for a thesis on the phenomenon.

Gunn himself elsewhere notes that an influential school of literary criticism indeed questions whether there is such a thing as "normative reading"[41]. The point is summed up by Edgar McKnight's often-repeated aphorism "readers make sense"[42]. But when we speak of "making sense" of a statement, we actually mean discovering the sense that we believe is already there, not creating sense in something which lacks it. There is room for acknowledging ambiguity and allusiveness in the stories (and the visions) in Daniel, and thus for the co-existence of more than one reading of aspects of them. There is room for acknowledging the complexity of the stories; we do not have to argue about whether they are really about the significance of imperial kingship as opposed to the possibility of being a successful but faithful Jewish

---

38. See *On Deconstruction*, Ithaca, NY, Cornell UP/London, Routledge, 1983, p. 17.

39. *Is Coxon a scold?*, p. 40.

40. See e.g. the two editions (!) of BARR's *Fundamentalism* (London, SCM/Philadelphia, Westminster, 1977 and 1981) and his *Beyond Fundamentalism*, Philadelphia, Westminster, 1984; = *Escaping from Fundamentalism*, London, SCM, 1984; but also e.g. K.C. BOONE, *The Bible Tells Them So*, Albany, SUNY, 1989/London, SCM, 1990; J. BARTON, *People of the Book?*, London, SPCK, 1988/Louisville, WJK, 1989; and with reference to Daniel, L.L. GRABBE, *Fundamentalism and Scholarship: The Case of Daniel*, in *Scripture: Meaning and Method*, A.T. Hanson Festschrift, ed. B.P. THOMPSON, Hull, Hull UP, 1987, pp. 133–152.

41. *New Directions in the Study of Biblical Hebrew Narrative*, in *JSOT* 39 (1987) 69.

42. E.g. *The Bible and the Reader*, Philadelphia, Fortress, 1985, p. 12; quoted by GUNN, *New Directions*, p. 69.

politician — really about the kings or the Jewish sages — because both
can be true. There is room for acknowledging that texts may have one
meaning (even a complex and rich one) but many significances or
applications, or for acknowledging that they may have one sense but
many references. For myself I am still attached to the view that literary
creations have inherent meaning; though I acknowledge that two
philosophies and theologies may be confronting each other here. In
their critique of Coxon, Nolan Fewell and Gunn also comment that his
"reading strategies... are naturally convenient for the case he is asserting"[43]; so are their own (as they would grant).

Nolan Fewell herself implies the view that literary texts have inherent
meanings when she speaks of narrative as a form of discourse, "designed to communicate certain knowledge to its audience"[44], and this
leaves it a little unclear how far along the "readers make sense" road
she wants to take us. She describes her reading as "one long exercise in
filling gaps" and could imply that there is no distinction between one
way of filling in the gaps and another and that the gaps are so extensive
that interpretation has very few if any fixed points. But she also speaks
of the possibility (nay certainty) of her reading being a misreading,
which implies that there is a difference between right and wrong ways
of filling the gaps; and she sees interpretation as analogous to putting
together a puzzle, which does not seem to imply that readers construct
whatever picture they like[45].

Gunn has noted that "reading biblical narrative in terms of its final
form really is a more radical proposition than perhaps is realized by
those who most enthusiastically have embraced the program (and
mocked its historical critical predecessor)"[46]; at least it can be so. If
there is a puzzle in Daniel to (re-)construct, its reconstruction must
surely be in part a historical task. It is bound to be the puzzle designed
in the Second Temple period whose meaning in that context we must
seek to discover. While we will benefit greatly from a close concentration on the text itself and on the way it invites reading, with methods
such as Nolan Fewell utilizes, these approaches in ultimate isolation
from diachronic methods such as the tracing of the history of traditions
deprive themselves of dimensions which add historical depth to syn-
chronic interpretation. That the day of a historical approach to Daniel
is not over is also suggested by the fact that the results of literary
approaches to the stories turn out to be little more assured or objective
than those of historical approaches. Further, if the book is to do
something to us, to give us something to live by, its reference to the real

43. *Is Coxon a scold?*, p. 40.
44. *Circle of Sovereignty*, pp. 17-18.
45. See *Circle of Sovereignty*, pp. 17-18.
46. *New Directions*, p. 71.

world outside itself also matters in a way it does not to a structuralist interpretation for which (in Nolan Fewell's words) "the referent of a text is not something out there in the real world, but the text itself"[47].

The question of such external referents is most commonly discussed with regard to the stories' possible historical concern and reference. Nolan Fewell is clear that the stories in Daniel are fiction, while Shemaryahu Talmon in *The Literary Guide to the Bible* declares that they "are obviously intended to be read as historical reports", though fictitious ones[48]. But then, distinguishing between narrative intended to be taken as fact and narrative intended to be taken as fiction is a notoriously tricky matter. My own working assumption is that the Daniel stories belong somewhere on the continuum between historiography and imaginative writing, along with nearly all other biblical narrative and perhaps most narrative — including much of what we watch on television, so that we ought to feel more at home with biblical narrative located between the poles of fact and fiction than we often seem to be. J.J. Collins has observed in connection with Daniel that "fiction and truth are not mutually exclusive"[49], though if the stories quite lack historical reference to events in the Second Temple period I am not sure that their hearers in the second century would feel that their theological and parenetic point was still compelling, or that as pure fictions they could generate the kind of life-commitments they sought. As "metaphor for exilic experience" they attracted people because they were indeed "too good to be true"[50]. But I suspect they needed to be within reach of actual experience, not wholly discontinuous with it.

To return to Abrams's grid, we ought not to be thinking in terms of a simple replacement of the first two foci by the second, for there is indeed no one method of study appropriate to all texts, and no one method which will give an audience access to all features of any single text, certainly not Daniel. There is insight to be gained from study with all four foci.

St John's College   John GOLDINGAY
Chilwell Lane, Bramcote
GB-Nottingham NG9 3DS

47. NOLAN FEWELL, *Circle of Sovereignty*, p. 15.

48. See NOLAN FEWELL, *Circle of Sovereignty*, p. 12; TALMON, *Daniel*, in *The Literary Guide to the Bible*, ed. R. ALTER and F. KERMODE, Cambridge, CA, Harvard UP/London, Collins, 1987, p. 344.

49. *Inspiration or Illusion: Biblical Theology and the Book of Daniel*, in *Ex auditu* 6 (1990) 36.

50. NOLAN FEWELL, *Circle of Sovereignty*, p. 84.

THE SOCIO-SPIRITUAL FORMATIVE MILIEU
OF THE DANIEL APOCALYPSE

Scholarship today distances itself more and more from an elaborate theory about the Hasidic origins of Jewish apocalypticism, as well as from the alleged bifurcation of Hasidism into Essenism and Pharisaism. At the basis of modern skepticism in this respect is the scantiness of information provided by a very meager number of short texts mentioning *hasidim* (in Greek ἀσιδαῖοι), so that, to the question, "What do we know of the Hasidim?" many a scholar would today answer, "Nothing". Thus, Philip Davies, in an article published in the *Journal of Jewish Studies* in the autumn of 1977, *Hasidim in the Maccabean Period*, concluded (p. 140):

> The view that the *Hasidim* were a sect has existed for a long time; perhaps the point has been reached when it should be abandoned rather than elaborated into a detailed hypothesis. The history of 2nd c. BC Judaism can be written without it.

It must be confessed that the other alternative, namely trusting 1 and 2 Maccabees' tantalizing allusive indications is, as such, far from satisfactory. One problematic thing we learn from that dual source, e.g., is that the Hasidim were ἰσχυροὶ δυνάμει, in Hebrew *gibborey ḥayil*, heroes of war, a point that is said not to agree with the quietism of the "saints" displayed in the Book of Daniel and other allegedly "Hasidic" apocalypses. True, there is no scholarly consensus regarding the Hasidic participative or non-participative eschatological stance. The pacifist nature of the Hasidim is emphasized by S. Tedesche and S. Zeitlin[1], O. Plöger[2], J.A. Goldstein[3], while other describe it as non-pacifist: so V. Tcherikover[4], M. Black[5], A. Guttmann[6]. Furthermore, a negative approach to the question of the Hasidim as fathers of

---

1. S. Tedesche and S. Zeitlin, *The First Book of Maccabees* (E.T.), New York, Harper and Bros., 1950, p. 19.

2. Otto Plöger, *Theocracy and Eschatology* (E.T.), Richmond, John Knox, 1968, p. 8.

3. Jonathan A. Goldstein, *I Maccabees*, AB 41, Garden City, NY, Doubleday, 1976, p. 64.

4. Victor Tcherikover, *Hellenistic Civilization and the Jews* (E.T.), New York, Atheneum, 1970, p. 197.

5. Matthew Black, *The Tradition of Hasidean Essene Asceticism...*, in *Aspects du Judéo-Christianisme*, Paris, PUF, 1965, p. 24.

6. A. Guttmann, *Rabbinic Judaism in the Making*, Detroit, Wayne State U. Pr., 1970, p. 17.

apocalypticism and ancestors of Pharisees and Essenes is represented by Ph. Davies[7], J.J. Collins[8], G. Nickelsburg[9], and others. We shall return to this problem in what follows.

This paper's ambition is not to generate new data in the study of the sociological and spiritual origins of the visions of Daniel ("Daniel B"). It is rather an attempt to apply a new method of assessment to the existing data. However, regarding the material reconsidered here, I shall suggest that the reduction to three unclear texts of 1 and 2 Maccabees our information concerning the Hasidim/ Hasideans is abusively reductive. Several other ancient sources do exist that must be taken into consideration. It will be here argued that the absence of the label "Hasidim/ Hasideans" is not always a sufficient ground for excluding a text from the witnessing stand. To take an example, most famous and roughly contemporary with our period of investigation, the absence of the term "Essene" from the documents of Qumran is not decisive against their attribution to the Essene movement[10]. One must also render a similar judgment about our sources of information regarding the origins of the other Jewish sects of the pre-Christian era. Shall we then say that we know nothing of them, or that Jewish history can be written without them? Hardly. But several caveats must be sounded from the outset.

First, a sense of proportion should be kept. Out of a total population of ca. 500,000 people at the time of Christ, Josephus speaks of some 6,000 Pharisees, 4,000 Essenes, and he says that the Sadducees were not very numerous. The majority of the people belonged to the "'ammei ha-areṣ", the common populace[11]. Furthermore, as regards the "Essenes", it must be remembered that, on their own admission, 20 years elapsed before their "blindness" was removed and they were granted the leadership of the "Doctor of Justice" (CD 1,7-12). This latter indication is amphibological. On the one hand, it increases the obscurity

7. Philip DAVIES, *Hasidim in the Maccabean Period*, in *JJS* 28 (1977) 127-140.

8. John J. COLLINS, *The Apocalyptic Vision of the Book of Daniel*, Missoula, MT, Scholars, 1977, pp. 195-210.

9. George NICKELSBURG, *Social Aspects of Palestinian Jewish Apocalypticism*, in D. HELLHOLM, *Apocalypticism in the Mediterranean World and the Near East*, Tübingen, Mohr, 1983, pp. 647-648.

10. The identification of the Qumran Covenanters with the Essenes is no certainty and is unessential to my argument here. Today, several Qumran scholars are critical of this identification. If we follow this trend, the Sect remains either anonymous, or has too many names (the *'edah*, the faithful ones, etc.). The absence of a uniform label does not, however, affect their specific identity, and this is the point here. It may be seen as paralleling what can be said of the Hasidim. (Because of the uncertainty about the "Essene" identity of Qumran, the term in what follows will be put within quotation marks).

11. Cf. Marcel SIMON, *Jewish Sects at the Time of Jesus*, Philadelphia, Fortress, 1967, (E.T.), p. 15.

surrounding the origins of the "Essenes", but on the other, it contributes to our impression that there was a pre-"Essene" time, which the sectarians acknowledge as spiritually and sociologically preparatory to their emergence on the scene of history. Part of our problem in this paper is thus articulated: we shall often tread gray areas, regions where overlap a time when people loosely associate to let their voice heard, and the time when their association crystallizes into a party or sect. The distinction between these two phases of evolution is crucial as far as the problem of the Hasidim is concerned.

Our task in this paper consists in examining once more the evidence and see whether there is a connection between the Hasidim of 1 and 2 Maccabees, and apocalyptic literature. After the examination of the sociological aspect of the question, the study envisages a large sample of Jewish literature from the second century BCE on, including Apocrypha and Pseudepigrapha, as well as Qumranic and Rabbinic sources. The method used here is a combination of form criticism as regards the bearing of texts, and sociology of knowledge as regards the relation between belief systems and political stances reflected in the texts. We shall then hopefully be in a better position to conclude as to formative milieus of Jewish apocalypticism. The ultimate purpose is to arrive at a valid conclusion regarding Daniel's authorship; this in turn shedding light upon its objective.

I. THE SOCIO-RELIGIOUS SITUATION IN THE 3rd-2nd C. BCE

The socio-religious situation which obtained in the 3rd-2nd c. BCE is notoriously obscure. The historical background set by prior and subsequent events is well known, however. The Jews who came back from exile built a theocratic state around the Zadokite priestly line. The priests assumed the secular and religious powers, a move that did not remain uncontested by some as contrary to the Torah. The higher clergy involved would become later Sadducees. They allied themselves with the Syrian power, with which they were sharing aristocratic ideals. Thus, they consolidated their priestly régime. Their principal opponents would later be called Pharisees, "separated"; their aim was to return the power to the people. The oral law or *Halakhah* was meant to erect an authority superseding the one of the priests. It extended to the whole people the purity laws of priesthood, be it inside or outside of the sanctuary. Furthermore, in reaction against all automatism in the application of prescriptions, the Pharisees fell back upon "orality" allowing them to *interpret* the spirit of the Law and to take in consideration the imperatives of the epoch. Such an option was far from innocuous. Shmuel Trigano may be right when he says, "orality

always has been the recourse of social change... The writing down of
the Talmud is sign of the 'embourgeoisement' of a great oral revolution
in Jewish history... The written text always serves as a means to
power..."[12]. A statement that Anthony Saldarini would not deny. He
writes, [The religious establishment] "is firmly political and typically
tries to dominate society through the establishment of a canon of
sacred books... and the fostering of a total world view"[13].

Such a tension is historically decisive to understand the emergence of
diverse spiritual movements within Judaism. The fate of some of them
is to stir rebellion. Such is Essenism vs. the Hasmonean High Priesthood; such is Qaraism vs. Babylonian Gaons; the Maranos vs. Spanish
Rabbinism; Sabbatianism vs. Rabbinic and Cabalistic authority. But
then, in a backlash, the clerics harden their power and their alleged
orthodoxy to the point of caricature, even suppressing thinking as
legitimate. The next step, on the part of the threatened aristocratic
layers of society, is their assimilation within the ambient culture.

Sociologically, it has always been true within Jewish history that the
upper classes were prone to leave behind the Jewish world to adopt the
surrounding cultures, while the lower classes tended to remain more
faithful to traditional Judaism and, by reaction against new ideologies,
to harden ancestral stances. Time and again, the cadres around such
popular reactionary subversion are disenfranchised, or at least powerless, clerics. The mix of popular, even proletarian, milieus with lettered,
scribal, elements, has often been the ferment of revolutionary movements in Jewish history.

With these few general remarks, we are already introduced into the
sociological dimension of our problem. It is to this aspect that we now
turn. In doing this, by the way, a sounder evaluation of the alternatives
stressed by modern scholars between pacifism and militancy will
emerge. Under the leadership of Saldarini, let us sketch the sociological
profile of early Judaism from the 3rd century onward. Jews living in the
Hellenistic and Roman empires were part of agrarian realms characterized by a bureaucratic, partly commercialized aristocratic society.
Such empires produce a surplus of grain and are highly centralized and
organized under a governing class. There is here a characteristic
absence of middle class; right under the aristocrats come the "retainers"[14] whose roles are military, governing, administrative, judicial

12. S. TRIGANO, *La demeure oubliée: Genèse religieuse du politique*, Paris, Lieu
Commun, 1984, p. 366.
13. A. SALDARINI, *Pharisees, Scribes and Sadducees in Palestinian Society: A Sociological Approach*, Wilmington, Glazier, 1988, p. 6.
14. Cf. Gerhard E. LENSKI, *Power and Privilege: A Theory of Social Stratification*, New
York, McGraw, 1966. (See also S.N. EISENSTADT, *The Political Systems of Empires: The
Rise and Fall of Historical Societies*, Glencoe, NY, Free Press/Collier-Macmillan, 1963,
and *Social Differentiation and Stratification*, Glenview, IL, Scott Foresman, 1971).

and priestly; those two upper classes are vastly richer than the lower class of peasants, i.e., some 95% of the population. The duty of the upper class is to protect the peasants from outside aggressions. In return the peasants are taxed of 30–70% of their crop. Understandably, Pharisees and Scribes were some time to be recruited from among the "retainers". Struggling to get influence in the government, they could not spend, like peasants, the time necessary to produce enough for their subsistence.

Such class divisions readily dovetailed into smaller *associative* units. Now, prior to the spread of Hellenism in the Ancient Near East, people did not belong to voluntary associations, but only to natural, familial, territorial, economic, professional, and religious groups. The voluntary association is a novelty, and as such, the Hasidim would be a Hellenized phenomenon. The formation of the voluntary association is to a certain extent the outcome of the disintegration of local communal social organizations that accompanied the Hellenization of the Ancient Near Eastern. Local associations are "transcended, and the traditional institutions of reciprocity, from trading relations to marital arrangements, are suspended for new, more voluntaristic, units of allegiance and new procedures", writes Bryan Wilson[15].

It is therefore to be expected that the Hasidim as a newly formed voluntary association would start by being hesitant and insecure as to their stance of opposition and to the appropriate action to be taken against their enemies. B. Wilson writes (p. 13), "... classification of religious movements by the extent to which they are institutionalized is clearly inadequate procedure for movements that have arisen outside the boundaries of established Christianity". First, the group imitates "the local communities of peasant society without need for much, if any, formal constitutional arrangement... We may therefore entirely with profit abandon both the traditional theological basis for sect classification in terms of doctrine, and the degree of institutionalization that they have achieved" (p. 14, and 16). Furthermore, it must be stressed that the voluntary association did not, in general, *replace* other corporate relationships, but only supplemented them. The individual members would therefore find themselves with divided allegiances and, in the wake of circumstances, obey sometimes the ones or the others. Chances are that, in cases of conflict between allegiances (such as, for instance, the taking of arms or the pacifist stance) an attempt was made to reconcile them theoretically by evoking reasons allegedly consistent with the philosophy itself of the voluntary association. As says Saldarini, "[I]ndividuals belong to many groups and must distribute their

---

15. B. Wilson, *Magic and the Millennium, A Sociological Study of Religious Movements of Protest Among Tribal and Third-World Peoples*, London, Heinemann, 1973, p. 498.

commitment, time energy, activity, roles and functions among them". This complex situation finds itself compounded by the fact that any given group "can have more than one response to the world at one time, though usually one is dominant... Most [groups] operate as self-selected and intermittently operative communities. In addition, sectarian responses change over time and eventually sects can mutate into other kinds of groups, e.g., the development of denominations from sects in the second generation"[16]. An example thereof would be the very branching off of Essenes and Pharisees as such denominations. This, by the way, would explain the discrepancies found between the "Essenes" as exemplified in Qumran, and the Essenes known much later by Philo and Josephus.

In light of these remarks, a first conclusion regarding the Hasidim is that they formed a *social movement*, which Hans Toch defines as "an effort by a large number of people to solve collectively a problem that they feel they have in common"[17]. One can also use the term "sect" defined by deviance, with Bryan Wilson[18]. He writes, "Concern with transcendence over evil and the search for salvation and consequent rejection of prevailing cultural values, goals and norms, and whatever facilities are culturally provided for man's salvation, defines religious deviance".

We are thus provided with sociological categories for our research, which must now be compared with contemporary phenomena of the 3rd-2nd c., and especially with Hellenistic social groupings. The Greek associations of the time were called by diverse names, such as θίασος, σχολή, σύνοδος, συναγωγή, αἵρεσις, etc. This elasticity in the use of terms has been used by some modern scholars as an argument against giving too much importance to the term συναγωγή in 1 Macc 2,42 where we have the complex συναγωγὴ ἀσιδαίων. But, on the contrary, as this term neighbors several others in Greek parlance, its bearing should not be belittled, especially as we see it repeated in Jewish sources about the Hasideians (cf. 1 Macc 7,12). Another term such as θίασος or σύνοδος could have been a good alternate if the emphasis had not been on the specificity of meaning of συναγωγή in Jewish sensitivity. A later witness to this is found in part in PsSol 17, where the term συναγωγή is

16. A. SALDARINI, *Pharisees*, pp. 280; 72. Cases of voluntary associations totally superseding any other grouping based on natural or customary dictates are provided by Qumran and Early Christianity. "... Pointing to his disciples, Jesus said, 'Here are my mother and my brothers!'" (Mt 12,49). As says B. WILSON (*op. cit.*, p. 496), "... [K]inship ties are replaced by shared religious commitment. Fictive kinship, surrogate tribalism, and selective communitarianism are bases of allegiance perhaps as compelling as the indigenous phenomena for which they substitute and which in some measure they replace...".

17. H. TOCH, *The Social Psychology of Social Movements*, Indianapolis, Bobbs, 1965, p. 5.

18. B. WILSON, *Magic and the Millennium*, pp. 16-26.

again used in reference to the Pious (here ὅσιος, a philological equivalent of ἀσιδαῖοι, Hebrew *hasidim*. In the Greek Bible, A and S translate *hasid* by ὅσιος). By the way, this brings us to a further point: the very transliteration in the 1 and 2 Macc Greek of ἀσιδαῖοι is of the utmost interest. As again PsSol indicates, there were other possibilities in Greek to translate *hasid*. The transliteration ἀσιδαῖοι is a precious indication that we should not consider the term in its general sense of "pious person", but in its specific sense in reference to a sect. Pious persons in general could be called εὐσέβειοι or ὅσιοι, or any other synonymous term. 1 Macc 7,12 f. speaks of ἀσιδαῖοι being among the first to seek for δίκαια (just terms) with Alcimus. It would not make much sense to understand the word ἀσιδαῖοι again here in another sense than a specific designation of a sect. Surely, not all the pious persons in Judaea left at that juncture the ranks of the Maccabean army, and not all the pious in Israel are in a sweeping way described by the text as gullible and incredibly naive (cf. context)!

Speaking of sects, B. Wilson's typology (*op. cit.*, pp. 22–26) is very helpful. The types he distinguishes correspond to their diverse responses to the problem of evil, or to the world at large. They are seven in number, some of which are of particular interest to us. Thus, Wilson calls *revolutionist* a sect where there is human participation in the divine process of overturning the world, but with the consciousness of providing only a token "help" to God (cf. Dan 11,32)[19]. Salvation here is *very soon*. [1 Enoch AA and AW would be, it seems, good examples].

For the *introversionist* sect, World is irremediably evil. Only the holy sect itself provides a *present* salvation with a *future* realization. [Qumran comes to mind, of course].

The *manipulationist* strives toward the transformation of the whole set of relationships; that is "a transformed method of coping with evil" (p. 24). "Well-being is vouchsafed by learning universal principles... which will explain evil away" (*ibid.*). [The Hellenists in Zion belong to the "manipulationist" brand].

Finally, the *utopian* expects a new social organization according to divinely given principles for eliminating evil. The differences with the reformist is a radical replacement of the social organization. [The Book of Daniel would belong to the utopian standpoint].

Stephen Reid, in his book *Enoch and Daniel*[20], attempts to contrast "utopian" parts of 1 Enoch, with "revolutionist" Daniel B. 1 Enoch AW (93; 91,12–17); First Dream Vision (83–84); and the AA (85–90), he says, display a utopian mentality (= "total reorganization of the world along

19. E.P. SANDERS speaks of "participationist eschatology", see *Paul and Palestinian Judaism*, Philadelphia, Fortress, 1977, p. 549.

20. S.B. REID, *Enoch and Daniel. A Form-Critical and Sociological Study of Historical Apocalypses*, Berkeley, Bibal Pr., 1989.

perfectionistic lines" in which the community participates with the deity in the actualization of the eschatological promises). Daniel B, however, reflects a "revolutionist mentality", that is, "the supernatural alteration of the social structures of an evil world". Already on that score of the appropriate nomenclature, I disagree with Reid. More importantly, however, we shall see below how artificial is this opposition between a "utopian" 1 Enoch and a "revolutionist" Daniel, or conversely.

Similarly, Reid insists on the anti-Antiochene, not necessarily anti-Hellenistic character of the opposition in Jerusalem, which in effect started only with Antiochus IV's persecution. Before this, as the extensive use of "Greek categories" in the Palestinian literature of the time shows, the community "tries to incorporate some of the culture around while not abdicating its own identity" (p. 102). But, Werner Förster has shown that, "There existed a current in the Greek spirit which acted as a solvent of all religion, both its own and of foreign peoples, in that it declares the gods to be personifications of natural forces and the myths about the gods to be accounts of the deeds of ancient kings, and which interpreted the meaning of sacrifices and cult-regulations as external indications of an inward spiritual disposition... [T]he myths and cults were still highly treasured. For behind [them]... the Greek conjectured deep wisdom"[21]. In the same spirit, Johann Maier sees between the Hellenists and the opposition in Jerusalem a *Kulturkampf*. Already under the Ptolemies occurred a polarization among the Palestinian Jews with the formation of an anti-Hellenistic front. Daniel A, for example, indirectly criticizes the modernists (re dietary laws, e.g.). That "Kulturkampf" turned readily into a political schism. At stake for the opponents was not any longer just the protection of the status quo but the coming of the Kingdom of God. Maier, however, concedes that this was rather the concern of conventicles with differing views on history and how to interpret the Law. Only a dramatic event considered as the advent of the End would be able to bring all these diverse groups together; such an event came in the form of the "Hellenistic reform" of Antiochus IV[22].

This stance is to be preferred to the one of Lebram[23], Goldstein[24], and Reid. An anti-Antiochene but not anti-Hellenistic opposition postdates that opposition too much[25]. In fact, there is a pre-history of conflict within the Palestinian population to the Antiochene persecution of 167.

21. W. FÖRSTER, *From the Exile to Christ: A Historical Introduction Into the Palestinian Judaism* (E.T.), Philadelphia, Fortress, 1964.

22. J. MAIER, *Geschichte der jüdischen Religion*, Berlin/ New York, Walter de Gruyter, 1972, p. 50.

23. J.C.H. LEBRAM, *König Antiochus im Buch Daniel*, in *VT* 25 (1975) 737-772.

24. J. GOLDSTEIN, *Jewish Acceptance and Rejection of Hellenism*, in *Jewish and Christian Self-Definition II* ("Aspects of Judaism in the Greco-Roman Period."), Philadelphia, Fortress, 1981, pp. 64-87.

25. There is possibly here a trace of J. Neusner's influence, as he mistakenly characterized the Pharisees as non-political. As SALDARINI points out, "religion was part of the social and political scene in the 1st c." (*Pharisees*, p. 10). The openness to Hellenism would apply rather to ben Sira, for example, but we are far removed from Hasidic milieus.

Proof of it is given by the very detail of the prohibitions proclaimed by Antiochus IV, banning everything typically Jewish (circumcision, kasheruth, ritual purity laws, Sabbath keeping, and the confession of the uniqueness of God), thus crowning a conflict unequivocally set on a cultural-religious level. It is, on the other hand, inconceivable that the Jewish populace would have ignored the life-threatening danger of Hellenism upon their ancestral traditions, until they realized such danger when it was too late, under the Antiochus persecution. After all, the auctioning of the high-priesthood in Jerusalem was the direct outcome of a "modernist" conception of that highest function. Alongside with this, ancient customs and *miṣwoth* were ridiculed in the name of the Hellenistic intellectual Enlightenment. The planned *aggiornamento* meant more than just giving a new look to old attitudes!

Against this sociological background, it becomes evident that one cannot oppose a "pacifist" stance to a militant one and decide that the elusive Hasidim belong to one brand or to the other. Neither is it sound to decide that the author of Daniel can or cannot belong to the Hasidic movement on the sole basis of his calling the Maccabean revolt a "little help" (11,34). [On this, more below]. There may have been two orders of the Hasidim as there would be later two orders of "Essenes" as reflected in the two rule scrolls of the community, CD and 1QS. Furthermore, there is no evidence that the distinction between the two orders of the "Essenes" involved a schism in the sect.

It can therefore be speculated that militancy and pacifism may have coexisted without creating between their supporters a radical division, as one or the other attitude resulted from an option for praxis dependent upon interpretation of the eschaton. Of particular importance is the realization, with the sociologist B. Wilson, that a "revolutionist" sect may gradually amend its response to world, even to the point that "it actually mounts rebellion... [I]ntense revolutionism is difficult to maintain" (p. 36). All the more so, of course, as "Of all the forms of religious response to the world, [revolutionism] alone is incapable, *in its own terms*, of attaining any measure of success" (Wilson, p. 492). Wilson adds that, in case of the sect becoming militaristic and encountering failure, it "may continue its existence only as an underground party... more devotional, more indrawn, and thus to approximate more to the position of the introversionist sect" (p. 37). One could think that Wilson had in mind the bifurcation between Essenes and Pharisees when he further says that "such processes are themselves progenitors of schism within revolutionist sects... Further mutation, from revolutionism to introversionism and thence to social reformism, may also occur, as it appears to have occurred among the Quakers..." (*ibid.*).

In this connection, it is equally important to realize the decisive impact of eschatological expectations upon apocalyptic quietism or utopian participation in the events. The Maccabean revolt bespeaks in an ever increasing way an eschatology of "the turning point", according to which, the eschaton is in fact the middle of history, the watershed between before and after: it is a restorative eschatology. Apocalyptic eschatology, by contrast, is not restorative but radical, so that, to the extent that their expectations were apocalyptic, the Hasidim's temporary participation in the Maccabean enterprise was ambiguous. In their mind, they were fighting the last war, the Holy War of God, what would bring the end of time, a conception that their cosmic dualism entailed (cf. 1QM 1,10–12; 15,1–3). But, when it became clear that the events were, by Hasmonean maneuvering, only penultimate, the Hasidim sought peace terms with the power.

Now, even prior to the time when some of the Hasidim decided to collaborate with the priestly Maccabean movement of military opposition, the author of Daniel had, apparently, taken some distance from such an option. At least to the extent that we accept its traditional understanding, Daniel 11,34 dubs the Maccabean revolt "a little help". Within the purview of such reading, scholars have generally emphasized the qualification "little". But this should not obscure the bearing of the noun "help". If indeed the Maccabean action is here envisaged – but the text is not unambiguous in this respect – it is not rejected off-hand as would be expected from a pacifist point of view. The Maccabees are helpful. If, however, their contribution is but "little", it is in regards to the apocalyptic/ deterministic conception of history. Any historical human act cannot be but "little", when the whole of history is predetermined since the beginning. Furthermore and within the same perspective, the Maccabean fight is but a little thing in comparison with the eschatological cataclysm that will follow and is brought about by God himself. What human action would not be dwarfed by divine intervention? But by "worldly" standards, the "help" may be considerable. It is thus important to note that Daniel's pacifism has limits. Military imagery, furthermore, is not missing in Daniel. It is true that the main fight is wrought in heaven opposing the angelic patrons of Persia, Greece, and Israel, but Daniel 7 shows that the human and the divine realms are contiguous and even overlapping. Qumran, a little later, will push that integration of the two worlds to a point never reached before. When Daniel has the angelic guardians of nations warring against each other, his sight goes from the worldly battle-field up to its celestial archetype; the former is the revelation and the locus of the latter, which is the ultimate meaning of what is happening *on earth*. The problem faced by the Hasidim engaged in the Maccabean revolt emerged precisely at the hinge point of that correspondence. We know that eventually some at least among the Hasidim concluded negatively their query (the text of 1 Macc 7,12 uses the expression 'to seek δίκαια' which I understand as meaning more than merely 'seeking just terms'[26]).

Such a reading of Dan 11 is preempted by the understanding that the text alludes to the Maccabees. But the text of Daniel 11,34 may be speaking, in a no less pacifist mood it is true, of other people. The context is well known: Antiochus IV humiliated by the Romans must leave Egypt. On his way back north, he vents his anger and scape-goats "the holy covenant". Daniel 11,30 says that he is in collusion with those who forsake the holy covenant. He profanes the Temple and sets up the abomination that makes desolate. Then come verses 32–35, that we tentatively translate: "Those who corrupt the covenant, he shall make apostatize themselves by opportunism [ba-ḥalaqqoth] and the people of those who should know their God shall be bold and do [as told]. Spiritual leaders of the populace will 'show understanding' for the mass, they will stumble in the midst of swords, flames, captivity, looting, for days. And in their stumbling, they shall be of little help indeed; besides, many of those who joined them are opportunists. So spiritual leaders shall stumble; it is for them to be burned, purified, whitened, in view of the end-time…".

If one understands thus the text, there is here no allusion to the Maccabean revolt but in a very indirect way. The message is more than ever a pacifist one, however, deriding those among the leaders who made fools of themselves in participating in a violent action of resistance to Antiochus by demagoguery. Every one here on the side of the Hellenizers and in the ranks of their bellicose opponents, is called an opportunist. The only correct attitude is one of non resistance. If so, of course, the formative milieu of Daniel is an anti-Maccabean branch of the Hasidim. This conclusion will be maintained in the rest of the paper.

Meanwhile, it seems to be confirmed by the irenic atmosphere that prevails in the first part of the book of Daniel ("Daniel A"). True, this part ante-dates the composition of Daniel B. The cycle of narratives around the figure of the ancient sage Daniel have been re-used by the apocalyptist for his own purposes. The fact that he maintained such an ethos in the first 6 chapters of his work, however, would be unthinkable on the part of some one sympathizing with the Maccabees. No belligerent irredentist would condescend to use such stories about a courtier thriving in Babylon.

> Retrospectively, the accusation that we just found expressed in Daniel 11,32 ff. receives a new light from the Qumran polemic against the Pharisees. These are called "apostates" in 1QpHab, thus punning on their name "persuhim, secessionists". They are also called "hypocrites" or

---

26. *Pace* KAMPEN, p. 116 (see below note 34).

"teachers of hypocrisy" in 4QpNah 2,2 e. a. (*halaqqoth*, as in Dan 11)[27]. The text is interesting: On the advice of the "teachers of hypocrisy", Demetrius III Eukairos in 88 BCE marched against the Hasmonean king Alexander Janneus and gained a decisive victory at Shechem. What follows is typical: it seems that at that point it became clear to all that Demetrius wanted to conquer as well Jerusalem[27a]. But then he was abandoned by some of his own troops, and Alexander was saved... Could it be that Daniel 11 scorns those who, already in 165 or shortly after, were adopting the middle ground of a restorative eschatology, in contradistinction with the radical dualism of the author of Daniel (and later of the Qumran covenanters)? It seems assured that we are, with Daniel 11, at the point of bifurcation between two branches of one spiritual family, branches in which we should recognize the Hasidim/Essenes, on the one hand, and the Hasidim/Pharisees, on the other. One must remember that the book of Daniel found its final shape around the year 165, that is, before the break in question. Any Hasidic work written after this, such as *1 En* [in part], *Jub*, and *T XII P*, did not gain admittance into the Pharisaic canon. Beside 4QpNah 2,2, the term *halaqqoth* is found in Qumran in the expression "*doreshey halaqqoth*", those who seek smooth things, the opportunists, in 4QpNah 2,7; 3,2.4; 4,3.6; 4QpIs c. li. 10. Other parallels with the vocabulary of Daniel 11 are also found there: We saw that the Hellenizers in the former text are designated as "*marshi'ey berith*", so are they also called in 1QM 1,2 (cf. CD 20,26). To these are opposed "the people of those who know their God" in Daniel 11,32 (see Dan 8,24.25.27; cf. 1 Macc 1,65; 2,20.29.42; 2 Macc 6,9), so, in CD 6,2 [8,5]; 20,27; cf. 3,10; 6,6; 19,9, 1QpHab 5,7; 12,3-5. Shifting to another term, Dan 11,33 (cf. v. 35; 12,3.10) has the word *maskil*, which in Qumran is one of the numerous designations of the community head (and probably adopted by his successors, cf. 1QS 9,12): see 1QS 1,1; 3,13; 5,1 [in mss 2,4,7 from cave 4]. The *maskilim* instruct the *rabbim* (the multitude of disciples, cf. Dan 11,33; 8,25; 11,14.18.34.44; 12,2.4.10; with the definite article: 9,27; 11,33.39; 12,3. At Qumran, 1QS 6,20-23). So, a formulaic vocabulary emerges, characteristic of the scribalism of the group.

II. HASID AND HESED IN THE BIBLE AND BEYOND

For Martin Hengel, Ps 149,1 attests to the pre-existence of groups of "pious" before their coalescence under Antiochus IV[28]. Joseph Blenkinsopp follows suite[29]; before him, Louis Jacobs was of the same

---

27. See below, note 71.
27a. Thus unveiling a personal ambition far remote from radical eschatology.
28. M. HENGEL, *Judaism and Hellenism: Studies in their Encounter in Palestine during the Early Hellenistic Period* (E.T.), Philadelphia, Fortress, 1974. (Cf. 1: 176 and 2: 118, n. 464).
29. J. BLENKINSOPP, *Interpretation and the Tendency to Sectarianism*, in *Jewish & Christian Self-Definition II*, pp. 21 and 308 n. 107.

opinion[30]. For Plöger, the division between righteous and wicked in the Psalms occurs on the issue of eschatological faith, a theme later developed among the Hasideans as apocalypticism[31]. Thus, the problem before us is clear: does the term *hasid* or *hesed* in some biblical texts, especially in the psalter, designate members of the association-become-sect of the Hasidim?

Beside Ps 149, other Psalms are sometimes cited (Ps 42; 43; 74; 83...). More importantly, Katharine Doob Sackenfeld, to whom we owe the best survey of the semantic field of the term *hesed* in the Bible, stresses the point that there is of it *NO* secular usage in post-exilic texts, but a marked shift toward religious usage (p. 235). By now, "there is distinction drawn between men who practice *hesed* and those who do not" (p. 236). *Early* on the term became technical. *hasid* designates the recipient of God's *hesed*, hence, one in relation to God (and "deserving" divine *hesed*)[32].

With this statement of Sackenfeld, the opposition between *hasidim* and their enemies in the Psalms, already emphasized by W.O.E. Oesterley in 1939[33], is set in a new light. For Oesterley, the usage of the singular *hasid* may be general, but *hasidayw*, e.g., is more restricted in sense as this suggests a party, in opposition to the so-called *reša'im*. The rift, already present during the Persian era, intensified during the Greek period and gave birth to the so-called Asidaioi, and later to the Pharisees, while *reša'im* was seen as a designation of the Sadducees.

The evolution seems to have been the following. The term *hasid(im)* designated originally and for a long time the pious ones in Israel, without any connotation of organization between them. But, under the Seleucids, some people adopt and apply it to themselves as a group. Such adoption of the term was based not only on the intrinsic meaning of the word, but on the religious sociological connotation of opposition to the "wicked ones", the "enemies", of the Psalms. In short, the term *hasidim* or *hasidayw* became available for those under persecution who applied it to themselves. They used the Hasidim Psalms because they saw them describing their own situation, irrespective of the historical origins of those Psalms. A case in point is the citation of Ps 79 in 1 Macc 7,17 (and 1,37; 3,45); it provides the model for the actualizing hermeneutics operative in Maccabean times. As John Kampen says, "... the presence of the term *hasideyka*... in Ps 79 was the ostensible reason for the choice of these verses. The material [of 1 Macc 7,17] is

---

30. L. JACOBS, *The Concept of Hasid in the Biblical and Rabbinic Literatures*, in *JJS* 8 (1957) 143-154.

31. *Op. cit.*, pp. 64-66.

32. K. Doob SACKENFELD, *The Meaning of hesed in the Hebrew Bible: A New Inquiry*, Missoula, MT, Scholars, 1978.

33. W.O.E. OESTERLEY, *The Psalms*, 2 vols., London, SPCK, 1939, I, pp. 57-60.

structured in such a way that it applies directly and only to the Hasideans"[34].

We can now proceed to the examination of some relevant texts from the books of Maccabees as well as from Qumran and the intertestamental literature. To the extent that, indeed, as we saw, the *ḥasidim*/ ἀσιδαῖοι at first constituted a loosely organized entity, it is clear that they became a sect in actual reality in response to events of the 2nd c. BCE. From the outset, that response was ideological and, more specifically, hermeneutical. The oldest documentation about the emergence of the group is found in the Enochian AA (90,6-12: murder of Onias III, rise of Judas Maccabee) and AW (93,9-10). One important point to note is the negative judgment of those texts, as well as of the following ones, on exilic and post-exilic periods. The Restoration announced by the Prophets occurs only in the 2nd c.; it did not coincide with the return of the exiles in 538 or with any other major event (515, for instance) prior to the publication of the apocalypses. So, the Danielic understanding of Jeremiah 25 and 29 (in Dan 9) is shared by those roughly contemporary texts.

The Enochian texts are confirmed by CD 1,5-11 describing the birth of that "plant" happening after 390 years [starting with 587]. Now, for 20 years, the sectarians were groping as blind people, but then came the Teacher of Righteousness[35]. Michael A. Knibb, among others, also interprets the text as referring to the emergence of the Hasidim, followed "20 years" later by the founding of Qumran.

Another 2nd c. sectarian text, Jub 1,9-18, brings again a negative judgment on exilic and post-exilic periods (cf. v. 14). Then, in verses 15–18 comes the prophecy about "a plant of uprightness", like in AW (93,2.10) and CD (1,7). The computation of time here is on the model of the 70 heptads of Daniel 9. The prophecy of the "plant" is just in process of realization, according to Jubilees.

Other texts express a similar dissatisfaction with the post-exilic period until the 2nd c. T. Levi 16, e.g., speaks of 70 weeks of sin (cf. 14,4-8), while 17,10 mentions the events of 515, "they shall restore anew the house of the Lord". But these events take place in the 5th week, after which come weeks of corruption, especially of the priests. Besides, for Tobit 14,5, the 6th c. return and the rebuilding of the Temple are only provisional steps towards the true Restoration at the end.

34. J. KAMPEN, *The Hasideans and the Origin of Pharisaism: A Study in 1 and 2 Maccabees*, Atlanta, GA, Scholars, 1988, p. 134 (on 1 Macc 7,17).
35. The model is provided by Ezekiel 4 where "days" is interpreted as "years".

As well known, the term *ḥasidim* (in its Greek transliteration Ἀσιδαῖοι) with a full technical sense appears for the first time in 1 Macc 2,42. In his discussion of this text, Philip Davies, to recall, says that the context does *not* establish: a) that those massacred on a day of Sabbath were themselves Hasidim; b) that the Hasidim joined Judas because of that massacre. Rather, he says, the text shows that:

a) the Hasidim are no passive victims; they are called ἰσχυροὶ δυνάμει (*gibborey ḥayil*);

b) they are πᾶς ὁ ἑκουσιαζόμενος τῷ νόμῳ (in Hebrew *kol ha-mith-naddéb la-torah*), but this does not distinguish those people from the rest of the Maccabean troops, for 1 Macc 2,27 tells us that Mattathias summoned "all zealous for the Law" (πᾶς ὁ ζηλῶν τῷ νόμῳ);

c) the word συναγωγή does not designate a sect, for we have also in 7,12 συναγωγὴ γραμματέων. In fact, συναγωγή is "a group gathered for a common purpose" (here, for fighting);

d) furthermore, on 1 Macc's own insisting, not the Hasidim but Mattathias' family occupy the centerfold; the Hasidim cannot be said to be more dedicated than the Maccabeans themselves, and certainly not more than those who put their lives on the line and died (v. 29–38).

Such is Davies' argument, but the text's meaning seems to be different. The very fact that Hasidim, known for their traditional quietism of sorts, would at all participate in the armed revolt was totally unexpected. In fact, what brought them to such an extreme was the Sabbath massacre of faithful Jews. These were not necessarily Hasideans, but the relation between their slaughter and the Hasidim's enrollment is established by the context. The Hasidim resolved that their own dedication to the Law demanded at that point that they be *gibborey ḥayil*, stalwarts of Israel. Ἑκουσιαζόμενος has, on Davies' own admission, a cultic connotation in post-exilic literature. The truth of the matter is that everywhere in the Hebrew Bible, in pre-exilic and post-exilic texts alike, the verb *hithnaddéb* has such a cultic, religious, meaning, also and primarily in Judg 5,2.9 that Davies singles out as having a secular sense. At no point therefore can his definition stand that συναγωγή designates merely "a group gathered for a common purpose". Cf. Neh 11,3; 1 Chr 29,5.6; 2 Chr 17,16. Συναγωγὴ ἀσιδαίων does not designate any gathered group. According to Charles Perrot[36], συναγωγός does not have that general meaning. It is always "une communauté juive". In Rome, the Jewish communities/ "synagogues" of the 1st c. CE gathered in their respective προσευχαί. In 56 CE at Bérénikè (Cyrenaica), an inscription has συναγωγός to designate the Jewish community. In Philo, συναγώγιοι means cultic assemblies (*Somn.* II, 127).

36. C. PERROT, *La lecture de la Bible dans la Diaspora hellénistique*, in *Études sur le Judaïsme hellénistique*, Paris, Cerf, 1984, pp. 109 ff.

From the singular form of the word συναγωγή, Davies concludes
that, even if the word designated the Hasidim as a sect, the text of 1
Macc 2 would then refer to a conventicle whose move here may be
"exceptional"[37].
But:

a) συναγωγὴ ἀσιδαίων, beside being possibly a too literal translation
from the Hebrew construct form *qehal ḥasidim, 'edath ḥasidim*, may be
understood as a "pars pro toto" expression, and mean *the* synagogue
rather than a synagogue;

b) 1 Macc is not just propaganda for Mattathias' family, but also for
their cause. It is understandable that to be able at some point to count
the Hasidim, or even a faction thereof, among those who rallied the
Maccabees was sufficient ground for boasting. These people were
known as displaying an exemplar dedication to the Torah.

c) Mathias Delcor, sharing the same feeling, sees behind the word
sunagôgè the Hebrew *'edah*, a term by which the covenanters of
Qumran designated themselves (4QPs 37,11.16; 1QS 5,20). As for
ἐκουσιαζόμενος (*mithnaddéb*) it is a characteristic term of 1QS (1,7.11;
5,1.6.8.10.21.22; 6,13) pointing to the community volunteering for the
service of the Law[38].

d) If, following J. Kampen, we focus on the term ἀσιδαῖοι, the very
transliteration in Greek shows that *ḥasid* was a proper noun. As already
said above, the author might have translated it by ὅσιος, εὐσεβής
(LXX for *ḥasid*; see Ps 79,2-3; 1 Macc 7,17 has ὅσιος). Now, 1 Macc
in Hebrew was translated into Greek before Josephus wrote *JA* (which
quotes it literally, in 93/94 C.E.). Josephus, however, does not re-
produce ἀσιδαῖοι, even when paraphrasing 1 Macc 7,12-13 in *JA*
xii,395[39], meaning that the Hasidim's hey-day was earlier, during the
time of the Maccabean revolt. In 2 Macc 14,6 (written originally in
Greek) we find again ἀσιδαῖοι as recorded by Jason (cf. 2,28), a
contemporary with Judas Maccabee (so V. Tcherikover, F.-M. Abel,
J.J. Collins). 2 Macc comes before 152 when Jonathan became High
Priest. The epitomist wrote between 124-110 (Tcherikover), probably in
124 (date of the first letter prefacing the book [1.1–10a]). He used
Hasidim as a proper noun in 124, but Jason might have done so
already in the time of the revolt (and of the Daniel book!).

Turning to sociology of knowledge, it is clear that the notion of Holy

37. *Op. cit.*, p. 136.
38. M. DELCOR, *L'hymne à Sion du rouleau des Psaumes de la grotte 11 de Qumran (11
Qps a)*, in *Revue de Qumrân* 6/21 (1967) 71-88; cf. his *Daniel* commentary, Paris, Gabalda,
1977, esp. pp. 15-19.
39. In by-passing the Hasidim completely, however, and speaking instead of "some of
the citizens", Josephus (*JA* 12, 177-278) introduces inconsistency in his work, for he does
mention the massacre of 60 of the Hasidim leaders by Bacchides. Josephus' focus is on the
popular character of Maccabean resistance.

War plays here a central role. One can say that the main motif of the Maccabean propaganda, especially aimed at the pious ones, was to present their struggle as such, perhaps even as *the* Holy War par excellence, the eschatological war against the final enemy. Thus, the Hasidim were facing a quandary. Their quietism demanded their non participation in the Maccabean action. But the latter was presented as a war led by God and to which humans are only privileged to participate. Indeed, a non participation entails a terrible curse, as can be seen in the book of Judges, particularly with the example of the tribe of Benjamin almost totally eradicated on that very ground. It is thus understandable that the Hasidim at first wavered between their traditional pacifism and their engagement into the battle. But, once they or some of them made up their minds, they were of course the most valiant of all in the war as they were the best motivated. As Antiochus IV had forbidden circumcision, kasheruth, ritual purity laws, Sabbath keeping, and the confession of the uniqueness of God, the conflict took in their eyes a dualistic, cosmic dimension. The time was one of exception. They, therefore, ratified the Maccabean decision to defend themselves *during the Sabbath* (1 Macc 2,39-41; cf. *JA* xii,276 ff.). Not all of them felt bound by the decision, however, as can be seen in the strict non-participative attitude of Qumran before 70.

Being the "last" to join force with the Maccabees, the Hasidim are also the first to seek peace (1 Macc 7,12-17), as soon as it becomes clear that the Maccabees are engaged in a personal pursuit of glory and power, a motivation that can hardly be reconciled with the notion of Holy War. Furthermore, with the re-establishment of the legitimate High Priesterhood, scribes hoped to recuperate their official functions, so Hasidim were ready for compromise. To this text of 1 Macc 7,12-13 we now turn. J.A. Goldstein[40] translates, "... an assembly of men learned in the Torah (συναγωγὴ γραμματέων) gathered before Alcimus and Bacchides 'to seek justice'. The Pietists took the lead (καὶ πρῶτοι οἱ ἀσιδαῖοι ἦσαν) among the Israelites in seeking peace at their hands."

Ph. Davies takes exception to the understanding of that text as revealing aspects of Hasidic identity. He says that the text is modified by 2 Macc 14 where it is Judas, not the Hasidim, that comes to terms with Nicanor and, for a while, returns to civil life. This version of the events is considered more historically authentic because Judas is openly presented as gullible.

But:

a) Goldstein shows the irony of 1 Macc 7,12-13, based as it is upon Zeph 2,1-3 under a modified form to stress how naive were "those men learned in the Torah" (instead of "nation without learning" in Zeph) in

40. J.A. GOLDSTEIN, *1 Maccabees*, p. 326.

approaching Alcimus and Bacchides "to seek peace" (instead of "justice" and "humility" in Zeph)... The use of the word γραμματεῖς receives from this interpretation its full sense. Συναγωγὴ γραμματέων is parallel to συναγωγὴ ἀσιδαίων of 2,42.

b) Whether or not our text reflects a historical event, it is clear that the author expected the Hasidim to be most anxious among all Israelites to make peace. The alleged non-historicity of the passage would bespeak, all the same, the fundamental attitude of the Hasidim.

c) If the text, however, has any historical value, one can see in 2 Macc 14 the fusion of two entreaties, one with Bacchides (and Alcimus), the other with Nicanor (cf. 1 Macc 7,5 ff.25). In the former one, the Hasidim may have been particularly active (πρῶτοι). Then, when Judas saw that his best troops were about to defect, he came to terms with Nicanor. He had no other choice.

2 Macc 14,6:
(Alcimus says:) "Among the Jews, those who were called Ἀσιδαῖοι under the leadership of Judas Maccabee... are in rebellion, etc. ..." (transl. J.A. Goldstein).

Ph. Davies contrasts this text with the picture of Hasidim given by 1 Macc for, he thinks, here Asidaioi designates, not a little group in the midst of a crowd of Maccabean soldiers, but "the bulk of the active resistance" (Davies, p. 138).

But:

a) 2 Macc is "pathetic" history writing given to sentimentalism. Its pattern is "Deuteronomistic": sin — punishment — judgment — salvation. Clearly, therefore, the author had a high stake in showing that the Maccabean resistance was a pious movement of repentance. The freedom fighters were Hasidim and/or martyrs. The focus has shifted from Mattathias in 1 Macc, to "Judas and those with him". Surely, the author was opposed to the Hasmonean régime. His emphasis on the Hasidim makes all the more sense within this pietistic perspective.

b) The discourse in the text is put in the mouth of a High Priest, that is, someone particularly sensitive to the presence of religionists among Judas' troops.

c) The Hasidim, gibborey hayil, may indeed have been the spearhead in Judas' strategy, as the most reliable and the best motivated of his soldiers. Matthew Black speaks of them as a "corps d'élite", and V. Tcherikover sees in them "chief scribes" leaders of the resistance[41].

Among the Dead Sea Scrolls, at least one document so far mentions

41. M. BLACK, *The Tradition of Hasidean*, p. 24; V. TCHERIKOVER, *Hellenistic Civilization*, pp. 196 f.

the Hasidim. It has been analyzed with much ingenuity by M. Delcor[42]. It is a hymn to Zion, from among some 36 psalms of 11QPs[a], published by J.A. Sanders[43]. Its date, as we shall see, must precede the full-fledged organization of the Qumran community.

In verse 3 of the Hymn to Zion, we find *dôrôth ḥasidim*, generations of Hasidim (cf. Ps 149,1, *qehal ḥasidim*). Verse 6, the Hasidim are praised for their *ma'asim*, probably, says M. Delcor, for their heroic acts in war. As a matter of fact, according to verses 7-8, Jerusalem is threatened from inside (where there are *ḥamas, šeqer*, and *'wi* [= *'wôn*]), and from outside by assailants (v. 13: *sabib*). "Beloved ones" are also outside and want to rally those inside ("your sons"), a situation comparable with the one described in vision in Zech 12 and 14. In verse 9 is found the term *themimim* ("perfect ones"), a self-designation of the Qumran sectarians.

The *Sitz im Leben* of the hymn becomes more precise in verse 16. It speaks of *ṣedeq 'alamim*, a clear reference to Dan 9,24 on the restoration of Jerusalem and the Temple. Similarly, verse 17 alludes to Dan 9,23. Thus, the exhortation is to the Jerusalem inhabitants to remember Daniel's vision about the eventual restoration. Delcor, therefore, thinks that the Hymn is one of the oldest echoes to the book of Daniel (or to Dan 9). The Hasidim here are not the covenanters of Qumran, but their predecessors. The historical setting seems to be the time after the murder of Onias III and the usurpation of the high-priesthood by Jason (174-172), Menelaus (172-163), and Alcimus (163-159).

The non-Masoretic parts in Greek of the book of Daniel cannot have been added long after the Semitic composition of the apocalypse. Most remarkable among those additions is the thanksgiving hymn of chapter 3.
Dan 3,87 (in LXX and Θ);
S.B. Frost characterizes this hymn as "asseveration by thanksgiving"[44]. According to George Nickelsburg[45], already Tobit 8 used it. The hymn is probably old: the formulaic style, the materiality of praises, the effacement of the singer, and the antiphonic character of the prayer, seem to prove the fact. In verse 87 (65), ὅσιοι is found together with ταπεινοὶ τῇ καρδίᾳ. These, who are invited to praise God, are mentioned in an ascending list of "exhortees": children of man, Israel, priests, servants [of the Lord, adds Θ], i.e., probably levites[46] (thus setting the

42. M. Delcor, *L'hymne à Sion*.

43. J.A. Sanders, *Discoveries in the Judean Desert of Jordan*, IV, Oxford, Clarendon, 1966.

44. S.B. Frost, *Asseveration by Thanksgiving*, in *VT* 8/4 (1958) 380-390.

45. G. Nickelsburg, in *Jewish Writings of the Second Temple Period*, Michael Stone, ed. (Compendia Rerum Judaicarum ad NT), Section Two, vol. II, Philadelphia, Fortress/ Assen, van Gorcum, 1984, p. 151.

46. So W.H. Bennett in *APOT* I, p. 636.

low clergy above the high clergy of the Temple); then "the spirits and souls of the Just" (v. 86); the ὅσιοι (v. 87); then last, "Anania, Azaria, Misael" (v. 88). These are coming last on the list, because the martyrs represent the very acme, the πλήρωμα, of their people; in the words of Carl Kuhl, "der Mensch in seiner speziellen und nach Ansicht des Dichters höchsten Ausprägung"[47].

Verse 87 tells us that the ὅσιοι are "meek-hearted" (= 'anawim). Bennett comments that the terms ḥasid and 'anaw are technical terms in the post-exilic times for the members of the nationalist party which insisted on the strict observance of the Law. He quotes Ps 18,25.27; 86,1 f.; 149,1.2.5.9.

Space does not allow for a full examination of the document called PsSol, of the 1st c. BCE. A few remarks must here suffice. Three groups of people are described in the document, the Gentiles (= Romans), the Sinners (= the Hasmoneans and possibly the Sadducees), the Devout. The problem is that we do not known the identity of the latter. Before the Dead Sea discoveries, there was a scholarly consensus that the PsSol were Pharisaic. The sinners were the Sadducees. But the Qumran literature has changed the opinion of some and the "Essene" origin is defended, among others, by André Dupont-Sommer and Otto Eiss-feldt[48]. But James Charlesworth has added to the presentation of the PsSol by R.B. Wright[49] a paragraph calling "unwise" the attribution of the book to either Pharisees or Essenes, as we know much too little about both before 70 CE, and their closeness was such that the two sects were "similar". Chaim Rabin's opinion falls in parallel with this, although showing more openness to the "Essene" thesis[50]. He writes, "The Qumran sect... were... a die-hard Pharisee group trying to uphold 'genuine' Pharisaism (as they understood it) against the more flexible ideology introduced by the Rabbis in authority". In fact, Qumran kept the bulk of Pharisaic heritage, as they shared "a long common history with Rabbinic Judaism"[51].

Be that as it may, in PsSol, the term ὅσιοι is, according to Herbert Ryle and Montague James, almost always used in its technical sense[52]. Ὅσιοι are put in stark opposition to "sinners", a situation already

---

47. C. KUHL, *Die drei Männer im Feuer* (BZAW 55), Giesen, 1930, p. 93.

48. A. DUPONT-SOMMER, *Les Écrits esséniens découverts près de la mer Morte*, Paris, Payot, ⁴1980, p. 308; O. EISSFELDT, *The Old Testament: An Introduction* (E.T.), Oxford, Oxford U.P., 1965, esp. p. 613.

49. J.H. CHARLESWORTH (ed.), *The Old Testament Pseudepigrapha* II, London, 1985, p. 642.

50. Ch. RABIN, *Qumran Studies*, New York, Schocken, 1975, p. 69.

51. Ch. RABIN, *op. cit.*, p. 70.

52. H.E. RYLE and M.R. JAMES, *Psalmoi Solomontos: Psalms of the Pharisees, Commonly Called The Psalms of Solomon*, Cambridge, University Press, 1891, p. 36.

encountered in other documents we have reviewed and in the first place in the canonical psalter. In PsSol 17,18 (16), we read this very interesting phrase, "they that loved the synagogues of the pious" (ἀγαπῶντες συναγωγὰς ὁσίων), whose parallel with 1 Macc 2,42 is obvious.

In conclusion, the invitation of Ph. Davies to abandon the view that the Hasidim were a distinct sect is to be turned down. His assertion that the 2nd c. BCE Judaism can be written without the Hasidim is unnecessarily provoking. A 2nd c. Judaism without the Hasidim is severely crippled. I for one do not see how this could be done without inventing a ghost to take their vacated place. True, on the other hand, apocalypse writing was no Hasidic reserved ground. But all those who composed apocalypses or who cultivated them, shared a common dissatisfaction with the Establishment, that implied a negative judgment on exilic and post-exilic times seen as forming one single period. They also shared a common view of this world as the shadow of a heavenly and transcendent reality. The latter is the true world to come, "then we will see face to face" (1 Cor 13,12).

III. The Hasidic Formative Milieu of the Book of Daniel

Any theory regarding the socio-religious background of the apocalyptist responsible for the composition of Daniel, must come to grips with the complex amalgamation in the book of diverse elements: *popular lore*, the renaissance of *mythological imagery, mantic wisdom, prophetic imagination, scribalism, pietism*, and *apocalyptic eschatology*. To these features must be added convictional stances such as *dualism* and *determinism*, that imply a certain *pacifism* verging on quietism. Deeply rooted are also *priestly interests*, among which the unveiling of divine secrets.

Only one Jewish milieu suggests itself. We are able to define it with the help of scattered information provided by texts that we have reviewed above, as well as some others including Philo's and Josephus'. That milieu is pre-Essene or Hasidic. By this term, we mean a movement rather than a constituted sect, a stance rather than a defined doctrine. But as much as we must resist the temptation to imagine a crystallized sect on the model of Christian denominations, as B. Wilson warned us, so must we also reject an overly negative conclusion regarding the Hasidic existence and set of convictions.

a) The connection between Hasidim and *priests* is evident. In fact, apocalypticism may have originated in priestly circles within the Hasidic movement. Not only do we have the testimony of Qumran, but the importance of cultic interests in apocalypses cannot be missed (cf. Dan

8,11.14; 9,27; cf. Jub; TLevi; 2 Enoch which ends "with an extensive legend on the origins of the priesthood" recalls Benedikt Otzen[53]). It is to be remembered that the Maccabean revolt (of which some dimensions were apocalyptic and could be blown up by [some] Hasidim to justify their participation in the struggle) was started by the priest Mattathias and his sons. Other characteristic issues dealt with in the apocalypses, such as astronomy-calendar matters and mantic wisdom ("knowledge of the secret forces underlying nature and existence") are within the province of priesthood.

b) Similarly, *scribes* are closely associated with the Hasidim, as seen above in 2 Macc. The Scribes of the post-exilic times do not appear as a unified group; textual references are to functions filled by various kinds of people, but especially priests and levites. Now, as the Greeks relied on non-priestly officials for that office, this probably opened the door for lay scribes among the Jews to add themselves to the priests (so, Bickerman[54]). Their association with the Hasidim leaves unclear exactly what role they played; they came to Alcimus as a group, and were certainly seen as a threat by the government, which plotted the assassination of some of them. For the anti-Hasmonean 2 Macc, all the followers of Judas Maccabee are Hasideans; so claims also Alcimus in his letter to Demetrius I (2 Macc 14,6); the parallel of 1 Macc 7,12 f. at least implies that their leaders were scribes[55]. They no doubt exercised influence on Palestinian society, as is attested to by narratives on the scribe Eleazar's martyrdom in 2 Macc 6,18 and 4 Macc 5. J.J. Collins has suggested[56] that the Enoch traditions are the product of "scribes who were distressed by the encroachments of Hellenism and the consequent erosion of traditional customs and aggravations of class divisions". When it is remembered that Enoch himself is presented as a scribe in the book that bears his name, that opinion of Collins makes good sense.

c) Popular lore and mythological imagery go side by side in Daniel. To the former belongs the developed angelology of the book, to the latter the stark dualism of good and evil using metaphors heavily dependent upon Canaanite mythology, as is particularly clear in Daniel 7. Both interests, amalgamating as they do the popular répertoire and a scholarly curiosity for things of the past, were united in the Hasidic-scribal milieu. A popular movement, it was, however, conducted by

53. B. Otzen, *Judaism in Antiquity: Political Development and Religious Currents from Alexander to Hadrian*, Sheffield, JSOT, 1990, pp. 219-220.

54. E. Bickerman, *The Jews in the Greek Age*, Cambridge, Harvard University Press, 1988.

55. It has not been sufficiently stressed in modern scholarship that 1 Macc presents the Asidaioi as having a double allegiance: to the Maccabees and to their scribal leadership.

56. In *The Apocalyptic Imagination*, New York, Crossroad, 1984, p. 63.

sages and spiritual sophisticated leaders (*maskilim* and *maṣdiqim*)[57]. The apocalyptic literary genre itself appears as an uncanny mixture of both ingredients.

The cumulative effect of these constitutive elements in Daniel apocalypse makes one unmistakably think of Qumran literature. No wonder, for the "Essenes" of Qumran are indeed the direct heirs of ancient Hasidim. One will find in Part IV of this paper some reflections on the branching off of Hasidim into Pharisaism and Essenism. The author of Daniel comes at a time that precedes that schism, but his judgment upon the Maccabean events is already indicative of a ferment within his group that will eventually split it in two distinct, and even mutually hostile, spiritual families.

IV. HASIDIM AND THEIR BIFURCATION INTO PHARISEES AND ESSENES

The insistence of Hellenism upon a fit body, notes Louis Finkelstein[58], contrasted in Israel with what he calls plebeian emphasis on study and piety. The opponents to Hellenism had, therefore, little inclination (and training) to confront their foes on the battle field. Furthermore, organization was not a Jewish *forte* before the 4th c. The Greek model was needed for creating a group solidarity with a definite program of action. Before this actually happened, a loosely constituted group in the 3rd c. adopted for themselves the biblical term *ḥasidim*. When the time came for them to organize into a sect, a precedent was set in the history of Judaism in the form of an attempt at formulating doctrines. Resurrection, angelology, providence, individual importance, and above all oral law, became the tenets of the sect's creed. The successor of Onias II, Simeon II, was the leading exponent of Hasidic doctrine: Judaism was Torah. Now, whether or not he is the creator of the *kneset ha-gedolah*[59], as L. Finkelstein claims that he is, a veritable revolution was in the making as plebeians were now acceding through their intellectual sophistication and their burgeoning organization to the level of a decision making body. In the letter of Antiochus III written in 198 and reported by Josephus *JA* xii, 3,3, the plebeians are called "Scribes of the Temple". They are already here associated with (oppressed) levites.

All along this paper, our research has been hampered, not by an alleged objective absence of the Hasidic movement from the scene of

---

57. See above, Part I, on the sociological background.

58. L. FINKELSTEIN, *The Pharisees: The Sociological Background of their Faith*, Philadelphia, The Jew. Publ. Society of Am., 1938, vol. II (chap. XXI: "Hellenists, Hasideans, and Pharisees").

59. On the non-historicity of the Great Assembly, cf. I.J. SCHIFFER, *The Men of the Great Assembly*, in *Persons and Institutions in Early Rabbinic Judaism*, ed. W.S. GREEN (BJS 3), Missoula, MT, Scholars, 1977, pp. 237-276.

history, but by its nascent structuring. We have been dealing with a social phenomenon *in transition* (until it all but disappeared under John Hyrcan; see below). At first the Hasidim had no other ground for channelling their energies than a common opposition to the Hellenization of ancestral traditions. What was culturally rather objectionable was religiously intolerable. Hellenism was progressively permeating all aspects of Palestinian Jewish existence, but when it came to corrode Jewish faith itself, these people's sole recourse was to get more and more intentional in their struggle against an increasingly corrupt Temple personnel, including the *pontifex maximus*. The acme of the revolt was reached with the unprecedented religious persecution mounted by Antiochus IV. Then the occasion obtained for the Hasidim to take a decision that tipped up the association into a religious sect and their participation – at least of some of them – in the Maccabean rebellion. Henceforth the term "*Hasidim*" takes on a new meaning.

Paradoxically, however, their existence *qua* sect was short-lived. Born with Judas Maccabee's uprising, it already then experienced internal dissensions on whether or not to interpret the Hasmonean enterprise eschatologically. It is within that perspective that we must evaluate the prudent withdrawal of Hasidim from the Hasmonean adventure, when Alcimus acceded to the high-priesthood. History shows that such a unity saving decision did not prevent the sect from being gravely divided. Doctrinally, the problem continued to be hermeneutical regarding the end-time, and became increasingly aggravated by the insatiable Hasmonean appetite for power. In fact, it can be said that the Hasidic party dissolved with the victories of the Hasmoneans. Pacifism did not win the day; the plebeians had not won power over the Temple. The priests claimed sole authority, and John Hyrcan played in their hands by expelling the plebeian scribes from the Sanhedrin and restoring the old *Gerousia* of priests and family heads. Descent superseded again erudition. The Patricians became the Sadducees, "spiritual heir(s) of the pre-Maccabean Hellenism". They displayed "loyalty to the Jewish ritual... mingled with slavish imitation of Greek culture"[60]. The "plebeians" rallied to the Pharisaic ideal, but their fundamental pacifism was severely tested under Alexander Jannai. The most restive elements among them took the lead and raised the banner of revolt. Under Queen Alexandra, the Pharisees acceded to power and again reverted to pacifism. It proved itself again and again in the following years, until Pompey took Jerusalem without resistance. He only had to capture by storm the Temple and its Sadducean defenders.

Pharisaic pacifism was the effect of a cause. We have enunciated it: "Judaism was Torah". Nothing from then on could be snatched by enemies or circumstances from Israel's identity, as long as the Torah remained intact. As I shall emphasize below, the Pharisees went beyond the letter of the law, because they considered that this was really fulfilling the law. This put them at odd with the Sadducees, but the differences between the parties' understanding of the law did not go so far as to bring them to brand each other as "sinners" or outcasts. The Rabbis did not equate their own rules with the laws given by God. The Sadducees in control of the Temple did not forbid the offering of sacrifices by Pharisees... The "Essenes", however, went much further, considering their sectarian laws as having the status of revelation.

The split between Pharisees and Essenes is a bifurcation between a *tolerant* branch and an intolerant branch of the Hasidim. E.P. Sanders has recently demonstrated again the Pharisees' forbearance[61]:

> The Pharisees did not cut themselves off entirely from the common people. As I have several times proposed, they knew that they went beyond the Bible, and they did not equate their own rules – about many of which they disagreed themselves – with the binding will of God. They thought that those who obeyed the principal biblical injunctions, and who kept its major purity laws, were members of the people of God. This included both the ordinary people and those who followed a different interpretation of the law – the Sadducees. The Pharisees had the feeling of being stricter and holier than most, but not that of being the only true Israel.

That is why Sanders says that the Pharisees were not a sect, while the strictness of the Essenes is fundamental of a sect. Or, in the words of B. Otzen[62]:

> ... [T]he Pharisees went beyond the general requirements and demanded instead the exceptional [adding] demands which decisively exceeded the normal range of expectation as to keeping the Law [such as the purity laws applicable to priests being imposed upon every one every day]. This latter expansion of the Law can be regarded as atonement for the shortcomings of the contemporary priesthood.

Per contra, on the question of determinism, the two sects were in disagreement. Only an "Essene" text like 1QS 3,15 ff. can say, "All that is and ever was comes from a God of knowledge. Before things came into existence He determined the plan of them; and when they fill their appointed roles, it is in accordance with his glorious design that they discharge their functions. Nothing can be changed...".

It is to be expected that before the schism occurred, one trend or the other proved stronger at times and overruled the resistance of the weaker. This, as I can see, is what happened when the *sunagôgè asidaiôn* joined the Maccabean movement in 167. An example of the

---

61. E.P. SANDERS, *Jewish Law from Jesus to the Mishnah*, London, SCM/ Philadelphia, Trinity Pr. Intern., 1990, p. 240.
62. B. OTZEN, *op. cit.*, pp. 117 f.

other trend's influence is provided by what occurred at the ordination of Alcimus as High Priest in 162. Then a *sunagôgè grammateôn* came to terms with the authorities, and the Hasideans ceased to support the Hasmoneans.

The fundamental question at this stage remained, as it had ever been, eschatological. As Kurt Schubert writes, "For a proper understanding of Pharisaism, the fact cannot be too strongly stressed that *it grew out of an opposition to the continued ultra-eschatological expectations of Assidean apocalyptic circles*"[63]. Now, while it is clear that the "ultra-eschatological" trend was perpetuated at Qumran in contrast to the other Hasidic branch, the Pharisaic and Rabbinic literature displays, on that score, a very nuanced and complex attitude. There was no utter rejection of apocalypticism, but a clear distancing from its excesses. At least after 70, Rabbinic doctrine could not ignore some apocalyptic teachings that had become deeply rooted in popular mentality. So that Joshua Bloch is entitled to say that both the apocalyptic and the Rabbinic literatures, "were treating of the same great subject, the role of God in history especially at the end of days... Virtually all the spiritual conceptions of the Days to Come which found their ways into Judaism are derived from the apocalyptic writings... the whole eschatological material of the Book of Enoch found its way into the Talmud"[64]. So, e.g., the resurrection and the coming of the Messiah, the Kingdom of God on earth, the bliss of the righteous and the torments of the wicked... Cf. *m.Sota* 9,15; *Der. Er. Zuta* 10; *Sanh.* 97 b; *Cant. R.* 2,13; *Ket.* 112 b; *Shabb.* 118 a...

Furthermore, common to both Essenes and Pharisees is their respective *transcendentalism* (doctrine of *ha-'olam ha-ba'*). Such a Hasidic element is of course especially at home in the apocalyptic literature, whose concern is with "things in the divine world of beyond", as says Förster, including "everything that lies above the 'firmament' of Gen 1,7: rain, snow, hail, lightnings and their angels, the course of the sun and the moon, the paths of the stars, as well as angels and demons, and the various heavens, paradise and hell, and the abodes of the righteous and the unrighteous before the final judgment. The transcendental background of world-history, the coming of evil into this world and the form that its ending will take, finally, of course, the events of the end,

63. K. SCHUBERT, *Jewish Religious Parties and Sects*, in *The Crucible of Christianity*, A. TOYNBEE ed., New York/ Cleveland; World Publ. Co., 1969, p. 89, his emph. [This is especially true *before* 70 CE. After 70, Pharisaism had to adopt certain doctrines of the apocalyptists, such as the resurrection of the dead (cf. esp. *m. Sanh.* 10.1–3). No ancient text of the Talmud or the Midrash displays an apocalyptic utterance. But after 70, the situation changes. There are, for instance, speculations on the "messianic birthpangs", the date of the eschaton, and other such "apocalyptic" issues (*Sanh.* 98 ab; *Cant. R.* 8.11). On this, see below.]

64. J. BLOCH, *On the Apocalyptic in Judaism* (JQR Monog. Series II), Philadelphia, The Dropsie College for Hebrew and Cognate Learning, 1952, pp. 86, 93.

the resurrection of the dead, the annihilation of the wicked, the great world-judgment and the situation at the day of salvation..."[65]. Such concerns are also found in the Talmud.

Of particular import for our study is the repeated mention in the Talmudic literature of the *ḥasidim ha-rišônim*. These are cited as living examples of a particularly strict legal attitude vis-à-vis the application of a specific *miṣwah*. A criterion emerges from the texts for distinguishing the *ḥasid*: he "is not content with the minimum standards of conduct but resolves to go far beyond the letter of the law"[66]. He thus sets a *mišnath ḥasidim* (*B. M.* 52 b); this he does not according to personal preference, but according to a code beyond the code. So, for example, applying a rule of the Mishnah, R. Joshua b. Levi saved the lives of his co-citizens by handing over to the enemies a man they had specified by name. The Prophet Elijah appeared to R. Joshua and rebuked him in the name of *mišnath ḥasidim* (*j. T. Terumot* 8. 46 c). There is indeed a difference between a *ṣadiq* and a *ḥasid*. God also goes beyond *ṣedaqah* in dealing with the sinner and acts according to *ḥasiduth*, says R. Huna invoking Ps 145,17 (*RHSh* 17 b [3rd c.]).

Also Philo (*De Specialibus Legibus* II,42-55; *Quod omnis Probus Liber*) mentions an ancient tradition about saintly men of former days. This tradition falls in parallel with the Rabbinic sources, although Philo's use seems more general than the Talmud's. Of the *ḥasidim ha-rišônim* it is here said, for instance, that they would only consort with their wives on a Wednesday so as to avoid birth-giving on a day of Sabbath (cf. *Nidd.* 38 b)[67]. Such a rigorism of the *ḥasidim* was sometimes rejected by the Sages. In *Shabb.* 121 b, we read, "A *tanna* recited before Rabbah son of R. Huna: If one kills snakes and scorpions on the Sabbath, the spirit of the *ḥasidim* is displeased with him. He retorted, As to those *ḥasidim*, the spirit of the Sages is displeased with *them*".

Other instances of this are afforded by Hasidic definitions of sins. "Whoredom", for example, is applied to polygamy (cf. CD 4,20 – 5,1, referring to Gen 1,27 and 7,9). By contrast, according to the Pharisees, polygamy is permissible (cf. Strack-Billerbeck iii, pp. 647–650). (CD 5,8, incidently, continues with another example, assimilating the "pollution of the Temple" with the illicit union of uncle and niece, on the basis of Lev 18,13 [aunt and nephew])... The Hasidic definition of "lucre" is any advantage taken from the godless and the Gentiles. This by the way was one of the reasons for considering the Hasmonean

---

65. W. Förster, *op. cit.*, p. 75.

66. L. Jacobs, *The Concept of Hasid*, p. 150.

67. This, by the way, might be interpreted as excluding the "Essenes" and their celibacy at Qumran. But there were married "Essenes"; there are references to female members.

régime and the Temple personnel ungodly and defiled (cf. 1QpHab 8,8 ff. on Hab 2,5–6). Hence the Hasidic priests seceded from the Temple clergy (CD 6,11 ff.)[68]. They became "Essenes", while the others who withstood the situation in a spirit of tolerance were Pharisees[69].

Thus, the Talmud displays an ambivalent attitude vis-à-vis the ḥasidim ha-rišônim, approving their total dedication, but rejecting sometimes their understanding of the Law when it brought them to adopt inhuman stances. All in all, however, it is striking that both the ḥasidim and the Rabbis shared a "scribal" interpretation of the Torah that went in the direction of supplementing the latter with "protective" demands. These were meant to create an area of security, a so-called "fence around the Torah" (m. Aboth 1.1) shielding it from encroachment. It was, e.g., stated that the Sabbath starts before sunset, so that any inadvertent transgression of this extra time before the actual beginning of the Sabbath would not defile the latter. This fence-making is "what the NT calls 'the tradition of the elders' (Mk 7,3)", says Förster[70].

Another fact must retain our attention. Rabbinic texts would at times use the term "scribes" where ḥasidim ha-rišônim is expected! This falls strikingly in parallel with the situation found in 1 and 2 Macc. Thus, Hasidic strictness is attributed to scribes in m. Yebam. 2.3-4 where inter-marriages between secondary degrees of union are said forbidden (only) by scribes! In the Mishnah, the Tosephta and later Talmudic literature, the scribes' teaching functions as the Hasidim's. The same holds as far as the respect of Sabbath is concerned. Förster says that in the CD, the stipulations re the Sabbath are 28 in number, most of them prohibitions. A large number of them can be found scattered in the Rabbinic writings as well, "a sign of the common origin of Essenism and Pharisaism" (p. 52). He adds, p. 65, that such link is evident in 1QpHab 5,9-12 (on Hab 1,13 b) where the Pharisees are called "house of Aaron".

This must suffice for the "Essene" and Pharisaic parallels. But the schism between the two should not thereby be covered up. No less evident than their common stock is what the text of 1QpHab 5 further says, blaming the same "house of Aaron" because they "remained silent when charges were levelled against the Teacher... and they did not come to his aid against the man of lies...". Pharisees are also called

---

68. The stress on purity can be explained in different ways, but SALDARINI (op. cit., p. 286) is certainly insightful when he sees it as a boundary creating mechanism "typical of minority groups who are striving to keep their identity and bring about change in a strong society".

69. So W. FÖRSTER, op. cit., pp. 49-50.

70. W. FÖRSTER, op. cit., p. 37. One can here refer to the extra regulations of CD 10,17 ff. (on purity).

here "those who are seeking after smooth things" (*halaqqoth*), as they are accused of choosing the easier path of compromise[71].

Doubtlessly, the author of the Book of Daniel would have felt closer to the Qumran brand of Hasidism than to the Pharisaic accommodating spirit. It is with a sure instinct that the Rabbinic academy at Yamnia rejected most of the apocalypses from being considered for the Canon of Scriptures.

5757 S. University Avenue   André LACOCQUE
Chicago, IL 60637, U.S.A.

71. On "the seekers of smooth things", see 4QpNah 3,2.4; 4,3.6–7; 4QpIsa c 23,ii,10; 1 QH 2,15.32; CD 1.18. Beyond Dan 11,32, the basic text is Isa 30,10 ("[they are a rebellious people]... who say to the prophets... speak to us smooth things..." [*halaqqoth*]. The word means flattery, falsehood, and eventually alludes to those in accord with the Hellenistic world.

READING DANIEL SOCIOLOGICALLY

The present paper falls into three parts. First is a brief description of what I take a sociological approach to mean; second is a survey of recent scholarship on Daniel, illustrating the development of relevant trends; and third is an exercise in sociological reading.

WHAT IS A SOCIOLOGICAL READING?

All forms of literary analysis are reductionist; that is, they reduce the text under consideration to those features which can be managed and interpreted by the method being applied. The most common form of reductionism in biblical studies is religious, in which the production and meaning of biblical literature is explained in terms of religious experiences, religious motives. Literary reductionism as practised at the moment reduces the text to a pattern of formal linguistic signs whose meaning, according to many scholars, is generated by the reader. In historical reductionism the biblical literature is examined as a product of an historical mind for an historical audience, omitting questions of aesthetics and assuming that authorial intention is unproblematic. Sociological analyses reduces literature to a function of society. However, since it holds that religion and aesthetics are cultural features of a society, and that human history is the history of human society, it embraces and integrates many other methods and is thus arguably more comprehensive. Nevertheless, it does leave out both God and the individual mind as inaccessible factors: it reduces to the human, indeed, to the collective human.

Two sociological attitudes are to be distinguished. A functionalist approach conceptualises a society in which the meaning of the parts is analysed in terms of its function within the whole system, and society is regarded synchronically, as a system always tending to stability. The various conflict theories regard society as the product of conflicting or competing interests, and a diachronic analysis therefore usually provides a better perspective. A moment's reflection will show that both perspectives have been applied to ancient Israelite society, though usually without much sociological sophistication. But with regard to a sociological approach to ancient literature, either approach construes the possible relationship of literature to society differently[1].

---

1. For a convenient recent summary, see A.D.H. MAYES, *The Old Testament in Sociological Perspective*, London, Marshall Pickering, 1989.

What is the place of literature in a sociological analysis? Here must be raised a distinction between idealism and materialism, if only conceptually. In the history of Western thought an idealist and a materialist perspective may be broadly distinguished: the former holding that *ideas* constitute what is real and manifest themselves in the outward structures of the world, including society: put crudely, ideas shape history. The materialist view sees ideas as products of a human mind whose consciousness is an epiphenomenon of material processes, from the chemical to the economic. The conflict between the two philosophies goes back at least to the classical world; Platonists and Epicureans, for example, can be set on either side. In more recent times the idealist philosophy flourished until Feuerbach overturned Hegel and in turn inspired Marx. Freud, who began as a neurologist, belongs firmly on the materialist side. However, the relationship between work and thought, which Marx so clearly raised, has continued in the twentieth century as a central question: as examples of the many varied positions, one could cite the works of Mannheim, Althusser, Habermas, Foucault and Jameson. If there is currently no consensus on how literature and society actually relate, it can be said that the challenge to relate them has never been felt more strongly than in the present. The "new historicism" which has emerged in recent years, partly as a reaction to the anti-historicism of literary theory and yet also using its insights, offers a number of models. Basic to most of them is the premise that "reality" is a social construct, that what counts as knowledge is to a great extent socially determined and defined. Literature is one of the forms that knowledge takes. Hence several writers see literature (and art generally) as a channel for the circulation of social energy – "invisible bullets " in Stephen Greenblatt's phrase. Works of art, in his view, are "cultural transactions" (p. 4) which function in the process of negotiating power or transforming energy within a society[2]. This is a broadly functionalist analysis. However, knowledge is also power, and the creators and interpreters and manipulators of knowledge exercise through this control of knowledge power over society. Literature can thus be seen as an exercise in power, and indeed be seen to signify the interests of a particular class. Fredric Jameson, for instance, drawing explicitly on Marx and implicitly on Lévi-Strauss, finds society characterised by class struggle, and views literature as an attempt to conceal, or paper over, the tensions in a way which makes them bearable to victims and invisible to perpetrators. For many Marxist critics the aim of criticism is to expose the tensions and interests which every text must contain within itself. Here we find sociological reading aligning itself with an otherwise generally anti-

2. Stephen GREENBLATT, *Shakespearean Negotiations. The Circulation of Social Energy in Renaissance England*, Oxford, Clarendon, 1988.

historical body of post-structuralist literary theory, which also sees its task as filling gaps, reading against the grain of a text, showing how it inevitably undermines its own ideology. One important thing can be said: the notion that the meaning of a text lies on its surface is currently accepted by very few scholars of literature. Modern critical reading, including sociological reading, bears a kinship to psychoanalysis: it deals with self-deception, with ambiguity. It is also as much an art as a science. Central to such reading is the function of symbolisation. It is through the creation and manipulation of cultural symbols that ideology (e.g. literature) works, and a major technique of sociological analysis of texts is through the decoding of the symbols they use, symbols by means of which texts access and reinforce, corrupt, or subvert the social reality of the reader. Literature uses language and language is a social medium; literature must thus encode the symbols and values of society. In a subtle enough analysis, a piece of literature may show itself to encode more than one symbolic world. It can simultaneously express the values of a class or a sect and suppress those of another class, or indeed, of the society as a whole. The "other", to use the jargon, may well be found lurking between the lines of any writing, awaiting exposure by the critic.

Personally, I incline to a more cautious view of the relationship between literature and social reality. The concept of an objective social world somehow independent of the human mind is not to be entertained. One may distinguish an external subjective ("etic") and an internal subjective ("emic") account, but a "social world" can be articulated only through the perception of it by human minds. Hence the "social world" reflected in a piece of literature will represent a social world internalised by the author, whose own perception may be a complex of personal, familial, sectarian and wider social constructions. A sociological description of the unknown author of a text can aim to express the social world(s) delineated in the text, and thus perhaps the values and social location of the authors as seen by themselves. It cannot proceed without further ado to place the authors into some objectively constructed social system. While certain kinds of literature are amenable to such analysis (birth records, for instance) the sociology of *biblical* texts is an exercise in the sociology of knowledge, and the relationship between the social world constructed by the text and the social system from which the text arose will be a hermeneutical one. This point is an important one, because there is an inbuilt tendency in the discipline of biblical studies to take biblical statements about social reality as if they are reliable descriptions of a objective state of affairs.

Now, certain premises can be established for ancient literature such as the book of Daniel. One is that we know too little of its society to be able to transfer much knowledge usefully into our interpretation of the literature. As always was the case, more history is read out than is read in. But we can say that all biblical literature is a product not of "Israel" (whatever that is), but of a class or classes: the literate classes, from which for the present purposes we can probably exclude artisans, leaving on current estimates at the most 7% of the population. Consequently, everything written expresses the interest of these classes, from whom the readers are also drawn, of course, but also more precisely the interests of particular class or even particular groups within a class. Writing is an economic function, requiring finance and time, either leisure or patronage; there is an ideology simply of writing in itself. Writing is the result of a certain social privilege but also the means for the exercise of power, through the manipulation of knowledge. These are all commonsense arguments (whether accepted or not), and force us to acknowledge reading and writing as a social activity.

TRENDS IN THE DIRECTION OF READING DANIEL SOCIOLOGICALLY

Interest in the social setting of Daniel is not, of course, a recent innovation. I cannot here review the numerous attempts to determine the historical and social setting of the book[3]. Let me, however, comment on one particular approach which is pertinent to sociological analysis and which has dominated recent discussion, namely the form-critical. The ultimate objective of form-criticism, according to most of its practitioners, is to determine the social setting to which the form applies[4]. However, the enormous amount of form-critical study on Daniel has yielded surprisingly little illumination of the social basis of its composition. Several reasons may be suggested for this lack of success. One is the concentration on apocalyptic as a whole, rather than Daniel, and with it the assumptions that (a) there must be some correlation between a genre and a social setting and (b) the genre apocalyptic reflects a certain world-view which exists independently of the genre[5]. Another reason is that the original social setting of a genre

3. For a partial critique see my *The Social World of the Apocalyptic Writings*, in R.E. CLEMENTS (ed.), *The World of Ancient Israel*, Cambridge, CUP, 1989, pp. 251-271.

4. It is currently more common to use the word "genre" for the German *Gattung*, though "form-criticism" has a long history in scholarly usage. On the original sociological aspects of Gunkel's own work, see M.J. BUSS, *The Idea of Sitz im Leben – History and Critique*, in *ZAW* 90 (1978) 157-170.

5. J.J. COLLINS (e.g. *The Apocalyptic Imagination*, New York, Crossroad, 1984) seems to make these assumptions in his concept of an "apocalyptic community". The idea that an "apocalyptic tradition" was carried by a specific social group can be found in O. PLÖGER (*Theocracy and Eschatology*, Oxford, Blackwell, 1968), M. HENGEL (*Judentum und Hellenismus*, Tübingen, Mohr, 1969 [ET London, 1974]) and F. GARCÍA MARTÍNEZ (*Qumran Origins and Early History: A Groningen Hypothesis*, in *Folia Orientalia* 25 [1988] 113-136), though not all agree in including Daniel in their purview. P.D. HANSON (*The*

does not prescribe the social setting of any particular example of that genre, as Gunkel was at pains to point out, though many of his followers have forgotten. In any case, Daniel cannot be called an apocalypse; it can only be said to contain apocalypses[6]. Daniel is clearly composed of more than one genre, and while the various genres employed might throw some light on the cultural background of the authors, the selection and combination of genres is not itself to be explained by form-critical methods.

As an example of the limitations of form-criticism in sociological analysis we can take the genre of chapters 1-6. Here a "wisdom" connection has long been postulated. Montgomery referred to Daniel 1-6 as "wisdom tales", while in his famous essay on the Joseph story von Rad proposed the genre of "wisdom novella"[7], and although he did not himself identify Daniel 1-6 as examples of such didactic narratives, connections between the Joseph story and Daniel have long been recognised and von Rad's proposal was developed in the work of others. The term *Diasporanovelle* was introduced by A. Meinhold for the Joseph and Esther stories[8] and developed by W. Lee Humphreys, who proposed that these tales were composed as models for a diaspora life-style, classifying them as "court-tales" and refining the genre into two different kinds, contest and conflict stories[9]. This classification is now widely-supported and since developed by a number of scholars[10]. But consensus about a *Sitz im Leben* for the genre has remained elusive. H.-P. Müller's detailed work does not in the end lead to any particular social setting for the composition of the genre of these particular

Dawn of Apocalyptic, Philadelphia, Fortress, 1975) excludes Daniel from these considerations, and also recognizes that "apocalyptic traditions" may be carried at different times by different groups.

6. There remains some confusion on this. Despite the rather precise classification of the genre in *Apocalypse: the Morphology of a Genre*, in *Semeia* 14 (1979) 1-20, he has also referred to Daniel 7-12 as "an apocalypse" and in the most recent of his essays on the subject (J.J. COLLINS and J.H. CHARLESWORTH (eds.), *Mysteries and Revelations. Apocalyptic Studies Since the Uppsala Conference* [JSPS, 9], Sheffield, JSOT, 1991, pp. 11-32) he states with reference to Dan 7-12 and *Jubilees* that he "would now speak simply of the dominant genre of these works as wholes. I would also allow for cases of mixed genre..." (p. 14).

7. J.A. MONTGOMERY, *Daniel* (ICC), Edinburgh, T. & T. Clark, 1927; G. VON RAD, *The Joseph Narrative and Ancient Wisdom*, in *The Problem of the Pentateuch and Other Essays*, Edinburgh, Oliver & Boyd, 1966.

8. A. MEINHOLD, *Die Gattung der Josephgeschichte und des Estherbuches: Diasporanovelle* I, II, in *ZAW* 87 (1975) 306-324; 88 (1976) 79-93.

9. W. LEE HUMPHREYS, *A Life-Style for Diaspora: A Study of the Tales of Esther and Daniel*, in *JBL* 92 (1973) 211-223.

10. J.J. COLLINS, *The Court-Tales in Daniel and the Development of Apocalyptic*, in *JBL* 94 (1975) 218-234; L.M. WILLS, *The Jew in the Court of the Foreign King* (Harvard Dissertations in Religion, 26), Minneapolis, Fortress, 1990. See also M. HENGEL, *Judaism and Hellenism. Studies in their Encounter in Palestine during the Early Hellenistic Period*, London, SCM, 1974, I, pp. 30-31.

examples of it[11]. Other examples of generic discussion also remain purely at the level of literary or linguistic application[12]. In his recent study of the court-tale genre, Wills[13] points out that the presence of *Ahiqar* at the military colony of Elephantine leads one to doubt whether the court-tales necessarily circulated in the court and indeed, it remains an open question whether they were composed there. Wills also cites the case of Onksheshonq, who is not a courtier but a farmer and whose *Instructions* suggest a lower social context[14]. Wills is able to conclude from his detailed analysis that the Jewish court tale is the product of the administrative and entrepreneurial class, imparting scribal ideals but also the group represented by the hero; in other words, it is not necessarily linked either to the court or the diaspora. Much the same might be said for the genre of prophetic or night vision, which in the opinion of several scholars develops into the apocalyptic vision[15]. Here again, there is little to be learned about the social location of the authors of Daniel from the literary genres. Once it is accepted that literature is a scribal activity, and thus inevitably associated with a certain class, and that this class has available to it a multitude of genres, which may be selected for a number of reasons, the value of a form-critical approach for a sociological analysis is substantially diminished. My own conclusion, that apocalyptic genres are a species of

11. H.-P. MÜLLER, *Märchen, Legende und Enderwartung. Zum Verständnis des Buches Daniel*, in *VT* 26 (1976) 338-350. See also his study of *Lehrerzählung* in *Die weisheitliche Lehrerzählung in Alten Testament und seiner Umwelt*, in *WO* 9 (1977) 77-98. He argues in his first article that Daniel originated as a hero of *Märchen*, a genre which typically relates a story of the rise to eminence of a humble hero. However, Daniel became a hero of *Legende*, which Müller defines as a more formal, religious kind of writing; here the ideological interest shifts from the possibility (or not) of social elevation to that of religious conflict, of one god versus another, or of religion against idolatry, or righteous against wicked. In his second article Müller analyses Daniel 1–6 as *Lehrerzählungen*, whose primary feature is conflict, in line with the analysis of Lee Humphreys. However Müller stresses more than Humphreys the opposition of virtue and vice in the portrayal of the protagonist and antagonist. But although a court setting for the tales is obvious, we cannot simply conclude that the tales themselves function only within court circles, or even originate there.

12. E.g. S. NIDITCH and R. DORAN, *The Success Story of the Wise Courtier: A Formal Approach*, in *JBL* 96 (1977) 179-197; P. MILNE, *Vladimir Propp and the Study of Structure in Hebrew Literature*, Sheffield, Almond Press, 1988. B. HASSLBERGER, *Hoffnung in der Bedrängnis: eine formkritische Untersuchung zu Daniel 8 und 10–12* (ATs, 4), Ottilien, Eos, 1977, is almost exclusively formal, its conclusions regarding *Sitz im Leben* unoriginal and superficial. The more recent work of D. HELLHOLM, *Methodological Reflections on the Problem of Definition of Generic Texts*, in *Mysteries and Revelations*, pp. 135-163 is even more abstract. Form criticism has effectively split into two directions: genre-criticism, which is more and more linguistically orientated and the other in danger of confusing the *Sitz im Leben* of the genre itself with the actual setting of the individual compositions.

13. L.M. WILLS, *The Jew in the Court of the Foreign King*, Minneapolis, Fortress, 1990.

14. WILLS, pp. 195-196.

15. S. NIDITCH, *The Symbolic Vision in Biblical Tradition*, Chico, CA, Scholars, 1983.

mantic narrative to be ascribed to no particular group but to the scribal classes of the Hellenistic Levant generally[16] was intended as an antidote to the rash of apocalyptic/sectarian authorships which had been proposed for such literature. It does not state a great deal more than the obvious[17], noting that Daniel supports the Temple and priesthood and apparently approves of political service of foreign kings in principle, and locates the authors somewhere within the "establishment", by which I would mean the retainer (possibly even ruling) class including priests and other administrative officials.

Before concluding this section of the paper, I should mention some interesting connections between the book of Daniel and some of the Qumran literatures, namely the presence of *maskîlîm* and *rabbîm* in 1QS. There are other tantalizing links between Daniel and the literature from Qumran – such as the exilic timetable, 4QPrNab (cf. Dan 4), and 4QDibHam (Dan 9). But it is becoming less and less certain that the Qumran literature has a single community authorship. I should certainly allow that important ideological connections between the literature of the *yaḥad* and the book of Daniel may emerge after more prolonged and detailed comparison, but as yet we are hardly entitled to claim evidence of any historical connection, as opposed to a literary one. That the authors of, say, 1QS were influenced by Daniel does not mean they were members of the same group or a related group. There is simply no evidence beyond a few scraps of terminology, which may or may not be significant, to draw any conclusions. The sociological setting of each text is certainly quite different, with 1QS clearly the product of a closed community, unlike Daniel. Daniel, as we know, had a wide influence on subsequent Jewish literature, and there seems as yet no significant relationship with the texts from Qumran.

My remarks indicate that while we can discover something of the social setting of the book of Daniel by methods previously used, I do not see that for the present we can go any further with them. A different set of questions and procedures might be in order. I do not suggest in any way that the methods or conclusions I have mentioned are necessarily wrong-headed, sterile or have always been badly applied. I merely suggest that insofar as one is interested in the social setting of the book of Daniel, presuppositions about the nature of literature *as a social product* ought to be explicit. However, especially at

---

16. *The Social World of the Apocalyptic Writings* (cited n. 3 above).

17. Even though I appear (not for the first time) to have been misunderstood by COLLINS (*Mysteries and Revelations*, p. 24, n. 1) who thinks I have adopted the term "millenarian" in place of "apocalyptic", whereas I merely wished to point out that "millenarian" is a sociologically-defined term, while "apocalyptic" is not, and (vainly, as it seems) attempting to enforce the literary-generic definition that Collins himself had argued for!

a time when methodological obfuscation often parades as intellectual sophistication, methods are to be judged by their results and not their elegance. Accordingly, I shall offer a couple of examples of a sociological reading of Daniel.

SOCIOLOGICAL READINGS OF DANIEL

By way of preface to what follows, I shall explain that in each reading I am using two different concepts. One is that of the symbolic world or universe, by which is meant the construction of reality shared by a certain group, which essentially defines that group, and which is communicated by means of symbols – in this case, linguistic symbols. This concept is fairly widely understood and referred to in biblical studies. The other concept is perhaps less well-known: it is the concept of conflict: that a text is produced in order to mediate and overcome political and social conflict. The concept is not dissimilar to that expressed by Lévi-Strauss in respect of myth and Freud in respect of dreams. It is used in the analysis of literature by Fredric Jameson[18]. For Jameson literature contains within itself indications of the conflict which for him, as a Marxist, necessarily constitutes the structure and dynamic of society. One does not, however, require to be a Marxist in order to pursue the notion that all literature, not just myths and dreams, represents an ordered articulation of a subterranean chaos. Needless to say, none of these scholars/scientists is in any way responsible for my own use or abuse of the concept. First, then, I shall offer a discussion of a few of the more important symbols used in the book of Daniel, and their possible relevance to the symbolic social world of the implied readers. Then I propose a slightly different approach, concentrating on the contradictions and paradoxes which, according to the theory adopted, hold the key to the most profound relationships between text and society.

1. Some Central Symbols

The symbols I have chosen are the book, the court and the secret. As I hope to show, they are related to one another and can also be interpreted with reference to the social world of their authors.

Book

This symbol, which I take to include writing, appears in quite

18. See especially *The Political Unconscious, Narrative as a Socially Symbolic Act*, London, Methuen, 1983.

different, yet important contexts. First references to books open and close the book:

1,4: ילדים אשר אין בהם כל מאום......וללמדם ספר ולשון כשדים

"Youths, in whom was no blemish... to teach them the book and language of the Chaldeans".

1,17: והילדים האלה ארבעתם נתן להם אלהים מדע והשכל בכל ספר וחכמה

"As for these four youths, God gave them knowledge and skill in every book and discipline".

12,1: ובעת ההיא ימלט עמך כל הנמצא כתוב בספר

"At that time your people shall be delivered, every one found written in the book".

12,4: ואתה דניאל סתם הדברים וחתם הספר עד עת קץ

"You, Daniel, shut up the words and seal the book, until the time of the end".

Perhaps it is fortuitous that these occurrences of ספר in Daniel are distributed as they are, two in the opening verses, and two in the closing ones. Or is this not an accidental arrangement? The "books" of chapter 1 are those of the Chaldeans, humanly written, learned excellently by the heroes. In 12,1 is a secret book, divinely written, with the names of the righteous inscribed. The final book mentioned (12,4) is presumably the book written by Daniel, something both earthly *and* heavenly, a human book of the secrets of heaven. Daniel moves from reader of earthly books to writer of heavenly books: this last book surely stands for none other than the book of Daniel itself, which is of heavenly content if in human script.

Although the word "book" is not used, perhaps we should add to the pattern of references observed in chapters 1 and 12 the central reference in 7,1:

"In the first year of Belshazzar king of Babylon, Daniel had a dream and visions of his head as he lay in his bed. Then he *wrote down* the dream, and told the sum of the matter".

Other references in Daniel make a connection between writing and judgment, whether condemnation or deliverance. In chapter 5 is the story of judgment decreed against a king by writing on the wall, while in 7,10 we have books opened for judgment against the beasts symbolising the kings of kingdoms. In 9,2, by contrast, Daniel "perceived in the books" the years of the exile according to Jeremiah. Here is written a divine decree about the judgment, including the deliverance, of Jerusalem. Daniel, then, is a book in which everything significant is done by *writing*. Political power is exercised in writing, including the political power of the deity. Judgment is in writing. The book of Daniel is also, of course, a writing. Is it a heavenly book which the reader must, like Daniel, decipher? Whatever we conclude from this, it is unmistakeable that we are in a world in which writing, reading and deciphering (reading *is* deciphering!) are key symbols[19].

In think the presence of books here betokens more than mere narrative description. There is an *ethos* of writing, even an *ideology* of writing, which Daniel conveys. First, there is human and divine writing: human writing and books can be learnt and studied; divine writing, however, conceals its meaning from such study. Another feature is that by writing, people are either condemned or delivered; kings rule by decree. But there is an esoteric deliverance by writing too, and Daniel's own book is not to be public. In our age, where writing is common-place, we can fail to appreciate the power of writing; scholars too easily assume that the scriptures were written as a matter of course. But where writing is a means of communication confined to a privileged few, where it permits secrecy between the literate, writing is power. The book of Daniel speaks the ideology of the literate, and it boasts the power of writing to exercise not only earthly political power, but also the secrets of heaven and the ultimate deliverance of whoever can read, or perhaps whoever will be a disciple of the literate *maskil*.

Of course the authors of Daniel are scribes; this is tautologous. But more than that, they betray their high view of the art of writing and of their own skill. Not content with the public power that writing gives them – exhibited in the mere presence of Daniel at the royal court – the scribe communicates by reading and writing with God himself, through study of scriptures, through the reading of signs. A mantic ideology, but more than that; clearly also one which holds writing as the gateway to divine secrets. In Daniel, writing is a symbol of authority and power; I should say political power – in chapters 1–6 kings do it, and administrators, and Daniel is presented as one of these administrators. But in the second part of Daniel we find Daniel writing, and we find scriptures. Through the symbol of writing political power and scripture (the book of Jeremiah and ultimately the book of Daniel itself) are related. Chapters 6 and 7 illustrate that quite dramatically and suggest a language of political power, an interest in political power.

Can we relate this observation at all to the historical situation at the time of composition of the book? Unfortunately, we know too little of the political arrangements made in Jerusalem under Antiochus IV or of the effects of the writing classes of the power struggle between Oniads and Tobiads. The hatred of Antiochus that is evident in Daniel suggests a particular interest, however, and loss of political power may well be a motive. Is the celebration of the power of the literary evidence of a

---

19. In 6,23 Darius also "wrote" a decree commanding his subjects to "fear and tremble" before the god of Daniel. However, the decrees in chapters 2 and 3 are not specifically described as being "written", nor does chapter 4, though obviously repre-senting an account written by Nebuchadnezzar, contain any reference to writing.

displacement from direct political power? Reid's interesting conclusion, which he reaches on entirely different grounds, that the authors of Daniel are members of a "falling elite" strikes one as a plausible hypothesis[20], which we can bear in mind as we proceed.

The court

We found just now two acts of writing in chapters 6 and 7, which signal, along with other signs, the major transition in the book of Daniel from story to vision, and a corresponding change from third to first person. The change of scene is particularly interesting. In chapters 1-6 the action takes place in or around the court, where Daniel and his friends properly belong, after chapter 1. Now, is this setting also the natural home of the authors of Daniel? Collins, for example, thinks not; he thinks that the *maskîlîm* are uninterested in political ambition[21]. Instead he thinks they seek purity and communion with angels. (This reading strikes me a little as perverse. There is scant concern for purity in the book[22], and while Daniel receives revelations from angels and expects, no doubt, to be with them after his death, it is curious to imagine a group of authors withdrawn from the world to the extent of wanting to commune with heavenly beings. Is it not possible that talking with angels requires decoding into social description?) I agree with Collins that we should not automatically take the court-tales as representing the life-style of the authors. But it is hard to imagine them *rejecting* such an ambition; had they, one might have expected some hint of disapproval of Daniel's lifestyle. If political ambition is disowned, as Collins argues, then it is disowned with reluctance, from necessity. The court remains the centre of interest of the entire book, its values affirmed and its importance for political life maintained.

We should not overlook the *equation* of earthly and heavenly court. There is abundant evidence that in the ancient Near East ruling deities were depicted with all the trappings of a court; kingship and deity were nearly always conjoined, where they were not indeed identified; gods are enthroned, like Baal, and kings addressed as sons of the deity. In a

20. S.B. REID, *Enoch and Daniel. A Form Critical and Sociological Study of Historical Apocalypses*, Berkeley, Bibal Press, 1989, categorizes the authors of Daniel, using the typology of WILSON (*Magic and Millennium. A Sociological Study of Religious Movements of Protest Among Tribal and Third-World Peoples*, London, Heinemann, 1971) as "revolutionist/non-resistant". This does not necessarily mean an abandonment of political ambition at all, but rather the cognitive dissonance mechanism of a once-privileged elite in decline.

21. *Daniel and His Social World*, in *Interpretation* 39 (1985) 131-143.

22. COLLINS (*Daniel and His Social World*, p. 135) insists against TOWNER, *Daniel*, Atlanta, John Knox, 1984, pp. 24-26 that chapter 1 is about dietary laws. Independently of Towner, I also argued that chapter is about other issues (*Daniel* [Old Testament Guides], Sheffield, JSOT, 1985).

hierocracy such as Persian-Hellenistic Yehud, the Temple and priests become the court, and the relationship between this earthly court and the court of the deity is blurred still further. Hence the court is a symbol throughout Daniel; but it changes from the earthly court to the heavenly court. In chapters 1–6 Daniel is located in the royal court, while in chapter 7 Daniel stands, in his vision, in the court of Elyon. And even though the setting of the rest of the visions is not the court, Daniel is attended by a heavenly courtier (angel) and made privy to those matters which belong properly to the royal court – judgment and enthronement in chapter 7, royal-political policy and warfare in chapters 10–12. The warring angels of this final apocalypse are the counterparts of the human satraps and generals by whom, as much as kings, the political map of the Persian and Greco-Roman world was drawn. The overriding interest in chapters 10–12 on political events, in the machinations of kings, betrays a fascination with the workings of the court, where, as in chapters 1–6, the centre of the authors' interest really lies. Here too we have evidence of the affiliation of the authors, and an endorsement of the suggestion that they are indeed a deprived elite still interested in and privy to political machination but now at the level of the heavenly court. Daniel may not be a counsellor to Babylonian and Persian kings, but he is still welcome at the real seat of political power, where history is truly made – in the imagination of the authors, that is. The court is a positive symbol, the natural home and setting of the authors' imagination.

Secret

We can easily recognize the device of the secret as a means of denying the apparent reality of affairs, as one of the mechanisms of coping with "cognitive dissonance". Reid contrasts the withdrawal of the book of Daniel from active confrontation with reality with the attitude in the historical apocalypses of Enoch, where conflict and confrontation with the world are encouraged and action is foreseen. He finds here further evidence of a falling elite.

But of course, the notion of the secret is easily derived from the culture of manticism which in the Persian-Hellenistic world was widespread, whether in the technical business of dream interpretation and astrology or the "mysteries" of those popular religions which seized the imagination of the masses; the belief in the workings of an unseen world, of a vertical order as well as a horizontal one, are not particular characteristics of apocalyptic, but a major part of the *Zeitgeist*. The natural world has its signs which the mantic can decipher for the benefit of a king or a more lowly customer. Knowledge of things unseen is everywhere sought and widely claimed. So is the secret a peculiar symbol in the book of Daniel? Probably yes: at any rate, the hero is characterised by his mediation of secrets above everything else. Daniel is a decipherer, unlike Enoch. He would like to decipher for kings and exercise political power. The Daniel of the visions is in fact not so different, for even in chapters 1–6 his ability to decipher secrets was always due to his God providing him with the answer (2,29–30). In chapters 7–12, we are, then, merely privy to the process whereby Daniel produces the answer. The secret is revealed to Daniel, as it always was (though this was not narrated in 1–6); and Daniel announced it; now Daniel narrates both the secret and the interpretation in his own book. The book – to return to the first symbol – is the vehicle of revelation.

But are these secrets open or closed? The fiction of the book is that they remain closed until the "time of the end". Now, secrets mean power; they also potentially define a group, namely, those who are privy to the secret, and indeed shared secrets often play a major role in defining a group, in sustaining its isolation from outsiders. There is abundant evidence of this mechanism in the literature from Qumran. The importance of the symbol of the secret in Daniel may indeed function in some such way – marking those who have it from those who do not, a mechanism for group definition. Are the authors of Daniel, losing power and influence, basing their prestige on their access to secrets as well as their literacy? I do not think there is anything sectarian in the book as we have it, but the symbols suggest an ideology which will lead to that. There is an ambivalence between the desire for political power and the rejection of it which poises the authors on a brink.

It might be objected, nevertheless, that Daniel is a book for public consumption, and that its secrets are therefore not esoteric, but offered publicly. Yet is must be borne in mind that in Second Temple Palestine books are not written for public consumption, since the public cannot read. It is necessary to think of ancient literature as written for private, or even internal consumption, to reinforce the world-view of insiders and not to persuade outsiders. At any rate, I think this possibility always worth bearing in mind. In this event, in what sense the "secrets" of Daniel are "open" is itself an open question.

From the three symbols I have selected, I have drawn, perhaps overdrawn, some lines of sociological description, suggesting a profile rather different in some ways from what is offered elsewhere. I would insist, however, that I have merely proposed a sample of a method which analyses symbols. In the end, such a method can only claim to reveal what the text itself hints at as the world-view of its authors, rather than any objective social reality. And of course, my reading is still a subjective one, as any other. But the theory of a falling elite, adhering to symbols of its erstwhile power and acquiring symbols of sectarian identity is one which is open to confirmation or denial by other considerations.

2. *Ideological Conflict*

A second level of sociological analysis searches for tensions and contradictions in the text as evidence of a social tension that the next cannot avoid betraying, though in a suppressed form. Although I am not necessarily convinced of the universal validity of this approach, it can best be tested by a practical attempt at exegesis. Certainly, the book contains many opportunities to be exploited in this way.

The most obvious one is that in the tales (1–6) the ending is typically harmonious, with the now chastened king promoting Daniel or his friends and accepting the sovereignty of their god (and let us note that chapter 5 is an apparent exception, but at the end the kingdom is only transferred, not removed). In the visions, the kings/kingdoms await judgement, their rule represented as increasingly rebellious and the entire dispensation of human empires to be brought to an end at a predetermined time, through warfare. One part points to compromise, the other to victory. Correspondingly, the kingdoms of human monarchs and of the Jewish God are represented in the tales as simultaneous if not identical, the one not contradicting the other; a good king expresses and exercises the sovereignty of God. In the visions, on the other hand, the two are *in principle* incompatible, and the sovereignty of God remains something to be manifested in the end – i.e. not simultaneously but successively.

This ambiguity between acceptance of a role under a foreign king and a desire for all non-Jewish kingdoms to be destroyed and replaced is well observed, and has been explained as the result of a change in political conditions between the composition of the two halves of the book, principally the advent of Antiochus IV. Yet the ambiguity remains, in a muted form, even within the tales – chapter 2 and chapter 5 already hint at the destruction of kings and the cessation of the empire sequence – while chapter 7 might well be pre-Antiochene in origin. So the problem is not answered by suggesting that the visions are really only anti-Antiochus[23]; in that case why an end to the entire sequence of monarchies, and not just an untimely death for the tyrant, as in chapter 5? Seen from the point of view of theology, this ambiguity is a problem, at least if translated into dogma. But seen from a sociological (or psychological) perspective, ambiguity does not exist in order to be resolved, but as a symptom of something possibly deep-seated and significant. Ambiguity characterises private and social personality; many individuals in fact live privately, socially and professionally with respectively different value-systems. A social situation can certainly engender ambiguity, and a colonial society is an excellent

---

23. So apparently COLLINS, *Daniel and His Social World*, p. 138 f., though the argument is a little confused.

example. For instance, the Judean ruling class under the direct rule of the Romans both cooperated with the ruling power from which their own power was derived, and also resented the source of that power. The outbreak of the 66 CE war with Rome can be plausibly analysed with this factor in mind[24]. The history of the Hasmonean dynasty is an excellent example of the coexistence of strongly Hellenistic notions of kingship with a nationalism that extended to forcible circumcision of Gentiles.

What does the opposition between the "rule of men" and the "kingdom of Elyon" actually signify if translated into political and social terms? If the rule of Elyon can be exercised through Gentile monarchs (as Daniel admits), how is it to be exercised without any monarchs at all? Are the *maskilim* really uninterested in political power; do they seek the abolition of political power, of politics, of the arena in which their social identity acquires meaning? It does not seem to me a plausible assumption to make about any elite (and there is no doubt that the authors of Daniel are an elite), except perhaps in anticipation of the *Schadenfreude* a deprived elite might have in the downfall of their usurpers. We might, I suppose, find a hint of a rival Jewish faction in 11,30 and perhaps even 12,2; but these are slim allusions, if allusions they be, to any deeply resented party.

I shall pursue this question further presently, in the light of my consideration of a second ambiguity, namely that Daniel reflects a priestly perspective[25]. This attribution is probably wrong, as I shall argue, though it raises an important topic. The Temple in Daniel is ambiguously evaluated, it seems to me. It is present in the book of Daniel essentially in its absence. In the visions it is, from the point of view of the author, desecrated and destroyed; in the tales it is distant. The fact that during Daniel's career in Babylon the Temple was rebuilt is in the book of no apparent significance at all. There is no doubt that in chapters 8–12 the cessation of the twice-daily Tamid sacrifice is paramount; the vision of chapter 8 is called "vision of the evenings and the mornings" (8,13-14.26; an allusion to Genesis 1 also?); in chapter 9 the angel arrives at the time of the evening sacrifice (v. 21), and speaks of the cessation of "sacrifice and offering" (v. 27); chapter 12 ends with predictions of the end of the present distress, again measured in evenings and mornings (vv. 11-12). The only references to a priest, however, are to two "anointed ones" in 9,25–26. In the tales, we find Daniel praying in 6,11 f., with his window open towards Jerusalem, three times a day, including "making petition" (מתחנן). These references, taken together, suggest conventional Temple piety. But what is it

24. See M.D. GOODMAN, *The Ruling Class of Judaea*, Cambridge, CUP, 1987.
25. J.H.C. LEBRAM, *Apokalyptik und Hellenismus im Buche Daniel*, in *VT* 20 (1970) 503-524.

about the Temple that matters? The predominant weight given to the
Tamid suggests the function of atonement. Now, in the absence of the
Temple cult, what effects atonement? In chapter 6 Daniel prays towards
Jerusalem. For what? Filling in the gaps, we might say that he prays for
the restoration of the exile, among other things. Prayer replaces the
Temple sacrifice, replaces the Temple. In chapter 9 we find what I think
is a related ambiguity, or perhaps even contradiction: Daniel's prayer,
answered at the time of the evening Tamid, is one which scholars have
found problematic, a prayer found in essentially the same form in I
Kings 8,15-53, Ezra 9,6-15, Neh 9,6-37, 4QDibHam, in 2 Baruch and
in the Jewish liturgy for the Day of Atonement[26]. Scholars have rightly
puzzled over the contradiction between the theology of this prayer and
that of the rest of the book, since the prayer implies the sins of Israel as
cause for the events of history and as determinant of the end of the
present distress. Again, as a theological contradiction this may have to
stand; but a resolution may be found from another perspective. As far
as the Temple itself is concerned, the paradox is that chapter 9 brings
the Temple, its priesthood and cult more to the fore than any other,
and yet the story shows the efficacy of intercession outside the Temple.
Now, in chapter 12 we find a move from the Temple taken further. The
Tamid timetable remains, but we find in v. 10 רַבִּים יִתְבָּרֲרוּ וְיִתְלַבְּנוּ וְיִצָּרְפוּ
"Many shall be purified and whitened and purged...". The imagery
here is of purification by fire, and the achievement of righteousness,
certainly by the insight of the *maskîlîm* who "make many righteous" (v.
3), in what Ginsberg has argued is a deliberate allusion to the Servant
of Isa 53,11[27]. If so, then by suffering is purification and righteousness
achieved, as well as by understanding secrets. But this is achieved
without the Temple. Does Daniel envisage the restoration of the
Temple? Perhaps that is implied in the timetables of chapters 9–11, but
not, I think, in chapter 12.

The stories of course prefigure this conclusion: Daniel is no priest,
and yet he intercedes; in the absence of the Temple he is the priestly
figure, as are the *maskîlîm*. The authors of Daniel pay lip-service to the
Temple, but prefer their own real lip-service. Daniel bemoans the
damage to the Temple, but offers an alternative. A similar ploy can be
seen in the Mishnah which so lovingly celebrates the departed Temple
but nevertheless replaces priest with rabbi and cult with law-obser-
vance, sacrifice with tithing, Temple holiness with domestic holiness.
Perhaps in Daniel can be seen the anticipated demise of the Temple as

26. For an examination of this prayer in its various forms (and an unconvincing
conclusion about its origin), see A. LACOCQUE, *The Liturgical Prayer in Daniel 9*, in
HUCA 47 (1976) 119–142.

27. H.L. GINSBERG, *The Oldest Interpretation of the Suffering Servant*, in *VT* 3 (1953)
400-404.

an indispensable place of purification and atonement? Such an ambiguity is not hard to find elsewhere in Jewish writings of the late Second Temple period, and thus in this respect Daniel shares a more widespread ideology. The attitude to the Temple, like the attitude to foreign rule, is loaded with ambiguity. But while foreign imperium is destined to be replaced by direct divine rule, the role of the Temple is to be replaced by other activity, exemplified by the behaviour of the *maskilim* – intercession, teaching righteousness, suffering. In each case, it is possible to detect both an adherence to the values of an established state of affairs and also the framing of an alternative. It may not even be that the authors of Daniel were entirely conscious of what they were revealing in this book about their own orientation; intention does not matter. The fact is that the text reveals it, and from a certain perspective we can view a mentality, a fragment or two of a world view, a social construct of reality.

These suggestions towards a kind of sociological, or ideological (as some would prefer) reading of Daniel have perhaps advanced not a great deal towards a developed hypothesis. But more accomplished practitioners may achieve better results; and the moral I wish to leave is than in a field where new data are a rare treat, it is the invention and adoption of new methods that offer us the hope of seeing yet more in texts, and in understanding them in different ways, throwing light also upon ourselves, who read them, and, like the authors of Daniel, look for the secrets under the surface.

University of Sheffield   Philip R. DAVIES
GB-Sheffield S10 2TN

IV
GENERAL HISTORICAL AND
RELIGIO-HISTORICAL PROBLEMS

L'HISTOIRE SELON LE LIVRE DE DANIEL, NOTAMMENT AU CHAPITRE 11

Une des principales qualités de l'histoire est de rapporter des faits exacts. On se demandera si cela est vrai pour le Livre de Daniel, et en particulier pour Dn 11. Si l'auteur du Livre de Daniel est exact, d'où lui vient son exactitude? On constate chez cet auteur d'apocalypse un grand intérêt pour l'Histoire universelle et le problème se pose de savoir où il a pu trouver la théorie de cette histoire mondiale et de sa division quadripartite.

L'EXACTITUDE HISTORIQUE DE DANIEL 11

Le chapitre 11 du Livre de Daniel contient l'annonce prophétique du contenu du livre de Vérité (10,21a). Elle se déroule dans l'ordre chronologique et constitue une sorte de survol historique. Le prophète visionnaire se situe fictivement en la troisième année du roi Cyrus, selon la précision apportée par Dn 10,1, car la notation chronologique de Dn 11 («dans la première année de Darius le Mède») doit être considérée comme une glose. L'époque perse (vv. 1-2) est brièvement évoquée tout comme l'intervention grecque avec Alexandre le Grand (vv. 3-4).

L'époque perse

De l'époque perse on ne mentionne que quatre rois sans que soient indiqués leurs noms. D'ailleurs, les auteurs sont loin de s'accorder sur leur identité. Pour Plöger, un des derniers commentateurs, il s'agit des trois rois qui ont eu affaire à la communauté juive: Artaxerxès I (465-424), Darius II (424-404), Artaxerxès II (404-359). mais il est vrai que d'après Esd 4,6 Xerxès (486-464) avait déjà été mêlé aux questions juives. De toute façon, l'identité des trois rois dépend, semble-t-il, de celle du quatrième roi «qui possèdera des richesses plus grandes que tous» et qui «grâce à sa richesse mettra en branle tout le royaume de Javan» (11,2). L'identité du quatrième roi, célèbre par ses richesses[1], pourrait être Xerxès I (486-464) qui dans son expédition contre la Grèce engloutit tous ses trésors, ce qui ne l'empêcha pas de subir le désastre de Salamine en 480. Dans l'esprit de l'auteur de Daniel, ce quatrième roi semble devoir succéder immédiatement au troisième de la

---

1. Les richesses ou la puissance de Xerxès sont à la fois mentionnées par les auteurs de l'Antiquité (Hérodote VII, 20-22) et par le livre d'Esther 1,4.

triade, et dans ce cas il faudrait identifier ces trois rois à Cyrus (551-529), Cambyse (529-522), Darius I (522-486) ou, puisque Cyrus est déjà nommé en 10,1 (d'après la LXX et Théodotion) à Smerdis[2], Cambyse, Darius I, Xerxès. Cette dernière succession des rois était celle proposée dans l'Antiquité par Porphyre et elle est acceptée par E. Bickerman[3]. Mais l'identification du quatrième roi avec Xerxès est rejetée catégoriquement par Montgomery qui considère comme une absurdité l'hypothèse selon laquelle la tradition juive a conservé le souvenir de l'attaque de Xerxès contre la Grèce[4]. Par ailleurs, on insiste aussi pour rappeler que probablement la principale, sinon la seule information sur les quatre rois perses qu'ait recueillie l'auteur de Daniel ne lui vient que de la Bible, alors que l'Histoire en compte plus de quatre[5]. Or les quatre noms de rois perses que l'on rencontre dans les livres bibliques (Esd 4,5-7) sont Cyrus, Darius, Xerxès et Artaxerxès. Mais Xerxès viendrait dans Daniel après Artaxerxès, ce qui constituerait, dit Charles, une des erreurs historiques du livre[6]. Par ailleurs, on rappelle que ni Smerdis, ni Cambyse ne sont mentionnés dans la Bible[7].

Il est donc bien difficile d'apprécier la valeur historique du verset de Daniel concernant les trois rois perses, suivis d'un quatrième, qui y sont mentionnés, car, mis à part ce qui se réfère au quatrième roi, qui comporte quelques précisions, rien n'est dit des trois rois précédents, permettant de les identifier sûrement. Aussi les tentatives d'identification se heurtent-elles à bien des objections et sans doute faut-il avoir présentes à l'esprit les considérations suivantes:

1. Il n'est pas sûr que la triade de rois soit nécessairement vue par l'auteur comme trois rois immédiatement successifs, car dans ce survol historique l'apocalypticien peut ne retenir que trois noms à ses yeux plus significatifs. Il peut en effet télescoper des noms chronologiquement éloignés. Que peut-on dire de l'histoire perse en un seul verset?

2. Il n'est pas prouvé que l'auteur de Daniel ait eu sur les rois perses d'autres informations que celles trouvées dans l'Écriture.

3. Les quatre rois mentionnés au chapitre 11 répondent certainement à la bête semblable à une panthère ou à un léopard, selon les traducteurs, symbole du troisième royaume, dont il est dit qu'elle avait quatre têtes (Dn 7,6).

---

2. Sur Smerdis, cf. A.T. OLMSTEAD, *History of the Persian Empire* (Achaemenid Period), Chicago, 1948; pp. 92-93.

3. Cf. E. BICKERMAN, *Four Strange Books (Jonah, Daniel, Koheleth, Esther)*, New York, 1967, p. 114.

4. Cf. MONTGOMERY, *Com. on Daniel*, p. 423.

5. Les neuf rois qui ont gouverné la Perse après Xerxès sont passés sous silence.

6. Cf. R.H. CHARLES, *A Critical and Exegetical Commentary on the Book of Daniel*, Oxford, 1929, p. 273.

7. Cf. H.H. ROWLEY, *Darius the Mede and the Four World Empires in the Book of Daniel*, Cardiff, University of Wales Press, 1959, p. 158.

L'époque grecque

Le problème de l'exactitude des faits historiques de l'époque grecque et de ses sources se pose différemment de celui de l'époque perse, en raison notamment de la contemporanéité de l'auteur de Dn 11 et d'Antiochus IV. L'apocalypticien a pu connaître directement certains faits rapportés. Mais il a pu utiliser aussi certaines sources qui ont pu lui être communes avec le premier livre des Maccabées. D'Antiochus IV, il est dit en Dn 11,24: «En toute tranquillité il viendra dans les riches régions de la province et il fera ce que n'ont pas fait ses pères ni les pères de ses pères. Il leur distribuera dépouilles, butin et richesses». En 1 M 3,30, du même Antiochus, on écrit: «Il craignit de ne pas avoir, comme il était arrivé plus d'une fois, de quoi fournir aux dépenses et aux largesses qu'il faisait auparavant d'une main prodigue surpassant en cela les rois ses prédécesseurs». La précision sur les largesses d'Antiochus qui surpassaient celles des rois ses prédécesseurs (ἐπερίσσευεν ὑπὲρ τοὺς βασιλεῖς τοὺς ἔμπροσθεν) du livre des Maccabées se retrouve avec une phraséologie très proche dans Polybe (Hist. 28,20): Πάντας ὑπερέβαλλε τοὺς βεβασιλευκότας. Cette précision est exprimée équivalemment, sous une forme hébraïque, dans Dn 11,24: «Il fera ce que n'ont pas fait ses pères et les pères de ses pères».

On notera aussi en Dn 11,30 le découragement d'Antiochus, marqué par l'utilisation du verbe rare au nifal, nik'āh, «il perdra courage», employé ailleurs dans la Bible avec le mot «cœur» en Ps 109,16 et Ez 13,22. À la suite de son retour forcé d'Égypte, sur les injonctions du Sénat romain qui lui ont été signifiées par le consul Popilius Laenas, Antiochus, dit Polybe, ramena son armée en Syrie, affligé et mécontent: βαρυνόμενος καὶ στένων (Hist. 29,27). Ces précisions extraordinaires sur les sentiments du roi connus à la fois de l'apocalypticien et de Polybe indiquent, sinon une source écrite commune, du moins une grande connaissance de la psychologie du souverain et des réalités historiques de l'heure.

Cependant, le portrait d'Antiochus IV qui se dégage du chapitre 11 est peu satisfaisant pour l'historien. Car c'est surtout l'hybris du roi impie qui y est décrite, au point que des précisions circonstanciées sur des événements historiques faisant défaut, Elias Bickerman, excellent connaisseur de l'époque maccabéenne, a pu écrire: «In this conception of history, we cannot recognize any individuality in the person of the oppressor. Pompey in the Psalms of Solomon is painted in colors no different from those applied to Epiphanes in the book of Daniel (Ps Sal 2)»[8].

---

8. Elias BICKERMAN, The God of the Maccabees. Studies in the Meaning and Origin of the Maccabean Revolt (traduction de l'allemand), Leiden, 1979, pp. 16-17.

D'ailleurs l'exaltation du souverain «au-dessus de tout dieu et du Dieu des dieux» (Dn 11,36) reprend un thème biblique développé en Isaïe 14,13 en un passage où il est question de la chute du roi de Babylone après son orgueilleuse élévation:

> Comment as-tu été précipité à terre,
> toi qui réduisais les nations,
> toi qui disais: je monterai dans les cieux,
> je hausserai mon trône
> au-dessus des étoiles de Dieu,
> je siégerai sur la montagne de l'assemblée divine
> à l'extrémité nord,
> je monterai au sommet des nuages,
> je serai semblable au Très-Haut.
> Mais tu as dû descendre dans le séjour des morts.

On remarquera en Isaïe le caractère des allusions historiques, si vagues que les traducteurs de la TOB notent qu'il est difficile de mettre un nom précis sur ce roi babylonien.

Le thème de l'exaltation et de la chute du roi se retrouve en Ez 31 à propos du Pharaon: «À quoi te comparer dans ta grandeur? Voici Assour[9], un cèdre du Liban, au branchage magnifique, au feuillage touffu, à la taille élevée (gbh qwmh). Parmi les nuages émerge sa cime» (Ez 31,2–3). Et plus loin: «Eh bien! Ainsi parle le Seigneur Yahvé: parce qu'il s'est dressé de toute sa taille, qu'il a porté sa cime jusqu'au milieu des nuages, que son cœur s'est enorgueilli de sa hauteur, je l'ai livré aux mains du prince des nations»[10].

En Daniel, Antiochus se situe dans la même ligne de pensée biblique. Il est présenté comme la personnification par excellence de l'*hybris* (7,25; 2,11; 11,36.45), comme quelqu'un de méprisable (11,21), qui n'était pas destiné à la dignité royale (Dn 11,21).

Mais Lebram s'est demandé si le portrait d'Antiochus dans le livre de Daniel n'avait pas un modèle égyptien: à savoir, d'une part, le portrait de Cambyse et, d'autre part, celui d'Antiochus IV[11]. L'idée exprimée en Dn 8,10 selon laquelle Antiochus, non content de dominer la terre, entendait se grandir jusqu'aux cieux, littéralement «jusqu'à atteindre l'armée des cieux», c'est-à-dire les étoiles, aurait été empruntée à la tradition du roi impie[12], Kay Kâûs, c'est-à-dire Cambyse, en particu-

---

9. Les exégètes reconnaissent habituellement qu'Assour est une leçon fautive du TM ou bien au lieu et place de t'šwz [«pine-tree»] (Cowley), ou bien pour 'šwk l'rz (Kittel) [«Je te comparerai à un cyprès, un cèdre du Liban»].

10. Pour un commentaire récent de ces oracles contre les nations voir B. GOSSE, *Isaïe 13,1–14.23, dans la tradition littéraire d'Isaïe et dans la tradition des oracles contre les nations*, Fribourg-Göttingen, 1988, pp. 220 et sq.

11. Cf. J.C.H. LEBRAM, *König Antiochus im Buch Daniel*, dans *VT* 15 (1975) 769-770.

12. Aage BENTZEN, *Daniel*, Tübingen, 1952, p. 70, signale dans la tradition du roi impie: Nabonide, Cambyse, Is 14, Kay Kâûs, etc.

lier, d'après la légende du roman d'Alexandre[13]. La légende de Cambyse, telle qu'elle est rapportée notamment par Hérodote aurait également influencé la fin d'Antiochus d'après Dn 11,40-45. Certains détails de ce récit s'éclaireraient selon Lebram par des traditions relatives à Cambyse. Après la conquête de l'Égypte et des trésors, la servitude des Libyens et des Éthiopiens était espérée par le Séleucide (Dn 11,43). Ces deux peuples, commente Lebram, jouent aussi un rôle dans les récits concernant Cambyse. Ce dernier était parvenu à vaincre les Libyens, mais il dut renoncer à sa campagne contre l'Éthiopie[14]. Ainsi Antiochus a atteint le même résultat que Cambyse. Les détails sur sa chute correspondent à ceux rapportés pour Cambyse. À la suite de mauvaises nouvelles qui lui parviennent de l'Est et du Nord, le roi séleucide se retire d'Égypte. Hérodote raconte, de son côté, que Cambyse lors de son retour d'Égypte vers la Perse, se blessa avec son épée en bondissant à cheval et qu'il mourut à Ecbatane en Syrie des suites de sa blessure[15]. Pareillement, d'après Daniel, Antiochus ne mourut pas dans sa résidence ni dans un combat, mais dans son expédition contre le Nord et l'Orient, «entre la mer et la montagne glorieuse et sainte» (Dn 11,45), précisions qui, on le sait, ne correspondent nullement à la vérité de l'histoire, puisqu'il est mort dans la ville perse de Tabae, au témoignage de Polybe 31,11.

Les parallèles égyptiens concernant Cambyse invoqués par Lebram ne paraissent pas être tous d'une égale valeur. Sans recourir à l'exemple de Cambyse, on peut donner en effet une explication à la fois simple et lumineuse de Dn 8,10: «Elle (la cime) grandit jusqu'à atteindre l'armée des cieux», à partir des émissions monétaires d'Antiochus IV, émanant de l'atelier d'Antioche. Si de 173 à 169, il est simplement Roi Antiochos, sa tête, vers la fin de cette période, est surmontée d'une étoile, symbole, écrit Abel, de son élévation au rang divin[16]. À partir de sa victoire sur le roi d'Égypte de 169 à 166, Antiochus fait inscrire sur ses monnaies: Roi Antiochos Theos Epiphanes Nicéphoros[17]. 2 Mc 9,10 fait allusion à la divinisation du roi dans une phraséologie toute proche de celle du livre de Daniel. Il est dit du roi malade que «naguère il semblait toucher aux étoiles du ciel» (πρότερον τῶν οὐρανίων ἄστρων ἅπτεσθαι δοκοῦντα).

13. Cf. *Vita Alexandri Magni*. Recensionem Graecam Codicis L, ed. H.V. Thiel, 1974, II, 41, 8 (p. 121) et H. Lewy, *The Babylonian Background of the Kay Kâûs Legend*, dans Archiv Orientalní XVII, 2 (1949, 2) 28–109.

14. Cf. Hérodote, *Hist.* IV,25.

15. Hérodote, *Hist.* III, 62, 66.

16. Cf. F.M. Abel, *Histoire de la Palestine depuis la conquête d'Alexandre jusqu'à l'invasion arabe*, Paris, 1952, t. I, p. 127. Voir maintenant la monographie d'Otto Mørkholm, *Studies in the Coinage of Antiochus IV of Syria*, dans *Hist. Filos. Medd. Dan., Vid. Selsk.* 40, n° 3 (1963), Kopenhague, 1963, pp. 11 et sq.

17. Cf. Otto Mørkholm, *Studies in the Coinage of Antiochus IV*, pp. 24 et sq.

Pour esquisser un portrait d'Antiochus, l'auteur de Daniel n'avait pas de meilleur modèle que celui de certaines monnaies de ce roi qui étaient dans toutes les mains. Aidé sans doute par la tradition biblique de l'*hybris* du roi de Babylone qui, d'après Is 14,13 «hausse son trône au-dessus des étoiles de Dieu», la vue de certaines émissions monétaires lui a inspiré sans doute sa pseudo-prophétie.

Quant à la «vérité jetée à terre» de Dn 8,12, c'est la vraie religion juive[18] et rien n'indique que ce soit l'équivalent du Maat égyptien, le principe de l'ordre cosmique et éthique, détrôné[19].

Une des sources égyptiennes du portrait d'Antiochus Épiphane de Dn 11 serait également l'oracle du Potier, texte grec conservé dans un papyrus datant du IIIe siècle après J.-C.[20]. On y lit en effet qu'un roi sortira de Syrie qui sera détesté de tous les hommes, col. 1,16-17; 1,30: καὶ καθήξει δ' ἐκ Συρίας [ὁ] βασιλεύς, ὃς ἔσται μισητὸς πᾶσιν ἀνθρώποις. Ce roi haï ou détesté est à rapprocher de Dn 11,21: «À sa place se lèvera quelqu'un de méprisable» (*nibʒeh*), terme traduit dans la LXX par εὐκαταφρόνητος, «qu'on peut facilement mépriser», et dans Théodotion par ἐξουδενώθη, «dont on ne fera aucun cas». Le souvenir d'Antiochus IV, de ses conquêtes et de ses dévastations en Égypte est développé dans le livre III des *Oracles Sibyllins* (III 608-623) qui en fait le contemporain de Ptolémée VI Philométor, le septième roi à compter de l'empire des Hellènes: «...lorsqu'un jeune roi d'Égypte régnera sur son pays, le septième à compter de l'empire des Hellènes, auquel présideront les formidables Macédoniens, et lorsque d'Asie sera venu un grand roi, un aigle fauve qui couvrira la terre entière de gens de pied et de cavaliers, brisera tout, emplira tout de maux. Il abattra le royaume d'Égypte, s'emparera de toutes ses richesses et s'en repartira sur le large dos de la mer»[21].

Lebram note que dans la troisième Sibylle il n'est pas question du message du consul Popilius Laenas enjoignant à Antiochus de retourner en Lycie, que ce dernier n'y est pas présenté comme l'ennemi du Temple de Jérusalem et de la Loi juive, parce que sans doute les événements contre la ville sainte n'avaient pas encore eu lieu. Pour Lebram, la tradition judéo-égyptienne n'est donc pas dépendante de Daniel et proviendrait des cercles juifs égyptiens. Ceux-ci voient uniquement dans

18. Cf. M. DELCOR, *Le livre de Daniel*, p. 175 et S.R. DRIVER, *The Book of Daniel*, p. 117.

19. Cf. LEBRAM, *art. cit.*, p. 769.

20. On trouvera une traduction allemande un peu ancienne dans Hugo GRESSMANN, *Altorientalische Texte zum Alten Testament*, Berlin-Leipzig, 1926, pp. 49-50, et avec un texte grec dans A. VON GALL, ΒΑΣΙΛΕΙΑ ΤΟΥ ΘΕΟΥ, Heidelberg, 1926, pp. 69-70; REITZENSTEIN-SCHÄDER, *Studien zum Antiken Synkretismus aus Iran und Griechenland*, Leipzig-Berlin, 1926, pp. 38 et sq.

21. Traduction de Valentin NIKIPROWETZKY, *La troisième Sibylle*, Paris-La Haye, 1970.

l'invasion du roi Antiochus une punition de Dieu contre l'Égypte, ce qui a pu être aussi suggéré au sibylliste par une réaction égyptienne contre Antiochus[22].

Collins estime, quant à lui, que le portrait d'Antiochus en Daniel n'est pas modelé sur les traditions égyptiennes concernant Cambyse. Il n'est pas évident, dit-il, que les sources historiques de Daniel soient égyptiennes, car l'intérêt de ce livre porte surtout sur la carrière des deux rois syriens: Antiochus III et Antiochus IV[23]. On doit constater toutefois que la haine manifestée contre le roi séleucide avait aussi gagné l'Égypte sans que l'on précise pour autant que ce soit pour cause d'impiété. Cette haine est nettement exprimée dans l'oracle du Potier, mais non dans la IIIe Sibylle. Dans le premier texte, la seule invasion de l'Égypte avec son cortège de destructions peut avoir suffi à déclencher la haine du roi séleucide.

Le problème du nombre de campagnes contre l'Égypte et Daniel 11

Si le portrait de la personne du roi Antiochus IV présenté comme l'impie par excellence paraît stéréotypé, il reste que le chapitre 11 de Daniel contient des données non négligeables sur les deux campagnes qu'il a dirigées contre l'Égypte et conjointement sur ses actions à Jérusalem après chacune de ses expéditions égyptiennes. La première est succinctement et schématiquement décrite en Dn 11,25-28. Elle débute au printemps de 168, en raison des démêlés d'Antiochus avec l'Égypte au sujet de la Coelé-Syrie. Il faut rappeler à ce propos qu'Antiochus III, en donnant en 193-192 sa fille Cléopâtre en mariage à Ptolémée V Épiphane, l'avait dotée de l'usufruit de la Coelé-Syrie, de la Phénicie, de la Judée et de la Samarie; mais il en gardait l'administration et, pour se couvrir des dépenses administratives, la moitié des revenus. Bouché-Leclercq a écrit: «Il retenait ainsi d'une main ce qu'il avait donné de l'autre»[24]. Or, Cléopâtre, régente du royaume au nom de son fils aîné Ptolémée VI Philométor, depuis le décès de son mari en 181, était morte en 176, et la donation convenue en 193 devenait caduque. Antiochus IV avait la prétention de reprendre sa souveraineté entière sur la Coelé-Syrie dont les revenus étaient jusque là partagés entre les deux gouvernements.

Une fois rappelés les précédents et le contexte historique de la première campagne d'Antiochus en Égypte qui, soulignons-le, restent en dehors des préoccupations de l'auteur de Daniel, on peut mieux comprendre le sens et la portée de Dn 11,25-28: «(25) Il excitera sa

---

22. Cf. LEBRAM, art. cit., pp. 762-763.

23. Cf. J. COLLINS, Daniel with an Introduction to Apocalyptic Literature, 1984, p. 100.

24. Cf. A. BOUCHÉ-LECLERCQ, Histoire des Séleucides (323-64 av. J.-C.), Paris, 1913, p. 185. Mais pour une mise à jour récente de cette période voir Édouard WILL, Histoire politique du monde hellénistique (323-30 av. J.-C.), Nancy, 1967, t. II, pp. 262 et sq.

force et son courage contre le roi du Midi, grâce à une grande armée. Le roi du Midi engagera le combat avec une armée grande et extrêmement puissante mais il ne tiendra pas, parce qu'on formera des complots contre lui. (26) Ceux qui mangent les mets délicieux de sa table le briseront et son armée sera débordée et il y aura beaucoup de tués. (27) Les deux rois dont le cœur est mauvais diront des mensonges à la même table, mais ce sera sans succès, car la fin doit encore venir. (28) Il retournera dans son pays avec de grandes richesses, son cœur sera contre l'Alliance sainte. Il agira et retournera dans son pays».

On ne donne pas les causes de la guerre syro-égyptienne, mais on sait que les mauvais conseillers de Ptolémée VI poussèrent Antiochus au combat. Le roi du Midi, entendons Ptolémée VI Philométor, répond à l'attaque du roi séleucide. Et pour cela, il met sur pied une armée plus importante que celle du roi du Nord. Le choc entre les deux armées ennemies eut lieu près du lac Serbonide, entre le mont Casios et Péluse[25]. Les historiens de l'Antiquité reprochent à Antiochus, mais sans autre explication, la manière déloyale «peu digne d'un roi» dont il s'empara de Péluse (cf. Diodore de Sicile XXX,18). C'est à ce stratagème ainsi qu'aux intrigues entachées de ruse et de machinations (*yḥšbw 'lyw mḥšbwt*, littéralement «ils ont médité de mauvais desseins contre lui»), par lesquelles Antiochus réussit à s'emparer de son neveu, le jeune roi Ptolémée Philométor, que fait allusion vraisemblablement la fin du verset 25[26]. C'est aussi l'exégèse que donne, par exemple, de ce verset S.R. Driver, dans son commentaire de Daniel[27].

Le v. 26 se réfère à la ruine de Ptolémée causée par les mauvais conseils de ses propres commensaux, les συντράπεζοι, c'est-à-dire ses courtisans. Il vise plus spécialement sans doute l'eunuque Eulaios, qui conseilla au roi de fuir à Samothrace, projet qui lui fut fatal (cf. Polybe XXVIII,17a). La fin du verset mentionnant le grand nombre de tués concorde exactement avec 1 M 1,18.

«Les deux rois dont le cœur est mauvais diront des mensonges à la même table, mais ce sera sans succès» (v. 27). Ici St Jérôme ne cite plus Porphyre comme il avait fait pour commenter les versets 25 et 26, mais il explique: «Il est impossible de montrer dans l'histoire ces deux rois de l'Écriture qui devaient avoir le cœur attentif à se faire du mal l'un à l'autre». Après la bataille de Péluse, Ptolémée Philométor était tombé entre les mains d'Antiochus. On sait par Polybe qu'une légation de Rhodiens voulut jouer un rôle de conciliation entre Antiochus et

25. Cette précision topographique se trouve déjà dans le commentaire de St Jérôme sur Daniel qui cite Porphyre (cf. MIGNE, t. XXV, 565).

26. Cf. A. BOUCHÉ-LECLERCQ, *Histoire des Séleucides*, p. 254. Voir aussi E. WILL, *Histoire politique du monde hellénistique*, t. II, pp. 266 et sq.

27. Cf. S.R. DRIVER, *The Book of Daniel* (The Cambridge Bible for Schools and Colleges), Cambridge, 1905.

Ptolémée. Mais le roi séleucide coupa court à leurs harangues prolixes en disant «qu'il n'était pas besoin de tant de discours, que la royauté appartenait à Ptolémée l'aîné (Evergète), qu'il s'était arrangé avec lui depuis longtemps et qu'ils étaient amis depuis longtemps et en pourparlers pour le rétablissement de la paix et que ceux qui voudraient le ramener dans la ville, lui Antiochus ne les empêcherait pas» (Polybe XXVIII,19). L'auteur de Daniel dénonce ce semblant d'amitié. Ils avaient beau manger à la même table – de tout temps un symbole de grande intimité – leurs sentiments n'étaient pas sincères. Diodore de Sicile (XXX,21) fait écho à Daniel: «En considération des liens de parenté, il devait comme il le disait lui-même ménager le jeune roi; il trompa au contraire celui qui s'était fié à lui et chercha à le dépouiller complètement». Tite-Live, de son côté, souligne la simulation d'Antiochus qui faisait semblant de professer le désintéressement à l'égard de son neveu Philométor, pour lequel il feignait de chercher à obtenir un royaume par ses propres forces «cui regnum quaeri suis viribus simulabat» (XLV,11).

À la fin de sa première campagne en Égypte, le verset 28 fait état du retour d'Antiochus dans son pays avec un grand butin et de son action contre les Juifs, ce qui concorde avec le témoignage de 1 M 1,20 et sq. Il s'en prend, précise le TM, à l'Alliance sainte, expression qui se trouve aussi en grec en 1 M 1,15,63: διαθήκη ἁγία et en hébreu dans les textes de Qumran (1QSb 1,2). Il est question dans ce passage de «renier l'Alliance sainte» et dans Dn 11,33 «d'abandonner l'Alliance sainte». Cette expression ne se rencontre pas en tout cas avant l'époque assidéomaccabéenne et semble désigner non seulement «le contrat qui reliait le peuple à son Dieu et formait le cœur de la religion juive, mais aussi la communauté elle-même qui observait les préceptes de l'Alliance»[28]. Contrairement à Dn 11,25 qui reste dans le vague, 1 M 1,20 décrit avec précision les méfaits commis par Antiochus: il profana le sanctuaire de Jérusalem, emporta les objets précieux du culte et dévasta les trésors cachés qu'il trouva.

Les versets 29 à 31 font état très succinctement d'une deuxième campagne d'Antiochus en Égypte et, avec une certaine précision, d'une nouvelle intervention à son retour d'Égypte contre le sanctuaire de Jérusalem. On apprend de l'auteur de Daniel que son retour d'Égypte fut provoqué par l'intervention de la flotte romaine, «les navires de Kettim».

La seconde campagne d'Égypte qui débute au printemps de 168 nous est bien connue par le récit de Tite-Live (XLV,11 et sq.). Ce dernier utilise Polybe XXIX,11, dont seule est conservée la partie contenant

---

28. Cf. A. JAUBERT, *La notion d'Alliance dans le Judaïsme aux abords de l'ère chrétienne*, Paris, 1963, p. 83.

l'ambassade de Popilius qui, au nom du sénat romain, ordonna au roi séleucide de se retirer de l'Égypte (cf. aussi Diodore de Sicile XXX,2). Commentant Dn 11,29-30, St Jérôme, rapportant sans doute l'exégèse de Porphyre, ne cite nommément aucun historien de l'Antiquité, mais reste dans le vague à ce sujet: «Les historiens grecs et romains attestent qu'à son retour d'Égypte d'où il avait été expulsé, Antiochus vint en Judée, c'est-à-dire contre l'Alliance sainte; qu'il dépouilla le Temple, qu'il emporta une grande quantité d'or et qu'il retourna dans son pays après avoir mis dans la citadelle de Jérusalem une garnison de Macédoniens». Apparemment, St Jérôme fait état ici de l'intervention du Séleucide à Jérusalem, au retour de sa première campagne en Égypte. Mais pour le récit du retour en Judée de cette première expédition égyptienne, il ne semble pas que l'on dispose actuellement de sources provenant des historiens grecs et romains, mais seulement de sources juives, en particulier 1 M 1,20-24 et Orac. Sib. III,614-615: «Il abattra le royaume d'Égypte, s'emparera de toutes ses richesses et s'en repartira sur le large dos de la mer» (trad. Nikiprowetzky). Porphyre aurait-il connu à ce sujet des sources païennes aujourd'hui disparues? Ce n'est pas impossible. Par contre, il existe des témoignages des historiens grecs et romains pour la deuxième campagne en Égypte que Jérôme-Porphyre résument de la sorte[29]: «Deux ans après, il réunit une armée contre Ptolémée et vint dans le Midi où il assiégea, dans Alexandrie, ses neveux, les deux frères Ptolémée, fils de Cléopâtre. Là les ambassadeurs romains vinrent le trouver; l'un d'eux, Marcus Popilius Laenas ayant rencontré Antiochus, sur le bord de la mer, et celui-ci en présence du senatus-consulte qui lui ordonnait de s'éloigner, de laisser en paix les amis du peuple romain et de se contenter de ses États (*et suo imperio contentus*), ayant demandé à différer sa réponse afin de s'entendre à ce sujet avec ses conseillers, Popilius, dis-je, traça avec son bâton un cercle sur le sable autour du roi et lui dit: 'Le Sénat et le peuple romain demandent de répondre ici même, à l'instant et de faire connaître vos intentions'. Effrayé de ce fier langage: 'Puisque tel est le désir du Sénat et du peuple romain – répondit le roi – il faut donc s'éloigner', et il repartit aussitôt avec son armée. Il fut abattu, est-il dit; ce n'est pas qu'il fut mis à mort mais son orgueil fut entièrement terrassé»[30].

Dn 11 ne semble donc connaître que deux campagnes d'Antiochus en Égypte et sans doute n'y en a-t-il pas eu d'autre. C'est par exemple la position d'E. Will, de F.M. Abel - J. Starcky[31] et en général des modernes

29. Pour l'intervention romaine d'après le commentaire de Jérôme, cf. J. BRAVERMAN, *Jerome's Commentary on Daniel. A Study of Comparative Jewish and Christian Interpretations of the Hebrew Bible*, Washington, 1978, pp. 116 et sq.

30. Traduction BAREILLE, dans *Œuvres complètes de St Jérôme*, Paris, 1879, t. 7, pp. 472 et sq.

31. ABEL-STARCKY, *Le livre des Maccabées*, Paris, 1961, pp. 60-61.

tels que Tcherikover[32] et Bickerman[33]. Au début du siècle, A. Bouché-Leclercq écrivait: «En combinant diversement les bribes de textes et des inductions chronologiques péniblement motivées, les érudits modernes admettent tantôt deux, tantôt trois, tantôt quatre expéditions d'Antiochos en Égypte en 170 ou 171 ou 172 et 168»[34]. Mais tout récemment, E. Will a pris nettement position à ce sujet: «On a longtemps discuté et on discute encore... du nombre d'expéditions d'Antiochos IV en Égypte; mais il y a longtemps aussi que s'est imposée la conclusion raisonnable, à savoir qu'il n'y en eut point trois mais seulement deux, la première en 169, la seconde en 168 (cf. déjà Niese III, p. 170, n. 2). Malgré ces diverses mises au point, il subsiste beaucoup d'incertitudes dans le détail et toute reconstruction des événements reste plus ou moins conjecturale»[35].

Plus loin, le même historien explique la raison des incertitudes qui règnent parfois dans les ouvrages modernes quant au nombre des campagnes d'Antiochus IV en Égypte. «Elles procèdent – dit-il – en partie de contradictions et de confusions dans la tradition juive. 1 M 1,21 et sq. ne connaît qu'un passage d'Antiochus à Jérusalem après sa première campagne lorsqu'il spolia le Temple. L'auteur de 2 M, de même, ne le fait venir qu'une fois à Jérusalem, après sa seconde campagne, et détermine son départ d'Égypte par l'insurrection juive qu'aurait provoquée la fausse nouvelle de sa mort (2 M 5,11 et sq.) et non par l'intervention de Popilius que les deux livres des Maccabées ignorent pareillement»[36]. Mais le témoignage de Dn 11 semble être ici dirimant car il mentionne deux passages d'Antiochus à Jérusalem après chacune des deux campagnes[37]. Par ailleurs, il semblerait, contrairement à l'opinion de certains modernes qui placent la fausse nouvelle de la mort du roi lors de la première campagne, que les faux bruits sur la disparition du roi séleucide s'expliquent mieux à la suite de l'intervention romaine de Popilius à Éleusis, sur le bord du rivage égyptien, lors de la seconde campagne[38].

En bref, il y a eu deux campagnes d'Antiochus en Égypte et deux passages de ce dernier à Jérusalem à son retour de chacune des expéditions. Tel est le témoignage de Daniel, dont la prophétie du

---

32. Cf. Victor TCHERIKOVER, *Hellenistic Civilization and the Jews*, Philadelphia, 1966, p. 186.

33. Cf. Elias BICKERMAN, *The God of the Maccabees*, Leiden, 1979, p. 106 (traduction de l'ouvrage allemand *Der Gott der Makkabäer*, Berlin, 1937).

34. A. BOUCHÉ-LECLERCQ, *Histoire des Séleucides*, p. 255.

35. Edouard WILL, *Histoire politique du monde hellénistique*, t. II, p. 268.

36. E. WILL, *op. cit.*, pp. 284-285.

37. Victor TCHERIKOVER, *Hellenistic Civilization and the Jews*, Philadelphia, 1966, p. 186.

38. Dans le même sens voir E. BICKERMAN, *The God of the Maccabees*, et V. TCHERIKOVER, *op. cit.*, pp. 186 et sq.

chapitre 11 a été écrite au milieu de la persécution juive et doit être préférée à toute autre tradition.

Un autre problème se pose aux historiens modernes: *Quelle est la valeur historique de Dn 11 présentant l'action d'Antiochus IV contre les Juifs?*

Quelques considérations préliminaires sont ici nécessaires.

a) Il est clair qu'on ne peut tenir pour historiques dans la prophétie «ex eventu» que les événements passés, ceux qui s'inscrivent dans le temps de l'Histoire. Par contre, ce qui concerne les temps futurs ou eschatologiques, c'est-à-dire ce qui n'est pas encore «histoire», ne peut évidemment tomber sous le regard de l'historien, car ils ne sont pas contrôlables, étant essentiellement une révélation divine.

b) Mais étant donné le caractère prophétique des événements anciens décrits comme étant une prophétie, la manière d'envisager ces faits diffère essentiellement des conceptions grecques. Chez les Grecs, l'histoire apparaît comme étant intentionnelle et, en conséquence, comme l'œuvre compréhensible de l'homme. L'histoire a donc un caractère pragmatique. On pouvait demander à un Grec, précise justement E. Bickerman, comment il comprenait de manière concrète l'action d'Antiochus Épiphane en tant qu'événement unique.

c) On ne pouvait pas poser une telle question à un Juif[39]. La prophétie daniélique se situe en effet dans la ligne de la conception biblique de l'Histoire chez les prophètes[40]. Pour ces derniers, seule l'action de Dieu à l'égard d'Israël peut donner un sens à un événement historique précis. En fait, il n'y a pas de différence pour Israël si Dieu a choisi Assur ou Damas comme instrument de châtiment à l'égard de son peuple. Les prophètes sont précisément les interprètes de l'Histoire, œuvre à la fois de Dieu et des hommes. L'intervention d'Antiochus Épiphane contre le peuple juif est expliquée en Dn 11 comme étant le résultat de l'orgueil (l'*hybris*) d'un souverain qui a voulu se faire l'égal de Dieu. La responsabilité humaine de la persécution juive est seulement portée par le persécuteur et le peuple juif n'y a apparemment aucune place.

d) Pourtant E. Bickerman n'énumère pas moins de quatre explications de l'origine de la persécution sous Épiphane[41].

1. Dans la plus ancienne conception juive illustrée par Daniel, la lettre de Jérusalem à la communauté, le deuxième livre des Maccabées, la persécution apparaît comme un châtiment divin provoqué par le péché du peuple.

2. Le premier livre des Maccabées, qualifié par Bickerman comme étant la chronique de la dynastie hasmonéenne, explique l'oppression religieuse par l'arrogance des païens.

39. Elias BICKERMAN, *The God of the Maccabees. Studies in the Meaning and Origin of the Maccabean Revolt*, Leiden, 1979, p. 15.

Mais à côté de ces deux explications «surnaturelles», on trouve aussi deux explications pragmatiques empruntées aux Grecs.

3. La version officielle séleucide justifie les mesures prises par le souverain grec par la rébellion des Juifs.

4. Une génération postérieure justifiera la politique d'Antiochus par une lutte déterminée contre la barbarie juive.

Certains historiens modernes, en présence d'explications si diverses, déclarent sinon être dans l'ignorance, du moins douter du véritable motif de la persécution d'Antiochus. Récemment on a expliqué que la crise de 167 apparaissait finalement comme le résultat de plusieurs facteurs hétérogènes[42]. D'un côté, la volonté de certains éléments juifs de s'ouvrir à l'hellénisme, ce qui provoque la résistance des Assidéens. De l'autre, la volonté de la part d'Antiochus IV de «lutter contre les forces centrifuges qui minent son empire en prenant appui sur des partisans de l'hellénisme». Cela, dit-on, a été interprété dans les milieux juifs religieux comme une persécution et une tentative d'extirper radicalement le Judaïsme.

Bickerman, de son côté, avait soutenu qu'Antiochus, un roi d'éducation grecque et un élève des Épicuriens, ne pouvait pas avoir été l'initiateur de la persécution. C'est dire que, de toutes façons, la présentation des faits par le livre de Daniel, n'est pour cet historien qu'une interprétation et que la vraie responsabilité de la persécution était à chercher chez les Juifs hellénistes qui ne sont plus uniquement des réformateurs[43].

LA FORME LITTÉRAIRE DU CHAPITRE 11
AFFINITÉS ET ORIGINE

Pour développer cette rétrospective historique, l'auteur de Daniel n'utilise pas ici un songe comme au chapitre 7 ni une vision comme au chapitre 8. Il entend révéler simplement ce qui est écrit dans le livre de Vérité (10,21). Cette conception du livre de Vérité contenant l'histoire des hommes implique que celle-ci est prédéterminée dans les cieux, où elle a été prévue et voulue par Dieu. Daniel n'a plus qu'à la lire pour l'annoncer aux hommes. Les rois et les empires s'y déroulent les uns après les autres dans des tranches d'histoire de plus en plus précises et

40. Cf. M. DELCOR, *Storia e profezia nel mondo ebraico*, dans *Fondamenti*, Pise, n° 13, 1989, pp. 3-33.

41. Cf. E. BICKERMAN, *The God of the Maccabees*, p. 25.

42. Cf. C. SAULNIER, *Histoire d'Israël. De la conquête d'Alexandre à la destruction du Temple*, Paris, Cerf, 1985, p. 120.

43. Cette explication est contestée par V. TCHERIKOVER, *Hellenistic Civilization and the Jews*, Philadelphia, 1966, pp. 184 et sq.

plus développées: époques perse, grecque avec l'empire d'Alexandre le
Grand, séleucide et ptolémaïque avec les diadoques jusqu'à l'avènement
d'Antiochus III, puis l'histoire d'Antiochus IV. Il est significatif que
l'avènement des nouveaux rois est introduit par la formule w'md
(11,2,3,7,20,21) avec le sens de «et il se lèvera». De fait le verbe 'md
signifie «se lever», «apparaître», «venir sur la scène» (Esd 2,63; Neh
7,65; Ps 106,30). Il est également employé en Dn 8,22,23. En Dn 8,22
on trouve ce que les grammairiens juifs anciens ont appelé une forme
androgyne y'mdnh, qui est masculine en son début et féminine par sa
fin, ce qui expliquerait selon König la double référence aux royaumes
(féminin) et aux rois (masculin)[44]. Le verbe 'amad apparaît en Daniel
comme un usage tardif aux lieu et place du verbe qûm employé ailleurs
pour l'entrée en scène d'un prophète, d'un chef, d'un roi (Juges 5,7;
10,1,3; Dt 13,2; 34,10; Ex 1,8; 2 R 23,25). E. Bickerman[45] a caractérisé
le style prophétique de Dn 10–12 comme étant grec et c'est pour cette
raison, dit-il, que Porphyre a reconnu aisément l'artifice. Depuis *Les
Perses* d'Eschyle, précise-t-il, les poètes grecs, à la suite des voyants
grecs, ont imaginé de raconter l'histoire comme si elle devait encore se
dérouler dans le futur.

Pourtant, à supposer que le style prophétique de Daniel 11 soit
vraiment grec, ce qui, soulignons-le, dans un livre si hellénophobe serait
paradoxal, c'est des prophéties akkadiennes qu'il faut le rapprocher par
la manière d'introduire et d'exposer les règnes successifs.

Cette parenté a été reconnue depuis longtemps, notamment par A.K.
Grayson-W.G. Lambert[46] et par W.W. Hallo[47]. Des auteurs[48] ont,
par la suite, tenté d'exploiter les textes publiés par Grayson et Lambert,
puis par R. Borger[49] et par R.D. Biggs («More Babylonian Prophecies», *Iraq* 29, 1967, pp. 117-132), notamment en vue de l'étude de
l'apocalyptique juive.

Les auteurs hésitent pour caractériser le genre littéraire de ces textes
akkadiens, tantôt ils parlent de prophéties, tantôt d'apocalypses.

Les «prophéties akkadiennes» se présentent comme de vraies prophé-

---

44. Cf. F.E. KÖNIG, *Historisch-kritisches Lehrgebäude der hebräischen Sprache*, Leipzig, 1881, t. 1, p. 435.

45. Cf. E. BICKERMAN, *Four Strange Books*, p. 117.

46. Cf. A.K. GRAYSON-W.G. LAMBERT, *Akkadian Prophecies*, dans *Journal of Cunei-
form Studies* 18 (1964) 7-30; A.K. GRAYSON, *Babylonian Historical-Literary Texts*,
Toronto, 1975, pp. 20 et sq.

47. Cf. W.W. HALLO, *Akkadian Apocalypse*, dans *Israel Exploration Journal* 16 (1966)
230-242.

48. Cf. J.C. HEINTZ, *Note sur les origines de l'apocalyptique judaïque à la lumière des
prophéties akkadiennes*, dans l'ouvrage collectif *L'apocalyptique*, Paris, 1977, pp. 71-87;
H. RINGGREN, *Akkadian Apocalypses*, dans D. HELLHOLM (éd.), *Apocalypticism in the
Mediterranean World and the Near East*, Tübingen, 1983, pp. 379-386.

49. Cf. R. BORGER, *Gott Marduk und Gott-König Šulgi als Propheten. Zwei prophetische Texte*, dans *BiOr.* 28 (1971) 3-21.

ties mais elles consistent en réalité à prédire des événements qui ont déjà eu lieu. Il en va de même dans les annonces prophétiques de Dn 11. Voici les caractéristiques des «prophéties akkadiennes»: a) anonymat des rois dont l'avènement est annoncé; b) introduction de l'annonce par la formule stéréotypée: un roi ou un prince se lèvera; c) mention du nombre d'années de règne; d) périodisation de l'histoire des empires: chaque tranche d'histoire est séparée sur la tablette par un trait horizontal; e) qualification des règnes bons ou mauvais, qui n'alternent pas nécessairement de façon régulière.

C'est surtout avec les prophéties que Grayson qualifie de prophéties dynastiques que le livre de Daniel 11 présente le plus d'analogies. Voici ses propres termes: «It is one of the most unusual and significant pieces of Babylonian Literature to be published in many a decade. It is a description, in prophetic terms of the rise and fall of dynasties or empires, including Babylonia and rise of Persia, the fall of Persia and rise of Hellenistic monarchies. Although as in other prophecies, no names of kings are given, there are enough circumstantial details to identify the period described» [50].

Voici quelques ressemblances, mais aussi des différences:
a) Comme dans les prophéties dynastiques babyloniennes, l'auteur de Daniel expose l'histoire des rois et des empires par petites tranches, en indiquant leur naissance et leur chute. Au verbe w'md «et il se lèvera», marquant l'avènement d'un roi, répond un verbe signifiant sa chute. Pour la désigner les verbes usités sont tšbr «sera brisé», wthṣ «sera divisé», tntš «sera déraciné, arraché» (Dn 11,4). Dans cette description, il s'agit de la ruine ou de la chute de l'empire d'Alexandre le Grand, les trois verbes «briser», «diviser», «déraciner» sont de plus en plus précis. Plus loin, dans la succession des empires (Dn 11,20), on retrouve l'opposition des deux termes marquant «l'avènement» et «la chute»: «il se lèvera à sa place» (we'amad), «il sera brisé» (yiššaber). Il s'agit sans doute ici de Séleucus IV.
b) À l'instar de la prophétie dynastique, le survol de l'histoire mondiale par l'auteur de Dn 11 est également périodisé, mais, à la différence des documents babyloniens, on n'y précise pas la durée des règnes. En Daniel 11, les indications temporelles ne sont pas chiffrées et, de ce fait, restent dans le vague. On lit par exemple en 11,6: «au bout de quelques années» (lqṣ šnym), indication chronologique qui se réfère à l'entrée en scène de Ptolémée II (285-246) qui tenta une alliance avec son rival Antiochos II (261-246). Au verset 8, «il restera quelques années (šanim) loin du roi du Nord» se réfère à Ptolémée III, mais le sens de cette phrase est mal établi, non seulement pour les auteurs modernes, mais déjà pour la version de Théodotion: καὶ αὐτὸς στήσεται ὑπὲρ βασιλέα τοῦ βορρά, «il prévaudra sur le roi du Nord» en donnant à la particule

---

50. A.K. GRAYSON, *Babylonian Historical-Literary Texts*, Toronto, 1975, p. 24.

min un sens comparatif. Les notations temporelles vagues continuent au verset 13: «Le roi du Nord s'en retournera et il lèvera une multitude plus grande que la première et au bout de quelque temps (des années) *leqeṣ ha'ittim, šanim*». Il s'agit en réalité du laps de temps qui sépare la défaite d'Antiochus III à Raphia en 217 de la reprise des hostilités contre l'Égypte en 201. Dans le texte hébreu de Dn 11,13, *šanim* sans *waw* de coordination est juxtaposé au mot précédent, ce qui indique une glose destinée à apporter une certaine précision.

Au verset 14, «en ces temps-là (*ba'ittim hahem*) beaucoup se lèveront contre le roi du Midi» se rapporte directement non seulement à la coalition d'Antiochus et de Philippe de Macédoine, mais sans doute aussi aux rébellions des provinces soumises à l'Égypte et à l'insurrection de l'Égypte elle-même contre Agathoclès, le ministre et le favori de Ptolémée Philopator massacré par la populace alexandrine[51]. On reste là aussi dans le vague complet pour situer de façon précise ces événements dans le temps de l'Histoire.

C'est en quelques jours (*beyamim 'aḥadim*) que sera brisé celui qui s'était levé, c'est-à-dire Séleucus IV qui succomba sous les embûches d'Héliodore (Dn 11,20)[52]. On ajoutera cette autre indication temporelle de Daniel aussi imprécise: «Les sages du peuple chancelleront pendant des jours (*yamîm*) par le glaive, la flamme, l'exil» (Dn 11,33). En général, ces vagues notations de temps concernent dans le schéma historique de Daniel l'époque des Diadoques. Quelques explications sont ici nécessaires.

Après l'époque perse (vv. 1-2) et l'intervention grecque avec Alexandre le Grand (vv. 3-4) qui sont brièvement évoquées, la prophétie devient plus abondante et se divise en trois périodes. La première concernant l'époque des Diadoques, spécialement des Séleucides et des Ptolémées, conduit le lecteur jusqu'à l'avènement d'Antiochus III (vv. 5-9). Les versets 10-19 décrivent les exploits d'Antiochus le Grand et constituent la seconde période. Ce qui concerne Séleucus IV n'occupe qu'un seul verset (v. 20). La troisième période, la plus importante, du point de vue de l'auteur et des événements, se rapporte au règne d'Antiochus IV Épiphane (vv. 21-45). Il est significatif que, dans cette partie, les notations de temps sont plus fréquentes que dans la première partie. Le déroulement des événements sous Antiochus IV est noté par rapport à la fin du persécuteur impie (*qiṣṣo*) au verset 45, qui aura lieu «au temps de la Fin» (*be'et qeṣ*). Aussi l'auteur indique-t-il ici ou là, en énumérant la succession de ses entreprises malfaisantes, que le temps de la fin n'est pas encore arrivé: v. 24 *we'ad 'et*; v. 27 *kî 'od qeṣ lammo'ed*; v. 29 *lammo'ed*; v. 35 *'ad 'et qeṣ kî 'od lammo'ed*.

51. Cf. BOUCHÉ-LECLERCQ, *Histoire des Séleucides*, p. 171.
52. Cf. M. DELCOR, *Le livre de Daniel*, Paris, 1971, p. 234.

c) Dans la prophétie dynastique, le survol historique comporte une certaine universalité, puisqu'on y prédit successivement la chute de l'Assyrie et l'avènement de la dynastie chaldéenne (col. 1,7-25), l'avènement d'un prince rebelle (Nabonide) qui a établi la dynastie à Harran (col. 2,11-16); l'avènement du roi d'Elam (Cyrus) (col. 2,17); l'invasion de l'Asie par Alexandre le Grand (les Hanu désignant les Thraces); la défaite de Darius et l'avènement des dynasties hellénistiques (col. 3,9-23). C'est aussi d'histoire universelle qu'il s'agit en Dn 11 où il est vrai le résumé d'histoire des empires est un peu écourté puisqu'il ne commence qu'à l'époque perse et qu'il prend fin avec le roi séleucide Antiochus IV.

Le problème de l'origine de l'histoire universelle de Daniel 11

Les analogies, voire les ressemblances entre Daniel 11 et la prophétie dynastique posent le problème de l'origine des vues universalistes de la prophétie historique de Daniel. On peut hésiter entre un modèle oriental et un modèle grec. James A. Montgomery a écrit dans son commentaire de Daniel que le chapitre 11 est la première tentative d'une histoire universelle depuis la Table des peuples de Gn 10. C'est, poursuit-il, la contrepartie juive de Polybe, l'historien grec, qui en 166 avant J.-C., pris comme otage à Rome, conçut le dessein audacieux de raconter comment dans l'espace de 53 ans (220-168 av. J.-C.) presque tout le monde entier tomba dans l'unique empire des Romains (*Hist.* I,1,5)[53]. Cette affirmation suscite quelques réflexions.
a) De fait, il faut souligner tout d'abord que Polybe (202-120 av. J.-C.) est un contemporain de l'auteur de Daniel.
b) Il entreprend d'écrire une histoire universelle, ce qu'aucun de ses contemporains ni de ses prédécesseurs n'a réalisé. Il s'exprime nettement à ce sujet, et à diverses reprises. «En effet l'originalité de notre ouvrage (τῆς ἡμετέρας πραγματείας ἴδιον) et le prodige de notre époque résident en ceci: de même que la Fortune (ἡ τύχη) a incliné d'un seul côté (πρὸς ἓν ἔκλινε μέρος) et forcé à tendre vers un seul et même but (πάντα νεύειν ἠνάγκασε πρὸς ἕνα καὶ τὸν αὐτὸν σκόπον), presque tous les événements de la terre, de même il faut par le moyen de l'histoire concentrer dans une seule vue synthétique (μίαν σύνοψιν ἀγάγειν) le plan que la Fortune a appliqué pour la réalisation d'une série universelle d'événements» (*Hist.* I,4,1)[54]. C'est donc parce que la Fortune a dirigé dans une seule direction et dans un même but tous les

53. James A. Montgomery, *A Critical and Exegetical Commentary on the Book of Daniel*, Edinburgh, 1927, p. 421.
54. Traduction Paul Pédech (Les Belles-Lettres).

événements de la terre – il vise ici la domination universelle de Rome – qu'il envisage une histoire synthétique des événements de l'Univers connu. Plus loin, il s'exprime nettement sur l'originalité de son dessein par rapport à ses prédécesseurs: «je ne me suis pas proposé d'écrire comme mes devanciers l'histoire de tel ou tel peuple, celle des Grecs ou des Perses, par exemple, mais simultanément (ὁμοῦ) celle des parties connues du monde habité (οἰκουμένη) parce que l'époque contemporaine m'a fourni à ce point de vue une matière unique» (*Hist.* II,37,4).

c) C'est seulement à partir de l'histoire universelle que l'on peut atteindre une vraie notion de cause et d'effet et apprécier l'importance réelle des événements, et comprendre ainsi le travail de la Fortune (Tychè) (III,32; IX,44 etc.). «Mais en fait voyant que la plupart des historiens traitaient telle ou telle guerre particulière et divers événements concomitants, personne, du moins à ma connaissance, n'a essayé de vérifier l'histoire générale et totale des faits passés (τὴν δὲ καθόλου καὶ συλλήβδην οἰκονομίαν τῶν γεγονότων), c'est-à-dire quand et d'où ils ont pris naissance et comment ils se sont déroulés, j'ai estimé absolument nécessaire de ne pas négliger ni de laisser passer sans m'y arrêter le plus beau et en même temps le plus utile ouvrage de la Fortune (*Hist.* I,4,3).

d) La Tychè, pour Polybe, a un caractère finaliste. «Elle règle la marche dans un sens donné; elle détruit les empires, et assure leur relève par d'autres, elle a un plan (χειρισμός); elle arrange l'architecture du tout (οἰκονομία τῶν ὅλων); elle combine tous les moyens afin d'arriver à un résultat. L'historien ne fait qu'enregistrer ce patron, qui s'impose à lui du dehors et qu'il admire comme un ouvrage et un spectacle, les plus beaux qui aient jamais été présentés». Telle est la présentation que Paul Pédech, un des meilleurs connaisseurs de Polybe, fait de la conception de la Tychè chez cet historien [55].

Si l'on remplace la Tychè de Polybe par Dieu, on obtient un tableau assez semblable pour la conception de l'Histoire dans le chapitre 11 de Daniel: Dieu règle l'Histoire dans un sens donné, il détruit les empires et assure leur relève. L'historien apocalypticien ne fait qu'enregistrer ce patron qui s'impose à lui du dehors, qu'il admire comme un ouvrage et un spectacle.

e) Il est vrai que dans un second texte écrit plus tard que celui de *Hist.* VIII,4,3, Polybe proteste parce que certains Grecs osent attribuer à la Tychè la prodigieuse réussite de l'empire romain: «Ce n'est pas, comme l'ont avancé quelques Grecs, par un effet de la Fortune (τύχη), ni même par le hasard, mais une cause bien naturelle qui a conduit les

---

55. Paul Pédech, *La méthode historique de Polybe*, Paris, 1964, p. 498. Sur l'influence de la Tychè dans le développement de l'Histoire, voir *Hist.* VIII,4,3,11. Voir aussi Martin van den Bruwaene, *La société romaine. Les origines et la formation*, Bruxelles-Paris, 1955, p. 311.

Romains... non seulement à rechercher audacieusement l'empire et la domination du monde mais aussi à réaliser ce dessein» (*Hist.* I,63,9). Si donc les Romains sont parvenus à une telle grandeur, c'est parce qu'ils ont fait l'effort pour l'obtenir. Les Romains sont donc grands par eux-mêmes.

Pourtant l'auteur de Daniel n'est pas arrivé à une conception universelle de l'Histoire en réfléchissant, comme Polybe, sur l'unité d'acteur que constituaient les Romains dans l'oikouménè. En effet ces derniers n'occupent dans Daniel qu'une toute petite place bien accessoire: «Les navires des Kettim viendront sur lui, c'est-à-dire Antiochus IV» (Dn 11,30). Comme la LXX et la Vulgate l'ont fort bien compris, les «navires de Kettim» désignent la flotte des Romains qui s'opposent à Antiochus IV en 168; en effet, le consul romain Popilius Laenas vint à la rencontre du souverain séleucide aux environs d'Alexandrie pour lui enjoindre de la part du Sénat romain d'avoir à se retirer[56]. Tout semble indiquer au contraire que ce sont les vastes conquêtes d'Alexandre le Grand qui ont déjà révélé à l'auteur de Daniel l'idée d'histoire universelle.

En tout cas, au moment où ce dernier met par écrit sa prophétie, non seulement l'idée d'histoire universelle, mais aussi celle de la succession des quatre empires étaient dans l'air dans le monde gréco-romain, comme le montre le récit de Polybe assistant à la ruine de Carthage avec Scipion en 146 av. J.-C. (cf. *Hist.* XXXVII,22): «On dit qu'à la vue de Carthage détruite de fond en comble, Scipion versa quelques larmes et déplora la mort des ennemis. Il demeura longtemps pensif et après avoir songé que les villes, les peuples, puis les empires changeaient comme les individus, quelle avait été la fortune d'Ilion, cette ville jadis si florissante, celle des Assyriens, des Mèdes autrefois si florissants, celle enfin des Macédoniens dont l'éclat avait été si vif, soit volontairement soit autrement, les mots du poète (Homère) échappèrent de ses lèvres: 'Le jour viendra où notre ville sacrée, Ilion, périra, et Priam et le peuple valeureux que Priam gouverne périront aussi' (*Iliade* VI,448–449). Interrogé par Polybe, qui avait été son précepteur, sur le sens de ces mots, l'historien rapporte qu'il n'hésite pas à désigner nommément son propre pays pour le sort duquel il était dans la crainte à la vue de la vicissitude des choses humaines»[57].

Polybe, contemporain de l'auteur de Daniel 11 connaissait donc la théorie des quatre empires, qu'il n'a d'ailleurs pas inventée. Elle

---

56. L'intervention des Romains ne prendra place que dans les relectures de Daniel; cf. M. DELCOR, *La Profezia di Dan 2 e 7 nella letteratura apocalittica giudaica e cristiana con particolare riferimento a l'impero romano*, dans M. DELCOR, *Studi sull'apocalittica*, Brescia, 1987, pp. 261-281.

57. Plus tard Appien, dans son *Hist.* VIII,19, rapporte la même anecdote empruntée à Polybe.

semble avoir été courante à l'époque hellénistique comme l'indique le témoignage de l'historien romain Caius Velleius Paterculus qui, dans son *Histoire romaine* (1,6), vers 19 av. J.-C., cite un passage significatif d'Emilius Sura qui n'est pas autrement connu dans ses *Annales romaines*: «Les Assyriens, dit-il, ont été les premiers dominateurs des nations, les Mèdes leur succédèrent. Les Perses eurent leur tour et firent place aux Macédoniens. Enfin après la défaite des deux rois Antiochus et Philippe, macédoniens d'origine (défaite qui suivit d'assez près la ruine de Carthage), Rome eut l'empire du monde. Il s'est écoulé dix-neuf-cent-quatre-vingt-quinze ans entre ces derniers temps et le commencement du règne de Ninus». En raison de la mention de Philippe et d'Antiochus, Emilius Sura remonte donc aux années 189 et 171 av. J.-C., c'est-à-dire bien avant l'auteur du livre de Daniel.

En conclusion, il faut donc reconnaître que la conception universelle de l'histoire et la théorie de la succession des quatre empires était aussi bien répandue dans le monde gréco-romain que dans le monde mésopotamien. Pourtant la forme littéraire où ces idées sont exprimées en Dn 11 paraît être plus proche des prophètes akkadiens que de Polybe.

Incontestablement l'auteur de Dn 11 marque un réel intérêt pour l'histoire universelle. Mais il nous faut maintenant examiner une objection.

LE LIVRE DE DANIEL EST-IL FONDAMENTALEMENT NON-HISTORIQUE?

Telle est en effet la position de Gerhard von Rad qui caractérise ce livre comme étant fondamentalement non-historique. Il souligne l'absence de références à l'histoire d'Israël et aux actions salvifiques de Dieu: «Dans la partie historique des deux grandes visions de Daniel – celle de la statue du monarque et celle des quatre animaux – l'histoire d'Israël n'est même pas mentionnée. Dieu y est seul avec les empires de ce monde; le Fils de l'homme lui-même ne sort pas d'Israël, il vient 'sur les nuées du ciel'. Ici, l'événement du salut est donc eschatologique et futur»[58]. Cet exégète voit une différence inconciliable entre les prophètes et les apocalypticiens en raison de leurs attitudes respectives face aux événements historiques concrets. Parce que Daniel s'intéresse à la totalité de l'histoire et à son but prédéterminé, il se désintéresse, dit-il, des événements historiques particuliers et de leur signification. John J.

---

58. Cf. G. VON RAD, *Théologie de l'Ancien Testament*, Genève, 1967, t. II, p. 267, et dans l'édition originale en allemand, *Theologie des Alten Testaments*, München, 1960, Bd II, p. 316.

Collins[59] a souligné la position très différente de Klaus Koch[60] dans l'interprétation de Daniel. Certes ce dernier note aussi le manque d'intérêt de Daniel pour l'histoire spécifiquement israélite. Il s'intéresse en effet plus à l'histoire universelle qu'aux événements particuliers. Mais cela ne veut pas dire pour autant qu'il n'a pas d'intérêt pour l'histoire d'Israël. Celle-ci est présupposée pour l'histoire pré-exilique et dans l'histoire des empires l'auteur de Daniel inclut non seulement Israël mais tous les royaumes du monde. Finalement il y a «le royaume éternel» où Israël prend toute sa place dans l'histoire universelle des dernières périodes.

Précisons que pour ce qui concerne le chapitre 11 de Daniel, les allusions à Israël sont transparentes. Il y est question de «glorieux pays» (11,16,41), du «prince de l'Alliance», sans doute Onias III (11,22), de «l'Alliance sainte» (11,28,30), cf. 1 M 1,15,63; du «sanctuaire-citadelle», c'est-à-dire du Temple de Jérusalem (11,32), de «la montagne glorieuse et sainte», c'est-à-dire du Mont Sion (11,45).

Résumons-nous. Au terme de notre étude,
1) on peut tenir pour historiquement exacts les faits rapportés par Daniel, qui sont de plus en plus précis à mesure que l'on se rapproche de l'époque où vivait l'auteur de Daniel, durant la persécution d'Antiochus Épiphane, mais avant la mort de ce dernier survenue en 163 av. J.-C. Il en va tout autrement après cette date.

Sur ce point, le philosophe néo-platonicien Porphyre, mort en 304 ap. J.-C., avait déjà découvert que les prophéties de Daniel correspondent exactement au cours de l'histoire jusqu'au temps d'Antiochus Épiphane mais qu'elles sont fausses pour la période qui suit sa mort. L'œuvre de Porphyre est un traité contre les Chrétiens en quinze livres aujourd'hui perdu, qui nous est en partie connu par le commentaire de St Jérôme sur Daniel. À propos de Dn 11,21 et sq. ce dernier écrit: «Jusqu'ici la prophétie suit l'histoire pas à pas et il n'y a pas de divergence entre Porphyre et nous. Ce qui suit, jusqu'à la fin du volume, Porphyre l'entend d'Antiochus Épiphane, frère de Séleucus et fils d'Antiochus le Grand; Épiphane régna onze ans en Syrie après Séleucus; la Judée lui fut assujettie, et c'est sous son règne, à l'occasion des persécutions contre les observateurs de la Loi de Dieu, qu'eurent lieu les guerres des Maccabées. Les nôtres pensent que toutes ces choses sont prophétisées de l'Antéchrist qui viendra dans les derniers

59. Cf. John J. COLLINS, *The Apocalyptic Visions of the Book of Daniel* (Harvard Semitic Monographs), Missoula, MT, 1977, pp. 153-178.

60. Cf. K. KOCH, *Spätisraelitisches Geschichtsdenken am Beispiel des Buches Daniel*, dans *Historische Zeitschrift* 193 (1961) 1-32; et K. KOCH, *Die Weltreiche in Danielbuch*, dans *TLZ* 85 (1960) 829-836.

temps»[61]. On ne peut donc être plus clair sur l'exactitude historique de Daniel, reconnue déjà par Porphyre au IVᵉ siècle de notre ère. Une semblable appréciation est donnée par l'historien juif Elias Bickerman. Ce dernier écrit: «Le survol des événements (maccabéens) donnés par Daniel est notre source la plus importante. Nous pouvons accepter de façon inconditionnelle ses récits sur la suite des événements. Pour autant que nous puissions les contrôler ses comptes rendus sont entièrement en accord avec les faits». Bickerman observe très justement que puisque Daniel a présenté sous forme prophétique le cours antérieur des événements de la persécution, ils devaient être absolument dignes de confiance pour que le lecteur puisse accepter les prophéties concernant l'avenir[62].

2) On doit tenir en particulier pour historiquement exact le nombre des deux campagnes du roi Antiochus contre l'Égypte.

3) Mais le portrait daniélique du roi Antiochus Épiphane est bien schématique et étrangement pauvre en traits individuels, en sorte qu'il paraît se modeler plutôt sur le type des rois païens dont les prophètes Isaïe et Ézéchiel décrivent l'*hybris*, c'est-à-dire l'exaltation suivie de chute, plutôt que sur celui du roi Cambyse, d'après certaines sources égyptiennes.

4) La présentation de Daniel faisant d'Antiochus IV l'initiateur de la persécution contre les Juifs n'est qu'une interprétation juive des faits à propos desquels nous avons d'autres explications plus rationnelles.

5) Le style prophétique de Dn 10–12 n'est pas grec mais s'apparente plutôt aux prophéties akkadiennes.

6) L'originalité de Daniel est marquée par rapport aux anciens prophètes par son intérêt pour l'histoire universelle, idée qui était répandue dans le monde gréco-romain – notamment chez Polybe – et aussi dans le monde mésopotamien.

7) Mais l'intérêt de Daniel pour la totalité de l'histoire ne l'empêche pas de s'intéresser aux événements particuliers.

† M. DELCOR

---

61. Cf. St Jérôme, *Commentaire de Daniel*, dans *Œuvres complètes*, Paris, 1879, t. 7, pp. 472 et sq. (traduction BAREILLE).

62. E. BICKERMAN, *The God of the Maccabees*, p. 94.

HISTORY AND SUPRA-HISTORY

DANIEL AND THE FOUR EMPIRES

One of the most tenacious problems in the Book of Daniel is the identification of the four empires. Interpreters of Daniel have been divided on this issue since pre-Christian times. Among the many solutions proposed[1] two views have preponderated. The larger part of the Jewish[2] and early Christian[3] as well as the modern conservative[4] traditions have identified the four empires with Babylon, Medo-Persia, Greece and Rome, making up the so-called *Roman View*. The minority ancient as well as the modern critical view has identified the four empires with Babylon, Media, Persia and Greece, constituting the so-called *Greek View*[5]. The most thorough exposition of the Greek view, though now in certain respects dated, is perhaps Rowley's masterly investigation *Darius the Mede and the Four World Empires in the Book of Daniel*. Accepting the strictly historical approach to Daniel[6] Rowley identified the second empire with that of Media. However, since Media had ceased to be an independent empire already some 11 years before the fall of Babylon, Rowley concluded that the Author was confused about the actual course of history[7]. Rowley's interpretation is the dominant view among scholars today[8]. On the other hand, the Roman

---

1. See e.g. H.H. ROWLEY, *Darius the Mede and the Four World Empires in the Book of Daniel*, Cardiff, 1935, pp. 184f.

2. E.g. IV Ezra 12,10-12; 2 Bar 39,5-6; Jos., Ant. 10,276.

3. Rev 13,1-8; Epist. Barn. 4,5; Hippolytus, Daniel IV, 5, 8; Eusebius, Dem. Evang. fgm. Book 15; Jerome, Daniel ad 7,7.

4. E.g. C.F. KEIL, *Daniel*, pp. 245-68; C. BOUTFLOWER, *In and Around the Book of Daniel*, London, 1923; R.D. WILSON, *Studies in the Book of Daniel*, Vol I, pp. 163f., Vol II, pp. 260-264; E.J. YOUNG, *The Prophecy of Daniel*, Grand Rapids, MI, 1949, repr. 1975, pp. 147, 275-94; J.C. WHITCOMB, *Darius the Mede*, Grand Rapids, MI, 1959, p. 54 (implied); D.J. WISEMAN, *Some Historical Problems in the Book of Daniel*, in D.J. WISEMAN - T.C. MITCHELL and R. JOYCE - W.J. MARTIN - K.A. KITCHEN, *Notes on Some Problems in the Book of Daniel*, London, 1965, pp. 9-16; J.C. BALDWIN, *Daniel* (TOTC), Leicester, 1978, pp. 161f.

5. The earliest work for this identification seems to be Sib. Or. III, 397. For a brief history of interpretation see G. MAIER, *Der Prophet Daniel*, Wuppertal, 1982, pp. 22-34 and J.E. GOLDINGAY, *Daniel* (WBC), Dallas, TX, 1989, XXXI-XXXVIII.

6. Early Christians had interpreted Daniel theologically / prophetically.

7. *Darius the Mede*, pp. 59f.

8. E.g. N.W. PORTEOUS, *Daniel*, Philadelphia, PA, 1976, pp. 47ff.; J.J. COLLINS, *The Apocalyptic Vision of the Book of Daniel*, Ann Arbor, MI, 1977, pp. 37ff.; L.F. HARTMAN - A. A. DI LELLA, *The Book of Daniel* (AB), Garden City, NY, 1978, p. 35; A. LACOCQUE, *The Book of Daniel*, London, 1979, pp. 50f.; J.E. GOLDINGAY, *Daniel*, pp. 160ff., 174f. (somewhat opaquely).

view rejects Media as the second empire on the historical ground that there was no Median empire after the fall of Babylon[9].

These diametrically opposed views share a number of common assumptions. First, they assume that the concerns of Daniel can be elucidated by the application of a strictly historicizing reasoning. Second, they assume that each succeeding empire must come into being first after the dissolution of each preceding empire. Third, they make ruling the Babylonian territory the implicit criterion for being one of the four empires. From these premises the outcome is given for both views. For the Roman view Media cannot have been intended as the second empire since it never captured Babylon (thus begging the question); while for the Greek view the Author was ignorant of history because he postulated Media as the second empire.

The lack of progress on this question has been so frustrating as to elicit from one of the most recent commentators the statement that "Daniel is not really interested in the second and third kingdoms, and perhaps had no opinion regarding their identity"[10].

Such a strictly historicizing approach can never do justice to the Book of Daniel. It must be recognized that this highly symbolical Book is concerned not merely with history, but with supra-history where historical events are interpreted not only from the Jewish point of view but also in a dynamic way.

In this paper I am going to suggest briefly that the identification of the four empires should be made on the basis of (a) clues given by the Book itself, (b) the actual course of history and (c) the Author's dynamic interpretation of that history. My thesis is that (1) the concerns of Daniel point to the identification of the fourth empire with that of Greece, (2) that the Author's identification of the second beast with Media is in complete accord with history, and (3) that the four beasts / empires and especially the fourth one must be interpreted in the light of other-worldly categories.

I. The Evidence of Daniel

In the Dream of ch. 2 the first empire in the form of a golden head is Babylon. In the Vision of ch. 7 the first beast is like a lion, and this has been interpreted universally as Babylon[11]. According to ch. 8 two more

---

9. E.g. YOUNG, *Daniel*, pp. 280ff.; BALDWIN, *Daniel*, pp. 154f. Cf. also MAIER, *Daniel*, p. 268.

10. GOLDINGAY, *Daniel*, p. 176.

11. Cf. the role of the lion in Babylonian art, e.g. the Procession Way and the Nabonidus inscription III, 15-18 (ANET 309 B). See also the evidence summarized by G.J. BOTTERWECK, art. אֲרִי in *TDOT* I, p. 379.

of these empires are Persia and Greece, but we are not told if these are intended as the second and third or as the third and fourth empires in the schemes of chs. 2 and 7[12]. There are, however, some indications within the Book itself which betray the Author's intention.

First, there can be no doubt that the Book of Daniel progresses climactically, the climax being reached with the oppressions of the fourth empire and the hoped for inbreaking of the Kingdom of God. The implication here is that as the story unfolds events become increasingly more crucial and this is seen in the amount of space which the Author devotes to certain events. This ought to indicate where his emphases lie. The data (i.e. number of words) for the various empires in the MT of the Dream of ch. 2 and the Visions of chs. 7 and 8 is as follows:

	The Dream (ch. 2)		The Vision (ch. 7)	
	Description	Interpr.	Description	Interpr.
First empire	6	31	23	–
Second empire	6	6	21	–
Third empire	3	9	20	–
Fourth empire	10	83	79	118

	The Vision (ch. 8)	
	Description	Interpretation
Persia	34	8
Greece	125	61

In spite of the fact that such statistics must be treated with care, the upshot of these figures leads unmistakably to the conclusion that the fourth empire overshadows the rest in importance. In the interpretation of the Dream it receives by far the greatest attention. In the Vision of ch. 7 the fourth empire not only receives about four times as much space, but it is also the only one that is deemed worthy of interpretation, while in the Vision of ch. 8, where only two of the four empires – Persia and Greece – figure, Greece receives an enormous amount of attention as compared with Persia. Though the matter cannot be settled conclusively on this point alone, this evidence suggests that the fourth empire is considered as the most important one and as identical with Greece.

Second, there is a progression in the treatment of the various empires. The Dream of ch. 8 narrows the span of time by concentrating on only two of the empires. Since the emphasis given to the second of these is comparable to that given of the fourth empire in chs. 2 and 7

12. GOLDINGAY, Daniel, pp. 49f. is disinclined to equate the entities of ch. 2 with those of ch. 7, preferring a reference to kings rather than kingdom in the case of ch. 2. But see C.C. CARAGOUNIS, The Interpretation of the Ten Horns of Daniel 7, in ETL 63 (1987) 107.

the fourth empire should be none other than Greece. From this follows that the third empire is Persia and the second must therefore be Media.

Third, when this time-span narrows still more in ch. 11 we are given a detailed description of Greece alone, and in particular of the closing years of its empire history. The climax of the Book is reached with the sufferings of the Jewish people under Antiochus IV, Epiphanes, and this points once again to the identification of the fourth empire with Greece[13].

Fourth, the Dream describes the second empire as inferior to Nebu-chadnezzar (2,39: K אֲרַע, Θ: ἥτων σου), who represents the first one, i.e. Babylon. The third empire, on the other hand, is described as one which in distinction from the first and second empires shall hold sway over the "whole earth" (2,39). Under no circumstances can the second empire, inferior to Nebuchadnezzar's kingdom, be identified with Persia, which, so far from being inferior to the first, actually was the first empire to dominate the "whole earth". On the other hand, the great difference postulated between the second and third empires is not warranted by the negligible difference in respect to extent between Persia and Greece, but fits admirably well the difference that obtained between Media and Persia. The conclusion from the above considerations is that the empires intended by the Author were Babylon, Media, Persia and Greece.

II. HISTORICAL CONSIDERATIONS

The second issue relates to whether the Author's identifications have any basis in history. It was hinted at above that the treatment of Media by both the Greek and the Roman views were based on a misinterpretation of the Author's meaning. As was indicated there these views assume that each succeeding empire is to come into being first after the dissolution of each preceding empire, and that it must rule over the Babylonian territory. In the Book of Daniel there is no basis whatever for these two assumptions. On the contrary, the Author places the various empires on different geographical loci: south, north, east, and west[14]. The center of interest for our Author is not Babylon or the Babylonians, but Judaea and the Jews. Once this is realized it becomes apparent that a great power could be regarded as one of the empires by

---

13. The identification of the third empire with Greece implies that the Book's climax is reached with the third empire, which is incongruent with the structure of the Book.

14. Corresponding to Babylon, Media, Persia and Greece respectively. Similarly, E. BICKERMAN, *Four Strange Books of the Bible*, New York, 1967, p. 102 claims that in Babylonian astral geography the lion symbolized the South, the bear the North and the leopard the East.

the Jews even though it did not actually rule over Babylon. As for the issue of historical succession, were the assumption made correct, then even Persia could not be considered as subsequent to Babylon, since it had been constituted as a kingdom some 75 years before the Neo-Babylonian empire. Once again, it must be emphasized that our Author is not interested in the puny origins of each nation, but only in the period when these nations became world empires with power to shape or at least affect the destiny of his own people[15]. Once this is recognized there is no obstacle to regarding Media as the second empire in a truly historical sense. As the following historical discussion shows, during the latter part of Nebuchadnezzar's reign and especially that of his successors, Media did, in fact, succeed Babylon as the arbiter in world politics.

The beginnings of the history of the Median people are shrouded in mist[16]. The first mention of them is made in 835 B.C. in Shalmaneser III's annals[17]. It is not until the last quarter of the VIII century B.C. that the land of Madai (Media) seems to have some semblance of central authority under a certain Daiaukku (the Deioces of Herodotus I, 16, 96-102)[18]. This leader[19] is captured by Sargon of Assyria in 715 B.C. and is deported to Hamath[20]. His successor, Phraortes (according to Herodotus I, 96, 102-103) or the Khshathrita of the Behistun inscription[21], succeeded in rallying up the Median, Cimmerian and Mannean hordes and establishing himself as a ruler around 673 B.C.[22] invading Assyrian territories[23]. By 670 B.C. Teispis (according to Herodotus VII, 11) or Chispish, son and successor of Achaemenes (700-675 B.C.), the founder of the Persian kingdom, was in dread not of Assyria or Elam, but of the powerful Phraortes, ruler of Media[24].

---

15. For Israelite presence in Media see Isa 11,11; Jos Ant. IX, 278; XI, 338. Cf. also Tob 3,7; 4,1.20; 14,12.15.

16. On the background history and origin of the Median people see I.M. DIAKONOFF, *Media*, in I. GERSHEVITCH, *The Cambridge History of Iran*. Vol. 2: *The Median and Achaemenian Periods*, Cambridge, 1985, pp. 36-88.

17. ANET 281. See G.C. CAMERON, *The History of Early Iran*, Chicago, IL, 1936, repr. 1968, pp. 143f.; R. GHIRSHMAN, *Iran: From the Earliest Times to the Islamic Conquest*, Penguin, 1954, repr. 1961, p. 90; G. WIDENGREN, *The Persians*, in D.J. WISEMAN (ed), *Peoples of Old Testament Times*, Oxford, 1973, p. 313.

18. The Median coalition of a century earlier during Shamsi-Adad and Adadnerari III's reigns had been too fragile an effort (see DIAKONOFF, *Cambridge History of Iran*, pp. 67f.).

19. DIAKONOFF, *Cambridge History of Iran*, p. 90, doubts that Deioces was the founder of the Median kingdom.

20. See CAMERON, *History of Early Iran*, p. 151.

21. GHIRSHMAN, *Iran*, p. 96.

22. DIAKONOFF, *Cambridge History of Iran*, p. 110.

23. DIAKONOFF, *Cambridge History of Iran*, pp. 105f.

24. CAMERON, *History*, p. 180.

Phraortes (or Khshathrita) (675-653 B.C.) was killed in 653[25] and was succeeded by Cyaxares (according to Herodotus I, 16) or Uvakhshatra. Thereupon followed a Scythian domination for 28 years (653-625 B.C.)[26] at the end of which Cyaxares actually began to reign (625-585 B.C.). Cyaxares extended the Median holdings and made it a power of importance. He incorporated the kingdom of Parsa and probably also that of Parshumash, the two petty kingdoms to which Teispes had divided his kingdom at his death in 640 B.C.[27]. In 612 B.C. together with the rising power of Babylon under Nabopolassar, Cyaxares besieged and took Nineveh[28]. Media received the northern part of Assyria while Babylon received the southern part.

The two powers, Babylon and Media, were very strong at this time and tried to cement their alliance by the betrothal of the crown-prince Nebuchadnezzar to Amytis, the infant daughter of Astyages, son and successor of Cyaxares[29].

Nebuchadnezzar succeeded to the throne of Babylon in 605 B.C. and ruled for some 43 years, till 562 B.C. It was during the earlier part of this reign that Babylon reached the zenith of its power and glory. Media, on the other hand, continued its consolidation and expansion and by 585 B.C. its western frontier had reached the Halys River (at the so-called battle of the sun-eclipse calculated by Thales of Miletus, Herodotus I, 74). Nebuchadnezzar intervened as mediator through Λαβύνητος (according to Herodotus I, 74), who probably is the same person as Nabuna'id (or Nabonidus), the last Babylonian king and father of Belshazzar[30]. Following this truce between Cyaxares and Alyattes of Lydia, says A.T. Olmstead[31] "Four great powers – Media, Chaldea, Lydia and Egypt – divided among themselves the whole of the Near East, but, of these, only Media could be called an empire". The massive fortifications with which Nebuchadnezzar fortified Babylon were aimed at protecting Babylon from the Median menace. In Came-

---

25. Being defeated by the allied forces of the Assyrians and Scythians, cf. CAMERON, *History*, p. 181; GHIRSHMAN, *Iran*, p. 98.

26. Herodotus, I, 103-106. Cf. Jer 4,13, but see R.P. VAGGIONE, *Over all Asia? The Extent of the Scythian Domination in Herodotus*, in *JBL* 92 (1973) 523-530. See further GHIRSHMAN, *Iran*, pp. 98f.; CAMERON, *History*, p. 216; WIDENGREN, in *Peoples of OT Times*, p. 315. The dating of the Scythian domination as given by Herodotus is somewhat problematic. Cf. DIAKONOFF, *Cambridge History of Iran*, pp. 117f. See also E.M. YAMAUCHI, *Persia and the Bible*, Grand Rapids, MI, 1990, p. 52.

27. CAMERON, *History*, pp. 213f.; GHIRSHMAN, *Iran*, p. 112.

28. Babylonian chronicles (ANET 304 A).

29. DIAKONOFF, *Cambridge History of Iran*, p. 123, places this event before around 613 B.C..

30. See R.P. DOUGHERTY, *Nabonidus and Belshazzar. A Study of the Closing Events of the Neo-Babylonian Empire*, New Haven, CT, 1929, pp. 33-42 and P.-A. BEAULIEU, *The Reign of Nabonidus*, New Haven, CT - London, 1989, pp. 80-86.

31. *History of the Persian Empire. The Achaemenid Period*, Chicago, IL, 1948, p. 33.

ron's words "Throughout Babylonia the belief grew that the hostile Medes would continue to advance and would hurl themselves upon the capital city"[32]. Babylon, in the last years of Nebuchadnezzar's reign, not to speak of the almost chaotic situation that ensued in the years following his death (i.e. 562-556 B.C.), tacitly admitted that she had been superceded by Media as the great world power and directed all her efforts at constructing impregnable defence works[33]. Even Nabuna'id, the ablest ruler since Nebuchadnezzar, was in constant fear of Media as is revealed by the Nabonidus text[34].

This evidence leads to the conclusion that the Babylonian empire was at the zenith of its power in the first part of Nebuchadnezzar's reign, say, between 605 and 580 B.C., after which Media became increasingly the power with which the kingdoms of the Near East, including Babylon herself, had to reckon. It should be pointed out that the greatest extent of the Median empire coincided with the reign of Astyages (585-550 B.C.). During these 30 years Media had in effect replaced Babylon as the greatest power of the Near East. The domination of Media was especially undisputed during the twelve years between Nebuchadnezzar's death in 562 B.C. which was followed by intrigue and assassination with four kings ascending the Babylonian throne within a period of six years, and the fall of Media in 550 B.C. During this period Media seized from Babylon Elam and Susa and threatened Babylon herself[35]. Babylon dragged on till 539 B.C. but her existence during this period was hardly anything more than a protraction of her assured and awaited annihilation.

It is inconsistent to date the beginning of the Persian empire in 550 B.C. with Cyrus II's capture of Astyages and Ecbatana, passing over the 150 years of Persia's previous unimportant existence since its founding, thus making it subsequent to Babylon, while at the same time failing to recognize Media's right to world empire replacing Babylon in world influence during Babylon's decaying years on the ground that Babylon

32. *History*, pp. 221f. Similarly GHIRSHMAN, *Iran*, p. 113.

33. Cf. Xenophon, *Anabasis*, II, 4.12 on the Median Wall recorded on the Wadi Brissa inscription (H. POGNON, *L'inscription en caracteres cursifs de l'Ouadi Brissa*, col. 15-31, 16f.).

34. "At the beginning of my lasting kingship ... Marduk said to me, 'Nabonidus, king of Babylon, on thy cart-horses bring bricks. built Ekhulkhul, and let Sin, the great lord, take up his residence within it'. In fear I spoke to Marduk, lord of the gods, 'This temple which thou tellest me (to) build, Umman-manda (i.e. the Medians) encompasses it with with his strong forces'. Marduk said to me, 'The Umman-manda of whom thou speakest, he, his land and the kings that go at his side, will not exist for much longer. At the beginning of the third year, Cyrus king of Anshan, his youthful servant, will come forth. With his few forces he will route the numerous forces of the Umman-manda. He will capture Astyages, the king of the Umman-manda, and will take him prisoner to his country'". (T. FISH in *DOTT*, pp. 89f.). Cf. also BEAULIEU, *Reign of Nabonidus*, pp. 108f.

35. Cf. CAMERON, *History*, pp. 221-223.

outlived Media. On the other hand, it should not pass unnoticed that
Media's fall was not preceded by a time of weakness or decay.
Astyages' fall was quite meteoric and the result of his general and
army's desertion to Cyrus II[36]. These historical considerations indicate
that it is possible in a truly historical sense to speak of Media as the
second world empire succeeding Babylon as the arbiter in world
politics.

This interpretation receives striking confirmation from the dates
which the Author assigns to the Dream and the Visions. The Dream in
which Nebuchadnezzar / Babylon figures so conspicuously is dated in
Nebuchadnezzar's second year, i.e. 603 B.C.[37]. The Vision of ch. 7 in
which all four beasts / empires figure is dated in Belshazzar's first year.
Nabuna'id ascended the throne in 556 B.C., but after ruling for three
years left Belshazzar on the throne[38] and betook himself to Teima in
Arabia[39]. The Vision of ch. 7 would, therefore, be dated to about 551
B.C.[40]. The first empire still figures in this Vision, but it is interesting to
note that the description centers on the beast's transformation, that is,
on the second phase of the empire, its weak period. Accordingly, only
the fourth empire is deemed worthy of interpretation. The Vision of ch.
8, placed in Belshazzar's third year, is dated to 549 B.C., that is, the year
following Media's fall[41]. Here, quite appropriately, there figure only
two empires – Persia and Greece – which must surely correspond to the
third and fourth empires of the schemes of chs. 2 and 7. The second
empire, Media, is now extinct, while the first empire – Babylon – is
tottering. There is no need to mention them. The Vision looks forward
concentrating on the two coming empires of Persia and Greece. It is
noteworthy that the ram does not stand for Persia alone, but for the
united empires of the Medes and Persians, a situation that arose in 550
B.C. with the incorporation of Media by the Persian empire.

---

36. Three accounts have reached us: a) according to Ctesias (via Nicolaus of Damascus) there were three battles. One was won by Astyages, the second was a draw, and the
third was won by Cyrus. Astyages fled but was captured; b) Herodotus, I, 127-128 gives
two battles: in the first Astyages' general Harpagus deserted to Cyrus, in the second
Astyages fought and was captured; c) according to the Nabonidus chronicle II, 1-4
(ANET 305 B) the Median army revolted delivering Astyages to Cyrus. See DIAKONOFF,
Cambridge History of Iran, pp. 145ff.

37. See R.A. PARKER - W.H. DUBBERSTEIN, *Babylonian Chronology 626 B.C.-A.D. 75*,
Providence, RI, 1956, p. 27.

38. Nabonidus text (ANET, 313 B).

39. See BEAULIEU, *Reign of Nabonidus*, pp. 12, 149ff.

40. I.e. making allowance for the accession year of these monarchs.

41. If no allowance is to be made for Belshazzar's accession year, then the vision must
be dated to 550, i.e. the year in which Media fell. The net result if the same.

III. History and Supra-History

The third factor to be considered is Daniel's treatment of history. The Author is interested in history only in so far as it has significance for his own people. The reference-point for evaluating historical events is Jewish religion and ethics. Historical events have significance only if they are relevant for the Jewish nation. His whole treatment of the four empires is determined by whether or not they affect the Jews. Thus, Nebuchadnezzar, the oppressor of the Jews, is presented as 'proud' and 'haughty' (4,30; 5,20) 'sinful' and 'unjust' (4,27), while in Azariah's prayer he is βασιλεῖ ἀδίκῳ καὶ πονηροτάτῳ παρὰ πᾶσαν τὴν γῆν (3,32). Similar is the impression left of Belshazzar (5,18-28). The second empire figures so briefly – a good representation of Media from the Jewish standpoint – that no evaluation is given, other than the insatiableness of the bear[42]. However, the third empire is set forth in clearly favorable light, no doubt reflecting Persia's liberal attitude toward the Jews. The fourth empire, however, is reserved for special treatment. The Author declines to identify it with any known beast[43], even an anomaly[44], presenting it simply as "different" from the others (7,7.19-21.23-25). It may be asked What is it that makes this beast so different from the others? Many think it was Alexander's superior military machine which within a few years overthrew the vast Persian empire[45]. But this can hardly be the sole explanation[46]. Cyrus II's military achievements were also impressive. Surely the primary difference lies elsewhere. It lies on the religious and cultural levels. In the Author's Semitic context Greek culture and outlook on life were something totally 'different'. It was on these levels – which were of the greatest concern to our Author – that Greece presented itself as an irresistible force threatening Jewish religion and distinctiveness and posing a new 'captivity' of a far worse kind than the Babylonian one[47]. It is surely

---

42. The summons to arise and devour בְּשַׂר שַׂגִּיא (7,5) most probably refers to the expected conquest of the fertile Babylonian lowland in contrast to the bony ribs (the mountainous regions conquered earlier by Media).

43. All attempts at identification with a known animal, even the more recent ones like K. Hanhart's (*The Four Beasts of Daniel's Vision in the Night in the Light of Rev 13,2*, in *NTS* 27 (1980) 576-83) and Goldingay's (*Daniel*, p. 163) suggestion of it being an elephant, must be deemed unsatisfactory first, because the Author refuses to identify it (though the elephant was well known in the Near East) and second, because such an identification would have detracted from the effect of this "different" beast.

44. See P.A. Porter, *Metaphors and Monsters. A Literary-critical study of Daniel 7 and 8* (NB), Lund, 1983.

45. Cf. e.g. M. Hengel, *Judaism and Hellenism: Studies in their Encounter in Palestine during the Early Hellenistic Period*, 2 Vols., London, 1974, Vol. I, p. 55.

46. The same argument is used by the defenders of the Roman View for their own view.

47. I have argued this issue at length in Caragounis, *Greek Culture and Jewish Piety: The Clash and the Fourth Beast of Daniel 7*, in *ETL* 65 (1989) 280-308.

this perspective that constitutes the Author's criterion for evaluating the various empires and especially Greece. His descriptions of historical events are weighed on the balances of Yahwistic religion. Hence his evaluation of the Greek empire are puzzling to ordinary historians, while his vituperations against Antiochus IV, Epiphanes, are baffling. For from the Greek point of view Antiochus IV was not merely an astute, capable and enlightened monarch, he was even a good king[48]. For our Author, however, Antiochus IV is the very embodiment of evil.

Finally, the concept of the beast. As I have argued elsewhere the concept of the beast is complex[49]. The beast is not conterminous with any one king or empire, but is composed of three elements: the human king, the state and an invisible power which is perceived to be at work behind the king. These invisible powers are in Aramaic designated as שָׁלְטָנַיָּא (7,27b; Θ: ἀρχαί; LXX: ἐξουσίαι) and in Hebrew as שַׂר (10,13; Θ: ἄρχων; LXX: στρατηγός)[50]. To quote an earlier publication of mine "Our author is grappling with his problem on a two-dimensional basis. While cogitating on human affairs the author goes beyond what is observable in the empirical realm. He introduces his readers to another plane, the plane of vision, where earthly phenomena are seen to have their invisible counterpart to 'events' beyond the world of senses. More than this, there is a causal connection between the invisible and the visible worlds. Earthly events are not simply the result of the whim of earthly potentates; they are to be explained by reference to realities in the invisible world. It is this double dimension in the author's perspective that renders the concept of 'Beast' a complex concept of ambivalent nature"[51].

This is exemplified in ch. 10: where the prince (שַׂר) of Persia (10,13) and the prince (שַׂר) of Greece (10,20) are not Darius and Alexander respectively, but angelic powers at work behind these kings as is shown by the parallel statement in 10,21, according to which the prince of the Jews (שַׂרְכֶם), is none other than Michael himself. This is further confirmed by 7,27b, where, as I have shown at considerable detail in another work[52], the term שָׁלְטָנַיָּא (Θ: ἀρχαί; LXX: ἐξουσίαι) in contrast to 7,14 and 7,27a does not carry the abstract sense of "power"

48. See the evaluation of Antiochus IV in Ἱστορία τοῦ Ἑλληνικοῦ Ἔθνους, Vol. V, Athens, 1974, p. 146. This agrees with evaluations in other modern historians, e.g. E.R. BEVAN, The House of Seleucus, 2 Vols., London, 1902 and O. MØRKHOLM, Antiochus IV of Syria, Copenhagen, 1966.
49. Cf. the excursus Ἀρχαί, ἐξουσίαι, κτλ. in CARAGOUNIS, The Ephesian Mysterion: Meaning and Content (CB), Lund, 1977, pp. 157-61 as well as IDEM, The Son of Man: Vision and Interpretation (WUNT), Tübingen, 1986, pp. 69-70.
50. See CARAGOUNIS, The Son of Man, pp. 68-70. These concepts lie at the basis of the NT teaching on the powers.
51. CARAGOUNIS, The Son of Man, pp. 69f.
52. CARAGOUNIS, The Son of Man, pp. 65-73.

or "authority", but the concrete sense of invisible powers[53] which become subjected to עֶלְיוֹנִין[54].

These brief indications of Daniel's concerns as well as his methods and principles in interpreting and evaluating history hopefully make a small contribution towards the understanding of this fascinating and intriguing Book.

Repslagarevägen 6   C. CARAGOUNIS
S-24535 Staffanstorp, Lund

---

53. The distinction has been generally missed by Versions and commentators. See CARAGOUNIS, *The Son of Man*, pp. 65-73.

54. On the identification of עֶלְיוֹנִין, see CARAGOUNIS, *The Son of Man*, pp. 61-76.

"YOU ARE INDEED WISER THAN DANIEL"
REFLECTIONS ON THE CHARACTER OF THE BOOK OF DANIEL

I

In a recently published article entitled "Is Daniel also among the Prophets?" Professor Klaus Koch has maintained the view that the book of Daniel was originally included in the prophetic corpus, and that at some point – perhaps because of the role played by some Danielic predictions during the first (and possibly also the second) revolt against Rome – "the rabbis transferred the book from the prophetic corpus to the last third of their collection of Holy Scripture". Professor Koch bases this view negatively on the fact that the earliest literary evidence for the inclusion of Daniel among the Writings is the Babylonian Talmud, which was written between the fifth and the eighth century A.D.; and positively on the fact that in sources from the first century – 4Q Florilegium II,3, Matt 24,15, Josephus, Antiquities X,11,4.7 – Daniel is referred to as a prophet, that in his well-known passage on the Jewish scriptures in Against Apion I,38–41 Josephus apparently included the book of Daniel among the prophetic books, and that the book is likewise placed among the prophetic writings in the Septuagint, the order of which in Koch's opinion derives from an old Jewish Diaspora canon. Professor Koch goes on to note that the book of Daniel itself does not make such a prophetic claim, and he argues that the role of Daniel, whose correct title is "the man greatly beloved" (Dan 10,11.19; cf. 9,23), is greater than that of the prophet[1].

The article by Professor Koch appeared, along with three others devoted to the book of Daniel, in a volume entitled *Interpreting the Prophets*[2], and the inclusion of these studies on Daniel in the volume is said by the editors to be in order "to show the way in which prophecy makes a transition into apocalyptic"[3]. There is no question that at an early stage after the composition of the book, Daniel was regarded as a

1. K. KOCH, *Is Daniel also among the Prophets?*, in J.L. MAYS and P.J. ACHTEMEIER (eds.), *Interpreting the Prophets*, Philadelphia, 1987, pp. 237-248, particularly 237-245. The article was originally published in *Interpretation* 39 (1985) 117-130. For the book of Daniel as a prophetic book, see also J. BARTON, *Oracles of God: Perceptions of Ancient Prophecy in Israel after the Exile*, London, 1986, pp. 35-37. Cf. already K. KOCH with T. NIEWISCH and J. TUBACH, *Das Buch Daniel* (Erträge der Forschung, 144), Darmstadt, 1980, pp. 28-29, and references there to other literature.

2. See note 1. The articles in the volume originally appeared in five issues of *Interpretation* between 1978 and 1985.

3. *Interpreting the Prophets*, p. x.

prophet, and his book as in some sense a prophetic writing, although it does not necessarily follow from this that it ever formed part of the prophetic section of the canon of the Hebrew bible – at least as the formation of the canon has traditionally been understood[4]. Professor Koch was only to a very limited extent concerned in his article with the actual character of the book of Daniel, but his study – and indeed the volume of which it forms a part – invites consideration of the relationship of the book to the prophetic corpus, in view of the fact that the book only to a very limited extent conforms to what we understand as a work of prophecy. The wider background to this issue is the continuing debate concerning the relationship of "apocalyptic" to prophecy and wisdom[5].

The view that "apocalyptic" represents a continuation of prophecy has for long been very influential, but has been associated in recent years particularly with the writings of Paul Hanson[6]. Thus, for example, in a 1985 survey article he concluded that "the various theories of origin have done little to dislodge the oldest theory of them all, that the taproot of apocalyptic is embedded solidly in biblical prophecy"[7], although he was careful to qualify this view by drawing attention to the various other sources on which apocalyptic movements drew. He has attempted to distinguish clearly between the literary genre of the apocalypse, apocalyptic eschatology and apocalypticism. He regards apocalyptic eschatology as a continuation of prophetic eschatology, and he argues that it is a religious perspective which is characterised by an increasing tendency to resolve the tension between God's promises to his people and the grim realities of their situation by an appeal to a divine intervention which would mark the end of existing social, political and religious structures and the inauguration of a totally new order. He believes that apocalyptic movements had recourse to apocalyptic eschatology as the perspective from which to construct an

---

4. For an "untraditional" view of the formation of the canon, see BARTON, *Oracles of God*, pp. 35-95.

5. For a recent discussion of this issue, see J.C. VANDERKAM, *The Prophetic-Sapiential Origins of Apocalyptic Thought*, in J.D. MARTIN and P.R. DAVIES (eds.), *A Word in Season: Essays in Honour of William McKane* (JSOT Supplement Series 42), 1986, pp. 163-177.

6. Apart from the two studies noted below, see particularly P.D. HANSON, *The Dawn of Apocalyptic*, Philadelphia, 1975; ID., *Apocalypse, Genre*, and *Apocalypticism*, in *IDB*, Supplementary Volume (1976), pp. 27-34. On *The Dawn of Apocalyptic*, see the excellent summary and critique by R.P. CARROLL, *Twilight of Prophecy or Dawn of Apocalyptic?*, in *JSOT* 14 (1979) 3-35. See also the comments by R. MASON and by M. KNIBB in R. COGGINS, A. PHILLIPS and M. KNIBB (eds.), *Israel's Prophetic Tradition: Essays in Honour of Peter R. Ackroyd*, Cambridge, 1982, pp. 138-139, 169-176.

7. P.D. HANSON, *Apocalyptic Literature*, in D.A. KNIGHT and G.M. TUCKER (eds.), *The Hebrew Bible and its Modern Interpreters* (Society of Biblical Literature Centennial Publications), Chico, CA, 1985, pp. 465-488 (here p. 479).

alternative symbolic universe of meaning, which was opposed to that of the dominant power. Hanson argues that the history of the Jewish community in the exilic and post-exilic periods was at various times profoundly affected by the tension between those who held power and influence, the hierocratic circles, who were concerned to maintain continuity with the structures of the past, and those who saw themselves as dispossessed, the visionaries, who yearned for a break with existing structures and the inauguration of a new order. In an article in volume 2 of *The Cambridge History of Judaism* entitled "The Matrix of Apocalyptic" Hanson has attempted to classify the Jewish writings of the Hellenistic and Roman periods on the basis of which side they fall on the continuum formed by the tension between these two groups or tendencies. But he believes that Daniel falls "at a point on the continuum which actually mediates between the extremes... [It] shares the vision of the inbreaking of a new order... but... stems from a period in the history of the *ḥᵃsîdîm* which antedates the division of that movement into two branches, one accepting the Temple structures even after they came under the patronage of the Hasmonaeans, the other moving into a posture of radical protest and withdrawal"[8].

Over against such a view of the matrix of apocalyptic stands the view, brought into prominence by von Rad some thirty years ago in his *Theology of the Old Testament* that apocalyptic is rooted in the traditions of wisdom[9]. Von Rad based his argument positively on the fact that the apocalyptic seers – Daniel, Enoch, Ezra – are presented as wise men and scribes, while, in contrast, the apocalyptic books are not attached to the names of famous prophets; and on the fact that the concern of the apocalyptic books is with knowledge, not only about universal history but also about nature, which in the ancient world formed a part of wisdom. On the negative side von Rad argued that apocalyptic could not possibly be regarded as a continuation of prophecy because he believed that the prophetic understanding of history was completely incompatible with that of apocalyptic. For the apocalyptic writers the essential thing was that everything had been determined in advance, but this points to the connection with wisdom inasmuch as determinism was a fundamental presupposition of wisdom. Von Rad was quite properly criticised for a number of aspects of the presentation of his argument, and some scholars have rejected his views

---

8. P.D. Hanson, *The Matrix of Apocalyptic*, in W.D. Davies and L. Finkelstein (eds.), *The Cambridge History of Judaism*, Volume 2: *The Hellenistic Age*, Cambridge, 1989, pp. 524-533 (here pp. 532-533).

9. G. von Rad, *Theologie des Alten Testaments*, Band 2: *Die Theologie der prophetischen Überlieferungen Israels*, Munich, 1960, pp. 314-328. Von Rad considerably revised and expanded his treatment of the topic for the fourth edition of this volume (1965). The ninth edition (Munich, 1987, pp. 316-338) has been used here.

altogether[10]. However, his argument was placed on a new footing by
H.-P. Müller, who maintained that a distinction has to be drawn
between pedagogical and mantic wisdom, and that apocalyptic was a
continuation of the latter, not the former[11]. Von Rad had in fact
touched on this point when he observed that wisdom was not continued
in extenso in apocalyptic, but only certain of its sectors, particularly the
ancient science of the interpretation of dreams and the science of
oracles and "signs"[12].

We now recognize that the book of Daniel is not the oldest apocalyptic, and certainly it no longer has for us the archetypal character that
it was once thought to possess. But it nonetheless remains an early and
important apocalyptic writing, and it may properly be asked what light
the book casts on these two somewhat opposite views, and this brings
us back to the question posed earlier about the relationship of the book
to the prophetic tradition. From one point of view it may be argued
that this is a sterile debate, both because all those who have written on
this matter have recognised that the apocalyptic writings cannot be
derived exclusively from any one tradition, but a variety of influences
have been at work in their formation, and because it is not to be
supposed that terms like "prophet" and "wise man" can be used in
relation to the conditions of the second century as they can in relation
to those of the pre- or post-exilic periods. From another point of view
the debate is still of interest, because if it is clear that the book of
Daniel is rooted primarily in one tradition rather than another, then
this tells us a good deal about the character of the work.

II

In one respect at least, continuity can be observed with Old Testament prophecy, and that is in the use in Dan 7 and 8 of a literary genre
familiar to us from the prophetic literature. Here two studies deserve
particular mention. In his contribution to the Uppsala Colloquium on
apocalypticism, Professor Koch subjected Dan 8 to a detailed form-
critical analysis and demonstrated, first through a comparison of Dan 8
with Amos 7,1-3 and Rev 6,7-8, and then through a comparison in
outline of forty-four vision-reports contained in the Old Testament, the
Apocrypha and Pseudepigrapha, and Revelation, that the apocalyptic
vision-report goes back to a prophetic model, and that the form showed
remarkable constancy over an entire millennium. But Professor Koch

10. For a survey of reactions to von Rad's views, see M. KNIBB, in *Israel's Prophetic Tradition* (above, note 6), pp. 165-169.
11. H.-P. MÜLLER, *Mantische Weisheit und Apokalyptik*, in *Congress Volume, Uppsala, 1971* (SVT 22), Leiden, 1972, pp. 268-293.
12. *Theologie des Alten Testaments* 2⁹, p. 331.

also drew attention to certain elements of discontinuity between the prophetic and the apocalyptic vision-reports[13]. This analysis may be compared with the much more detailed treatment of the Old Testament material that is given by Susan Niditch in her book *The Symbolic Vision in Biblical Tradition*. Susan Niditch sees the development of the symbolic vision form, which she regards as rooted in a prophetic tradition, as occurring in three stages: Stage I, represented by Amos 7,7-9; 8,1-3; Jer 1,11-12; 1,13-19; and 24; Stage II, represented by five of the visions in Zechariah (5,1-4; 4,1-6a.10b-14; 2,1-4, 1,7-17; and 6,1-8); and a baroque stage represented by Dan 7 and 8, in which the essential structure of the visions of Zechariah, particularly 2,1-4; 1,7-17; and 6,1-8, is developed in a narrative direction[14]. The comparison between Daniel and Zechariah is interesting in other respects, as we shall see.

There is no doubt that a literary genre is used in chapters 7 and 8 that also occurs in prophetic literature, but no other prophetic genres are used in the book of Daniel; and although the vision report occurs frequently in Daniel and the other apocalypses, it is of comparatively rare occurrence in the prophets. Furthermore, despite the early Jewish and Christian view that Daniel was a prophet, he is not presented as acting in a characteristically prophetic fashion. The designation of him as a prophet has to be seen in a wider context according to which several notable Old Testament figures came to be regarded as prophets, e.g. David (11QPs[a] XXVII,11) and Ezra (2 Esdras 12,42). The one thing that can be said is that the book of Daniel shows considerable dependence on prophetic literature, and this is a point to which we shall return.

In contrast to the above, there is overwhelming evidence which suggests that the book of Daniel is rooted firmly in the traditions of wisdom. In the first place, it is widely recognised that the book as we now have it stems from the circles of those who are referred to as "the wise" (המשכילים) in 11,33.35 and 12,3.10. Some indication of what the authors understood by this term is given by the use of the verb שכל in 9,22 and 25 to refer to the "understanding" of the meaning of Jeremiah's prophecy given to Daniel by Gabriel, and by the use of the verb in 1,17, that is in the chapter which, whatever its origins, now serves as an introduction to the entire book: "To these four young men God gave knowledge and understanding in every aspect of literature and wisdom" (מדע והשכל בכל־ספר וחכמה).

---

13. K. KOCH, *Vom profetischen zum apokalyptischen Visionsbericht*, in D. HELLHOLM (ed.), *Apocalypticism in the Mediterranean World and the Near East: Proceedings of the International Colloquium on Apocalypticism, Uppsala, August 12-17, 1979*, Tübingen, ²1989, pp. 413-446.

14. S. NIDITCH, *The Symbolic Vision in Biblical Tradition* (Harvard Semitic Monographs 30), Chico, CA, 1980.

Secondly, although it is unlikely that the authors of the book in its final form identified their role totally with that of Daniel and his companions, it is equally unlikely that what is said about Daniel and his friends gives us no indication of the self-understanding of the authors[15]. It is again widely recognised that Daniel is presented to us as a wise man of a mantic type, and that, whatever particular nuances are put on the term, the stories about him and his friends are court tales, which depict the activities and rivalries of courtiers in the service of the king[16]. Of the four stories about Daniel in chapters 2–6, three exploit as a major element in the narrative the theme of Daniel's ability as a mantic, an ability which is repeatedly described as stemming from God (cf. 2,22-23.27-28a.47; 4,5-6a; 5,11-12a.14-16a). It is because Daniel is presented as a wise man of a mantic type in chapters 2–6 that the visions of chapters 7–12 came to be added to the collection of stories about him.

Thirdly, with regard to the visions themselves there has been increasing recognition of the importance of inner-biblical exegesis in the formation of the material, and this points to the essentially scholarly character of the book as we now have it. It is well known that within chapters 9–12 there has been widespread reuse of older biblical material, as witness the commentaries, but in recent years the subject has been taken up particularly by Fishbane as part of his comprehensive treatment of inner-biblical exegesis entitled *Biblical Interpretation in Ancient Israel*. In the fourth section of that work he treats "The Mantological Exegesis of Oracles" side by side with "The Mantological Exegesis of Dreams, Visions, and Omens"[17]. Under the latter rubric he discusses the vision-reports in Amos, Jeremiah, Zechariah and Dan 7–8 which were mentioned earlier. An important part of his treatment of oracles is devoted to Dan 9–12[18], and it is this subject that I wish to take up here.

III

The presupposition of the mantological exegesis of oracles is that the meaning of the prophecy is unclear, and that it requires decoding and

15. Cf. J.J. COLLINS, *Daniel and his Social World*, in *Interpreting the Prophets* (above, note 1), pp. 249-254.

16. Cf. e.g. J.J. COLLINS, *The Apocalyptic Vision of the Book of Daniel* (Harvard Semitic Monographs 16), 1977, pp. 27-65.

17. M. FISHBANE, *Biblical Interpretation in Ancient Israel*, Oxford, 1985, pp. 441-524. Cf. J.J. COLLINS, *The Sage in the Apocalyptic and Pseudepigraphic Literature*, in J.G. GAMMIE and L.G. PERDUE (eds.), *The Sage in Israel and the Ancient Near East*, Winona Lake, 1990, p. 351.

18. *Biblical Interpretation*, pp. 479-495. Cf. also M. FISHBANE, *From Scribalism to Rabbinism: Perspectives on the Emergence of Classical Judaism*, in *The Sage in Israel* (above, note 17), pp. 443-445, 448-449.

explanation in the same way that visions and omens also require explanation. The reason for this may be that the prophecy was regarded as failed or as unfulfilled, or that it was thought to have had relevance in any case to the circumstances of an age later than that of the prophet who originally uttered the oracle. In contrast to the interpretation of visions and omens, interpretative comments on, and explanations of, oracles are not normally attached to the oracle itself, but form part of later documents; but it is important to observe that through the process of interpretation a relationship is established between the two texts. Dan 9[19], in which Jeremiah's prophecy that the desolation of the land and the exile would last seventy years (Jer 25,9-12; cf. 29,10) is reinterpreted to mean that it would last seventy weeks of years, i.e. four hundred and ninety years, is an obvious example of a prophecy that was regarded as unfulfilled, for the implication of the exegesis is that despite the physical return from the exile and the rebuilding of Jerusalem, which are clearly referred to in verse 25, the desolation of Jerusalem had not ended. Dan 9,2 speaks of the חרבות ירושלם, and this may be compared with חרבות עולם in Jer 25,9, and the use of חרבה and שמה in Jer 25,11. The background to this exegesis is the idea that Israel had remained in a condition of exile long after the actual return from exile, and that this state of exile was only now being brought to an end in the events of the time in which the author was writing – an idea found elsewhere, for example, in the Apocalypse of Weeks (1 Enoch 93,1-10 + 91,11-17; see 93,8-10). The significant thing about Dan 9 is, as Fishbane has pointed out, that it is not an isolated instance of the reapplication of prophecy, but that it forms part of a "continuous tradition of oracular reinterpretation". Quite apart from the allusion to Jer 25 in Jer 29, and the references to the prophecy in Zech 1,12 and 7,5, the reuse of Jer 25 in 2 Chron 36,21 is particularly important. 2 Chron 36,21 interprets the passage in Jeremiah in the light of Lev 26,34 that the exile was a period of sabbath rest for the land (cf. Lev 25), and it is the idea reflected in 2 Chronicles that the seventy years of exile were seventy years of sabbath rest that lies behind the understanding in Dan 9 that they were seventy sabbath cycles, that is four hundred and ninety years.

Although Dan 9 is explicitly dependent on the seventy-year prophecy, there is virtually no reuse of the language of Jeremiah. Reference has already been made to the use of חרבות in Dan 9,2 and the occurrence of this noun in Jer 25,9 and 11. Apart from this, the reference to "desolations" (שממות) in Dan 9,26 may go back to שממות עולם of Jer 25,12, and it also seems to me possible that Dan 9,25

19. On Dan 9 see FISHBANE, *Biblical Interpretation*, pp. 479-490; ID., *From Scribalism to Rabbinism*, pp. 443-444. See also M.A. KNIBB, *The Exile in the Literature of the Intertestamental Period*, in *Heythrop Journal* 17 (1976) 253-255.

והקמתי עליכם מן־מצא דבר להשיב has been influenced by Jer 29,19
את־דברי הטוב להשיב. In contrast to this there is a very clear verbal
allusion to Isa 10,23 or 28,22 in the statement in Dan 9,27 that the
period of trial would last until the decreed destruction (כלה ונחרצה)
was poured out on the one who brought desolation. The effect of this
allusion is that the judgement announced by Isaiah, in the one case said
to be "in the midst of all the earth", and in the other "against the
whole land", is made to refer to Antiochus Epiphanes.

Whereas Dan 9 makes at most only limited verbal allusion to the text
of Jeremiah, Dan 10–12 is full of verbal allusions to, and quotations
from, prophetic texts, and these have been brought together by Fishbane. Although not all of the allusions seems to me equally significant,
the following four texts or groups of texts seem particularly important.

(1) In the passage describing the overweening blasphemy of Antiochus (11,36-39) reference is again made to the Isaianic passages just
mentioned[20]: והצליח עד־כלה זעם כי נחרצה נעשתה, "He shall prosper
until the period of wrath is completed for what is determined shall be
done" (11,36). Here, however, the primary reference must be to Isa 10
in that כלה ונחרצה of Isa 10,23 has been combined with כלה זעם of Isa
10,25. This phrase refers to the ending of Yahweh's indignation (cf. זעם
in 10,5) against his people in the context of the announcement of
judgement against Assyria (Isa 10,24-27). The effect of this allusion is
to make Isaiah's prophecy of judgement on the Assyrians refer to the
Syrians, and particularly to Antiochus Epiphanes. Fishbane believes
that because of the connection between Isa 10,22-23 and 28,15-22,
"one cannot exclude the possibility that this latter was the immediate
source of the language in Dan. 11". On this basis he links the repeated
occurrence of the verb שטף in Dan 11 (see verses 10.22.26.40) to its use
in Isa 28,15.17-18, and the occurrence of כזב (Dan 11,27) and שמועה
(Dan 11,44) to their use in Isa 28,15.17 and 28,19 respectively. This
may be so, but the case seems to me less certain than the link between
Dan 11 and Isa 10.

(2) It has long been recognised that Dan 12,3 which refers to "the
wise" (המשכילים) as "those who lead many to righteousness" (מצדיקי
הרבים), contains a reminiscence of the fourth Servant Song (Isa 52,13–
53,12), namely of Isa 53,11: "The righteous one, my servant, will make
many righteous" (יצדיק צדיק עבדי לרבים). It is also significant, as
Ginsberg pointed out, that at the beginning of the Servant Song the
verb שכל is used of the servant (הנה ישכיל עבדי). The implication of
these reminiscences is that "the wise" applied the passage about the

---

20. For the use of Isaianic language in Dan 11, see FISHBANE, *Biblical Interpretation*,
pp. 490-491; H.L. GINSBERG, *The Oldest Interpretation of the Suffering Servant*, in *VT* 3
(1953) 401.

servant to themselves and believed that their suffering (Dan 11,35) would be followed by their vindication[21].

(3) Dan 11,30, ובאו בו ציים כתים ונכאה ("Ships of Kittim will come against him, and he will lose heart") contains a direct allusion to Num 24,24, which in the Massoretic text reads: וצים מיד כתים וענו אשור וענו־עבר וגם־הוא עדי אבד[22]. The event to which Dan 11,30 refers, the turning back of Antiochus by the Roman consul Gaius Popilius Laenas near Alexandria in 168, was no doubt seen as a fulfilment of Balaam's prophecy, but the use of ציים כתים in Daniel has an additional significance in that it suggests that the whole of Num 24,24 was read in relation to the contemporary situation. Thus it seems likely that the humiliation of "Asshur" and "Eber" was interpreted in relation to the Syrians and the eastern provinces of the Seleucid empire[23], and that in the final clause אבד was understood in the traditional sense of "destruction", and the whole clause interpreted in relation to Antiochus: "and he (i.e. Antiochus) (will come) to destruction"[24].

(4) Dan 10–12 contains three, and possibly four, allusions to Hab 2,3a, כי עוד חזון למועד ויפח לקץ ולא יכזב ("For there is still a vision for the appointed time; it testifies of the end, and does not lie"), and the text was clearly of significance for the author because it is also used in Dan 8,17.19[25]. The background to the use of the passage was the crisis of faith caused by the continuation of the desecration of the temple and the success (cf. the use of הצליח in 8,12.24–25; 11,36) of Antiochus Epiphanes, and this concern is reflected in the twice-repeated question "How long?" (8,13; 12,6) and in the various calculations of the time before the end that are given in chapters 7–12 (cf. 7,25; 8,14; 9,27; 12,7.11.12). Concern about "the time of the end" (עת קץ) is highlighted by the fourfold occurrence of the phrase in 11,35.40; 12,4.9.

Although Hab 2,3a is at no point quoted exactly, there is no question but that it is used in Dan 10–12. The first allusion occurs in 10,14, in the course of the preliminary dialogue between the angel and Daniel: "And I have come to help you understand what is to happen to your people at the end of days; for there is still a vision for those days" (כי־עוד חזון לימים), where לימים has been used because of the immediately preceding occurrence of באחרית הימים). The implication of the use

21. See GINSBERG, *The Oldest Interpretation of the Suffering Servant*, pp. 402-403; FISHBANE, *Biblical Interpretation*, p. 493.

22. Cf. GINSBERG, *The Oldest Interpretation*, p. 401; FISHBANE, *Biblical Interpretation*, p. 491.

23. Cf. Targum Onkelos, which interprets עבר as לעבר פרת.

24. Cf. J.A. MONTGOMERY, *A Critical and Exegetical Commentary on the Book of Daniel* (ICC), Edinburgh, 1927, p. 455.

25. On the use of Hab 2,3 in Daniel, see FISHBANE, *Biblical Interpretation*, p. 492; id., *From Scribalism to Rabbinism*, pp. 448-449.

of the passage from Habakkuk is that the vision concerning the end
that was announced to Habakkuk had a significance in relation to the
vision that was about to be revealed to Daniel, and that the message of
Habakkuk ("If it delays, wait for it; it will surely come, it will not
delay", 2,3*b*) applied to the circumstances in which chapters 10–12 were
composed. The certainty of the coming of the end at the time pre-
scribed by God, despite seeming delay, underlies the two other clear
allusions to Habakkuk, in 11,27 ("The two kings, their hearts set on
evil, will speak lies (כזב) at one table, but it will not succeed, for an end
remains for the appointed time", כי־עוד קץ למועד) and 11,35 ("Some of
the wise will fall, so that they may be refined, purified and cleansed,
until the time of the end, for it still remains for the appointed time",
כי־עוד למועד). It may be, as Fishbane suggests, that Hab 2 is also the
immediate source of the occurrence of כזב in 11,27. Beyond this, in
view of the clear allusions to Habakkuk in 10,14; 11,27.35, it seems to
me possible that למועד in 11,29, that is in the verse which refers to the
events which marked the start of the crisis in which the authors of Dan
10–12 found themselves, is also to be understood as a reminiscence of
למועד in Hab 2,3. Be that as it may, there seems no doubt as Fishbane
indicates, that the passage from Habakkuk was intended to function in
Dan 10–12 "as a 'scholarly' – divinely warranted – source of consola-
tion and assurance". The use made of Hab 2,3 in Daniel 10–12 may be
compared with the interpretation put upon the passage in Habakkuk
Commentary VII,5*b*-14*a*, which is concerned with the prolongation of
"the last time" (הקץ האחרון) and the delay in the dawning of the new
age, and is intended to offer encouragement and assurance to those who
might be discouraged by this: "Its interpretation is that the last time
will be prolonged and will go beyond all that the prophets said; for the
mysteries of God are a source of wonder... Its interpretation concerns
the men of truth, those who observe the law, whose hands do not
slacken in the service of truth when the last time is drawn out for them;
for all the times of God come according to their fixed rule, as he has
decreed for them in the mysteries of his discernment".

Other prophetic passages are cited or alluded to within Dan 10–12:
note, for example, the use of שטף ועבר of Isa 8,8, where it depicts the
inexorable advance of the Assyrians, to refer to the onslaught of the
Seleucid forces (Dan 11,10.40), or the use of דראון in Dan 12,2 to signal
a reference to Isa 66,24. It is not possible to pursue these allusions here,
but enough has been said to demonstrate the importance of the
scholarly reuse of older prophetic texts in these chapters – Fishbane
speaks of "an imposing concatenation of prophetic authorities" – and
the way in which these texts were applied to the circumstances in which
the authors were living. Fishbane has described Dan 9–12 as a "mantological document", and the justification for the use of such a term lies

both in the fact that the scholarly exegesis of prophetic texts forms such an important feature of the material, and in the fact that the revelations that are given in 9,24-27 and 11,2–12,13 are cast in the kind of indirect and opaque language that is characteristic of the interpretations that are given of visions and omens. The use of older material is important for what it reveals about the authors of Daniel, the מַשְׂכִּילִים, whose hope for a rapid end to the crisis caused by Antiochus Epiphanes has to be seen side by side with, and was in part conditioned by, their learned application of prophetic texts to their own situation.

IV

We have been concerned only with the exegesis of prophetic texts within Dan 9–12, but it is possible that we also find the use of an Isaianic text in Dan 8, although the situation is different. Two preliminary points need to be made. First, Porter has plausibly argued that both Dan 7 and 8 have a background in mantic wisdom. Thus he has demonstrated that the descriptions in Dan 7 and 8 of animals with peculiar physical characteristics have definite similarities with the descriptions of abnormal animals in Mesopotamian divination texts, such as the series *šumma izbu*[26]. Secondly, Dan 8 was composed some time after Dan 7 and is already intended as a kind of explanation and actualisation of that chapter. Certainly the author took Dan 7 as his starting point and derived from it the literary form, the use of animal symbolism, the specific use of horns as symbols, and above all the "little horn". קֶרֶן־אַחַת מִצְּעִירָה in verse 9, which is commonly emended to קֶרֶן אַחֶרֶת צְעִירָה, is an obvious allusion to קֶרֶן אָחֳרִי זְעֵירָה in 7,8, and it seems clear that we are meant to read what is said about the "little horn" in chapter 7 in the light of chapter 8. It also seems clear that a connection is deliberately established with the older vision-report in chapter 2, in that what is said in chapter 8 about the end of Antiochus Epiphanes – "But he (Antiochus) will be broken, and not by human hands" (וּבְאֶפֶס יָד יִשָּׁבֵר, 8,25) – signals a reference back to what is said in chapter 2 about the stone that was cut out "not by human hands" (דִּי־לָא בִידַיִן, 2,34.45).

Going beyond this, it is possible, as suggested above, that there is use of an Isaianic text within the chapter. In 8,10–11 Antiochus's sacrilegious arrogance is described as follows: "It acted arrogantly against the host of heaven, and threw down to the earth some of the host and some of the stars, and trampled on them. Even against the prince of the host it acted arrogantly". The passage then goes on to refer to Antiochus's disruption of the cult and defilement of the temple. The similarity with

---

26. P.A. PORTER, *Metaphors and Monsters: A Literary-Critical Study of Daniel 7 and 8* (Coniectanea Biblica: Old Testament Series, 20), Lund, 1983, pp. 13-29.

the myth of the "Day Star, son of Dawn" who aspired to set his throne above the stars and make himself like "The Most High" (Isa 14,12-15) has long been recognised by all scholars, but the question is whether the author of Dan 8 drew his inspiration directly from Isa 14, or whether he was independently making use of a myth that was in circulation. The difference from the cases that we considered previously is that there is no significant reuse of vocabulary that unambiguously points back to Isaiah. It is impossible to be certain, but in view of the use of Isaianic texts elsewhere in Daniel it seems to me that it is probable that there is a direct allusion to Isa 14[27]. If this is so, then the implication is that the prophecy of the fall of the tyrant (Isa 14,3-23) applies also to Antiochus.

V

It is time to try to draw some conclusions from this brief survey.

(1) We began with the question of the relationship of the book of Daniel to the prophetic corpus. Although in Dan 7 and 8 a literary genre is used which can be traced back through prophetic literature, Daniel is not otherwise presented as acting as a prophet, and his book is not a prophetic book. In contrast a number of prophetic texts which are regarded as authoritative are reused within Dan (8) 9–12, and the interpretation of these texts in relation to the circumstances of the authors of Dan (8) 9–12 forms a significant feature of the material. The reinterpretation of the writings of the prophets in this way is not of course confined to the book of Daniel. It also forms a significant feature of Zech 9–14[28], for example, and indeed the similarities between Daniel and Zechariah are not confined to the use of the vision form in Dan 7–8 and Zech 1–6 respectively.

(2) The fact that the scholarly interpretation of prophetic texts is a significant feature of Dan (8) 9–12 links up with the presentation of Daniel in chapters 1–6 as a wise man of a mantic type and fits in with the view that manticism provides the background to the emergence of the apocalyptic literature[29], a view which has been persuasively argued both for the book of Daniel and for the Enochic literature[30]. The book

27. Cf. MONTGOMERY, Daniel, pp. 334, 335.

28. Cf. R.A. MASON, The Use of Earlier Biblical Material in Zech. 9–14: A Study in Inner Biblical Exegesis, unpublished PhD dissertation, University of London, 1973. Some of the results of his dissertation were presented by Mason in The Relation of Zech. 9–14 to Proto-Zechariah, in ZAW 88 (1976) 227-239.

29. Cf. P.R. DAVIES, The Social World of Apocalyptic Writings, in R.E. CLEMENTS (ed.), The World of Ancient Israel: Sociological, Anthropological and Political Perspectives, Cambridge, 1989, pp. 251-271, especially pp. 260-270; VANDERKAM, The Prophetic-Sapiential Origins of Apocalyptic Thought (above, note 5), pp. 168-174.

30. For the mantic background of the Enoch literature, see J.C. VANDERKAM, Enoch and the Growth of an Apocalyptic Tradition (CBQ Monograph Series, 16), 1984.

of Daniel in its final form is essentially a scholarly work, and however much its authors were affected by the crisis caused by Antiochus Epiphanes, they wrote on the basis of scholarly reflection on the scriptures.

(3) We saw that Hanson thought that the book of Daniel mediated between the two extremes on the continuum formed by the tension between the two groups or tendencies that he has identified in post-exilic Judaism[31]. It is not clear to me on what basis this judgement is made, nor indeed whether the book of Daniel can plausibly be fitted into such a scheme. But as a general observation it may be said that whereas it does seem possible, on the basis of the kind of evidence surveyed here, to draw some conclusions about the social class to which the authors of the book in its final form belonged, namely that it was essentially a scribal class, the book does not provide us with very much information that would enable us to determine whether they belonged to a particular religious or political party.

(4) The picture of the authors of the book of Daniel that emerges from the extensive use and reinterpretation of prophetic writings within chapters (8) 9–12 corresponds quite closely to the first part of Ben Sira's description of the ideal scribe:

> On the other hand he who devotes himself
>   to the study of the law of the Most High
> will seek out the wisdom of all the ancients,
>   and will be concerned with prophecies (39,1).

The fact that the Old Testament wisdom writings have no eschatological concern, but that eschatology forms a prominent element within the apocalypses, has often been used as an argument against the view that "apocalyptic" is rooted in wisdom. Too much should not be made of this, however, certainly in the case of the book of Daniel. This is partly because the eschatology of Daniel itself is not all that developed, partly because, as we now recognize, the Old Testament wisdom writings do not represent all the concerns of wisdom, and partly because Ecclesiasticus itself does include a prayer (36,1-17) which has an eschatological note. This prayer may well be secondary in comparison with the rest of the book, but the fact that it could be included at all seems to me significant. It is a prayer for God to intervene on behalf of his people against the enemy, and in verse 8, at least according to the text represented by Codex Sinaiticus, the appeal is made: "Hasten the day, and remember the appointed time".

King's College London   Michael A. KNIBB
Strand
GB-London WC2R 2LS

31. See above p. 401.

WEISHEIT UND APOKALYPTIK

1. DAS PROBLEM

Für den Kenner signalisiert das Thema eine ganz bestimmte Fragestellung: 1960 hatte Gerhard von Rad im 2. Band seiner Theologie die
damals überraschende und verblüffende These vertreten, die Apokalyptik sei aus der Weisheit hervorgegangen[1]. Wenn man seine Argumentation genau prüft, wird deutlich, daß die These weniger in konkreten
Textanalysen begründet ist als vielmehr in der Überzeugung, die bis
dahin meist vertretene Ableitung aus der Prophetie sei »schlechterdings
ausgeschlossen«[2]. Und zwar deshalb, weil das deterministische Geschichtsverständnis der Apokalyptik mit dem heilsgeschichtlichen Geschichtsverständnis der Prophetie unvereinbar sei[3]. Nachdem einmal
diese Grundentscheidung gefallen war, fanden sich dann schnell Argumente dafür, daß die Weisheit der Wurzelboden der Apokalyptik sei;
das wichtigste ist wohl: Die Apokalyptik hat ein »Pathos des Erkennens, ... das sich auf der Basis eines merkwürdig heilsgeschichtslosen
universalen Jahweglaubens erhebt« (319) – und genau das ist ja auch für
die Weisheit typisch. Weiter hat von Rad dann (besonders *Theologie*, Bd.
2, [4]1965 und *Weisheit in Israel*, 1970) auf den Determinismus und die
(Selbst)bezeichnungen der Apokalyptiker als »Weise« hingewiesen.

Gegen diese Sicht von Rads hat sich bald Widerspruch erhoben,
zunächst durch Peter von der Osten-Sacken[4], dann durch Hanson in
mehreren Arbeiten[5]; beide wollen wieder die Prophetie als Wurzel-
grund der Apokalyptik nachweisen, wobei Hanson nach meiner Überzeugung bessere Argumente vorbringt als von der Osten-Sacken. Doch
will und kann ich dies hier nicht diskutieren – ich will nur an die
allgemeine Problemlage erinnern. Und die ist dadurch charakterisiert,

---

1. Gerhard VON RAD, *Theologie des Alten Testaments*, Bd. 2, München, 1960, S. 314ff.
Ab der 4. Aufl. 1965 hat von Rad seine Theorie überarbeitet und präzisiert; vgl. dazu
auch DERS., *Weisheit in Israel*, Neukirchen, 1970, S. 337ff.
    2. A.a.O., S. 316.
    3. Vgl. 1960, S. 316: »... entscheidend ist u.E. die Unvereinbarkeit des Geschichts-
verständnisses der Apokalyptik mit dem der Propheten«.
    4. Peter VON DER OSTEN-SACKEN, *Die Apokalyptik in ihrem Verhältnis zu Prophetie und
Weisheit* (TEH 157), München, 1969.
    5. Paul D. HANSON, *Jewish Apocalyptic against its Near Eastern Environment*, in *RB* 78
(1971) 31-58; DERS., *Old Testament Apocalyptic Reexamined*, in *Interp.* 25 (1971) 454-479,
= DERS., *Alttestamentliche Apokalyptik in neuer Sicht*, in Klaus KOCH (Hg.), *Apokalyptik*
(WdF 365), Darmstadt, 1982, S. 440-470; DERS., *The Dawn of Apocalyptic*, Philadelphia,
1975.

daß das Pendel durch Hans-Peter Müller[6] (1972) wieder in die andere Richtung ausschlug: Er vertritt die These: »... die archaische Gestalt einer mantischen Weisheit hat sich in der Apokalyptik fortgesetzt« (271). – VanderKam[7] geht (1986) auf diesem Weg noch einen Schritt weiter; er will Mantik, d.h. Weissagung (»divination«) nicht nur in der archaischen Weisheit finden, sondern auch in der Prophetie, bei der man zu Unrecht immer nur auf die großen klassischen Propheten blicke, während es in Wirklichkeit viel stärkere Übereinstimmungen von Wahrsagung und Prophetie gegeben habe. Prophetie in diesem weiteren Sinne, also mit Einschluß des von Müller für die mantische Weisheit dargelegten wahrsagerischen Elementes, sei dann der entscheidende Stimulus für die Evolution des apokalyptischen Gedankengutes gewesen (174). Schließlich ist auch noch John J. Collins[8] zu nennen, der schon vorher (1979) die Verbindung zwischen Weisheit und Apokalyptik im Danielbuch hergestellt hatte: Die Hoferzählungen (»court-tales«) in Dan 1–6 stammen aus der Diaspora, spiegeln die Ideale der jüdischen »Weisen«, die die Art des Offenbarungsempfangs durch die heidnischen Weisen übernommen hatten; nach der Rückkehr aus der Diaspora benutzten sie unter der Verfolgung durch Antiochus IV. Epiphanes diese (weisheitlichen) Hoferzählungen als Basis für ihre apokalyptischen Visionen. – Schließlich hat Hartmut Stegemann[9] die Problematik »Weisheit-Apokalyptik« noch durch eine weitere Variante bereichert: Nach ihm soll sich in der Henoch-Apokalypse eine »kultische Weisheit« zeigen (507).

Die Problemlage ist also alles andere als klar – auch bei denen, die Beziehungen zwischen »Weisheit« und »Apokalyptik« annehmen oder aufzeigen wollen, gibt es keineswegs ein einheitliches, allgemein akzeptiertes Bild dieses Verhältnisses.

Erschwerend in dieser ziemlich diffusen Forschungslage ist noch, daß nach dem Urteil von Klaus Koch[10], das sicherlich die allgemeine Ansicht[11] korrekt widerspiegelt, für von Rad (und wohl auch für diese

---

6. Hans-Peter MÜLLER, *Mantische Weisheit und Apokalyptik*, in *Congress Volume Uppsala 1971* (VT.S 32), 1972, S. 268-293.

7. J.C. VANDERKAM, *The Prophetic-Sapiental Origins of Apocalyptic Thought*, in *A Word in Season. Essays in Honor of William McKane* (JSOT Suppl. Series 42), Sheffield, 1986, S. 163-176.

8. John J. COLLINS, *The Court-Tales in Daniel and the Development of Apocalyptic*, in *JBL* 94 (1975) 218-234.

9. Hartmut STEGEMANN, *Die Bedeutung der Qumranfunde für die Erforschung der Apokalyptik*, in David HELLHOLM (Hg.), *Apocalypticism in the Mediterranean World and the Near East*, Tübingen, 1983, ²1989, S. 495-530.

10. Klaus KOCH u.a., *Das Buch Daniel* (EdF 144), Darmstadt, 1980.

11. Vgl. den vielzitierten und gewichtigen Hinweis von Philipp Vielhauer (in P. VIELHAUER, *Die Apokalyptik*, in E. HENNECKE - W. SCHNEEMELCHER, *Neutestamentliche Apokryphen* II, ²1964, S. 420), daß Eschatologie und Naherwartung in der Weisheit keine Rolle spielen. Über gelegentliche Versuche, vor allem in anderen als den biblischen Weisheitsbüchern apokalyptische Elemente zu finden, gibt Hermann VON LIPS, *Weisheit-*

ganze Diskussion) gilt: »Die Schwäche seiner Ableitung ist freilich der Mangel an einem Beleg für eine eschatologisch orientierte Weisheit vor Daniel. Die weisheitlichen Schriften bis hin zu Jesus Sirach lassen jede Spur eschatologischer Beschäftigung vermissen« (174).

Genau an diesem Punkt sollen die folgenden Darlegungen einsetzen. Ich will versuchen, zu zeigen, daß es durchaus Weisheitstexte gibt, die auf eine »eschatologisch orientierte Weisheit« schließen lassen, in denen sich Spuren »eschatologischer Beschäftigung« nachweisen lassen.

Durch die Aufnahme der etwas allgemeinen Kochschen Terminologie »eschatologisch orientierte Weisheit« und »Spur(en) eschatologischer Beschäftigung« erspare ich mir zu diesem Zeitpunkt eine Definition dessen, was ich unter »Apokalyptik« verstehen will. Ich werde darauf zum Schluß zurückkommen.

2. Berührungen zwischen Weisheit und Apokalyptik

a) *Qohelet und Psalm 73*

Daß Qohelet sich in einem Gespräch mit der Weisheit befindet, ist eine besonders von Zimmerli mehrfach vorgetragene Erkenntnis, die als weithin anerkannt gelten kann. Darüber hinaus aber läßt sich nach meiner Überzeugung demonstrieren, daß er sich in einem kritischen Gespräch nicht nur mit der Weisheit klassischer Ausprägung befand, sondern auch mit einer Weisheit, die sich der Apokalyptik zu öffnen im Begriff war. Der deutlichste Beleg dafür ist Qoh 7,1-10:

1 »Besser ist ein (guter) Name als gutes Öl,
   und besser ist der Tag des Todes als der Tag der Geburt.
2 Besser ist es, in ein Trauerhaus zu gehen,
   als in ein Haus zu gehen, in dem man feiert,
   weil jenes die Endstation aller Menschen ist.
   Wer lebt, möge sich das zu Herzen nehmen.
3 Besser ist Kummer als Lachen,
   denn bei trauriger Miene ist die Einsicht gut.
4 Das Herz der Weisen ist im Trauerhaus,
   aber das Herz der Toren ist im Haus der Freude.
5 Besser ist es, auf das Schelten der Weisen zu hören,
   als wenn jemand auf den Gesang von Toren hört.
6 Denn wie das Knistern der Dornen unter dem Topf,
   so ist das Lachen der Toren«.
   Auch das ist *hæbæl*.
7 Ja, die Bedrückung macht den Weisen töricht
   und verdirbt sein sicheres Urteilsvermögen.

liche Traditionen im Neuen Testament (WMANT 64), Neukirchen, 1990, S. 90 einen informativen Überblick.

8   »Besser ist das Ende von etwas als sein Anfang«.
    »Besser einer mit langem Atem als einer mit heftigem Atem«.
9   Eile nicht, mit schnellem Atem Kummer zu empfinden,
    denn Kummer wohnt in der Brust von Toren.
10 Sage nicht, wie kommt es, daß die früheren Zeiten besser waren als diese,
    denn nicht aus Weisheit fragt man auf diese Weise.

Ein wichtiges, wenn nicht gar das entscheidende Problem der Qohelet-
auslegung besteht darin, daß man die in dem Buche sich findenden
widersprüchlichen Aussagen erklären muß. Ich habe an anderer Stelle[12]
folgende Problemlösung vertreten: Qohelet hat eine genau beschreibbare
theologische (philosophische?) Position und von ihr aus setzt er sich mit
anderen zeitgenössischen Ansichten auseinander, die er zitiert und widerlegt. Zu solcher »Auseinandersetzungsliteratur« gehört auch unser Text.
Es bedarf keiner langen Beweisführung, daß die in vv. 1–5 geäußerten
Meinungen nicht zu dem passen, was Qohelet sonst über die Freude
sagt: »Es gibt nichts Gutes in ihrer (sc. der Menschen) Verfügungs-
gewalt, außer sich zu freuen und sich's gut sein zu lassen, so lange man
lebt. Und auch daß ein Mensch essen und trinken kann und Gutes
genießen kann bei seiner Mühe, auch das ist eine Gabe Gottes« (3,12–
13). Was er in diesem Zitat als »Gabe Gottes« bezeichnet, wird hier als
Verhaltensweise von Toren, von Uneinsichtigen, von Herz(= Verstand)-
losen gebrandmarkt. Aber mehr noch: Die Verse 1–6 widersprechen
nicht nur dem, was Qohelet sonst in seinem Buch darlegt, sondern auch
dem, was er in den unmittelbar folgenden Versen sagt. Und das läßt
sich am leichtesten so erklären, daß er hier zitiert und argumentiert.
Die von ihm Zitierten hatten einen tiefen Pessimismus als Grund-
stimmung: Sterben ist besser als Geborenwerden; in ein Trauerhaus zu
gehen ist besser als in ein Haus zu gehen, in dem man feiert; Kummer
ist besser als Lachen, denn bei trauriger Miene (wir müssen wohl sagen:
nur bei trauriger Miene) ist das Herz in Ordnung. Und da das Herz ja
bekanntlich das Organ des Erkennens ist, heißt der Satz: Wer die
richtige Einsicht hat, kann sich nicht freuen, sondern nur noch Kummer empfinden, kann nur noch an der Welt leiden. Darum ist das Herz,
die Erkenntnis *der Weisen* im Trauerhaus, das Herz *der Toren* aber in
einem Haus, wo man sich freut. Etwas verblüffend tauchen hier die
ḥᵃkāmîm und die *kᵉsîlîm*, die »Weisen« und die »Toren«, auf. Verblüffend deshalb, weil sich ja in der klassischen Weisheit solche Aussagen über Weise und Toren nicht finden. Weise litten nicht an der
Welt, sondern wollten die Welt mit ihrem Verstand beherrschen und
gestalten!
Und von »Weisen« ist weiter die Rede in den Versen, mit denen
Qohelet seine Kritik vorbringt. Zunächst einmal stellt er fest: »Die

12. Vgl. Diethelm MICHEL, *Qohelet* (EdF 258), Darmstadt, 1988; DERS., *Untersuchungen zur Eigenart des Buches Qohelet* (BZAW 183), Berlin/New York, 1989.

Bedrückung macht den Weisen töricht und verdirbt 'sein sicheres Urteilsvermögen'«[13]. Und zum Schluß resümiert er: »Nicht aus Weisheit fragst du auf diese Weise« (v. 10b). Und was vielleicht noch wichtiger ist: in v. 8 argumentiert er mit zwei Weisheitssprüchen, die er in v. 9 weiter ausführt. Überall spüren wir also »Weisheit«, sowohl in den Ansichten der Zitierten als auch in der Argumentation Qohelets. Und das läßt eigentlich nur einen Schluß zu: Hier zitiert Qohelet eine neue Variante der Weisheit und argumentiert gegen sie von der klassischen Weisheit her. Nur unter dieser Voraussetzung können die Argumentationsgegner wirklich beeindruckt sein von dem Schlußresümee *ki lō' mēḥ°kmā šā'altā 'al zæ* – sie haben offensichtlich den Anspruch erhoben, *mēḥ°kmā* »aus Weisheit heraus« zu reden. Und nur unter dieser Voraussetzung hat es einen Sinn, den Gesprächspartnern als Argumente traditionelle Weisheitssprüche entgegenzuhalten: »Besser das Ende von etwas als sein Anfang«, was in der klassischen Weisheit zweifellos den Sinn des deutschen Sprichwortes »Ende gut – alles gut« gehabt hat. Wenn Qohelet diesen Maschal in diesem Argumentationszusammenhang verwendet, gibt das nur einen Sinn, wenn die Gesprächspartner als Grundposition hatten, das Ende sei *grundsätzlich* schlechter als der Anfang, darum müsse man an der Welt leiden und dürfe sich nicht freuen. Qohelet hält dem weiter entgegen, solcher Pessimismus sei nicht »langatmig« (*'æræk ru°ḥ*), sondern aufbrausend (*g°bah ru°ḥ*) und: man solle doch nicht mit schnellem Atem Kummer empfinden, denn Kummer wohne in der Brust von Toren. Zugespitzt wird seine Argumentation in dem Satz: »Sage nicht: wie kommt es, daß die früheren Zeiten besser waren als die jetzigen, denn nicht aus Weisheit fragst du auf diese Weise«.

Wenn man nun versucht, aus den Zitaten und der Argumentation Qohelets ein Bild seiner Gesprächspartner zu erstellen, so ergibt sich folgendes:

1. Sie waren überzeugt, daß die Gegenwart schlechter sei als die Vergangenheit.
2. Diese geglaubte, empfundene Verschlechterung war ihrer Überzeugung nach nicht vorübergehend, sondern von so grundsätzlicher Art, daß ein vernünftiger Mensch mit funktionierendem Denkvermögen (»Herz«) sich nicht mehr in der Welt und an der Welt freuen kann, sondern *ka'as* »Kummer« empfinden muß, daß ein Weiser (!) mit seinem Denken in einem Trauerhaus sein muß und nicht in einem Haus, wo man sich freut.
3. Was schon aus den Zitaten in Umrissen erkennbar wurde, wird aus der Argumentation Qohelets ganz deutlich: seine Gesprächspartner

---

13. Es gibt keinerlei Grund, *'ōšæq* in v. 7a durch »Bestechung« zu übersetzen, wie es häufig geschieht. Das Wort bedeutet hier wie sonst immer »Bedrückung«. Zu den Problemen von v. 7b vgl. DRIVER, *Problems and Solutions*, in *VT* 4 (1954) 225-245.

erhoben den Anspruch, von einer Position der Weisheit her zu reden. Freilich spricht Qohelet ihnen dies ab: Seiner Überzeugung nach hat die Bedrückung die Weisen verwirrt, verblendet (das hier verwendete Verb הלל III bedeutet nach Joüon MFoB 5,422f »mondsüchtig sein«!) und ihr sicheres Urteilsvermögen verdorben. Mit diesem Argument bestätigt er also indirekt das Urteil der Gesprächspartner, man lebe in einer schlimmen Zeit, in einer Zeit der »Bedrückung« – nur ist diese »Bedrückung« für Qohelet nicht Anlaß zu Pessimismus und Leiden an der Welt, sondern Anlaß dazu, in seiner Interpretation der Weisheit die Lehre zu entwickeln, man könne nichts anderes als die jeweils gebotene Möglichkeit zur Freude ausnutzen. Wenn er seine Argumentation gipfeln läßt in der Feststellung, wer wie die Angeredeten rede, der frage »nicht aus Weisheit auf diese Weise«, dann kann dies für die Angeredeten nur ein beachtenswertes Argument gewesen sein, wenn sie gerade diesen Anspruch erhoben haben.

4. Fazit: in Qoh 7,1-10 wird eine Form der Weisheit erkennbar, die in der Welt eine Entwicklung zum Schlimmen feststellen zu müssen glaubte und die deshalb zu der Überzeugung gekommen war, der wahre Weise müsse Kummer empfinden, müsse in und an der Welt leiden, dürfe sich nicht freuen. Von der traditionellen, uns etwa aus dem Buch Proverbia her bekannten Weisheit wird man sagen müssen: Fürwahr, eine eigenartige Form von Weisheit!

Das alles erinnert zweifellos in der Grundhaltung an apokalyptisches Weltverständnis. Freilich ist Pessimismus und Leiden an der Welt allein noch keine Apokalyptik, sondern lediglich die Voraussetzung der Apokalyptik. Und dann muß man sich ja auch im Blick auf Qoh 7,1-6 fragen, ob wirklich die Gesprächspartner Qohelets sich mit einer so negativen, pessimistischen Weltsicht begnügt haben — oder ob sie nicht auch positive Vorstellungen haben, wie die Not der immer schlimmer werdenden Welt zu überwinden sei. Die Wahrscheinlichkeit spricht für diese Möglichkeit: zwar kann man sich vorstellen, daß einzelne Menschen einer lediglich negativen, pessimistischen Weltsicht sich hingeben, von einer Gruppe aber ist dies kaum vorstellbar. Sie dürfte – gewissermaßen um der psychischen Hygiene willen – auch positive Erwartungen als Kehrseite der negativen Weltsicht gehabt haben.

Vielleicht kann man hier weiterkommen, wenn man andere Texte hinzuzieht, an denen Qohelet ebenfalls argumentiert und wo wir ebenfalls aus den Argumenten die Position der Gesprächspartner rekonstruieren können. Ich gehe dabei davon aus, daß Qohelet neben den Vertretern der klassischen Weisheit nicht eine beliebig große Zahl von Diskussionspartnern gehabt hat, sondern eine begrenzte Zahl, vielleicht sogar nur eine Gruppe.

Ich beginne mit dem bekannten Text 3,16-22, von dem uns vor allem die Verse 19-22 interessieren:

Qoh 3,19-22

19 Denn was das Geschick »der« Menschen
und was das Geschick »des« Viehs anlangt:
einerlei Geschick haben sie.
Wie der eine stirbt, stirbt auch der andere;
einerlei Geist (*rûªḥ*) haben sie beide,
und einen Vorzug des Menschen vor dem Vieh gibt es nicht,
denn alles ist vergänglich.
20 Alle gehen zu demselben Ort.
Alles ist aus Staub entstanden
und alles kehrt wieder zu Staub zurück.
21 Wer weiß denn, ob der Geist des Menschen nach oben steigt
und ob der Geist des Viehs nach unten zur Erde hinabsteigt?
22 Und ich betrachtete, daß es nichts Besseres gibt,
als daß der Mensch sich an seinen Werken freue:
fürwahr, das ist sein Teil.
Denn wer kann ihn dahin bringen,
daß er (mit Freude) das sähe, was nach ihm kommt?

Es liegt auf der Hand, daß Qohelet auch hier argumentiert – und zwar gegen Leute, die einen Unterschied zwischen Mensch und Vieh in dem Sinne behaupteten, daß nach dem Tode die *rûªḥ* der Menschen nach oben, d.h. natürlich: zu Gott hinaufstiege, während die der Tiere nach unten zur Erde hinabsinke. Qohelet bestreitet das nicht, sondern stellt als Empiriker nur fest, das könne man nicht wissen, und damit bleibt es für ihn bei seiner vorher geäußerten Erkenntnis, es gebe für den Menschen nichts Besseres, als sich an seinen Werken zu freuen.

In 7,1-10 argumentierte Qohelet gegen eine pessimistisch gewordene Weisheit, die Leiden an der Welt als die dem Einsichtigen einzig gemäße Haltung propagierte, bei der aber keinerlei positive apokalyptische Erwartung erkennbar war. Hier in 3,19-22 haben wir gewissermaßen das Gegenstück: Qohelet argumentiert gegen Menschen, die als positive Erwartung den Glauben an eine Existenz nach dem Tode hatten, nur ist hier nichts von Leiden an der Welt und vor allem nichts von Weisheit erkennbar. Wenn man beide Texte kombinieren könnte, könnte man mehr über den Zusammenhang von Weisheit und Apokalyptik sagen. Ich meine nun, daß man in der Tat wahrscheinlich machen kann, daß hinter 3,19-22 Menschen stehen, die das Erbe der Weisheit fortführen wollten und dabei den Gedanken der Totenauferstehung entwickelten. Um dieses zeigen zu können, müssen wir uns v. 22 etwas genauer ansehen und außerdem auch Ps 73 in unsere Überlegungen einbeziehen.

Nochmal also v. 22:

Ich betrachtete, daß es nichts Besseres gibt,
als daß der Mensch sich an seinen Werken freue.
Fürwahr, das ist sein Teil.

Mir kommt es auf den Satz *kī hû' hælqô* an. Grammatisch ist er wohl so zu analysieren, daß *hû'* Chabar (Prädikat) und *hælqô* Mubtada (Subjekt) ist[14]: »Sein Teil ist dieses (und nichts anderes)«. Der Satz wendet sich also gegen Menschen, die behaupteten, »ihr Teil« sei etwas ganz anderes, dem Zusammenhang nach kann dann nur gemeint sein: »ihr Teil« sei dies, daß die *rûᵃh* des Menschen nach oben (zu Gott) aufsteige.

Diese Annahme erhält nun eine verblüffende Bestätigung durch Ps 73,23-28. In Psalm 73[15] geht es ja bekanntlich darum, daß für den Psalmisten die weisheitliche Grundannahme, der Tun-Ergehen-Zusammenhang, nicht mehr erkennbar ist. Er kann nur feststellen, daß es in diesem Leben den offenkundigen Frevlern gut geht, während es ihm selber, der sich immer um Frömmigkeit bemüht hat, schlecht geht. Diese Erkenntnis war für ihn so bedrückend und schwerwiegend, daß ihm dabei der grübelnde Versuch eines Verstehens zur Qual wurde. Als er aber in die Heiligtümer Gottes eintrat und auf das Ende der Übeltäter achthatte, kam ihm die neue Einsicht, die für ihn das Problem löste. Was genau mit dem »Eintreten in die Heiligtümer Gottes« gemeint ist, ist sehr umstritten[16], das Ergebnis aber ist wohl etwas klarer:

Ps 73,23-28

23 Ich aber bin immer bei dir,
    du hast meine rechte Hand ergriffen;
24 nach deinem Ratschluß leitest du mich
    und nimmst mich danach (?) in Herrlichkeit (weg? auf?).
25 Wen habe ich im Himmel?
    (Bin ich) bei dir, freut mich nichts auf der Erde.
26 Wenn mir (auch) Fleisch und Herz verschmachten,
    [der Fels meines Herzens und][17]
    mein Teil (*hælqî*) ist Gott für immer.
27 Ja: die fern von dir sind, müssen zugrunde gehen,
    du vernichtest alle, die von dir weghuren.
28 Ich aber: Nahen Gottes ist für mich gut,
    ich habe den Herrn Jahwe zu meiner Zuflucht gemacht,
    so daß ich all deine Werke verkündigen kann.

Gerhard von Rad hat gezeigt[18], daß in v. 26 die alte Levitenprärogative spiritualisiert worden ist. Wie sie etwa in Num 18,20 vorliegt

14. Vgl. dazu BZAW 183, S. 121ff.

15. Vgl. zu Psalm 73: Diethelm MICHEL, *Ich aber bin immer bei dir. Von der Unsterblichkeit der Gottesbeziehung*, in H. BECKER - P.O. ULLRICH (Hgg.), *Im Angesicht des Todes. Ein interdisziplinäres Kompendium* I, St. Ottilien, 1987, S. 637-658. Dort weitere Literatur.

16. Eine ausführliche Erörterung findet sich in dem Anm. 15 genannten Aufsatz.

17. Die in eckige Klammern gesetzten Wörter sind vermutlich eine spätere Glosse.

18. Gerhard VON RAD, *»Gerechtigkeit« und »Leben« in der Kultsprache der Psalmen*, in *FS Alfred Bertholet*, Tübingen, 1950, 418-437 = DERS., *Gesammelte Studien zum Alten Testament* (TB 8), München, 1958, 225-247.

[»ich (sc. Jahwe) bin dein Teil (ḥælkᵉkā)«], meinte sie ursprünglich, daß der Priesterstamm Levi, der ja keinen Landbesitz zugeteilt bekommen hatte, seinen Lebensunterhalt nicht durch bäuerliche Arbeit, sondern durch Anteile an kultischen Opfern bekommen sollte. In einigen Psalmstellen (Ps 142,6; 16,5.9-11 und vor allem 73,26) ist diese Vorstellung ins Spirituelle transponiert.

Wie ich nun an anderer Stelle gezeigt habe[19], beruhen die Schwierigkeiten von Ps 73,23-28 darauf, daß etliche Wendungen doppeldeutig sind: man kann die zitierten Verse auf die Totenauferstehung deuten, man kann sie aber auch diesseitig verstehen. Die Doppeldeutigkeiten häufen sich hier in einem solchen Maße, daß sie aller Wahrscheinlichkeit nach beabsichtigt sind: Wer unbedingt will, kann die Aussagen auf das Diesseits hin verstehen, wer aber die bessere Einsicht hat (»wer in den Heiligtümern Gottes gewesen ist« v. 17!), kann und soll sie darauf deuten, daß der Beter auch nach seinem Tode bei Gott ist. Das nennt er »mein Teil« (ḥælqî).

Damit haben wir nun gewissermaßen das »missing link« gefunden: In dem aus der Krise weisheitlichen Denkens hervorgegangenen Psalm 73 findet sich eine Auferstehungserwartung, die der Beter »mein Teil« nennt – Qohelet argumentiert im 3. Kapitel gegen Leute, die überzeugt waren, nach dem Tode werde ihre rûᵃḥ anders als die der Tiere zu Gott aufsteigen – und wenn Qohelet polemisch dagegen einwendet, nur daß der Mensch sich an seinen Werken (natürlich: hier auf dieser Erde!) freue, sei sein Teil (ḥælqô) und nichts anderes, dann müssen die Gesprächspartner Qohelets ihren Auferstehungsglauben doch wohl mit diesem Wort (ḥēlæq) bezeichnet haben.

Nun schließt sich der Kreis, die bisher gesammelten Erkenntnisse lassen sich wie Mosaiksteinchen zu einem Bild zusammenfügen: Auch in Qoh 3,19ff. wendet sich Qohelet gegen eine Ansicht, die von Weisen aus der Erkenntnis des Scheiterns des Tun-Ergehen-Zusammenhanges heraus entwickelt worden ist. Und das führt zu der Annahme, daß wir in Qoh 7,1-10 und 3,19-20 dieselben Gesprächspartner haben:
– Weise, die in bedrückender Art das Scheitern des Tun-Ergehen-Zusammenhanges erlitten haben,
– die in einer Zeit lebten, die sie (und auch Qohelet) als eine Zeit der Bedrückung ansahen,
– die daraus die Lehre zogen, man müsse an dieser immer schlechter werdenden Welt leiden, man könne und dürfe sich in dieser Welt nicht freuen, wenn man klar denke,
– die als positive Erwartung die Hoffnung darauf entwickelten, daß sie auch über den Tod hinaus bei Gott sein würden, daß für sie »Gott zu nahen« gut sei (Ps 73,28).

---

19. Vgl. die Anm. 15 genannte Arbeit.

Die These dürfte nun genügend begründet sein: Bei Qohelet und in Psalm 73 kann man erkennen, daß die Erkenntnis des Scheiterns des Tun-Ergehen-Zusammenhanges bei Weisen (wenn auch nicht bei allen, wie Jesus Sirach zeigt, so doch bei einigen) zu der Entwicklung von apokalyptischem Gedankengut geführt hat.

Nachtragen läßt sich noch, daß sich diese These durch zwei andere Stellen aus Qohelet absichern läßt, an denen er ebenfalls pointiert feststellt, »dies (und nichts anderes) ist dein Teil« bzw. »sein Teil«. 9,6 sagt er in einer Polemik gegen die Erwartung einer Vergeltung von guten Taten nach dem Tode:

> Auch ihr Lieben, ihr Eifern und Hassen ist schon längst vergangen,
> und einen Anteil (*hēlæq*) gibt es auf Dauer nicht für sie
> bei allem, was unter der Sonne geschieht.

Das klingt wie eine Polemik gegen die Vorstellung, die wir als spiritualisierte Levitenprärogative in Ps 73 kennengelernt haben. Und dazu paßt die Fortsetzung ausgezeichnet:

> 9 Genieße das Leben mit einer Frau, die du liebhast,
> alle Tage deines vergänglichen Lebens,
> die er dir gibt unter der Sonne »...«,
> (*kî hû' hælk^ekā*) denn (nur) dies ist dein Teil im Leben
> und bei deiner Mühe, mit der du dich unter der Sonne abmühst.
>
> 10 Alles, was deine Hand zu tun findet, tue mit Kraft,
> denn es gibt kein Wirken und Berechnen und Wissen und Weisheit in der Scheol,
> in die du gehen mußt.

Wieder wird aus der Polemik von v. 10 deutlich, daß sie sich gegen Leute wendet, die behaupteten, der Mensch könne sein *ma'^aśæ* (Wirken), *hæšbôn* (Berechnen), seine *da'at* (Wissen) und seine *h^okmâ* (Weisheit) über den Tod hinaus retten, könne sie weiterwirken lassen. Qohelet hält dem die traditionelle Überzeugung entgegen, in der Scheol gebe es das alles nicht mehr. Wenn er auch in diesem Zusammenhang äußert, nur das Genießen des Lebens mit einer geliebten Frau sei *hælk^ekâ* »dein Teil«, dürfte hier wieder eine polemische Aufnahme des Stichwortes vorliegen, mit dem die Angeredeten ihre Jenseitshoffnung bezeichneten: *hēlæq*.

Ab 5,10 setzt sich Qohelet mit dem Reichtum und seinen Wertungen auseinander. In diesem Zusammenhang sagt er:

> 17 Hier ist das, was ich jedenfalls als gut, als angemessen betrachtet habe:
> zu essen und zu trinken und sich's gut sein zu lassen
> bei all seiner Mühsal, mit der man sich unter der Sonne abmüht
> in der begrenzten Frist seines Lebens,
> die einem Gott gegeben hat.
> Denn das ist sein Teil (*kî hû' hælqô*).

18 Und auch der Fall, daß Gott dem Menschen Reichtum und Schätze gibt
und ihn befähigt, davon zu genießen
und seinen Teil (*hælqô*) davonzutragen,
(auch) dieser Fall ist eine Gabe Gottes.
19 Denn er braucht dann nicht viel zu denken
an die (Begrenztheit der) Tage seines Lebens,
weil Gott »ihm« Antwort gibt durch die Freude seines Herzens[20].

Zweimal fällt hier wieder das Stichwort *hēlæq*, und anscheinend wird es
auch hier polemisch verwendet. Schon die Rückführung von Reichtum
und Besitz auf Gott dürfte polemisch sein, und erst recht die v. 18
abschließende Feststellung, die Fähigkeit, von seinem Reichtum zu
genießen und seinen Teil davonzutragen, sei eine Gabe Gottes. Die hier
angeredeten Gesprächspartner dürften also die These vertreten haben,
Reichtum und Genießen, seien keine Gabe Gottes. Wie sie das gemeint
haben, geht aus Qoh 6,1-10 hervor, wo in einem Traktat dargelegt
wird, unerfüllte *næpæš* »Sehnsucht« sei grundsätzlich etwas Schlechtes.
Die Argumentation spitzt sich zu in vv. 8–9:

8 Nun: Was für einen Vorteil hat der Weise vor dem Toren,
was für einen der Arme, der es versteht, vor dem Leben zu wandeln?
9 Besser man genießt, was vor Augen kommt,
als daß die *næpæš* (= das Verlangen, die Sehnsucht) umherwandelt.
Auch das ist *hæbæl* und Haschen nach Wind.

Mit dem doch vermutlich von ihm selbst im Stil weisheitlichen Ar-
gumentierens gebildeten komparativen ṭob-Spruch faßt Qohelet die
Grundthese seiner Gesprächspartner knapp und treffend zusammen:
Sie halten *hᵃlŏk næpæš* »das Umherwandeln, Umherschweifen der Sehnsucht« für etwas Gutes. Gemeint sein muß damit, wie die vorangehende
Argumentation zeigt[21], daß man hier auf dieser Erde seine Sehnsucht,
sein Verlangen nicht stillen dürfe, sondern es auf das Jenseits richten
müsse. Aus v. 8 ist dann zu schließen, daß die hier zu Wort Kommenden sich selbst unter dem Stichwort *'anî* »arm, demütig« verstanden.
Was sie erwarteten, kann in diesem Zusammenhang dann aus v. 10
erschlossen werden:

10 Was geschieht, ist schon längst mit Namen genannt,
und es ist bekannt, was ein Mensch ist.
Nicht kann er rechten mit dem, der stärker ist als er.

Wenn wir wiederum nach dem nun schon bewährten Verfahren versuchen, aus dieser polemischen Äußerung Qohelets die Meinung der
Angeredeten zu rekonstruieren, dann ergibt sich folgendes Bild:

---

20. Auf die Probleme dieses Verses kann ich hier nicht eingehen; vgl. Norbert
Lohfink, *Qoh 5:17-19 – Revelation by Joy*, in *CBQ* 52 (1990) 625-635 und Ders., *Von
Windhauch, Gottesfurcht und Gottes Antwort in der Freude*, in *BiKi* 45 (1990) 26-32.
21. Vgl. dazu ausführlich BZAW 183, S. 138-165.

1. Sie haben die These vertreten, was (jetzt) geschehe, sei noch nicht mit Namen genannt, d.h. doch wohl: sei seinem Wesen nach noch nicht klar.

2. Sie haben die These vertreten, es sei (jetzt noch) nicht bekannt, was der Mensch ist. Wenn man das nicht im Sinne eines grundsätzlichen Agnostizismus oder eines Evolutionsglaubens verstehen will, ist die nächstliegende Annahme, daß sie das Bekanntwerden dessen, was ein Mensch sei, von der Zukunft erwarteten. Und dann doch wohl von einer Zukunft, in der ihre *næpœš* zur Erfüllung gekommen ist.

3. Die Angeredeten haben die These vertreten, der Mensch könne »rechten« mit dem, der stärker ist als er. Dieser Satz ist leider doppeldeutig; derjenige, der stärker ist als der Mensch und mit dem der Mensch nicht rechten könne, kann »Gott« oder auch »der Tod« sein. Vom Kontext her legt sich nahe, hier eine Aussage über die Überwindung des Todes zu sehen.

Fazit: Diejenigen, gegen die hier argumentiert wird, hatten als Grundüberzeugung, daß der Mensch mit dem Tod (»dem, der stärker ist als er«) rechten könne, daß er ihn überwinden könne, und daß *dann* deutlich werde, wie die Welt zu beurteilen sei (»dann werde das, was jetzt geschieht, mit Namen genannt«) und dann werde offenbar, was der Mensch (eigentlich!) sei.

Das Mosaik wird immer deutlicher, auch die neuen Steinchen passen ausgezeichnet. Hinzuzufügen ist jetzt noch, daß die Gesprächspartner Qohelets
– unerfüllte Sehnsucht auf dieser Erde im Sinne der Armenfrömmigkeit als etwas Positives ansahen und anscheinend die Meinung vertraten, die Sehnsucht des Menschen müsse sich auf Gott und das Jenseits richten;
– die Meinung vertraten, Erkenntnisse über das (wahre) Wesen all dessen, was geschieht, und vor allen Dingen Kenntnis des (wahren) Wesens des Menschen gebe es (auf dieser Erde noch) nicht; was das positive Gegenstück dieser Negation bei ihnen war, wird zwar von Qohelet nicht gesagt – man dürfte aber kaum fehlgehen (besonders im Blick auf den nächsten Punkt) mit der Annahme, daß sie die Aufhellung nach dem Tode erwarteten;
– glaubten, der Mensch könne mit dem, der stärker ist als er, vermutlich mit dem Tod, rechten und ihn überwinden.

Als Mosaik entsteht immer mehr das Bild von Menschen, die aus der Weisheit heraus Gedanken und Erwartungen entwickelten, die wir als apokalyptisch bezeichnen. Freilich fehlt noch die Vorstellung eines Endgerichtes auch über die Frevler. Läßt sich auch über diesen Vorstellungskomplex etwas in Verbindung mit der Weisheit herausfinden?

Zunächst einmal wird man vermuten dürfen, daß die Vorstellung einer Vergeltung nach dem Tode entwickelt worden ist, weil man eine gerechte Vergeltung von *guten Taten* in diesem Leben nicht feststellen konnte. Der Ansatzpunkt der Jenseitserwartung ist also die erhoffte und erwartete *positive* Vergeltung gewesen. Dennoch aber ist es von der für sich, d.h. für die Guten und Gerechten erwarteten positiven Vergeltung zu der für die Frevler erwarteten negativen Vergeltung (also: Bestrafung) nur ein kleiner Schritt, und tatsächlich ist er in den bisher behandelten Texten auch kurz vollzogen worden: Ps 73,27 findet sich ein Hinweis auf die Vernichtung der Frevler:

> Ja, die fern von dir sind, müssen zugrundegehen,
> du vernichtest alle, die von dir weghuren.

Was wir hier nur andeutungsweise haben, findet sich ausführlich in Ps 37, den wir jetzt noch kurz betrachten müssen.

b) *Psalm 37 und Prv 2*

Ps 37

1 Von David,
   Erhitze dich nicht über Übeltäter,
   sei nicht neidisch auf Unrechttäter!

2 Denn wie Gras verdorren sie schnell,
   wie grünes Kraut verwelken sie.

3 Vertraue auf Jahwe und tue Gutes,
   dann wohnst du im Lande und hast Umgang mit Treue!

4 Habe deine Lust an Jahwe,
   er wird dir geben, was dein Herz begehrt.

5 Wälze auf Jahwe deinen Weg
   und vertrau auf ihn, er wird handeln,

6 indem er wie Licht deine Gerechtigkeit herausgehen läßt
   und dein Recht wie Mittagsleuchten.

7 Sei stille vor Jahwe und hoffe auf ihn,
   ereifere dich nicht über den, der seinen Weg erfolgreich geht,
   über einen Mann, der Ränke ausführt.

8 Steh ab vom Zorn und laß ab vom Grimm,
   ereifere dich nicht – es führt nur zum Bösen!

9 **Denn die Übeltäter werden ausgerottet werden,**
   aber die auf Jahwe harren, werden die 'æræṣ besitzen.

10 Noch kurze Zeit, dann ist der Gottlose verschwunden,
   blickst du auf seinen Ort, so ist er nicht mehr.

11 **Die Demütigen werden die 'æræṣ besitzen,**
   werden Lust haben an der Fülle des Heils.

12 Arges sinnt der Frevler gegen den Gerechten
   und knirscht mit den Zähnen gegen ihn.

13 Der Herr lacht über ihn,
   denn er sieht, daß sein Tag kommen wird.

14 Das Schwert ziehen die Frevler (und treten den Bogen),
um den Elenden und Armen zu fällen,
zu schlachten die, die geraden Herzens sind.

15 Ihr Schwert wird in ihr eigenes Herz dringen,
ihre Bögen werden zerbrochen!

16 Besser wenig für den Gerechten
als große Menge für den Frevler.

17 Denn die Arme der Frevler werden zerbrochen werden,
aber Jahwe stützt die Gerechten.

18 Jahwe kennt die Tage der Makellosen,
ihr Erbe bleibt ewig bestehen.

19 Sie werden nicht zuschanden in böser Zeit,
in den Tagen des Hungers werden sie satt.

20 Ja, die Frevler werden/müssen vergehen:
die Feinde Jahwes sind wie die Pracht der Auen,
sie vergehen, vergehen in Rauch.

21 Wenn der Frevler leiht, will er nicht zurückzahlen —
aber der Gerechte ist hilfreich und gibt.
[Der Frevler muß leihen und kann nicht zurückzahlen,
doch der Gerechte kann spenden und geben. (Kraus)]

22 **Fürwahr: die von ihm Gesegneten werden die 'æræṣ besitzen,
aber die von ihm Verfluchten werden vertilgt.**

23 Von Jahwe kommen die Schritte eines Mannes,
sie sind fest, wenn er an seinem Weg Gefallen hat.

24 Wenn er fällt, wird er (doch) nicht hingestreckt,
denn Jahwe stützt seine Hand.

25 Ich war ein Knabe, bin alt geworden —
und sah nie einen Gerechten verlassen
noch seine Nachkommen um Brot betteln.

26 Alle Tage kann er hilfreich sein und leihen,
wobei seine Nachkommen zum Segen werden.

27 Weiche vom Bösen und tue Gutes,
so wohnst du ewiglich!

28 Denn Jahwe liebt Recht,
nicht verläßt er seine Frommen.
**Auf ewig werden sie bewahrt,
aber der Same der Frevler wird ausgerottet.**

29 **Die Gerechten werden die 'æræṣ besitzen
und immer auf ihr wohnen.**

30 Der Mund des Gerechten spricht Weisheit
und seine Zunge redet Recht.

31 Die Thora seines Gottes ist in seinem Herzen,
seine Schritte wanken nicht.

32 Der Frevler lauert auf den Gerechten
und sucht, ihn zu töten.

33 Aber Jahwe überläßt ihn nicht in seine Hand
und läßt ihn nicht verurteilen, wenn er gerichtet wird.

34 Hoffe auf Jahwe und bewahre seinen Weg,
**daß er dich erhöhe, die 'æræṣ zu besitzen,
der Ausrottung der Frevler kannst du dann (mit Freude) zusehen.**

35 Ich sah den Frevler gewalttätig
   »und sich erheben wie eine Zeder des Libanon« (= LXX) —
36 »Ich« kam vorüber, da war er plötzlich nicht mehr da,
   ich suchte ihn, und er fand sich nicht.
37 Bewahre »Unschuld«, so siehst du »Gradheit«,
   denn das Ende eines solchen Mannes ist Heil.
38 **Die Abtrünnigen werden allesamt vertilgt,**
   das Ende der Frevler ist »Verderben«.
39 Die Hilfe der Gerechten kommt von Jahwe,
   er ist ihre Zuflucht in schlimmer Zeit.
40 Und so hilft ihnen Jahwe und rettet sie,
   rettet sie vor den Frevlern und unterstützt sie,
   denn sie bergen sich bei ihm.

Wie der Kundige leicht sieht, ist der Psalm voll von weisheitlichen Motiven; dem entspricht die übliche Gattungsbestimmung, so z.B. Kraus[22]: »Ps 37 gehört zur Formgruppe der *Lehrdichtungen*... Erfahrungen und Erkenntnisse werden im Stil der alttestamentlichen Weisheitsdichtung vorgetragen und mitgeteilt«. Deissler[23] redet von »Weisheitsgedicht«, Mowinckel[24] und Anderson[25] von »Wisdom Psalm«. Die akrostichische Form[26] unterstreicht, daß wir hier ein Lehrgedicht haben; dabei ist wohl davon auszugehen, daß bei dieser Form vor allem beabsichtigt ist, durch die Zuordnung der Verse zu allen Buchstaben des Alphabets etwas Vollständiges, in sich Abgerundetes zu schaffen, wenn auch mnemotechnische Gründe mitspielen mögen. Wie in etlichen Kommentaren nachzulesen ist, hat der Formzwang des Akrostichons dazu geführt, daß ein klarer Gedankenfortschritt nicht erkennbar ist; vielmehr erweckt der Psalm den Eindruck einer Sentenzensammlung, die um ein bestimmtes Thema kreist: Mahnung zu Vertrauen auf Jahwe, der gerecht vergelten wird.

Dabei ist allerdings schon der erste Vers enthüllend: Er setzt mit der Warnung ein, sich nicht über die Übeltäter zu erhitzen und nicht neidisch auf sie zu sein, weil sie wie Gras schnell verdorren würden. Offenbar lag für unseren weisen Psalmisten die Gefahr des Erhitzens und Neidisch-Seins sehr nahe – so nahe, daß ihm das Wichtigste seiner Unterweisung die Warnung vor diesem Fehlverhalten ist. Die beständige Versicherung, es werde den Guten gut und den Frevlern schlecht gehen, dürfte also die Funktion haben, in einer Zeit der Anfechtung, in der die alte Lehre durch die nicht zu ihr passenden äußeren Gegeben-

---

22. Hans-Joachim KRAUS, *Psalmen* (BKAT XV, 1), [5]1978, S. 439.

23. Alfons DEISSLER, *Die Psalmen* (Die Welt der Bibel), Bd. 1, Düsseldorf, 1963, S. 152.

24. Sigmund MOWINCKEL, *The Psalms in Israel's Worship*, Vol. I-II, Oxford, 1962; Bd. II, S. 104ff.

25. A.A. ANDERSON, *The Book of Psalms*, Volume 1 (NCBC), 1972, S. 292.

26. Zu dieser Form vgl. z.B. Otto KAISER, *Einleitung in das Alte Testament*, Gütersloh, [4]1978, S. 318f.

heiten fraglich geworden war, sich eben der alten, überlieferten Lehre zu versichern. Auch wenn der Augenschein anders sein sollte – die Lehre vom gerecht vergeltenden Gott stimmt doch, und deshalb ist es immer noch das Beste, sich an ihn zu halten.

Ein wesentliches Motiv dieser sich des eigenen Glaubens vergewissernden Lehre ist die wiederholte Feststellung, das (gegenwärtige und Anstoß erregende) Glück der Frevler werde nicht von Dauer sein, vielmehr würden sie bald dahinwelken, vergehen, vernichtet werden, während den Weisen, den Gerechten Leben geschenkt wird. Zweifellos wird damit ein Motiv der traditionellen Weisheit zitiert (vgl. z.B. Prv 10,25.27 u.ö., paradigmatisch 13,14 »Der Weisen Lehre ist der Brunnen des Lebens, zu entgehen den Fallstricken des Todes«).

Doch bei genauerem Zusehen zeigt sich, daß ein Motiv in ganz besonderer Weise die Hoffnung des weisen Psalmisten bestimmt: die Bösen werden vernichtet werden, während die Guten die 'æræṣ erben, besitzen werden.

9   Denn die Übeltäter werden ausgerottet (*krt* ni) werden,
     aber die auf Jahwe harren, werden die 'æræṣ erben/besitzen (*jrš*).

11   Die Demütigen werden die 'æræṣ besitzen,
     werden Lust haben an der Fülle des Heils.

22   Fürwahr: die von ihm Gesegneten werden die 'æræṣ besitzen,
     aber die von ihm Verfluchten werden vertilgt.

28   ... Auf ewig werden sie (sc. seine Frommen) bewahrt,
     aber der Same der Frevler wird ausgerottet.

29   Die Gerechten werden die 'æræṣ besitzen
     und immer auf ihr wohnen.

34   Hoffe auf Jahwe und bewahre seinen Weg,
     daß er dich erhöhe, die 'æræṣ zu besitzen,
     der Ausrottung der Frevler kannst du dann (mit Freude) zusehen.

38   Die Abtrünnigen werden allesamt vertilgt,
     das Ende der Frevler ist »Verderben«[27].

Meistens wird die Aussage vom »Ererben, Besitzen der 'æræṣ« folgendermaßen gedeutet: »Darin ist auf die Bundesgabe des Gelobten Landes angespielt. Der Bundestreue darf für sich und seinen Nachwuchs darauf vertrauen, daß er einen Anteil daran behalten wird« (Deissler 154). Freilich kann dadurch nicht die überragende Bedeutung dieser Vorstellung in unserem Psalm erklärt werden; von Rad wurde durch sie zu folgender Überlegung veranlaßt: »Was er mit dem Besitz des Landes, des Erbes, auf sich hat, auf den der Psalm immer wieder zurückkehrt (V. 3.9.11.18.22.27.39.34), ist nicht klar. Sollte es sich um Kleinbauern handeln, die – vgl. Mi 2,2 – fürchten müssen, ihr Erbe an die Großgrundbesitzer zu verlieren?«[28]. Ich glaube nicht, daß von Rad mit

---

27. Text nach LXX.
28. Gerhard VON RAD, *Weisheit in Israel*, Neukirchen, 1970, S. 263, Anm. 14.

seiner Vermutung recht hat – immerhin aber kann und muß seine Erwägung den Blick dafür schärfen, daß hier ein Problem liegt. Weshalb wird dieser Vorstellungskomplex so sehr betont? – Eine andere Lösung bietet Fritz Stolz[29]: »Landbesitz ist *das* Heilsgut Israels, die Unterwiesenen werden also als Glieder des wahren Israel angeredet, das zwar jetzt noch nicht das Land besitzt, dem dies aber verheißen ist. In der Gegenwart ist dieses wahre Israel noch eine verborgene Größe – noch triumphieren die Feinde«. Das Florilegium sei mit Kraus abgeschlossen: »Die Bösen... werden ausgetilgt, aber die auf Jahwe hoffen, werden das Land besitzen. Auf dem 'Land', das Jahwe als Heilsgut und Lebensgrund gegeben hat, entscheidet sich das Schicksal derer, die auf ihn hoffen... Den 'Bösen' wird genommen, was sie nicht in dankbarem Gehorsam entgegennahmen« (441).

Ich habe deshalb mit Kraus geschlossen, weil er am leichtesten zu widerlegen ist: Es geht nicht darum, daß den Bösen das Land genommen wird, sondern darum, daß sie abgeschnitten, ausgerottet werden. Man muß doch wohl das, was fast immer nebeneinandersteht und also als zusammengehörig angesehen werden soll, auch zusammenlassen: Die Guten werden die *'æræṣ* erben/besitzen, die Bösen werden ausgerottet werden! Das sind offenbar zwei Aspekte derselben Sache, die man nicht auseinanderreißen darf!

Die Auslegung von Stolz ist beachtenswert; sie kann erklären, weshalb hier so großes Gewicht auf das Erben/Besitzen des Landes gelegt wird. In der Tat dürften die Angeredeten sich als verborgenes, wahres Israel verstanden haben; das kann man aus den verwendeten Charakterisierungen schließen, die ja doch zweifellos als Selbstbezeichnungen der hier Redenden zu verstehen sind: »die auf Jahwe harren«, »die Demütigen«, »die von Gott Gesegneten«, »seine Frommen«, »die Gerechten«. Auffällig ist, daß hier nie von »Israel« die Rede ist; man muß wohl daraus schließen, daß hier eine Gruppe in Israel redet, die sich von anderen in Israel abgrenzt[30]. – Wie soll man sich nun vorstellen, daß dieses verborgene wahre Israel die *'æræṣ* erben/besitzen wird, während die Übeltäter/von Gott Verfluchten/Frevler/Abtrünnigen allesamt vernichtet werden, und zwar so, daß man den Vorgang folgendermaßen beschreiben kann: *wîrômimkā lāræšæt 'æræṣ bᵉhikkārēt rᵉšā'îm tir'æ* »und er wird dich erhöhen, (die) *'æræṣ* zu erben/besitzen, wobei du dem Vernichtetwerden der Frevler mit Freude zusehen kannst«? Man muß wohl so stark übersetzen: *rā'ā bᵉ* bedeutet »mit Gefühlsbewegung, mit Freude zusehen«, »sich weiden an«!

Diese Vorstellung meint nach meiner Überzeugung nichts anderes als die Erhöhung und Vernichtung bei dem großen Endgericht. Diese

---

29. Fritz Stolz, *Psalmen im nachkultischen Raum* (ThSt 129), 1983, S. 63f.
30. Vgl. dazu Diethelm Michel, *Armut II. Altes Testament*, in *TRE* IV, S. 72-76; 75f.

Deutung ist bereits von Duhm[31] vertreten worden, der hier wie Ps
25,13 von einer »eschatologischen Erwartung« spricht und zum Vergleich auf Jes 60,21; 57,13; 65,9 verweist:

60,21   Dein Volk besteht nur aus Gerechten,
         sie werden für immer *æræṣ* besitzen (*jrš*)
         als aufblühende Pflanzung Jahwes,
         als das Werk seiner Hände,
         durch das er seine Herrlichkeit zeigt.

57,13   Doch wer mir vertraut, wird *æræṣ* zum Besitz bekommen (*nḥl*)
         und meinen heiligen Berg besitzen (*jrš*).

65,9   Ich lasse aus Jakob Samen hervorgehen
         und aus Juda (Leute), die meine Berge erben/besitzen (*jrš*),
         und so werden meine Auserwählten erben/besitzen,
         und meine Knechte werden dort wohnen.

   10   Euch aber, ihr Jahwe-Verlasser,
         die ihr meinen heiligen Berg vergeßt,
         ...

   12   euch überantworte ich dem Schwert:
         ihr müßt euch ducken und werdet geschlachtet.

Die Deutung Duhms, die ihm keiner seiner Kollegen geglaubt hat, ist
nun durch den Pescher zu Ps 37 aus Qumran (4QpPs37) überraschend
bestätigt worden: dort werden die Aussagen von Erben/Besitzen der
æræṣ und vom Vernichtetwerden der Frevler eindeutig auf das Endgericht bezogen.

Die Frage stellt sich natürlich, ob die Qumranleute damit den
ursprünglichen Sinn verändert haben – oder ob sie die Aussagen von Ps
37 so verstanden haben, wie sie ursprünglich gemeint waren. Wenn man
auf die Aussagen aus Tritojesaja blickt, scheint mir viel für die letztere
Möglichkeit zu sprechen. Sie paßt wohl auch am besten zu dem
Nebeneinander der positiven Aussagen über das Erben/Besitzen des
Landes und der negativen Aussage über die Ausrottung der Frevler.

Wenn das richtig ist, muß man fragen, was denn eigentlich mit *æræṣ*
hier gemeint sei. Die Frage ist gar nicht leicht zu beantworten. Es
dürfte stimmen, daß diese Erwartungen von den Aussagen über die
Landverheißung herkommen, die sich auf das Land Kanaan bezogen;
daran dürfte noch Jes 65,9 denken, wenn dort gesagt wird, Leute aus
Juda würden »meine Berge« erben/besitzen. Andererseits haben mindestens die Aussagen von der vollständigen Vernichtung der Frevler eine
so starke Tendenz zum Universellen, daß bei der Doppeldeutigkeit des
hebräischen *æræṣ* sicherlich irgendwann einmal an die ganze Erde
gedacht worden ist. Dies ist mit ziemlicher Sicherheit in Mt 5,5 der
Fall: »Selig sind die Gewaltlosen, denn sie werden die Erde erben«. Mir
scheint, daß auch bei den Aussagen von Ps 37 die Übersetzung »Erde«
besser in den Kontext paßt als die Übersetzung »Land«.

31. Bernhard DUHM, *Die Psalmen* (KHC XIV), ²1922.

Aber auch wenn man dieses Stadium der Entwicklung (noch!) nicht in Psalm 37 finden will – auf jeden Fall scheint mir hier eine Verbindung von weisheitlichen Vorstellungen mit der apokalyptischen Vorstellung eines Endgerichtes vollzogen zu sein.

Ähnliches gilt auch für Prv 2,21-22. Dort wird am Ende einer weisheitlichen Lehrrede, die man mit Plöger besser »Wiederverwendungsrede«[32] nennen sollte, überraschenderweise gesagt:

21 Denn die Rechtschaffenen werden *ʾæræṣ* bewohnen
  und die Vollkommenen werden auf ihr übrigbleiben (!),
22 aber die Frevler werden aus der *ʾæræṣ* vertilgt
  und die Abtrünnigen werden von ihr weggenommen werden.

Nach meiner Überzeugung[33] haben wir in diesen Versen, die in einer gewissen Spannung zu den vorher genannten »Heilserwartungen« stehen, einen Zusatz von Apokalyptikern zu der weisheitlichen Wiederverwendungsrede: wer auf die Worte des Weisheitslehrers hört, wird beim großen Endgericht »übrigbleiben«.

Wir halten inne. Die zusammengetragenen Beobachtungen führen zu dem Ergebnis: Auch *alttestamentliche* Weisheitstexte lassen erkennen, daß es Menschen gegeben hat, die sich selber als Weise verstanden, die aus der Weisheitstradition kamen und die sich mit Fragen der Eschatologie beschäftigen. Es gibt also, um an das eingangs erwähnte Zitat von Koch anzuknüpfen, eindeutige Belege für eine eschatologisch interessierte Weisheit. Was folgt nun daraus für das Problem eines Zusammenhanges von Weisheit und Apokalyptik?

3. GRUNDSÄTZLICHE SCHLUSSERWÄGUNGEN

Läßt sich aus dem Ausgeführten, wenn es stimmen sollte, der Schluß ziehen, die Apokalyptik sei ein Kind der Weisheit, sei aus der Weisheit hervorgegangen?

Ehe wir diese Frage zu beantworten suchen, müssen wir nun doch noch definieren, was unter »Weisheit« und »Apokalyptik« verstanden werden soll. Dabei taucht die grundsätzliche Schwierigkeit auf, daß für »Weisheit« ein hebräischer Begriff existiert (*ḥᵒkmā*), für »Apokalyptik« dagegen nicht. Daß es so etwas wie »Weisheit« (*ḥᵒkmā*) gibt, hat der Hebräer also selber wahrgenommen und hat es als so wichtig angesehen, daß er es mit einem eigenen Wort bezeichnete; für »Apokalyptik« gilt

---

32. Zu den Problemen von Prv 2 vgl. Diethelm MICHEL, *Proverbia 2 – ein Dokument der Geschichte der Weisheit*, in *Alttestamentlicher Glaube und Biblische Theologie* (FS. H.D. Preuß), Stuttgart 1992, 233-243.
33. Vgl. die Anm. 21 genannte Arbeit, wo sich eine ausführliche Begründung findet.

das nicht. Das durch »Apokalyptik« bezeichnete Phänomen (wenn es denn überhaupt als ein einheitliches existiert hat) ist also den Hebräern selber als solches nicht in demselben Maße bewußt gewesen wie der modernen Wissenschaft; aus dieser Tatsache dürften wohl unsere Definitionsschwierigkeiten kommen.

»Weisheit« ($ḥokmā$) nennen wir den Versuch des Menschen, durch die Auswertung seiner Erfahrungen Ordnungen in die verwirrende Fülle der auf ihn einstürmenden Erscheinungen zu bringen. Solches Ordnen ist lebensnotwendig für den Menschen; vgl. den bekannten Satz, mit dem von Rad sein Buch »Weisheit in Israel« einleitet: »Kein Mensch würde auch nur einen Tag leben können, ohne empfindlichen Schaden zu nehmen, wenn er sich nicht von einem ausgebreiteten Erfahrungs-wissen steuern lassen könnte«[34]. Von der gemeinten Sache her kann man $ḥokmā$ vielleicht besser mit »sachverständige Tüchtigkeit« über-setzen, doch will ich bei der üblichen Wiedergabe durch »Weisheit« bleiben, um eine babylonische Sprachverwirrung zu vermeiden. — Weil solches lebensnotwendige Auswerten der Empirie ein allgemein mensch-liches Phänomen ist, gibt es »Weisheit« nicht nur in Israel, sondern überall. Die Ergebnisse dieser Auswertung der Empirie sind von ihrem Ansatz her notwendig immanent, weil die Empirie immanent ist. Auch wenn die alttestamentlichen Weisen Gott als Urheber der von ihnen erkannten Ordnungen einführten, ist dieser »Gott« letztlich nichts anderes als die Verkörperung einer vom Menschen erkannten imma-nenten Gesetzmäßigkeit. – Dies gilt auch, wenn die Weisheit Ursache-Folge-Zusammenhänge feststellt und einen »Tun-Ergehen-Zusammen-hang« konstatiert; wenn »Gott« als dessen Bewirker und Garant ange-nommen wird, ist dieser Gott wiederum nichts anderes als die Apo-theose einer aus der Empirie gefolgerten Gesetzmäßigkeit, eine geord-nete, durchschaubare und erkennbare Welt, die er mittels seines Ver-standes immer besser gestalten kann.

Was Apokalyptik sei, ist bekanntlich sehr umstritten[35]. Ich kann denen nicht folgen, die mit »Apokalyptik« »ausschließlich ein *literari-sches* Phänomen« bezeichnen wollen und die die Charakterisierung der Apokalyptik von ihren Inhalten her für »grundsätzlich falsch« halten[36]. Das literarische Phänomen, als welches man Apokalyptik *auch* ansehen kann, hat seine Eigenheit erst dadurch, daß es Produkt eines ganz bestimmten Lebensgefühls, eines »Welt- und Selbstverständnisses«

---

34. Gerhard VON RAD, *Weisheit in Israel*, Neukirchen, 1970, S. 13.

35. Man vergleiche zu den hier vorliegenden Schwierigkeiten nur die Zusammen-fassung und Auswertung der Beiträge des internationalen Symposiums über »Apokalypti-cism«, Uppsala 1979 durch Kurt RUDOLPH, *Apokalyptik in der Diskussion*, in D. HELL-HOLM (Hg.), *Apocalypticism* (s. Anm. 9), S. 771-789.

36. So z.B. Hartmut STEGEMANN, *Die Bedeutung der Qumranfunde für die Erforschung der Apokalyptik*, in D. HELLHOLM (Hg.), *Apocalypticism* (s. Anm. 9), S. 495-530, hier S. 498 und 499.

ist[37]. Und wenn man dies zu skizzieren versucht, ergibt sich etwa folgendes:

Apokalyptische Weltdeutung ist eine Antwort auf die Erfahrung, daß die überkommenen religiösen Deutungsmuster der Welt offenkundig versagen: ein gerechtes Vergelten Gottes ist nicht konstatierbar; Menschen, die nach den überlieferten Regeln der »Religion« böse sind und denen es also schlecht gehen müßte, erfreuen sich eines sichtbaren Wohlergehens; auf der anderen Seite geht es den »Apokalyptikern« ungerechtfertigterweise schlecht – was soziologisch seinen Grund darin haben kann, daß sie eine Randgruppe bilden, die von der Allgemeinheit unterdrückt wird und deshalb leidet. Die schlechten Erfahrungen, vor allem die Erfahrung der Heillosigkeit und Ordnungslosigkeit der Welt, führen zu einer negativen Wertung der Welt, die schließlich zu der Theorie führt, daß die Welt, so wie sie ist, gottesfern ist und deshalb einem Ende entgegensteuert, ja entgegensteuern muß, weil erst das Böse der Welt vernichtet werden muß, ehe dann das Heil wirklich kommen kann. Schließlich wird dann die Zwei-Äonen-Lehre ausgebildet. – Dies alles bedeutet aber nicht, daß Gott nicht das Heil derjenigen wolle, die wirklich seinen Willen tun. Er hat vielmehr alles, was sich jetzt ereignet, schon längst vorhergesehen und vorherbestimmt. Mehr noch: er hat es sogar vor langen Zeiten bereits kundgetan, freilich nicht so, daß es allgemein bekannt geworden wäre, sondern so, daß er es besonderen Auserwählten enthüllt hat, die diese Enthüllung dann insgeheim aufgeschrieben und tradiert haben. Jetzt endlich ist die Zeit, diese geheimen Enthüllungen den Eingeweihten kundzutun – zu Trost und Stärkung in dieser schlimmen Zeit, die ihrem Ende entgegengeht.

Wenn dies eine auch nur halbwegs zutreffende Beschreibung apokalyptischen Gedankengutes ist, dann ist deutlich, daß Lebram auf der rechten Spur war mit seinem Satz: »Apokalyptisches Denken ist also eine mit Hilfe einer bestimmten literarischen Technik vollzogene Deutung der Gegenwartssituation des Verfassers und seiner zeitgenössischen Leser«[38]; meiner Meinung nach muß man nur »literarische Technik« durch »religiöse Theoriebildung« o.ä. ersetzen – die literarische Technik kommt dann noch eine Stufe später. Und deutlich ist dann auch weiter, daß hier von Gläubigen ernsthaft versucht wird, in einer bedrängenden Zeit der Anfechtung ihren Glauben an Gott und seine Offenbarung durchzuhalten[39].

Wenn das alles stimmt, dann ist deutlich: In ihrem Daseinsverständ-

---

37. Vgl. RUDOLPH: Apokalyptik und Apokalypse »sind aufeinander bezogen anzusehen: letztere ist literarische Manifestation eines apk. Sachverhaltes, der wiederum nur in Gestalt dieser Manifestation greifbar ist« (a.a.O., S. 776).

38. Jürgen LEBRAM, *Apokalyptik/Apokalypsen*. II. *Altes Testament*, in *TRE* 3 (1978) 192–202; 192.

39. Auf diese Seite der Apokalyptik hat vor allem Egon Brandenburger hingewiesen, vgl. Egon BRANDENBURGER, *Die Verborgenheit Gottes im Weltgeschehen* (AThANT 68), 1981; DERS., *Gerichtskonzeptionen im Urchristentum und ihre Voraussetzungen. Eine*

nis, in ihrem Welt- und Menschenverständnis und in ihrem Gottesver-
ständnis sind Weisheit und Apokalyptik so verschieden, daß Weisheit
nicht der Ursprung der Apokalyptik im Sinne einer aufweisbaren
Evolution sein kann. Die sachlichen Berührungen, die nach meiner
Überzeugung zweifellos vorhanden sind und die ich aufzuweisen versucht habe, können dann nur folgendes bedeuten: In einer Krise
weisheitlichen Denkens, in der der Glaube an einen aufweisbaren Sinn
dieser Welt zerbrochen war, konnten Menschen verschiedene Wege
gehen, um die Krise zu bewältigen:
– sie konnten wie die Freunde Hiobs den Weg einer dogmatischen
Verfestigung gehen und die erfahrene Wirklichkeit nicht genügend
beachten,
– sie konnten den Weg Qohelets gehen, der auf eine Beantwortung der
Sinnfrage verzichtete und sich darauf beschränkte, das ihm jeweils
Begegnende als Gabe Gottes anzunehmen, und
– sie konnten den Weg der Apokalyptiker gehen, die versuchten, ihre
neuen Erfahrungen *auch unter Verwendung überkommener theologischer
Traditionen* auszudrücken.

Anders ausgedrückt: die Apokalyptiker, die etwas ganz Neues ausdrücken wollten, benutzten dazu die ihnen überlieferten theologischen
Denkmuster, auch die der Weisheit. Denn sie wollten ja eine Krise
überwinden, die auch eine Krise der Weisheit war. Aber das Neue ist
bei ihnen so stark, daß sie die in der Weisheit eigentlich intendierte Art
der Weltbewältigung verlassen. Wie ein wirklich in der geistigen Tradition der Weisheit Stehender auf apokalyptische Geschichtsdeutung
reagierte, kann man wiederum aus Qohelet ersehen, der 3,11 feststellt,
auch den *'ōlām*, die über den Augenblick hinausgehende Zeit, habe
Gott in das Herz der Menschen gegeben, ohne daß der Mensch das
Werk, das Gott tue, von Anfang bis Ende herausfinden könne. Eben
dies wollten die Apokalyptiker, darin lag ihre Größe und ihre Gefahr –
und eben dies wollte der im ursprünglichen Sinne der Weisheit immanent denkende Qohelet nicht. Und er erwies sich darin als der wahre
Erbe der Weisheit in der Zeit der Anfechtung[40].

Universität Mainz   Diethelm MICHEL
Saarstraße 21
D-6500 Mainz

Problemstudie [im Druck befindlicher Aufsatz, den mir Herr Brandenburger freundlicher-
weise im Manuskript zugänglich gemacht hat. Der Aufsatz ist inzwischen in *SNTU* 16
(1991) 5-54 erschienen].

40. Anmerkungsweise sei auf folgendes hingewiesen: Wenn im Daseinsverständnis von
Weisheit und Apokalyptik so große Differenzen bestehen, daß eine direkte Ableitung der
Apokalyptik aus der Weisheit äußerst unwahrscheinlich ist, so bedeutet dies keineswegs,
die Apokalyptik sei aus der Prophetie abzuleiten. Auch hier würde eine Analyse m.E. ein
analoges Bild ergeben: Neben zweifellos demonstrierbaren inhaltlichen Beziehungen steht
eine so große Differenz im Daseinsverständnis, daß auch hier eine direkte Ableitung
äußerst unwahrscheinlich ist.

REICH GOTTES UND GESETZ
IM DANIELBUCH UND IM WERDENDEN JUDENTUM

I

Geht es nach dem Neuen Testament, verbinden sich mit den beiden Begriffen Reich Gottes und Gesetz zwei vollkommen verschiedene Welten, die kaum wirkliche Berührungspunkte haben. Von ersterem kündet der Jesus der Evangelien ohne oder aber gegen das zweite, das zweite wiederum ist ohne das erste Gegenstand der theologischen Polemik bei Paulus. Das Reich Gottes in den Evangelien steht für die von Jesus von Nazareth verkündigte, mit dem gekreuzigten und auferstandenen Christus in Zukunft vollendete Selbstdurchsetzung des gerechten Gottes, das Gesetz bei Paulus ebenso wie die pharisäisch-schriftgelehrte »Überlieferung« in den Evangelien für die Durchsetzung des selbstgerechten Menschen. Im einzelnen liegen die Dinge natürlich sehr viel komplizierter, zeugen etwa in den Evangelien auch »das Gesetz und die Propheten« vom Gottesreich und ist bei Paulus das Gesetz auch heilig, gerecht und gut, doch geht die Grundtendenz in die andere Richtung. Im Danielbuch ist von beidem die Rede, vom einen mehr, vom anderen etwas weniger. Wie es scheint und auch oft genug so gesehen wird[1], repräsentieren Reich Gottes und Gesetz hier also (noch) keine gegensätzlichen Positionen, sondern gehören zusammen. Wie aber sieht dieser Zusammenhang aus?

In der Danielforschung[2] gehen die Meinungen auseinander. Dabei sind zwei Ebenen der Argumentation zu unterscheiden: einerseits geht es um die Stellung des Danielbuchs im Rahmen der nachexilischen Theologiegeschichte, andererseits um die Analyse des Buches selbst.

---

1. Z. B. von U. KELLERMANN, *Messias und Gesetz* (BSt, 61), Neukirchen-Vluyn, 1971, p. 116: »Gottesherrschaft und Gesetz bilden die Leitmotive der chasidischen *Apokalypsensammlung* des Danielbuchs.« Vgl. auch O. CAMPONOVO, *Königsherrschaft und Reich Gottes in den frühjüdischen Schriften* (OBO, 58), Freiburg (CH) / Göttingen, 1984, p. 117ff.437; ihm folgt jüngst N. LOHFINK, *Der Begriff des Gottesreichs vom Alten Testament her gesehen*, in J. SCHREINER (Hg.), *Unterwegs zur Kirche* (QD, 110), Freiburg/Basel/Wien, 1987, 33-86, p. 77ff.81ff. Vgl. ferner E. ZENGER, *Art. Herrschaft Gottes / Reich Gottes II. Altes Testament*, in TRE 15 (1986) 176-189, p. 187f.; E. HAAG, *Gottes Herrschaft und Reich im Alten Testament*, in IThZ 15 (1986) 97-109, p. 106.108f. und im Blick aufs Gesetz M. HENGEL, *Judentum und Hellenismus* (WUNT, 10), Tübingen, ²1973, p. 325f., für den weiteren Horizont *ibid.*, p. 532ff.557ff. sowie schon W. BOUSSET / H. GRESSMANN, *Die Religion des Judentums im späthellenistischen Zeitalter* (HNT, 21), Tübingen, ³1926, 124f.

2. Ausführliche Berichte von W. BAUMGARTNER, *Ein Vierteljahrhundert Danielforschung*, in ThR NF 11 (1939) 59-83.125-144.201-228; K. KOCH, *Das Buch Daniel* (EdF, 144), Darmstadt, 1980.

Zum ersten: Das geschlossene Bild vom Zusammenhang der beiden fraglichen Themen basiert auf der Annahme der literarischen Einheitlichkeit des Buches, wie sie in der älteren Forschung etwa von Bleek, von Gall und besonders Rowley verteidigt wurde[3] und in neuerer Zeit nicht nur von fundamentalistischer Seite her[4], sondern ebenso von prominenten kritischen Kommentaren wie Bentzen, Porteous, Plöger oder Delcor vertreten wird[5], wobei für letztere im Unterschied zu den Evangelikalen die Entstehung im 2. Jh. v.Chr. natürlich feststeht. Strittig ist auf dieser Grundlage nicht die Verbindung von Reich Gottes und Gesetz an sich, sondern die Frage, welches der beiden Themen konzeptionell im Mittelpunkt steht[6]. Die Unterschiede verbinden sich exemplarisch mit den beiden Namen Julius Wellhausen auf der einen und Otto Plöger auf der anderen Seite.

Seit Wellhausen und der maßgeblich von ihm begründeten Sicht der israelitisch-jüdischen Religionsgeschichte gehört das Danielbuch ins Judentum und also in den Strom der nachexilischen Gesetzesreligion, ja mehr noch in die Phase seiner »letzten Versteifung«, aus der dann recht unmittelbar der »Rabbinismus« und der »Pharisaismus« hervorgegangen sei[7]. Im Zentrum der eschatologischen Erwartung steht der Begriff des »Reichs«, und zwar als strikter Gegensatz von gegenwärtigem Weltreich und zukünftigem Gottesreich. Doch: »Die Frommen handeln nicht auf das Reich, sondern in dem Reich, d.h. nach den in ihm gültigen Gesetzen«[8]. So ist die Erwartung des Gottesreichs Horizont und

---

3. F. BLEEK, *Über Verfasser und Zweck des Buches Daniel*, in *Theologische Zeitschrift Berlin* 3 (1822) 171-294; A. FRH. VON GALL, *Die Einheitlichkeit des Buches Daniel*, Gießen, 1895; H. H. ROWLEY, *The Unity of the Book of Daniel*, in *HUCA* 23/1 (1950/51) 233-273 (= DERS., *The Servant of the Lord and Other Essays on the Old Testament*, London, 1952, 235-268 = ²1965, 247-280).

4. Repräsentativ ist der Sammelband *Symposium on Daniel*, hg. von F. B. HOLBROOK (Daniel and Revelation Committee Series 2), Washington, 1986. Bes. zur Frage der Einheitlichkeit A. J. FERCH, *The Book of Daniel and the »Maccabean Thesis«*, in *AUSS* 21 (1983) 129-141.

5. A. BENTZEN, *Daniel* (HAT, I/19), Tübingen, ²1952; N. W. PORTEOUS, *Das Danielbuch* (ATD, 23), Göttingen 1962 = ²1968, mit Nachtrag zur neueren Forschung ³1978 = ⁴1985; O. PLÖGER, *Das Buch Daniel* (KAT, XVIII), Gütersloh, 1965; M. DELCOR, *Le livre de Daniel* (SBi), Paris, 1971.

6. Vgl. zu dieser Diskussion KOCH (s.o. Anm. 2), p. 12f.127ff.158ff., bes. 161f.; ferner M. LIMBECK, *Die Ordnungen des Heils. Untersuchungen zum Gesetzesverständnis des Frühjudentums* (Kommentare und Beiträge zum Alten und Neuen Testament), Düsseldorf, 1971, p. 11-28.

7. J. WELLHAUSEN, *Israelitisch-jüdische Religion* (1905), wiederabgedruckt in: DERS., *Grundrisse zum Alten Testament*, hg. von R. SMEND (TB, 27), München, 1965, 65-109, p. 108f. Vgl. DERS., *Israelitische und jüdische Geschichte*, Berlin, ⁷1914, p. 241f.275ff., bes. 286f.; DERS., *Die Pharisäer und die Sadducäer* (1874; ²1924) Nachdruck Göttingen, ³1967, p. 21f.23f.; DERS., *Zur apokalyptischen Literatur*, in DERS., *Skizzen und Vorarbeiten* 6, Berlin, 1899, 215-249.

8. *Pharisäer*, p. 24; vgl. *ibid.*, p. 21f.: »Die Triebkraft, die hiebei wirkt, ist der theokratische Grundgedanke: der Herr ist König. Man thut, was er befohlen hat; was daraus wird, ist seine Sache.«

Antrieb, eigentlicher Grund zum Gesetzesgehorsam, der in der bestehenden »Theokratie«[9] schon erfüllt, was im kommenden Gottesreich gilt. Man wird Wellhausen also schwerlich vorwerfen können, er habe die Eschatologie (und Apokalyptik) unterschlagen oder an den Rand gedrängt. Im Gegenteil: Sie gilt ihm gerade als das wesentliche Kennzeichen der späten, asidäisch-pharisäischen Ausprägung der jüdischen Gesetzestheologie im Unterschied zu den makkabäischen Kämpfern, aus denen der mittlerweile hellenistisch angepaßte, hasmonäisch-sadduzäische Priesteradel und die zelotischen Aktivisten wurden, und weist für ihn gar über das Judentum hinaus auf das »prophetische« Evangelium[10] und eine »christliche Universalhistorie«[11]. Daß Wellhausen die Eschatologie (übrigens seit dem Exil, von Ezechiel angefangen) gleichwohl in den Hauptstrom der nachexilischen, von Esra begründeten »theokratischen« Gesetzesreligion einordnet, hätte – man mag von der ganzen Konstruktion und ihren Werturteilen halten, was man will – ihre historische Bedeutung eigentlich nicht schmälern, sondern, wie dann die Werke von Volz und Bousset/Greßmann zeigen, eher heben sollen[12].

9. Zu ihr vgl. J. WELLHAUSEN, *Prolegomena zur Geschichte Israels*, Berlin, [6]1905, p. 409ff.; DERS., *Pharisäer*, p. 12ff. und noch einmal *ibid.*, p. 24: »Die Theokratie, d.h. die israelitische Gemeinde, und das Reich Gottes fallen auseinander, für letzteres ist die Weltherrschaft charakteristisch. Sie stehen aber auch wiederum in Zusammenhang ...«, nämlich, wie gerade vorhin (Anm. 8) zitiert, im Halten des gemeinsamen Gesetzes.

10. Vgl. *Zur apokalyptischen Literatur*, p. 231 im Blick auf spätere Apokalypsen (syrBar, 4.Esr) und ihren Unterschied zu Daniel: »Wir dürfen die Erhebung der Hoffnung in das Individuelle und Transcendente wol als eine Vergeistigung bezeichnen. Wie die Eschatologie überhaupt das innerste Wesen des Judentums offenbart, so entspricht auch die Vergeistigung der Eschatologie der Vergeistigung des Judentums selber, deren Consequenz das Evangelium ist.« Und *Pharisäer*, p. 21 zum Verhältnis Neues Testament und Pharisäer: »Man darf nun aber nicht vergessen, dass die Gegensätze artverwandt sind. «Trachtet vor Allem nach der Gerechtigkeit Gottes» gilt für die Christen so wohl wie für die Pharisäer. Wichtiger noch ist, dass die allgemeine Weltanschauung, welche für diese Forderung das Motiv ist, bei beiden im Grunde die selbe ist.« Es folgen die Ausführungen zur pharisäischen Eschatologie und Daniel. Vgl. dazu *Geschichte*, p. 358ff.

11. *Geschichte*, p. 286: »das Buch Daniel hat die selbe Bedeutung für die Geschichtswissenschaft wie das erste Kapitel der Genesis für die Naturwissenschaft.« Zum Verständnis des Satzes ist die Äußerung über Gen 1 als Ausnahme, die sich über die priesterschriftliche Theokratie erhebt, zu vergleichen in *Religion*, p. 101.

12. P. VOLZ, *Jüdische Eschatologie von Daniel bis Akiba*, Tübingen/Leipzig, 1903, p. 9ff. kommt ganz ohne das Gesetz aus; BOUSSET/GRESSMANN (s.o. Anm. 1), p. 11. Auf die Höhen und Tiefen der Forschungsgeschichte zur Apokalyptik und ihre Gründe kann hier nicht eingegangen werden. Vgl. dazu J. M. SCHMIDT, *Die jüdische Apokalyptik. Die Geschichte ihrer Erforschung von den Anfängen bis zu den Textfunden von Qumran*, Neukirchen-Vluyn, 1969 ([2]1976); DERS., *Forschung zur jüdischen Apokalyptik*, in *VF* 14 (1969) 44-69; K. KOCH, *Ratlos vor der Apokalyptik*, Gütersloh, 1970; J. LEBRAM, *Art. Apokalyptik II. Altes Testament*, in *TRE* 3 (1978) 192-202; K. MÜLLER, *Art. Apokalyptik III. Die jüdische Apokalyptik. Anfänge und Merkmale*, in *TRE* 3 (1978) 202-251; J. J. COLLINS u.a., *Apocalypse. The Morphology of a Genre* (Semeia, 14), 1979; O. H. STECK, *Überlegungen zur Eigenart der spätisraelitischen Apokalyptik*, in *Die Botschaft und die*

Die Wende, die in der deutschsprachigen alttestamentlichen For-schung[13] für die Eschatologie der Apokalyptik und speziell des Daniel-buchs eine Arbeit von Plöger, für das Gesetz in der Apokalyptik (ohne Daniel!) die von Rössler markiert[14], besteht im wesentlichen darin, daß die von Wellhausen[15] im 2. Jh. wahrgenommene Zersplitterung des Judentums ansatzweise zurückdatiert und auf Positionen verteilt wurde, die für ihn – auch im 2. Jh. – noch weitgehend eins waren. So wird bei Plöger[16] die asidäisch-pharisäische Richtung, die außer der Treue zum Gesetz im besonderen die prophetische Eschatologie mit gewisser Nähe zum Deuteronomismus[17] auszeichnet, eine eigenständige Ausprägung nicht in, sondern neben der theokratischen, im wesentlichen uneschato-logischen Gesetzesreligion, die von Esra (Priesterschrift und Chronik) ausgegangen ist und in der offiziellen Priesterschaft selbständig weiter-lebt, teils dann in dem hellenistischen Reformjudentum[18], teils im makkabäisch-hasmonäisch-sadduzäischen Flügel[19] aufgeht. Ähnliches' zeigt Rössler für das Gesetz, indem er die pharisäisch-asidäische Rich-tung selbst auseinandernimmt, die pharisäisch-rabbinische Orthodoxie auf das chronistische Geschichtswerk und auf das hasmonäische 1. Makkabäerbuch zurückführt[20] und für die eschatologische Apokalyp-tik einen eigenen Gesetzes- und Geschichtsbegriff reklamiert[21]. Das Danielbuch kommt damit unter andere Vorzeichen zu stehen. Es be-hält seinen Platz in der asidäisch(-pharisäischen) Bewegung, gehört aber

Boten (FS H. W. Wolff, hg. von J. JEREMIAS und L. PERLITT), Neukirchen-Vluyn, 1981, 301-315; K. KOCH / J. M. SCHMIDT, *Apokalyptik* (WdF, 365), Darmstadt, 1982, bes. p. 1-29.

13. Zu den früheren Entwicklungen im angelsächsischen Bereich und in der neutesta-mentlichen Forschung vgl. KOCH, *Ratlos*, p. 47ff.55ff.

14. O. PLÖGER, *Theokratie und Eschatologie* (WMANT, 2), Neukirchen-Vluyn, 1959; D. RÖSSLER, *Gesetz und Geschichte* (WMANT, 3), Neukirchen-Vluyn, 1960. Für das Gesetz in Qumran s. die Arbeit von Limbeck (oben Anm. 6).

15. Ausführlich in seiner wegweisenden Studie *Die Pharisäer und die Sadducäer* (s.o. Anm. 7).

16. *Theokratie und Eschatologie*, p. 37ff.129ff.

17. *Ibid.*, p. 134f.

18. Vgl. *ibid.*, p. 57 und 137f.

19. *Ibid.*, p. 55f.

20. *Gesetz und Geschichte*, p. 12-42.

21. *Ibid.*, p. 43-105. Eine noch weitergehende Differenzierung bei HENGEL (s.o. Anm. 1) im Blick auf das hellenistische Judentum und die Weisheit sowie O. H. STECK, *Israel und das gewaltsame Geschick der Propheten* (WMANT, 23), Neukirchen-Vluyn, 1967, p. 196ff. mit der Unterscheidung von vier vormakkabäischen Hauptströmungen »der priesterlich-theokratischen, der weisheitlichen, der prophetisch-eschatologischen und der levitisch-dtr Position« (p. 205), von denen vor allem die drei letzten (Weise, Propheten und Schriftgelehrte, p. 208) sich in der Sammelbewegung der Asidäer unter dem dtr. Geschichtsbild zusammengefunden hätten und in den Pharisäern (und Essenern, vielleicht noch den Zeloten) weiterlebten (p. 210ff.), während die theokratische Priesterschaft sich weitgehend der Hellenisierung geöffnet (p. 206) und in Hasmonäern und Sadduzäern (1Makk) weiterbestanden habe (p. 209ff.).

gerade so nicht dem priesterschriftlich-chronistischen Strom der jüdischen Gesetzestheologie, sondern der prophetisch-eschatologischen Seitenlinie an, für die das Gesetz und dessen Observanz wichtig, aber nicht
alles ist. Nicht gerade gegen, aber über das Gesetz hinaus geht der
schon von Wellhausen betonte Gegensatz von Weltreich und Gottesreich[22], der auf eine letzte Entscheidung durch Gott drängt. Das Reich
Gottes erscheint so als Inbegriff apokalyptischer Eschatologie, womit
auch die Brücke zum Neuen Testament – trotz mancher Berührungs-
ängste von dieser Seite aus – noch leichter zu schlagen war.
Die konsequent eschatologische Deutung der religionsgeschichtlichen
Schule, für die insbesondere der Name Johannes Weiss steht, bekommt
so auch vom Alten Testament her eine nachträgliche Bestätigung; und
kaum zufällig ist die Apokalyptik etwa zeitgleich mit dem Erscheinen
von Plögers und Rösslers Arbeiten von Ernst Käsemann zur »Mutter
aller christlichen Theologie« erklärt worden[23].

So weit die theologiegeschichtlichen Alternativen. Der Zusammenhang von Reich Gottes und Gesetz stellt sich freilich noch einmal ganz
anders dar, sobald literarische oder wenigstens überlieferungsgeschichtliche Schichten im Danielbuch angenommen werden. Das ist heute
meistens der Fall, doch herrscht noch keineswegs Einigkeit darüber,
welche der vom Text selbst an die Hand gegebenen Indizien den Vorzug
verdienen – das stilistische (Erzählungen Dan 1–6 und Visionen Dan 7–
12), das sprachliche (Dan 2–7, hebräischer Rahmen Dan 1–2,4a und 8–
12) oder die chronologischen.

Wenn ich recht sehe, überwiegt die Aufteilung in Erzählungen und
Visionen bei weitem. Sie wurde schon von einigen Vertretern der
Einheit vorsichtig zugegeben[24], wird gegenwärtig vor allem im angelsächsischen Sprachraum, besonders profiliert etwa von Collins und P.
R. Davies, aber auch Goldingay in seinem neuesten Kommentar,
vertreten[25] und ebenso in einer Reihe von Arbeiten zur Erzählungssammlung Dan 1–6 mehr oder weniger deutlich vorausgesetzt[26]. Das

---

22. Vgl. PLÖGER (s.o. Anm. 14), p. 30ff. (zu Dan 7ff.). Bes. bezeichnend und von
nachhaltiger Wirkung war der Beitrag von M. NOTH, *Das Geschichtsverständnis der
alttestamentlichen Apokalyptik* (1954), wiederabgedruckt in DERS., *Gesammelte Studien
zum Alten Testament* (TB, 6), München, ³1966, 248-273.

23. KOCH, *Ratlos* (s.o. Anm. 12), p. 55ff.69ff.

24. Vgl. z.B. BENTZEN (s.o. Anm. 5), p. 5f.9; PLÖGER, *Daniel* (s.o. Anm. 5), p. 26;
DERS., *Theokratie und Eschatologie* (s.o. Anm. 14), p. 19ff.25 u.a.

25. J. J. COLLINS, *The Court-Tales in Daniel and the Development of Apocalyptic*, in
JBL 94 (1975) 218-234; DERS., *The Apocalyptic Vision of the Book of Daniel* (HSM, 16),
Missoula, Mont., 1977, p. 7ff.; DERS., *Daniel* (fotl, 20), Grand Rapids, Mich., 1984, p. 27-
39; P. R. DAVIES, *Daniel* (Old Testament Guides), Sheffield, 1985, p. 40ff.57ff.;
J. GOLDINGAY, *Daniel* (WBC, 30), Dallas, Texas, 1989, p. 326ff. (aber offenbar mit
sukzessiver Entstehung!); vgl. schon DERS., *The Stories in Daniel: A Narrative Politics*, in
JSOT 37 (1987) 99-116.

26. Vgl. die Lit.-Hinweise in R. G. KRATZ, *Translatio imperii. Untersuchungen zu den
aramäischen Danielerzählungen und ihrem theologiegeschichtlichen Umfeld* (WMANT, 63),

Reich Gottes als eschatologische Größe hat danach vor allem in den Visionen seinen Ort, die Dan 7 einleitet, während das Vorkommen des Begriffs innerhalb der Erzählungen ohne Dan 7 für die meisten[27] in den Hintergrund rückt und ein Ausdrucksmittel neben anderen ist, die Überlegenheit des jüdischen Gottes und seiner Bekenner über die heidnischen Konkurrenten und Könige zu bezeichnen. Das ändert sich grundlegend, folgt man dem sprachlichen Kriterium und geht, wie neuerdings vor allem Lebram und Albertz[28], von einem aramäischen Danielbuch Dan 2–7 aus, dem ältere Überlieferungen zugrunde liegen mögen, das aber gerade erst durch den eschatologischen Rahmen in Dan 2 und 7 ein rechtes (redaktionelles) Profil bekommt. Danach bewegen sich auch die Erzählungen und insbesondere die auf das Gottesreich weisenden Stellen in Dan 4 und 6 von vornherein im Horizont der eschatologisch-apokalyptischen Reich-Gottes-Erwartung, die auf die Zerstörung der Weltmacht zielt und darin von den hebräischen Visionen Dan 8–12, wenn auch mit zeitgeschichtlichen Differenzen, konsequent weitergeführt wird. Das Gesetz findet bei den neueren Auslegern, wie auch immer sie abtrennen, kaum mehr eine besondere, über die Einzelstelle hinausgehende Erwähnung. Es fügt sich mehr oder minder unauffällig ein sowohl in die Sicht der Erzählungen als Beispielgeschichten für jüdisches Leben und Bestehen in der Diaspora[29] oder unter fremder Herrschaft[30] als auch in das allgemeine Bild von der antihellenistischen Opposition im 2. Jh. v.Chr., in dem die Visionen Dan 7/8–12 entstanden sind.

Wie an anderer Stelle ausführlich dargelegt[31], lassen sich diese Indizien m.E. am besten im Anschluß an das von Johannes Meinhold und Gustav Hölscher entwickelte Modell der von Klaus Koch so genannten »Aufstockungshypothese«[32] erklären, also mit einem Grund-

---

Neukirchen-Vluyn, 1991 (im folgenden immer: *Translatio*), p. 7f. Anm. 19ff.; p. 14 Anm. 13 sowie p. 77ff.81ff. Inzwischen neu erschienen: D. N. FEWELL, *A Story of Stories in Daniel 1–6* (JSOT Suppl., 72), Sheffield, 1988; J. M. WESSELIUS, *Language and Style in Biblical Aramaic: Observations on the Unity of Daniel II–VI*, in *VT* 38 (1988) 194-209.

27. Anders nur GOLDINGAY, *Daniel* (s.o. Anm. 25), p. 329ff., bes. 330f.

28. J. C. LEBRAM, *Das Buch Daniel* (ZBK, 23), Zürich 1984, p. 18ff.; R. ALBERTZ, *Der Gott des Daniel. Untersuchungen zu Daniel 4-6 in der Septuagintafassung sowie zu Komposition und Theologie des aramäischen Danielbuches* (SBS, 131), Stuttgart, 1988, p. 157ff.; vgl. ferner die Hinweise in *Translatio*, p. 14 Anm. 14.

29. So diejenigen, auf die oben Anm. 25f. verwiesen ist; im Blick auf das Gesetz bes. auch R. A. ANDERSON, *Signs and Wonders. A Commentary of Daniel* (ITC), Grand Rapids / Edinburgh, 1984, p. XVf.1ff. u.ö.

30. So die in Anm. 28 Genannten.

31. *Translatio*, p. 11-76, speziell zu Stil, Sprache und Chronologie p. 1ff.11f.14f.16ff. 38ff.57.73.

32. Vgl. J. MEINHOLD, *Die Composition des Buches Daniel*, Greifswald, 1884; DERS., *Beiträge zur Erklärung des Buches Daniel, Heft I. Dan 2–6*, Leipzig, 1888; G. HÖLSCHER, *Die Entstehung des Buches Daniel*, in *ThStKr* 92 (1919) 113-138. Dazu KOCH, *Buch Daniel* (s.o. Anm. 2), p. 61ff. sowie *Translatio*, p. 3ff.14f.20f. Anm. 39.

stock von aramäischen Erzählungen in Dan 1–6, einer ersten, aramäischen Fortschreibung dieser Erzählungssammlung in Dan 7 und einer zweiten, hebräischen Fortschreibung jenes aramäischen Danielbuchs in Dan 8–12 samt (aramäischen) Zusätzen in Dan 2 und 7 und der Übersetzung von Dan 1 ins Hebräische. Das hat wiederum nicht unerhebliche Konsequenzen für die vorhin skizzierte theologiegeschichtliche Fragestellung. Je nachdem, welchen Indizien man folgt und wo man scheidet, verschieben sich natürlich auch hinsichtlich der Themen Reich Gottes[33] und Gesetz die Gewichte. In jedem Fall aber scheint gerade die literarische Schichtung des Danielbuchs einen neuen Zugang zu der alten Frage nach Entstehung und Werden des Judentums zu versprechen, die sich nicht zuletzt im Blick auf die Entwicklung im Neuen Testament oder eigentlich von ihm her mit den Begriffen Reich Gottes und Gesetz verbindet.

Um nun aber nicht von fertigen Modellen auszugehen, beginne ich mit einigen elementaren, m.E. aber grundlegenden Beobachtungen an der überlieferten masoretischen Textgestalt von Dan 1–12, wobei ich mich ganz auf die beiden Schlüsselbegriffe konzentriere und daran die entsprechenden literarkritischen und redaktionsgeschichtlichen Folgerungen anschließe (II). Darauf folgt der Versuch einer theologiegeschichtlichen Auswertung des Befunds (III).

II

1. Zunächst zu Begrifflichkeit und Vorkommen des »Reiches Gottes«[34]. Hebr. *mlkwt*, aram. *mlkw/mlkwt'* und parallel dazu *šlṭn* bezeichnen im ganzen Danielbuch zunächst das irdische Reich, d.h. die Herrschaft sowie die Macht der babylonischen, medischen, persischen und »griechischen« (ptolemäischen und seleukidischen) Großkönige. Vom »Reich Gottes« ist hingegen ausschließlich im aramäischen Buchteil Dan 2–7, nicht mehr im hebräischen Teil Dan 8–12 die Rede, was oft

---

33. In dieser Hinsicht vgl. für den Zusammenhang von Literarkritik und theologischem Konzept nach dem Aufstockungsmodell schon I. ATZERODT, *Weltgeschichte und Reich Gottes im Buch Daniel*, in CuW 10 (1924) 241-259; O. H. STECK, *Weltgeschehen und Gottesvolk im Buche Daniel* (FS G. Bornkamm 1980), wiederabgedruckt in DERS., *Wahrnehmungen Gottes im Alten Testament. Gesammelte Studien* (TB, 70), München, 1982, 262-290; letzterem folgend ZENGER (s.o. Anm. 1), p. 187f. und T. SEIDL, *Volk Gottes und seine Zukunft nach Aussagen des Buches Daniel*, in J. SCHREINER (Hg.), *Unterwegs zur Kirche* (QD, 110), Freiburg/Basel/Wien, 1987, 168-200, p. 170ff. Für die Fragestellung als solche auch R. A. HALL, *Post-Exilic Streams and the Book of Daniel* (Ph.D.), Yale University, 1974.

34. Vgl. CAMPONOVO (s.o. Anm. 1), p. 119ff.; *Translatio*, p. 161ff.; Stellennachweise (für den Begriff wie den gesamten Vorstellungshof) im einzelnen *ibid.*, p. 161f.175 mit Anm. 78; 179f.

übersehen wird, aber höchst bezeichnend ist. Die Verteilung der Belege bewegt sich also ganz im Rahmen der sprachlichen Grenzen. Aber auch innerhalb von Dan 2–7 ist die Redeweise vom »Reich Gottes« durchaus nicht einheitlich. Namentlich 2,44 und Dan 7 (V. 14.18.22.27) heben sich schon rein sprachlich von allen übrigen Belegen in Dan 3 (V. 33) und 4 (V. 31, beides innerhalb derselben Erzählung 3,31–4,34) und Dan 6 (V. 27) ab: Nur in 2,44 und 7 ist das Reich nicht direkt – wie sonst immer durch rückbezügliches sf. – auf Gott bezogen, sondern ist von »einem/dem Reich« die Rede, das Gott aufrichten wird und das in 7,14.27 (und 2,44aβ?) durch sf. auf den »Menschensohn« bzw. das »Volk der Heiligen« bezogen ist[35]; nur in 2,44 und 7 (V. 23.27; vgl. 8,22) ist gegenüber dem einen Gottesreich, mit dem sonst immer das eine Weltreich korrespondiert, von den aufeinanderfolgenden Weltreichen im Plural die Rede; und nur in 2,44 und 7 erscheint das Gottesreich nicht wie sonst im Mund, und zwar im Hymnus nichtisraelitischer Großkönige vor aller Welt, sondern entweder im Mund Daniels selbst (2,44) oder in der himmlischen Schau Daniels bzw. in der Deutung des Engels für Daniel (Dan 7). Diese Unterschiede entsprechen dem stilistischen Wechsel vom Er der Erzählungen zum Ich der Visionen, mit dem der chronologische Neueinsatz in 7,1 konvergiert[36], so daß sich vom Begriff des »Reiches Gottes« her die dreifache Schichtung des Buches in Erzählungen Dan 1–6, aramäische Vision Dan 7 und hebräische Visionen Dan 8–12 weitgehend bestätigt. Einzige Ausnahme ist 2,40–44.

Sachlich bestimmt diesen Unterschied das Verhältnis von Gottesreich und Weltreich. In Dan 2–6, ausgenommen 2,(40-)44, stehen sie keineswegs in Opposition zueinander, sondern sind in eigentümlicher Weise aufeinander bezogen. Im Hymnus des babylonischen (3,31-33; 4,31-34; vgl. auch 2,47; 3,28f.) und »medischen« (6,26-28) Großkönigs bis hin zum »ersten Jahr des Kyros« (1,21; 6,29) sind – wie schon im program-

35. Beide Ausdrucksweisen haben ihre Entsprechung in der Darstellung der Weltreiche: Vgl. mit sf. der 1. sg. 4,15.33; 6,27, der 2. sg. 4,23; 5,11.26.28, der 3. sg. 5,20; Vergabe (und Entzug) des Reichs in 1,1f.; 2,21.37f.; 4,14.22f.28f.33; 5,18ff.28; 6,1. Doch nur in 2,44 und Dan 7 ist der gerade damit angezeigte Zusammenhang als unversöhnlicher Gegensatz qualifiziert und entsprechend in ein zeitliches Nacheinander aufgelöst: Vgl. negativ *l'm 'ḥrn l' tštbq* in 2,44, positiv *yhybt l'm qdyšy 'lywnyn* in 7,27 (für 7,14) und dazu *Translatio*, p. 30f. sowie 26f. Anm. 59; p. 46f. zum Wechsel der »Zeiten«.

36. Das chronologische Gerüst des Danielbuchs nach den vier Reichen in Dan 2 und 7 und mit den 70 Jahren in Dan 1 und 9 gilt meistens als Zeichen seiner Einheitlichkeit und wird darum von denen, die literarkritisch differenzieren, stillschweigend übergangen oder nur zögerlich mit einbezogen. Aber auch in ihm finden sich charakteristische Unterschiede. Vgl. dazu *Translatio*, p. 16ff.38ff.57 sowie 261ff.; zu Dan 9 (außer der dort p. 265-267 angegebenen Lit.) neuerdings L. L. GRABBE, »*The End of the Destruction of Jerusalem*«: *From Jeremiah's 70 Years to Daniel's Exegesis*, in *FS W. H. Brownlee*, Atlanta, Georgia, 1987, 67-72; A. LAATO, *The Seventy Yearweeks in the Book of Daniel*, in *ZAW* 102 (1990) 212-225; G. H. WILSON, *The Prayer of Daniel 9: Reflection on Jeremiah 29*, in *JSOT* 48 (1990) 91-99.

matischen Hymnus Daniels in Dan 2,20-23 (V. 21a im Blick auf V. 37ff.) – das »Reich«, das Gott an eben diese Könige vergibt oder ihnen wieder (zeitweise oder ganz) entzieht, und das von diesen Königen demselben Gott zugeschriebene »Reich«, sind also Weltreich und Gottesreich eins. Auch 2,40-44 und Dan 7 setzen dieses Konzept zweifellos voraus, führen aber mit dem vierten (griechischen) Reich eine Größe neu ein, die den Zusammenhang durch die Eigenmächtigkeit des Weltreichs von sich aus aufkündigt und so den endgültigen, gerichtlich vollzogenen Bruch von Gottesreich und Weltreich »am Ende der Tage« (2,28) nach sich zieht. Dieser Gegensatz setzt sich dann fort in Dan 8– 12, hier allerdings, wie gesagt, ohne ausdrückliche Erwähnung des göttlichen Reichs. Und auch die Darstellung vom Kampf um die Macht in Dan 8.10–11 – auf irdischer und himmlischer Ebene zwischen einzelnen Völkern und ihren Engelfürsten – zeugt von einem gewandelten Vorstellungskonzept, das an Dan (1–)7 anknüpft, aber eigene Wege geht. Das Verhältnis von Weltreich und Gott steht im Unterschied zu Dan (1–)7 hier schon immer im Zeichen des Endgeschehens und zielt nach der gegenseitigen wie göttlich verursachten Vernichtung der Weltmächte auf die ganz und gar »unpolitisch« gedachte, nur mehr angedeutete Verklärung der »Weisen« in Israel, die im Auferstehungsgericht bestehen (Dan 12, bes. V. 1-4)[37].

Nach allem läßt sich die weitverbreitete Auffassung, daß das »Reich Gottes« ein, wenn nicht schlechterdings das zentrale, überall gleich akzentuierte Thema des gesamten Danielbuchs sei, kaum aufrechterhalten. Sowohl die Beschränkung der Belege und der gesamten damit verbundenen Vorstellung auf bestimmte Teile des Buchs sowie eine unterschiedliche Ausdrucks- und Vorstellungsweise dort, wo das »Reich Gottes« vorkommt, zwingen zur – literarischen – Differenzierung.

2. Ein ganz ähnliches Bild ergibt sich im Blick auf das »Gesetz«. Im zweiten, hebräischen Buchteil ist das Vorkommen von *twrh* und Parallelbegriffen (*mšpṭ*, *mṣwh*) auf das Gebet in Dan 9 beschränkt (V. 10.11.13, die Äquivalente V. 4f.) und bezeichnet hier ausschließlich das göttliche Gesetz (sf. V. 4f.10.11), das auch »Gesetz (tora) Moses, des Knechts Gottes« heißt (V. 11.13) und entweder – so hinsichtlich der

---

37. Zum unterschiedlichen Konzept der Engelwelt (bes. 7,27 gegenüber 8,24f.; 12,7) vgl. *Translatio*, p. 28ff. Zur Endzeitperspektive 9,24ff. und bes. 8,17.19 als Überschrift über das gesamte geschichtliche Geschehen V. 20ff. sowie 10,13f.20f.; auch Persien und Kyros (10,1) sind demnach zu Feinden des Gottesvolkes, seinerseits vertreten durch den Engelfürsten Michael, geworden. Demgegenüber leitet in Dan 1-6 (hier 2,40-44) und selbst noch in Dan 7* (mit der Unterscheidung V. 7.19) erst das vierte Reich/Tier das »Ende der Tage« (2,28) ein und zieht so gewissermaßen die drei früheren Reiche mit in das Gericht hinein (auch hier unterschieden V. 11f.26); so sehr auch in Dan 7.8ff., vor allem 7,(4.)8.20f.; 8,9ff.25, besonders wohl an Dan 4f. erinnert werden soll, so wird doch in Dan 1-6 selbst mitnichten ein endzeitlicher Kampf gegen die Könige Babylons, Mediens und Persiens ausgetragen.

Übertretung und mit dem pl. (!) – durch »deine/seine Knechte, die Propheten« vermittelt ist (V. 5ff.10, im sg. zusammengefaßt in V. 11a) oder – so hinsichtlich Segen und Fluch – eben im Gesetz des Knechts Mose geschrieben steht (V. 11b.13f.). Zum Bestand des Gesetzes gehören demnach offenbar schon die Kanonteile »Tora« und »Nebiim«. Anders im aramäischen Teil. Nur einmal, in 6,6, ist ausdrücklich von Gottes »Gesetz« die Rede (cs. *dt 'lhh*), aber auch 7,25 *(zmnyn wdt)* bezieht sich ganz eindeutig und vor allem nach den einschlägigen, buchinternen Bezugsstellen für »Zeiten« (2,21) und »Gesetz« (Dan 6) auf Gottes Ordnung in Kosmos und Kult. In der Mehrzahl der Fälle aber bezeichnet das persische Lehnwort *dt/dt'* das großkönigliche Gesetz, das die königliche Verfügung (2,13.15, von der Sache her davon abgeleitet auch das Todesurteil selbst in 2,9), die Behandlung einer Verordnung als Reichsrecht (6,9.13) sowie einen allgemeinen Rechtsgrundsatz (6,16) umfaßt. Parallel dazu steht im aramäischen Buchteil noch die auch in Esr 4–7 mit *dt* und dem königlichen Gesetzgebungsverfahren verbundene Wendung *śym ṭ'm*, die außer dem einfachen Befehl (4,3; vgl. 5,2) in 3,10.29 sowie 6,27 auch den förmlichen Gesetzeserlaß an alle Völker des (wohlgemerkt heidnischen) Reichs bezeichnet (anders, aber davon wohl abgeleitet von der Loyalität: 3,12; 6,14; vgl. auch 6,3 und 2,14) und so besonders in Dan 6 mit in den Konkurrenzkampf von göttlichem und großköniglichem »Gesetz« (6,6 bzw. 6,9.13.16) gehört[38].

Die Differenzen im Sprachgebrauch und Bedeutungsgehalt entsprechen ziemlich genau denen in der Redeweise vom Reich Gottes, womit sich auch gewisse konzeptionelle Zusammenhänge ergeben. So findet das zuweilen zwar gestörte, aber stets wieder ins rechte Lot gebrachte, grundsätzlich harmonische Wechselverhältnis von Gottesreich und Weltreich in Dan 2–6 sein genaues Gegenstück in dem Verhältnis von göttlicher und großköniglicher *dt* bzw. *śym ṭ'm* in Dan 6. Nach anfänglicher Opposition (6,6 bzw 6,9.13.16) stellt der Erlaß des Königs am Ende der Erzählung (in 6,26-28) die Verehrung des jüdischen Gottes, mithin sein »Gesetz« von 6,6 und die Gebetspraxis von 6,11 nachträglich unter den Schutz des Reichsrechts und setzt damit im Namen des Großkönigs vor allen Völkern seines Reichs das Gesetz Gottes in Kraft. Um welches Gesetz es sich handelt oder ob überhaupt ein bestimmtes Gesetz oder Gesetzeskorpus im Blick ist[39], ist nicht zu ersehen und spielt offenbar auch gar keine Rolle. Entscheidend ist die Verrechtlichung der ganzen Geschichte[40] und die damit einhergehende

---

38. Ausführliche Stellennachweise einschließlich Est, wo *dt* und *mlkwt* am meisten vorkommen und auf der profanen Ebene ebenfalls in enger sachlicher Verbindung stehen, in *Translatio*, p. 226f.; vgl. für Dan 1–6 im übrigen die komplementären Loyalitäserklärungen für Gott und König in 6,22f. nach 6,2-5.11 sowie 3,12.28f.

39. Zur Frage *Translatio*, p. 256ff.

40. Sie zeigt sich im Vergleich mit der überlieferungsgeschichtlichen Vorstufe von Dan 6, der Drachenerzählung in Bel et Draco V. 23-42. Vgl. *Translatio*, p. 111ff. und zur

Fixierung der jüdischen Religion, wofür *dt* hier steht, auf den Gesetzes-begriff. Denselben Vorgang spiegelt schon zweifaches *śym ṭ'm* in Dan 3 (V. 10.29) wider, und entsprechend wird in Dan 2 der generelle Tötungs-befehl (2,9.13.15) implizit durch den Ausgang der Geschichte in 2,46ff. (mit Bekenntnis zu Daniel und seinem Gott V. 46.47) aufgehoben, und auch Sturz und Wiederaufstieg des Königs in Dan 4 werden in eine ediktartig stilisierte Epistel an alle Bewohner des Reichs gefaßt (3,31ff.). Doch nicht nur in der Art des Verhältnisses von Gott und Großkönig, sondern auch in der Sache sind Reich Gottes und Gesetz engstens aufeinander bezogen, ist es doch in Dan 4 und 6 gerade das großkönig-liche Edikt, das neben der mehr oder weniger ausdrücklichen Autori-sation des Gottesgesetzes zugleich das Reich Gottes zum Inhalt hat und in gesetzlich verbriefter Form proklamiert.

Diese für das Gesetzesverständnis in Dan 2–6 so wesentliche Ver-bindung von göttlichem und königlichem Gesetz und von beidem zum göttlich-königlichen »Reich« fehlt hingegen in Dan 7 und 9[41]. Am leichtesten läßt sich der Befund für Dan 9 einsehen: Das Fehlen des großköniglichen Gesetzes korrespondiert mit dem Fehlen des »Reiches Gottes« im hebräischen Buchteil überhaupt. Auch hier stehen sich zwar *mlkwt* für das Weltreich und *twrh* (samt Äquivalenten) für den Jhwh-Willen durchaus nicht beziehungslos gegenüber; doch das eine – die Herrschaft der Weltreiche – ist (im Gesetz selbst vorgeschriebene) Strafe für die Übertretung des anderen, des Gesetzes Gottes (vgl. 9,7f.11f.16ff. und den Kontext in Dan 8 und 10f., bes. 8,19.23)[42]. Ein Ausgleich, wie er in Dan 2–6 immer wieder gesucht und gefunden wird, erscheint danach kaum mehr als möglich oder auch nur erstrebenswert. Etwas komplizierter verhält es sich mit dem aramäischen Beleg 7,25. Doch wie näheres Zusehen zeigt, liegt dieselbe Grundanschauung wie im – übrigens nicht zuletzt auch darum ursprünglichen[43] – Gebet in Dan 9 zugrunde, die in Dan 7 gegenüber Dan 2–6 ihre tiefere Begrün-

---

entsprechenden politisch-rechtlichen Interpretation auch ANDERSON (s.o. Anm. 29), p. 64ff.; GOLDINGAY, *Stories* (s.o. Anm. 25), p. 100-103; DERS., *Daniel* (s.o. Anm. 25), p. 119ff., bes. 135f.; FEWELL (s.o. Anm. 26), p. 141ff.; J. WALTON, *The Decree of Darius the Mede in Daniel 6*, in *JETS* 31 (1988) 279-286 sowie P. FREI in den Ergänzungen zur geplanten 2. Aufl. von *Zentralgewalt und Lokalautonomie im Achämenidenreich*, in DERS. / K. KOCH, *Reichsidee und Reichsorganisation im Perserreich* (OBO, 55), Freiburg (CH) / Göttingen (1. Aufl. 1984). Aus der Verrechtlichung erklärt sich übrigens auch ziemlich zwanglos der ominöse »Dareios, der Meder« in 6,1 (davon abhängig 9,1; 11,1): In ihm verbindet sich der persische Gesetzgeber mit dem die Anlage von Dan 1-6 bestimmenden, achaimenidischen Drei-Reiche-Schema. Vgl. dazu die Hinweise in *Translatio*, p. 119f. Anm. 166 und darüber hinaus L. L. GRABBE, *Another Look at the Gestalt of »Darius the Mede«*, in *CBQ* 50 (1980) 198-213 sowie FREI, *op. cit.*

41. Vgl. *Translatio*, p. 258ff.
42. Dasselbe Bild zeigt sich in den Berechnungen der Chronologie; vgl. schon oben Anm. 36, bes. *Translatio*, p. 39.73.265ff.
43. Vgl. die Hinweise in *Translatio*, p. 41 Anm. 117; neuerdings WILSON (s.o. Anm. 36).

dung erfährt. In der Kombination des Gesetzesbegriffs *(dt)* aus Dan 6 mit 2,21 *(zmny'*, par. dazu *'dn* wie 7,25bγ für die von Gott gesetzte Zeit) löst 7,25 das »Gesetz« und mit ihm den in Dan 6 erreichten Status der jüdischen Religion aus der Verklammerung mit dem heidnischen Reichsgesetz und bezieht es stattdessen auf die kosmische Ordnung der »Zeiten«. Ihr soll auch die jüdische Religion, gemeint ist in erster Linie der Tempelkult[44], folgen, weil der jüdische Gott, der Jhwh von Dan 9, sie allein, ohne jede fremdstaatliche Repräsentanz und Autorisation lenkt. Der Unterschied zum Gesetzeskonzept in Dan (1)2–6 könnte nicht präziser ausgedrückt werden als durch das *šnh* ha. des letzten Weltherrschers, der sein »Reich« eben nicht dem »Reich« Gottes unterstellt und Gottes Gesetz nicht autorisiert, sondern sich an Gottes – in 2,21 mit *šnh* ha. parallel zur Ein- und Absetzung von Königen (!) definierte – Stelle setzt, zudem gegen den – gemäß 6,26-28 für das Gottesgesetz 6,6 geltenden – Grundsatz 6,9.16 *(l' lhšnyh)* verstößt. Die unbeugsame Eigengesetzlichkeit irdischer Macht führt so zum Auseinanderbrechen der Einheit von göttlichem und staatlichem Gesetz und wird dann ihrerseits in Dan 9 von der Tora selbst her als Strafe für die eigene Übertretung des Gesetzes interpretiert. 7,25 zeigt also gewissermaßen die Außenseite (Gesetz und Weltmacht), Dan 9 die Innenseite (Gesetz und Israel) dieses Bruchs. Der Unterschied zu Dan 2–6 liegt dabei nicht so sehr in der Frage der Materialisierung des Gesetzes[45], als vielmehr im Gesetzesbegriff selbst, über den sich die jüdische Identität in beiden Fällen definiert.

Schließlich noch ein Wort zu Dan 1 und der Enthaltsamkeit Daniels von den königlichen Speisen (V. 8ff.). Entscheidend für die Schichtenzugehörigkeit ist m.E. dies, daß die Reinlichkeit Daniels *(g'l* hitp.)[46] nicht

---

44. Vgl. *Translatio*, p. 245. Gesetz und Kult (Heiligtum) gehören durchweg eng zusammen, außer in 7,25 noch in Dan 1 (Tempelgeräte, rein - unrein) und Dan 6 (V. 6.11 in Richtung Jerusalem!) sowie in Dan 8–12 (8,11f.13 wie 7,25; 9,2.16-19.20f.24ff. mit Gesetz und Bund im Gebet; »heiliger Bund« in 11,28ff., vgl. bes. V. 31). Die Feststellung von LOHFINK (s.o, Anm. 1), p. 77: »Die Tempelgemeinde kommt im Buche nicht vor« stimmt so ganz sicher nicht; allerdings besteht in der Tat ein Unterschied zwischen dem kultisch geprägten Lebensgesetz für die 70 Jahre der Gola (in Dan 1–6) und dem ausgeprägten Interesse für diese und die nachfolgende Zeit am Kultgeschehen in Jerusalem und dem Landesinneren selbst in 7,25 und Dan 8–12.

45. Auch die Einzelvorschriften 9,4f.10 (pl.) sind im sg. der Tora von V. 11.13 zusammengefaßt.

46. Zur Diskussion vgl. K. KOCH, *Daniel* (BK XXII/1), Neukirchen-Vluyn, 1986, bes. p. 58ff.; *Translatio*, p. 35ff., bes. 37 Anm. 105; 145f.148ff.; neuerdings W. S. TOWNER, *Daniel 1 in the Context of the Canon*, in *Canon, Theology, and Old Testament Interpretation* (FS B. S. Childs, hg. von G. M. TUCKER u.a.), Philadelphia, 1988, 285-298; W. A. BRUEGGEMANN, *A Poem of Summons (Is. 55:1-3) / A Narrative of Resistance (Dan 1:1-21)*, in *Schöpfung und Befreiung* (FS C. Westermann, hg. von R. ALBERTZ u.a.), Stuttgart, 1989, 126-136, p. 129f. Die von Daniel verlangte Nahrung erinnert übrigens an das priesterschriftliche Ideal vor der Sintflut (Gen 9,1ff.) in Gen 1,29 *(zr')*!

nur diesem selbst dient, sondern im Kontext der ganzen Erzählung zugleich die Bedingungen aufs beste erfüllt, die der König für die Ausbildung der Judäer gestellt hat (V. 4f. mit der Erfolgsmeldung V.15.17 bzw. 19f.). Gerade die verpflichtende, gesetzliche jüdische Lebensart steht damit im Dienst des heidnischen Königs. Der Sache wie auch der Chronologie (1,1f.21; 6,29) nach gehört Dan 1 also eindeutig zu den Erzählungen Dan 2–6, der Sprache nach jedoch zu Dan 8–12. Der Befund lenkt die Aufmerksamkeit auf den Sprachvergleich, der schon längst zu dem Ergebnis geführt hat, daß Dan 1 wie 2,1-4a ursprünglich aramäisch verfaßt und erst später, wohl im Zuge der Anfügung von Dan 8–12, ins Hebräische übersetzt wurde[47].

3. Reich Gottes und Gesetz – zwei zentrale Themen des Danielbuchs? Ja und nein. In genauer Kongruenz mit den klassischen literarkritischen Indizien der »Aufstockungshypothese«, den sprachlichen, stilistischen und chronologischen Differenzen, stellt sich der Zusammenhang der beiden Leitthemen jeweils verschieden dar: in den Erzählungen Dan 1–6 (ohne 2,40-44) als ein harmonisches Miteinander von Gottesreich und Weltreich sowie großköniglichem und göttlichem Gesetz; in Dan 7 (und 2,28.44) als eschatologische Überwindung von Weltreich und Königsgesetz durch das Gottesreich; in Dan 8–12, bes. Dan 9, als Opposition von göttlichem Gesetz und Weltreich. Verteilung, Sprachgebrauch und Aussagekontur der beiden Schlüsselbegriffe bestätigen somit das literarkritische Modell von Meinhold und Hölscher[48].

Nun basiert dieses Ergebnis im wesentlichen auf den Unterschieden zwischen den Buchteilen. Es gibt aber auch Gemeinsamkeiten, sachliche und literarische Querbeziehungen, an denen sich das literarische Schichtenmodell im besonderen zu bewähren hat. Mit Recht wird in der heutigen Forschung, und zwar nicht nur des Danielbuchs, sondern ebenso in der Pentateuch- und Prophetendiskussion, solchen Bezügen wieder vermehrte Aufmerksamkeit geschenkt, da sie oft größere Kompositionsbögen in den einzelnen Büchern (und z.T. auch darüber hinaus) anzeigen und so einer nur an der Einzelperikope orientierten, mehr oder weniger mechanistischen Literarkritik (und/oder Formgeschichte) die nötigen, vom Text selbst geforderten Grenzen setzen[49].

47. Vgl. die einschlägige Arbeit von H. Preiswerk, *Der Sprachenwechsel im Buche Daniel*, Bern, 1902/03; dazu Koch, *Daniel* (s.o. Anm. 45), p. 16-18. Die Unstimmigkeit der Daten in 1,1.5.18 mit 2,1 erklärt sich aus der sekundären Zufügung von 2,1aα (mit V. 28*.20-44*) im Zuge der Fortschreibung in Dan 7* (s. *Translatio*, p. 57).

48. Vgl. die Hinweise oben Anm. 32. Da einerseits die rein formgeschichtliche Aufteilung in Erzählungen und Visionen bei weitem nicht ausreicht, andererseits Dan 7 mit seinem ausgeprägten, an Dan 1–6 orientierten Interesse am Reichsbegriff keinesfalls ganz zu Dan 8–12 gehören kann, bestätigt sich so auch die Ausscheidung entsprechender, von Dan 8–12 inspirierter (»makkabäischer«) Zusätze in 2,41-43 und Dan 7, darunter 7,25. Vgl. dazu *Translatio*, p. 21ff.32ff.

49. Vgl. *Translatio*, p. 81 (für Dan 1–6); 32 Anm. 88 (für Dan 7); 41 Anm. 117 (für Dan 8–12).

Nur enthebt dies natürlich nicht jeder Differenzierung; den Ausschlag gibt in aller Regel die sachliche Tendenz, die darüber entscheidet, ob Querbeziehungen auf einer oder verschiedenen Ebenen liegen und wer von wem abhängig ist. So lassen die Querbezüge auch in unserem Fall darauf schließen, daß sowohl die (ihrerseits sukzessive) Anfügung von Dan 8–12 (samt Zusätzen in 2 und 7) an Dan 1–7 als auch die von Dan 7* (samt Zusätzen in 2) an Dan 1–6 nicht kontextunabhängig erfolgt ist. Mögen auch ältere Überlieferungen oder Wissensstoffe im Hintergrund stehen, die vorliegenden Texte sind folglich von vornherein für den Kontext und auf ihn hin verfaßt [50], bieten also im wesentlichen Fortschreibungen des jeweils überkommenen Texts, aus dem sprachlich und sachlich geschöpft, ausgelegt und im literarischen Buchzusammenhang von altem und neuem Text eine neue Konzeption entwickelt wird. Aus redaktionsgeschichtlicher Perspektive sind daher die einzelnen, literarkritisch differenzierten Teile nicht für sich, sondern immer auch im jeweils erreichten literarischen Gesamtzusammenhang zu lesen.

In Dan 8–12 [51], wo für das Reich Gottes direkte Anknüpfungspunkte fehlen, stiften diesen Zusammenhang besonders die Datierungen und erzählerischen Notizen (in 8,1f.15-18.27; 9,1f.; 10,1(ff. nach Dan 1); 11,1), die die hebräischen Visionen mit der Weltreiche-Geschichte von Dan 1–6 synchronisieren (7 + 8 = 1-5; 9 = 6; 10[-12 noch ohne 11,1?] = 1,21/6,29). Ansatzpunkt ist das vierte Reich von 2,40ff. und Dan 7 (V. 7f.19ff.), wo eigene Zusätze angebracht werden und von wo aus speziell der Übergang des medisch-persischen zum griechischen Reich sowie dessen eigene Fortentwicklung bis zum »Ende« im Konzept der Völkerengel neu geschrieben wird. Im Blick auf Dan 1–6 besteht der hermeneutische Grundgedanke darin, daß schon die geschichtliche Situation der Weltreiche, auf die in den Überschriften angespielt wird, über sich hinausweist, dabei aber nicht selbst das Heil bringt (so Dan 1–6*) noch aus sich heraus zum Heil führt (so Dan 1–7* für sich) und also – bezeichnenderweise immer am Ende eines Weltreichs in der Sorge um den erwarteten Wechsel (8,1 mit 7,1 entsprechend Dan 5; 9,1 kurz vor 1,21/6,29) oder nach enttäuschter Erwartung (10,1 nach 1,21/6,29) – zu der Frage nach dem »Wie« und »Wann« des von Anfang an fälligen Endes drängt. Dan 8–12 liefert sozusagen – in Ausführung von Dan 7 – das zweite, himmlische Stockwerk für die geschichtliche Situation von Dan 1–6 nach, auf dem entschieden wird, was auf der Erde fraglich bleibt und noch aussteht. Daß die Geschichte der Weltreiche und selbst

---

50. So schon HÖLSCHER (s.o. Anm. 32), p. 119 (für Dan 7*) und 127 (für Dan 8–12).

51. Auf dieser Ebene des vorliegenden Endtexts von Dan 1–12 haben manche der Argumente ihr Recht, die die Befürworter der Einheit des Buches geltend machen. Vgl. die Hinweise *Translatio*, p. 14 Anm. 10; neuerdings bes. D. W. GOODING, *The Literary Structure of the Book of Daniel and its Implications*, in TynB 32 (1981) 43-79 sowie S. ZDRAVKO, *Thematic Links between the Historical and Prophetic Sections of Daniel*, in *AUSS* 27 (1989) 121-128.

dessen Überwindung durch das Gottesreich in Dan 7 auf die Frage nach dem »Ende« keine Antwort wissen, daß beides diese Frage vielmehr selbst erst provoziert, dies begründen die Visionen in Dan 8–12 eben mit der Schuld Israels, wofür die Herrschaft der Völker und also die Situation von Dan 1–6, die in dieser Optik von vornherein vom gotteslästerlichen Übergriff der Herrscher gekennzeichnet ist und im Angriff auf alles Heilige unter Antiochus IV. gipfelt (7,8.20f.25; 8,9ff.23ff.; 9,27; 11,21ff.), die Strafe ist[52]. Im eschatologischen Reich von 2,44 (vgl. *b'ps yd* in 8,25 nach 2,34.45) und 7,9ff.22.26f. sehen Dan 8–12 gegenüber den Herrscheräußerungen in 3,31ff.; 4,31ff. und 6,26ff. so nicht unbedingt mehr dieses »Reich« als solches, sondern in erster Linie die Rettung des Frommen (»Weisen«) vor dem Tod (nach Dan 3 und 6; vgl. 11,35 und 12,1ff.); und gegenüber der Gesetzgebung des Königs in Dan 1–6, die gemäß 7,25 (sowie 2,20ff. und dem Konflikt in Dan 6) nur als Anmaßung wahrgenommen werden kann, macht im Schuldbekenntnis von Dan 9 Israel selbst das eigene, gegen Israel selbst sprechende Gesetz geltend.

Sehr viel enger als Dan 8–12 ist aber die Vision Dan 7 durch literarische Querbezüge mit Dan 1–6 verbunden, weshalb ja auch viele einzig das aramäische Danielbuch Dan 2–7 für ursprünglich und eine selbständige Erzählungssammlung Dan 1–6 für unwahrscheinlich halten[53]. Doch wie die Einzelbeobachtungen zu Reich Gottes und Gesetz gezeigt haben sollten und wie auch die genaue Analyse aller übrigen Berührungspunkte ergibt[54], sind diese Bezüge – obschon natürlich

52. Vgl. 8,19.23 (Zorn und Frevel); 9,2.24.25b sowie 9,7.11-14.16.18; 11,36 (Zorn) und dazu *Translatio*, p. 39.265ff. und die dort genannte Lit.

53. Vgl. die Hinweise oben Anm. 28. Zur Struktur vgl. außer dem immer wieder bemühten A. LENGLET, *La structure littéraire de Daniel 2–7*, in *Bib.* 53 (1977) 169-190 neuerdings auch W. H. SHEA, *Further Literary Structures in Daniel 2–7*, in *AUSS* 23 (1985) 193-202.277-295.

54. Vgl. ausführlich dazu *Translatio*, p. 43ff.51ff., zur eschatologischen Perspektive in 2,28.40-44 gleich im folgenden. ALBERTZ (s.o. Anm. 28), p. 171ff.185ff. zieht gerade aufgrund der Querbezüge und insbesondere der hymnischen Stücke in Dan 1–6 und ihrer Aufnahme in Dan 7 den umgekehrten Schluß. Er geht dabei von der richtigen, von ihm (*op. cit.*, p. 42ff.61ff., 94ff.107ff., 129ff.147ff. sowie 159ff.) im Vergleich mit LXX Dan 3–6 gewonnenen Voraussetzung aus, daß die politische, vom Reichs- und Gesetzesgedanken (Dan 6) getragene Akzentuierung der Erzählungen hier redaktionell und nicht zuletzt darum auch konzeptionell bestimmend ist; vgl. zur Frage *Translatio*, p. 84ff., bes. 91ff., sowie 99-134. Nur folgt daraus ja noch keineswegs ein ursprünglicher Zusammenhang von Dan 2–7 in M selbst und also auch nicht der eschatologisch-apokalyptische Sinn der redaktionellen Akzente in Dan 1–6! In ihnen jedenfalls dürfte die positive Tendenz der älteren (!) Überlieferung eigentlich nicht mehr nachwirken (zu Albertz, p. 179), und so muß sich denn auch Albertz (p. 174 u.ö.) mit der üblichen Verlegenheitsauskunft einer »partiellen Duchsetzungskraft« und Vorläufigkeit des Gottesreichs in Dan (1)2–6 behelfen, die die Interpretation der Erzählungen (auch im ganzen Buch und sogar für sich!) nicht selten leitet: Vgl. E. HAAG, *Die Errettung Daniels aus der Löwengrube. Untersuchungen zum Ursprung der biblischen Danieltradition* (SBS, 110), Stuttgart, 1983, p. 49ff.73ff. 103ff.126ff.; DERS., *Die drei Männer im Feuerofen nach Dan 3,1-30*, in *TThZ* 96 (1987), 21-

allesamt gewollt – sekundärer Natur, und zwar mit Dan 1–6 als gebendem, Dan 7 als nehmendem Teil: Die herrscherliche Hybris, die in Dan 1–6 fallweise und individuell überwunden wird – mit Hilfe und zugunsten der Judäer wie zugunsten der heidnischen Könige –, diese Hybris führt nach Dan 7 Daniel selbst in die visionäre, nur vom angelus interpres aufgefangene Hilflosigkeit und (so auch mit 2,40-44) die heidnischen Reiche allesamt ins eschatologische Gericht[55]. Im

50; ferner etwa CAMPONOVO (s.o. Anm. 1), p. 117-126, bes. 120f.121f.125f.; LOHFINK (s.o. Anm. 1), p. 77ff.; auch KOCH, Daniel (s.o. Anm. 45), p. 24 (»apokalyptischer Beigeschmack«) und entsprechend p. 41.61ff. Gegen diese verharmlosende, durch scheinbare Aktualität (vgl. im Vorwort bei ALBERTZ, p. 7) nur umso fragwürdigere Einebnung der unterschiedlichen Aussagekonturen spricht gerade die »sprachliche und sachliche Evidenz« (ALBERTZ, p. 174f.), die der hymnischen Stücke (2,20-23.47; 3,28f.; 3,31-33/4,31-34 entsprechend 4,14.22f.29; und 6,26-28) und damit harmonierender Aussagen über die Weltreiche (vgl. 2,37f.39; 4,17-19.23f.27.33f.; 5,18ff.) sowie von Ps 145 und ChrG einerseits, die der eschatologischen, auch sprachlich bewußt abweichenden Neufassung desselben Konzepts in Dan 7 andererseits (Aufnahme aller Gottesreich-Stellen aus Dan 2–6 in 7,14.27, vgl. Translatio, p. 46f. Anm. 138 nach Camponovo; aber fehlendes ḥsn' wtqp' aus 2,37; 4,27, tqp wohl wegen 2,40.42; 7,7, ḥsn haf. aber in 7,18.22).

55. Daß die positive Sicht der Weltreiche in Dan 1–6 von vornherein auf die Differenzierung zwischen den ersten drei Tieren/Reichen und dem vierten in 7,7.19 (entsprechend V. 11f.) hinzielt, ist ganz unwahrscheinlich. In 2,40ff. fehlt eine solche Bemerkung, obschon auch hier der Bruch deutlich spürbar ist, und für Dan 7* sind die Weltreiche allemal Bestien: 7,2ff.17f.; vgl. den pl. der Gesamtheit in 2,44! Und so, wie das differenzierte, geschichtliche Nacheinander der Reiche aus 2,37ff. (sowie Dan 1-6 im ganzen) und danach auch 7,2ff. erst im Gericht 2,44; 7,9ff.26f. zur Gleichzeitigkeit verschmilzt und zur globalen Vernichtung/Entmachtung aller Weltreiche führt (vgl. bes. 2,44; 7,17 und dazu Translatio, p. 26 Anm. 57 sowie 54 Anm. 159), so geht auch das »menschliche« Antlitz der Macht in den Weltreichen (7,4 nach Dan 4 und 5,21; positiv auch 7,6b nach 2,39b) aufgrund der Perversion dieser Macht (der »Menschlichkeit« in 7,8) im vierten Reich, die im Unterschied zur befristeten Strafe in Dan 4 nun alle Reiche (auch das »menschliche« von Dan 4 in 7,4!) zu Tieren degradiert, im eschatologischen Gericht allein auf den »Menschensohn« über (vgl. Translatio, p. 46 mit Anm. 132 sowie schon H. S. KVANVIG, Struktur und Geschichte in Dan 7, in StTh 32 (1978) 95-117; DERS., Roots of Apocalyptic (WMANT, 61), Neukirchen-Vluyn, 1988, p. 487.498ff.). Mithin dürfte auch die Symbolik in Dan 7 vor allem von Dan 1-6 inspiriert sein, doch ist der Sinn wiederum vollkommen verschieden: Dan 4 glaubt an die »Vermenschlichung« des Weltherrschers, Dan 7 hält sie für vergeblich. Vgl. zu den beiden Aspekten auch ALBERTZ (s.o. Anm. 28), p. 175f.190 (alle Weltreiche!) sowie 52f.59f.73f.173.194 (»menschliche« Macht), doch passen ihm die Unterschiede nicht. Aber auch die Parallele zu den vier Reichen (hier freilich Könige derselben Nation!) mit folgendem Gottesreich in der iranischen Tradition (vgl. Denkart IX,8; Bahman Yašt I und II und dazu Translatio, p. 58f.64ff.) besagt nicht allzuviel; dieselbe Tradition hat einmal bei drei durchaus positiv bewerteten Reichen (Assyrien - Medien - Persien, ohne Metalle) angefangen, von denen wenigstens das letzte der Reihe, das achaimenidische also, sowohl im Reichswesen als auch in der dafür so wesentlichen Reichsgesetzgebung als von Ahuramazda göttlich legitimiert, vielleicht sogar als Verwirklichung des zarathustrischen Gottesreichs, wofür der »Stein« stehen könnte, galt. Vgl. K. KOCH, Weltordnung und Reichsidee im alten Iran, in: DERS. / P. FREI, Reichsidee und Reichsorganisation im Perserreich (OBO, 55), Freiburg (CH) / Göttingen, 1984, 45-119, p. 68ff.; zum »Stein« in Dan 2 DERS., Weltgeschichte und Gottesreich im Danielbuch und die iranischen Parallelen, in Prophetie und geschichtliche Wirklichkeit (FS S. Herrmann, hg. von R. LIWAK und S. WAGNER), Berlin/Köln, 1991, 189-205; neuerdings

Lesezusammenhang des Buches werden die Erzählungen damit zur zukunftsträchtigen Einlösung dessen, was Daniel schon seit Anbeginn weiß und mit Dan 2, wie schon vorgegeben, prospektiv für Dan 3–6 recht bald an den Anfang des Buches, mit Dan 7* als Bestätigung des bereits Erfüllten (7,4-6 entsprechend 1,1.21/6,29) und vor allem des nach Dan 6 noch Ausstehenden (7,7ff.19ff.) von Dan 2 (hier V. 40ff.) an den Schluß des Buches gestellt ist, von wo aus der Leser mit Daniels Vision und ihrer (jetzt eschatologisch gedachten) Teilerfüllung im Sinn (vgl. 7,28) zuversichtlich in die bedrohliche Gegenwart der Fremdherrschaft im vierten Reich und die darüber hinausgehende Zukunft blicken kann.

Aber es sind nicht nur die Querbezüge, sondern es ist vor allem die Erzählungssammlung selbst, die erkennen läßt, daß der eschatologischen Fortschreibung in Dan 7 nicht frei herumlaufende oder auch lose verbundene Einzelerzählungen zur Verfügung standen, sondern daß dem eine geschlossene, wohldisponierte Komposition mit eigenem Aussageprofil vorausgegangen ist (und zwar in M, nicht nur in der Sonderüberlieferung LXX 3–6). Von dieser Komposition Dan 1–6 muß nun noch etwas die Rede sein, legt sie doch auch und gerade hinsichtlich der Themen Reich Gottes und Gesetz den literarischen und sachlichen Grund für alle folgenden Fortschreibungsschübe. Nach meiner Auffassung sind es genau diese beiden Themen und nicht so sehr die oft behauptete didaktisch-paränetische Abzweckung, die Gehalt und Anlage der einzelnen Erzählungen für sich wie im Zusammenhang von Dan 1–6 prägen.

Drei redaktionelle Anlageprinzipien möchte ich in dieser Hinsicht besonders hervorheben[56]. Zwei davon gibt bereits Dan 1 vor, die eigentliche Einleitung der ganzen Sammlung, die in Dan 6 ihren Höhepunkt und Abschluß erreicht: zum einen die Chronologie von Nebukadnezar bis zum ersten Jahr des Kyros; zum anderen die Themenschwerpunkte. Die Chronologie in Dan 1 weist evidente Bezüge zu 2 Chr 36 / Esr 1 (vgl. auch Esr 5,11ff.) auf und steckt damit – auch ohne Dan 9! – den Rahmen der jeremianischen 70 Jahre Exilszeit ab. Diese 70 Jahre werden ihrerseits in der Abfolge der Erzählungen nach dem Schema der Drei-Reiche-Lehre ausgefüllt (Babylon in 1–5, Medien in 6, Persien in 1,21; 6,29); das Schema erscheint als solches am Anfang (2,31-39.45) und am Ende (5,25-28) der babylonischen Zeit. Einzig in

---

G. Ahn, *Religiöse Herrscherlegitimation im achämenidischen Iran. Die Voraussetzungen und die Struktur ihrer Argumentation* (Diss. Masch.), Bonn, 1990; zum iranischen Hintergrund der Reichsidee in Daniel (und ChrG) außerdem Koch, *BK* (s.o. Anm. 45), p. 36ff. sowie meine eigenen Ausführungen *Translatio*, p. 197ff.

56. Zum Folgenden vgl. *Translatio*, p. 148-160; für die wesentlichen redaktionellen Verbindungen auch p. 84ff. (Chronologie, Freunde und Umbenennung, judäische Abstammung, Laufbahn und Konkurrenz, hymnische Stücke).

2,40-44 findet sich die schon mehrfach angesprochene Ausnahme des vierten Reichs mit eschatologischem Ausblick auf das Gottesreich, das sprachlich und sachlich auf der Linie von Dan 7 liegt[57]. Nimmt man die Verse (zusammen mit V. 1* und V. 28*) heraus, wozu (überlieferungsgeschichtliche und literarische) Spannungen innerhalb von Dan 2 berechtigen, ja nötigen, ergibt sich freilich ein stimmiger Zusammenhang von Traum und Deutung in zwei Szenen: die »Statue« für das babylonische Reich mit den Metallen für die Dynastie und Nebukadnezar an der goldenen Spitze (V. 31-33.37-38); der gottgesandte »Stein« für das Reich der Meder und Perser (V. 34-35.39, bes. V. 39b/35) - ein Zusammenhang also, der mit der Deutung der Rätselschrift in Dan 5 harmoniert und exakt die chronologische Ordnung der Erzählungssammlung im Drei-Reiche-Schema (entsprechend 1,1f.21; 5,30/6,1.29) abbildet. Mir ist klar, daß sich hier der heikelste Punkt befindet, doch ist die literarkritische Rekonstruktion so gewaltsam nicht, wie sie zunächst vielleicht erscheint. Sie erklärt wenigstens, was ohne sie entweder heruntergespielt oder gewaltsam mit Dan 1–6 im ganzen harmonisiert werden muß.

In thematischer Hinsicht gibt Dan 1 mit Daniel und seinen Freunden in der Gola, dem heidnischen König und der jüdischen Bekenntnistreue und Intelligenz im Dienst des heidnischen Hofs das personelle Bezugs und Problemfeld vor, in dem sich alle folgenden Erzählungen bewegen, und zwar in sinnvoller Reihenfolge: Dan 2 auf der grundsätzlichen Ebene des Verhältnisses von Weltreich und Gottesreich, entsprechend der chronologischen Anlage nach Weltreichen; Dan 3 auf der Ebene des individuellen Geschicks der Judäer (ausschließlich in der Gola); Dan 4–5 auf der Ebene des individuellen Geschicks der heidnischen Könige – alles innerhalb der babylonischen Exilszeit (mit Rahmen Dan 2 und 5); schließlich auf der staatsrechtlichen Ebene in medisch-persischer Zeit Dan 6, wo die Konfrontation des Judäers mit dem heidnischen Hof in der Übereinkunft von Gottesreich und Weltreich und von Gottesgesetz und Königsgesetz gipfelt.

Außer dem chronologischen und dem thematischen sind als drittes herausragendes redaktionelles Prinzip die hymnischen Stücke zu nennen, die den gedanklichen Zusammenhang der Erzählungen eigens artikulieren. Sie bilden jeweils den Höhepunkt und Schluß einer Erzählung, sind aber auch unter sich verbunden und bilden so eine fortlaufende, auf Steigerung hin angelegte Linie. Nach dem anfänglichen, programmatischen Dankhymnus Daniels in Dan 2,20-23 (zielend auf 2,31ff.) spiegeln sie die sukzessiv gewonnene Erkenntnis des Königs wider, und zwar jedesmal mit Reflex auf die jeweils vorhergehende, in

---

57. Vgl. jüngst wieder ALBERTZ (s.o. Anm. 28), p. 176ff. Zur Frage und den in der Forschung gegebenen Antworten *Translatio*, p. 48ff., bes. 50f., der eigene Vorschlag im einzelnen p. 55ff.62ff.

der Ordnung der Themen stehende Handlung: Zuerst das Bekenntnis
zur Überlegenheit (zum »Können«) des jüdischen Gottes in Sachen
Weisheit (2,47) und Rettung (3,28f. mit vorläufigem Abschluß in 3,30);
dann folgt sachgerecht erst ab Dan 4 (mit Gegenstück in 5) im Blick auf
das Königsschicksal das erste Bekenntnis zum Gottesreich (3,31-33/
4,31-34, vgl. 5,18ff.), das in Dan 6,26-28 mit Abschluß 6,29 ins Edikt
des Königs eingeht. So verbinden sich die Bestätigung des jüdischen
Bekenntnisses im Königserlaß (*śym ṭ'm*, *śyzb* Dan 3) und die Wahrnehmung des Gottesreichs im Weltreich (ediktartige Epistel, *mlkw*) im
Gesetz des Königs, das auch das Gesetz Gottes (6,6.11) in Kraft setzt,
zu einer Einheit, die hier für die Gola (mit Tempelgeräten!) schon
während der 70 Jahre Exil im Rahmen der drei Reiche bis zum Beginn
der persischen Zeit gefunden wird.

Soviel zu den redaktionsgeschichtlichen Folgerungen, die sich aus
den Beobachtungen zu Reich Gottes und Gesetz im Danielbuch ergeben. Die beiden Begriffe führen also auf eine bestimmte literarische
Schichtung und zeigen zudem den redaktionellen Sinn sowie die Anlage
der Komposition in den einzelnen Schichten an. Kehren wir nun zurück
zu der weiteren theologiegeschichtlichen Fragestellung, von der wir
ausgingen.

III

1. Daß das Danielbuch als ganzes weder nur in den breiten, damit
nicht wenig diffusen Strom der Wellhausenschen »Theokratie« noch
allein in den Bereich der Plögerschen »Eschatologie« hineingehört,
dürfte nach allem hinreichend deutlich geworden sein. Die Analyse des
Danielbuchs verbietet derart globale Zuweisungen und leitet vielmehr
dazu an, das Bild der nachexilischen Theologiegeschichte selbst zu
differenzieren. Dabei kommt es schon auf die gewählte Terminologie
an. Insbesondere bedarf der schillernde, vom einen mehr wertend, vom
anderen vielleicht zu wenig reflektiert gebrauchte Begriff der »Theokratie« der Präzisierung. Wenn wir im folgenden dennoch an ihm
festhalten, so ganz einfach darum, weil er zunächst nichts anderes als
das hier untersuchte Wortfeld der Gottesherrschaft bezeichnet. Alle
übrigen, von Wellhausen und/oder Plöger u.a. damit verbundenen
Konnotationen sind an dem Befund ebendieser Wortfelduntersuchung
zu messen.

Danach aber bestätigt die Analyse des Danielbuchs fürs erste die von
Plöger angeregte und insbesondere von Steck [58] weiterentwickelte

---

58. S. die Hinweise oben Anm. 21.33 sowie DERS., *Das Problem theologischer Strömungen in nachexilischer Zeit*, in EvTh 28 (1968) 445-458; DERS. *Strömungen theologischer
Tradition im Alten Israel* (1978), wiederabgedruckt in DERS., *Wahrnehmungen* (s.o. Anm.
33), 291-317, p. 311ff.

Unterscheidung, die sich freilich – anders als Plöger sich das dachte –
im Danielbuch selbst und hier in unterschiedlicher Spielart und mit
anders gelagerten thematischen Akzenten findet. So entspricht die
theologische Konzeption der Erzählungssammlung Dan 1–6*, die ja als
einzige auf beiden Themen, Reich Gottes und Gesetz, gemeinsam
aufbaut, ziemlich genau dem eigentlich theokratischen Konzept, nach
dem im chronistischen Geschichtswerk die nachexilische Geschichte
Judas neu geschrieben und aus dieser Optik die vorexilische Königszeit
rekapituliert wird. Dan 1–6* füllt gewissermaßen für die babylonische
Gola die exilische Lücke der 70 Jahre von 2 Chr 36,21 konzeptions-
getreu aus. Die Übereinstimmung zeigt sich sowohl an der speziellen
Vorstellung des Königtums, wonach Davididen und nach ihnen nicht-
israelitische, hier persische Könige (vgl. Nebukadnezar in Jer 27–29,
Kyros in Jes 40–55) als deren legitime Rechtsnachfolger im »Reich
Gottes« *(mlkwt yhwh)* regieren und dieses eine, von Jhwh vergebene
judäische »Reich« *(mlkwt)* verwalten[59]; und sie zeigt sich an der nicht
minder speziellen Vorstellung vom Gesetz *(twrh, dt)*, das in einem
Gesetz Gottes und des judäischen oder persischen Königs sein soll[60].
Beides geht im übrigen sowohl in ChrG wie auch in Dan 1–6* auf die
persische Reichsidee seit Dareios I. zurück, wonach die von Ahuramazda geschaffene Welt und die vielen unterworfenen Völker/Länder
auf ihr in dem einen Reich des einen von Gott eingesetzten Großkönigs
sowie in seinem Gesetz, das die Gesetze der Völker zu persischem
Reichsrecht erklärt, ihre Einheit und ihren Bestand haben[61].

Auf der anderen Seite greift – im Danielbuch anschließend, sonst
eher parallel zur »Theokratie« – nach Plögers Unterscheidung in der
Tat die Kehre ins Eschatologische Platz. Hier allerdings gilt es noch
einmal zu differenzieren, und zwar zunächst wieder im Danielbuch
selbst zwischen der Eschatologisierung des theokratischen Konzepts
von Dan 1–6* im vormakkabäischen Bestand von Dan 7* (und 2,28.40-
44*) und dem – weniger am »Reich« als vielmehr an Israel und seinem
Gesetz (Bund) orientierten – eschatologischen Konzept von Dan 8–12
(samt Zusätzen in Dan 2 und 7), das wenigstens gemäß dem Gebet in
Dan 9 eindeutig deuteronomistisch geprägt ist[62]. Demgegenüber trägt
die von Plöger[63] ins Spiel gebrachte Eschatologie später Propheten-

59. Vgl. *Translatio*, p. 161ff.179ff. und im folgenden.
60. Vgl. *Translatio*, p. 225ff. und im folgenden.
61. Vgl. *Translatio*, p. 197ff., bes. 205f.; 225f.246ff. sowie die Hinweise oben Anm. 55
(KOCH, AHN). Für entsprechende Redaktionsschichten im Jeremiabuch: *Translatio*,
p. 190ff.; in Dtjes: R. G. KRATZ, *Kyros im Deuterojesaja-Buch. Redaktionsgeschichtliche
Untersuchungen zu Entstehung und Theologie von Jes 40-55* (FAT, 1), Tübingen, 1991,
p. 175ff.
62. Vgl. STECK, *Israel* (s.o. Anm. 21), p. 113ff. u.ö.; DERS., *Weltgeschehen* (s.o. Anm.
33), p. 284ff.
63. *Theokratie und Eschatologie* (s.o. Anm. 14), p. 69ff.; vgl. zur weiterführenden
Differenzierung die Hinweise oben Anm. 21 und 58 und zu den entsprechenden Texten

fortschreibungen wiederum ganz anderes Gepräge, das zwar Berührungen mit den anderen aufweist, damit aber nicht identisch ist[64].
Achtet man jedoch auf die unterschiedliche Prägung, so zeigt sich auch
im Danielbuch, was vom chronistischen Werk her ohnehin selbstverständlich ist, daß nämlich das entscheidende Gegenüber zur »Theokratie« nicht eigentlich die Eschatologie als solche, sondern – ob
eschatologisch oder nicht – die deuteronomistische Geschichtskonzep-
tion ist. Natürlich läßt sich auch diese Polarität nicht einfach generali-
sieren. Aufgrund des Befunds im Danielbuch erscheint es mir jedoch
der Prüfung wert, ob und inwieweit sie den Gang der nachexilischen
Theologiegeschichte auch sonst bestimmt hat, neben oder vielleicht
sogar in anderen Bereichen wie dem der eben genannten Propheten-
schriften, aber auch denen von Psalmen und Weisheit[65] bis über das
Alte Testament hinaus.

(bes. Sach 9-14 im Verhältnis zu späten Jesaja-Schichten, darunter auch Jes 24–27!)
neuerdings O. H. STECK, *Der Abschluß der Prophetie im Alten Testament. Ein Versuch zur
Frage der Vorgeschichte des Kanons* (BThSt, 17), Neukirchen-Vluyn, 1991.
    64. Die *Königsprädikation (mlk)* für Jhwh bei den Propheten (vgl. dazu CAMPONOVO
(s.o. Anm. 1), p. 102ff.) entspricht in etwa Dan 2,40-44* und 7*, begegnet aber selten und
nie in dem für Dan 1-6.7 konstitutiven Zusammenhang mit den Weltreichen (so am
ehesten noch Mal 1,11-14). Als ältester Beleg (aus vorexilischer Zeit) gilt allgemein Jes 6,5;
ansonsten handelt es sich immer um eschatologische Reaktivierungen der Jerusalemer
Tradition aus später und allerspätester Zeit: Vgl. Ez 20,33 sowie das Vorkommen in der
Dtjes-Grundschrift Jes 41,21; 43,15; 44,6; 52,7 für die Befreiung aus dem Exil, den neuen
Exodus und die Inthronisation Jhwhs auf dem Zion nach dem Modell von Ex 15 (dazu
Kyros (s.o. Anm. 61), p. 148ff.171ff.), danach auch Mi 2,13; 4,6f.(9?) (vgl. ferner Jes 40,10
sowie 63,19 *mšl*); für Jhwh in Zion-Jerusalem Jer 8,19a; Jes 33,22; 24,23(!); Ob (16-)21;
Zeph 3,14f.; Sach 14,9.16f.(!); im Fremdvölkerorakel Jer 46,18 = 48,15 = 51,57;
gegenüber Götzen, die schon in Dtjes Einzug gehalten haben, Jer (8,19) 10,7.10. Zum
Gesetz (twrh) vgl. W. ZIMMERLI, *Das Gesetz und die Propheten* (Kleine Vandenhoeck-
Reihe 166-168), Göttingen, 1963; R. SMEND in DERS. / U. LUZ, *Gesetz* (Biblische
Konfrontationen), Stuttgart/Berlin/Köln/Mainz, 1981, p. 11ff.; K. KOCH, Art. *Gesetz I.
Altes Testament*, in *TRE* 13 (1984) 40-52, p. 45f. sowie den Artikel von G. LIEDKE und
C. PETERSEN, in *THAT* II, München/Zürich, 1979, Sp. 1035ff. Wo es vorkommt, meint es
ursprünglich die »priesterliche(n) Weisung(en)« (vgl. Hos 4,6; 8,12 text.em.; Jer 2,8;
18,18; Ez 7,26; 22,26; 43,11f.; 44,5.24; Zeph 3,4; Hg 2,11; Mal 2,6-9; davon abgeleitet
auch Jes 1,10; in spez. prophetischer Bedeutung, aber wohl ebenfalls älter Jes 8,16(.20),
darauf bezogen 5,24; 30,9?); ansonsten ist entweder an eine universale Weltordnung (in
Par. *mšpṭ* Hab 1,4 sowie für alle Völker Jes 2,3 = Mi 4,2; Jes 42,4; 51,4; vgl. auch 24,5
nach Gen 9) oder wahrscheinlich schon an das geschriebene Gesetz gedacht (Jes (5,24;
30,9?) 42,21.24; Jer 6,19; 8,8; 9,12; 16,11; 26,4; 31,33; 32,23; 44,10.23; Hos 8,1(.12); Am
2,4; Sach 7,12, ganz sicher Mal 3,22). Letzteres erinnert somit an die dtr. geprägte
»Eschatologie« von Dan 9 (im Kontext 8-12), wobei allerdings auffällt, daß in den
Prophetenbüchern mit Ausnahme von Mal 3,22 (nach Jos 1) nie (wie in Dan 9,1.13; Neh
9,14 und mit dem dtr. Sprachgebrauch) von der »Tora des Mose«, sondern immer (wie in
Dan 9,10f. sg./pl.; Neh 9,3.26.29.34 und mit dem chr. Sprachgebrauch) von der »Tora
Jhwhs« die Rede ist; s. im folgenden. Im ganzen aber spielt das Gesetz (außer in Jer) eine
untergeordnete Rolle, es sei denn als autoritative Textgrundlage, auf die sich die produk-
tive Prophetenauslegung im Prophetenbuch bezieht, ohne sie ausdrücklich zu benennen.
    65. Zum Königtum in den Psalmen vgl. CAMPONOVO (s.o. Anm. 1), p. 91ff.; neuerdings
bes. J. JEREMIAS, *Das Königtum Gottes in den Psalmen. Israels Begegnung mit dem*

2. Die Frage ist zunächst an die traditionsgeschichtlichen Voraussetzungen des Danielbuchs zu richten, die sich am Nach- und Nebeneinander von deuteronomistischem und chronistischem Geschichtswerk
dingfest machen lassen. Wie ein Vergleich der beiden Werke erkennen
läßt, spielen auch in ihnen die Leitthemen Reich Gottes (Königtum)
und Gesetz eine nicht unmaßgebliche Rolle, die eine genauere Verhält-
nisbestimmung erlaubt.

Augenfällig ist die Differenz in der *Beurteilung des Königtums.* Die
wenigen Stellen in DtrG, die von Gottes Königsherrschaft reden (Ri
8,23; 1Sam 8,7; 12,12)[66], begründen die praktische oder grundsätzliche
Verwerfung des israelitischen und irdischen Königtums (wie bei den
Völkern!) überhaupt. Sie gehören vermutlich einer jüngeren Redak-
tionsstufe (DtrN für den »Nomisten«) an und formulieren gleich für
den Anfang aus, was sich in der ältesten Gestalt des Werkes (DtrH für
den »Historiker«) allein aus dem Gang der Ereignisse am Ende ergab,
nämlich daß die Einrichtung des Königtums Israel in die Katastrophe
und mithin unter die (»nachexilisch« anhaltende) Herrschaft der Völker
gebracht hat. Ganz im Gegensatz dazu bewegt sich der Sprachgebrauch
in ChrG in Aufnahme und Abänderung der Vorlage gerade darauf zu,
das irdische, judäische und persische, Königtum als Stellvertretung

kanaanäischen Mythos in den Jhwh-König-Psalmen (FRLANT, 141), Göttingen, 1987
mit wichtigen Beobachtungen zur theologie- und zeitgeschichtlichen Einordnung;
H. SPIECKERMANN, *Heilsgegenwart. Eine Theologie der Psalmen* (FRLANT, 148), Göttingen, 1989, p. 165ff.; zum Gesetz in der späten Weisheit SMEND (s.o. Anm. 64),
p. 34ff.37ff. sowie unten Anm.73. In der Fragestellung berührt sich der folgende Durchgang durch das einschlägige Material mit der Studie von KELLERMANN, *Messias und
Gesetz* (s.o. Anm. 1), der aufgrund der Orientierung an der Messsiasvorstellung freilich
anders auswält und die Positionen insgesamt anders bestimmt.
66. Zur Diskussion der Stellen vgl. H. J. BOECKER, *Die Beurteilung der Anfänge des
Königtums in den deuteronomistischen Abschnitten des 1. Samuelbuches. Ein Beitrag zum
Problem des »deuteronomistischen Geschichtswerks«* (WMANT, 31), Neukirchen-Vluyn,
1969, p. 19ff.75f.; F. CRÜSEMANN, *Der Widerstand gegen das Königtum. Die antiköniglichen
Texte des Alten Testamentes und der Kampf um den frühen israelitischen Staat* (WMANT,
49), Neukirchen-Vluyn, 1978, p. 42ff.73ff.; zur literarhistorischen Einordnung T. VEIJOLA,
*Das Königtum in der Beurteilung der deuteronomistischen Historiographie. Eine redaktions-
geschichtliche Untersuchung* (AASF, B/198), Helsinki, 1977, p. 83ff.100ff.; danach auch
R. SMEND, *Die Entstehung des Alten Testaments* (ThW, 1), Stuttgart/Berlin/Köln/Mainz
1978, p. 118f.; DERS., *Der Ort des Staates im Alten Testament* (1983), wiederabgedruckt
in DERS., *Die Mitte des Alten Testaments. Gesammelte Studien 1*, München, 1986, 186-199,
p. 191f.197f.; W. DIETRICH, *David, Saul und die Propheten. Das Verhältnis von Religion und
Politik nach den prophetischen Überlieferungen vom frühesten Königtum in Israel* (BWANT,
122), Stuttgart/Berlin/Köln/Mainz, 1987, p. 101 Anm. 257; 133f.; kritisch dazu neuerdings U. BECKER, *Der innere Widerspruch der deuteronomistischen Beurteilung des Königs-
tums (am Beispiel von 1 Sam 8)*, in *Altes Testament und christliche Verkündigung* (FS A.
H. J. Gunneweg, hg. von M. OEMING und A. GRAUPNER), Stuttgart/Berlin/Köln/Mainz,
1987, 246-270, bes. p. 269, und zuletzt P. MOMMER, *Samuel. Geschichte und Überlieferung*
(WMANT, 65), Neukirchen-Vluyn, 1991, p. 56.61f.67.127ff., die grundsätzliche Kritik
p. 52ff.200ff.

Gottes auf Erden zu etablieren. Terminologisch manifestiert sich dies, wie schon erwähnt, vor allem in der Verwendung des Begriffs *mlkwt*[67], der mit 1Sam 20,31 und 1Kön 2,12 zwei gewichtige Stellen aus der Aufstiegs- und der Thronnachfolgegeschichte und damit die positive Sicht des davidischen Königtums von DtrH und seinen Quellen reaktiviert; sachlich am profiliertesten erscheint es in der berühmten Umformulierung der Natanverheißung 1Chr 17,11-15 gegen 2Sam 7,12-17, die aus der David-Dynastie die Herrschaft der judäischen Könige im Reich Gottes und aus dem »Haus Davids« das »Haus Gottes«, den Tempel, werden läßt und mit beidem den Weg für die heidnischen Könige und Tempelerbauer in persischer Zeit vorzeichnet. Im Licht des zweiten Tempels unter persischer Herrschaft gewinnt für ChrG das judäische Königtum seine göttliche Qualität zurück, wird die vorexilische, deuteronomistische Unheilsgeschichte der israelitischen Könige zur chronistisch-theokratischen Heilsgeschichte des göttlich-judäischen »Reichs«, die sich mit nur kurzem Unterbruch im Land (2Chr 36,21) in »nachexilischer« Zeit fast nahtlos fortsetzt.

Die Natanverheißung ist aber auch im Blick auf das *Gesetz* und das *Verhältnis von Gesetz und Königtum* aufschlußreich. Schon die Strafandrohung in 2Sam 7,14, die 1Chr 17 ausläßt und die auch in 1Chr 22,10 nicht nachgeholt wird (vgl. hier V. 12f.), und erst recht die Reminiszenzen in 1Kön 2,2ff.; 2Kön 21,7f. bzw. 1Chr 28,5ff.; 2Chr 9,8 (letzterem ähnlich und parallel zu 1Kön 2,12 auch 1Chr 29,23) setzen die unterschiedlichen Maßstäbe in der Beurteilung des Königtums fest: hier allein das Gesetz, dort dafür oder darüber hinaus eben die Herrschaft in Gottes Reich[68]. Die der Tendenz nach gegenläufige Überschneidung an einer derart prominenten, für beide fundamentalen Stelle

---

67. Vgl. *mlkwt* von Jhwh 1Chr 17,14; 28,5 neben *mmlkh* (sg.) 1Chr 29,11; 2Chr 13,8; *mšl* 1Chr 29,12; 2Chr 20,6; *ks' yhwh* (außer *yšb* in 1Chr 13,6; 2Chr 6 und 18,18) ohne Parallele in DtrG noch 1Chr 28,5; 29,23; 2Chr 9,8. Auch *mlkwt* für das irdische Königtum begegnet im Rahmen eines überaus differenzierten Sprachgebrauchs mit anderen, teils übernommenen, teils ergänzten Ausdrücken; Einzelnachweise in *Translatio*, p. 174 Anm. 74-76; 175f. mit Anm. 81 und zum Ganzen p. 169ff.183ff. Zur Diskussion vgl. G. WILDA, *Das Königsbild des chronistischen Geschichtswerkes* (Diss. Masch.), Bonn, 1959, TAE-SOO IM, *Das Davidbild in den Chronikbüchern. David als Idealbild des theokratischen Messianismus für den Chronisten* (EHS.T, 263), Bern / Frankfurt a.M. / New York, 1985 sowie schon H. R. HÖLZEL, *Die Rolle des Stammes »mlk« und seiner Ableitungen für die Herrschaftsvorstellungen der vorexilischen Zeit* (Diss. Masch.), Hamburg, 1972, p. 188-191; CAMPONOVO (s.o. Anm. 1), p. 90f.; ZENGER (s.o. Anm. 1), p. 185f.; LOHFINK (s.o. Anm. 1), p. 75.

68. Das Gesetz bleibt natürlich auch in ChrG verpflichtend und ist – außer bei der vorausgehenden, bedingungslosen göttlichen Setzung in 1Chr 17 und im Reflex 2Chr 9,8 – fast überall präsent, wo von der Gottesherrschaft die Rede ist: 1Chr 28,7 (wie noch 2Chr 6,16 in Abänderung von 1Kön 8,25; 2Chr 7,17f. nach 1Kön 9,4f.); 1Chr 28,9f. und 29,18f. mit V. 11f. und vor V. 23 (entsprechend 1Chr 22,12f.); ferner 2Chr 13,5.8 mit V. 10ff.; 2Chr 20,6 im Mund des Gesetzgebers Josaphat.

ist kaum zufällig. Weitere Sachverhalte weisen in dieselbe Richtung. Zunächst wieder die Terminologie. Die Zusammenfassung der göttlichen Gebote des Deuternomiums (und bald einmal des ganzen Pentateuch) unter dem Einheitsbegriff der »Tora« in DtrG[69] stammt in der Hauptsache wohl ebenfalls von der jüngeren Redaktion DtrN und zeichnet sich durch einen weitgehend einheitlichen, sinnvoll und stimmig differenzierten Sprachgebrauch aus[70]. Es handelt sich durchweg und nach der Niederschrift Dtn 31,9ff. (V. 19.22.24) auch ausdrücklich um das »Gesetz des Mose«, womit die geschichtliche Verankerung und der damit gegebene, ausschließliche Bezug zum Volk Israel betont ist. Diese Terminologie wird vom Chronisten (für den ganzen Pentateuch) aufgenommen, aber wiederum ergänzt[71]. Bevorzugt erscheint hier die

69. Im Dtn begegnet der Begriff – außer 17,11 und der sicher späten Stelle 17,18f. – ausschließlich in den dtr. Rahmenkapiteln: 1,5; 4,8.44; 27,3.8.26; 28,58.61; 29,20.28; 30,10; 31,9.11.12.24.26; 32,46; 33,4.10; vgl. dazu G. BRAULIK, *Die Ausdrücke für »Gesetz« im Buch Deuteronomium* (1970), wiederabgedruckt in DERS., *Studien zur Theologie des Deuteronomiums* (Stuttgarter Biblische Aufsatzbände, 2), Stuttgart, 1988, 11-38, p. 36-38. In der Fortsetzung: Jos 1,7.8; 8,31.32.34; 22,5; 23,6; 24,26; (2Sam 7,19 text.?); 1Kön 2,3; 2Kön 10,31; 14,6; 17,13.34.37; 21,8; 22,8.11; 23,24.25; vgl. dazu R. SMEND, *Das Gesetz und die Völker. Ein Beitrag zur deuteronomistischen Redaktionsgeschichte* (1971), wiederabgedruckt in DERS., *Die Mitte des Alten Testaments. Gesammelte Studien 1*, München, 1986, 124-137, und zur literarhistorischen Einordnung zusammenfassend H. SPIECKERMANN, *Juda unter Assur in der Sargonidenzeit* (FRLANT, 129), Göttingen, 1982, p. 43f. mit Anm. 25; 50ff., bes. 56 Anm. 57; 78 Anm. 100; 137f.; 167f. mit Anm. 19; ferner F. L. HOSSFELD/E. REUTER, *Art. sepær* in ThWAT V 7/8 (1986) 929-944, Sp. 937ff.

70. Auf Unterschiede macht L. PERLITT, *Bundestheologie im Alten Testament* (WMANT, 36), Neukirchen-Vluyn, 1969, p. 270; DERS., *Deuteronomium* (BK, V/1), Neukirchen-Vluyn, 1990, p. 23f. aufmerksam, doch lassen sich manche von ihnen im Zusammenhang erklären und müssen nicht unbedingt auf verschiedene literarische Schichten zurückgehen: So verkündet Mose das Gesetz zunächst mündlich (Dtn 1,5; 4,8.44; in der rückblickenden Zusammenfassung auch 32,46), befiehlt in weiter Voraussicht auf Jos 8,30ff. (hier dann das »Buch«!) dessen Abschrift auf Steine im gelobten Land (Dtn 27,3.8.26) und schreibt es danach – zum Zwecke der sicheren Überlieferung und Überführung ins Land durch Josua – selbst auf in ein Buch (31,9ff.); vgl. dasselbe für das Lied Dtn 32 in 31,30; 32,44 gegenüber 31,19.22, das nach 31,22.24ff., 32,45f. (mit Josua in V. 44 wie 31,22.23ff. entsprechend 31,1-8.9ff.) Teil des Gesetzes ist. Nur Dtn 28,58.61; 29,19f. (anders. V. 28) und 30,10 passen nicht und sind darum entweder älter als die darüber gelegte, in sich stimmige Rahmenhandlung 1,5 (4,8.44) / 27 und 31 (mit Mose-Redenotizen für 28-30 in 27,1ff.11ff.; 28,69; 29,1 wie 31,1ff.) oder gleichzeitig bzw. jünger als diese und leben bereits von der Kodifizierung in 31,9ff. (so auch 17,18f.). Auch in Jos-2Kön findet sich nach Dtn 31,9ff. fast ausschließlich das »geschriebene« Gesetz und »Buch«, das – nach der deuteronomischen Selbstbezeichnung (z.T. im Munde Moses selbst) mit dem Demonstrativum als »diese (dieses Buch der) Tora« – natürlich erst von da an den Namen seines Verfassers trägt und auch in Jos 1,8 durch 1,7 und in 8,34 durch 8,31f.35 entsprechend identifiziert ist. Wirkliche Ausnahmen sind nur das »Buch der Tora« in 2Kön 22,8.11 (»Buch des Bundes« 23,2.21), das älter ist, und das »Gesetz(buch) Gottes/Jhwhs« in Jos 24,26; 2Kön 10,31 und 17,13.34.37, das jedenfalls in 2Kön sachlich durch »die Propheten« motiviert ist, s. dazu im folgenden.

71. Vgl. dazu (mit Stellennachweisen) *Translatio*, p. 229f.233ff.; ferner U. KELLERMANN, *Anmerkungen zum Verständnis der Tora in den chronistischen Schriften*, in BN 42 (1988) 49-92. Das »Gesetz Jhwhs/Gottes«: 1Chr 16,40; 22,12; 2Chr 12,1; 17,9; 31,3f.;

Bezeichnung »(Buch der) Tora Jhwhs/Gottes«, die die »priesterliche Weisung« (aus eigener Tradition wie aus den Prophetenbüchern[72]) mit der Schriftlichkeit der Mose-Tora zusammenbringt und so den Priester nach Art von Esr 7 und Neh 8 zum Schriftgelehrten werden läßt, im übrigen nicht geschichtlich festgelegt ist, was den Ausdruck gerade auch für die späte Weisheit anziehend gemacht haben dürfte[73].

Vor allem aber hängt die unterschiedliche Terminologie mit dem unterschiedlichen *Gesetzesbegriff* zusammen. Er definiert sich kaum über das Material, die Umgrenzung des Korpus, auf das er sich bezieht, und schon gar nicht über die Alternative von Einzelgesetz und Einheitsbegriff[74], sondern ganz offenbar über die Funktion. In DtrG dient das

34,14; 35,26 in Abänderung von 2Kön 22,28 wie noch (mit sf.) 2Chr 6,16 / 1Kön 8,25; Esr 7,10.12.14.21; Neh 8,8.18; 9,3 (mit sf. V. 26.29.34); 10,29f.; ferner Esr 6,14; 7,23.

72. S.o. Anm. 64. Von hier aus erklärt sich auch die Ausnahme in 2Kön 10,31 und 17,13.34.37 (s.o. Anm. 70), mit der (älteren = DtrH?) Grundstelle 17,13, wo »die Propheten« regelrecht »zitiert« werden und von wo 10,31 (im Bogen der »Sünde Jerobeams«, vgl. 17,21ff.) als auch 17,34.37 als unmittelbare Fortschreibung abhängig sind. Natürlich ist hier sowenig wie in ChrG noch eigentlich an den priesterlichen Kultbescheid gedacht. Jeder rezipiert die Dinge in seinem Sinn: DtrG die Propheten als Gesetzesmahner, ChrG den Priester als Schriftgelehrten, der seine »Weisung« aus dem Studium von Tora und Propheten bezieht. Unerklärlich ist mir in DtrG bisher einzig Jos 24,26: In welches Buch schreibt Josua eigentlich, wenn doch das Gesetzbuch schon geschrieben ist (Dtn 31,9ff.)? Melden sich hier die Überlieferer von DtrG zu Wort (vgl. *ThWAT* V, Sp. 942)?

73. Vgl. Ps 1,2; 19,8; 37,31; 119,1; mit sf. überaus gehäuft in Ps 119, ferner 40,9; 78,10; 89,31; 94,12; 105,45. Im Sirachbuch steht dafür das »Gesetz des Höchsten«, hebr.: 41,4.8; 42,2; 49,4; mit sf. 33(36),3, in der gr. Übersetzung (Göttinger Ausgabe): 9,15; 19,17; 23,23; 24,23; 38,34; 41,8; 42,2; 44,20; 49,4; das »Gesetz des Herrn« 39,8 und 46,14; mit pronomen 45,17 (sonst immer absolut: Prolog 1.8.24; 15,1 (+hebr.); 19,20.24; 21,11; 36(33),2f.; 31(34),8; 32(35),1; 35,15.24 (hebr. 32,15.17f.24); vgl. auch ἐντολή/*mṣwh* in 1,26; 6,37; 10,19; 15,15; 23,27; 28,6.7; 29,1.9.11; 35,23f. (32,27f.); 32(35),2.7; 37,12; 39,31; 40,30; 45,5.17). Besonders interessant ist 24,23 (das »Buch des Bundes des höchsten Gottes, das Gesetz, das uns Mose auferlegt hat«), wo die dtn.-dtr. Terminologie (vgl. 2Kön 23,2.21; Ex 24,7) und Vorstellung (Gesetz durch Mose) in das eigene (theokratische) Konzept integriert wird (vgl. auch 45,5 sowie 17,11f. im Kontext): Dieses Gesetz der Weisheit stammt eben nicht erst von Mose, sondern ist präexistent und von Anfang an – im Horizont der ganzen Schöpfung einschließlich Völkerwelt – speziell in Israel (Jerusalem und Tempel) beheimatet, wie gerade Sir 24 lehrt. Zur Verbindung vgl. übrigens schon die sonderbare Formulierung in Esr 7,25 (*ḥkmt...* wie V. 14 vom Gesetz). Anders als SMEND (s.o. Anm. 65), p. 37 sehe ich diese Entwicklung also gerade nicht in »Verlängerung der deuteronomisch-deuteronomistischen Linie«, auch wenn es zweifellos zur gegenseitigen Beeinflussung gekommen ist, in umgekehrter Richtung und sicher noch vor Sir etwa in Dtn 4,6 im Blick auf V. 7f., oder vielleicht auch in Dtn 17,18f. und Jos 1,8 (Mal 3,22ff.) / Ps 1; auch das Tobitbuch (s.u. Anm. 121) und Baruch wären in dieser Frage näher zu betrachten. Zur Entwicklung selbst vgl. HENGEL (s.o. Anm. 1), p. 252ff.284ff.; J. MARBÖCK, *Weisheit im Wandel. Untersuchungen zur Weisheitstheologie bei Ben Sira* (BBB, 37), Bonn, 1971, p. 81ff.; DERS. *Gesetz und Weisheit. Zum Verständnis des Gesetzes bei Jesus Ben Sira*, in *BZ* NF 20 (1976) 1-21.

74. Gegen RÖSSLER (s.o. Anm. 14), p. 38ff. und passim. Zur Kritik vgl. schon A. NIESSEN, *Tora und Geschichte im Spätjudentum*, in *NT* 9 (1967) 241-277, p. 250ff.260ff. sowie LIMBECK, *op. cit.* (s.o. Anm. 6) für die spätere Zeit.

Mosegesetz im wesentlichen als Maßstab für das persönliche Verhalten der einzelnen Führer (Mose, Josua) und Könige, vermittelnd oder stellvertretend für das ganze Volk. Eine eigentlich politische Rolle spielt es nicht, auch und gerade nicht nach Dtn 17,14-20[75]. Die einzige Stelle, wo die Tora einmal fast zum Staatsgesetz wird, nämlich unter Josia in 2Kön 22f. mit den auffälligen Bezeichnungen in 22,8.11 und 23,2.21, wird es in 2Kön 23,24f. entsprechend Dtn 17,18f. korrigiert. Der förmliche Staatsakt (vgl. *qwm* hi. vom »Bundesbuch« in 23,2f.; ähnlich Ex 24,7f.) paßt vorzüglich in das Konzept von DtrH und seinen Vorlagen, so daß hier der Ausgangspunkt für die »nomistische« Redaktion zu greifen sein dürfte[76], die den älteren Bericht in 23,21-23.24 (bes. V. 21b.24b aus 23,3; 22,8) ihren spezifischen Bedürfnissen angepaßt hat und so als fallweise Anwendung der Tora (wie auch 2Kön 14,6) erscheinen läßt, in 23,25 sodann gänzlich in ihrem Sinne auf den persönlichen Gesetzesgehorsam hin uminterpretiert hat. Das ältere Konzept kommt hingegen wieder in ChrG zu neuen Ehren. Der Chronist denkt auch das Gesetz und die von DtrG übernommene persönliche Observanz im staatspolitischen Horizont von Reich Gottes und Weltreich und läßt darum schon den König Josaphat das »Gesetz Jhwhs/Gottes« so handhaben, wie es nachher in Esr 7 die juristische Gleichsetzung von Gottes- und Königsgesetz unter den Persern verlangt[77]. Sowohl die terminologische Weite als auch die politische Akzentuierung des Gesetzesbegriffs leben demzufolge von dem chronistisch-theokratischen Konzept der judäischen »Reichs«-Geschichte, die von der Perserzeit her entworfen ist und in sie einmünden soll. Allein in diesem Konzept, allein mit der irdischen Repräsentanz von Reich Gottes und Gesetz, wird die jüdische, mosaische Tora erst eigentlich zum »Gesetz«, zum *dat*, zum *nomos* im Sinne des Worts[78]. Ist es hier

75. Um altes Königsrecht handelt es sich – wenigstens V. 18f. – kaum; vgl. dafür allenfalls die – ältere, freilich ihrerseits redaktionelle – Notiz 1Sam 10,25 (DtrH), mit kritischer Ergänzung 1Sam 10,19 entsprechend 1Sam 8,5 / Dtn 17,14 (DtrN).

76. So mit SPIECKERMANN, *Juda* (s.o. Anm. 69), p. 51f.73ff., auf einen Blick p. 423.425 für die älteren Stellen; ob auch in 23,(21-23.)24.25 noch einmal geschichtet werden muß, sei hier dahingestellt. Anders natürlich E. WÜRTHWEIN, *Die Bücher der Könige. 1. Kön 17 – 2. Kön. 25* (ATD, 11/2), Göttingen, 1984, z.St. sowie CHR. LEVIN, *Joschija im deuteronomistischen Geschichtswerk*, in *ZAW* 96 (1984) 351-371, p. 369ff., die überall die unzähligen Hände von DtrN am Werk sehen, aber viel zu wenig (oder gar nicht) danach fragen, welches Gesetzesverständnis hinter den verschiedenen Formulierungen steht, sondern – trotz der übermäßigen literarkritischen Differenzierung innerhalb von DtrN – alles, was mit »Tora« zu tun hat, in ein und denselben Topf der (Wellhausenschen) nachexilischen »Theokratie« werfen.

77. Vgl. dazu *Translatio*, p. 230 Anm. 341; 233ff., bes. 237f.

78. Damit und nur damit ist der entscheidende Schritt zum Judentum als »Gesetzesreligion« getan, der sich in exzeptioneller Weise und – ob historisch oder nicht – jedenfalls auf der konzeptionellen Ebene (von ChrG) mit Reich und Herrschaftspraxis der Perser als Erfahrungshintergrund verbindet. Nach wie vor grundlegend dazu E. MEYER, *Die Entstehung des Judenthums. Eine historische Untersuchung*, Halle, 1896 (Nachdruck Hildesheim / Zürich / New York, 1987); vgl. *Translatio*, p. 230-233 (sowie 228 Anm. 331).

also der universale Reichsgedanke, der den Gesetzesbegriff für Israel in der Völkerwelt, mithin auch den persönlichen Gesetzesgehorsam neu prägt und festigt, so ist es im anderen Fall das Gesetz allein, das bar jeglicher politischer und lebenspraktischer Konnotationen eine unmittelbare, vornehmlich religiöse und ausschließlich vom Volks- und Erwählungsgedanken geprägte Gottesbeziehung stiftet[79].

Dasselbe Verhältnis zeigt sich schließlich an der Verteilung der Belege in den beiden Werken. Danach gibt es bestimmte kompositionelle Bögen, die in DtrG durch das herausragende Vorkommen des Torabegriffs markiert sind und in ChrG offensichtlich vorausgesetzt und durch den Reichsbegriff neu akzentuiert oder von anderen Bögen überlagert werden. In DtrG sind auf diese Weise zunächst Dtn und Jos, die mündliche Promulgation, dann schriftliche Niederlegung des Gesetzes durch Mose und seine Überführung ins Land durch Josua, aufs engste verzahnt[80]. Darauf folgt eine längere Beleglücke in Ri und 1-2Sam, d.h. für die Zeit der Entstehung des Königtums, die – auf derselben literarischen Ebene (DtrN) – mit den Aussagen zur Gottesherrschaft und für David mit 2Sam 7 abgedeckt ist. Sodann sind durch den Begriff der – meistens mißachteten – Tora mit 1Kön 2,3[81] die Zeit Salomos (1Kön 2–11), mit 2Kön 10,31 und in der Folge 2Kön 17,13(.34.37)[82] die Generationen im Zeichen der »Sünde Jerobeams« seit der Reichsspaltung bis und mit Jehu und dem Untergang des Nordreichs (1Kön 12–2Kön 10, 2Kön 17) und schließlich mit 2Kön 21,8 und trotz 2Kön 22f. (bes. 23,24f.)[83] die verbleibende Zeit des Südreichs im Zeichen der

79. In dieser Hinsicht ist auch von Bedeutung, daß DtrG in Dtn mit Mose am Sinai, ChrG hingegen (im Sinne von P) mit Adam beginnt, Israel hier also im Rahmen der ganzen Welt, ihrer Länder und Völker, gesehen ist (vgl. Gen 10). Dazu vgl. jüngst M. OEMING, *Das wahre Israel. Die »genealogische Vorhalle« 1Chr 1–9* (BWANT, 128), Stuttgart/Berlin/Köln, 1990 und Th. WILLI, *Chronik* (BK XXIV/1), Neukirchen-Vluyn, 1991; zur entsprechenden Sicht eines Ergänzers in Dtjes *Kyros* (s.o. Anm. 61), p. 175ff., im einzelnen 112f. sowie 131ff.141ff. Auch dieser, mit der Reichs- und Gesetzesvorstellung organisch verbundene, gut »theokratische« Gedanke ist nur auf dem Hintergrund der achaimenidischen Reichsidee verständlich; vgl. *Translatio*, p. 204ff. So gesehen bekommen vielleicht auch die von SMEND, *Das Gesetz und die Völker* (s.o. Anm. 69) erhobenen, dazu gänzlich konträren Aussagekonturen von DtrN deutlicheres Profil, vorausgesetzt, die Redaktionsschicht stammt aus persischer Zeit.

80. Vgl. oben Anm. 70 und die Inklusionen: Jos 1,7f. / Dtn 31,9ff. (geschriebenes Gesetz); Jos 8,31ff. / Dtn 27,1ff.; Jos 22,5 und 23,6 (mit Inklusion zu 1,7f.) / Dtn 1,4 (4,8.44); 32,46 (mündliche Gesetzesvermahnung vor ganz Israel); ferner Jos 24,26 / Dtn 31,9ff.

81. Als erste Stelle nach Dtn/Jos in Aufnahme des Rahmens Jos 1,7f./23,6 und in Erinnerung an 2Sam 7. Die damit angedeutete Kritik an Salomo entspricht Dtn 17,16f.

82. Dazwischen 2Kön 14,6 für die judäische Ausnahme, die die Regel bestätigt. Zur Verbindung der beiden Stellen im Ausdruck s.o. Anm. 70; die »Sünde Jerobeams« im Rückblick auf 1Kön 12 als Einschnitt 2Kön 10,29.31; 17,21ff.

83. Zu beachten ist die Ausnahmeformulierung 2Kön 23,22, ferner die Fortsetzung von 23,25 mit dem Verweis auf Manasse V. 26f. für Juda wie 24,3, mit den Propheten als Knechten V. 2 entsprechend 2Kön 17.

»Sünde Manasses« als Epochen markiert. Wie wichtig demgegenüber in ChrG die Verteilung des Begriffs *mlkwt* ist, geht schon daraus hervor, daß sich bei den damit ausgezeichneten Königen auch das Sondergut findet[84]. Die sachlich markanten Stellen führen auf bevorzugte Könige und dementsprechende Epochen der judäischen Reichsgeschichte, die den deuteronomistischen Helden und Epochen der Tora geradewegs entgegengesetzt sind: Statt David, Hiskia und Josia in DtrG sind das in ChrG zunächst David (1Chr 11-29) und – mit der aufwertenden Einsetzung ins göttliche »Reich« nach 1Chr 17 (vgl. 17,11; 22,9f.) – Salomo (1Chr 28f.; 2Chr 1-9) für den Tempel; es folgen Rehabeam (2Chr 11,17; 12,1) als Gegengewicht zur Reichsteilung (2Chr 10, die Trennung 2Chr 13, vgl. V.5.8!) und Josaphat (2Chr 20,30) als Gesetzgeber zu einer Zeit, die in DtrG noch von der »Sünde Jerobeams«, d.h. von Gesetzlosigkeit bestimmt ist[85]; darauf folgt – besonders überraschend – Manasse (2Chr 33,13), dessen »Demütigung« nicht nur die lange Regierungszeit erklären soll, sondern – in einer Reihe mit Hiskia und Josia (Passa!; vgl. 2Chr 30,1ff. gegen 2Kön 23,22/2Chr 35,18) – vor allem die »Sünde Manasses« als Grund für den Untergang des Südreichs aufhebt und die Schuld dafür allein der letzten Generation (2Chr 36) zuschreibt; und schließlich kommen die Perserkönige Kyros und Dareios (ab 2Chr 36,22f. / Esr 1ff.), die dem Paar David und Salomo entsprechen, im übrigen wie Josaphat das Gesetz staatlich autorisieren (Esr 7 / Neh 8) und damit – wie 2Chr 19,10, aber auch wie die »Demütigungen« Rehabeams (2Chr 12,6f.12) und Manasses (2Chr 33,12.19.23; vgl. 32,24-26) – den »Zorn« Jhwhs abwenden (vgl. Esr 7,23; 6,12). In allem bestätigt sich der erste, aufgrund der Natanverheißung gewonnene Eindruck, daß in DtrG das (nicht gehaltene) mosaische Gesetz, in ChrG dagegen das (Autorisation und Einhaltung des Gesetzes garantierende) göttlich-judäische »Reich« die Wahrnehmung der Geschichte Israels dominiert.

Der Vergleich der beiden großen israelitischen Geschichtswerke, die uns im hebräischen Kanon des Alten Testaments überliefert sind, führt damit zu einem eindeutigen Ergebnis: Dieselben Alternativen im Verhältnis von Reich Gottes und Gesetz, die das Werden des Danielbuchs bestimmt haben, prägen auch schon die Polarität von deuteronomistischem und chronistischem Geschichtsbild in den beiden Werken. Es drängt sich danach die Vermutung auf, daß es sich um einen fundamen-

---

84. Die Könige: David, Salomo, Asa, Josaphat, Ahas (im Rückblick unter Hiskia), Manasse und Josia. Vgl. dazu P. WELTEN, *Geschichte und Geschichtsdarstellung in den Chronikbüchern* (WMANT, 42), Neukirchen-Vluyn, 1973, p. 187f.; zur Verteilung *Translatio*, p. 173f. (mit Anm. 76); 186f.

85. Vgl. im Blick darauf und auf die Zäsur in 2Kön 10 (Jehu) die Fortsetzung unter Joram und Ahasja von Juda 2Chr 21f. gegenüber 2Kön 8,16ff.25ff., bes. 2Chr 21,1-3.12ff. sowie 22,9.

talen Gegensatz handelt, der sich vom einen zum anderen durchgehalten hat, nur daß die Entwicklung jeweils in umgekehrter Richtung verlaufen ist, zunächst vom deuteronomistischen zum chronistischen Werk, dann innerhalb desselben Buches von der chronistisch geprägten Theokratie in Dan 1–6* über die Eschatologisierung des (theokratischen) Reichsgedankens in Dan 7* (und 2,28.40-44*) zur deuteronomistisch geprägten Eschatologie in Dan 8–12. Wie aber ist diese Entwicklung zu erklären?

Zunächst wird man feststellen müssen, daß die von Wellhausen[86] begründete, von Noth und anderen[87] wenigstens für die nachexilische Zeit noch übernommene Sicht der Dinge sie nicht erklärt. Denn auch abgesehen von der damit verbundenen, das Wesen des Judentums gründlich verzeichnenden pejorativen Wertung des Gesetzes[88], wird das Hin und Her der theologiegeschichtlichen Bewegung in den Texten selbst nicht verständlich, wenn man von nur einer einzigen, kontinuierlichen (und abfallenden) Linie hinein in die immer enger werdende Gesetzlichkeit ausgeht. Verschiedene Ausprägungen des Gesetzesverständnisses werden damit ebenso nivelliert wie gegenseitige Beeinflussung bei gleichbleibenden Differenzen in der Grundposition. Daher ist nach anderen Modellen zu suchen. Von unserem Ergebnis her legt es sich nahe, statt des Nacheinanders an ein konkurrierendes Nebeneinander zu denken. Soll die Polarität von deuteronomistischem und chronistischem Geschichtsbild nicht nur – in der Reihenfolge der Entstehung der Werke – ein Nacheinander auf derselben Linie sein, sondern weiterreichende Bedeutung haben, so setzt dies voraus, daß beide Konzeptionen – von einem gewissen Zeitpunkt ab – schon während und danach auch unabhängig von ihrer Literaturwerdung nebeneinander tradiert, weitergedacht und fortgeschrieben wurden.

Damit sind nun allerdings außerordentlich schwierige Fragen aufgeworfen, Fragen, die hier gerade noch gestellt, aber kaum mehr hinreichend beantwortet werden können. Die Literargeschichte der beiden Werke wäre ebenso eingehend zu behandeln wie die Datierung und

---

86. S.o. Abschnitt I; zur Entwicklung Dtn, DtrG, P, ChrG vgl. *Prolegomena* (s.o. Anm. 9), p. 292f. Seinem Bild entspricht R. SMEND (sen.), *Ueber die Genesis des Judenthums*, in ZAW 2 (1882) 94-151.

87. Vgl. M. NOTH, *Die Gesetze im Pentateuch. Ihre Voraussetzungen und ihr Sinn* (1940), wiederabgedruckt in DERS., *Gesammelte Studien zum Alten Testament* (TB, 6), München, ³1966, 9-154, hier bes. p. 81ff.112ff.; ihm und Wellhausen folgt wieder R. SMEND (jun.) in DERS. / U. LUZ, *Gesetz* (s.o. Anm. 64), p. 9-44.

88. Vgl. KOCH, *Gesetz* (s.o. Anm. 64), p. 42f. Für ein (auch theologisch) differenziertes Verständnis der jüdischen Gesetzesauffassung vgl. die wegweisende Arbeit von LIMBECK (s.o. Anm. 6) sowie die einschlägigen Beiträge in den Sammelbänden: *Gesetz und Gnade im Alten und Neuen Testament*, hg. von K. KERTELGE (QD, 108), Freiburg/Basel/Wien, 1986; *»Gesetz« als Thema Biblischer Theologie* (JBTh, 4), Neukirchen-Vluyn, 1989 (überall weitere Lit.)

historische Veranlassung der Konzepte und ihrer Veränderung, nicht zu reden von dem Problem der dabei supponierten, verschiedenen Trägerkreise. Wenigstens einige begründete Erwägungen, die in die nämliche Richtung weisen, seien jedoch genannt. Für das deuteronomistische Geschichtsbild, seine sukzessive Ausbildung und Überlieferung (in verschiedenen Bereichen, bes. in Bußgebeten) hat vor Jahren O. H. Steck[89] den Nachweis erbracht. Für den Anfang in DtrG selbst ließe dieser sich aufgrund der neueren literarkritischen Differenzierungen[90] vermutlich noch präzisieren, wobei insbesondere solche Schichten Aufmerksamkeit verdienen, die wie Jepsens »levitische Redaktion« oder Smends DtrN ins persische Zeitalter hineinreichen dürften und sich (gerade auch mit den Themen Gottesherrschaft und Tora) bereits der Chronik nähern bzw. von deren (theokratischem) Geschichtsbild beeinflußt zeigen, ohne doch damit einfach identisch und also gänzlich undeuteronomistisch zu sein. Im Blick auf die weitere Tradierung wäre die Rezeption in den Prophetenbüchern (bes. Jeremia) wie auch in den Volksklageliedern des Psalters und manchen Jhwh-Königs-Psalmen (Ps 95 und 99) noch einmal des näheren zu untersuchen. Umgekehrt ist aber auch das chronistisch-theokratische Geschichtsbild nicht vom Himmel gefallen, sondern allmählich gewachsen. Dafür spricht zum einen die literarhistorische Entwicklung von ChrG selbst, die im – von DtrG abhängigen – Grundbestand m.E. unter Artaxerxes III. (2. Hälfte 4. Jh. v. Chr.) abgeschlossen war, deren Anfang jedoch mit der »aramäischen Chronik« Esr 4-6, der Dokumentensammlung Esr 5f. und dem Geschichtsabriß Esr 5,11ff. (als Vorbild für 2Chr 36 / Esr 1) im ausgehenden 6., beginnenden 5. Jh. v. Chr. liegt[91]. Daneben kommen ebenso gewisse protochronistische Prophetenfortschreibungen in Haggai-Sacharja (1-8 und Mal) sowie im Jeremia- und Deuterojesaja-Buch in Betracht[92], die ihren Schwerpunkt ebenfalls in der Zeit Dareios' I. (zwischen Tempelbau und Mauer in Esr 4 bzw. unter Nehemia) haben und denen bald danach – wie in ChrG Esr 9, noch später und vielleicht zusammen mit dem Einbau der Nehemia-Denkschrift Neh 9 – ihrerseits wieder deuteronomistisch beeinflußte, aber nicht unbedingt genuin deuteronomistische Schichten gefolgt sind[93]. Dies alles sind Indizien einer Entwick-

---

89. *Israel und das Geschick der Propheten* (s.o. Anm. 21); zu dem für die Entwicklung besonders wichtigen Umkehrgedanken *ibid.*, p. 123f. und SPIECKERMANN, *Juda* (s.o. Anm. 69), p. 44 Anm. 26.

90. S. die Hinweise oben Anm. 66.69; zusammenfassend SMEND, Entstehung, p. 111-125; O. KAISER, *Einleitung in das Alte Testament*, Gütersloh, [5]1984, p. 166ff.172ff. und bes. H. WEIPPERT, *Das deuteronomistische Geschichtswerk. Sein Ziel und Ende in der neueren Forschung*, in ThR 50 (1985) 213-249.

91. Vgl. *Translatio*, p. 270ff.

92. S. die Hinweise oben Anm. 61 und *Translatio*, p. 271f.

93. Vgl. *Kyros*, p. 208ff., bes. 212ff. für Dtjes; in denselben Zusammenhang gehört vermutlich die Erweiterung von Hg / Sach 1–8 um die Grundschicht von Mal, dazu E. BOSSHARD / R. G. KRATZ, *Maleachi im Zwölfprophetenbuch*, in *BN* 52 (1990) 27-46. Auch

lung, die sich spätestens seit dem ausgehenden 6. Jh. parallel und in wechselseitiger Abhängigkeit vollzogen hat und von dem Bemühen auf beiden Seiten zeugt, die jeweils andere Seite in die eigene, sich im Lauf der Zeit wandelnde Deutung der Geschichte zu integrieren.

3. Sind damit in etwa die Hintergründe und historischen Möglichkeiten umrissen, aus denen sich die Rezeption des deuteronomistischen Konzepts in der späten (»makkabäischen«) Schicht Dan 8-12 und vorher schon die Ausbildung des chronistisch-theokratischen Konzepts in der (perserzeitlichen) Schrift Dan 1-6* sowie dessen (nachpersische, frühhellenistische) Eschatologisierung in Dan 7* und 2,28.40-44* erklären, so zeigt schließlich auch der Blick über die Grenzen des alttestamentlichen Kanons hinaus, wie sehr diese Polarität noch immer auf die jüdische Theologiegeschichte einwirkt, auch wenn Annäherung und gegenseitige Beeinflussung – unter dem wachsenden Druck der zeitgeschichtlichen Verhältnisse des 3. und 2. Jh.s – mehr und mehr zunehmen. Auch dazu können im Rahmen dieser Studie keine vollständigen Analysen geboten, sondern nur einige Hinweise gegeben werden, wofür wir uns weiterhin an das Vorkommen des Begriffs der Gottesherrschaft (Stamm *mlk*, βασιλ)[94] halten.

Auffallend und höchst bezeichnend ist zunächst einmal die niedrige Belegdichte des Begriffs in den Schriften der hellenistisch-römischen Zeit überhaupt[95], was aber nicht heißt, daß er kein prominentes Thema gewesen sei; es kommt sehr darauf an, wo er – mehr oder weniger gehäuft – begegnet. Insbesondere in der apokalyptischen Literatur ist er selten, womit sich aufs Ganze bestätigt, was wir oben bei der

---

Werden und/oder Rezeption von Jeremia und Ezechiel wären zu berücksichtigen; zu ersterem neuerdings Ch. R. SEITZ, *Theology in Conflict. Reactions to the Exile in the Book of Jeremiah* (BZAW, 176), Berlin / New York, 1989; zu letzterem TH. KRÜGER, *Geschichtskonzepte im Ezechielbuch* (BZAW, 180), Berlin / New York, 1989, sowie K. F. POHLMANN, *Ezechielstudien* (BZAW, 202), Berlin/New York, 1992.

94. Die Auswahl richtet sich im wesentlichen nach der Zusammenstellung des Materials bei CAMPONOVO (s.o. Anm. 1), auf einen Blick p. 450-452 (mit kleineren Versehen bei den Stellenangaben), ohne doch dessen lückenhafter und in der Interpretation eher schwacher Gesamtsicht zu folgen; ergänzend kommt neuerdings hinzu: *Königsherrschaft Gottes und himmlischer Kult im Judentum, Urchristentum und in der hellenistischen Welt*, hg. von M. HENGEL und A. M. SCHWEMER (WUNT, 55), Tübingen, 1991. Eine erste (grobe) Einordnung der Belege im theologiegeschichtlichen Zusammenhang *Translatio*, p. 243-246; vgl. zum Folgenden auch KELLERMANN, *Messias und Gesetz* (s.o. Anm. 1 und 65). Für die Einleitungsfragen der hier behandelten Schriften sei summarisch auf folgende Sammelwerke verwiesen: M. E. STONE (Hg.), *Jewish Writings of the Second Temple Period* (CRI, II/2), Assen/Philadelphia, 1984 sowie die engl. Neubearbeitung des alten E. SCHÜRER, *The History of the Jewish People in the Age of Jesus Christ* (rev. and ed. by G. VERMES / F. MILLAR), vol. I-III, Edinburgh, 1973-1987; vgl. neuerdings auch J. MAIER, *Zwischen den Testamenten* (Die Neue Echter Bibel, Erg. AT 3), Würzburg, 1990.

95. Vgl. CAMPONOVO, p. 437. Ausnahmen sind – neben dem Danielbuch – insbesondere die Sabbatlieder aus Qumran und die jüdischen Gebete innerhalb und außerhalb (einschließlich der rabb. Bezeugung) des »apokryphen und pseudepigraphen« Schrifttums.

Verteilung der Belege im Danielbuch beobachtet haben. Wo wie in Dan 8–12 (mit Dan 9 für Dan 1–12 im ganzen) zudem das dtr. Geschichtsbild begegnet[96], stehen der Begriff und damit verbundene Vorstellungen (bes. Tempel, Jerusalem und Völkerheil) immer in gewisser Spannung dazu. Noch vormakkabäisch, zur Zeit des frühen 2. Jh.s, ist das vor allem in Tob 1–12* (vgl. hier 1,18; 10,13 G II) wie auch in Tob 13f. der Fall. Weder die weisheitlich-gesetzliche und dafür reichlich belohnte Lebensführung einzelner unter dem Schutz des Himmelskönigs, noch die eschatologische Erwartung des neuen Jerusalem im Völkerhorizont, die sich auf positive (!) Gegenwartserfahrungen auch in der Diaspora gründet, will so recht zu dem in Tob 13f. und 3,2-5 abgelegten Schuldbekenntnis Israels, dem Eingeständnis der Gesetzesübertretung, zur aktuellen Notlage und Gefangenschaft unter den Völkern oder zur Reserve gegenüber Golaheimführung und zweitem Tempel passen. Ähnlich verhält es sich mit TestDan 5,13 (das Gesetz 5,1-3) im Kontext 5,4ff. Etwas später, während und nach der Krise unter Antiochus IV., gilt dasselbe für den ersten, an sich für die Ewigkeit bestimmten Tempel äthHen 93,7f. im Kontext der Unheilsgeschichte der Zehnwochenapokalpyse (ohne zweiten Tempel!) gegenüber 91,13; ebenso für das hymnisch-weisheitliche Gebet äthHen 84 (V. 2.5)[97] unmittelbar vor der Unheilsgeschichte (nach Reichen und 70 Jahren!) der Tierapokalypse Kap. 85ff. (der negativ besetzte zweite Tempel hier 89,72f., das neue Jerusalem 90,28ff.); ebenso für Jub 1,27f. an entscheidender Stelle nach 1,5-26 und vor der Engelbelehrung, die die göttlichen, die Geschichte positiv durchwirkenden Setzungen Gottes (Sabbatordnung) offenbart; ebenso für die Heilstat des Kyros in AssMos 4,5f. (vgl. aber auch Esr 9,8f.), der im Auftrag des göttlichen Königs handelt (4,2), im Kontext der ganzen Schrift wie noch Sib III, 286ff. im Zusammenhang 265-294; schließlich auch für den Gedanken der Gotteserkenntnis des heidnischen Königs und Stellvertretung in Gottes Reich PsSal 2,28ff. (messianisch 17,1-3.4ff.34.46) oder ZusEst C 14.23 gegenüber den Sündenaussagen des Volkes im jeweiligen Kontext, die die Völkerherrschaft als Gericht qualifizieren. Die Spannung ist allenthalben Zeichen dafür, daß sich eigene (theokratische) Traditionen gegenüber der rezipierten dtr. Rahmenperspektive behauptet haben bzw. umgekehrt solche in das die apokalyptische Literatur vielfach bestimmende dtr. Geschichtsbild integriert wurden[98]. Die Vorstellung vom »Reich Gottes« steht mithin

---

96. Vgl. zu den Belegen im einzelnen STECK, *Israel* (s.o. Anm. 21), p. 147ff. sowie 121 Anm. 3; 184f. Anm. 2.

97. Mit deutlichen Anklängen an äthHen 9,4-11 (und 63,2-4), aber auch an Dan 2,21-23 und die Bekenntnisse 3,33; 4,31f.; 6,27b bzw. 7,14.27.

98. Zur Traditionsmischung und der wichtigen Unterscheidung von Vorstellungsbestand (= Vorstellungen verschiedener – priesterlicher, kultisch-hymnischer, weisheitlicher oder prophetischer – Provenienz) und dtr. Vorstellungszusammenhang im engeren Sinne vgl. STECK, *Israel* (s.o. Anm. 21), p. 107 Anm. 4 sowie 187ff., bes. 191 (Anm. 1-3); danach auch *Translatio*, p. 245 Anm. 412.

weder für eine genuin deuteronomistische noch für eine genuin apokalyptisch-eschatologische Erwartung, was für die Frage der Renaissance des Begriffs im Neuen Testament nicht ohne Belang ist.

Seinen ursprünglichen Ort hat der Begriff hingegen in solchen Schriften, in denen eine (chronistisch-)theokratische Rahmenkonzeption priesterlicher, kultisch-hymnischer und/oder weisheitlicher Provenienz (oft auch unter Einschluß heilsprophetischer Adaptionen) die führende geblieben ist. Sie bewegen sich damit also nach wie vor auf der Linie der Erzählungssammlung Dan 1-6* oder des aramäischen Danielbuchs Dan 1-7*. So hat das ursprüngliche Modell von ChrG und Dan 1-6* zunächst im hellenisierten Reformjudentum Schule gemacht. Für die vormakkabäische Zeit belegt dies etwa die Pagenerzählung des (1. bzw.) 3. Esra 3Esr 3,1-5,6[99] (vgl. hier 4,43-46 sowie 4,58ff.; das Gesetz 4,52), wo nun allerdings – durch das hellenistische Milieu motiviert – der »Wahrheit« die entscheidende Überzeugungskraft zukommt (vgl. 3Esr 4,33-41.59f. nach Art von 1Chr 29,10ff.; Dan 2,37f./5,18 sowie 3,32f.; 4,31f.; 6,27f.). Die rhetorische Szene erinnert kaum zufällig an Arist 187ff., einen in hellenistischem Stil abgefaßten Traktat περὶ βασιλείας[100]. In ihm wird auch die Rolle des Gesetzes im Königtum von Gottes Gnaden genauer bestimmt (vgl. 240.279 und zum Gottesgnadentum bes. 196.219.224.245.247.267), wozu vorher schon die jüdische Tora, um die es der Schrift geht, in Beziehung gesetzt ist (programmatisch für den Zusammenhang Arist 15f. mit dem entsprechenden Erlaß 22ff. sowie 128ff.). Es dürfte sich um dieselbe Art von Reformjudentum handeln, das, wie E. Bickermann[101] gezeigt hat, im 2. Jh. aktiv hinter der Religionspolitik Antiochus' IV. gestanden und dabei nur in letzter Konsequenz zu Ende gebracht hat, was in der theokratischen Position von jeher angelegt war: die Identität von heidnischem Weltreich und Gottesreich (Kult für den b'l šmym, vgl. Dan 8,13; 9,27; 11,31; 12,11; 1Makk 1,54) und die Aufhebung der Tora im großköniglichen Edikt nach Art von Esr 7 und Josephus Ant. XII 138ff. Nur daß anstelle des

---

99. Vgl. zur neueren Diskussion K. F. POHLMANN, *Studien zum dritten Esra. Ein Beitrag zur Frage nach dem ursprünglichen Schluß des chronistischen Geschichtswerkes* (FRLANT, 104), Göttingen, 1970, p. 35ff.; DERS., *3. Esra-Buch* (JSHRZ I/5), Gütersloh, 1980, p. 380ff. Terminus ad quem der jüdischen Bearbeitung ist Josephus, der den vollständigen 3. Esra voraussetzt, alles weitere reine Vermutung. Auch wenn ein semitisches Original zugrunde liegt, spricht manches für alexandrinische Herkunft aus der Ptolemäerzeit. Auch 3Esr selbst, nach meiner Auffassung doch eher eine Epitome von ChrG als dessen ursprünglicher Schluß, gehört natürlich in denselben Traditionszusammenhang.

100. Vgl. dazu N. MEISNER, *Aristeasbrief* (JSHRZ II/1), Gütersloh, 1977, p. 40f.; M. KÜCHLER, *Frühjüdische Weisheitstraditionen. Zum Fortgang weisheitlichen Denkens im Bereich des frühjüdischen Jahweglaubens* (OBO, 26), Freiburg (CH) / Göttingen, 1979, p. 152ff., zur Szene des sympotischen Wettkampfs p. 140-156.

101. E. BICKERMANN, *Der Gott der Makkabäer. Untersuchungen über Sinn und Ursprung der makkabäischen Erhebung*, Berlin, 1937; danach auch HENGEL, *Judentum und Hellenismus* (s.o. Anm. 1), bes. Kap IV und hier p. 503ff.

national differenzierten Nebeneinanders verschiedener Landesgesetze im gemeinsamen Status des Reichsrechts nun die nivellierende Forderung zur völligen Assimilation stand: εἶναι πάντας εἰς λαὸν ἕνα (1Makk 1,41ff.)[102].

Damit war der theokratische Ausgleichsgedanke praktisch ad absurdum geführt und lebt, geläutert durch die Krise, erst nach der Wiedereinweihung des Tempels im Jahr 164/3 v. Chr., vornehmlich in priesterlichen Kreisen, wieder auf. Beredtes Zeugnis davon geben ZusEst[103], 2Makk[104] und das sogenannte 3. Makkabäerbuch[105]. Überall scheinen die leidvollen Erfahrungen und entsprechenden Hoffnungen der asidäischen Sammelbewegung in der Makkabäerzeit hindurch. Sie spiegeln sich in den Gebeten ZusEst C 1-11.12-30 (mit eschatologischem Ausblick in den beiden Rahmenstücken A 1-11 und F 1-10), aber auch in 2Makk 6-7; 14,37-46, wonach das unschuldige Leiden des Frommen am selbstverschuldeten Unheil des Volkes partizipiert (ZusEst C 17ff.[106]; 2Makk 1,7f.; 5,17ff.!; 6,12-16!; 7,18.30ff.; 10,4; vgl. auch 1,27-29; 2,18); ebenso in den Gebeten 3Makk 2,1-20 und 6,1-15[107]. Vor allem in diesem Zusammenhang begegnet hier auch die Königsprädikation für Gott: ZusEst C 2.8.14.23; 2Makk 7,9 (ferner 1,7.24; 13,4; 15,3.23); 3Makk 2,2.9.13; 6,2 (ferner 5,35; 6,39); dazu die Berufung auf das im Leiden bewährte Gesetz: ZusEst C 26-29 (parallel C 5-7);

102. Vgl. dazu *Translatio*, p. 259f.

103. Zur Datierung nach dem Kolophon F 11, vgl. H. BARDTKE, *Zusätze zu Esther* (JSHRZ I/1), Gütersloh 1973, p. 24ff.57ff.; C. A. MOORE, *Daniel, Esther and Jeremiah: The Additions* (AncB, 44), New York 1977, p. 165f.250ff.; zu grEst im ganzen D. J. A. CLINES, *The Esther Scroll. The Story of the Story* (JSOT Suppl., 30), Sheffield, 1984.

104. Zur Orientierung vgl. J. G. BUNGE, *Untersuchungen zum zweiten Makkabäerbuch* (Diss. Masch.), Bonn, 1971; CHR. HABICHT, *2. Makkabäerbuch* (JSHRZ I/3), Gütersloh, 1979, p. 167ff.; R. DORAN, *Temple Propaganda: The Purpose and Character of 2 Maccabees* (CBQ.MS, 12), Washington DC, 1981. Zur Front gegen 1Makk HENGEL (s.o. Anm. 1), p. 179f.; HABICHT, p. 188f.; 191 mit Anm. 131; »asidäisch« ist es – trotz mancher Berührungspunkte – darum freilich keineswegs. Dagegen spricht das vollkommen ungestörte Verhältnis zum zweiten Tempel (vgl. demgegenüber Dan 9,25f.; Tob 14,5; äthHen 89,73 und das Schweigen in der 10-Wochenapokalypse) und nicht zuletzt eben die differenzierte Haltung zur seleukidischen Fremdmacht (vgl. im folgenden).

105. Zur Orientierung vgl. die Hinweise bei CAMPONOVO (s.o. Anm. 1), p. 194f. sowie G. W. E. NICKELSBURG in STONE (Hg.), *Jewish Writings* (s.o. Anm. 94), p. 80ff.87. Für die weitere Entwicklung im alexandrinischen Judentum und den im folgenden genannten Sachakzenten vgl. auch den Beitrag von N. UMEMOTO, *Die Königsherrschaft Gottes bei Philon*, in *Königsherrschaft Gottes und himmlischer Kult* (s.o. Anm. 94), 207-256, hier bes. p. 249f.

106. Wie in C ist bezeichnenderweise auch in A 8 und F 8f. von Israel, Gottes gerechtem Volk und Erbe, die Rede.

107. Bes. in 3Makk, aber auch an den anderen Stellen (im Kontext) wird deutlich, daß die auf den Einzelfall beschränkten Leidensvorstellungen andere sind als die des dtr. Geschichtsbildes, von dem sie sich (bes. hinsichtlich des Volksganzen und der kollektiven Schuld) teilweise beeinflußt zeigen. Zur Differenzierung vgl. STECK, *Israel* (s.o. Anm. 21), p. 252ff., bes. 260f.

2Makk 6,1.28; 7,2.9.11.23.24.30.37; 3Makk 1,12.23[108]. In alledem macht sich ganz offenbar der Abstand der jüngeren zur älteren Ausprägung der Theokratie bemerkbar. Und dennoch wird wieder das Einvernehmen mit der (seleukidischen bzw. ptolemäischen) Fremdmacht angestrebt und ganz in den alten Bahnen auf der Ebene der Gesetzesloyalität auch gefunden. ZusEst B 1-7 (angeschlossen an Est 3,13) und E 1-24 (an Est 8,12) setzen damit die Tendenz des masoretischen Esterbuches[109] fort und machen den hier allenfalls implizierten Gottesbezug explizit, programmatisch für die Legitimation des Weltreichs in E 15f. (vgl. B 2 / E 8), für das Loyalitätsverhalten und die Autorisation des jüdischen Gesetzes zur Stabilisierung des Reichs in E 15.19 gegenüber B 4f. bzw. für den Staatsverräter in E 10ff. (bes. 14) gegenüber B 3ff. Dasselbe Ziel verfolgen die Dekrete in 2Makk 9,19ff.; 11,16ff.22ff.27ff.34ff.[110], die nicht einfach den erkämpften status quo des selbständigen Staates anerkennen (so 1Makk 15,1ff.), sondern Schutzgarantien für die in den Seleukidenstaat eingegliederte Tempelgemeinde darstellen und in 11,24.31 eigens das jüdische Gesetz anerkennen (vgl. auch 3,1-3). Die kriegerischen Auseinandersetzungen halten nur solange an, bis die rechtlichen Vereinbarungen, die von Heiden (vgl. 12,2; 13,9ff.) auf Betreiben von Menelaos und Alkimos (13,3; 14,3ff.26)[111] unterlaufen werden, in Geltung sind. Danach ist das Programm der Epitome (2,19-22) erfüllt (15,37[112]; nur vorläufig 1Makk 7,50) und das Ordnungsgefüge der Theokratie wiederhergestellt (1,7[113] für den akuten Vorgang; 1,24 im Kontext 1,19-36 für das historische Vorbild). 3Makk schließlich ähnelt schon in der Anlage dem Esterbuch[114] und kreist um dasselbe Thema. Das jüdische Gesetz steht

---

108. Vgl. im übrigen 2Makk 1,4; 2,2.3.18.22(!); 3,1(!).15(!); 4,2(!).11(!).17; 5,8.10.15; 6,5; 8,21(!).36; 10,26; 11,24(!).31(!); 12,40; 13,10(!).14(!); 15,9; ferner πρόσταγμα 1,4; 2,3 (sowie 10,8) und bes. 7,30 (das Gebot des Königs gegen das Gebot des Mosegesetzes!); 3Makk 3,4; 7,10-12(!) und 1,3; 3,2 bzw. 5,36; 7,5; ferner 4,1 bzw. 7,(2.)11.

109. Vgl. *Translatio*, p. 241-243.

110. Zur Frage der Echtheit, Reihenfolge und Zuordnung vgl. bei HABICHT (s.o. Anm. 104), p. 178ff. sowie die Anmm. z.St. Jedenfalls im jetzigen Kontext gelten alle Erlasse auch für Judas Makkabäus und seine Leute (*ibid.*, p. 258 Anm. 27a).

111. Mit dem aus ZusEst B 5 bekannten Vorwurf οὐκ ἐῶντες τὴν βασιλείαν εὐσταθείας τυχεῖν in 14,6.

112. Die Herrschaft der Hebräer in der Stadt bedeutet hier (im Unterschied zu 1Makk) nicht die staatliche, sondern die kultische Autonomie; vgl. das Kriegsziel nach 2,22 in 8,21; 13,10-14 und 15,17f. gegen 1Makk 13,6 (dazu auch HABICHT, p. 186f. mit Anm. 99); ferner 5,20; 9,16 für den politischen Rahmen.

113. Zum Verständnis vgl. HABICHT, z.St.; CAMPONOVO (s.o. Anm. 1), p. 187f. Zur Einsicht der Könige ferner 3,1-3; 7,37; 9,11ff.; 13,3ff.23f. und 15,2-5.23 gegenüber 11,24.31.

114. Ringförmig angelegt sind 3Makk 2,1-20/6,1-15 (Gebet), 3,1ff./6,41; 7,1ff. (Briefe des Königs), 4,1ff./6,30ff.; 7,18 (Festgelage) entsprechend Est 3,9ff./8,3ff. bzw. 1,1ff./5,4ff./ 8,17;9,17ff. mit weiteren Parallelen in Est 8,3-9,19 und 3Makk 7. Den Gang der Dinge beschließt hier in 3Makk 6,36 (und 7,19) wie in Est 9,20ff. und - auf Est ausdrücklich Bezug nehmend - 2Makk 15,36 die Stiftung eines Fests.

nicht gegen den Willen und die Gesetze des Königs (1,12.23; 3,1-10),
sondern ist in Wahrheit staatstragend, wie eingangs schon in 1,8f
entsprechend 3,3-5 angedeutet und am Ende mit der Aufhebung des
Edikts 3,11-30 durch 6,41–7,9 sowie in 7,10-16 (gegen 1,3; 3,31) festgestellt wird. Was zur Ordnung fehlt, ist auch hier allein die Einsicht
des heidnischen Herrschers in die Macht des jüdischen Gottes (2,21-24;
3,11; 5,27-35 mit Königsprädikation V. 35!; 6,20.22ff.; bes. 7,9).

Daß der theokratische Ausgleichsgedanke auch nach Antiochus IV.
in dieser Weise wiederaufgenommen wird, ist nun keineswegs selbstverständlich. In krassem Widerspruch dazu hat sich daneben die nach
völliger staatlicher Souveränität strebende Position der makkabäischen
Kämpfer und späteren Hasmonäer herausgebildet, wie sie 1Makk (und
wohl auch Judit[115]) vertritt; auch sie bewegt sich durchaus im Rahmen
der Theokratie. Doch schon im Laufe des 3. Jh.s hat sich noch ein
anderer Ableger der Theokratie entwickelt, der eher auf der Linie von
Dan 7* und dem aramäischen Danielbuch liegt und zu großer Bedeutung gelangen sollte. Er zeichnet sich dadurch aus, daß der theokratische Reichsgedanke angesichts geschichtlicher Defizienzerfahrungen
entweder – wie in Dan 7* und 2,28.40-44* – ganz in die Eschatologie
hinein verlängert bzw. verlegt oder – gewissermaßen als Kehrseite
dessen und mit Anhalt in Dan 1–6[116] – auf den individuellen Erfahrungsbereich der persönlichen Lebenspraxis reduziert wird. Beides
ist uns in indirekter Bezeugung bereits bei den apokalyptisch-deutero-
nomistischen Zusammenhängen sowie in ZusEst, 2 und 3Makk begegnet, und zwar nicht von ungefähr in Gebeten. In der hymnischen
Prädikation des Gebets bewahrt der theokratische Königstitel nämlich
stets seine ihm wesenseigene, präsentische Qualifikation, auch dann,
wenn er im Kontext mehr oder minder konsequent auf eine umfassende, die Völkerwelt mit einschließende Heilswende eschatologischer
Art zielt. Von daher empfiehlt es sich auch, die weitere Verzweigung der
Konzeption anhand eben dieser Prädikation (in direkter Gottesanrede)
zu entfalten.

Nur vorübergehend weichen, wie vorhin ausgeführt, ZusEst (mit C
2.8.14.23 sowie A und F), 2Makk (mit 1,24 und 7,9) und 3Makk (mit
2,2.9.13; 6,2) (ähnlich Jdt 9,12) von dem ursprünglichen Modell ab, für
das in Dan 1–6*; ChrG; 3Esr 4,58 (und 4,46 sowie 2Makk 13,4;
15,3.23; 3Makk 5,35) die hymnische Prädikation steht. Ebenfalls
vorausgesetzt, aber eschatologisch überwunden wird dieses Modell

---

115. Vgl. hier 9,12 und dazu CAMPONOVO (s.o. Anm. 1), p. 177f. Zur Schrift als ganzer
E. HAAG, *Studien zum Buche Judith. Seine theologische Bedeutung und literarische Eigenart*
(TThSt, 16), Trier 1963; E. ZENGER, *Das Buch Judit* (JSHRZ I/6), Gütersloh, 1981, p. 429-
448.

116. Rezipiert im Blick auf die bekenntnishafte Lebensführung und Rettung der Judäer
in Dan 3 und 6; vgl. 1Makk 2,59f.; 3Makk 6,6f.!

hingegen in Tob 13f. und PsSal 2 und 17. Die Verwurzelung in der theokratischen Konzeption verrät hier außer der Prädikation (bes. Tob 13,1-8 sowie PsSal 2,30.32; 17,1.3.34.46) vor allem der Zusammenhang von göttlicher und irdischer Herrschaft, der hier wie an anderen Stellen nachwirkt, an denen das Königtum Gottes nicht nur durch den Kontext suggeriert, sondern nun auch unmittelbar zum Gegenstand der eschatologischen Erwartung geworden ist[117]. Besonders markant tritt der – nun freilich gestörte – Zusammenhang mit der Weltreichefolge in Tob 14,4ff.[118] sowie Sib III,97ff.[119] hervor, ebenso mit dem Gedanken der Statthalterschaft in TestBenj 9,1[120]; PsSal 2,28ff. und SapSal 6,3f.

117. Außer Tob 13f. (hier V. 11) vgl. noch TestDan 5,13; TestBenj 9,1f.; 10,2ff. (V. 7) (christlich interpoliert TestJos 19,11f.); äthHen 25,3-6; 41,1; 91,13 sowie das zukünftige Lob 27,3; 63,1-4; Jub 1,28 (in der Zeitperspektive von 1,29); AssMos 10,1(ff.), in der Szene zukünftig auch 4,2; Sib III (499.560.616.715.767.808 und 46ff.56); stärker individualisiert SapSal (1,14) 3,8; 5,16 (vielleicht auch 6,20). Auf derselben Linie liegen die Targume, insbesondere die Redeweise vom sich offenbarenden Reich (*mlkwt'* + *glh* itp.) in TgJon: mit Anhalt am M Jes 24,23; 52,7; Ob 21; Mi 4,7f.; Sach 14,9, ohne einen solchen Jes 31,4; 40,9; Ez 7,7.10 (nur das Abstraktum Jer 10,7; 49,38). Aber auch andernorts ist das Abstraktum durchaus signifikant: Ex 15,18 anstelle des vb.; ohne Anhalt Gen 49,2; Ex 15,3 und bes. im Tg zur Chronik mit dem Text 1Chr 17,14; 28,5, darüber hinaus 1Chr 29,11(wie Ps 22,29); 2Chr 7,18; 13,8 und 1Chr 29,23; 2Chr 9,8. Vgl. die Übersicht der Stellen bei CAMPONOVO (s.o. Anm. 1), p. 401-436; zur Interpretation K. KOCH, *Offenbaren wird sich das Reich Gottes. Die Malkuta Jahwäs im Propheten-Targum,* in *NTS* 25 (1979) 158-165. Ebenfalls zu nennen sind an dieser Stelle die jüdischen Gebete (Benediktionen zum Schema, Schemone Esre XI und XII, Qaddisch, Abinu Malkenu, Alenu und Malkijot (richtiger Malkujot) in der Neujahrsliturgie, Vaterunser mit Mt 6,13), die den Lobpreis der Gottesherrschaft aus späten Psalmen (bes. Ps 103 und 145) und der schon hier greifbaren, als liturgische Formel des Tempel- und Synagogengottesdienstes gebräuchlichen Eulogie von »Name« und »Reich« entwickelt haben; neben der gegenwärtigen Partizipation am Reich Gottes (im hymnischen Lob, im Bekenntnis des Schema sowie im Lesen und Halten der Tora) findet sich in ihnen zugleich die Bitte um die endgültige Aufrichtung und Durchsetzung des Reichs in aller Welt. Vgl. dazu G. DALMAN, *Die Worte Jesu* I, Leipzig, 1898, p. 79ff.; I. ELBOGEN, *Der jüdische Gottesdienst in seiner geschichtlichen Entwicklung,* Frankfurt a.M., ³1931 (Nachdr. Hildesheim, ⁴1962), p. 5.22.26.93.495ff. sowie 140-149; J. HEINEMANN, *Prayer in the Talmud. Forms and Patterns* (SJ, 9), Berlin / New York, 1977, p. 32f.93f.135ff.157(ff.). 178.¹191.256f.264f.270ff.284 (in Auswahl nach Index, p. 308); L. JACOBS, Art. *Herrschaft Gottes / Reich Gottes III. Judentum,* in *TRE* 15 (1986) 190-196; TH. LEHNARDT, *Der Gott der Welt ist unser König. Zur Vorstellung von der Königsherrschaft Gottes im Shema und seinen Benedictionen,* in *Königsherrschaft Gottes und himmlischer Kult* (s.o. Anm. 94), 285-307; zum Vorstellungshorizont auch B. EGO, *Gottes Weltherrschaft und die Einzigkeit seines Namens. Eine Untersuchung zur Rezeption der Königsmetapher in der Mekhilta de R. Yishma'el, ibid.,* 257-283; zur alttestamentlichen Verwurzelung R. G. KRATZ, *Die Gnade des täglichen Brots. Späte Psalmen auf dem Weg zum Vaterunser,* in *ZThK* 89 (1992) 1-40.

118. Vgl. J. C. H. LEBRAM, *Die Weltreiche in der jüdischen Apokalyptik. Bemerkungen zu Tobit 14, 4-7,* in *ZAW* 76 (1964) 328-331; dazu *Translatio,* p. 217f., die übrigen Belege 220f.245 Anm. 412.

119. Mit den Weltreichen bes. in 158-161.162ff. (vgl. Sib IV,47ff.), der Heilstat des Kyros in 286ff. wie AssMos 4,2.5f. und dem Zusammenhang von Königtum (über alle Menschen) und Gesetz 767f. und vorher 755ff. Zur durchgehenden Thematik des Königtums treffend CAMPONOVO (s.o. Anm. 1), p. 332ff.

120. Sofern hier das Königtum Gottes im Königtum Sauls gemeint ist; vgl. CAMPONOVO (s.o. Anm. 1), p. 325.

Doch in dem Maße, wie sich die irdischen Herrscher der Gotteserkenntnis verschließen und die Weltreiche ihr grausames Eigenleben
entfalten, entfernt sich auch das Gottesreich immer mehr von der
irdischen Repräsentanz und wird zu einer Größe, die allein für die
Endzeit jetzt schon bereitgehalten oder dann neu zu errichten sein wird,
während die Weltreiche und Könige erst im Völkergericht unterworfen
und zur Gotteserkenntnis gebracht werden. So blickt schließlich auch
die hymnische Prädikation in äthHen 25,7 und 84,2.5 auf dieses End-
geschehen (25,3-6 bzw. die Weltreiche in Kap. 89f.; in der Zukunft
liegen auch 27,3; 63,2-4) und bezieht folglich ihre präsentische Qualifikation wie äthHen 9,4; 12,3 und 4Q Giantsª 9f. aus der gegenwärtigen
Einsicht in die zukünftigen, im Himmel verborgenen Ereignisse.

Letzteres führt uns geradewegs hinüber zu dem anderen Aspekt
dieser theokratischen Seitenlinie, die Reduktion auf den individuellen
Erfahrungsbereich. Was nämlich in äthHen allein auf die Zukunft
bezogen ist, gilt in SapSal 10,10 (nach Gen 28) und dementsprechend in
6,20; 9,4.10 für die Zwischenzeit der Gegenwart, für die bis zur
eschatologischen Wende für den Gerechten (3,8; 5,16) schon jetzt
Weisheit und Gesetz (6,18; 9,5.9) vom Himmel geoffenbart werden, um
an Gottes Reich praktisch partizipieren zu können. Weisheit und
Gesetz aber sind auch in Tob 1–12*[121] das Unterpfand des Reiches
Gottes (Tob 1,18; 10,13 beide G II sowie 13f.), nicht minder in Sirach,

121. Außer der durchgängig prägenden Weisheit vgl. bes. Tob 4 (mit Hss. B, A und La
sowie 4Q) und 12,6-10 bzw. 14,9ff. (Achiqar-Reminiszenz wie auch 1,21f.; 2,10; 11,18!)
und dazu KÜCHLER (s.o. Anm. 100), p. 364ff.425ff.; speziell zu 4,8f. K. KOCH, Der Schatz
im Himmel, in Leben angesichts des Todes (FS H. Thielicke), Tübingen, 1968, 47-60,
p. 53f. Das »Gesetz« wird zunächst in verschiedenen Lebenspraktiken zur Geltung
gebracht: durch kultische Orientierung nach Jerusalem (1,6-8; 2,1), Endogamie (1,9 bzw.
4,12f.; 6,13ff.; 7,11-13; 8,5ff.), Speisevorschriften (1,10-12), Almosen (1,3.16f.; 2,2),
Bestattung von Toten (1,17f.; 2,4 mit Sorge um Reinheit 2,5.9) von Tobit; durch
Elternliebe (3,10; vgl. 6,14f. von Tobias), Jerusalem zugewandtes Gebet (3,11) und
geschlechtliche Reinheit (3,14f.) von Sara. Ausdrücklich ist es dann in 1,8 G II; 6,13; 7,11
G II.12.13 G I (Göttinger Ausgabe); 14, 9 G I (νόμος), in 3,4f.; 4,5 (ferner 4,19; 6,16 G
II) (ἐντολή) und in 1,6(.8 G II); 14,9 G I (πρόσταγμα) erwähnt; vgl. zu dem ganzen
Komplex J. GAMBERONI, Das »Gesetz des Mose« im Buch Tobias, in Studien zum
Pentateuch (FS W. Kornfeld, hg. von G. BRAULIK), Wien, 1977, 227-242. Chronistisch-
theokratischer (1,6-8; 6,13; 7,11ff. und allgemein 4,5 im Kontext; 14,9) und deuteronomistischer Gesetzesbegriff (3,4f. und die dominierende Bezeichnung als »Gesetz des
Mose«) sind hier zusammengeflossen, vermutlich in zwei, höchstens drei Wachstumspha-
sen, die denen von Dan nicht unähnlich sind: I Grunderzählung Tob 1-12* (vgl. hierfür
bes. 3,1.6 und 3,10ff.) aus dem 3. Jh. oder noch älter (der Erklärung bedarf vor allem die
geographische Ansiedlung des Stoffs!), II eschatologische Akzente in Tob 13f.* oder 4,8f.
gegen Ende des 3., Anfang des 2. Jh.s, III Rezeption des dtr. Geschichtsbildes in 3,2-5 und
13f. in der ersten Hälfte des 2. Jh.s, wobei II und III auch identisch sein könnten. Anders,
m.E. aber nicht überzeugend jüngst P. DESELAERS, Das Buch Tobit. Studien zu seiner
Entstehung, Komposition und Theologie (OBO, 43), Freiburg (CH) / Göttingen, 1982; zur
Datierungsfrage vgl. die Diskussion ibid., p. 320ff.

sofern sich die Identität der beiden hier (nach Sir 24,10f.) auch im Kult des Hohenpriesters Simon manifestiert (das Königsprädikat hebr. 50,2.7; gr. 50,15). Im übrigen sind für die Weisheit schon aram. Achiqar Z. 95, für das Gesetz – außer den Sir unmittelbar vorausgehenden Gesetzespsalmen 1.19.119 (vgl. auch Ps 99; 147,19f.) – speziell noch Jub 12,19; 50,9 und 2Makk 1,7 (im Effekt auch Jub 16,18; 33,20 und 2Makk 2,17 nach Ex 19,6) zu beachten, wo sich schon die rabbinische Redeweise vom »Aufsichnehmen des Jochs des Himmelreichs« Bahn bricht. Und schließlich läßt die himmlische Offenbarung von SapSal, die sich vorher in Sir 39,6f.; 42,18f. findet und an beiden Orten bewußt nicht in den eschatologischen Raum von äthHen geöffnet wird[122], fragen, ob nicht auch die Sabbatliturgie (4 bzw. 11Q und Masada) ShirShabb mit ihrer auffallend reichen Verwendung des Königstitels und des Abstraktums *mlkwt* [123] im selben Zusammenhang gesehen werden muß. Sie könnte nachgerade das himmlische Gegenstück zu dem in Sirach mit (Gottesfurcht) Weisheit und Gesetz in eins gesetzten Kults für den himmlischen König oder der im Jubiläenbuch der Geschichte eingeprägten, in der Identität von Sabbat und Reich (50,9)[124] gipfelnden Sabbatordnung sein. Himmlische und irdische Welt, die in äthHen und Dan 8-12 in der Erfahrung auseinanderliegen, bilden hier (noch immer oder wieder) eine Einheit. Einen weiteren Bereich der individuellen Lebensführung neben Weisheit, Gesetz und Kult zeigt zuletzt wieder die hymnische Prädikation an, die vorher nur gerade in Jub 12,19 und indirekt in Tob 10,13 (G II); SapSal 9,4.10; Sir 50 (öfters im Himmel von ShirShabb) anzutreffen war, in ZusDan 3,54f.; Sir 51,1(gr.).12[n] und PsSal 5,18f. hingegen wieder in direkter Anrede erscheint. Hier wie schon in den (späten) kanonischen Psalmen 103,19-

---

122. Signifikant ist auch hierzu der Königstempel Sir 50,2.7.15 gegenüber äthHen 91,13 (und 93,7f.).

123. Vgl. in der Ausgabe von C. NEWSOM, *Songs of the Sabbath Sacrifice: A Critical Edition* (HSS, 27), Atlanta, Georgia, 1985 die Konkordanz p. 426f. und dazu A. S. VAN DER WOUDE, *Fünfzehn Jahre Qumranforschung (1974-1988)*, in ThR 55 (1990), 245-307, p. 245ff. (Lit.) und bes. – noch vor der vollständigen Publikation – CAMPONOVO (s.o. Anm. 1), p. 273ff.; neuerdings J. CARMIGNAC, *Roi, royauté et royaume dans la liturgie angélique*, in RdQ 12 (1986) 177-186; A. M. SCHWEMER, *Gott als König und seine Königsherrschaft in den Sabbatliedern aus Qumran*, in *Königsherrschaft Gottes und himmlischer Kult* (s.o. Anm. 94), 45-118. Die Bedeutung der Beleglage für das NT kann m.E. kaum hoch genug eingeschätzt werden; vgl. im Sammelband von HENGEL/SCHWEMER das Vorwort, p. 15f.18; SCHWEMER, p. 117f. sowie den Beitrag zum Hebräerbrief von H. LÖHR, *ibid.*, p. 185-205. Zum übrigen Befund in Qumran, auf den hier nicht eigens eingegangen werden kann, vgl. CAMPONOVO, p. 259-307; SCHWEMER, p. 64ff. im freilich nicht unproblematischen Zusammenhang mit den – vielleicht doch schon vorqumranischen? – Sabbatliedern (vgl. auch im Vorwort p. 2.8).

124. Vgl. die Hinweise von K. BERGER, *Das Buch der Jubiläen* (JSHRZ II/3), Gütersloh, 1981, p. 554 Note 9f. sowie SCHWEMER (s.o. Anm. 123), p. 49f., zum weiteren Traditionshintergrund der Sabbatlieder auch *ibid.*, p. 58ff.

22 und 145, mit denen – wiederum in Einklang mit anderen jüdischen Gebeten – insbesondere PsSal 5 enge Beziehungen aufweist[125], ist es die Erfahrung der persönlichen Lebensbewahrung, der rettenden Gebetserhörung einzelner (wie schon in ZusEst C, 2Makk 6f., 3Makk 2 und 6, bes. 6,6f. wie ZusDan 3,88) und – so nach Ps 145 und PsSal 5 – zudem die schöpfungserhaltende Versorgung mit dem Nötigsten für die ganze Welt, die den einzelnen Frommen in seinem Leben, aber auch stellvertretend für ganz Israel (vgl. ZusDan 3,83ff.; Sir 51,12^{e}ff.; PsSal 5,18) an Gottes Herrschaft und Reich teilhaben läßt.

Wie aber verhalten sich die beiden gefundenen Aspekte, der eschatologische und der individuelle, zueinander? Sind es, wie wir annehmen, zwei Seiten derselben Medaille, oder sind es doch eher zwei verschiedene Richtungen innerhalb der theokratischen Konzeption? Zweifellos können, wie die Belege zeigen, beide Aspekte für sich stehen, decken die individuelle Lebens- und globale Welterfahrung jeweils vollständig ab und sind daher nicht notwendig aufeinander angewiesen. Allerdings kommt es an einigen, nicht gerade unprominenten Stellen zu Überschneidungen, die nun doch sehr für eine engere konzeptionelle Verbindung sprechen. Das gilt für das Tobitbuch im ganzen (1-12 mit 13f.) wie für SapSal 3,8; 5,16 neben 6,20; 9,4.10; 10,10 und Jub 1,27-28 neben 12,19; 50,9. Vor allem aber ist in diesem Zusammenhang das Sirachbuch zu nennen. In ihm sind sämtliche, sonst einzeln traktierte individuelle Erfahrungsbereiche (Weisheit, Gesetz, Kult, Gebetserhörung und Schöpfung) vereint und sollen auf einen Nenner gebracht werden, womit Sirach im frühen 2. Jh. die Entwicklung des 3. Jh.s, die sich neben dem allmählichen Abschluß des Prophetenkanons für die theokratischen Kreise in späten (weisheitlich-kultischen) Psalmen und dem Werden des Psalmenbuchs abspielt[126], zusammenfaßt und für die folgende Zeit den Boden bereitet, mithin das klassische Dokument individualisierter Theokratie darstellt[127]. Und gerade in ihm findet sich

---

125. Dazu mehr in *Die Gnade des täglichen Brots* (s.o. Anm. 117), p. 25ff.

126. Zu ersterem vgl. O. H. STECK, *Der Abschluß der Prophetie* (s.o. Anm. 63); zum zweiten – vorläufig – die Hinweise in *Die Gnade des täglichen Brots* (s.o. Anm. 117), p. 36-38. Für die theokratischen Kreise war natürlich auch die (dtr. gedachte?) Klammer von »Nebiim«, Jos 1 / Mal 3,22-24, über die (gewollt, auch literarische?) Brücke von Ps 1 gut in ihrem Sinne zu rezipieren: Jetzt erst einmal die Tora (in der schriftlichen Form von Tora und Nebiim, fürs praktische Leben und den liturgischen Gebrauch in den Pss) – in weiter Ferne dann auch einmal das prophetische Ende mit Elia (vgl. Sir 48,1-11).

127. Dies gilt sogar für den – die Geschichte ganz Israels – überblickenden Väterhymnus Sir 44-50, der den geschichtlichen Zusammenhang weitgehend auf Einzelgestalten reduziert. Er steht unter dem Vorspann 44,1-15 der in seinem ersten Abschnitt 44,1-7 (Inklusion V.1f./7) mit den hier genannten, im folgenden Väterlob entfalteten Eigenschaften der »Gnadenmänner« in ungefähr dieselben Dinge benennt, mit denen sich gemäß 38,34-39,8 der Weisheitslehrer beschäftigt oder die auch er darstellt, mit Ausnahme natürlich vom Gesetz in der Inklusion 38,34/39,8, das die »Gnadenmänner« in der kanonischen Reihenfolge von Kap 44ff. ja selbst verkörpern. Sinn und Ziel der Eigenschaften ist gemäß 44,8-14.15 und 39,9-11 (beidemal Inklusion »Name«; 44,15 = 39,10)

mit dem Gebet Sir 36, wenn auch vereinzelt, so doch nur aus Verlegenheit literarkritisch ausgrenzbar, eine eschatologische Perspektive für das Volk, die mit dem wenig jüngeren Text Tob 13f. ziemlich genau übereinkommt[128]. Die gemeinsame Erfahrungsgrundlage von individueller Reduktion und eschatologischer Perspektive beschreibt – auf einer Linie mit Dan 2,40-44*; 7,7f.19ff. und 2,20-23 – Sir 10,1-17 (vgl. bes. V. 4f.8.14ff.; ferner Hi 12,7ff., bes. V. 17f.22ff.). Wie sehr diese Verbindung der Aspekte auch in der Folgezeit weitergewirkt hat, ist nicht zuletzt an jüdischen Synagogengebeten um die Zeitenwende zu beobachten, die mit ihrer eschatologischen Ausrichtung vermutlich den Hintergrund für die frührabbinische Gebets- und Gesetzespraxis (das »Joch des Himmelreichs«) bilden und im Schemone Esre wie im Vaterunser ihrerseits nach Bitten für das eine und das andere zweigeteilt sind. Aufs Ganze gesehen scheint es so, daß für die dem theokratischen Denken wesenseigene Präsenz des Gottesreichs die individuellen Lebensbezüge geltend gemacht werden, während die politischen Konnotationen des Reichsbegriffs (Völkerfrage) zunehmend in der Eschatologie aufgehen, die natürlich ihrerseits auch individuelle Bedürfnisse aufnehmen kann[129]. Sowohl für sich genommen als auch in ihrer Verbindung unterscheiden sich die beiden Aspekte damit in charakteristischer Weise von dem ursprünglichen Modell der (chronistisch-) theokratischen Ausgleichskonzeption, von der sie ausgehen. Beide Richtungen unterscheiden sich wiederum von solchen Texten der Spätzeit, die vom deuteronomistischen Geschichtsbild und der ihm eigenen, die gegenwärtige Lage von Volk, einzelnem und Völkern negativ qualifizierenden Sicht geprägt sind und in denen der Reichsbegriff mit seinen auch schon gegenwärtig positiven Perspektiven für den einzelnen From-

---

das Ansehen über den Tod hinaus, wovon auch 40,1–42,14 handelt (vgl. das Motto 40,11 und 41,10f. (entsprechend gut/böse in 39,12ff.4) mit den Alternativen 40,17ff., bes. V. 19, und 41,11-13.14ff.). So ergibt sich im übrigen eine wohldurchdachte Anlage mit 38,(24)34–39,11 / 44,1-15 + Lob der Väter als äußerem Rahmen, 39,12-35/42,15-43,33 als innerem Rahmen und 40,1-42,14 in der Mitte. Kaum zufällig steht unmittelbar vor diesem Komplex allerdings das Gebet Sir 36, das in den parallelen, ihrerseits wieder strukturprägenden Bemerkungen 46,11f.; 49,10 einen Widerhall findet. Zum Sirachbuch vgl. die Hinweise oben Anm. 73; G. SAUER, *Jesus Sirach* (JSHRZ III/5), Gütersloh, 1981, p. 483-504 sowie den Kommentar von P. W. SKEHAN / A. A. DI LELLA, *The Wisdom of Ben Sira* (AncB, 39), New York, 1987.

128. Vgl. eigens dazu J. MARBÖCK, *Das Gebet um die Rettung Zions Sir 36,1-22 (G: 33,1-13a; 36,16b-22) im Zusammenhang der Geschichtsschau Ben Siras*, in *Memoria Jerusalem* (FS F. Sauer), Graz, 1977, 93-115; neuerdings O. H. STECK, *Zukunft des einzelnen – Zukunft des Gottesvolkes Beobachtungen zur Annäherung von weisheitlichen und eschatologischen Lebensperspektiven im Israel der hellenistischen Zeit*, in *Text, Methode und Grammatik* (FS W. Richter, hg. von W. GROSS u.a.), St. Ottilien, 1991, 471-482.

129. Vgl. nur SapSal oder die Ausbildung der täglichen Lebensversorgung mit Nahrung zur Vorstellung von der eschatologischen Mahlgemeinschaft im Reich Gottes in Ps 22,27ff.; Jes (24,23) 25,6; äthHen 62,14 und natürlich im Neuen Testament (dazu *Die Gnade des täglichen Brots* [s.o. Anm. 117], p. 33f. Anm. 105).

men und die Völker keine oder allenfalls eine untergeordnete Rolle
spielt.

Nach allem, was wir beim Durchgang durch das außeralttestament-
liche Material gesehen haben, setzt sich also auch in der jüngeren
Theologiegeschichte des 3.-1. Jh.s der alte, im 6.-4. Jh. ausgebildete
Gegensatz von – im weitesten Sinne – deuteronomistischer und
(chronistisch-)theokratischer Geschichtsanschauung fort. Einen neuen,
ganz entscheidenden Schritt in der theologiegeschichtlichen Entwicklung bedeutet jedoch die im ausgehenden 4. und während des 3.
Jh.s einsetzende Öffnung der Theokratie hin zur Eschatologie, mit der
auf der anderen Seite eine Individualisierung des theokratischen Reichsgedankens (in Weisheit, Gesetz, Kult, Gebetserhörung und Schöpfung)
einhergeht. Von diesem Moment an sind die Grenzen fließend geworden. Die Öffnung ermöglichte den theokratischen Kreisen die Rezeption prophetischer und deuteronomistischer Traditionselemente jetzt
auch in ihrem ursprünglichen Sinn[130], wie auch umgekehrt das (in
Bußgebeten und im 2. Jh. vor allem in Apokalypsen überlieferte)
deuteronomistische Geschichtsbild für die Schilderung der eschatologischen Wende und der ihr folgenden Heilszeit aus prophetischen und
theokratischen Quellen schöpfen konnte bzw. von entsprechenden
Trägerkreisen, die sich ihm öffneten, aus den ihnen eigenen (weisheitlichen, priesterlichen, prophetischen) Traditionen gespeist wurde. So
nähern sich also die Positionen im 3. und 2. Jh. und insbesondere in der
Zeit der Religionsverfolgung unter Antiochus IV. immer mehr an, sind
aber vorher wie nachher dennoch klar geschieden, wie die Kontinuität
der theokratischen Ausgleichskonzeption, die nicht überall deuteronomistisch beeinflußte eschatologisch-individuelle Seitenlinie der Theokratie und ebenso die hasmonäische Sonderentwicklung belegen.
Beherrschend bleibt der fundamentale Unterschied von durchweg nega-
tiver und (wenigstens teilweise) positiver Qualifikation der Gegenwart
hinsichtlich »Reich« (Gottes und der Welt) und Gesetz. Sollte dieses
Bild einigermaßen zutreffen, folgt also in den einzelnen Schichten des
Danielbuchs zeitlich nacheinander, was sich im nachexilischen Judentum nebeneinander entwickelt hat.

4. Rückblickend werden manchem die hier durchschrittenen zeitlichen und literaturgeschichtlichen Bereiche vielleicht als zu weit ausein-
anderliegend erscheinen. Und in der Tat kann es sich bei der präsentier-

---

130. Vorher und daneben gibt es natürlich auch eine Rezeption gegen den ursprünglichen Sinn, so wenn etwa in Ps 107 Anleihen aus den Propheten zur Darstellung von
mehr oder minder typischen Situationen einzelner gemacht werden (zu den Stationen vgl.
die Parallele im großen Schamasch-Hymnus Z. 65ff.: Wanderer – Seefahrer (und Jäger) –
'Kranker' – Gefangener), oder wenn in Ps 147,14 die dtr. geprägte Unheilsgeschichte von
Ps 81 (hier V. 17) zur Heilsgeschichte wird.

ten Zusammenschau natürlich nur um einen Versuch der Annäherung handeln, der nicht alles umfaßt und weiterer Differenzierungen bedarf, vor allem auch nach einer präziseren zeitgeschichtlichen Profilierung der verschiedenen traditionsgeschichtlichen Verzweigungen verlangt. Was diesen Versuch der Synthese gleichwohl rechtfertigt und auch hervorgerufen hat, ist die terminologische Konstanz der beiden Leitbegriffe Reich Gottes und Gesetz in ihrer verschiedenen Verwendung und Zuordnung innerhalb und außerhalb des Danielbuchs. Sie bietet einen durch die Zeiten und Überlieferungen hindurch nachvollziehbaren Anhaltspunkt, der eben zu dem erreichten Ergebnis führt und damit vielleicht gewisse Perspektiven für die Weiterarbeit zu eröffnen vermag.

Für die eingangs thematisierte theologiegeschichtliche Debatte ergibt sich daraus folgendes: Daß der von Plöger konstruierte Gegensatz von »Theokratie und Eschatologie« in dieser einfachen Weise nicht stimmen kann, haben wir bereits aufgrund der Schichtung des Danielbuchs festgestellt, und das wird von dem übrigen Befund, namentlich von der eschatologischen Richtung der Theokratie bestätigt. Unser Ergebnis trifft sich viel eher mit den Distinktionen, die Hengel und Steck in die Diskussion gebracht haben[131]. In gewisser Hinsicht trifft es sich aber auch wieder mit dem Modell von Wellhausen, dessen »eine«, seiner Auffassung nach die ganze nachexilische Theologiegeschichte bestimmende »Theokratie« mit dem oben definierten eschatologisch-individuellen Ableger identisch ist, nur daß der eben nur eine neben anderen Richtungen (der Theokratie, der prophetischen und der deuteronomistischen Eschatologie) darstellt. Inwieweit diese Differenzierung der Strömungen mit den theologischen Parteien korreliert werden kann, von denen wir aus Josephus und anderen antiken Nachrichten wissen, ist aufgrund der Lückenhaftigkeit der Quellen[132] schwer zu sagen. Weit in die Zeit vor der makkabäischen Erhebung wird man mit ihnen ohnehin nicht gelangen. Für die Zeit unmittelbar vor und während der Erhebung läßt sich versuchsweise bei den aus 1Makk 2,(29ff.)42; 7,12ff.; 2Makk 14,6 bekannten »Asidäern« vielleicht doch[133] an einen zeitweisen Zusammenschluß verschiedenster Gruppen weitgehend unter eschatologisch-deuteronomistischem Bekenntnis denken, aus dem danach aufgrund der alten Differenzen die neuerlichen Parteiungen hervorgegangen sind. Neben denen, die an der asidäischen Position festhalten, neben den Essenern, die, sofern mit den Qumranleuten identisch, von Anfang an eine Sonderrolle spielen und ihrerseits eine eigene Sammelbewegung aus verschiedenen Richtungen bilden, und neben den aus der makkabäischen Kampfbewegung neu hervorgegangenen Hasmonäern wird man

---

131. S. die Hinweise oben Anm. 21.
132. Vgl. zuletzt ausführlich G. STEMBERGER, *Pharisäer, Sadduzäer, Essener* (SBS, 144), Stuttgart, 1991.

sodann die Position des hellenisierten Reformjudentums und der theokratischen Ausgleichskonzeption am ehesten mit den (Proto-)Saddu-
zäern, die eschatologisch-individuelle Richtung der Theokratie vielleicht
mit den (Proto-)Pharisäern und Schriftgelehrten (weisheitlich – kultisch
– priesterlicher Herkunft) in Verbindung bringen können. Doch sei
noch einmal eigens betont, daß in dieser Frage wohl kaum über
begründete Vermutungen hinauszukommen ist.

Von allen Strömungen scheint – so wieder mit Wellhausen – die
theokratische, und zwar vor allem in ihrer komplexen, eschatologisch-
individualisierten Gestalt, die größte Ausstrahlung besessen zu haben.
Sie dürfte sozusagen die orthodoxe Durchschnittstheologie gewesen
sein, die das Judentum um die Zeitenwende bestimmt hat und den
Mutterboden auch für das Neue Testament darstellt. Auf die entsprechende Prägung der jüdischen Gebete (im Anschluß an die Entwicklung in späten Psalmen), in die sich auch das Vaterunser mit der
prominenten Reichsbitte einreiht, wurde bereits oben verschiedentlich
hingewiesen. Hinsichtlich des Neuen Testaments ist natürlich auch über
das Vaterunser hinaus zuvörderst an die dominierende Rolle des
Reichsbegriffs in den Evangelien zu denken, dessen vieldiskutierte
Spannung zwischen präsentischer und eschatologischer Bedeutung und
weitgehende Entpolitisierung sich mit der Herleitung aus besagter Form
der Theokratie von selbst erklären[134]. An den ursprünglichen Zusammenhang mit den Weltreichen erinnern nur wenige Stellen: das Reich
von Satans Gnaden Mt 4,8-10 / Lk 4,5-8, Satans und Gottes Reich Mt
12,25ff. / Lk 11,17ff. (anders Mk 3,24ff.), der Krieg zwischen Weltreichen und das Reich Gottes Mt 24,6f.14; positiv rezipiert scheint er
hingegen in der Frage der Steuer, die ganz im Sinne des theokratischen
Ausgleichsdenkens beantwortet wird (Mk 12,13-17 par. wie auch Röm
13,1-7 mit »christlicher« Gesetzeserfüllung V.8-10); eigens ausgeführt
scheint er mir - in der klassischen Verbindung von Reich und Gesetz
Gottes (der Juden) und des Kaisers - in der johanneischen Pilatusszene
Joh 18,28-19,16[135]. Ansonsten aber ist der Reichsbegriff hier sowohl in
der ihm von Hause aus eigenen, neu mit der Person und Offenbarungs-
autorität[136] Jesu verbundenen präsentischen als auch in der theo-

133. Mit HENGEL (s.o. Anm. 1), p. 319ff. und STECK, *Israel* (s.o. Anm. 21), p. 205ff.;
zur neueren Diskussion vgl. J. KAMPEN, *The Hasideans and the Origin of Pharisaism. A
Study in 1 and 2 Maccabees* (SCSt, 24), Atlanta, Georgia, 1988; STEMBERGER, *op. cit.*,
p. 91-98.

134. Zum Stand der Diskussion (mit der einschlägigen Lit.) und zu den wichtigsten
Stellen und Sachakzenten vgl. jüngst H. MERKEL, *Die Gottesherrschaft in der Verkündigung Jesu*, in *Königsherrschaft Gottes und himmlischer Kult* (s.o. Anm. 94), 119-161.

135. Vgl. dazu M. HENGEL, *Reich Christi, Reich Gottes und Weltreich im 4. Evangelium*, in *ThBeitr* 14 (1983) 201-216; erweiterte Fassung in *Königsherrschaft Gottes und
himmlischer Kult* (s.o. Anm. 94), 163-184.

136. Ähnlich dem apokalyptischen Seher von äthHen, aber auch dem Weisheitslehrer
in Sir und natürlich dem »Lehrer der Gerechtigkeit« in Qumran.

kratisch-eschatologischen Dimension auf den einzelnen Menschen (aus Israel und den Völkern), seine Lebensversorgung und Rettung in den Speisungs-, Heilungs- und Rettungswundern, seine Lebensführung coram deo im Blick auf die – hier neu interpretierten – Regeln von Weisheit, Gesetz und Tempelkult/Synagogengebet in den Gleichnissen, Logien und Streitgesprächen sowie seine in alledem sich schon in der Gegenwart ereignende eschatologische Zukunft, konzentriert. Damit ist eine Möglichkeit zur traditionsgeschichtlichen Erklärung der frühen Jesusverkündigung und der synoptischen Tradition (wieder) eröffnet, die den anderen Modellen der Herleitung aus dem (späteren) rabbinischen Judentum oder aus der vorchristlichen, jüdischen Apokalyptik bei weitem überlegen ist.

Daneben haben natürlich auch verschiedene andere, nicht spezifisch theokratische Traditionen nachgewirkt, nicht zuletzt deuteronomistisch geprägte Vorstellungen wie der Bußruf des Täufers etwa oder die »Schuld der Väter« an den Propheten in Lk 11,47ff. / Mt 23,29ff. und die entsprechende Unheilsgeschichte im Gleichnis von den Arbeitern im Weinberg (Mk 12 par.)[137], die nun in der Polemik gegen den israelorientierten Volks- und Erwählungsgedanken zur Unterstützung des jesuanisch-synoptischen Reichsgedankens aufgenommen wird. So spiegelt sich denn auch im Neuen Testament die innerjüdische Polarität wider, die sich uns anhand der Begriffe Reich Gottes und Gesetz ergeben hat, die die Theologiegeschichte demnach schon seit langem prägt und – mutatis mutandis – wohl auch die Geistesströmungen des (orthodox-chasidischen, liberal-assimilierten und national-zionistischen) Judentums bis heute mit bestimmt hat[138].

Kirchgasse 9   Reinhard Gregor Kratz
CH-8001 Zürich

---

137. Dazu ausführlich STECK, *Israel* (s.o. Anm. 21), p. 20-58 sowie 218ff.222ff.265-316.
138. Vgl. in dieser Hinsicht die Erweiterung der letzten Auflage von A. H. J. GUNNEWEG, *Geschichte Israels. Von den Anfängen bis Bar Kochba und von Theodor Herzel* (ThW, 2), Stuttgart/Berlin/Köln, ⁶1989, p. 193ff.

»EINE ZEIT, ZEITEN UND DIE HÄLFTE EINER ZEIT« DIE VERSUCHE DER EINGRENZUNG DER BÖSEN MACHT IM DANIELBUCH

Gegenstand dieser Skizze sind die Berechnungsversuche im Danielbuch. Mit ihnen lassen die Autoren den Versuch erkennen, das Weltende als Zeitpunkt in der erlebbaren Chronologie zu bestimmen. Vielleicht wurden sie dabei einer ihnen ursprünglichen Stetserwartung untreu[1]. Jedenfalls fordern sie zu einer Rezeption heraus, die sich den Berechnungen gegenüber kritisch verhält.

I

In der Geschichte in Dan 5,1–6,1 wird das göttliche Urteil über die hybride Macht des Belschazzar, der als Sohn des letzten babylonischen Königs als Statthalter für seinen Vater in Babylon regiert hatte[2], zur Sprache gebracht. Dies geschieht in der Form eines weisheitlichen Rätselspruchs, der im Wert abnehmende Münzen aufzählt: [3]מנא תקל ופרסין (»Mine, Schekel, Teilstücke«; 5,25). »Der fallende Wert der in dieser Trias genannten Gewichts- oder Währungseinheiten ist dann im Rahmen der vorliegenden Erzählung als ein Hinweis auf den unaufhaltsamen Verfall der Weltmacht Babel zu verstehen«[4]. Diese Angabe

---

1. Ulrich H.J. Körtner, *Weltzeit, Weltangst und Weltende. Zum Daseins- und Zeitverständnis der Apokalyptik*, in *ThZ* 45 (1989) 52: »Wenn die Herleitung der Erwartung des Weltendes aus der Weltangst richtig ist, dann ist das Ende ursprünglich nicht nahe im Sinne des grammatischen Zeitbegriffs, sondern im Sinne stetiger Anwesenheit, letzter Dringlichkeit und Unausweichlichkeit. Nah ist das Ende als katastrophische Qualität der erfahrbaren Welt. Nah ist es als die katastrophische Tiefendimension der Wirklichkeit. Nah ist das Ende, weil es den Apokalyptiker in allem und jedem andrängt und bedrängt, welches je auf seine Weise Anteil an der Katastrophalität der Welt und damit am Weltende hat... Ist das Ende nahe als andrängende Dimension der Wirklichkeit, so muss auch Hoffnung auf das Ende Naherwartung sein. Weil Naherwartung aber ihrem Ursprung nach keine chronologische Prognose, sondern Sachaussage über die Gegenwart ist, kann Naherwartung... in eine Stetserwartung überführt werden«. Wo das Wesen apokalyptischen Denkens so bestimmt wird, wird chronologische Zeitrechnung zu einer kritisch zu bewertenden Entwicklung (*ebd.*).
2. Ausführlich hat die Diskussion geführt E. Haag, *Die Errettung Daniels aus der Löwengrube. Untersuchungen zum Ursprung der biblischen Danieltradition* (SBS 110), Stuttgart, 1983, S. 58f. Vgl. auch R.G. Kratz, *Translatio imperii. Untersuchungen zu den aramäischen Danielerzählungen und ihrem theologiegeschichtlichen Umfeld* (WMANT 63), Neukirchen, 1991, S. 123, Anm. 182.
3. Ursprünglich sicher nur einmal (E. Haag, *a.a.O.*, S. 33, 61).
4. Ebd.

wird in ein Gerichtsurteil umgedeutet[5]. Damit ist erstmals im Danielbuch wirklich das Ende einer Staatsmacht angesagt. Diese Tatsache des
Endes ist außerdem in einer Dreischrittaussage formuliert – die natürlich noch nicht Zeitspannen bezeichnen will.

II

Angesichts der Bedrohung durch Antiochos IV. Epiphanes, also um
168 v. Chr., wurde der Grundtext des heutigen Kapitels 7 im Danielbuch aktualisiert[6]: Die Daniel-Tradenten fügten bei dem vierten Tier
zehn Hörner hinzu, zwischen denen ein elftes aufwächst, das drei
frühere vernichtet, umfassend geheimdienstlich aktiv und übermäßig
agitatotisch tätig ist (7,7bβ.8). Sie wiederholten sodann ab 7,19 die
Schilderung des vierten Tieres und erweiterten sie um »erzene Klauen«.
Dabei thematisierten sie besonders das letzte Horn, das Krieg führen
wird mit den »Heiligen«. Ihrer Hoffnung gaben sie Ausdruck in Gestalt
einer erneuten Antwort einer der am Thron stehenden Gestalten. Ich
denke, daß der Text 7,19-27 als Einheit verstanden werden kann: In
einem ersten Anlauf benennt Daniel nochmals Aspekte seines Traumes,
die dann in einem zweiten Anlauf gedeutet werden. Dabei entsprechen
sich die VV. 23 und 19 (die Aussage über das vierte Reich), die VV. 24

5. Vgl. O. PLÖGER, *Das Buch Daniel* (KAT 18), Berlin, 1969, S. 89. Für E. HAAG,
a.a.O., S. 33f, gehen 5,26-28 auf einen sekundären Ergänzer zurück (vgl. auch *a.a.O.*,
S. 47). Er glaubt, ein diffiziles Wachstum der Danielgeschichten nachweisen zu können:
Eine ursprüngliche Geschichte sei durch einen ersten Redaktor in eine Textkomposition
zusammen mit den Geschichten in 3; 4 und 6 eingestellt, sodann von einem »Zweitredaktor« in den Zusammenhang des Danielbuches eingefügt und schließlich von jüngeren
Redaktoren erweitert worden. Allerdings ist diese Analyse noch in keiner Weise bewährt
(s.u., Anm. 13; vgl. auch DERS., *Daniel*, in *Neues Bibel-Lexikon*, Band I, Zürich, 1991, S.
384-387). Einige Akzente nimmt R. KRATZ, *a.a.O.*, S. 124, auf, ordnet aber die Veränderungen der mündlichen Überlieferungsphase zu.

6. Dieser Grundtext ist m.E. greifbar in Dan 7,1-7bα.9-10.11b-18.28. V. 11a ist ein
Mittel der Verankerung der VV. 9-10. Die literarkritische Arbeit an Dan 7 kann einsetzen
mit der Diskussion von V. HAMPEL, *Menschensohn und historischer Jesus. Ein Rätselwort
als Schlüssel zum messianischen Selbstverständnis Jesu*, Neukirchen, 1990, S. 8-37. Allerdings folge ich V. Hampel nicht in jedem Detail. Er identifiziert Dan 7,2aβ-7bα.11b als
älteste Einheit, die in mehreren Schritten erweitert worden sei: VV. 9-10.11a; VV.
7bβ.8.12.13-14.15-20.23-28a; VV. 1-2aα.21f.28b. Ich habe dagegen den Eindruck, daß die
VV. 21f durchaus in ihrem jetzigen Zusammenhang ursprünglich sein können. Deshalb
legt sich eine andere Rekonstruktion nahe: 7,1-7bα.9-10.11b-18.28 – das durchaus eine
Vorgeschichte haben kann, in der ein ältester Text im wesentlichen mit den VV. 9-10 und
dann den VV. 13–14.15–18 erweitert wurde – ist mit den VV. 7bβ.8.11a.19-27 vor dem
Makkabäeraufstand aktualisiert worden. Dabei gehört der Grundtext sachlich mit Dan 2
zusammen (vgl. H. GESE, *Die Bedeutung der Krise unter Antiochus IV. Epiphanes für die
Apokalyptik des Danielbuches*, in ZThK 80 [1983], 377) und hat also auch wie dieses
Kapitel eine Charakteristik des nach der Wende Kommenden gehabt (vgl. Dan 2,34).

und 20 (die Aussage über die elf Hörner)[7], die VV. 25 und 21 (die
weitere Charakterisierung des elften Horns) und die VV. 26f und 22
(das ewige Gottesreich)[8].

Im Rahmen dieses Textes begrenzten die Daniel-Tradenten die
Macht des »kleinen Horns« עד עדן ועדנין ופלג עדן – »für den Verlauf
von einer Zeit und Zeiten und der Hälfte einer Zeit« (7,25bβ). Normalerweise wird der zweite Begriff dieser Dreiergruppe als Dual gedeutet[9] und damit der Eindruck erweckt, als rede der Text von dreieinhalb Zeiteinheiten – die dann natürlich noch genau bestimmt werden
müßten. In diesem Sinne redet auch heute die Luther-Übersetzung
davon, daß dem Bösen »eine Zeit und zwei Zeiten und eine halbe Zeit«
Raum gegeben werde. Aber in seiner »*Heerpredigt wider den Türken*«
von 1529 wußte Martin Luther, daß diese Aussage keine präzise
Angabe vermittelt: »Sie werden ynn seine hende gegeben eine zeitlang
und aber etliche zeit und noch ein wenig zeit...«[10]. Ich möchte hier
festhalten, daß diese vielleicht von der Dreiergruppierung in Dan 5,25
her beeinflußte Aussage gerade durch »geheimnisvolle Undeutlichkeit
präzises Rechnen« verhindern will[11].

7. Man hat mit Akribie versucht, diese Hörner als hellenistische Könige zu identifizieren: Alexander der Große (336-323), Seleukos I. Nikator (312-281), Antiochos I. Soter
(281-261), Antiochos II. Theos (261-246), Seleukos II. Kallinikos (246-226), Seleukos III.
Keraunos (246-226), Antiochos III., der Große (223-187), Seleukos IV. Philopator (187-
175), Demetrios I. Soter (176) (?), Antiochos (?), sowie Antiochos IV. Epiphanes (175-
164) als elftes, »kleines Horn« (vgl. H. DONNER, *Geschichte des Volkes Israel und seiner
Nachbarn in Grundzügen*, Göttingen, 1986, S. 470f; etwas anders O. PLÖGER, *a.a.O.* [Anm.
5], S. 116f).
8. Damit erledigen sich andere Differenzierungen im Text. Ich verweise hier nur auf die
Systeme von K. MÜLLER, *Der Menschensohn im Danielzyklus*, in *Jesus und der Menschensohn*, FS A. Vögtle, hrg. von R. PESCH und R. SCHNACKENBURG, Freiburg, 1975, S. 37-80,
und P. WEIMAR, *Daniel. Eine Textanalyse*, in *ebd.*, S. 11-36. R. KRATZ, *a.a.O.* (Anm. 2),
S. 21ff.48ff.70ff, bestätigt die Beziehungen zwischen Dan 7 und 2, wenn er auch im zweiten
Teil von Dan 7 einen komplizierteren Werdegang annimmt. V. HAMPEL, *a.a.O.* (Anm. 6),
S. 16ff, weist außerdem überzeugend nach, daß die Rede vom »Menschenähnlichen« aus
den internen Voraussetzungen der jüdischen Religion heraus verständlich gemacht werden
kann (*a.a.O.*, S. 8, Anm. 3; gegen Helge S. KVANVIG, *Roots of Apocalyptic* [WMANT 61],
Neukirchen, 1988).
9. Vgl. nur O. PLÖGER, *a.a.O.* (Anm. 5), S. 105. So schon A. BENTZEN, *Daniel* (HAT
19), Tübingen, 1952, 2. Auflg., S. 52.
10. M. LUTHER, *Heerpredigt wider den Türken* (1529), WA 30, 2, 171.
11. J.-Chr. LEBRAM, *Das Buch Daniel* (ZBK 23), 1984, S. 87. Außerdem sei daran
erinnert, daß bis auf wenige Ausnahmen die »forms of the dual of the masc. noun... are
identical with the pl. forms and not distinguishable from them« (F. ROSENTHAL, *A
Grammar of Biblical Aramaic*, Wiesbaden 1974, 4. Auflg., S. 24). D.h., daß von der Dual-
Hypothese m.E. keine Konsequenzen abgeleitet werden sollten, etwa in dem Sinne, als
spräche diese Aussage von dreieinhalb Jahren. Z.B. gegen Th. FISCHER, *Seleukiden und
Makkabäer. Beiträge zur Seleukidengeschichte und zu den politischen Ereignissen in Judäa
während der 1. Hälfte des 2. Jahrhunderts v. Chr.*, Bochum, 1980, S. 145, der die
verschiedenen Berechnungsversuche einfach parallelisiert, indem er alle demselben Ziel
subsumiert (*a.a.O.*, S. 142ff), ohne in Rechnung zu stellen, daß sie von verschiedenen

Indem die Daniel-Tradenten den Begriff עדן aufgriffen, assoziierten sie seine allgemeine Bedeutung *Zeitspanne*. In diesem Sinne fanden sie den Begriff im älteren Komplex Dan (3) 4–6, vor allem in 4,13.20.22.29 vor. Dort wird mit seiner Hilfe die Dauer der Verwandlung des Königs auf »sieben Zeiten« bemessen[12]. Vielleicht sprechen sich hier Interessen aus, die in der Zeit des Antiochos III., also um das Jahr 200 v. Chr., entstanden[13]. Allerdings müßte neu geprüft werden, welche Schlußfolgerungen das Privileg des Antiochos III. erlaubt[14]. In jedem Fall bringt diese Begrifflichkeit eine innerweltliche Zeitspanne zum Ausdruck, die auch an ihr Ziel kommen wird: לקצת יומיה – »nach Ablauf der Tage« (4,31)[15]. Der dann folgende Moment der Rückverwandlung des Nebukadnezzar in einen Menschen wird mit dem Begriff זמן bezeichnet (4,33)[16]. Auch die weiteren Belege der Begriffe זמן, יום, עדן meinen eine nicht näher bestimmte *Zeitspanne* oder einen bestimmten *Zeitpunkt*: 2,8.9; 3,5.15 (עדן); 6,8.13 (יומין); 5,11 (יום); 2,16; 3,7.8 (זמן)[17]. Alle diese Verwendungen meinen Etappen oder Momente in normaler geschichtlicher Zeit.

In der der eben besprochenen Redaktionsschicht der Visionskapitel Dan 2 und 7 vorausgehenden Originalfassung fällt nun die eschatologische Verwen-

»Händen« innerhalb der Daniel-Tradition stammen könnten. Deshalb kann z.B. die Berechnung in Dan 12,11f eine Korrektur zu Dan 7,25bβ sein, so wie sie in Diskussion mit der in Dan 8,13f steht!

12. Gesenius gibt hierfür die Bedeutung »Jahr« an. Aber die Dauer dieser Zeitspanne könnte auch anders definiert werden. Jedenfalls ist klar, daß die Zeitangabe in 4,26, wo von zwölf Monaten die Rede ist, nach denen der König hybrid wird, nichts mit der Zeitspanne der Verwandlung zu einem Untier zu tun hat.

13. E. HAAG, a.a.O. (Anm. 2), S. 14ff, ordnet im Rahmen seiner Hypothesen alle hier interessierenden Aussagen einem »Zweitredaktor« zu, der eine während der Zeit Antiochos' III. erarbeitete Textkomposition später noch erweitert habe (a.a.O., S. 119ff), läßt aber offen, wann genau dieser »Zweitredaktor« gearbeitet haben könnte (a.a.O., S. 126ff). Allerdings widerspricht R. ALBERTZ, *Der Gott des Daniel. Untersuchungen zu Daniel 4–6 in der Septuagintafassung sowie zu Komposition und Theologie des aramäischen Danielbuches* (SBS 131), Stuttgart, 1988, S. 17f, Anm. 44, dem Ansatz von E. Haag und behauptet die literarkritische Einheitlichkeit von Dan 4 (a.a.O., S. 43f). Er ordnet die aramäische Fassung des Textes – jetzt sei nur vermerkt, daß er die griechische Fassung als Voraussetzung der aramäischen bestimmt – der Wende des 3. zum 2. Jh. v. Chr. zu. R. KRATZ, a.a.O. (Anm. 2), S. 81ff, diskutiert beide Entwürfe und legt ihnen gegenüber eine überlieferungsgeschichtliche Rekonstruktion vor (S. 84ff).

14. E. HAAG, a.a.O., S. 121-124, legt eher das Gewicht auf die positiven Aspekte, wogegen R. ALBERTZ, a.a.O., S. 184, Anm. 351, soziale und gesellschaftliche Spannungen betont, die zu den Danieltexten geführt hätten, weshalb dieses Privileg keinen Einfluß gehabt habe. Erinnert sei die Interpretation durch S. HERRMANN, *Geschichte Israels in alttestamentlicher Zeit*, Berlin, 1981, S. 421ff.

15. E. HAAG, a.a.O., S. 24, zieht gerade diese neue Begrifflichkeit als Hinweis auf eine andere Hand als die des »Zweitredaktors« bei. Er versteht die Angabe als Fortsetzung des Vorhergehenden. Hier würde der Redaktor der ersten Textkomposition erkennbar (vgl. auch a.a.O., S. 101). R. KRATZ, a.a.O., S. 96, versteht alle hier interessierenden Aussagen als Bestandteile der ältesten Textgestalt.

16. Diese Aussage ordnet E. HAAG, a.a.O. (Anm. 2), S. 25, auch dem Redaktor der Textkomposition zu. Im Überblick werden seine Arbeitsergebnisse gut deutlich – a.a.O., S. 45ff.

17. Vgl. G. DELLING, καιρός, in ThWNT III (1938) 459f; E. JENNI, עת, in THAT II (1976) 378. Die Verwendung im Sinne von »mehrmals« (זמן) und »täglich« (יום) (6,11.14) sei nur der Vollständigkeit halber angemerkt.

dung auf: In 2,21 benennen die Begriffe עדן und זמן das Einwirken Gottes von jenseits unserer Welt her: Gott »ändert Zeiten und Fristen«[18]. Damit wird natürlich die *Zeitspanne* gemeint, die auf dieser Erde einer Staatsmacht oder einem Menschenleben zugeordnet ist (vgl. auch 7,12). Gott kann die zugeteilte Zeitspanne verlängern oder auch verkürzen. Gleichzeitig erhofften die Daniel-Tradenten den Anbruch der Gottesherrschaft in der Zeit der letzten Reiche (יומין – »Tage«, 2,44).

Im Sinne der Zeitspanne ist auch der Begriff עדנין in 7,25bβ gemeint: Gott hat die Macht des Volksfeindes begrenzt. Dieselben Verfasser formulierten mit Hilfe der feststellbaren Parallelbegriffe זמנין und יומין noch weitere Dimensionen: »Fristen« waren für sie vielleicht auch Kultperioden (7,25bα). Mit »Frist« bezeichneten sie außerdem den eschatologisch-apokalyptischen *Zeitpunkt* des Endgerichts (vgl. 7,22). Schließlich bezeichneten sie den Umbruch selbst als etwas, das »mit dem Ende der Tage«, d.h. mit dem Abschluß und tatsächlichen Wechsel aller irdischen Zeit (יומין) erst beginnt (2,28aβ.b).

III

In dem selbständigen Kapitel 9, das vielleicht ein Gebet aus jeremianischer oder deuteronomistischer Tradition aufbewahrt (vgl. die VV. 4b-19)[19], wurde in Anschluß an Jer 25,11f; 29,10; Sach 1,12; 7,5; 2 Chr

18. Die Einheitlichkeit von Dan 2 ist insofern erwiesen, als daß es keine nichtapokalyptische Erstfassung gibt (R. ALBERTZ, *a.a.O.* [Anm. 13], S. 176ff). Allgemein gesichert ist die Hinzufügung von 2,41aα (»Zehen«).42-43, durch die in zwei Anläufen auf die Beziehung zwischen Ptolemäern und Seleukiden und die 194 v. Chr. in Raphia vollzogene Eheschließung von Ptolemaios V. mit Kleopatra, der Tochter Antiochos' III., hingewiesen wird (*a.a.O.*, S. 177, Anm. 341, dort datiert auf 196 v. Chr.; ich folge R. Kratz). Der mögliche Bezug auf die Heirat von Antiochos II. mit Berenike, der Tochter Ptolemaios' II. im Jahre 252 v. Chr. ist wenig wahscheinlich (H. GESE, *a.a.O.* [Anm. 6]), S. 377; R. ALBERTZ, *a.a.O.*, S. 184, Anm. 351; R. KRATZ, *a.a.O.* [Anm. 2], S. 35, Anm. 101). Außerdem hat K. MÜLLER erwogen, die Spannung zwischen 2,28 und 2,29 durch die Annahme aufzulösen, daß 2,28aβ.b ein jüngerer Eintrag von Daniel-Tradenten sei, für die die Zeit auseinanderbrach »in eine Zeit vor dem 'Ende der Tage' und in eine Zeit nach diesem 'Ende'« (Art. *Apokalyptik*, in *Neues Bibel-Lexikon*, Band I, Zürich, 1991, S. 125; vgl. DERS., Art. *Apokalyptik/Apokalypsen III*, in *TRE* III [1978], 226). R. KRATZ, *a.a.O.*, S. 32ff, 48ff, 71f, führt die vorliegenden Erkenntnisse weiter. Die Deutung auf einen Umbruch hin zu einer jenseitigen Welt muß den Auseinandersetzungen der Zeit des Antiochos IV. zugeordnet werden. Dabei fällt die Nähe zu den Aussagen in 8,19 und 10,14 auf (s.u.). Ich erwäge außerdem, daß im Rahmen der Verbindung mit Dan 1 der Abschnitt 2,1-4a ins Hebräische übersetzt wurde (bis sich in Gestalt der wörtlichen Rede der Weisen die Weiterführung in Aramäisch zwanglos ergab) und vielleicht auch die VV. 13b-18 eingetragen worden sind, die die sachliche Verbindung zu Dan 1 herstellen (ähnlich R. KRATZ, *a.a.O.*, S. 33, 49). Mit dieser Annahme löst sich auch problemlos die Spannung zwischen den VV. 16 und 25. Deshalb halte ich für original: 2,(1-4a).4b-13a.19-28aα.29-41aα*.β.b.44-49 (R. KRATZ, *a.a.O.*, S. 71f, in vielen Details anders).

19. A. BENTZEN, *a.a.O.* (Anm. 9), S. 75. O. PLÖGER, *a.a.O.* (Anm. 5), S. 137ff, hat wahrscheinlich gemacht, daß das Gebet jetzt aber organisch zu Kapitel 9 gehört. Es hat in diesem Text eine gute Funktion. Vgl. auch O.H. STECK, *Weltgeschehen und Gottesvolk im Buche Daniel* (1980), in: DERS., *Wahrnehmungen Gottes im Alten Testament* (ThB 70), München, 1982, S. 283.

36,20f in den VV. 2.24-27 eine Berechnung der letzten Zeit der Welt von der Exilierung Judas an versucht: »über die Zahl der Jahre, deren bezüglich das Wort Jahwes an den Propheten Jeremia ergangen war, daß sie vollzumachen seien an den Trümmern Jerusalems, (nämlich) siebzig Jahre« (9,2)[20].

Diese aus der Tradition übernommene Zahl 70 wurde nun auf 70 Jahrwochen, d.h. 490 Jahre gedehnt (9,24). Christian Wolff hat wahrscheinlich gemacht, daß die Daniel-Tradenten hierbei vor allem auf 2 Chr 36,20f zurückgriffen, weil dort von Sabbaten die Rede war[21], und in der Erinnerung an Lev 25 diese nachzuholenden Sabbate als Sabbatjahre verstanden: »Die siebzig Jahre wurden für Daniel siebzig Sabbatjahre«[22]. Da nun ein Sabbatjahr einen Wochenrhythmus von sieben Jahren abschließt, läßt sich die Zeitspanne von 70 Sabbatjahren als 70 Jahrwochen angeben. Gleichzeitig gliederten die Daniel-Tradenten diesen immensen Zeitraum nach dem Vorbild der allgemeinen Aussage von 7,25 (vgl. 12,7), die sie also zugleich auslegten[23], in drei unterschiedlich lange Epochen: Die erste umfaßt sieben Jahrwochen, ausgehend gedacht vom Zeitpunkt der Verkündigung des Jeremia bis zum Ende des Exils, das durch die Salbung eines Fürsten markiert ist (9,25a), also 49 Jahre[24]. Die zweite Epoche wird mit 62 Jahrwochen angegeben, also 434 Jahren, einer Zeitspanne, die vom Bestand Jerusalems gekennzeichnet ist (9,25b). Die letzte Epoche, die dem Ende direkt vorausgeht, ist ganz kurz: nur noch eine Jahrwoche, noch sieben Jahre (9,26-27).

Der Text des Gabriel ab 9,24 ist äußerst unsicher. Allerdings entscheidet sich jede Interpretation schon durch die Textfestlegung. Das zeigt wieder der jüngste Versuch, den Antti Laato vorgelegt hat[25].

Er rekonstruiert einen grundlegenden, vormakkabäischen Text innerhalb der VV. 24-26, der dann makkabäisch aktualisiert worden sei, wobei V. 27 als Ersatz für eine Originalpassage hinzugefügt worden wäre. Die Intention dieses originalen, vormakkabäischen Textes erschließt Antti Laato aus einem Vergleich mit Sach 12-14. Der Verfasser unserer Gabriel-Rede habe die dort vorliegenden Ideen weiterentwickelt[26] und dabei ein typisches Geschichtsbild entworfen: Historisch zutreffend werde der Zeitraum von der Exilierung bis zur

---

20. Zur Übersetzung vgl. O. PLÖGER, a.a.O., S. 131, 133.

21. Der Chronist greift dabei seinerseits auf Jer 25,11 zurück und will das Eintreten prophetischer Aussagen belegen (vgl. Chr. WOLFF, *Jeremia im Frühjudentum und Urchristentum*, Berlin, 1976, S. 104f).

22. *A.a.O.*, S. 109.

23. *A.a.O.*, S. 110, Anm. 4!

24. Natürlich paßt das nicht zu der Zahl der 70 im Jeremiabuch, die in Jer 25,11 auf die Länge des Menschenlebens anspielen, in Jer 29,10 auf die Dauer der babylonischen Herrschaft (a.a.O., S. 101). R. KRATZ, a.a.O. (Anm. 2), S. 261, hält Sach 1,12 und 7,5 für die ältesten Belege, die durch Jer 29,10 und 25,11 fortgeführt würden.

25. A. LAATO, *The Seventy Yearweeks in the Book of Daniel*, in *ZAW* 102 (1990) 212-225.

26. *A.a.O.*, S. 223.

Rückkehrerlaubnis mit sieben Jahrwochen angegeben (587/86–538/37 v. Chr.). In Anlehnung an deuteronomistische Chronologie sei dann die Epoche von 62 Jahrwochen vorgesehen worden für den Wiederaufbau Jerusalems, wodurch sich sozusagen die Zeit der Herrschaft der judäischen Könige wiederhole[27]: »This epoch may be interpreted so that the people must try to live righteously according the commandments of Yahweh just as many years as the Davidic kings after David reigned in Judah without obeying the commandments of Yahweh«[28]. Diese – also mit positiven Chancen geladene – Zeit münde nun in eine neuerliche Katastrophe, die aber letztlich mit dem Sieg Israels enden werde. Erst in nachmakkabäischer Zeit sei der vorliegende Text erstellt worden. Leider läßt Antti Laato offen, welches die älteren und jüngeren Passagen innerhalb der VV. 24-26 sind. Er behauptet sechs Aussageeinheiten, die jeweils in drei Sätze gegliedert seien[29], versteht dabei aber gerade die Aussagen über die Dauer der jeweiligen Epoche, also die Angaben zu den Jahrwochen, als davon zu unterscheidende Textpassagen.

Ich halte auf der Basis seiner Erkenntnisse eine neuerliche Sicherung des Textes für notwendig.

		Metrum
24.1	»Siebzig Wochen sind verhängt	3
2	über dein Volk und über deine heilige Stadt,	?
3	um zu beenden die Sünde[30]	2
4	und um voll zu machen die Sünde[31]	2
5	und um zu sühnen die Schuld	2
6	und um zu bringen ewig während Gerechtigkeit	3
7	und um zu bestätigen Gesicht und Prophetie	3
8	und um zu salben das heiligst Heilige.	3

27. Für diesen Gedanken ist zu verweisen auf K. KOCH, *Die mysteriösen Zahlen der judäischen Könige und die apokalyptischen Jahrwochen*, in *VT* 28 (1978) 439: »*Die spätisraelitische Apokalyptik* findet bei ihrer Suche nach Regeln des geschichtlichen Ablaufs und seiner zeitlichen Struktur sowohl die Angaben des Königbuches über 480 Jahre Exodus-Tempelbaugebinn und 430 Jahre von da bis zum Exil vor wie auch die Angabe bei Jer. und Chron. über 70 Jahre Exilszeit. Liest man diese Bücher nebeneinander, so ergänzen sie sich und ergeben vom Auszug bis zum zweiten Tempel 980 oder 2 mal 490 Jahre. 490 aber gilt als die Summe eines 'potenzierten' Jobeljahres (wie 70 als diejenige eines 'potenzierten' Sabbatjahres). Die Entdeckung dieser Zahl muß die Leser geradezu elektrisiert haben. Sollte diese, von der Sieben geprägte Einheit, nur für die Vergangenheit prägend gewesen sein? Weitere, zum großen Teil noch ausstehende 490 Jahre weissagt Daniel ix 24 vom 'Ergehen des Wortes' über den Wiederaufbau bis zum Ende der Weltzeit. Das ist keine pure Spekulation... sondern ein logisches Fortschreiben bisheriger geschichtlicher Entwicklungen«. Diese Beobachtungen müßten jetzt diskutiert werden zusammen mit J. HUGHES, *Secrets of Times. Myth and History in Biblical Chronology*, Sheffield, 1990.

28. A. LAATO, *a.a.O*. (Anm. 25), S. 224.

29. *A.a.O.*, S. 220f.

30. Hier gebe ich das masoretische Qere. Das Ketib, das die Masoreten aber korrigieren, lautet: »um zu hemmen die Sünde«.

31. Hier gebe ich auch das masoretische Qere. Das Ketib lautet: »um zu erfüllen die Sünden«.

25.1	Und erkenne und wisse:	2
2	Vom Ausgehen des Wortes,	3
3	daß zurückgeführt und aufgebaut werden solle Jerusalem	3
4	bis zu einem gesalbten Fürsten –	3
5	sieben Wochen.	2
6	Und zweiundsechzig Wochen lang	3
7	kehrt sie zurück und wird wiedererbaut	2
8	Platz und Graben	2
9	unter dem Druck der Zeiten.	2
26.1	Und nach den zweiundsechzig Wochen	2+2
2	wird beseitigt ein Gesalbter	2
3	und nichts bleibt ihm[32].	2
4	Die Stadt aber und das Heiligtum[33] –	2
5	vernichtet wird es von einem Fürsten[34].	2/3
6	Und es kommt das Ende in der Flut[35].	3
7	Und bis zum Ende ist Krieg,	2
8	vorherbestimmte Verwüstung[36].	3
27.1	Aber doch erweist sich als stark der Bund der Vielen[37] –	3
2	eine Woche lang.	2
3	Und zur Hälfte der Woche	2
4	wird ein Ende bereitet dem Schlachtopfer und dem Speiseopfer.	3
5	Und auf dem Flügel des Greuels[38] ist Verwüstung,	2+2 oder 3
6	bis daß Vertilgung und Beschlossenes	3/2?
7	sich ergießen wird auf den Verwüster«.	2

M.E. muß offen bleiben, ob der Wechsel im Metrum als signifikant eingestuft werden kann. Es fällt jedenfalls auf, daß sowohl Verszeilen mit zwei als auch mit drei Hebungen Trägerinnen der jeweils entscheidenden Sachaussage sind.

32. Diese Wortfolge wird gern erweitert, z.B. mit »Recht« oder »Mühe« (so BHS). A. Laato, a.a.O. (Anm. 25), Anm. 22, verbindet mit ‏(ו)העיר‏: »die Stadt wird ihm nicht länger gehören«.

33. Hier verbindet A. Laato, a.a.O., von ‏והקדש‏ bis ‏נגיד‏.

34. Gegenüber der masoretischen Vokalisation lese ich ‏עַם‏ statt ‏עָם‏. Die Masoreten scheinen auch nahelegen zu wollen, daß »vernichtet werde das Volk eines Fürsten«. Dann ist aber der Zusammenhang zu ‏והעיר והקדש‏ unklar. Ich denke, daß der Konsonantentext als Auslegung von 7,25 verstanden werden kann (vgl. die Diskussion bei Chr. Wolff, a.a.O. [Anm. 21], S. 107, Anm. 1).

35. Hier korrigiere ich mit der textkritischen Anmerkung zu ‏ובא הקץ‏.

36. Anders ist das Partizip Nif. nicht zu übersetzen (vgl. D.N. Freedman, J. Lundbom, ‏חרץ‏ II–III, in ThWAT III [1982] 234). M.E. darf dieser Versteil nicht gestrichen werden (gegen BHS), denn in V. 27b ist vom Verwüster die Rede.

37. Vgl. für diese Übersetzung J.-Chr. Lebram, Apokalyptik und Hellenismus im Buche Daniel. Bemerkungen und Gedanken zu Martin Hengels Buch über »Judentum und Hellenismus«, in VT 20 (1970) 513f.

38. Pl. ‏שקוצים‏ dürfte das Ergebnis der fehlerhaften Doppelschreibung des ‏מ‏ bei ‏משמם‏ sein (vgl. 11,31; 12,11). Die Überlegungen zu ‏ועל כנף‏ sind interessant, entbehren aber der echten textlichen Grundlage. Nur die Variante der Septuaginta sollte beachtet werden, wenn sie nicht nur eine Interpretation des schwierigen Textes darstellt: »und über dem Heiligtum«.

Immer der Wechsel zum je anderen Metrum weist hier auf Sachbedeutung hin: V. 24 sagt die positiv besetzten Aussagen, bzw. diejenigen, die in einer positiven Fluchtlinie liegen mit drei Hebungen aus (24.1 und 6-8), die negativ besetzten mit zwei Hebungen (24.3-5). V. 25.1-5 kennzeichnet die Aussage, die Aufmerksamkeit fordert, durch zwei Hebungen (25.1.5) und gestaltet die darstellende mit je drei Hebungen (25.2-4). V. 25.6-9 wechselt das Schema, indem dort für die Zeitangabe – auf Grund der Länge der Zahl ist ja etwas anderes nicht möglich – drei Hebungen verwandt (25.6) und dann für die Darstellung jeweils Zweier gebildet werden (25.7-9). V. 26 versucht – wenn ich das richtig bestimmt habe – die Darstellung immer als Zweier (26.1 eben als Doppelzweier). Aber das Ziel der Aussage wird dann wieder als Wechsel von Dreier zu Zweier gestaltet (26.5 [?].6-8). V. 27 schließlich folgt wieder dem Wechsel von Dreier zu Zweier. Allerdings ist es schwierig, ab V. 27.5 das Metrum eindeutig zu bestimmen. Vielleicht ist das schon Hinweis darauf, daß diese Aussagen später zu unserem Lied hinzugefügt wurden.

Ich denke, daß das sachliche Gewicht auf V. 24 liegt. Dort werden trotz problematisierender Einwendungen durch den Hinweis auf die Sünde des Volkes[39] die positiven und hoffnungsvollen Rahmenaussagen getroffen: Der Rhythmus von 70 Jahrwochen mündet in Gerechtigkeit und Heiligkeit. Die drei folgenden Verse strukturieren dann nur noch diesen Gesamtzeitraum von 70 Jahrwochen. Hierbei wäre es durchaus denkbar, daß der ursprüngliche Text mit dem Hinweis auf das Ende des Opfers, also die Kulmination des Bösen in der Hälfte der letzten Jahrwoche, endete (27.4). Daß dann endlich die Wende zum Guten kommen würde, wurde am Anfang schon hoffnungsvoll ausgesagt (24.8).

Folgendes Aussagegefälle wird nun für die VV. 25-27.4 deutlich: Sieben Jahrwochen, d.h. 49 Jahre, veranschlagt der Text von der Ankündigung der Heimkehr aus dem Exil bis zu einem Fürsten, der diese Heimkehr möglich machen wird, und nimmt damit Bezug auf die Prophetie des Jeremia. Da aber der »Gesalbte« in V. 25.4 und V. 26.2 nicht identisch sein können, muß in 25.4 auf die diesbezüglichen Kyros-Aussagen durch Deuterojesaja angespielt werden[40]. Indem dieser Per-

---

39. In diesem Vortrag kann die wesentlich neue Dimension, die Dan 9 in den Sachzusammenhang der Daniel-Bibliothek einträgt, nur angemerkt werden: Hier wird der eigene Anteil Israels am schlimmen Geschick thematisiert. In Dan 2-7 lag das Schwergewicht auf der Schuld der anderen – nichtisraelitischer Staatssysteme –, in die die Juden als Herausgeforderte, Opfer und Durchhaltende einbezogen waren. In Dan 9 wird nun mit dem Rückgriff auf den Deutschlüssel der »70 Jahre« der eigene Anteil an Schuld im Geflecht des Weltgeschehens angesprochen (vgl. O.H. STECK, a.a.O. [Anm. 19], S. 281ff). Zugleich wird mit dieser Position gegenüber Dan 1,1f.21 eine neue Erkenntnis in die Daniel-Bibliothek eingetragen (vgl. R. KRATZ, a.a.O. [Anm. 2], S. 38ff, 265ff).

40. Ich verweise nur auf Jes 41,21-29; 44,24-28; 45,1-8; sondann auf 41,2f; 46,11 (vgl. W. GRIMM, K. DITTERT, Deuterojesaja. Deutung – Wirkung – Gegenwart, Stuttgart, 1990). Traditionell wird an dieser Stelle geraten. Ist hier Serubbabel oder Jeschua gemeint? Vgl. K. KOCH, Das Buch Daniel (Erträge der Forschung 144), Darmstadt, 1980, S. 149. R. KRATZ, a.a.O. (Anm. 2), S. 266, Anm. 497, weist auch auf Kyros.

serkönig die Genehmigung zur Rückkehr erteilte, erwies er sich als der »gesalbte Fürst«, der die Exilszeit beenden würde. 62 Jahrwochen, d.h. 434 Jahre, veranschlagt der Text sodann für die Heimkehr und nachexilische Existenz Juda/Jerusalems, indem hier deuteronomistische Berechnungssysteme aufgegriffen werden: Die unter dem Vorzeichen der Sünde stehende Regierungstext der judäischen Könige muß unter dem Vorzeichen der Bewährung wiederholt werden. Aber doch endet diese Epoche in einer Katastrophe, die durch einen »Fürsten« heraufbeschworen wird (26.5). Hier meint dieser Begriff ganz eindeutig einen ausländischen Machthaber, der Juda/Jerusalem erobert und zerstört. Er vernichtet dabei einen Gesalbten, der jetzt nur eine jüdisch-jerusalemische Größe sein kann (26.2)[41]. Die Zerstörungen des Ausländers werden als so grundstürzend empfunden, daß sie mit einer »Flut« verglichen werden. Schließlich behauptet sich Jerusalem doch noch eine Jahrwoche, d.h. sieben Jahre lang. In dieser Zeit, und zwar nach dreieinhalb Jahren, wird das Opfer beseitigt. Das ist offensichtlich die historische Stunde der Verfasser dieses Textes, den sie in die Zeit eines Mederkönigs Dareios zurückdatierten. Das Opfer am Tempel ist verunmöglicht. Nun wußten sie nicht mehr weiter.

Mit Blick auf Dan 11,31 haben dann Spätere noch genauere Angaben angefügt. Sie aktualisierten, indem sie in 27.5-7 die durch Antiochos IV. Epiphanes bewirkten Veränderungen am Tempel dichterisch ansprachen und ihrer Hoffnung Ausdruck gaben daß diese schlimmen Taten doch gesühnt werden müssen.

Diese Auslegung hat den schwierigen Text 9,24-27 als einen deutlich gemacht, der sich ratend und behauptend in die Zukunft vortastet. Die Verfasser wußten nicht, was kommen wird und wie es kommen wird. Aber sie hofften, daß Gott sich letztlich für sie entscheidet. Außerdem gaben sie erstmals eine präzis wirkende Zeitangabe, die geeignet ist, auf konkrete Endzeithoffnung zu vertrösten: Jetzt kann die Hoffnung an den Ablauf von Zeitspannen geknüpft werden.

IV

An zwei Stellen haben sich die Daniel-Tradenten schon entschiedener geäußert. In 8,19 ließen sie den Engel sagen: »Ich tue dir kund, was sein wird in der Endzeit des Zorns, (fürwahr) zur festgesetzten Zeit des Endes / [oder anders zu übersetzen:] (so daß) der bestimmten Zeit ein Ende bevorsteht«. Damit bestimmten sie das im literarischen Zusammenhang Beschriebene als direkt dem *eschatologischen Ende* vorausgehende Ereignisse. In 10,14 qualifiziert ein »Mann im Leinengewand« (so in 10,5 benannt) die dann kommenden Schilderungen als Ereignisse

---

41. Meist wird Onias III. oder Jason vorgeschlagen (vgl. K. KOCH, *a.a.O.*).

»am Ende der Tage« (vgl. 2,28aβ.b!). Auch hier wird das Berichtete
direkt vor den Umschwung eingeordnet, dieser Umschwung nun aber
definitiv als Ende aller Geschichte bezeichnet.

V

Die in 7,25bβ gegebene Bestimmung – vage und konkret wirkend
zugleich – wiederholten die Daniel-Tradenten noch einmal am Ende
ihrer kleinen Gruppenbibliothek, unserem Danielbuch. In der Vision
12,5-10.13[42] versichert die Deuteperson (genauso ist in Dan 7 die
Deuteperson der Redende!), daß alles noch »eine Zeit, Zeiten und eine
halbe Zeit« (12,7) dauere.

Dabei verwendeten die Verfasser den hebräischen Begriff מוֹעֵד, der dem
aramäischen עִדָּן entspricht und ebenfalls die dem Leben, auch den Herrschern,
zugeteilte Zeitspanne meint (11,29). Aber schon innerhalb der metapherartigen
Geschichtsdarstellung in Dan 11 wird מוֹעֵד mit dem absoluten Begriff קֵץ –
»Ende« gekoppelt (VV. 27.35), der seinerseits in 11,40 (auch 11,35) mit עֵת
verbunden ist – »Zeit des Endes« (vgl. auch 12,9)[43]. In 12,13 weist der Begriff
קֵץ auf einen weiteren terminologischen Zusammenhang: לְקֵץ הַיָּמִין – »bis zum
Ende der Tage«[44].

Auch wenn die Daniel-Tradenten in 12,5-10.13 eine klare Zeitbestimmung ausdrücklich ablehnten (vgl. VV. 9.10.13), verbanden sie die
angegebene Zeitspanne doch mit einer Ereignisfolge: »wenn zu Ende ist
die Zerschlagung der Kraft des heiligen Volkes« (12,7bα)[45]. Allerdings

---

42. Die VV. 11 und 12 können mit W. Baumgartner (BHS) als sekundär identifiziert
werden. Neben den Kommentaren sei auf B. HASSLBERGER, *Hoffnung in der Bedrängnis.
Eine formkritische Untersuchung zu Dan 8 und 10–12*, St. Ottilien, 1977, S. 370f, verwiesen,
der Dan 12,5–13 als nicht einheitlich bestimmt, ohne daß ihm eine genaue Zuordnung der
verschiedenen Verfasser gelingt.

43. Dan 10–11 stellen einen einheitlichen Geschichtsentwurf dar, der in Dan 8 und 9
Gesagtes aus internationaler Perspektive neu thematisiert: 10,1–11,2a bieten ein himm-
lisches Präludium, wobei evtl. 11,1a.2a Hinzufügungen sind (vgl. BHS) oder 10,21b–11,2a
von einem späteren Abschreiber stammen (J.-Chr. LEBRAM, *a.a.O.* [Anm. 11], S. 114).
11,2b-39 bieten dann den Geschichtsbericht. In 11,40-45 wird eine Endzeitweissagung
gegeben, die die Zukunft als Bestimmungsgrund der Vergangenheit bietet (vgl. K.
MÜLLER, *a.a.O.* [Anm. 18 – *Neues Bibel-Lexikon*], S. 130). Da Dan 12,1-4.5-13 einander
gerade nicht im Sinne von Vision und Deutung zugeordnet werden können (gegen J.-Chr.
LEBRAM, *a.a.O.*, S. 122), deute ich sie als wechselseitige Neudeutung von Dan 10 und 11.
Zuerst haben die Daniel-Tradenten die heute in 12,5-10.13 vorliegende Vision angefügt
und dann das Hoffnungs'lied' in 12,1–4.

44. Vgl. zum Ganzen M. WAGNER, קֵץ, in *THAT* II (1976) 662; K. KOCH, מוֹעֵד, in
ThWAT IV (1984) 749.

45. O. PLÖGER, *a.a.O.* (Anm. 5), S. 169f, deutet יָד nicht auf »Macht, Kraft«, sondern
auf »Bereich des heiligen Volkes«.

ist diese Aussage nicht geeignet, Klarheit zu geben. Sie ist selbst vieldeutig: »Einerseits wird an der Weissagung von 7,25 festgehalten... Durch den zweiten Satz aber wird unsicher, ob diese Frist mit dem Ende des Antiochus abgelaufen ist, wie in 7,25 deutlich gesagt wird. Das Ende der Zerschlagung kann später sein, es kann sogar erst mit der Rückkehr der 'Zerstreuten', der Juden aus der weltweiten Diaspora, eintreten«[46]. Unsere Verfasser wiesen also immer noch alle Versuche genauer Berechnung ab. Sie wollten wohl im Grund mit den vagen Aussagen die Stetserwartung wachhalten.

VI

Neben dem ersten wirklichen Berechnungsversuch in Dan 9 läßt sich noch ein anderer Zugang zur Frage nach dem noch ausstehenden Zeitablauf erkennen. Jeweils sekundär zum direkten Textzusammenhang wurden an zwei Stellen Tagesberechnungen eingebaut[47]: Nach 8,14 wird das »tägliche Opfer« im Tempel für »2300 Abend-Morgen« verunmöglicht. In 12,11 wird für denselben Tatbestand erst einmal eine Zeitspanne von »1290 Tage« angegeben und in 12,12 wird eine Ausharrzeit von »1335 Tagen« in Aussicht gestellt. Wie sind diese unterschiedlichen Zahlenangaben zu verstehen[48]?

46. J.-Chr. LEBRAM, a.a.O. (Anm. 11), S. 136.

47. Dan 8 ist als ein im wesentlichen einheitlicher Text erkannt. K. KOCH, *Vom profetischen zum apokalyptischen Visionsbericht*, in *Apocalypticism in the Mediterranean World and the Near East*, hrg. von D. Hellholm, Tübingen, 1983, hatte diese Einheit durch den Hinweis auf verschiedenste Strukturelemente aufzeigen können: Auf einen Vorspann (Dan 8,1-2aα) folge ein erster Hauptteil, die Schauung (Dan 8,2aβ-14), diesem ein zweiter Hauptteil, die auditive Deutung (Dan 8,15-26a), wonach der Text in den Abschluß münde (Dan 8,26b.27) (a.a.O., S. 416ff, 432 f). Da aber auch K. Koch Probleme im Zusammenhang mit den VV. 13f registrieren muß, bleibe ich dabei, sie einer sekundären Hand zuzuordnen. Vor dem Hintergrund der Erkenntnis, daß die Grundgestalt von Dan 8 einheitlich ist, muß nun aber auch V. 26a dieser interpretierenden Hand zugeordnet werden. Ähnlich hatte schon B. HASSLBERGER, a.a.O. (Anm. 42), S. 22-100, Dan 8 als Einheit bestimmt, zu der lediglich mit den VV. 11-14 (!).26a.27bβ Zusätze hinzugekommen seien. 12,11f ist sicher als sekundär bestimmt (s.o., Anm. 42).

48. Vgl. als grundlegende Information das Referat von bisherigen Lösungsversuchen durch K. KOCH, a.a.O. (Anm. 40), S. 72f. Daneben verweise ich auf B. HASSLBERGER, a.a.O., S. 385-396, der die Irrelevanz aller konkreten Berechnungsversuche erweist. Diese Zahlen sind Ausdruck der Tatsache, daß die Verzögerung des Erwarteten verarbeitet werden mußte. Die Frage, warum gerade diese Zahlen eingetragen wurden, bleibt wohl für immer unbeantwortbar. Damit muß aber auch der Berechnungsversuch des Historikers Th. FISCHER, a.a.O. (Anm. 11), S. 143f, 146f, abgewiesen werden: Er hatte diese Zahlenangaben in Dan 8 und 12 als Belege für die Exaktheit der Angaben gewertet. Sie würden beide vom Dezember 164 v. Chr., der neuen Tempelweihe, in den Dezember bzw. Herbst 167 v. Chr. zurückweisen, als der Kult verboten bzw. das tägliche Opfer beendet wurde. Damit würden diese Systeme in das evtl. Sabbatjahr Herbst 164 bis Herbst 163 führen, das als Anfang des Heils gedeutet worden sei. Aus diesen Beobachtungen schlußfolgerte er, daß die Endredaktoren des Danielbuches die Tempelweihe und das

M.E. muß diese merkwürdige Berechnungsart vom Zusammenhang mit den Opferzeiten des Tamidopfers abgeleitet werden. Insofern für die Daniel-Tradenten dieses tägliche Opfer gegenstandlos geworden war, auch wenn es vielleicht noch – in ihren Augen dann illegitim – vollzogen wurde[49], galt grundsätzlich die Gottesbeziehung als unterbrochen[50]. Von nun an wog jeder Tag schwer, den diese Perversion andauerte. Wer darunter litt, mußte die *Tage* zählen, während derer das Verhältnis gestört war – so und soviele »Abend-Morgen«, zu denen Opfer hätten die Verbindung zu Gott herstellen müssen, so und soviele Tage, die nicht geheiligt werden[51].

Ich denke, daß die von den Daniel-Tradenten formulierte Frage – »Wie lange?« (8,13) – ernst zu nehmen ist. Sie spiegelt ihr aktuelles und wesentliches Problem. Sie bringt die Gespanntheit derer zum Ausdruck, die sich kurz vor dem Ende wußten, den Zeitpunkt des Eintritts dieses Endes gleichwohl nicht kannten. Die runde Zahl der 2300 »Abend-Morgen« sagt: eine lange Zeit über wird der Tempel geschändet sein, eine Zeit, bei der ja jeder Tag schwer wiegt. Aber die Verfasser dieser

Ende der Verfolgung selbst miterlebt hätten, so daß für sie gelte: »... nach der Verfolgungszeit und den Geschehnissen im *Sabbatjahr* (*Tempelreinigung* und *Feldzug des Antiochos V., der trotz seines Sieges abzieht*) beginnt nunmehr *mit Ablauf der 70. Jahrwoche*, wie es einst der Prophet Jeremia verkündet hatte, *die Endzeit...*«. Zum Problem der Sabbatjahre vgl. meinen Beitrag *Erlaßjahr und Sabbatjahr – Möglichkeit wirtschaftlichen Verhaltens heute?*, in *Mitteilungen und Beiträge 3*, Forschungsstelle Judentum, Kirchliche Hochschule, Leipzig, 1991, 1-22.

49. Hier steht im Hintergrund die Interpretation der Maßnahmen des Antiochos IV. Epiphanes, die J.-Chr. LEBRAM vorgelegt hat: Antiochos eroberte Jerusalem aus politischen Gründen, um dort die ptolemäerfreundliche Partei auszuschalten. Die Stationierung syrischer Soldaten in Jerusalem machte es notwendig, für sie Kultmöglichkeiten zu schaffen. Dies geschah durch die Errichtung eines nichtisraelitischen Kultgegenstandes, »der wahrscheinlich dem syrischen Himmelsgott Belschamin geweiht war« (*a.a.O.* [Anm. 11], S. 120). Normalerweise wird mit einem neuen Altaraufsatz auf dem Brandopferaltar gerechnet (Chr. WOLFF, *a.a.O.* [Anm. 21], S. 112). Dadurch war für fromme jüdische Kreise, so auch die Daniel-Tradenten, der Tempel entweiht, ein legitimer Kultus nicht mehr möglich. Daraus ergab sich zwangsläufig die Beendigung des täglichen Opfers; der Tempel verödete — zumindest in der Theorie. Offensichtlich »gab es unter den Jerusalemer Priestern [aber noch] solche, die, wie in gleichen Verhältnissen auch an anderen Orten üblich, den Jahwekultus weiter vollzogen« (*a.a.O.* [Anm. 37], S. 513).

50. Die wesentlichsten Belege zum täglichen Opfer (Num 28,3-8; Ex 29,38-42; Ez 46,13-15) machen deutlich, daß die Praxis eine Geschichte durchlaufen hat. Am Anfang steht wohl das tägliche Brandopfer am Morgen (2 Kön 16,15). Es wurde dann ergänzt durch ein Speiseopfer und ein Trankopfer. Offensichtlich kam in der späten Königszeit ein abendliches Speiseopfer hinzu (1 Kön 18,29.36; Esr 9,4; Dan 9,21; Ps 141,2; auch: 2 Kön 16,15). Erst später wird auch am Abend ein weiteres Brandopfer dargebracht (Num 28,4). Vgl. hierzu R. DE VAUX, O.P., *Studies in Old Testament Sacrifice*, Cardiff, 1964, S. 36, und R. RENDTORFF, *Studien zur Geschichte des Opfers im Alten Testament* (WMANT 24), Neukirchen, 1967, S. 14f, 74ff, 195ff.

51. Dieser Begriff beginnt mit »Abend«, weil ja für die Juden der Tag mit dem Sonnenuntergang beginnt. Normalerweise wird die Zählung – die auf das Abend- und das Morgenopfer anspiele – mit 1150 Tagen gleichgesetzt.

Zahl hofften sich offensichtlich im letzten Teil der so angegebenen Zeitspanne. Denn sie versuchten noch einmal eine Berechnung, weil wohl die erste gescheitert, der 1150. Tag verstrichen war, ohne daß das Ende erlebt worden wäre. Jetzt legten sie die Aussage noch einmal aus und bestimmten die Spanne auf 1335 Tage (12,12); sie hofften, nur noch 45 Tage warten zu müssen, weil sie sich selbst am 1290. Tag einordneten. Auch solch eine Aussage ist m.E. nicht vom erlebten Ende her sinnvoll, sondern nur als Ausdruck des noch nötigen Harrens. Diese letzten Zusätze führen sicher in die Spannung des Vorabends der Tempeleinweihung, wenn auch diese gewiß nicht als Beginn des Heiles Gottes verstanden wurde.

ABSCHLUSS

Mit dieser Skizze zu den verschiedenen Berechnungssystemen im Danielbuch konnte nachvollzogen werden, wie die Daniel-Tradenten auf Grund brennender Herausforderungen ihre Positionen veränderten. Eigentlich waren sie dem Denkansatz der *stetigen* Erwartung des Endes verpflichtet, das dauernd neben dem Ablauf der Geschichte gegenwärtig bleibt (vgl. die Belege in Dan 5; 7). In ständiger Krise lebend, fingen sie an, Berechnungen mit Blick auf einen Abschluß zu versuchen (erstmals in der Übernahme der 70-Jahre-Periode aus der Tradition – vgl. Dan 9). Diesen Umschwung begriffen sie dann als Abschluß jeder Geschichte (vgl. die Belege in Dan 2; 8; 10; 11; 12). Sodann versuchten sie, auf dem Wege der Aufbereitung der Tradition genaue zeitliche Prognosen (vgl. Dan 8; 12). Indem sie diesen Weg beschritten, wurden sie gewiß ihren grundlegenden Überzeugungen untreu. Nun verpflichteten sie sich und ihre Leser, an die Richtigkeit der Zahlensysteme zu glauben, die sie selbst immer wieder korrigierten.

Ich meine, daß solche Berechnungsversuche Irrwege sind. Aber die Grundüberzeugung, daß unsere Raum-Zeit-Schöpfung begrenzt ist durch die Welt Gottes, die schon in unserer Raum-Zeit-Welt die eigentliche Bestimmung ausübt, diese Überzeugung hat bleibenden Wert für unsere Verkündigung.

ANHANG

Zuordnung der Bearbeitungsstufen, die eine absolute Datierung erwägt:

sicher vor 250 v. Chr.   5,25: מנא תקל ופרסין

um 200 v. Chr.   4,13.20.22.29: שבעה עדנין

vor 194 v. Chr.   2,21: והוא מהשנא עדניא וזמניא

168 v. Chr.   7,25bβ: עד עדן ועדנין ופלג עדן

ab 167 v. Chr. (nach der Schändung des Tempelkults) neue Akzente: vor der Endzeit die Zeit des Gerichts:

9,24-27a.bα: שבעים שבעים

als Endzeit: 8,19: באחרית הימים (.vgl) למועד קץ –
10,14; vgl. 11,27.35.40; 2,28aβ.b)

in diesem Zeitraum aus 7,25bβ wiederholt:

12,7: למועד מועדים וחצי

weiterhin aufgegriffen den Gedanken des »Endes«:

12,9: עד עת קץ

12,13: לקץ הימין

vielleicht 165 v. Chr.:   (vgl. 9,27bβ; 11,31) – 8,13f:
ערב בקר אלפים ושלש מאות

vielleicht kurz vor der Tempelweihe 164 v. Chr.:

12,11f:

לימים אלף שלש מאות שלשים וחמשה

auf der Grundlage der Existenz zum Zeitpunkt:

ימים אלף מאתים ותשעים.

Ziegelstraße 10   R. STAHL
D-O-5900 Eisenach

THE CONCEPT OF COVENANT (*BERÎT*)
IN THE BOOK OF DANIEL

It is the aim of this paper to discuss the concept of ברית in the book
of Daniel, in particular the expression ברית קדש in Dan 11,28.30. In the
lively debate on the concept of covenant in the Old Testament in the
sixties and the early seventies of this century texts from late books such
as Daniel were of minor importance or even less. In his article concerning ברית ("Verpflichtung") in *THAT* E. Kutsch pays some attention to texts from Daniel in connection with the use of the term in
Qumran[1], whereas M. Weinfeld in his long article in *TWAT* does not
refer to texts from Daniel at all[2]. The reason for this little attention was
that the use of the term ברית in the earlier books, particularly in the
Pentateuch, was the centre of interest.

The word ברית occurs in the following passages of Daniel: 9,4.27,
and 11,22.28.30 [twice].32. We will discuss all these places, but as
already has been indicated, we will concentrate, to some extent, on the
use of the term involved in chapter 11 of the book of Daniel. This is not
only because of the little attention paid to it in the discussion up to the
present, but also because of the fact that this chapter contains an
expression not attested in the earlier books of the OT (ברית קדש), about
the meaning of which opinions still differ.

I

First of all, the two places of Dan 9 deserve our attention. Vs 4
constitutes the opening line of the prayer of confession of Daniel:

> "Ah! Lord, you, the great and terrible God who keeps the covenant and
> faithfulness toward those who love him and keep his commandments!"
> (... שמר הברית והחסד לאהביו ולשמרי מצותיו)

This passage clearly reflects traditional language. The same phrase
(שמר הברית והחסד) is to be found in Deut 7,9.12; 1 Kings 8,23; Neh
1,5; 9,32, and 2 Chron 6,14. It expresses the trust in God as the one
who keeps his covenant, that is his promise to be a God to Israel, and
his faithfulness.

---

1. *Theologisches Handwörterbuch zum Alten Testament*, Hrsg. von E. JENNI unter
Mitarbeit von C. WESTERMANN, Bd. I, München, 1971, Sp. 351.
2. *Theologisches Wörterbuch zum Alten Testament*, Hrsg. von G.J. BOTTERWECK und
H. RINGGREN, Bd. I, Lief. 6/7, Stuttgart, 1972, Sp. 781-808.

Vs 27 is part of one of the most enigmatic passages from the Hebrew Bible, Dan 9,24-27. It is the passage about the seventy weeks of years. In vs 25 Gabriel gives understanding to Daniel about the first seven weeks and the next sixty-two weeks (including what will happen after the sixty-two weeks [vs 26]). Vs 27 is about "one week", being the last one. The relevant passage reads as follows:

והגביר ברית לרבים שבוע אחד

The most current translation and interpretation of this difficult text is the one given by A. Lacocque: "He will impose a covenant on many, for one week". He, that is Antiochus IV, shall find political support among some Jews[3]. The text refers to "die enge Interessengemeinschaft des Königs mit den extremen Hellenisten". So M. Hengel[4]. As support for this interpretation in particular the passages of Dan 11,30b and 1 Macc 1,11 are mentioned. In the first one it is said that "he (Antiochus IV) will take due note of those who have forsaken ברית קדש" (on this expression, see below), and in the second we read: "At that time there appeared in Israel a group of renegade Jews, who incited the people" (LXX: πολλούς). "Let us enter into a covenant with the Gentiles round about", they said, "because disaster upon disaster has overtaken us since we segregated ourselves from them" (NEB)[5].

However, this exegesis raises the following questions: Is it likely that ברית is used here in the sense of a political agreement between Antiochus IV and some Jews in Jerusalem, that is to say, in a sense different from that of chapter 11? (On this sense, see below)[6]. Further, is it likely to take the term "the many" as referring to the renegade Jews? As a matter of fact this is very unlikely in the light of texts such as Dan 11,33 and 12,3, in which "the many" refers to the multitude or community of faithful Jews.

A different understanding of the passage is given by J.C. Lebram. His translation runs as follows: "Aber stark wird der Bund der Vielen sich eine Jahrwoche lang zeigen". In his view our passage refers to "die Kultgemeinde des Gottesvolks". He thinks of "eine Bewegung, die

3. A. LACOCQUE, *The Book of Daniel*, English edition, London, 1979, pp. 187, 198. See further the commentaries by J.A. MONTGOMERY, J.T. NELIS, N.W. PORTEOUS, L.F. HARTMAN and A. DI LELLA.

4. M. HENGEL, *Judentum und Hellenismus* (WUNT 10), 2. Auflage, Tübingen, 1973, p. 526.

5. R.H. CHARLES, on the other hand, is of the opinion that the Hebrew goes back to an Aramaic text (reconstructed by him), which was not understood well. Charles' rendering of the text reads, "And a stringent statute shall be issued against the many", i.e. against the mass of faithful Jews (see his *A Critical and Exegetical Commentary on the Book of Daniel*, Oxford, 1929, p. 249).

6. Cf. K. KOCH, *Das Buch Daniel* (Erträge der Forschung 144), Darmstadt, 1980, p. 150: "Manche Ausleger beziehen *bᵉrit* nicht auf die Jerusalemer Kultgemeinschaft, sondern auf einen politischen Bund, was aber angesichts des sonstigen Gebrauchs von *bᵉrit* in der apokalyptischen Literatur wenig wahrscheinlich ist".

unter Führung ihrer religiösen Leiter gegen die Besetzung und Schändung des Tempels revoltierte (Dan. 11,32.33, 2. Makk. 4,39-42)"[7].

This interpretation raises also some questions. In principle, it is possible indeed to take "covenant" as the subject of the verb: "a covenant shall be strong..."[8], but because of the verbal form in the following clause (ישבית, "*he* shall cause to cease") the other possibility, "he shall make strong", seems to be the preferable one[9]. Further, the translation "der Bund der Vielen" for ברית לרבים does not recommend itself (one should expect then ברית הרבים). The Hebrew is better to be translated either by "a/the covenant with the many", or by "(he shall make strong) a/the covenant for the many".

So far some remarks on Dan 9,27. We will return to this text after our discussion of the use of ברית in Dan 11.

II

The relevant texts from Daniel 11 belong to the same genre as does 9,27, an apocalyptic prophecy, containing a survey of a particular period in history. These prophecies are of the type of the so-called *vaticinia ex eventu*. The texts in which the word ברית is used, are all part of the most crucial passage of the chapter, vs 21-45, constituting a prophecy about the reign of Antiochus IV.

The relevant clauses read as follows:

Vs 22 וגם נגיד ברית

Vs 28 ולבבו על ברית קדש

Vs 30 וזעם על ברית קודש ועשה ושב ויבן על עזבי ברית קדש

Vs 32 ומרשיעי ברית יחניף בחלקות

The first verse (vs 22) is usually understood as referring to the deposition or death of a high priest, presumably Onias III. The other verses (vs 28-32) are part of the prophecy in which events of the years 169–167 B.C. are hinted at, such as the pillaging of the temple of Jerusalem, the second campaign against Egypt, and the profanation of the temple area. But what about the notion of ברית in all these verses? In vs 28 and vs 30 the word occurs in combination with קדש, a combination not attested elsewhere in the Old Testament. As to the meaning or notion of the Hebrew expression for "(holy) covenant" in Dan 11 opinions differ:

(a) The most well known view is that "(the holy) covenant" in these

---

7. J.C. LEBRAM, *Das Buch Daniel* (ZB AT 23), Zürich, 1984, pp. 105, 110. See also his article *Apokalyptik und Hellenismus im Buche Daniel*, in *VT* 20 (1970), 513f.

8. In this sense O. PLÖGER, *Das Buch Daniel* (KAT 18), Gütersloh, 1965, p. 133: "Und es wird drückend sein ein Bund für viele...".

9. For the verbal form הגביר in a transitive sense, see 1QH 8,35.

places designates the community, faithful to the law[10]. Some scholars
refer to texts in writings from Qumran[11], but as to the expression "holy
covenant" two verses from 1 Macc 1 (vs 15.63) play a crucial role
because of the equivalent in Greek, διαθήκη ἁγία[12].

(b) According to R.H. Charles it means "the religion of Israel alike as a
creed and its expression in worship"[13].

(c) M. Hengel assumes that the holy covenant is to be equated with the
Mosaic law. "Bei den Vätern der jüdischen Apokalyptik war das
Bewußtsein noch unmittelbar lebendig, daß die Geschichte Gottes mit
seinem Volk auf einem 'Bundesschluß' beruhe, dessen wichtigsten Bestandteil freilich das Gesetz bildete"[14].

(d) In the light of texts such as Sir 45,15.24, and 1 Macc 2,54 Lebram
opts for the covenant *of priesthood*. He describes the notion of covenant
in Dan 11 as follows: "den Vollzug des von Gott gestifteten Kultus
durch das legitimierte Priestergeschlecht"[15].

For the following reasons I prefer the opinion expressed by Lebram.

1. The passage with the expression ברית קדש, Dan 11,28.30, refers to
actions by Antiochus IV against the *temple* of Jerusalem. Further, the
expression "the prince of the covenant" in vs 22, designating the high
priest, points also in the same direction, that is to say, to a particular
relationship between the concept of covenant and the temple.

2. This relationship may account for the combination of ברית with
קדש, not attested elsewhere in OT. The noun קדש means "holiness",
but it is related, as a rule, to the temple, and it can also convey the
meaning of "sanctuary". In this sense it occurs in Dan 8,13f. and 9,26.
This means that the expression ברית קדש can be translated not only by
"the covenant of holiness", i.e. "the holy covenant", but also by "the
covenant concerning the holy place, the sanctuary". (It is of course also

10. J.A. Montgomery, *The Book of Daniel* (ICC), p. 451 ("the Covenant Church");
M. Noth, *Die Gesetze im Pentateuch*, in M. Noth, *Gesammelte Studien zum Alten
Testament* (ThB 6), München, 1966, p. 138 ("die Gemeinde in und um Jerusalem"); A.
Jaubert, *La notion d'alliance dans le Judaïsme aux abords de l'ère chrétienne*, Paris, 1963,
p. 83 ("le petit groupe des fidèles par opposition à ceux qui ont abandonné la Loi");
Lacocque, *Daniel*, p. 227; Kutsch, *THAT* I, Sp. 351 ("Gläubigen, ..., die Gottes Willen
tun").

11. See Kutsch, in *THAT* I, Sp. 351; Lacocque, *Daniel*, p. 227 (note 33). For this
notion in texts from Qumran, see A.S. Kapelrud, *Der Bund in den Qumranschriften*, in
Bibel und Qumran, Berlin, 1968, pp. 137-149.

12. See esp. Jaubert, *Alliance*, p. 82f.: "'L'alliance sainte' se définissait... par opposition à l'impureté des nations".

13. Charles, *Daniel*, p. 249. See also Hartman and di Lella, *Daniel*, p. 297 ("'the
covenant of holiness' means the true (i.e. Jewish) religion").

14. Hengel, *Judentum und Hellenismus*, p. 557. For a parallelism between "covenant"
and "law", see 1 Macc 2,27.

15. Lebram, *Apokalyptik und Hellenismus im Buche Daniel*, in *VT* 20 (1970) 512.

possible to understand the translation "covenant of holiness" ("holy covenant") in the sense of the covenant concerning the temple.)

3. The other possibility, put forward by Jaubert on the basis of 1 Macc 1,15.63, namely the covenant concerning the holiness of life, the holy way of life according to the law[16], does not recommend itself for Dan 11,28.30, because it does not account for the choice of קדשׁ. Moreover, these texts do not refer to actions against the Jewish religion in general, but against the temple of Jerusalem in particular.

4. It is most interesting to see that the two translations of Daniel in Greek, the Old Greek (LXX-OG) and the Theodotionic version (LXX-Th), attest already the two possibilities of translation just mentioned.

LXX-OG reads in Dan 11,28.30:
... καὶ ἡ καρδία αὐτοῦ ἐπὶ τὴν διαθήκην τοῦ ἁγίου· ... καὶ ἐπιστρέψει καὶ ὀργισθήσεται ἐπὶ τὴν διαθήκην τοῦ ἁγίου· ... καὶ διανοηθήσεται ἐπ' αὐτούς, ἀνθ' ὧν ἐγκατέλιπον τὴν διαθήκην τοῦ ἁγίου[17].
LXX-Th reads:
... καὶ ἡ καρδία αὐτοῦ ἐπὶ διαθήκην ἁγίαν· ... καὶ ἐπιστρέψει καὶ θυμωθήσεται ἐπὶ διαθήκην ἁγίαν· ... καὶ συνήσει ἐπὶ τοὺς καταλιπόντας διαθήκην ἁγίαν.

The OG contains the translation of "the covenant of the sanctuary" (see for the use of τὸ ἅγιον also vs 31: καὶ μιανοῦσι τὸ ἅγιον [MT: המקדשׁ] τοῦ φόβου), whereas Th offers the other possibility, "the holy covenant", which is also found in 1 Macc 1,15.63. The OG, being the oldest translation and interpretation of our passage, supports the view that the notion of covenant in Dan 11,28.30 is related to the temple[18].

5. The notion of the covenant relating to the temple and the cult is best understood in the light of the tradition concerning the covenant with Phinehas. In Num 25,12f. it is told that God granted him "My covenant of peace" (בריתי שׁלום) and "the covenant of perpetual priesthood" (ברית כהנת עולם). The same we read in 1 Macc 2,54, where it is said by Mattathias that Phinehas "our father" received "the covenant of perpetual priesthood" (διαθήκην ἱερωσύνης αἰωνίας)[19]. An important text is Sir 45,24 in Hebrew:

לכן גם לו הקים חק ברית שׁלום לכלכל מקדשׁ

---

16. JAUBERT, *Alliance*, p. 82f. (with reference to Exod 19,6: "holy nation").

17. Cf. ed. ZIEGLER. MS 967, as far as preserved (vs. 30), offers the same text. See R. ROCA-PUIG, *Daniel. Dos semifolis del còdex 967. Papir de Barcelona. Inv. no 42 i 43*, Barcelona, 1974, p. 22.

18. See also the Vulgate of Dan 11,30: *testamentum sanctuarii* (twice). (In Dan 11,28 the rendering of *testamentum sanctum* is found.)

19. The rendering in LXX Num 25,13 is slightly different: διαθήκη ἱερατείας αἰωνία. The emphasis here is on the eternity of the covenant, not of the priesthood.

"Therefore, also with him (Phinehas) He (God) established an ordination, the covenant of peace, to provide for the sanctuary". Phinehas
and his sons are considered to be obliged to provide for the sanctuary.
And if this is done faithfully, God will give peace[20].

6. Against this background the expression of ברית קדש may be taken
in the following sense: the ordinance concerning the sanctuary, both
with respect to its rituals (sacrifices) and its holy objects. The covenant
of priesthood is about the priestly duties (see also Neh 13,29), but in a
sense derived from that "the covenant concerning the sanctuary" refers
to the temple cult. This makes good sense in Dan 11,28.30, because
these verses allude to actions by Antiochus IV against the central cultic
institution of the Jews.

7. The clause of vs 30, "those who abandon the holy covenant", then
refers to persons who no longer do what they should do in the temple. I
agree with Lebram that in this verse, and in vs 32 as well, unfaithful,
renegade priests are meant[21]. Or to quote 2 Macc 4,14: "As a result,
the priests no longer had any enthusiasm for their duties at the altar,
but despised the temple and neglected the sacrifices" (NEB). Further,
the expression "the prince of the covenant" (נגיד ברית) in vs 22, usually
understood as referring to the high priest, fits very well with our
interpretation: he is the head of the temple and its cult. Taken in this
sense the expression of Dan 11,22 turns out to be a nice parallel to the
one of Neh 11,11: נגד בית האלהים (see also Jer 20,1; 1 Chron 9,11; 2
Chron 31,13). The designation "house of God" seems to be substituted,
by the author of Daniel, by "covenant". (For נגיד in combination with
משיח, see Dan 9,24.)

III

At the end of this paper I will return to Dan 9,27. Applying our
understanding of the concept of "covenant" in Dan 11 to this verse I
would propose the following interpretation of this rather cryptic text:
"And he (Antiochus IV) shall make strong the covenant for the many".
That is to say, Antiochus IV shall make strong, in the negative sense of
"dominating"[22], the cult with respect to the many who remain faithful
to the law. The many shall have no other choice than to accept the

---

20. For the covenant of priesthood in texts from Qumran, see N. ILG, Überlegungen
zum Verständnis von ברית in den Qumrantexten, in M. DELCOR (éd.), Qumrân. Sa piété, sa
théologie et son milieu (BETL, 46), Gembloux-Leuven, 1978, pp. 257-263.

21. LEBRAM, Apokalyptik und Hellenismus im Buche Daniel, in VT 20 (1970) 513.

22. See the use of the verb גבר in texts such as Jer 9,2. In his article The Seventy Weeks
of Dan 9: An Exegetical Study, in AUSS 17 (1979) 13, J. DOUKHAN gives the translation,
"and he shall have success (with the covenant)". This connotation however has no parallel
in other texts.

(new) situation concerning the cultic institution of the temple in that "one week". This interpretation has the advantage to fit in with the actual context of vs 25-27. It is to be noted that according to vs 25f. the period from the seventh up to the sixty-second week is marked by the rule of an anointed high priest, the last one having no (legal) successor (ואין לו)[23], whereas the second clause of vs 27 predicts that «for half of the week" Antiochus IV shall cause to cease "sacrifice and oblation", thus clearly referring to the bad situation concerning the temple cult. In particular this (second) clause of vs 27 seems to support our view on the concept of "covenant" in Daniel 11. This means that, with the exception of Dan 9,4, the book of Daniel attests to a specific use and meaning of the term ברית.

Oranje Nassaulaan 21A   Arie van der Kooij
NL-2361 LA Warmond

23. For this meaning of "and no one to him", compare Num 27,4.8. See also A. Mertens, *Das Buch Daniel im Lichte der Texte vom Toten Meer* (SBM 12), Würzburg, 1971, pp. 84, 89.

V
OTHER STUDIES

DANIEL 11,1: A LATE GLOSS?

The whole problem with Dan 11,1 becomes immediately apparent when one compares the various ways in which it is rendered in modern translations. It is either rendered as it is[1], or put in between parentheses[2], or simply excised with an accompanying footnote to explain the option[3]. The option either to bracket or excise it, is just part of the whole effort to make sense out of the difficult verses beginning at 10,20, extending until 11,2a. The most common solution proposed by commentators is a reordering of these "jumbled"[4] verses, and, whenever found necessary, a bracketing of parts considered superfluous, such as 11,1. Hartman & Di Lella (1978) justify the bracketing of 11,1 by characterizing it as "a later interpolation which attempts to identify the anonymous angel of the present apocalypse with the angel Gabriel of ch. 9"[5]. Montgomery (1927) who brackets only 11,1a, follows an explanation given by earlier scholars[6] that goes with the following reordering of the verses[7]:

20a And he said: Knowest thou why I have come to thee?
21a But I will announce to thee what is inscribed in the Book of Truth.
20b And now I have to return to fight the Prince of Persia; and when I go off, then behold, the Prince of Greece comes on;
21b and there is none cooperating with me but Michael your Prince,
11 [1a. gloss: and I in the first year of Darius the Mede]
    1b standing (MT my standing) as a helper and as a defence for me (MT him).
    2a And now I will announce to thee the Truth.

1. That is from the MT. So RSV.
2. Cf. for instance the NIV (where the bracketing starts at 10,21b); and the commentaries by MONTGOMERY, p. 416 (bracketing only 11,1a), and L.F. HARTMAN and A.A. DI LELLA, *The Book of Daniel* (AB 23), New York, 1978, p. 256 (bracketing the whole 11,1). All who bracket it as a later gloss usually suggest to read it as part of the preceding chapter (10) and not as an introductory date for chapter 11.
3. Cf. for instance *La Bible de Jérusalem* (excising 11,1a).
4. Cf. HARTMAN & DI LELLA, p. 285; GINSBERG, in *Studies in Daniel* (1948), p. 34, calls them "a well known tangle".
5. *Ibid.* This explanation follows that of H.L. GINSBERG which preserves only 10,20–21, with the hypothesis that v. 21a originally followed on v. 21b. Supposedly, these verses were reversed precisely to accommodate the addition of 11,1, which GINSBERG slightly amends to "and I, *since* the first year (מִשְׁנַת) of Darius the Mede, have been standing by him as helper and strengthener". GINSBERG (1948), p. 34.
6. Cf. *ad loc.* the commentary of MARTI (1901), and the earlier views of LÖHR (1895). The same view is maintained by CHARLES (1929).
7. MONTGOMERY, p. 416.

The bracketing of 11,1 (or 11,1a) as a late gloss within the context of a reordered sequence has more or less been adopted by the majority of commentators. The reordering manifests a clear effort to link the rest of its content (11,1b) to the preceding chapter (10). If, however, we presume (as most scholars do, and correctly, we believe) 10–12,4 to be an independent apocalyptic unit, then it would probably be appropriate to restate the issue. The apocalyptic unit that 10–12,4 represents, contains a prologue, a main body (containing the revelation), and an epilogue (12,5-13 being a further epilogue for the whole book). The chapter division which we believe to be posterior, more or less follows this scheme. Now which of these parts does 11,1 belong to? The prologue, or the main body of the revelation? Most scholars are of the opinion that 11,1 makes sense only when situated in the context of the prologue. With that, they also justify its bracketing as a late gloss.

But is it really necessary to bracket 11,1 as a late gloss and assign it to the prologue to make sense out of it? This paper is intended precisely to propose a contrary opinion. Our thesis is as follows:

a) 11,1 does not need to be bracketed; it makes sense when understood in its context even without reordering the verses;

b) 11,1 is part of the main body of the revelation which starts already at 10,20;

c) 10,20–11,1 and 12,1-3 together form a inclusive frame around the main body if the revelation.

A. *The Wider Context*

It is our opinion that 11,1 makes sense within the wider context of angelology within which it is situated. Earlier in v. 13, the "angelus revelator" has explained the reason behind the delay of his coming: "the prince of the kingdom of Persia stood up against me twenty-one days (i.e. 3 weeks, the duration of Daniel's fasting)". However, Michael, "one of the princes" (LXXp–967: "one of the chief princes, or one of the holy angels"), came to his help[8]. This Michael is later identified as "your prince" (LXXp–967: "the angel, the powerful commander who stands over the sons of the people"). This Michael who supports him, is the guardian angel that has charge over Israel. By taking his place in the heavenly battle, this angel has presumably been freed to carry out the task of forewarning Michael's people (through Daniel) about what is to happen, and to console them that the future events have all been predestined, and that Michael who fights on their behalf is also destined to be victorious (12,1). He comes to tell them what is "written in the book of truth" (10,21a) which Michael's people

---

8. The transitional והנה serves to mark a significant twist in the supra-historical battles of angels.

must know, namely, that after the defeat of Persia's patron-angel, a new phase in the heavenly battle looms with the coming of the guardian-angel of the Greek kingdom (10,20b), the kingdom which is historically destined to persecute Michael's people (11,2b-45). Hence he comes to reveal to Daniel that difficult times are awaiting his people. As no one but Michael had given this revealing angel all the help he had needed before, it will be his turn now to reciprocate support. Therefore:

ואני בשנת אחת לדריוש המדי עמדי למחזיק ולמעוז לו

In the first year of Darius the Mede, I *will stand up* to confirm and strengthen him.

We admit, this solution has its own difficulties too. One may say our translation is already an interpretation. On what ground do we propose to read the future sense in the curious infinitive-with-pronominal suffix (1st person) עמדי which should literally be translated "my standing up"? First, we agree with the common opinion of scholars that the 1st person pronominal suffix is probably a contamination from the final yodh of המדי, which sounds very close to עמדי. This proposition leaves us with עמד, which can be vocalized either as a perfect or a participle verbal form. The perfect (i.e. third person) doesn't make much sense: "He stood up to strengthen and confirm him". The participle is therefore more commonly proposed with the past sense "I stood up". If read as a participle, the future sense can likewise be suggested however, given the example for instance of 11,2: עוד שלשה מלכים עמדים "three more kings shall arise [in Persia]". Despite the plausibility of a future sense, scholars have mostly suggested the past sense "I stood up", mainly due to the influence of the preceding date "the first year of Darius the Mede", which, in relation to the dating of the present revelation to "the third year of Cyrus" (10,1), would logically be considered as past event[9]. However, the question remains: which Darius is the author referring to?

Perhaps the best clue to this historical allusion is the announcement of the coming of the guardian-angel of Greece after the defeat of the Persian heavenly protector (10,20b). The author there is describing a transition in the supra-historical scene: a new phase in the heavenly battle, which has its equivalent in the terrestrial scene in 11,1, namely the reign of the last Persian king who is bound to be defeated by the rising empire of Greece. Who is this king? Perhaps we can get our clue from 11,2 which mentions that three other kings will follow (presumably, after Cyrus). The fourth (and presumably the last) Persian king will instigate a fight against Greece to his own defeat. This last king has

---

9. That is, within the four-kingdom scheme of the book, which presumes a separate Mede empire before the Persian.

been commonly identified with Darius III (otherwise referred to as Codomannus)[10].

One may object to this explanation on account of the title המדי "the Mede" after the name of Darius. This title need not exactly mean always the same person. The fact that Dan 9,1's introductory date finds it necessary to specify a certain "Darius, son of Ahasuerus, who was a Mede by descent", may suggest that the name "Darius the Mede" could easily have been applied to all the other Dariuses of the Persian empire as well. One thing though is clear with the title – the fact that it refers only to a "Mede", not a "king of Media", the way Nebuchadnezzar, or Belshazzar are given the title "king of Babylon", and Cyrus as "king of Persia". There is, again, also the possibility that the title המדי was added later. The LXX version (as also TH), which changes Darius to Cyrus for the sake of chronological consistency, doesn't cite the title of Cyrus (unlike 10,1's Cyrus the king of Persia), probably because the name he had changed didn't have the title either.

The curious difference between MT and LXX Dan 11,1 perhaps needs closer attention:

ואני בשנת אחת	καὶ ἐν τῷ ἐνιαυτῷ τῷ πρώτῳ
לדריוש המדי	Κύρου τοῦ βασιλέως
עמדי	εἶπέν μοι
למחזיק	ἐνισχῦσαι
ולמעוז לו	καὶ ἀνδρίζεσθαι

Aside from the change from Darius to Cyrus in the LXX, which, as we have already proposed, was probably due to a copyist who mistook 11,1 to be an introductory date for a new chapter and hence found it necessary to change it for the sake of chronological consistency, there is the second variant εἶπέν, which seems to have read אמר instead of עמד. While the misreading of a daleth for a resh is a common scribal error, it is less likely that the ayin has been mistaken for an aleph. One interesting possibility though is that the aleph could have been original, and that the ayin after it had been conflated with the mem that follows it, due to the close paleographical resemblance between a men and an ayin.

On the basis therefore of the LXX's witness, one may propose that both readings (MT's עמדי, and LXX's אמר) are corrupt, and that the verbal form was, rather, originally in the imperfect 1st person singular: אעמד, "I will stand up". The conflation of the ayin with the mem has created a meaningless reading אמד, which is the next best step to a further misreading: אמר, so LXX. On the other hand, in the case of

---

10. Ca. 336-331 B.C. Cf. J. Bright, *A History of Israel*, London, ³1981, pp. 408f.; and the commentaries by Montgomery, pp. 423-424; Plöger, pp. 157-158; Delcor, pp. 218-219; Lacocque, pp. 160-161; and Hartman & Di Lella, p. 288.

MT, the same verb's contamination by the final yodh of the previous המדי had created an equally meaningless reading: אעמדי, which eventually caused the dropping of the first syllable, hence the reading עמדי.

B. *The Revelation: A Celestial Battle behind the Terrestrial Scene (a Two-Layered Apocalyptic Notion of Reality)*

Where exactly does the angel's revelation start? Expectedly, one would say at 11,2b, after the introductory formula 11,2a: "and now I will tell you the truth". At 11,2b, the historical allusions likewise begin – namely the events that are relevant to Michael's people, which lead to their eventual persecution by a later king of the coming Greek empire. Does this imply then that everything prior to 11,2b was part of the prologue serving as introduction to the main body of the revelation to the death of the Seleucid king 11,45? We disagree. The angel is communicating a revelation on two levels: celestial and terrestrial. First, he discloses to Daniel the heavenly battle that goes on behind the terrestrial scene: 10,13.20-21; 11,1. Second, he reveals the historical consequences of the preceding supra-historical battle: 11,2b-45. Lastly, he returns to the celestial scene and the vindication of his people: 12,1-3.

This pattern appears muddled up because of the duplication of the prologue. If one looks closely at ch. 10, one realizes that one is actually dealing there with two prologues! We can in fact align them next to each other and see how 10,15-21 basically repeats the content and structure of 10,1-14.

vss. 5-14 (A)		vss. 15-21 (B)	
5	a man clothed in linen	16a	one who looked like a man
8b	I had no strength left	17b	my strength is gone
8b	I was helpless	16b	I am helpless
9	fell...face to the ground	15b	bowed...face on the ground
10	a hand touched me	16a	touched my lips
		18a	...again touched me
11	Dnl, highly favored one	19aβ	highly favored one
12a	do not be afraid	19aα	do not be afraid
12b	I have come because...	20a	do you know why I've come?
13a	the prince of the Persian kingdom resisted me	20b	soon I will return to fight against the Prince of Persia
13b	Michael one of the chief princes came to support me	21b	no one but Michael your prince supports me
		11,1	In the first year of Darius, I will stand up to confirm and strengthen him.
14	Now I have come to explain what will happen in the latter days	11,2	Now I will tell you the truth

There is hardly any doubt here that we are dealing with a doublet of the same prologue. Some elements are jumbled but the general literary form remains the same:

PROLOGUE: (A: vss. 1-11; B: vss. 15-19)
apparition
reaction
reassuring act: touch
reassuring word: fear not

CELESTIAL REVELATION (A: vss. 12-13; B: 10,20–11,1)
introduction to celestial disclosure (12; 20a)
Revelation: heavenly battle of angels (13.20b.21b; 11,1)

TERRESTRIAL REVELATION:
introduction to terrestrial disclosure (14; 11,2a)
Revelation: historical events crucial for Israel (11,2b-45).

How do we explain this? We suggest that the second prologue (vss. 15-19) is a doublet that has been fully inserted between the introduction to the historical revelation at v. 14 and the historical revelation itself which starts at 11,2b. This doublet is given a new purpose, namely to strengthen Daniel and prepare him to receive the message. The insertion also motivates the editor to expand the previous celestial disclosure (v. 13) with further details (vss. 20-21 and 11,1) leading to a new introduction to the historical revelation (11,2a), all for two reasons: one, to create a new bridge to the historical revelation which has been introduced at v. 14 but interrupted by the inserted doublet prologue; and two, to produce an inclusive frame holding the historical revelation: 10,20–11,1 vs. 12,1-3. We will reserve the latter at the final section of our discussion.

The expanded celestial revelation itself, in our opinion, begins already at 10,20 where the angel communicates the first revelatory detail which is not yet on the terrestrial (historical) stage, i.e. that after the defeat of Persia's guardian-angel, there comes a new phase in the celestial battle that will directly affect Israel: the coming of the celestial protector of Greece. The revealing angel however comes to prepare Michael's people, by disclosing what has been predestined, what has been "written in the Book of Truth". This he does as an act of favor for Michael who has always been his helper. The temporal start of the decisive heavenly battle is during the reign of the last Persian king (Darius III?), at which time the revealing angel "will stand up to confirm and strengthen him". 11,2a is probably the only element that can be considered a late gloss intended to reiterate the announcement of purpose in v. 21b which in the glossator's view probably appeared to have been interrupted by the details about the celestial battle which he did not consider yet to be part of the revelation.

C. *The Inclusive Frame: 10,20–11,1 vs. 12,1-3*

The strongest clue pointing to an inclusive frame around the historical dimension of the revelation (11,2b–45) is the curious title given to Michael in LXXp–967 10,21 which does not occur in the MT:

ואין אחד	καὶ οὐθεὶς ἦν
מתחזק עמי	ὁ βοηθῶν μετ᾽ ἐμοῦ
על־אלה	ὑπὲρ τούτων
כי אם־מיכאל	ἀλλ᾽ ἢ Μιχαηλ
שרכם	ὁ ἄγγελος
	(ο στρατηγος ο δυνατος
	ο εστως
	επι των υιων του λαου)

The long title "the powerful commander who stands over the sons of the people" in 10,21 comes up again immediately after the historical dimension of the revelation is closed (11,45), and the revealing angel moves back to the supra-historical sphere that begins with the rise (in victory?) of Israel's guardian Michael. Note the near equivalence of the titles:

LXXp–967 10,21	vs.	12,1a
ο αγγελος ο στρατηγος ο δυνατος		ο αγγελος ο μεγας
ο εστως επι των υιων		ο εστηκως επι τους υιους
του λαου		του λαου σου

Geissen offers two possibilities for this variant text of LXXp–967[11]: one, a translation of a *Vorlage* different from MT; or two, p–967 simply combined three variant titles together (ο αγγελος ο στρατηγος..., ο εστως). On account however of the resembling title of 12,1, we are more inclined to opt for the former and suggest that only ο στρατηγος can be considered as a secondary gloss, probably a marginal variant translation for the Hebrew שר (prince) that eventually got integrated into the text.

The *inclusio* actually begins already with 10,21a, namely the reference to "what is inscribed in the book of truth", which parallels to the reference in 12,1bβ to "those who are found written in the book"; continues with the corresponding references to Michael with the complete title; and the reference in 11,1 "On the first year of Darius the Mede, I will stand up to confirm and strengthen him", parallel to 12,1's "On that day (i.e. the death of Antiochus, 11,45), Michael will stand up". 12,2–3 concludes the supra-historical revelation with a description of the retribution of the just and wicked, and closes with an epilogue

---

11. A. GEISSEN, *Der Septuaginta-Text des Buches Daniel* (Pap 967), Bonn, 1968, p. 241.

(12,4), which is a final command to close and seal the revelation[12]. The resulting picture is as follows[13]:

10,21a "What is written in the book of truth"
    10,21b "Michael the angel, the powerful commander who stands over the sons of the people".
        11,1 "In the first year..., I will stand up..."
            (HISTORICAL REVELATION: 11,2b-45)
        12,1aα "On that day, ... will stand up"
    12,1aβ "Michael the great angel, who stands over the sons of the people"
12,1bβ "all who are found written in the book".

The disclosure of the whole heavenly scenario (10,20–11,1) prior to the angel's properly historical revelation has therefore prepared for the final scene in ch. 12. The terrestrial struggle involving the accession into world power of a new kingdom bound to persecute Israel (11,2b-45) presumes a whole heavenly battle going on behind it. This historical revelation ends with an allusion in 11,45 to the death of Antiochus IV, which, in the mind of the apocalypticist signals a decisive turn of events in the celestial sphere: Michael's "standing up", 12,1. the "standing up" יעמד of Michael in 12,1 means his final victory over the celestial adversary, thanks to the "standing up" אעמד of the angel of 11,1 to aid him in the battle.

Conclusion

Dan 11,1 falls within the general trajectory of the editorial expansion of the text, which includes the framing of the historical revelation (11,2b-45) with brief disclosures of the supra-historical scenario (10,20–11,1 and 12,1-3) forming an *inclusio* around the historical part. It is therefore not to be bracketed as a late gloss as it makes sense within its proper context, namely the more intricate angelology that has been reworked in the text's expanded form[14]. It is part no longer of the prologue, but of the revelation itself, which has to be understood within the apocalypticist's framework of a two-layered reality: the interplay between the celestial and the terrestrial.

---

12. 12,5–13 is a larger epilogue added by the final redactor.
13. Text as translated from LXXp–967.
14. A more systematic redaction-critical exposition of this editorial expansion would require a separate discussion.

Daniel 10,(13)20–11,2a: MT & LXX
(in parentheses: variants from P–967)

10,13

ושר מלכות פרס	καὶ ὁ στρατηγὸς βασιλέως Περσῶν
עמד לנגדי	ἀνθειστήκει ἐναντίον μου
עשרים ואחד יום	εἴκοσι καὶ μίαν ἡμέραν
והנה	καὶ ἰδοὺ
מיכאל	Μιχαηλ
אחד השרים	εἷς τῶν ἀρχόντων
הראשנים	τῶν πρώτων
	(η εις των αγιων αγγελων)
בא לעזרני	ἐπῆλθε βοηθῆσαί μοι
ואני נותרתי שם	καὶ αὐτὸν ἐκεῖ κατέλιπον
אצל מלכי פרס	μετὰ τοῦ στρατηγοῦ τοῦ βασιλέως Περσῶν

20

ויאמר	καὶ εἶπεν πρός με
הידעת	Γινώσκεις
למה־באתי אליך	τί ἦλθον πρός σέ
ועתה אשוב להלחם	καὶ νῦν ἐπιστρέψω διαμάχεσθαι
עם־שר פרס	μετὰ τοῦ στρατηγοῦ βασιλέως τῶν Περσῶν
ואני יוצא	καὶ ἐγὼ ἐξεπορευόμην
והנה שר־יון בא	καὶ ἰδοὺ στρατηγὸς Ἑλλήνων εἰσεπορεύετο

21

אבל אגיד לך	καὶ μάλα ὑποδείξω σοι
את־הרשום	τὰ πρῶτα
בכתב אמת	ἐν ἀπογραφῇ ἀληθείας
ואין אחד	καὶ οὐθεὶς ἦν
מתחזק עמי	ὁ βοηθῶν μετ' ἐμοῦ
על־אלה	ὑπὲρ τούτων
כי אם־מיכאל	ἀλλ' ἢ Μιχαηλ
שרכם	ὁ ἄγγελος
	(ο στρατηγος ο δυνατος
	ο εστως
	επι των υιων του λαου)

11,1

ואני בשנת אחת	καὶ ἐν τῷ ἐνιαυτῷ τῷ πρώτῳ
לדריוש המדי	Κύρου τοῦ βασιλέως
עמדי	εἶπέν μοι
למחזיק	ἐνισχῦσαι
ולמעוז לו	καὶ ἀνδρίζεσθαι

2

ועתה	καὶ νῦν ἦλθον
אמת	τὴν ἀλήθειαν

אגיד לך   ὑποδείξαί σοι
הנה־עוד   ἰδού
שלשה מלכים   τρεῖς βασιλεῖς
עמדים לפרס   ἀνθεστήκασιν ἐν τῇ Περσίδι
והרביעי יעשיר   καὶ ὁ τέταρτος πλουτήσει
עשר גדול מכל   πλοῦτον μέγαν παρὰ πάντας
וכחזקתו   καὶ ἐν τῷ κατισχῦσαι αὐτὸν
בעשרו   ἐν τῷ πλούτῳ αὐτοῦ
יעיר   ἐπαναστήσεται
הכל את   παντὶ
מלכות יון   βασιλεῖ Ἑλλήνων

Mother of Good Counsel Seminary   Pablo David
Del Pilar, San Fernando
2000 Pampanga
Philippines

"A DIVINE SPIRIT IS IN YOU"

Notes on the Translation of the Phrase *rûaḥ 'elāhîn* in Daniel 5,14 and Related Texts

The idea for this paper has risen from classroom work. With a group of students in "Biblical" Aramaic I read the beautiful story about the writing on the wall in the palace of Belshazzar in Daniel 5. The student who had to translate vs. 14, told us that he had met with two problems in this verse. First, he did not know whether he should construe *rûaḥ 'elāhîn* with "the spirit of the gods" or with "spirit of God". Second, he came across the translation of the Dutch Bible Society of 1951 in which *yattîrāh* was translated with an adverbial adjunct: "light, understanding and wisdom are found in an excellent way in you". The second problem could easily be solved. *Yattîrāh* does not refer to the way in which these qualities were found in Daniel, but as an adjective probably to be related with all the three foregoing nouns it says something special about the qualities of Daniel. The first problem will be discussed in this paper.

1. Daniel 5,14 and Related Texts

In Dan 5,14 Daniel is characterized by the non-Israelite king Belshazzar as a person gifted with a *rûaḥ 'elāhîn*. Daniel is characterized similarly at four other instances in the court-tales of the Book of Daniel: Dan 4,5.6.15; 5,11. In these four texts Daniel is qualified as a person gifted with a *rûaḥ 'elāhîn qaddîššîn*. In all the texts quoted, Daniel receives the qualification from persons, who are not Israelites: in chapter four from King Nebuchadnezzar, in 5,11 from the "wife" of King Belshazzar[1] and in 5,14 from Belshazzar. In all these texts *rûaḥ 'elāhîn (qaddîššîn)* can be translated with both "the spirit of the (holy) gods" and "the spirit of the (holy) God". The Ancient Versions translated *'elāhîn* with a singular – Theodotion and LXX[2] – or with a plural – the Vulgate. Recent studies on Daniel have a preference for the plural[3].

---

1. A tradition going back to Josephus – *Antiquitates* x, 11,2 – interprets her as Belshazzar's mother or grandmother; see J.A. MONTGOMERY, *The Book of Daniel* (ICC), Edinburgh, 1927, pp. 257-258; D.N. FEWELL, *Circle of Sovereignty. A Story of Stories in Daniel 1–6* (JSOTSup, 72 = BLS, 20), Sheffield, 1988, pp. 120-125.

2. Of the five texts LXXDn has translated Dan 5,11 only.

3. G.Ch. AALDERS, *Daniël* (COT), Kampen, 1962, pp. 111-113; O. PLÖGER, *Das Buch Daniel* (KAT, 18), Gütersloh, 1965, pp. 18-19, 80; N. PORTEOUS, *Daniel. A Commentary*

In Biblical Hebrew *'elohîm* has the meaning of both "gods" and "God". In the Aramaic parts of Dan the singular noun *'elāh* refers to the God of Israel, except for the phrase in the royal edict in Dan 6,8.13 where it is used in a more generic significance: "any god, whoever". The plural *'elāhîn* in most instances refers to the "other gods", in Dan 6,17.21, however, the noun is a singular indication of the God of Israel[4]. These observations provoke that from a grammatical point of view both translations – "spirit of the (holy) gods" and "spirit of the (holy) God" – are possible.

From the point of view of the narrative art[5], both translations are possible. They generate, however, two different interpretations of the two stories in Dan 4 and 5. In both narratives the characterization of Daniel is given at a point in time in the tale which is before the moment in which Nebuchadnezzar respectively Belshazzar came to discernment or repentance. Consequently, the characterization of Daniel is given at a moment, when the personage uttering it, did not or did not yet acknowledge the sovereignty of the God of Israel. A translation "the spirit of the (holy) God" for *rûaḥ 'elāhîn (qaddîššîn)* then would take away beforehand the tension in the narrative. This consideration leads to the conclusion that "the spirit of the (holy) gods" should be translated[6].

However, there is one important restriction to be made. In the phrase "the spirit of the (holy) gods" the "gods" are presumably foreign, non-Israelite deities. Daniel to be gifted with the spirit of these gods, is quite correct from the point of view of the non-Israelite kings Nebuchadnezzar and Belshazzar. Within their conception of reality it would be probable to suggest that the spirit of Bel or Nabu was at work in the

---

(OTL), London, ²1979, pp. 63-64, 74-75; J.-Ch. LEBRAM, *Das Buch Daniel* (ZB AT, 23), pp. 66, 74; R. ALBERTZ, *Der Gott des Daniel. Untersuchungen zu Daniel 4–6 in der Septuagintafassung sowie zu Komposition und Theologie des aramäischen Danielbuches* (SBS, 131), Stuttgart, 1988, pp. 101, 200, 204, 222, 224; D.N. FEWELL, *Circle*, pp. 87-88, 111-112, 121-122. J.A. MONTGOMERY, *Daniel*, p. 259, translates all instances with a singular: "(holy) Deity"; L.F. HARTMAN and A. DI LELLA, *The Book of Daniel. A New Translation with Notes and Commentary* (AB 23), Garden City, NY, 1978, pp. 168-169, 181, 182, who render *rûaḥ 'elāhîn qaddîššîn* with "a spirit of holy God", translate *rûaḥ 'elāhîn* in 5,14 with "a divine spirit".

4. See H. BAUER und P. LEANDER, *Grammatik des Biblisch-Aramäischen*, Halle, 1927, §87f, who assume a reading mistake in Dan 6,17.21.

5. Structural readings of the court tales in Daniel have been offered by W.H. SHEA, *Further Literary Structures in Daniel 2–7: An Analysis of Daniel 4*, in *AUSS* 23 (1985) 193–202; W.H. SHEA, *Further Literary Structures in Daniel 2–7: An Analysis of Daniel 5, and the Broader Relationships within Chapters 2–7*, in *AUSS* 12 (1985) 177–295; S. TALMON, *Daniel*, in R. ALTER - R. KERMODE (eds.), *The Literary Guide to the Bible*, Cambridge, 1987, pp. 343-356; J. GOLDINGAY, *The Stories in Daniel*, in *JSOT* 37 (1987) 99-116; D.N. FEWELL, *Circle*.

6. So does D.N. FEWELL, *Circle*, p. 125.

mind of Daniel. For the author of the Book of Daniel it would be an abomination to suggest that the pious Daniel was gifted by the spirit of a foreign deity. For the primary readership of the Book of Daniel in the Maccabaean period the phrase "the spirit of the gods" would suggest that Daniel was under the influence of one of the Hellenistic deities. This would be in contradiction with one of the central intentions of the Book of Daniel: not the god(s) installed by Antiochus IV Epiphanes, but the God of the Maccabaeans should be devoted. This consideration implies that the problem of the translation of *rûaḥ ᵉlāhîn* has entered a blind alley.

2. INTENDED AMBIVALENCE?

Recent literary theories have called attention to the phenomenon of *focalization*. With the term focalization it is expressed that the information about the characters in a narrative is brought to us by an agent in the story called the focalisator. This focalisator is guided and steered by the narrator. This implies that we are looking at the characters of and the events in a story not through our own eyes. Mostly uncalled-for, the narrator leads us to the focalisator's selection and presentation of elements of the reality of the story. One way or another we are forced to look at the story through her or his eyes[7].

Regarding the narratives in the Book of Daniel, this implies, among other things, the following. The characterization of Daniel as a person gifted with *rûaḥ ᵉlāhîn (qaddîššîn)* is phrased by Nebuchadnezzar, by the wife of Belshazzar and by Belshazzar. Their opinion on Daniel is brought to us indirectly. It is focalized and presented by the narrator.

From the whole of the Book of Daniel it becomes clear that the narrator is a pious, pro-Yhwh-istic author. In order to assure both the narrative tension – so that the characters Nebuchadnezzar, Belshazzar and his wife are not prematurely confessing the God of Israel – and the religious background of the narrator I would suggest an interpretation, which is probably also a way out of the stalemate position mentioned above. In my opinion, the phrase *rûaḥ ᵉlāhîn (qaddîššîn)* was intended to be ambivalent, meaning both "the spirit of the (holy) gods" and "the spirit of the (holy) God". This interpretation solves the narrative riddle.

---

7. The distinction between focalisator and narrator was introduced by G. GENETTE, *Figures* III, Paris, 1972, and elaborated by M. BAL, *Narratologie. Essais sur la signification narrative dans quatre romans modernes* (Diss. RU Utrecht), Paris, 1977, pp. 21-58; see also her *The Narrating and the Focalizing: A Theory of Agents in the Narrative*, in *Style* 17 (1983) 21-55. J. MARAIS, *God se probleem met Jona of Jona se probleem met God: Fokalisatieverskynsels in die verhaal van Jona*, in *Acta Theologica* 10 (1990) 56-66, has applied this theory to the story in the Book of Jona.

The question, however, is whether there is a grammatical ground for such an interpretation, or not.

3. *rûaḥ 'ᵉlāhîn* A GENITIVUS QUALITATIS?

The phrase *rûaḥ 'ᵉlāhîn* is construed as the well-known Semitic construction of two nouns in a status constructus-status absolutus relation. The second noun, with a somewhat obsolete term: the nomen rectum, has the function of the genitive. At the level of syntax, this genitival relation can express different features. In Biblical Hebrew, the relation can be interpreted as a genitivus subjectivus, as in *ben-dāwîd* "the son of David", as a genitivus objectivus, as in *yir'at yhwh* "the respect for the LORD", as a genitivus partitivus, as in *rob dāgān* "a multitude of corn". From other Semitic languages examples of the different syntactical significances of the construct chain can be collected easily.

Here, attention is asked for the interpretation of the genitival relation as a genitivus qualitatis. Both in Hebrew and in Aramaic this genitivus qualitatis has the same function as an adjective of quality, even when a corresponding adjective is known[8]. A few examples from Biblical Hebrew: *bᵉkî tamrûrîm* "bitter weeping" (Jer 31,15)[9]; *'ᵃhuzzat 'ôlām* "an everlasting property" (Gen 17,8) and *ma'ᵃnēh 'ᵉlohîm* "divine answer" (Micha 3,7)[10]. In the Greek of the New Testament this genitive occurs as a Semitism: ὁ μαμωνᾶς τῆς ἀδικίας "the unjust Mammon" (Lk 16,9)[11]. From the Aramaic parts of the Old Testament Dan 3,25 could be quoted. King Nebuchadnezzar says that he saw three persons in the midst of the fire: beside Shadrach, Meshach and Abednego he saw someone like a *bar 'ᵉlāhîn* "a divine being; an angel"[12].

The Aramaic phrase *rûaḥ 'ᵉlāhîn* can be interpreted as the expression of a genitivus qualitatis meaning: "a divine spirit"[13]. In other words,.

8. Cf. P. JOÜON, *Grammaire de l'hébreu biblique*, Roma, 1923, § 129f.

9. See W.L. HOLLADAY, *Jeremiah 2. A Commentary on the Book of the Prophet Jeremiah Chapters 26–52* (Hermeneia), Minneapolis, 1989, p. 187.

10. I owe this reference to our research student Jan A. Wagenaar.

11. Is equal to ὁ ἄδικος μαμωνᾶς in Lk 16,11; see F. BLASS - A. DEBRUNNER - F. REHKOPF, *Grammatik des neutestamentlichen Griechisch*, Göttingen, ¹⁴1976, § 165.

12. See K. BEYER, *Die aramäische Texte vom Toten Meer samt den Inschriften aus Palästina, dem Testament Levis aus der Kairoer Genisa, der Fastenrolle und den alten Talmudischen Zitaten*, Göttingen, 1982, p. 511.

13. Without referring to the grammatical construction as such a similar translation has been suggested by H. BAUER und P. LEANDER, *Grammatik*, § 87f; L.F. HARTMAN and A. DI LELLA, *Daniel*, p. 182; K. BEYER, *Aramäische Texte*, p. 511; J.-Ch. LEBRAM, *Daniel*, p. 74.

the pious narrator of the tale in Dan 5 has used the syntactical phenomenon of the genitivus qualitatis as a means to express an intentional ambivalence. Both at the level of narrative art and of interpretation, the translation of *rûaḥ 'elāhîn* with "a divine spirit" generates no problems. To the primary readership of the Book of Daniel it is obvious that Daniel was gifted with the spirit of the LORD, the God of israel. In putting this phrase in the mouth of a non-Israelite person the narrator does not prematurely reduce the tension in the story.

There is, however, one problem. The phrase *rûaḥ 'elāhîn* in Dan 5,14 can be interpreted as the expression of a genitivus qualitatis, but it could be doubted whether the same can be said on the more enlarged phrase *rûaḥ 'elāhîn qaddîššîn* in the other texts. Until now I have not found a construct chain enlarged with an adjective which could be interpreted as the expression of the genitivus qualitatis. Consequently, there is no ground in grammar regarding the other four instances. The phrase *rûaḥ 'elāhîn qaddîššîn*, however, has an intentional ambivalence in the court tales of Dan 4 and 5.

de Hunze 8   Bob BECKING
NL-3448 XH Woerden

THE *DOXA* OF THE SEER IN DAN-LXX 12,13

The subject of this paper is δόξα, which is spoken of in Dan-LXX 12,13. In the corresponding MT the word כבוד, generally translated as δόξα in the Septuagint, does not appear, but we read גורל, a term which Dan-θ' translates as κλῆρος. The Vulgate reads *sors*.

I. THE GREEK VERSIONS OF DANIEL

1. *A unique phenomenon in the history of the Greek text of the Bible*

It is a phenomenon unique in the reading of the Greek text of the Bible that in a particular book, in this case Daniel, the Septuagint has been considered less reliable than the supposed Theodotionic text[1].

Until the present the two parallel Greek texts of Daniel presented no problem from the perspective of the origin of the Septuagint. It was believed that the so-called Text-θ' pertained to Theodotion and it has been commonly accepted that the Theodotion version of the book of Daniel supplanted that of the Septuagint in almost all manuscripts[2]. However, this does not prove so straightforward owing to the existence of some "Theodotionic readings" in documents pre-dating Theodotion, which are mentioned in the sources. A. Rahlfs and J. Ziegler enable us to read both texts by publishing them simultaneously[3]. One of the problems still a focus of research is the so-called Proto-Theodotion because of the "Theodotionic readings" occurring in texts which are earlier than the historical Theodotion (e.g. New Testament, Barnabas,

---

1. Until only a few years ago the traditional position believed it could be based on the authority of Origen and Jerome, who in his *Comm in Dan*, *PL* 25,646, says: "Unde iudicio magistrorum Ecclesiae, editio eorum (LXX) in hoc volumine repudiata est; et Theodotionis vulgo legitur, quae et Hebraeo et ceteris translatoribus congruit. Unde et Origenes in nono Stromatum volumine asserit se quae sequuntur ab hoc loco in propheta Daniele, non iuxta Septuaginta interpretes, qui multum ab Hebraica veritate discordant, sed iuxta Theodotionis editionem disserere".

2. It was believed that the date of supplanting had to be this, since Papyrus 967 (the end of the II or beginning of III cent.) still contains the Septuagint translation of Daniel. Cf. A. GEISSEN, *Der Septuaginta-Text des Buches Daniel Kap. 5–12 zusammen mit Susanna, Bel et Draco, sowie Esther Kap. 1,1a–2,15 nach dem Kölner Teil des Papyrus 967* (Papyrologische Texte und Abhandlungen 5), Bonn, 1968. The Septuagint text of Daniel was only known until now by the Ms 88 and by the Syro-Hexaplaric version.

3. The text attributed to Theodotion is contained in the Codex Vaticanus; the LXX text, as we have seen, is attested to by Chisianus RVII (= R88), by Syro-Hexaplaric and by Papyrus 967. Cf. S. JELLICOE, *The Septuagint and Modern Study*, Oxford, 1968, p. 302.

Clement, Hermas). However, with the discovery by D. Barthélemy of the Greek fragments of the Twelve Prophets, some scholars believe that the problem of Proto-Theodotion is part of a general process that could explain many unknown factors[4]. On the other hand, the thesis of A. Schmitt (the Text-θ' in Daniel cannot be ascribed to Theodotion) has not shed much light on obscurities in the formation process of Text-θ' in Daniel and its attribution to Theodotion[5].

2. *Dan-LXX: relationship with its "Vorlage"*

Until 1931 scholars were convinced that the only copy of Dan-LXX which had been preserved was Ms 88, normally designated as Ms Chigi. This manuscript offers the Hexaplaric text of Origen and displays a relatively close relationship with the Syro-Hexaplaric version[6]. In 1931 a witness to the Pre-Hexaplaric text, often referred to by scholars as the Old Greek of Daniel, was discovered[7]. It is a papyrus bearing the

---

4. D. BARTHÉLEMY, *Les devanciers d'Aquila*, Leiden, 1963, pp. 144f. This author suggests that Theodotion may be identified with Jonathan ben 'Uzziel who lived in the first half of the first century A.D., and that he may have been a precursor of Aquila. Cf. also K.G. O'CONNELL, *The Theodotionic Revision of the Book of Exodus*, Harvard, 1972; see the review by D. BARTHÉLEMY, in *Biblica* 55 (1974) 91-93. Barthélemy considers Theodotion as a notable member of the *kaige* group, a group whose work was brought to its climax in the version of Aquila, an adherent of the school of Aqiba. The specific test which Barthélemy applies lies in the exegesis of what he terms "les particules incluantes". The traditional school, represented by ben Elisah, is held to be characterized in its recensions or translation of the Scriptures into Greek by the translation of גם by καίγε and the non-translation of את by σύν. In addition to the Greek Scroll of the Minor Prophets, Barthélemy assigns to this pre-Aquilanic group of translators: Lamentations, and probably Cantica and Ruth; the recension of Judges as witnessed especially by the manuscripts i, r, u, a, and B, e, f, z; the Theodotionic recension of Daniel; the Theodotionic additions to the LXX of Job and Jeremiah, the sixth column of the Hexapla and Quinta of the Psalter. Barthélemy's work in some respects raises as many problems as it purports to elucidate. It would be perhaps more reasonable to consider the *kaige* recension as a first stage in the Theodotionic revision.

5. A. SCHMITT, *Stammt der sogenannte Θ-Text bei Daniel wirklich von Theodotion?*, Göttingen, 1966: "Der sogenannte Θ-Text hat nichts zu tun mit dem Übersetzer anderer alttestamentlicher Bücher der unter dem Siegel Θ' bekannt ist" (p. 112). If the text-Θ' of Daniel cannot be attributed to Theodotion by comparison with the rest of the materials of the Greek O.T. which are preceded by the letter Θ', is all this material uniform and does it pertain to Theodotion? If Dan-θ' does not pertain to Theodotion, taking account of the fact that its quotations remain in the N.T. and in the Apostolic Fathers, then it remains to be clarified by which revision process of those known until now we frame this text. Twelve years before Schmitt the same thesis was supported by his professor J. ZIEGLER, *Susanna, Daniel, Bel et Draco* (Septuaginta, Vetus Testamentum Graecum XVI), Göttingen, 1954, p. 29: "Wahrscheinlich unser Text hat nichts zu tun mit Theodotion".

6. Cf. S. JELLICOE, *op. cit.*, p. 125: "... Paul of Tella, at the request of the Patriarch of Antioch, Athanasius the first, undertook the production of the Syro-Hexaplar in 616-617".

7. Various sections of this papyrus were taken to Great Britain, Germany, Catalonia and Spain and published successively. Cf., for example, the text cited above published by A. GEISSEN, *Der Septuaginta-Text des Buches Daniel, Kap. 5-12*; R. ROCA-PUIG, *Daniele. Due semifogli del codice 967. P. Barc. inven. nn. 42 e 43*, in *Aegyptus* 56 (1976) 3-18.

number 967 and can be closely dated to the II century. In this paper, for reasons of clarity, we shall call the Old Greek Daniel simply Dan-LXX.

Until the present, most scholars have considered Dan-LXX as a version which deals relatively freely with its Hebrew *Vorlage*, which is not considered very different from the *Vorlage* of the MT, the *textus receptus*[8]. But this thesis has recently been questioned by S.P. Jeansonne, according to whom the first Greek translator of Daniel 7–12 follows the Hebrew *Vorlage* completely[9]. Most of the differences regarding the MT are due to the Hebrew *Vorlage* and are not the consequence of deliberate theological reinterpretations on the part of the translator. Sometimes the differences are simply mechanical errors. This is the argument of Jeansonne, a thesis methodologically well developed, but perhaps applied with excessive rigidity when it excludes all intentional theological reinterpretations in variants which are not due to error or misunderstanding of the Hebrew *Vorlage*[10]. In fact, the Cologne witness of Papyrus 967 offers a reversal of the order of chapters and visions[11]. In this witness chapters 7 and 8 are placed

8. It is a classic thesis from the end of the XIX century. In this line are, for example, the works of A. BLUDAU, *Die alexandrinische Übersetzung des Buches Daniel und ihr Verhältnis zum MT*, Freiburg, 1897; G. JAHN, *Das Buch Daniel nach den LXX hergestellt, übersetzt und kritisch erklärt*, Leipzig, 1904; etc. But in 1954 a Catalan biblical scholar could write: "Certament no es pot pretendre encara que el text de G (LXX), tal com el posseïm, representi exactament l'original sortit de les mans de 'Daniel'. Però, no es pot tampoc negar que, en molts casos, la seva lliçó resulta de molt preferible a la del TM" (R. AUGÉ, *Daniel*. La Bíblia. Versió dels textos originals i comentari pels monjos de Montserrat, XV-II, Montserrat, 1954, p. 26).

9. S.P. JEANSONNE, *The Old Greek Translation of Daniel 7–12*, Washington, 1968. The primary purpose of this doctoral dissertation is to determine whether differences between the Old Greek (OG) translation and the Hebrew/Aramaic parent text of Dan 7–12 are due to intentional theological adaptations, or to errors or unintentional cross-linguistic mechanics of translation. As we have seen, previous scholarship came to the consensus that most variants in the LXX are intentional. Jeansonne is of a different opinion, as we can read on p. 31: "First of all, our investigation of the manuscript evidence and of the history and stratigraphy of the texts of Daniel showed that the Semitic text of Daniel has undergone growth and change, and that the *Vorlage* available to the OG translator was not necessarily equal to the present day Masoretic text. Therefore, simply to note where the OG diverges from MT and then posit reasons for that divergence, as past studies have done, is too simplistic an approach to use as basis for assessing 'theological Tendenz' on the part of the OG translator".

10. The historicizing trend establishes itself, for example, in c. 9,26, where the lapse of time presented by the OG differs considerably from that put forward by the MT. It seems clear that the number of weeks has been taken from v. 25, where the MT speaks of a period of seven weeks and the other of sixty-two weeks. Like Dan-θ', Dan-LXX combines the two numbers adding another seventy. It is possible that with this change the translator wanted to make the end of the seventy weeks, mentioned in v. 24, coincide with the reign of Antioch Epiphanes.

11. With reference to Dan-LXX, the most important witness of Papyrus 967 is the Cologne witness. On the subject of the witnesses of Cologne, Barcelona, Princeton and

before chapters 5 and 6. Thus the death of Belshazzar, related in chapter 5, is placed after the accounts referring to it[12]. This different collocation undoubtedly reflects a particular way of interpreting the story, something which Jeansonne does not take into account. It is difficult to accept the *a priori* dismissal of all possibility of any intentional reading to talk simply of "misunderstanding" the Hebrew/ Aramaic text[13].

This paper considers that Dan-LXX 12,13 reflects an interpretative intention in harmony with the whole of chapter 12, the general context of Dan-LXX and the eschatological meaning of δόξα in those biblical and intertestamental texts which have doctrinal and literary affinity with Dan 12.

II. DIVISION OF DAN-LXX 12

To put Dan-LXX 12,13 into its context it is useful to break up chapter 12, thus providing some semantic background to the theme of δόξα[14]. This division offers the following points:
1. Salvation and resurrection of the people, a secret to be kept (vv. 1-4). Referring to v. 13, the first four verses also contain the same theme of

Madrid detailed information can be found in *Repertorium der griechischen christlichen Papyri. I. Biblische Papyri. Altes Testament, Neues Testament, Varia, Apokryphen*; hrsg. von K. Aland (Patristische Texte und Studien 18), Berlin-New York, 1976.

12. With regard to this different collocation the text has the following historical narrative sequence:
cc. 1–4: in the reign of Nebuchadnezzar.
cc. 7.8.5: in the reign of Belshazzar, his son in the first and third year of his reign.
cc. 6.9: in the reign of Darius the Mede.
cc. 10.11.12: in the reign of Cyrus the Great (in Dan 11,1 the MT and the Vulgate read Darius the Mede and not Cyrus).
This point is well expounded by P.-M. BOGAERT, *Le témoignage de la Vetus Latina dans l'étude de la tradition des Septante, Ézéchiel et Daniel dans le Papyrus 967*, in *Biblica* 59 (1978) 384-395. The author does not try to determine whether a similar arrangement existed in a Semitic model or whether it was introduced by the first Greek translator since such a collocation of chapters as is read in Papyrus 967 is also found in *Liber promissionum* by bishop Quodvultdeus of Carthage, of the V century (*Opera Quodvultdeo Carthaginensi episcopo tributa*, ed. R. BRAUN [CChL 60], Turnhout, 1976, 139-146: *Liber promissionum* II, XXXIV–XXXV, 73–81). The Latin tradition therefore supports the Papyrus 967 reading.
13. Cf. the review by J. LUST, in *ETL* 65 (1989) 160-163. We read at the end: "The publication of Papyrus 967 calls for new detailed studies of the LXX of Daniel... Sharon P. Jeansonne obviously shares the opinion of Jerome. The text of the LXX is corrupt and full of misreadings. This may be so in several instances. However, one should use the term 'misreading' carefully. A so-called 'misreading' may hide an intentional reinterpretation" (pp. 162f.).
14. Cc. 10–12, as much in the MT as in the LXX, constitute a literary unity, centred, like c. 9, on a prophetic word, this time from Isaiah.

the resurrection of the righteous and of the wise in the form of a shining resurrection, something which also happens to Daniel, the seer, by means of the δόξα. Thematically, it could almost be spoken of as an introduction (vv. 1-4) and as an inclusion (v. 13).

2. Revelation of the time when a great change will take place (vv. 5-12).

3. Eschatological destiny of the seer: his δόξα (v. 13). This point constitutes the subject of this paper. Daniel, the seer, present in the first two phases, appears in the third as a beneficiary of the resurrection: "and you will rise in your glory at the end of the days" (v. 13b). Thus, the theme of the resurrection opens and closes chapter 12.

This paper deals with the first two parts schematically in order to better contextualise the theme of the third relating to the personal resurrection of the prophet "in his glory".

1. *Salvation and resurrection, a secret to be kept (vv. 1-4)*

This part brings out a two-fold aspect to the intervention of God on behalf of Israel: that of the *salvation* (v. 1c: σωθήσεται πᾶς ὁ λαός), which seems to indicate an intro-historical stage, and that of resurrection (vv. 2-3: ... ἀναστήσονται... φανοῦσιν) as a meta-historical event, an event which must be kept secret.

1.1. The salvation (v. 1)

SUBJECTS

a) Michael (v. 1a): the great angel, who stands over the children of Israel, suggests by his presence the beginning of the act of salvation.

b) The children of the people (v. 1a): they are the beneficiaries of salvation.

c) Every one of them who is found written in the book (v. 1c)[15]: σωθήσεται πᾶς ὁ λαός, ὃς ἂν εὑρεθῇ ἐγγεγραμμένος ἐν τῷ βιβλίῳ.

VERBS

a) παρελεύσεται: the future arrival of Michael, the great Angel[16], signals the beginning of the great event for the benefit of the people of Israel.

b) ὁ ἑστηκώς: the perfect participle suggests of a continuing presence for the benefit of the people.

c) ἐγενήθη-ἐγενήθησαν: the two aorists dramatize the historicizing aspect of the account.

15. The particle ἂν gives the proposition a conditional meaning. The possible only becomes real when the necessary condition of being "written in the book" occurs. Hence the force of the subjunctive.

16. Dan-θ′ reads: ὁ ἄρχων ὁ μέγας.

d) σωθήσεται: the salvation to come appears to refer specifically to an intro-historical reading and to the beneficiaries of vv. 2 and 3 (πολλοὶ τῶν καθευδόντων — οἱ συνιέντες — οἱ κατισχύοντες τοὺς λόγους).

e) εὑρεθῇ ἐγγεγραμμένος is the condition for being a beneficiary of salvation. With this we can observe a process of being chosen within the λαός.

1.2. The resurrection of some and the shame and dispersion of others (v. 2)

SUBJECTS

a) Many of those who sleep (v. 2a): πολλοὶ (τῶν καθευδόντων)[17].

b) Some (v. 2b): οἱ μέν   The particles μέν - δέ contrast

c) Some others (v. 2b): οἱ δέ   the first group of πολλοὶ... with

d) Some others (v. 2b): οἱ δέ   the other two.

VERBS

a) (Many of those who) *sleep* (v. 2a): καθεύδω.

b) *Will rise* (v. 2a): the threefold course which resurrection takes: *to everlasting life* (εἰς ζωὴν αἰώνιον), *to reproach*[18] (εἰς ὀνειδισμόν), *to eternal dispersion* (εἰς διασπορὰν αἰώνιον)[19], does not necessarily mean that all are subjects of the verb *rise*. The only subjects of ἀνίστημι are simply those destined to *everlasting life*; the non-resurrection of the others signifies *reproach* and *everlasting dispersion*[20].

17. Dan-LXX as much Dan-θ' appears to comprehend the sentence in the positive sense. The Vulgate keeps the same meaning with the reading *multi dormientium*. From an eschatological perspective this choice meets a related text in Ps 1,5, a perspective which is not read in the MT. Ps 1,5: Διὰ τοῦτο οὐκ ἀναστήσονται οἱ ἀσεβεῖς ἐν κρίσει, οὐδὲ ἁμαρτωλοὶ ἐν βουλῇ δικαίων. The Vulgate reads the same: "Ideo non resurgent impii in iudicio, neque peccatores in concilio iustorum". The resurrection of the righteous and the non-resurrection of the wicked is affirmed later in the Psalms of Solomon 3,10.12 (This work is generally dated between 60–30 B.C.). Only in the Wisdom of Solomon, written about the beginning of the first century B.C., does retribution in the afterlife take place for both the righteous and the wicked. Cf. A.A. Di Lella, *Conservative and Progressive Theology: Sirach and Wisdom*, in *CBQ* 28 (1966) 150-154.

18. Dan-LXX uses the term ὀνειδισμός four times: 9,2.16; 11,18; 12,2. It always shows a cause and effect relationship with behaviour: bad behaviour is the cause of "eternal reproach" which means an Israel punished by God, who makes use of the enemies of the people. But here "eternal reproach" is used in a metaphorical sense to mean the denial of eternal life (ζωὴ αἰώνιος). The Greek term coincides semantically, in part, with Hebrew חרפה.

19. Dan-LXX uses the term διασπορά only here; Dan-θ' does not use it. It has a metaphorical sense, but with all the force with which the Hebrew term חרפה, used by the MT, is invested. The dispersion is seen as a shameful punishment: this shame is felt by those who are excluded from the resurrection.

20. J. Ziegler, in his critical edition of Daniel places καὶ αἰσχύνην in parenthesis, also qualified by the adjective αἰώνιος, immediately after διασπορά. The term seems to imply

The resurrection, as much in v. 2 as in vv. 3 and 13, is understood as an eschatological gift to the righteous.

1.3. The eschatological shining of the wise and the leaders (v. 3)

SUBJECTS

a) The wise (v. 3a): οἱ συνιέντες.
b) The keepers of the words (v. 3b): οἱ κατισχύοντες τοὺς λόγους[21].
c) Luminaries and stars (v. 3b): φωστῆρες - ἄστρα (as terms of comparison).

VERBS

a) συνίημι (v. 3a)[22]: used as a substantive participle to designate a category of people (the wise).
b) φαίνειν (v. 3a)[23]. The shining of the righteous is a theme typical of the apocalyptic literature.

---

not only an external shame but also an internal humiliation. It is important to confirm that the LXX in other books often contrasts αἰσχύνεσθαι with δοξάζεσθαι, a contrast which Dan-LXX does not make explicit, but which with v. 1 could be suggested when there is made mention of the δόξα of the seer Daniel contrasted with the αἰσχύνη of those who will not participate in the resurrection.

21. The verb κατισχύειν with the accusative could mean "to make strong" and "to guide". This was the task of the wise, of the συνιέντες, of the *hasîdîm*. In this sense could be understood the eulogy of Josiah in Eccles 49,2-3: "He behaved himself uprightly in the conversion of the people, and took away the abominations of iniquity. He directed his heart unto the Lord, and in the time of the ungodly he established the worship (... ἐν ἡμέραις ἀνόμων κατίσχυσε τὴν εὐσέβειαν)". A similar use of the verb κατισχύειν, also referring to Josiah, is found in 2 Chron 35,2: "And he appointed the priests at their charges and encouraged them for the services of the house of the Lord (... καὶ κατίσχυσεν αὐτοὺς εἰς τὰ ἔργα οἴκου Κυρίου)". In this way the hypothesis of Montgomery who suggests that the OG is reading ומחזיקי דברי ("and those who are strong/faithful to my word") which may be prompted by oral confusion, proves unnecessary (cf. J.A. MONTGOMERY, *The Book of Daniel*, Edinburgh, 1927, p. 473). The MT reads "Those who make many just" (ומצדיקי הדבים).

22. Dan-LXX also uses this verb in other passages to describe the wise and their behaviour: 11,33.35; 1,1.20; 2,21. In 11,33 we read: καὶ ἐννοούμενοι τοῦ ἔθνους συνήσουσιν εἰς πολλούς. The substantive σύνεσις is employed in the same sense in 1,1.20 and in 2,21 where we read: "... Wisdom he gives to the wise and knowledge to those who are in understanding (διδοὺς σοφοῖς σοφίαν καὶ σύνεσιν τοῖς ἐν ἐπιστήμῃ οὖσιν)". Also in Wis 3,7-8, a text which is probably inspired by Dan 12,3, the righteous who will shine will also be those who understand the truth (συνήσουσιν τὴν ἀλήθειαν).

23. Daniel has had a strong influence in the subsequent development of the theme of the shining of the righteous. It could be enough to consider the cited text of Wis 3,7-8, which is probably inspired by our text: "On songerait volontiers à une communication de la gloire divine, cette *aura* qui émane de Dieu et l'entoure et que les textes bibliques évoquent en termes de lumière" (C. LARCHER, *Études sur le Livre de la Sagesse*, Paris, 1969, p. 319). Post-biblical Judaism develops this theme considerably. Thus, for example, in 4 Esdras 7,99 it says that "the righteous will shine like the stars"; and we read in 1 En 38,4: "And from that time, those who possess the earth will neither be rulers nor princes,

c) κατισχύειν (v. 3b)[24]. Here this verb is used as a substantive participle to designate a category of persons who act as spiritual leaders of Israel by their own teaching and upright example.

These three verbs describe the behaviour of their subjects and proclaim their eschatological reward. The nature of the eschatological destiny of the personages of v. 3 coincides in part with the form and the eschatological destiny of the seer of v. 13. Dan 12,3.13 shares the same doctrinal and literary style as Dan 7, in which God, the Ancient One, with a throne of "flame of fire" (v. 9: φλὸξ πυρός) and the Son of Man share in the same shining with the holy ones of the Most High (vv. 14.22). In v. 18 it says that it will be the holy ones of the Most High who will receive the kingdom and in v. 14 the Ancient receives ἐξουσία καὶ δόξα.

1.4. The secret to be kept (v. 4)

With v. 4 the vision contained in chapters 10–12 practically comes to an end. Vv. 5-12 bring out the importance of the foregoing with regard to the eschatological destiny of the righteous and the wise in vv. 1-3, just as the solemnity of the event prepares what is meant by v. 13, which speaks of the glorious personal destiny of the seer[25].

2. *Personal destiny of Daniel: the eschatological* δόξα *(v. 13)*

As we have already indicated, from a thematic point of view v. 13 seems like a type of "inclusion" of the introduction of vv. 1-3, where vv. 2-3 speak about the resurrection of those written in the book, about the shining of the wise and about those who by their own teaching and example lead the multitude in the observance of the words, to follow the ways of the Lord. The seer of v. 13 brings together the spiritual qualities of the personages of v. 3, so that his eschatological destiny is a shining resurrection which to have δόξα means[26].

---

they shall not be able to behold the faces of the holy ones, for the light of the Lord of the Spirits has shined upon the face of the holy, the righteous and the elect". We can read many other texts in 2 Bar 51,3.5; 1 En 46,7.43; 4 Macc 17,5; Ps of Sol 18,9ff.; Jub 19,25; Ass of Moses 10,9; etc. All these texts speak of the shining of the righteous. Mt 13,43 offers the same theme: "Then the righteous will shine like the sun (τότε οἱ δίκαιοι ἐκλάμψουσιν ὡς ὁ ἥλιος) in their Father's kingdom".

24. As we have seen, those who actively keep the words are spoken of: that is to say, those who teach the others to observe them. This is the meaning of the verb κατισχύειν in our text.

25. In Dan-LXX 12,4 the sealing of the book is invested with a negative sense: ἕως ἂν ἀπομανῶσιν ... καὶ πλησθῇ ἡ γῆ ἀδικίας, differently from the MT, which has a positive sense ("many shall run to and fro, and the knowledge shall increase").

26. Dan-LXX describes Daniel and his companions as σοφοὶ καὶ συνιέντες: 1,20; 2,21.25.27; 5,11.12.

2.1. Critical literary analysis of v. 13

a) καὶ σύ: with this emphatic formula the "inclusion" unfolds and marks out the difference with regard to vv. 5-12. In v. 4 we have the same formula, also followed by the imperative[27].

b) βάδισον ἀναπαύου: the first imperative expresses strongly the separation from a historical condition for passing on, together with the second imperative to the stage of the eschatological life. Thus it constitutes a dramatic support for the imperative ἀναπαύου. The medial voice with which this verb is used suggests a long rest. It is further confirmed by what follows in v. 13: "for there are yet days and seasons to the fulfilment of the end (ἔτι γάρ εἰσιν ἡμέραι καὶ ὧραι...)". V. 13 twice uses the verb "to rest", but the second time in the future indicative to contrast more strongly "to rest" and "to rise": ἀναπαύειν - ἀνιστάναι. In the LXX the idea of rest is not simply an allusion to death, but to a death preceding life[28].

c) ἔτι γάρ εἰσιν ἡμέραι καὶ ὧραι: This part of v. 13 is omitted in the MT and in Dan-θ'[29]. It is probably being attempted with this sentence to stress the idea of distance between the fictious historical time of Daniel and the future time of those being addressed; with it is also affirmed the prophetic nature of the time[30]. It is necessary to maintain the hope by talking of time because it is in this time that the life of Israel is passing and it is in time when God intervenes to save it. Chapter 12 begins with the solemn καὶ κατὰ τὴν ὥραν ἐκείνην with which it tries to establish a relationship between the historical and the eschatological happenings.

d) εἰς ἀναπλήρωσιν συντελείας: We only read the term ἀναπλήρωσις here and in 9,2. The only other time that Septuagint uses it is in 1 Esdras 1,57. This fulfilment appears in the three texts of the LXX as if

27. Dan-LXX agrees with the MT and with Dan-θ' in the use of this emphatic formula.

28. Cf. Wis 4,7: "But though the righteous be prevented with death, yet shall he be in rest (... ἐν ἀναπαύσει ἔσται)". The author seems to draw inspiration from Isa 57,1-2: "... His burial (of the just man) shall be in peace; he has removed out of the way". In Dan-θ' we read δεῦρο καὶ ἀναπαύω. Here the adverb δεῦρο can be read as a hortative particle to reinforce the imperative ἀναπαύου. The MT has the imperative לך, "go!". When our paper was finished we were able to read the article by E. EYNIKEL - J. LUST, *The Use of* δεῦρο *and* δεῦτε *in the LXX*, in *ETL* 67 (1991) 57-68. Dan-θ' is the only prophetic book which uses δεῦρο (in 12,9.13). See also the interesting article of H. AVALOS, Δεῦρο / δεῦτε *and the imperative* הלך. *New criteria for the "kaige" recension of Reigns*, in *Estudios Bíblicos* 47 (1989) 165–176.

29. It is also missing in the Vulgate, which reads: "Tu autem vade ad praefinitum; et requiesces et stabis in sorte tua in finem dierum".

30. Dan-LXX uses the term ἡμέρα 57 times and the term ὥρα 14 times. Dan-θ' uses ἡμέρα 50 times and ὥρα 9 times. They are terms which make up part of the chronological and apocalyptical richness of expression.

following a plan ordained by God[31]. The term συντέλεια appears closely linked with the former as much from a grammatical as from a doctrinal point of view: the ending planned by God draws near. This is a term favoured by its use in Dan-LXX. In fact, of the 78 times we read it in the O.T., it belongs on 22 occasions to Dan-LXX, which gives it the meaning of something arriving at its final fulfilment within the plans of God. It is curious, but Dan-θ' only uses the word συντέλεια 5 times. On the contrary, in Dan-LXX it is transformed into the technical apocalyptic term which generally corresponds to the Hebrew קץ[32]. Dan-LXX 12,13 reads it twice: the first governed by ἀναπλήρωσις and the second governing ἡμέραι (εἰς συντέλειαν ἡμερῶν)[33].

e) ἀναστήσῃ ἐπὶ τὴν δόξαν: "to rise in glory" (with the particle ἐπὶ) is an expression which is only found in our text, we do not read it in any other part of the O.T. nor the N.T. The verb ἀνίστημι constitutes the doctrinal nucleus of this verse 13, as also does v. 2. The eschatological reward of the resurrection is now granted to the person of the seer Daniel. "To rise" seems closely related with "to rest" (ἀναπαύειν), not simply as two different and contrary moments, but as two complementary stages of the eschatological reward of life[34].

The expression "you will rise in your glory", precisely by being an expression which we only read here, makes us suspect the desire of the translator to express something new. In addition to the idea of resurrection it seems as if it wishes to hint at the raising up of the seer in a shining eschatological dignity. We must not lose sight of the introduction-inclusion symmetry with which vv. 2-3 and 13 are related.

---

31. According to the critical edition of J. Ziegler, Dan-θ' 12,13 does not contain the term ἀναπλήρωσις.

32. Lacocque thinks that the first time when v. 13 reads συντέλεια, the word has to be suppressed: "*Delendum* in Θ' et LXX. Peut-être glosse par contagion avec la fin du verset" (A. LACOCQUE, *Le Livre de Daniel*, Neuchâtel-Paris, 1976, p. 188). It would be necessary to give more consistent reasons; it is necessary to bear in mind the importance of the term συντέλεια in Dan-LXX together with the fact that its repetition gives emphasis to the whole phrase. The Hebrew also repeats קץ twice. The critical edition of J. Ziegler contains it twice in Dan-LXX 12,13, but only once in Dan-θ'.

33. Dan-LXX gives the Greek term the meaning which the corresponding Hebrew term has not only in the Bible but also in Qumran. Cf. H.H. ROWLEY, *The Zadokite Fragments and the Dead Sea Scrolls*, Oxford, 1952, p. 71: "It has become a technical term for 'time' with particular reference to the fulness of time, or the consummation of the age". Rowley considers that this is the meaning which the term bears in Dan 12,13.

34. This is an aspect not sufficiently noted in commentaries like this: "Daniel the seer, whom the pseudonymous second-century B.C. author of this apocalypse fictionally situated in 536 B.C. (10:1), is now told by the *angelus revelator* to take his rest, i.e. in the grave (Is 57:1-2) with the saints (Wisd Sol 3:3; 4:7; Rev 14:13). The grave, however, will not be Daniel's permanent resting place, for the angel assures him that he will rise for his 'reward' at the end of the days" (L.F. HARTMAN - A.A. DI LELLA, *The Book of Daniel*, Garden City, NY, 1985, p. 314). This explanation simply juxtaposes the verbs "to rest – to rise".

The MT reads לגורלך[35] ("for your reward"), i.e. "for your alloted portion". The meaning of the Hebrew term גורל is translated by Dan-θ' as κλῆρος[36]. For Dan-LXX 12,13 this "portion" is expressed by the term δόξα, a term which later forms part of the eschatological anthropology of Wisdom and of the apocalyptic texts of the intertestamental literature which speak of the "glory of Adam" reserved for the righteous. At the same time, as we have already seen, throughout the δόξα the author maintains the relationship between the seer Daniel of v. 13 and the righteous and wise of vv. 2–3.

2.2. Eschatological meaning of δόξα in Dan-LXX 12,13

Jeansonne considers that the reading of Dan-LXX 12,13, ἐπὶ τὴν δόξαν σου has no theological intention in respect of the MT, that reading לגורלך ("for your lot") gives us the *lectio difficilior*, while the Septuagint would give us the *lectio facilior* reading לגודלך ("for your greatness"). According to Jeansonne, it is simply a question of an error due to the confusion of a *dalet* with a *resh*[37].

To assume so easily this confusion of letters means not to have properly taken into account that the LXX never translates גדל as δόξα. This Greek term has a privileged use in the LXX and Dan-LXX does not constitute an exception.

The metaphorical uses of *gôral* were already known before Daniel: thus, for example, Num 18,20; Isa 17,14; Jer 13,25; Ps 16,5f.; 125,3 and so on. The Greek translator could therefore have found himself faced by a term with known semantic connotations[38]. It would have been very natural to have translated *gôral* with κλῆρος, in accordance with almost mechanical habit.

The probable influence of Isa 26,19 on Dan 12 with reference to the theme of resurrection, is a fact accepted by modern exegesis[39]. Now then, Is-LXX 26 links the eschatological destiny of the righteous with δόξα. In 26,10 it reads: "For the ungodly one is put down: no one who

35. The term גורל has a metaphorical meaning, is employed in the spiritual sense.

36. On the use of this term in the apocalyptic literature, see W. FOERSTER, κλῆρος, in *TWNT*, III, 760f.

37. S.P. JEANSONNE, *o.c.*, p. 78: "Although at first consideration it may appear that the OG intentionally changes the text by using a word which may have important theological connotations, the change is best explained at the Hebrew level. This is merely a minor error where *dalet* and *resh* were confused. We find uses of δόξα in Dan-θ' 11: 20.21.39 where there are no special theological connotations... The OG is clearly not offering a distinct theological understanding".

38. In late Judaism *gôral* means also the individual eschatological destiny, such as we read in Isa 57,6 and in our text of Dan 12,13. In the texts of Qumran it acquires a special prominence, although often with a "predestinationistic" eschatological meaning: 1QS 2,17; 1QM 13,9.

39. Cf. F. RAURELL, *LXX-Is 26: La δόξα com a participatió en la vida escatològica*, in *Revista Catalana de Teologia* 7 (1982) 57-89.

will not learn righteousness on the earth, shall be able to do the truth. Let the ungodly be taken away, that he see not the glory of the Lord (ἵνα μὴ ἴδῃ τὴν δόξαν κυρίου)"[40].

Therefore, when Dan-LXX 12,13 links the eschatological destiny of the seer with δόξα, it moves within semantic ground which had been worked previously by other Greek translators of the O.T.

The book of Wisdom, which at the very moment of the reward of the righteous seems to have knowledge of Dan 12,2-3, also links the destiny of the righteous with δόξα[41]. Generally for the study of this theme it is usual to refer to the text of Wisdom 3,7.9b; 6,19; but there is a text forgotten by almost everyone, namely Wisdom 10,14: "And left him (the righteous) not in bonds, till she brought him the sceptre of the kingdom, and power against those that oppressed him. As for them that had accused, she shewed them to be liars, and gave him eternal glory" (δόξαν αἰώνιον)[42].

In order to prove her thesis that the use of δόξα in Dan-LXX 12,13 has no theological significance Jeansonne makes use of Dan-θ' 11,20.21.39 where the term appears to have no theological connotations[43]. The argument could have some validity if the texts quoted were from Dan-LXX. It would be well to say: *Quod nimis probat nihil probat*. Instead of calling Dan-θ' texts Jeansonne should have examined the use of δόξα in Dan-LXX. Some facts hide their importance: Throughout chapters 1–12 of Dan-LXX the substantive δόξα is used 17 times[44], the verb δοξάζειν 6 times[45], the adjective ἔνδοξος 3 times[46] and the adverb ἐνδόξως twice[47]. In total the root δόξα is used 30 times in Dan-LXX; Dan-θ' on the contrary, uses it 17 times. Dan-LXX joins in the general tendency of the LXX of giving special emphasis to the root δόξα[48].

---

40. V. 10 prepares 19 negatively: "The dead shall rise, and those who are in the tombs shall be raised... (ἀναστήσονται οἱ νεκροί, καὶ ἐγερθήσονται οἱ ἐν τοῖς μνημείοις...)".

41. On the influence of Daniel in Wisdom, see G. LARCHER, *op. cit.*, pp. 318–327.

42. On this text, see F. RAURELL, *The Religious Meaning of Δόξα in the Book of Wisdom*, in M. GILBERT (ed.), *La Sagesse de l'Ancien Testament*, Leuven, 1990², p. 369f.: "We can say, at least, that the meaning of δόξα αἰώνιος, as the eschatological share in God's eternity granted to the righteous, conforms with the general doctrine of the book, which refers constantly to immortality as the genuine fate granted to the righteous".

43. This is a point which requires further attention.

44. Dan-LXX 2,37; 3,43.52.53.54; 4,26.27.28.29.29.32.33; 7,14; 11,20.21.39; 12,13. Dan-θ' uses it 8 times.

45. Dan-LXX 1,20; 2,6; 3,26.51.55.56. Dan-θ' uses it 8 times.

46. Dan-LXX 3,45; 5,31; 6,14. Dan-θ' uses it once.

47. Dan-LXX 4,34.34. Dan-θ' does not use it at all.

48. This trend is notable in Ls-LXX. Cf. L.H. BROCKINGTON, *The Greek Translator of Isaiah and his Interest in* δόξα, in *Vetus Testamentum* 1 (1951) 23-32. Probably if Jeansonne had read this article, she would not have considered the use of δόξα in Dan-LXX 12,13 as a "merely minor error" (*op. cit.*, p. 78); see also F. RAURELL, *Influence of Isaiah-LXX in the New Testament*, in *Revista Catalana de Teologia* 8 (1983) 263-282. In

In referring to the use of the term δόξα in the eschatological sense, the critical interpretation of Dan-LXX 12,13 cannot fail to take into account the texts already quoted from Wisdom (for example 10,14) which speak of the eschatological "glory" bestowed on the righteous. It is this glory which is spoken of by certain texts of Qumran, although they offer an eschatology not at all clear in this respect. However, some affirmations seem to point to certain hope in the joyful immortality of the righteous and in the resurrection of the dead[49]. It is what we read in 1QS 4,7-8: "... Fruitful posterity with all perpetual blessings, joy eternal in the everlasting life with a crown of glory (כליל כבוד) with a shining costume in an eternal light". One of the aims of the Qumran community is that in the end the "glory of Adam" would happen again to the chosen. This is the sense of 1QH 17,15: "(to cleanse them from tr)ansgression and to cast all their s(in)s and make them inherit the כבוד אדם (and) length of life". In CD 3,20 it is said that the members of the house of Israel will inherit eternal life and all the glory of Adam (כבוד אדם)[50].

According to rabbinical theology, the first man, created shining with light, shared in בכוד, a privilege which was taken away from him because of sin[51]. This theology probably draws inspiration from Dan 12,3, which speaks of the eschatological splendour of the wise and the righteous.

Dan-LXX 12,13 reads δόξα in place of κλῆρος almost with a literary and thematic symmetry with Dan-LXX 12,3. V.13 represents for the Septuagintic translator the opportunity of giving the term δόξα a theological-eschatological meaning which was already known by Isa-LXX and which afterwards will inspire Wisdom in close dependence on Dan 12,2-3.13. The echo which the eschatological glory of the righteous finds in Qumran, in the New Testament and in rabbinical literature creates at least some doubt that in Dan-LXX 12,13 the use of δόξα is due simply to a "minor error" as maintained by S.P. Jeansonne.

Cardenal Vives i Tutó, Z-16   F. RAURELL
E-08034 Barcelona

p. 268f. he says: "One of the characteristic features of Is-LXX is the wide quantitative and qualitative space given to δόξα...".

49. Cf. L. MORALDI, *I manoscritti di Qumran*, Torino, 1971, pp. 382f.
50. Taken from the edition of E. LOHSE, *Die Texte aus Qumran*, München, 1971².
51. "Glory" is one of the six things of which Adam was deprived because of sin, to be given back to him by the Messiah at the end of time.

TIME INDICATIONS IN DANIEL
THAT REFLECT THE USAGE OF THE ANCIENT
THEORETICAL SO-CALLED ZADOKITE CALENDAR

May I begin my small contribution by formulating some conclusions:

1. I strongly believe that the date in Daniel 10,4, the twenty-fourth day of the first month, means the Friday before the counting of the seven weeks up to the Feast of Weeks, calculated according to the rules of the ancient, theoretical so-called Zadokite calendar.

2. After a preparatory fast of three weeks and during the following counting of the seven weeks, Daniel became initiated into the mysteries of history: past and future.

3. Half-way through the seven weeks Daniel heard two voices speaking to one another about "the time of the end": "It would be for a time, two times and half a time", Daniel 12,7, or three and a half times, which is the half of seven. At this liturgical point half way the seven weeks Daniel had to shut up the words and to seal the book, until the time of the end, Daniel 12,4. In the liturgical calendar we try to reconstruct, this means that Daniel had to wait till the end of the Omer-counting, i.e. till the Feast of Weeks, the festival of opening of the book and of the making of the Covenant.

4. As to the last part of Daniel's calendrical riddle: "Blessed is he who waits and comes to the thousand three hundred and thirty-five days", I suggest the following solution. This number means three and a half year (or 1260 days) plus 75 days. When we calculate these 75 days from the first day of the first month (the same date as Daniel started his fast), the 75th day is the fifteenth day of the third month or the Feast of Weeks, according to the Zadokite calendar.

5. The liturgical background of Daniel 10 through 12 thus seems to be that magical counting of the seven weeks, after Passover-Mazzoth, full of messianic hope, in the christian tradition a period called Pente-costè, celebrated as one Sunday of Resurrection, in the Jewish tradition a period of sadness and restriction because of messianic deceptions.

6. There is a curious parallel between the counting of the seven weeks till the Feast of Weeks in Daniel 10–12, and the counting of 70 weeks of years or ten Jubilees in Daniel 9. In both cases the last period is divided into two halves of each three and a half "times".

7. Traces of this liturgical point half-way through "seven times" can be found in the Christian-Byzantine festival *Mesopentecostès*, and in the Jewish (Medieval) festival *L'g b-Omer*, or 33d day of the Omer-counting[1].

1. J. van Goudoever, *A Study on the Idea of Mid-Time*, in *Bijdragen* (1972) 262-307.

I. A Preparatory Fast before the Revelation

On purpose I have first given a survey of the various calendar indications in Daniel 10–12, hoping that they together might help us to understand the whole liturgical background of this Apocalypse, and thus to solve the calendrical riddles we are confronted with.

We start with the preparatory fast of three weeks till the twenty-fourth day of the first month[2]. To solve that riddle we assume that the author used the so-called Zadokite calendar of 52 weeks or 364 days, in which each day of the year always falls on the same day of the week. And while the Zadokite year begins on a Wednesday, we can calculate that the twenty-fourth day of the first month falls on a Friday. According to the rules of the Zadokite calendar this is the Friday before the counting of the seven weeks, from Sunday till Sunday, till the Feast of Weeks[3]. By this interpretation the date I/24 becomes meaningful. This Zadokite calendar was a concept of the Zadokite priesthood and came into existence in Persian times[4]. In Enoch it had a prediluvian character, and in Ezekiel 40–48 it seems to be destined for the future or messianic temple[5]. According to the Book of Jubilees and the newly published Qumran Temple scroll this Zadokite calendar was revealed to Moses in a direct oral way, at the Feast of Weeks, and a day later, on the sixteenth day of the third month, written down on the first tablets of the Torah. A year of 364 days is not a solar year, although this is often suggested, but in essence a year of weeks, or an endless series of Sabbaths[6] or simply a Sabbath calendar. While this theoretical year of 52 weeks always begins on a Wednesday (Mid-Week) just as in the Creation story, it could at least theoretically guarantee, that no festival would ever fall on a Sabbath[7].

2. Dan 10,2.3.13.

3. Traces of the Zadokite calendar can be found with the Samaritans, the Sadducees and the Christians. All three groups count the seven weeks, from Sunday after Passover till Sunday, the Feast of Weeks. The original Zadokite calendar, like that used in the Book of Jubilees and in Daniel, counted from the Sunday *after* the week of Unleavened Bread, so from I/26 till III/15. See J. VAN GOUDOEVER, *Fêtes et calendriers bibliques*, Beauchesne, ³1967, pp. 35-48.

4. Cf. J.T. MILIK, *The Books of Enoch*, Oxford, 1976, p. 8: "It is highly likely that the calendar of 364 was used by the priestly redactor in the Bible, in particular in the Mosaic Pentateuch". "In the Persian period this reckoning was of a strictly theoretical nature".

5. Both a prediluvian and a messianic calendar can have the function of giving rules for a practical calendar.

6. I Enoch 91,17, cf. J. VAN GOUDOEVER, *Celebration of Torah*, in *Antonianum* 63 (1988) 458-488.

7. This is one of the rules of this theoretical calendar.

II. Characteristics of the Zadokite Calendar

Basis of the Zadokite calendar is the number seven, not only the number of the Sabbath but also of the counting of the forty-nine years (the Jobel Year being at the same time the first year of the next Jobel period) and of the counting of the seven full weeks, counted from the Sunday after the seven days of Unleavened Bread, till the Sunday, Feast of Weeks[8]. Just in the Zadokite tradition the Yobel Year and the Feast of Weeks got, besides a more "natural" meaning, a more "theological" significance.

Another curiosity of this calendar was the practice of indicating the middle of a certain period: so e.g. Mid-Jubilee (*Chatsi Jobel*, or 25th year); Mid-*Shemitta* or three and half years; Mid-Omer counting, or the 25th day, later called *Mesopentecostès*, Mid-Week or Wednesday, the day on which time begins; in general three and half times (as in Daniel[9]). These Mid-Time indications are possibly a late echo of an ancient Persian speculation about Before-Time, Mid-Time, End-Time[10]. The Zadokite calendar was thus a priestly-scholarly theory containing several rules for making a calendar. But when the Maccabees introduced the Macedonian calendar, the Chasidim "preserved" that ancient Zadokite calendar and wrote it down in the Book of Jubilees and in the Temple scroll, thus making a book-calendar with a holy "bookish" reality[11]. It was the Qumran-sect that "in the desert" tried to realise this Zadokite concept in the social life of their community.

The author of Daniel used that ancient calendar, from "old Persian times", to indicate that Daniel fasted three weeks, from the first day of the first month on, not on Sabbaths[12], till Friday, the twenty-fourth day of the first month, a preparation of in total 25 days, inclusive the Sabbath, the 25th, or half a seven weeks' period. During the three weeks that Daniel fasted on earth, there was a cosmic struggle between the Prince of Persia and the man in linen helped by Michael. Such a struggle is comparable with a dream of the Greek Esther on the first day of the first month, in which two dragons were making war; one of them was Mordechai, the other Haman[13].

8. In the newly published Qumran Temple Scroll, after the Feast of Weeks, another two times seven weeks are counted. Cf. Johann MAIER, *Die Tempelrolle vom Toten Meer* (UTB 829), München, 1978, col. 19 und 21. Probably also the Therapeutes celebrated a Feast of Weeks more times within a year.

9. About three and a half times, see M.A. BEEK, *Studia biblica et semitica*, Wageningen, 1966, pp. 19-24.

10. See Enoch 46–48.

11. Perhaps for the Zadokites a book was of a higher order than the reality of their social life.

12. Jud 8,6; Jub 50,12; Enoch 91.

13. EstherLXX 11,2.5.

III. A New Meaning to the Counting of the Seven Weeks

After this preparatory fast, Daniel got strengthened and said to the man in linen: "Let my lord speak, for you have strengthened me"[14]. The fast is over, it is now Sabbath, the twenty-fifth day of the first month. The day after, Sunday, the twenty-sixth day of the first month, the counting of the seven weeks begins, according to the Zadokite calendar rules. This first day of the Omer-counting had at that time not yet fully developed into an independent festival. Philo would later call it the festival of the holy Sheaf; the Therapeutes would later commemorate (by dancing) the Crossing of the Sea, and the Christians would later celebrate the Resurrection, of the Son of Man, as the *aparchè* of the messianic harvest – a night of baptism – on that same beginning of the Pentecostè[15].

Probably beginning on that first day of the counting of seven weeks, Daniel heard the man clothed in linen telling what was inscribed in the Book of Truth[16]. Thus the magical counting of the seven weeks became a ritual expression of messianic hope. In the Zadokite tradition the fiftieth year (which was at the same time the first year of the next Jobel period) was an appropriate time for revelation (in the sense of: each Jobel Year a new priesthood[17]) – in the same sense the Feast of Weeks (both as fiftieth day and as the first day of the next period of seven weeks), was a time appropriate for revelation[18]. During the counting of the seven weeks Daniel heard the history of Persia, Greece and Rome, told in an apocalyptic way.

IV. Half-way through the Counting

"At that time shall arise Michael". Which time? It was a critical moment: "Many of those who sleep in the dust of the earth shall awake, some to everlasting life, and some to everlasting contempt, and the wise shall shine like the brightness of the firmament"[19]. "But you, Daniel, shut up the words and seal the book, until the time of the end"[20]. And I (or he) said to the man clothed in linen: "How long shall it be till the end of these wonders?[21] and I heard him swearing: 'It

---

14. Dan 10,19.
15. J. van Goudoever, *Fêtes* (n. 3 above), Beauchesne, ³1967, pp. 177-184, 247-261.
16. Dan 10,21.
17. Test. Levi 17.
18. This parallel between Yobel Year and Feast of Weeks is also used by Luke, in his Gospel (Luke 4) and his Acts (chapter 2).
19. Dan 12,1-2.
20. Dan 12,4.
21. Dan 12,6.

would be for a time, two times and half a time'", so three and a half times[22]. This mysterious expression is not intended to give any historical information – the book is closed until the time of the end. But I assume that the point "three and a halves" is a "liturgical" reference to "half-way" through the counting of seven weeks of messianic hope.

We can meet this point "half-way" three times in the Torah: first in the "apocalyptic" commemoration of the Flood Story[23], second in the liturgical commemoration of the Manna in the desert[24], and third in the decisive story in the Torah: Depart from Sinai[25]. Daniel picked up that liturgical point "half-way" and explained it as the time Michael shall arise, the words must be shut up and the book sealed. From that moment on it will be three and a half times. In the liturgical calendar we try to reconstruct this means that Daniel had to wait until the conclusion of the counting of the seven weeks, i.e. till the Feast of Weeks.

V. THE FEAST OF WEEKS:
FEAST OF COVENANT AND OF FINAL REVELATION

It is just in the Zadokite tradition that the Feast of Weeks plays an important role. Its origin probably lies in the celebration (and speculation) of the Jobel Year[26]. It has not (yet) been mentioned in the Zadokite book of Ezekiel, but fully developed in the Book of Jubilees. According to this pre-Essene book it was already celebrated in heaven, by Adam, and further as Festival of Covenant celebrated by Noah, Abraham, Isaac, Jacob and Joseph[27]. The whole Book of Jubilees was revealed to Moses on Mount Sinai, probably as an oral tradition, on the Feast of Weeks (on III/15) and written down a day later on III/16[28]. In this way the Book of Jubilees represents the esoteric tradition of what originally was revealed on the first tablets of the Torah[29]. Against this "sectarian" tradition the Pharisees kept a fast, on IV/17, to commemorate the breaking of the first tablets[30]. If this liturgical

---

22. Dan 12,7.
23. J. VAN GOUDOEVER, Celebration (n. 6 above).
24. ID., Fêtes (n. 3), pp. 185-197.
25. ID., The Celebration of the Torah in the Second Isaiah, in J. VERMEYLEN (ed.), The Book of Isaiah (BETL 81), Leuven, 1989, pp. 313-317.
26. Cf. Ezek 40,1. The Feast of Weeks is missing in Ezek 45.
27. J. VAN GOUDOEVER, Fêtes (n. 3), pp. 93-103.
28. Jub 1,1.
29. "There can be no doubt that the Dead Sea sectarians regarded the Temple Scroll as quintessential Torah, the true word of God": MILGROM, Biblical Archeologist 41 (1978) 119.
30. MTaan 4,6.

background in Daniel is rightly supposed, we can better understand why this apocalypse describes the struggle of the end-time in terms of a war against the "holy covenant"[31], because the Feast of Weeks is the festival of Covenant par excellence. And as yearly celebration of the Yobel Year, it symbolizes well, after the magical counting of the seven weeks – an expression of messianic hope —, the time of the end.

VI. THE MYSTERIOUS NUMBERS 1290 AND 1335

The first number 1290 days is explained by most scholars as 1260 days, plus an intercalary month of 30 days, meaning together three and a half years. This number speculation is in my opinion a reference to the end of Chapter 9, that is built on the stretch of 490 years or ten Jobel periods. But the number 1335 days is a composition of two numbers, 1260 and 75. 1260 means three and a half years (without an intercalary month of 30 days) and 75 days has something to do with the counting of the seven weeks and the concluding festival, the Feast of Weeks.

When we count 75 days from the first day of the first month, as Daniel himself did with his fast, the 75th day is the 15th day of the third month, or the Feast of Weeks according to the ancient Zadokite calendar. "Blessed he who waits and comes to 1335 days", includes thus the 25 days of preparation and the 50 days of magical counting of seven weeks, till the Feast of Weeks, the concluding Festival of their covenant. It is almost too beautiful to be true!

Van Ysselsteinlaan 28   J. VAN GOUDOEVER
1181 PV Amsterdam

---

31. Dan 11,28.30,a.b.32.

DANIEL AND JOSEPHUS: TRACING CONNECTIONS

Sixty years ago, F.D. Foakes Jackson stated: "Daniel is the only prophet on whom Josephus bestows much attention..."[1]. To my knowledge, this oft-echoed observation has not inspired a truly thoroughgoing examination of Josephus's "Daniel segment", *AJ* 10,186-281 (+ 11,337)[2] hitherto[3]. And, of course, the constraints imposed on this presentation do not allow me to provide such an examination here, either[4]. Instead, I shall concentrate on a single question: why is it that Josephus gives Daniel as much attention as he does? That question suggests itself when one considers that, in fact, the Biblical Daniel does not seem the sort of figure who readily fits in with Josephus's aims and views. For one thing, above all the visions of great empires brought low and Israel exalted of Daniel 7–12 evoke thoughts of the crazed enthusiasm of the contemporary Zealots which Josephus so sharply denounces in *BJ*[5]. In the same line, one notes the sense of constraint evident in Josephus's handling of certain details of the Daniel 2 vision which could occasion offense or suspicion for his Roman patrons[6]. Add to this the palpable embarrassment with which Josephus hurries through the fanciful stories of Daniel's companions in the furnace (Daniel 3, see *AJ* 10,213-215) and Nebuchadnezzar's bovine interlude (Daniel 4, see *AJ* 10,216-217)[7]. Given all of this, why then does Josephus not simply leave Daniel unmentioned (as he does, e.g., the prophets Amos and Hosea), or limit himself to some passing allusions (as he does with e.g., Micah, Isaiah and Ezekiel)? Why, on the contrary, does he opt to

---

1. F.D. FOAKES JACKSON, *Josephus and the Jews*, New York, 1930, p. 242.

2. For the text and translation of the works of Josephus, I use the edition of H.St.J. THACKERAY, R. MARCUS, A. WIKGREN, L.H. FELDMAN, *Josephus* (LCL, 10 vols.), Cambridge, MA - London, 1926-1963.

3. Three somewhat more detailed treatments of Josephus's presentation of Daniel are: F.F. BRUCE, *Josephus and Daniel*, in *ASTI* 4 (1965) 148-162; A. PAUL, *Le concept de prophétie biblique. Flavius Josèphe et Daniel*, in *RSR* 63 (1975) 367-384 and G. VERMES, *Josephus' Treatment of the Book of Daniel*, in *JJS* 42 (1991) 149-166.

4. In particular, I cannot enter into the intricate problem of which text-form(s) of the book of Daniel was (were) available of Josephus.

5. In fact, one finds that Josephus's version drastically compresses precisely this "apocalyptic matter" of Biblical Daniel, essentially passing over the whole of chapters 7,9-12. Similarly, Josephus makes no use of the deutero-canonical portions of Daniel-presuming he knew these.

6. See *AJ* 10, 209-210 and the remarks of MARCUS, *Josephus*, V, pp. 274-275, nn. a and c.

7. See in particular his defensive remarks in connection with the latter episode, *AJ* 10,218.

accord him such prominence? Why too does Josephus rehearse the Biblical Daniel story the way he does, narrating some segments *in extenso* (e.g., the dietary episode of Daniel 1), while drastically abridging others (e.g., Daniel 3-4) and effectively passing over still others entirely (i.e. Daniel 7,9-12)?

In attempting a (partial) answer to the above questions, I wish to pursue the hunch that Josephus recognized in Daniel a Biblical precedent/warrant for his own conflicted life-course. Such a surmise, I propose, can help make understandable both the amplitude and selectivity of Josephus's portrait of Daniel, just as, conversely, it may account for certain features of Josephus's own self-presentation in *BJ* and the *Vita*. In other words, Josephus, I will suggest, not only worked over Scripture's portrayal of Daniel with his own career in view, but also recounted the latter with an eye to the former. Such a "typological" approach to Josephus's material is, of course, not original with me. In fact, that approach, identified especially with D. Daube, has been applied *en passant* by him and others also to the case of Daniel[8]. As I hope to bring out, however, the parallels between the Daniel of *AJ* 10 on the one hand and the Josephus of *BJ* and the *Vita* on the other are both more pervasive and noteworthy than has yet been recognized.

THE PARALLELS

To facilitate my comparison between (the Josephian) Daniel and Josephus, I will treat in turn two areas of parallelism between them, i.e. personal qualities/activities and the figures' various relationships. In distinguishing the two areas, I recognize, of course, that they do overlap to some extent.

1. *Qualities/Activities*: Josephus's portraits of Daniel and himself evidence, first of all, numerous shared characteristics and actions, all positive, incidentally. I note the following, giving special attention to those parallels which involve Josephus's adding to or rewriting the Biblical data on Daniel. In introducing Daniel, Josephus stresses that he (and his companions) were "of noblest birth" (εὐγενεστάτους), indeed of the "family" (γένος) of king Zedekiah himself (*AJ* 10,186.188, see Dan 1,3). Similarly, Josephus begins the *Vita* with the remark "my family is no ignoble one" (γένος... οὐκ ἄσημον)[9], and goes on to remark (*Vita* 2): "On my mother's side I am of royal [i.e. Hasmonean] blood" (τοῦ βασιλικοῦ γένους). Well-born Daniel (like his compan-

---

8. See e.g. D. DAUBE, *Typology in Josephus*, in *JJS* 31 (1980) 18-36, pp. 28-29; G.L. JOHNSON, *Josephus: Heir Apparent to the Prophetic Tradition?*, in *SBL 1983 Seminar Papers*, pp. 337-346, esp. 346.

9. Josephus employs this same phrase of himself in his address to the defenders of Jerusalem, *BJ* 5,419.

ions) is an intellectual prodigy; due to "their zeal in learning letters (σπουδῆς τῆς περὶ τὴν παίδευσιν τῶν γραμμάτων)..." he and they "made great progress" (ἐν προκοπῇ γενομένους) with the result that "the king held them in esteem and continued to cherish them" (*AJ* 10,189, see 10,187.194). Josephus too is a *Wunderkind* whose attainments attract a like favorable attention from highly-placed persons: "I made great progress (προύκοπτον) in my education (παιδείας)... While still a mere boy... I won universal applause for my love of letters (διὰ τὸ θιλογραμμάτον), insomuch that the chief priests and the leading men of the city used constantly to come to me for precise information on some particular in our ordinances" (*Vita* 8-9)[10]. Daniel and Josephus likewise attain proficiency in the "learning" both of Judaism and of the dominant contemporary Gentile culture, whether Chaldean or Greek, see *AJ* 10,194 (Daniel); 20,263 (Josephus). The youthful Daniel and his associates are not only intellectually adept, however; they are also ascetically inclined. As *AJ* 10,190 (cf. Dan 1,8) puts it: "they resolved to live austerely (σκληραγωγεῖν)...". This trait finds its counterpart in Josephus's statement (*Vita* 11) that as an adolescent, he "submitted himself to hard training" (σκληραγωγήσας)[11].

Young Daniel, Josephus tells us, "devoted himself to the interpretation of dreams" (περὶ κρίσεις ὀνείρων ἐσπουδάκει), *AJ* 10,194 (// Dan 1,17). This item echoes Josephus's self-characterization in *BJ* 3,352: "he was interpreter of dreams" (ἦν... περὶ κρίσεις ὀνείρων)[12]. Closely related to their dream-interpreting is the figures' shared status as predictors. The content of their respective predictions likewise manifests significant communalities. Both foretell matters of imperial succession (see *AJ* 10,205-210//Daniel 2; 10,270-275//Daniel 8; *BJ* 3,401; 4,623.626), as well as the fate of their own people precisely at the hands of the Romans (see *AJ* 10,276[13]; *BJ* 3,351.354). Especially noteworthy too is Josephus's depiction not only of himself (cf. *BJ* 3,401), but also of Daniel as bearers of favorable news for their pagan overlords. Speci-

10. This "consultation" of the youthful Josephus reminds one of how e.g., Belshazzar turns to Daniel for enlightenment about the meaning of the handwriting on the wall. Note too that also like Daniel, Josephus has a companion-relative in his boyhood training, i.e. his (full) brother Matthias (*Vita* 8).

11. The terminological parallel between *AJ* 10,190 and *Vita* 11 is all the more noteworthy given the fact that these are the only occurrences of the term σκληραγωγέω in the Josephian corpus.

12. Interestingly, the only other individual of whom Josephus uses the above phraseology to designate as a "dream interpreter" is his namesake Joseph (see *AJ* 2,76.89), a personage likewise treated typologically by Josephus, see DAUBE, *Typology*, pp. 27-28.

13. Here Josephus affirms: "... Daniel also wrote about the empire of the Romans and that Jerusalem would be taken by them and the temple laid waste" (On the text-critical problem of the words "Jerusalem... laid waste" here, see MARCUS, *Josephus*, V, pp. 310-311, n. c). This explicit reference to the Romans goes, of course, beyond the wording of the book of Daniel itself.

fically, in *AJ* 10,268 (no Biblical parallel) Josephus states: "... whereas the other prophets foretold disasters and were for that reason in disfavour with kings and people, Daniel was a prophet of good tidings (ἀγαθῶν... προφήτης) to them...". As Daube indicates, this notice stands in tension with Josephus's account, borrowed from Daniel 5, of Daniel's word of doom for king Belshazzar (*AJ* 10,232-247). Accordingly, he concludes "It is the relationship between the author and the Flavian dynasty that inspires this [the above-cited] evaluation [of Daniel]" [14].

Again, both Josephus and Daniel appear as men of prayer at critical junctures where their lives are at risk (see *AJ* 10,198; *BJ* 3,354). The two of them likewise intervene with their respective overlords on behalf of persons who, in an identical phrase, are characterized as "excellent men" (καλοὺς καγαθοὺς) [15]. Conversely, they also attempt to infuse new hope for life into their compatriots who have resigned themselves to death in the face of a threat facing them (see *AJ* 10,201; *BJ* 3,362-382.384; 5,362-419; 6,96-110). Josephus further repeatedly adverts to his activity of "fortifying" Galilean sites in anticipation of coming conflict (see *BJ* 2,573-575; 3,61.159; *Vita* 187-188). Without Biblical warrant as such, he attributes to Daniel a like defensive initiative, i.e. the building of a "fortress" (βαρίν) in Ecbatana (see *AJ* 10,264) [16].

Also to be noted under this heading is Josephus's emphasis on the integrity of Daniel and himself. Regarding Daniel, Josephus amplifies the notice of Dan 6,4 concerning the seer's "faithfulness", qualifying him (*AJ* 10,251) as "... being superior to considerations of money and scorning any kind of gain (παντὸς λήμματος) and thinking it disgraceful to accept anything even if it were given for a proper cause...". In equivalent terms, Josephus (*Vita* 79-80) claims for himself a disinterestedness extending even to things his by right: "endeavouring... to keep clear of all bribery (παντὸς λήμματος) [17]... I scorned all presents offered to me as having no use for them; I even declined to accept... the tithes which were due me as a priest..." (see also *Vita* 419).

Noteworthy too is the sustained good fortune which Josephus claims to have attended his own and Daniel's lives. Of Daniel he avers (un-Biblically): "all things happened to him in a marvelously fortunate way (ἅπαντα... αὐτῷ παραδόξως... εὐτυχήθη)" [18], while in *Vita* 209 he reports the words of the visionary figure to himself: "That which

14. DAUBE, *Typology*, p. 28.
15. In *AJ* 10,204 the group so designated is Daniel's fellow wise men (including his own relatives), while in *Vita* 13 it is a body of Jewish priests.
16. On the possible inspiration for this item in the notice of Dan 8,2, see MARCUS, *Josephus*, V, p. 303, n. c.
17. Note that *AJ* 10,251 and *Vita* 79 are the only occurrences of the phrases παντὸς λήμματος in Josephus.
18. *AJ* 10,266. On the text-critical problem here, see MARCUS, *Josephus*, V, p. 304, n. 3.

grieves thee now will promote thee to greatness of felicity (εὐτυχέσ-τατον) in all things. Not in these present trials only, but in many besides, will fortune attend thee".

Finally, both are said to be authors of several works characterized especially by their accuracy. Daniel "wrote and left behind books" (βιβλία, *AJ* 10,267) or "writings" (γράψας, 10,269) in "which he made plain to us the accuracy (τὸ... ἀκριβές) and faithfulness to truth of his prophecies". Josephus, for his part, refers to various works he has written (see *AJ* 20,258-259; *Vita* 361.367.430; *c.A.* 1,1; 2,296), and insists on their reliability (see *BJ* 7,454-455; *AJ* 20,258.260; *Vita* 361-367)[19].

In summary, on reading of *AJ* 10,186ff. on the one hand and the "autobiographical" segments of *BJ* and *Vita* on the other discloses a range of (praiseworthy) traits and actions common to their respective heroes.

2. *Relationships*: In Josephus's presentation both he and the ancient seer stand within a web of relationships, some supportive, others antagonistic. Among such relationships, I wish to focus here on those with foreign overlords, with colleagues/rivals and with God. I begin with the first of these, since for both Daniel and Josephus the "overlord relationship" has central, pivotal significance.

For both figures the relationship with the overlord commences when the hero becomes a "captive" to him[20]. Each has his life spared by the overlord notwithstanding "offenses" of which he has been guilty, see AJ 10,259 (Darius draws Daniel who had violated his decree from the lion's den) and *BJ* 3,397-398 (Vespasian spares Josephus, his opponent at Jotapata)[21]. The two captives end up enjoying the "continuing" favor/esteem (τιμή, τιμάω) of a series of three emperors (Nebuchadnezzar, Belshazzar and Darius for Daniel, Vespasian, Titus and Domitian for Josephus)[22]. The overlords' "esteem", in turn, expresses itself in all sorts of tangible "gifts" to the pair[23]. The imperial favor to them

19. In connection with the term "books" used of Daniel by Josephus in *AJ* 10,267, MARCUS, *Josephus*, V, p. 305, n. e states that "it is not clear" why Josephus uses the plural when only one "book of Daniel" is known to us. He goes on to propose that with it Josephus may have had in view current apocryphal additions to our book, although he further admits that Josephus makes no use of the former in his version of the Daniel story. I suggest rather that Josephus's reference to Daniel's books/writings intends to further the parallelism between him and the prolific Josephus.

20. The same term, αἰχμάλωτος, is used to designate the status of Daniel (*AJ* 10,237) and Josephus (*BJ* 3,400; 6,107.626).

21. Note that Josephus uses the same term i.e. λάκκος to designate his refuge place after the fall of Jotapata (*BJ* 3,341) and Daniel's lion den (*AJ* 10,257-262).

22. For Daniel see: *AJ* 10,189.215.249.250.263.268. For Josephus see: *BJ* 3,408; *Vita* 414.422.423.428.429.

23. For Daniel see: *AJ* 10,246.249.263. For Josephus see: *BJ* 3,408; *Vita* 16.418.422-425.429.

is further manifest in the overlords' rebuffing accusations made against their favorites and punishing those who accuse them[24].

Over against their consistently benign and munificent overlords stand the unrelenting rivals and detractors of the two heroes. The machinations of these personages, according to Josephus, are motivated by "envy" and "jealousy" at the protagonists' successes (especially their standing with the overlord)[25]. Accordingly, the charges they proffer against the unimpeachable pair are invariably groundless and lead ultimately to their own condemnation[26].

The last of Daniel's and Josephus's relationships to be treated is that with God. Both are, first of all, singled out for special divine illuminations[27]. Most of all, however, God appears as their unanticipated, providential deliverer who so acts in response to their righteousness[28].

The parallelism between Daniel and Josephus thus is not simply a matter of common character traits and deeds; the lives of both are further shaped by their similar interactions with overlords, rivals and God.

CONCLUSION

In concluding this paper, I should point out that, for all their similarities, there are also differences to Josephus's portraits of himself and Daniel. Daniel is not simply a *Vorbild* of Josephus, any more than Josephus can be reduced to a "second Daniel". Josephus, e.g., highlights his own standing as a priest (*BJ* 3,352; *Vita* 2) and even more as a general (*BJ*, *Vita*, *passim*), just as he devotes some attention to his domestic history (see *BJ* 5,414–415; *Vita* 5–6.427–428). Nothing, on the contrary, is said of Daniel's being a priest, a leader in battle, or of his having a wife and children[29]. Conversely, while Josephus follows the Bible in relating a "conversion" by Daniel's pagan overlords to their captive's God (see *AJ* 10,217.263), he does not represent the Roman rulers being led by their dealings with Josephus to abandon their own

24. For Daniel see: *AJ* 10,261. For Josephus see: *BJ* 7,450; *Vita* 416.429.

25. See the remark of DAUBE, *Typology*, p. 29: "Jealousy as the impetus behind the wicked charges against Daniel and his companions is much more clearly spelled out by Josephus than the Bible".

26. For Daniel see: *AJ* 10,212.250.251.252.257. For Josephus see: *Vita* 80.84.122.189. 194.204.416.424.425.428.429.

27. For Daniel see: *AJ* 10,194.201.250.267.271.277. For Josephus see: *BJ* 3,351. 353.400; *Vita* 208.

28. For Daniel see: *AJ* 10,214.215.260.262. For Josephus see: *BJ* 3,341.391; *Vita* 83.144.301.304.425.

29. In fact, in *AJ* 10,186 Josephus, going beyond the Book of Daniel itself (see, however, Isa 39,7 = 2 Kings 20,18), insinuates that Daniel was made a eunuch by Nebuchadnezzar. See further MARCUS, *Josephus*, V, p. 261, n. c.

gods in favor of his. In addition, I am not claiming that Josephus's interest in Daniel is solely motivated by "typological" considerations. Undoubtedly, rather, Josephus utilizes the figure of Daniel to further other aims and interests, e.g., an anti-Epicurean polemic[30], the highlighting of the prophetic role in Israel's history[31], and his interest in providing Gentile corroboration of the persons and events he describes[32].

These qualifications aside, I hope, however, to have shown that it was the perception of a far-reaching kinship between himself and the ancient seer (as well as the desire to underscore the affinities between them in the minds of readers) which accounts for many features of Josephus's specific portrayal of Daniel – and of himself.

Catholic University of America   Christopher T. BEGG
Washington, DC, 20064, U.S.A.

---

30. On this point, see: W.C. VAN UNNIK, *An Attack on the Epicureans by Flavius Josephus*, in W. DEN BOER *et al.* (eds.), *Romanitas et Christianitas*. FS I.H. WASZINK, Amsterdam-London, 1973, pp. 341-355.

31. On this see: C.T. BEGG, *The "Classical Prophets" in Josephus' Antiquities*, in *LS* 13 (1988) 341-347 and L.H. FELDMAN, *Prophets and Prophecy in Josephus*, in *JTS* 41 NS (1990) 386-422.

32. See his extended citation of Berosus' testimony concerning Nebuchadnezzar which he introduces into his version of the Daniel story in *AJ* 10,219-226 and his further allusion to three other Greek historians' notices on this king in 10,227-229.

ABBREVIATIONS

AASF	Annales Academiae Scientiarum Fennicae
AB	Anchor Bible
ABAW. PH. NF	Abhandlungen der (k.) bayerischen Akademie der Wissenschaften. Philosophisch-historische Abteilung. Neue Folge
AcIran	Acta Iranica
AfO	Archiv für Orientforschung
AHw	Akkadisches Handwörterbuch, bearbeitet von W. VON SODEN
AJSL	American Journal of Semitic Languages and Literatures
ALGM	W.H. ROSCHER (ed.), Ausführliches Lexikon der griechischen und römischen Mythologie
ANEP	The Ancient Near East in Pictures Relating to the Old Testament, ed. by J.B. PRITCHARD
ANET	Ancient Near Eastern Texts Relating to the Old Testament, ed. by J.B. PRITCHARD
AnSt	Anatolian Studies
AOAT	Alter Orient und Altes Testament
AOS	American Oriental Series
AP	See CAP
APF	Archiv für Papyrusforschung
APOT	Apocrypha and Pseudepigrapha of the Old Testament in English, ed. by R.H. CHARLES
ArOr	Archiv Orientální
AS	Assyriological Studies
ASTI	Annual of the Swedish Theological Institute
ATD	Altes Testament Deutsch
ATQ	B. JONGELING, C.J. LABUSCHAGNE, A.S. VAN DER WOUDE, Aramaic Texts from Qumran I
ATS	Arbeiten zu Text und Sprache im Alten Testament
AThANT	Abhandlungen zur Theologie des Alten und Neuen Testaments
AUSS	Andrews University Seminary Studies
BBB	Bonner Biblische Beiträge
BA	The Biblical Archaeologist
BagM	Baghdader Mitteilungen
BASOR	Bulletin of the American Schools of Oriental Research
BETL	Bibliotheca Ephemeridum Theologicarum Lovaniensium
BHS	Biblia Hebraica Stuttgartensia
BHT	Beiträge zur historischen Theologie
BiKi	Bibel und Kirche
BiOr	Bibliotheca Orientalis
BJS	Brown Judaic Studies
BK(AT)	Biblischer Kommentar. Altes Testament
BOT	De boeken van het Oude Testament
BL(e)a	H. BAUER - P. LEANDER, Grammatik des Biblisch-Aramäischen
BLS	Bible and Literature Series

BN	Biblische Notizen
BThSt	Biblisch-theologische Studien
BZ	Biblische Zeitschrift
BZAW	Beiheft zur Zeitschrift für die alttestamentliche Wissenschaft
CAP	A. COWLEY, Aramaic Papyri of the Fifth Century B.C.
CAT	Commentaire de l'Ancien Testament
CB	Coniectanea Biblica
CBQ	Catholic Biblical Quarterly
CBQMS	Catholic Biblical Quarterly Monograph Series
CEg	Chronique d'Égypte
COT	Commentaar op het Oude Testament
CRI	Compendia Rerum Iudaicarum ad Novum Testamentum
CRRAI	Compte-rendu de la rencontre assyriologique internationale
CTA	A. HERDNER, Corpus des tablettes en cunéiformes alphabétiques découvertes à Ras Shamra-Ugarit de 1929-1939
CuW	Christentum und Wissenschaft
DAWW	Denkschriften der (kaiserlichen) Akademie der Wissenschaften in Wien
DISO	C.-F. JEAN - J. HOFTIJZER, Dictionnaire des inscriptions sémitiques de l'ouest
EdF	Erträge der Forschung
EHS	Europäische Hochschulschriften. Reihe 23: Theologie
EI	Ereṣ Isra'el
E.T.	English translation
ETL	Ephemerides Theologicae Lovanienses
EvTh	Evangelische Theologie
FAT	Forschung am Alten Testament
FOTL	The Forms of Old Testament Literature
FRLANT	Forschungen zur Religion und Literatur des Alten und Neuen Testaments
FzB	Forschung zur Bibel
FZPhTh	Freiburger Zeitschrift für Philosophie und Theologie
GB	W. GESENIUS - F. BUHL, Hebräisches und Aramäisches Handwörterbuch über das Alte Testament
GCS	Die griechischen christlichen Schriftsteller der ersten drei Jahrhunderte
GHAT	Göttinger Handkommentar zum Alten Testament
HAL	Hebräisches und Aramäisches Lexikon zum Alten Testament von L. KOEHLER und W. BAUMGARTNER, neu bearbeitet von W. BAUMGARTNER
HAT	Handbuch zum Alten Testament
Hist	Historia
HMS	Harvard Monograph Series
HNT	Handbuch zum Neuen Testament
HSM	Harvard Semitic Monographs
HSS(t)	Harvard Semitic Studies
HTR	Harvard Theological Review
HUCA	Hebrew Union College Annual
ICC	The International Critical Commentary

IEJ	Israel Exploration Journal
Interp	Interpretation
IOS	Israel Oriental Studies
IThQ	Irish Theological Quarterly
JANES	Journal of the Ancient Near Eastern Society, Columbia University
JAOS	Journal of the American Oriental Society
JBL	Journal of Biblical Literature
JBTh	Jahrbuch für biblische Theologie
JCS	Journal of Cuneiform Studies
JJS	Journal of Jewish Studies
JNES	Journal of Near Eastern Studies
JPTH	Jahrbücher für protestantische Theologie
JSHRZ	Jüdische Schriften aus hellenistisch-römischer Zeit
JSOT	Journal for the Study of the Old Testament
JSOT SS	Journal for the Study of the Old Testament Supplement Series
JSS	Journal of Semitic Studies
JT(h)S	Journal of Theological Studies
KAI	Kanaanäische und Aramäische Inschriften, ed. by H. DONNER - W. RÖLLIG
KAT	Kommentar zum Alten Testament
KBL	L. KOEHLER - W. BAUMGARTNER, Lexicon in Veteris Testamenti Libros
KHC(AT)	Kurzer Handkommentar zum Alten Testament
LAPO	Littératures anciennes du Proche Orient
LLA	E. VOGT, Lexicon Linguae Aramaicae Veteris Testamenti
MAB L	Mémoires de l'académie royale de Belgique. Classe des lettres
MH	Museum Helveticum
MSU	Mitteilungen des Septuaginta-Unternehmens
NCBC	New Century Bible Commentary
NRT	Nouvelle Revue Théologique
NTS	New Testament Studies
NTT	Norsk Teologisk Tidsskrift
OBO	Orbis Biblicus et Orientalis
OGiS	W. DITTENBERGER (ed.), Orientis Graeci Inscriptiones Selectae
OMRO	Oudheidkundige mededelingen uit het Rijksmuseum van oudheden te Leiden
Or NS	Orientalia. New Series
OTL	Old Testament Library
OTS	Oudtestamentische Studiën
Phil	Philologus
PKG	Propyläen Kunstgeschichte
PRE	A. PAULY, G. WISSOWA e.a. (eds.), Real-Encyclopädie der klassischen Altertumswissenschaft
PTA	Papyrologische Texte und Abhandlungen
QD	Quaestiones disputatae
RA	Revue d'assyrologie et d'archéologie orientale
RAC	Reallexicon für Antike und Christentum
RÄRG	H. BONNET, Reallexikon der ägyptischen Religionsgeschichte

RB	Revue Biblique
RQ	Revue de Qumrân
RSR	Recherches de science religieuse
RSV	Religiöse Stimmen der Völker
RTL	Revue Théologique de Louvain
SANT	Studien zum Alten und Neuen Testament
SAWL	Sitzungsberichte der Sächsischen Akademie der Wissenschaften zu Leipzig
SB(i)	Sources Bibliques
SBM	Stuttgarter Biblische Monographien
SBS	Stuttgarter Bibelstudien
SJ	Studia Judaica
StUNT	Studien zur Umwelt des Neuen Testaments
SVT	See VTSuppl
TB	Theologische Bücherei
TDOT	Theological Dictionary on the Old Testament, ed. G. BOTTERWECK e.a.
TDNT	Theological Dictionary on the New Testament
TEH	Theologische Existenz heute
THAT	Theologisches Handwörterbuch zum Alten Testament
ThBeitr	Theologische Beiträge
ThR	Theologische Rundschau
ThSt	Theologische Studien
ThStKr	Theologische Studien und Kritiken
ThW	Theologische Wissenschaft
ThWAT	Theologisches Wörterbuch zum Alten Testament
ThWNT	Theologisches Wörterbuch zum Neuen Testament
ThQ	Theologische Quartalschrift
ThZ	Theologische Zeitschrift
TLZ	Theologische Literaturzeitung
TM	Textus masoreticus
TRE	Theologische Realenzyklopädie
T(r)ThSt	Trierer Theologische Studien
TThZ	Trierer Theologische Zeitschrift
TUAT	Texte aus der Umwelt des Alten Testaments
TynB	Tyndale Bulletin
UA	Uppsala Universitets Årsbok
UF	Ugarit Forschungen
VAB	Vorderasiatische Bibliothek
VF	Verkündigung und Forschung
VT	Vetus Testamentum
VTS(uppl)	Supplement to Vetus Testamentum
WBC	Word Bible Commentary
WdF	Wege der Forschung
WMANT	Wissenschaftliche Monographien zum Alten und Neuen Testament
WO	Welt des Orients
WUNT	Wissenschaftliche Untersuchungen zum Neuen Testament
YNER	Yale Near Eastern Researches

YOS	Yale Oriental Series
ZA	Zeitschrift für Assyriologie
ZAW	Zeitschrift für die alttestamentliche Wissenschaft
ZB(K) AT	Zürcher Bibelkommentare. Altes Testament.
ZDPV	Zeitschrift des Deutschen Palästina-Vereins
ZPE	Zeitschrift für Papyrologie und Epigraphik
ZThK	Zeitschrift für Theologie und Kirche

INDEX OF AUTHORS

INDEX OF BIBLICAL REFERENCES

BIBLIOTHECA EPHEMERIDUM THEOLOGICARUM LOVANIENSIUM

LEUVEN UNIVERSITY PRESS / UITGEVERIJ PEETERS LEUVEN

SERIES I

* = Out of print

*1. *Miscellanea dogmatica in honorem Eximii Domini J. Bittremieux*, 1947.

*2-3. *Miscellanea moralia in honorem Eximii Domini A. Janssen*, 1948.

*4. G. PHILIPS, *La grâce des justes de l'Ancien Testament*, 1948.

*5. G. PHILIPS, *De ratione instituendi tractatum de gratia nostrae sanctificationis*, 1953.

6-7. *Recueil Lucien Cerfaux. Études d'exégèse et d'histoire religieuse*, 1954. 504 et 577 p. FB 1000 par tome. Cf. *infra*, n°s 18 et 71 (t. III).

8. G. THILS, *Histoire doctrinale du mouvement œcuménique*, 1955. Nouvelle édition, 1963. 338 p. FB 135.

*9. *Études sur l'Immaculée Conception*, 1955.

*10. J.A. O'DONOHOE, *Tridentine Seminary Legislation*, 1957.

*11. G. THILS, *Orientations de la théologie*, 1958.

*12-13. J. COPPENS, A. DESCAMPS, É. MASSAUX (ed.), *Sacra Pagina. Miscellanea Biblica Congressus Internationalis Catholici de Re Biblica*, 1959.

*14. *Adrien VI, le premier Pape de la contre-réforme*, 1959.

*15. F. CLAEYS BOUUAERT, *Les déclarations et serments imposés par la loi civile aux membres du clergé belge sous le Directoire (1795-1801)*, 1960.

*16. G. THILS, *La «Théologie œcuménique». Notion-Formes-Démarches*, 1960.

17. G. THILS, *Primauté pontificale et prérogatives épiscopales. «Potestas ordinaria» au Concile du Vatican*, 1961. 103 p. FB 50.

*18. *Recueil Lucien Cerfaux*, t. III, 1962. Cf. *infra*, n° 71.

*19. *Foi et réflexion philosophique. Mélanges F. Grégoire*, 1961.

*20. *Mélanges G. Ryckmans*, 1963.

21. G. THILS, *L'infaillibilité du peuple chrétien «in credendo»*, 1963. 67 p. FB 50.

*22. J. FÉRIN & L. JANSSENS, *Progestogènes et morale conjugale*, 1963.

*23. *Collectanea Moralia in honorem Eximii Domini A. Janssen*, 1964.

24. H. CAZELLES (ed.), *De Mari à Qumrân. L'Ancien Testament. Son milieu. Ses Écrits. Ses relectures juives* (Hommage J. Coppens, I), 1969. 158*-370 p. FB 900.

*25. I. DE LA POTTERIE (ed.), *De Jésus aux évangiles. Tradition et rédaction dans les évangiles synoptiques* (Hommage J. Coppens, II), 1967.

26. G. THILS & R.E. BROWN (ed.), *Exégèse et théologie* (Hommage J. Coppens, III), 1968. 328 p. FB 700.

27. J. COPPENS (ed.), *Ecclesia a Spiritu sancto edocta. Hommage à Mgr G. Philips*, 1970. 640 p. FB 1000.

28. J. COPPENS (ed.), *Sacerdoce et célibat. Études historiques et théologiques*, 1971. 740 p. FB 700.

29. M. DIDIER (ed.), *L'évangile selon Matthieu. Rédaction et théologie*, 1972. 432 p. FB 1000.
*30. J. KEMPENEERS, *Le Cardinal van Roey en son temps*, 1971.

SERIES II

31. F. NEIRYNCK, *Duality in Mark. Contributions to the Study of the Markan Redaction*, 1972. Revised edition with Supplementary Notes, 1988. 252 p. FB 1200.
32. F. NEIRYNCK (ed.), *L'évangile de Luc. Problèmes littéraires et théologiques*, 1973. *L'évangile de Luc – The Gospel of Luke*. Revised and enlarged edition, 1989. x-590 p. FB 2200.
33. C. BREKELMANS (ed.), *Questions disputées d'Ancien Testament. Méthode et théologie*, 1974. *Continuing Questions in Old Testament Method and Theology*. Revised and enlarged edition by M. VERVENNE, 1989. 245 p. FB 1200.
34. M. SABBE (ed.), *L'évangile selon Marc. Tradition et rédaction*, 1974. Nouvelle édition augmentée, 1988. 601 p. FB 2400.
35. B. WILLAERT (ed.), *Philosophie de la religion – Godsdienstfilosofie. Miscellanea Albert Dondeyne*, 1974. Nouvelle édition, 1987. 458 p. FB 1600.
36. G. PHILIPS, *L'union personnelle avec le Dieu vivant. Essai sur l'origine et le sens de la grâce créée*, 1974. Édition révisée, 1989. 299 p. FB 1000.
37. F. NEIRYNCK, in collaboration with T. HANSEN and F. VAN SEGBROECK, *The Minor Agreements of Matthew and Luke against Mark with a Cumulative List*, 1974. 330 p. FB 900.
38. J. COPPENS, *Le messianisme et sa relève prophétique. Les anticipations vétérotestamentaires. Leur accomplissement en Jésus*, 1974. Édition révisée, 1989. XIII-265 p. FB 1000.
39. D. SENIOR, *The Passion Narrative according to Matthew. A Redactional Study*, 1975. New impression, 1982. 440 p. FB 1000.
40. J. DUPONT (ed.), *Jésus aux origines de la christologie*, 1975. Nouvelle édition augmentée, 1989. 458 p. FB 1500.
41. J. COPPENS (ed.), *La notion biblique de Dieu*, 1976. Réimpression, 1985. 519 p. FB 1600.
42. J. LINDEMANS & H. DEMEESTER (ed.), *Liber Amicorum Monseigneur W. Onclin*, 1976. XXII-396 p. FB 1000.
43. R.E. HOECKMAN (ed.), *Pluralisme et œcuménisme en recherches théologiques. Mélanges offerts au R.P. Dockx, O.P.*, 1976. 316 p. FB 1000.
44. M. DE JONGE (ed.), *L'Évangile de Jean. Sources, rédaction, théologie*, 1977. Réimpression, 1987. 416 p. FB 1500.
45. E.J.M. VAN EIJL (ed.), *Facultas S. Theologiae Lovaniensis 1432-1797. Bijdragen tot haar geschiedenis. Contributions to its History. Contributions à son histoire*, 1977. 570 p. FB 1700.
46. M. DELCOR (ed.), *Qumrân. Sa piété, sa théologie et son milieu*, 1978. 432 p. FB 1700.
47. M. CAUDRON (ed.), *Faith and Society. Foi et Société. Geloof en maatschappij. Acta Congressus Internationalis Theologici Lovaniensis 1976*, 1978. 304 p. FB 1150.

48. J. KREMER (ed.), *Les Actes des Apôtres. Traditions, rédaction, théologie*, 1979. 590 p. FB 1700.

49. F. NEIRYNCK, avec la collaboration de J. DELOBEL, T. SNOY, G. VAN BELLE, F. VAN SEGBROECK, *Jean et les Synoptiques. Examen critique de l'exégèse de M.-É. Boismard*, 1979. XII-428 p. FB 1400.

50. J. COPPENS , *La relève apocalyptique du messianisme royal. I. La royauté – Le règne – Le royaume de Dieu. Cadre de la relève apocalyptique*, 1979. 325 p. FB 1000.

51. M. GILBERT (ed.), *La Sagesse de l'Ancien Testament*, 1979. Nouvelle édition mise à jour, 1990. 455 p. FB 1500.

52. B. DEHANDSCHUTTER, *Martyrium Polycarpi. Een literair-kritische studie*, 1979. 296 p. FB 1000.

53. J. LAMBRECHT (ed.), *L'Apocalypse johannique et l'Apocalyptique dans le Nouveau Testament*, 1980. 458 p. FB 1400.

54. P.-M. BOGAERT (ed.), *Le Livre de Jérémie. Le prophète et son milieu. Les oracles et leur transmission*, 1981. 408 p. FB 1500.

55. J. COPPENS, *La relève apocalyptique du messianisme royal. III. Le Fils de l'homme néotestamentaire*, 1981. XIV-192 p. FB 800.

56. J. VAN BAVEL & M. SCHRAMA (ed.), *Jansénius et le Jansénisme dans les Pays-Bas. Mélanges Lucien Ceyssens*, 1982. 247 p. FB 1000.

57. J.H. WALGRAVE, *Selected Writings – Thematische geschriften. Thomas Aquinas, J.H. Newman, Theologia Fundamentalis*. Edited by G. DE SCHRIJVER & J.J. KELLY, 1982. XLIII-425 p. FB 1400.

58. F. NEIRYNCK & F. VAN SEGBROECK, avec la collaboration de E. MANNING, *Ephemerides Theologicae Lovanienses 1924-1981. Tables générales. (Bibliotheca Ephemeridum Theologicarum Lovaniensium 1947-1981)*, 1982. 400 p. FB 1600.

59. J. DELOBEL (ed.), *Logia. Les paroles de Jésus – The Sayings of Jesus. Mémorial Joseph Coppens*, 1982. 647 p. FB 2000.

60. F. NEIRYNCK, *Evangelica. Gospel Studies – Études d'évangile. Collected Essays*. Edited by F. VAN SEGBROECK, 1982. XIX-1036 p. FB 2000.

61. J. COPPENS, *La relève apocalyptique du messianisme royal. II. Le Fils d'homme vétéro- et intertestamentaire*. Édition posthume par J. LUST, 1983. XVII-272 p. FB 1000.

62. J.J. KELLY, *Baron Friedrich von Hügel's Philosophy of Religion*, 1983. 232 p. FB 1500.

63. G. DE SCHRIJVER, *Le merveilleux accord de l'homme et de Dieu. Étude de l'analogie de l'être chez Hans Urs von Balthasar*, 1983. 344 p. FB 1500.

64. J. GROOTAERS & J.A. SELLING, *The 1980 Synod of Bishops: «On the Role of the Family». An Exposition of the Event and an Analysis of its Texts*. Preface by Prof. emeritus L. JANSSENS, 1983. 375 p. FB 1500.

65. F. NEIRYNCK & F. VAN SEGBROECK, *New Testament Vocabulary. A Companion Volume to the Concordance*, 1984. XVI-494 p. FB 2000.

66. R.F. COLLINS, *Studies on the First Letter to the Thessalonians*, 1984. XI-415 p. FB 1500.

67. A. PLUMMER, *Conversations with Dr. Döllinger 1870-1890*. Edited with Introduction and Notes by R. BOUDENS, with the collaboration of L. KENIS, 1985. LIV-360 p. FB 1800.

68. N. LOHFINK (ed.), *Das Deuteronomium. Entstehung, Gestalt und Botschaft / Deuteronomy: Origin, Form and Message*, 1985. XI-382 p. FB 2000.

69. P.F. FRANSEN, *Hermeneutics of the Councils and Other Studies*. Collected by H.E. MERTENS & F. DE GRAEVE, 1985. 543 p. FB 1800.

70. J. DUPONT, *Études sur les Évangiles synoptiques*. Présentées par F. NEIRYNCK, 1985. 2 tomes, XXI-IX-1210 p. FB 2800.

71. *Recueil Lucien Cerfaux*, t. III, 1962. Nouvelle édition revue et complétée, 1985. LXXX-458 p. FB 1600.

72. J. GROOTAERS, *Primauté et collégialité. Le dossier de Gérard Philips sur la Nota Explicativa Praevia (Lumen gentium, Chap. III)*. Présenté avec introduction historique, annotations et annexes. Préface de G. THILS, 1986. 222 p. FB 1000.

73. A. VANHOYE (ed.), *L'apôtre Paul. Personnalité, style et conception du ministère*, 1986. XIII-470 p. FB 2600.

74. J. LUST (ed.), *Ezekiel and His Book. Textual and Literary Criticism and their Interrelation*, 1986. X-387 p. FB 2700.

75. É. MASSAUX, *Influence de l'Évangile de saint Matthieu sur la littérature chrétienne avant saint Irénée*. Réimpression anastatique présentée par F. NEIRYNCK. *Supplément: Bibliographie 1950-1985*, par B. DEHAND-SCHUTTER, 1986. XXVII-850 p. FB 2500.

76. L. CEYSSENS & J.A.G. TANS, *Autour de l'Unigenitus. Recherches sur la genèse de la Constitution*, 1987. XXVI-845 p. FB 2500.

77. A. DESCAMPS, *Jésus et l'Église. Études d'exégèse et de théologie*. Préface de Mgr A. HOUSSIAU, 1987. XLV-641 p. FB 2500.

78. J. DUPLACY, *Études de critique textuelle du Nouveau Testament*. Présentées par J. DELOBEL, 1987. XXVII-431 p. FB 1800.

79. E.J.M. VAN EIJL (ed.), *L'image de C. Jansénius jusqu'à la fin du XVIIIe siècle*, 1987. 258 p. FB 1250.

80. E. BRITO, *La Création selon Schelling. Universum*, 1987. XXXV-646 p. FB 2980.

81. J. VERMEYLEN (ed.), *The Book of Isaiah – Le Livre d'Isaïe. Les oracles et leurs relectures. Unité et complexité de l'ouvrage*, 1989. X-472 p. FB 2700.

82. G. VAN BELLE, *Johannine Bibliography 1966-1985. A Cumulative Bibliography on the Fourth Gospel*, 1988. XVII-563 p. FB 2700.

83. J.A. SELLING (ed.), *Personalist Morals. Essays in Honor of Professor Louis Janssens*, 1988. VIII-344 p. FB 1200.

84. M.-É. BOISMARD, *Moïse ou Jésus. Essai de christologie johannique*, 1988. XVI-241 p. FB 1000.

85. J.A. DICK, *The Malines Conversations Revisited*, 1989. 278 p. FB 1500.

86. J.-M. SEVRIN (ed.), *The New Testament in Early Christianity – La réception des écrits néotestamentaires dans le christianisme primitif*, 1989. XVI-406 p. FB 2500.

87. R.F. COLLINS (ed.), *The Thessalonian Correspondence*, 1990. XV-546 p. FB 3000.

88. F. VAN SEGBROECK, *The Gospel of Luke. A Cumulative Bibliography 1973-1988*, 1989. 241 p. FB 1200.

89. G. THILS, *Primauté et infaillibilité du Pontife Romain à Vatican I et autres études d'ecclésiologie*, 1989. XI-422 p. FB 1850.

90. A. VERGOTE, *Explorations de l'espace théologique. Études de théologie et de philosophie de la religion*, 1990. XVI-709 p. FB 2000.
91. J.C. DE MOOR, *The Rise of Yahwism: The Roots of Israelite Monotheism*, 1990. XII-315 p. FB 1250.
92. B. BRUNING, M. LAMBERIGTS & J. VAN HOUTEM (eds.), *Collectanea Augustiniana. Mélanges T.J. van Bavel*, 1990. 2 tomes, XXXVIII-VIII-1074 p. FB 3000.
93. A. DE HALLEUX, *Patrologie et œcuménisme. Recueil d'études*, 1990. XVI-887 p. FB 3000.
94. C. BREKELMANS & J. LUST (eds.), *Pentateuchal and Deuteronomistic Studies: Papers Read at the XIIIth IOSOT Congress Leuven 1989*, 1990. 307 p. FB 1500.
95. D.L. DUNGAN (ed.), *The Interrelations of the Gospels. A Symposium Led by M.-É. Boismard – W.R. Farmer – F. Neirynck, Jerusalem 1984*, 1990. XXXI-672 p. FB 3000.
96. G.D. KILPATRICK, *The Principles and Practice of New Testament Textual Criticism. Collected Essays.* Edited by J.K. ELLIOTT, 1990. XXXVIII-489 p. FB 3000.
97. G. ALBERIGO (ed.), *Christian Unity. The Council of Ferrara-Florence: 1438/39 – 1989*, 1991. X-681 p. FB 3000.
98. M. SABBE, *Studia Neotestamentica. Collected Essays*, 1991. XVI-573 p. FB 2000.
99. F. NEIRYNCK, *Evangelica II: 1982-1991. Collected Essays.* Edited by F. VAN SEGBROECK, 1991. XIX-874 p. FB 2800.
100. F. VAN SEGBROECK, C.M. TUCKETT, G. VAN BELLE & J. VERHEYDEN (eds.), *The Four Gospels 1992. Festschrift Frans Neirynck*, 1992. 3 volumes, XVII-X-X-2668 p. FB 5000.

SERIES III

101. A. DENAUX (ed.), *John and the Synoptics*, 1992. XXII-696 p. FB 3000.
102. F. NEIRYNCK, J. VERHEYDEN, F. VAN SEGBROECK, G. VAN OYEN & R. CORSTJENS, *The Gospel of Mark. A Cumulative Bibliography: 1950-1990*, 1992. XII-717 p. FB 2700.
103. M. SIMON, *Un catéchisme universel pour l'Église catholique. Du Concile de Trente à nos jours*, 1992. XIV-461 p. FB 2200.
104. L. CEYSSENS, *Le sort de la bulle Unigenitus. Recueil d'études offert à Lucien Ceyssens à l'occasion de son 90ᵉ anniversaire.* Présenté par M. LAMBERIGTS, 1992. XXVI-641 p. FB 2000.
105. R.J. DALY (ed.), *Origeniana Quinta. Papers of the 5th International Origen Congress, Boston College, 14-18 August 1989*, 1992. XVII-635 p. FB 2700.
106. A.S. VAN DER WOUDE (ed.), *The Book of Daniel in the Light of New Findings*, 1993. XVIII-574 p. FB 3000.
107. J. FAMERÉE, *L'ecclésiologie d'Yves Congar avant Vatican II: Histoire et Église. Analyse et reprise critique*, 1992. 497 p. FB 2600.

ORIENTALISTE, P.B. 41, B-3000 Leuven

The Book of Daniel in the
light of new findings